O PREÇO DA DESTRUIÇÃO

ADAM TOOZE

O PREÇO DA DESTRUIÇÃO

CONSTRUÇÃO E RUÍNA DA ECONOMIA ALEMÃ

Tradução de
SÉRGIO DUARTE

Revisão técnica de
MAURÍCIO PARADA

1ª edição

EDITORA RECORD
RIO DE JANEIRO • SÃO PAULO
2013

CIP-BRASIL. CATALOGAÇÃO NA FONTE
SINDICATO NACIONAL DOS EDITORES DE LIVROS, RJ

T632p Tooze, J. Adam
O preço da destruição: construção e ruína da economia alemã / Adam Tooze ; tradução Sérgio Duarte. – Rio de Janeiro : Record, 2013.

Tradução de: The wages of destruction
Apêndice
ISBN 978-85-01-08001-1

1. Guerra Mundial, 1939-1945 – Aspectos econômicos – Alemanha. 2. Alemanha – Condições econômicas – 1918-1945. I. Título.

12-0118. CDD: 330.943086
CDU: 330(430)(09)

Texto revisado segundo o novo Acordo Ortográfico da Língua Portuguesa.

Título original em inglês:
The wages of destruction

Direitos exclusivos de publicação em língua portuguesa para o Brasil adquiridos pela
EDITORA RECORD LTDA.
Rua Argentina 171 – 20921-380 – Rio de Janeiro, RJ – Tel.: 2585-2000
que se reserva a propriedade literária desta tradução

Impresso no Brasil

ISBN 978-85-01-08001-1

Dedico este livro a meus avós
Peggy e Arthur Wynn
com minha gratidão pelos exemplos que sempre me deram

Sumário

Lista de gráficos

Lista de tabelas

Agradecimentos

QUATRO PESSOAS ME FIZERAM ESCREVER ESTE LIVRO. Na primavera de 2000 Richard Overy me avisou que a Penguin precisava de alguém disposto a aceitar este projeto. Simon Winder concordou em vir a Cambridge para uma primeira conversa. John Cornwell me pôs em contato com Clare Alexander e leu um primeiro rascunho do projeto. Clare finalizou as condições do acordo. Devo muito a todos eles. Embora Richard, especialmente, possa não estar de acordo com todas as conclusões contidas no livro, espero mesmo assim que a entrega do manuscrito terminado consiga justificar a confiança que todos eles depositaram em mim.

Desde 1996, dificilmente, passou um só dia em que eu não tenha me sentido profundamente feliz por trabalhar na Universidade de Cambridge e no Jesus College. Esse é um dos lugares do mundo no qual a vida acadêmica ainda é puro prazer. Agradeço à universidade, a seus bibliotecários, aos colegas do corpo docente, ao programa de mestrado e a meus companheiros da diretoria do Jesus College por me proporcionarem um lugar tão maravilhoso para trabalhar e conceder-me dois períodos de licença para que eu pudesse me concentrar na preparação do livro. Sem o auxílio e compreensão de professores e alunos da faculdade, não teria sido possível esta realização.

Em 2002, tive a felicidade de receber o Prêmio Leverhulme de história moderna. Sou profundamente grato aos administradores por me proporcionarem esse apoio e por todas as vantagens que ele me trouxe. Martin Danton foi quem sugeriu meu nome e agradeço a ele por isso e, em geral, por sua ajuda profissional entusiástica.

Um tanto inesperadamente, passei boa parte do ano acadêmico 2004-5 na Universidade de Illinois, acompanhando minha esposa que participava de atividades docentes. Em um estágio crítico da preparação do manuscrito, devo confessar que a ideia de viajar me encheu de algo parecido com terror. Felizmente, graças às inigualáveis atividades de organização de Becky, esses temores se revelaram completamente infundados. É difícil imaginar um ambiente acadêmico mais propício à produtividade tranquila. Desejo agradecer ao corpo docente de história da Universidade de Illinois e à extraordinária biblioteca pela hospitalidade. Peter Fritzsche, diretor do corpo docente, facilitou minha estadia e assegurou-me um escritório para trabalhar. Marc Micale e Tamara Matheson me acolheram generosamente em seus gabinetes. Sou grato a Max Edelson e Mark Leff pelo companheirismo e estímulo intelectual. Kathy Cebula proporcionou valiosa ajuda na edição. Mais do que tudo, no entanto, quero agradecer aos incomparáveis amigos Craig Koslofsky e Dana Rabin e seus maravilhosos filhos Jonah e Evie, sem os quais nossa estadia em Urbana teria sido impossível tanto do ponto de vista prático quanto emocional.

Graças ao e-mail, nossa longa permanência no meio-oeste não interrompeu um processo constante de debate com amigos e colegas na Grã-Bretanha, França e Alemanha. Ao longo dos últimos anos, trabalhei em estreita coordenação com Bernhard Fulda, que foi a primeira pessoa a ler integralmente o manuscrito e a proporcionar-me valioso estímulo e informação. Seu apoio foi crucial para sustentar a evolução de minhas ideias ao longo de 2003 e 2004. No início de 2005, experimentei a imensa sorte de ter David Reynolds como leitor. Não é demasiado afirmar que David é o leitor ideal — rápido, eficiente, altamente competente e crítico construtivo. Seus comentários foram importantíssimos para dar forma ao livro. Martin Ivanov (Academia de Ciências, Sofia) foi o terceiro colega a ler o manuscrito inteiro. Sou extremamente agradecido por suas críticas penetrantes e fiquei muito contente com a nossa colaboração mútua durante os últimos dois anos. Também quero agradecer a Matt Inniss por reservar algum tempo em suas atividades no Tesouro de Sua Majestade para ler o manuscrito e proporcionar-me estimulantes visões do mundo que existe além da vida acadêmica.

Entre outros amigos e colegas que leram partes substanciais do manuscrito estão Francesca Carnevali, Chris Clark, Deborah Cohen, Becky Conekin,

Joe Maiolo, Ralf Richter, Cristiano Ristuccia, Jonas Scherner e Zara Steiner. Sou muito grato a todos eles.

Um dos grandes prazeres durante a realização deste projeto foi a oportunidade de diálogo com colegas na Alemanha. Pelas conversas, informações e ajuda para obtenção de material desse país sou imensamente grato a Ralf Banken, Knut Borchardt, Christoph Buchheim, Michael Ebi, Emanuel Heisenberg, Ulrich Hensler, Jan Otmar Hesse, Rolf-Dieter Mueller, Werner Plumpe, Alfred Reckendrees, Albrecht Ritschl, Michael Schneider, Mark Spoerer, Sybille Steinbacher e Jochen Streb. Dezenas de notas no fim do livro testemunham meu débito para com esses pesquisadores. O contato pessoal em conferências, correspondência e e-mail somente fez aumentar minha dívida.

Desejo agradecer, especialmente, a Deborah Cohen pela ajuda na obtenção de material absolutamente inestimável da Biblioteca do Congresso, em Washington.

Durante os últimos cinco anos, vários elementos da argumentação apresentada neste livro foram pacientemente ouvidos e debatidos por participantes de seminários em Cambridge, Coventry, Frankfurt, Manchester, Mannheim, Munique, Oxford, Paris, Filadélfia, Sofia e Urbana-Champaign. Sou, particularmente, agradecido pelos comentários de Theo Balderston, Jeffrey Fear, Peter Fritzsche, Mark Harrison, Craig Koslofsky, Alan Milward, Avner Offer, Dan Raff, Nick Stargardt e Jonathan Steinberg.

Como todos os historiadores que estudam a Alemanha, tenho uma grande dívida para com os funcionários de várias repartições do Bundesarchiv. Também quero agradecer aos que trabalham na repartição de Arquivos Públicos em Kew e no Museu Imperial de Guerra, especialmente, Stephen Walton, um dos melhores arquivistas de história que já encontrei.

Pela hospitalidade durante as visitas aos arquivos, quero agradecer a meu velho amigo Jakob Vogel e amigos antigos e novos no colorido mosaico da casa de Brigitte Vogel e Martin Janotta. Entre outros velhos amigos em Berlim, sou especialmente grato a Daniel Haeufler por me haver proporcionado uma repentina e inesperada aura de publicidade no debate Aly-Tooze nas páginas de crítica da TAZ.

Simon Winder mostrou ser um editor infalivelmente constante, estimulando-me nos momentos adequados. Assim como muitos de meus colegas, tenho uma enorme dívida para com ele. Gostaria de agradecer não apenas a ele, mas também a todos os demais funcionários da Penguin, especialmente,

Chloe Campbell, por facilitar a preparação deste livro. Também quero agradecer de coração a Elizabeth Stratford, minha meticulosa e admiravelmente paciente copidesque. Para responder às numerosas perguntas e comentários de Elizabeth tive a inestimável assistência de Rosanna Sharkey, sem a sua ajuda, tanto no computador quanto em casa, teria sido difícil sobreviver ao período Michaelmas de 2005.

A vida seria impensável sem minha mulher, Becky Conekin. Sou imensamente grato a ela por apoiar-me durante um tempo que já é bastante longo. A percepção de minha personalidade adulta está enraizada de forma tão profunda em nosso relacionamento e na nossa parceria cotidiana que não posso imaginar um livro tão abrangente e tão pessoalmente significativo como este, senão como parte de um universo mais amplo do qual ela é o centro de sustentação. Sou profundamente grato por isso e alegro-me porque este livro não existe por si só, e sim está rodeado por muitas outras coisas em nossas vidas — o primeiro livro de Becky e muitos outros projetos, nossa nova casa e acima de tudo a criação de nossa filha, Edith Elizabeth, que ilumina a vida dos dois. Como pré-escolar maravilhosamente voluntariosa, Edie demonstra um saudável ceticismo a respeito de todas as obsessões do pai. Somente podemos esperar que a geração dela esteja mais livre desta terrível história do que os que nasceram em décadas mais próximas de 1945. Costumo, no entanto, olhar o passado e dedico este livro a meus avós maternos, Peggy Wynn e o falecido Arthur Wynn, duas pessoas que viveram praticamente ao longo de todo o século XX com extraordinário grau de engajamento constante e apaixonado. Sua generosidade, hospitalidade, curiosidade e vigorosa atividade intelectual e prática me inspiraram durante a vida inteira. Essa dedicatória é um pequeno símbolo da admiração e gratidão que sinto por eles.

Lista de abreviaturas frequentes

AEG	Allgemeine Elektrizitäts Gesellschaft
BAL	Bundesarchiv Lichterfelde
BDM	Bund deutscher Mädel
Brabag	Braunkohlenbenzin AG
DAF	Deutsche Arbeitsfront (Frente Trabalhista Alemã)
DKE	Deutsche Kleinempfänger
DNVP	Deutschnationale Volkspartei (Partido Nacionalista)
DP	pessoa deslocada
DVP	Deutsche Volkspartei (Partido Nacional-Liberal)
GBA	Generalbevollmaechtigter für den Arbeitseinsatz
GM	General Motors
IMT	Tribunal Militar Internacional
Kdf	Kraft durch Freude (Força através da Alegria)
NSDAP	Nazional sozialistische deutsche Arbeiterpartei
OKW	Oberkommando Wehrmacht
PPP	Paridade de Poder de Compra
RFM	Reichsfinanzministerium (Ministério das Finanças)
RKF	Reichskommissar für die Festigung deutschen Volkstums
RLM	Reichsluftfahrtministerium (Ministério da Aeronáutica)
RNS	Reichsnährstand
RSHA	Reichssicherheitshauptamt
RVE	Reichsvereinigung Eisen
RWE	Rheinisch-Westfälische Elektrizitätswerke

RWM	Reichswirtschaftsministerium (Ministério de Assuntos Econômicos)
SA	Sturmabteilungen
SD	Sicherheitsdienst
VE	Volksempfänger
Vestag	Vereinigte Stahlwerke

Prefácio

Como terá sido possível? Em 1938, o Terceiro Reich iniciou a segunda campanha de conquista e destruição empreendida pela Alemanha em menos de uma geração. No princípio, parecia impossível deter a Wehrmacht de Hitler, mais bem preparada e mais agressiva do que os exércitos do kaiser. Mas, à medida que a Alemanha conquistava vitória após vitória, seus inimigos se multiplicavam. Pela segunda vez, a tentativa alemã de dominar o continente europeu encontrou oposição avassaladora. Na altura de dezembro de 1941, o Terceiro Reich se via em guerra, não apenas contra o Império Britânico e a União Soviética, mas também contra os Estados Unidos. Foram necessários três anos e cinco meses, mas, finalmente, Hitler sofreu uma derrota mais cataclísmica do que a que havia derrubado o kaiser. A Alemanha e vastas regiões do restante da Europa Ocidental e Oriental ficaram em ruínas. A Polônia e a parte oeste da União Soviética foram praticamente arrasadas. A França e a Itália descambavam perigosamente para a guerra civil. Os impérios ultramarinos da Grã-Bretanha, França e Holanda se viam irreparavelmente abalados. E, enquanto o mundo era informado do extraordinário genocídio cometido pelo regime nacional-socialista, a superioridade anteriormente reivindicada para a civilização europeia ficou para sempre questionada. Como terá sido possível?

Os povos fazem sua própria história. Em última análise, a vontade humana — tanto individual quanto coletiva — tem de ser o ponto de partida para qualquer relato sobre a Alemanha nazista. Se quisermos compreender os terríveis atos do Terceiro Reich, temos de procurar compreender aqueles que os perpetraram. Temos de tratar com seriedade Adolf Hitler e seus sequazes. Temos de procurar penetrar em suas atitudes mentais e mapear os obscuros interstícios de sua ideologia. Não por acaso a biografia — individual e coletiva — é uma das maneiras mais reveladoras de estudar o Terceiro Reich. Mas, se é verdade que "os povos fazem sua própria história", também é verdade, como disse Karl Marx, que "não a fazem simplesmente como desejam; não a fazem segundo circunstâncias de sua escolha, e sim segundo as que enfrentaram, dadas e transmitidas do passado".[1]

Se é assim, quais são essas circunstâncias? Um tanto surpreendentemente para os que o consideram um determinista econômico simplório, Marx seguiu seu famoso aforismo, não com uma investigação sobre o modo de produção, mas com um parágrafo sobre a maneira pela qual "a tradição de todas as gerações mortas avassala como um pesadelo as mentes dos vivos". Os atores históricos, "quando parecem estar engajados em revolucionar a si mesmos e as demais coisas, evocam ansiosamente os espíritos do passado... e dele pedem emprestados nomes, gritos de guerra e costumes" que permitem ao "novo cenário da história do mundo" disfarçar-se com "roupagens consagradas pelo tempo". Hitler e seus camaradas, sem dúvida, habitavam esse mundo feito por eles próprios. Portanto, há bons motivos para que os trabalhos recentes sobre o Terceiro Reich tenham se preocupado com a política e a ideologia. As crises culturais da Europa no início do século XX, o vácuo deixado pelas tendências secularizadoras do final do XIX, o horror radical da Primeira Guerra Mundial, tudo isso exige a atenção de qualquer pessoa que esteja seriamente interessada em pesquisar as motivações mais profundas do nacional-socialismo. De que outra forma poderíamos compreender um regime que adotou como objetivo central a destruição da população judaica europeia, propósito aparentemente destituído de qualquer lógica econômica; um projeto que, caso seja passível de entendimento, somente pode ser inteligível em termos de uma violenta teologia de purificação redentora?[2]

O aspecto cultural e ideológico no estudo do fascismo modificou permanentemente nossa compreensão a respeito de Hitler e seu regime. Hoje em dia, é difícil imaginar, mas houve uma época, não muito longínqua, na qual os historiadores costumavam desprezar o *Mein Kampf* como fonte histórica e consideravam razoável tratar Hitler simplesmente como mais um imperialista oportunista. Esse tempo passou. Graças à obra de duas gerações de historiadores, hoje, temos um entendimento muito mais claro da forma pela qual a ideologia nazista condicionou o pensamento e ação da liderança do partido e da sociedade alemã no sentido mais amplo. Mas, enquanto nos ocupávamos em desemaranhar o novelo ideológico e político do regime de Hitler, outros fios cruciais da história ficaram relativamente negligenciados. O aspecto mais notável foi que os historiadores tendiam a dar pouco relevo à importância da economia ou, até mesmo, a ignorá-la. Em parte, tratou-se de um ato proposital de rejeição. Em parte, a marginalização da história econômica foi autoinfligida. A terminologia estatística usada na descrição de grande parte da história econômica é inacessível aos leitores versados em humanidades, e ambos os lados fizeram muito pouco esforço para reduzir o hiato. Talvez, acima de tudo, a tendência contrária à análise socioeconômica tenha sido motivada por uma sensação de enfado, a impressão de que, simplesmente, nada há de novo a dizer, de que todas as principais perguntas foram respondidas pelas duas primeiras gerações de historiadores e cientistas sociais que escreveram depois de 1945 tratando de tópicos como a recuperação econômica nazista ou a história da economia de guerra.

Resta-nos somente uma historiografia que se move em dupla velocidade. Enquanto nosso entendimento das políticas raciais do regime e do funcionamento interno da sociedade germânica sob o nacional-socialismo se transformou ao longo dos últimos vinte anos, a história econômica do regime progrediu muito pouco. O objetivo desta obra é iniciar um processo de realinhamento intelectual que há muito se fazia necessário. Para isso, o livro reavalia os indícios da estatística e os arquivos, grande parte dos quais não foi questionada ao longo de 60 anos, examina-os à luz das pesquisas mais recentes de historiadores do Terceiro Reich e historiadores econômicos que exploram a dinâmica da economia do período entreguerras e indaga até que ponto isso esclarece algumas das perguntas centrais da história do regime de Hitler. De que maneira as fissuras da estrutura global de poder, criadas pela Grande Depressão de 1929-32, permitiram ao governo do *führer* exercer impacto tão dramático no cenário mundial? Qual foi a relação entre a extraordinária ambição imperial de Hitler e seu movimento, de um lado, e a situação peculiar da economia e sociedade alemãs nas décadas de 1920 e 1930? De que forma as tensões internacionais e domésticas contribuíram para o ímpeto guerreiro de Hitler em 1939 e seu incansável impulso em ampliar a guerra a partir dali? Quando e como o Terceiro Reich desenvolveu a estratégia da *blitzkrieg*, que é considerada, em geral, o símbolo de seu sucesso espetacular na Segunda Guerra Mundial? E quando a *blitzkrieg* fracassou nos arredores de Moscou, em dezembro de 1941, como o Terceiro Reich conseguiu prosseguir a guerra durante quase três anos e meio, enfrentando problemas materiais gravíssimos? E que podemos dizer de Albert Speer? Nos anos recentes, essa figura singular atraiu atenção extraordinária, e, no entanto — o que certamente é um sinal dos tempos —, o que tem suscitado mais interesse não é sua função principal de ministro do Armamento e sim perguntas relativas ao seu papel de arquiteto de Hitler, seu conhecimento pessoal do Holocausto e seus angustiosos esforços para se reconciliar com a verdade depois de 1945. Este livro é o primeiro em 60 anos a apresentar um relato verdadeiramente crítico do desempenho da economia de guerra da Alemanha, tanto sob Speer quanto sob seus predecessores, e a lançar novas e poderosas luzes sobre sua atuação em sustentar o Terceiro Reich até o sangrento final. Somente por meio de um reexame dos fundamentos econômicos do Terceiro Reich, focalizando as questões de terras, alimentação e trabalho, é que se torna possível tratar, de maneira abrangente, o impressionante processo de radicalização cumulativa, cuja manifestação mais extraordinária foi o Holocausto.

O primeiro objetivo deste livro, portanto, é recolocar a economia no centro de nosso entendimento do regime de Hitler, fornecendo uma narrativa econômica que ajude a dar sentido e base às obras de história política produzidas ao longo da última geração. Não menos urgente, no entanto, é a necessidade de alinhar nosso entendimento da história econômica do Terceiro Reich com a sutil, porém profunda, revisão da história da economia europeia que vem ocorrendo desde o final da década de 1980 mas tem passado em grande parte despercebida nas principais correntes da historiografia da Alemanha.

Não é exagero dizer que os historiadores da Alemanha do século XX têm em comum pelo menos um ponto de partida: a presunção da força peculiar da economia germânica. Obviamente, quando Hitler chegou ao poder, o país se encontrava em meio a uma profunda crise econômica. Mas o entendimento comum da história da Europa naquele século é que a Alemanha era uma superpotência econômica em potencial, uma força econômica comparável apenas aos Estados Unidos. Apesar de toda a argumentação que houve sobre o atraso ou não da cultura política alemã, a presumida modernidade econômica peculiar ao país deixou em grande parte de ser investigada. Essa presunção se encontra difusa em boa parte da história social germânica, assim como também informa relatos de imperialismo alemão no campo da política internacional. Com efeito, a presunção da superioridade econômica da Alemanha tem sido de tal forma influente que marcou narrativas não apenas da história do país, mas também as de outras nações. Durante a maior parte do século XX, a Grã-Bretanha, a França, a Itália e até mesmo os Estados Unidos foram comparados com a Alemanha.

Do ponto de vista privilegiado do início do século XXI, o que temos de desafiar, inicialmente, é essa presunção. Juntas, a experiência real dos europeus desde a primeira parte da década de 1990 e uma geração inteira de obras técnicas de economistas e historiadores econômicos abalaram, se não demoliram, o mito da superioridade econômica peculiar da Alemanha. A principal narrativa da história econômica europeia no século XX, na verdade, foi de progressiva convergência em torno de um padrão definido, na maior parte do período, não pela Alemanha, e sim pela Grã-Bretanha, que em 1990 já era a primeira sociedade integralmente industrial e urbana do mundo. Além disso, até 1945, a Grã-Bretanha não era, simplesmente, um país europeu: era o império global mais vasto que o mundo já vira. Em 1939, no início da guerra, o PIB conjunto dos Impérios Britânico e Francês excedia o da Alemanha e Itália em 60%. Naturalmente, a ideia de uma superioridade econômica alemã inerente não era simplesmente uma fantasia da imaginação histórica. A partir do final do século XIX em diante, a Alemanha era a sede de um grupo de empresas industriais de categoria mundial. Marcas como Krupp, Siemens e IG Farben davam substância ao mito da invencibilidade industrial germânica. Vista em termos mais amplos, no entanto, a economia alemã pouco diferia da média europeia: sua renda nacional *per capita*, na década de 1930, era mediana. Em termos atuais, era comparável à do Irã ou da África do Sul. Os padrões de consumo da maioria da população alemã eram modestos e ficavam atrás da maior parte dos vizinhos da Europa Ocidental. Sob Hitler, a Alemanha era ainda uma sociedade parcialmente modernizada, na qual mais de 15 milhões de pessoas dependiam do artesanato tradicional ou da agricultura para sua sobrevivência.

O que se destaca hoje como característica definidora da história econômica do século XX não é o domínio peculiar da Alemanha ou de qualquer outro país europeu, e sim o eclipse do "Velho Continente" devido a uma sequência de novas potências econômicas mundiais, especialmente, os Estados Unidos. Em 1870, na época da unificação nacional da Alemanha, sua população e a dos Estados Unidos eram aproximadamente idênticas e a produção total destes últimos, apesar da enorme abundância de terras e recursos, era apenas um terço maior do que a da Alemanha. Pouco antes da eclosão da Primeira Guerra Mundial, a economia norte-americana havia se expandido a cerca do dobro da Alemanha imperial. Na altura de 1943, antes que os bombardeios aéreos chegassem ao auge, a produção total dos Estados Unidos era quase quatro vezes maior do que a do Terceiro Reich.

Iniciamos o século XXI, portanto, com uma percepção histórica diferente da que dominou as narrativas da história alemã durante a maior parte dos últimos 100 anos. Por um lado, temos uma avaliação mais acurada da posição realmente excepcional dos Estados Unidos na economia moderna global. Por outro, a experiência europeia comum de "convergência" proporciona uma perspectiva claramente desanimadora da história econômica da Alemanha. A tese básica e, possivelmente, mais radical deste livro é a de que essas mudanças inter-relacionadas de nossa percepção histórica exigem uma reavaliação da história do Terceiro Reich, que tem o efeito perturbador de tornar mais inteligível, e até estranhamente contemporânea, a história do nazismo, e, ao mesmo tempo, dá relevo ainda mais claro a sua irracionalidade ideológica fundamental. A história econômica coloca sob nova luz tanto a motivação da agressão de Hitler quanto as razões de seu fracasso, e mostra por que motivos, na verdade, ela estava fadada ao insucesso.

Em ambos os aspectos, os Estados Unidos devem ser o pivô de nosso entendimento do Terceiro Reich. Ao procurar explicar a urgência da agressão por parte de Hitler, os historiadores devem ter subestimado sua aguda percepção do perigo que a emergência dos Estados Unidos como potência mundial dominante representava para a Alemanha, assim como para as demais potências europeias. Com base nas tendências econômicas da época, já na década de 1920 Hitler previa que essas potências somente dispunham de mais alguns anos para se reorganizar em face dessa inevitabilidade. Além disso, Hitler compreendeu a atração avassaladora que o estilo de vida opulento e consumista dos norte-americanos exercia sobre os europeus, atração essa cuja força somos capazes de apreciar mais vivamente dada nossa compreensão mais clara do status, geralmente, mais transitório das economias europeias no período do entreguerras. Assim como em muitas economias semiperiféricas de hoje, a população alemã, na década de 1930, já se encontrava completamente imersa no mundo consumista de Hollywood, porém, ao mesmo tempo, eram muitos milhões aqueles que moravam em um único cômodo em companhia de mais duas ou três pessoas, sem banheiro no apartamento e sem acesso a eletricidade. Automóveis, rádios e outros equipamentos da vida moderna, como aparelhos eletrodomésticos, eram a aspiração da elite social. A originalidade do nacional-socialismo foi que, em vez de aceitar com resignação um lugar para a Alemanha dentro de uma ordem econômica mundial dominada pelos países ricos de língua inglesa, Hitler procurou mobilizar as frustrações acumuladas de sua população a fim de montar um desafio épico a essa ordem. Repetindo o que os europeus haviam feito em todo o mundo durante os três séculos anteriores, a Alemanha adquiriria o próprio interior imperial: mediante uma substancial conquista de terras no Ocidente, criaria a base autossuficiente tanto para a prosperidade doméstica quanto para a plataforma necessária à vitória na competição de superpotências com os Estados Unidos.

É possível, dessa forma, racionalizar a agressão perpetrada pelo regime de Hitler como resposta inteligível às tensões deflagradas pelo desenvolvimento desigual do capitalismo global, tensões que, naturalmente, permanecem até hoje. Mas, ao mesmo tempo, a compreensão dos fundamentos econômicos também serve para tornar mais perspicaz nossa apreciação da profunda irracionalidade do projeto de Hitler. Como este livro demonstrará, após 1933, o regime de Hitler iniciou uma campanha realmente notável de mobilização econômica. O programa de armamentos do Terceiro Reich constituiu a mais ampla transferência de recursos empreendida por um Estado capitalista em tempo de paz. Não obstante, o *führer* foi impotente para alterar o equilíbrio subjacente de forças econômicas e militares. A economia germânica, na verdade, não era suficientemente poderosa para criar a força militar necessária para avassalar todos os vizinhos europeus, incluindo tanto a Grã-Bretanha quanto a União Soviética, sem falar nos Estados Unidos. Embora Hitler tivesse tido êxitos marcantes de curta duração em 1936 e 1938, a diplomacia do Terceiro Reich não conseguiu realizar a aliança antissoviética proposta em *Mein Kampf*. Confrontado com uma guerra contra a Grã-Bretanha e a França, ele foi obrigado, no último momento, a recorrer a um arranjo oportunista com Stalin. A devastadora eficácia das forças Panzer, o *deus ex machina* dos primeiros anos da guerra, na verdade, não proporcionou a base da estratégia senão depois do verão de 1940, pois surpreendeu até mesmo a liderança alemã. E, embora as vitórias do Exército germânico em 1940 e

1941 tivessem sido espetaculares, foram também inconclusivas. Ficamos, dessa forma, com a ideia verdadeiramente assombrosa de que Hitler iniciou a guerra em setembro de 1939 sem ter qualquer plano coerente quanto à maneira de efetivamente derrotar o Império Britânico, seu principal antagonista.

Por que motivo Hitler terá feito essa aposta épica? Sem dúvida, esta é a pergunta fundamental. Ainda que a conquista do espaço vital possa ser racionalizada como um ato de imperialismo, ainda que se possa reconhecer ao Terceiro Reich um notável esforço para reunir recursos de combate, ainda que os soldados alemães lutassem de forma brilhante, os riscos da condução da guerra por parte de Hitler eram tais que desafiam a racionalização em termos de autointeresse pragmático.[3] Essa questão nos leva de volta à corrente principal da historiografia e sua insistência na importância da ideologia. A ideologia foi o que deu a Hitler a lente através da qual ele interpretou o equilíbrio internacional de poder e o desenrolar do combate cada vez mais globalizado que começou na Europa com a Guerra Civil espanhola, no verão de 1936. Na mente do *führer*, a ameaça dos Estados Unidos ao Terceiro Reich não era apenas a rivalidade convencional entre superpotências. Era uma ameaça existencial e ligada ao constante receio de Hitler em relação à conspiração judaica internacional, manifestada em forma de "judeus da Wall Street" e de "mídia judaica" nos Estados Unidos. Essa fantástica interpretação do verdadeiro equilíbrio de poder foi o que gerou a característica volátil do processo decisório de Hitler, sempre pronto a correr riscos. A Alemanha não podia simplesmente contentar-se em passar a ser um satélite rico dos Estados Unidos, como parecia ser o destino da república de Weimar na década de 1920, porque isso significaria escravizar-se à conspiração judaica mundial e, em última instância, representaria a morte da raça. Dada a penetrante influência dos judeus, como verificado pela crescente tensão internacional do final da década de 1930, era simplesmente impossível um futuro próspero para a parceria capitalista com as potências ocidentais. A guerra era inevitável. Não era uma questão de *se* e sim de *quando*.

Este livro é longo, e como foi escrito para ser lido do princípio ao fim, não desejo reduzir a tensão e revelar nas páginas iniciais as conclusões decisivas. Basta dizer que, embora os contornos mais amplos da história do Terceiro Reich estejam profundamente gravados em décadas de meticuloso trabalho de pesquisa, a história aqui contada é nova. Meu objetivo é dar ao leitor um entendimento mais amplo e mais profundo da maneira pela qual Hitler se estabeleceu no poder e mobilizou a sociedade para a guerra. Forneço um novo relato da dinâmica que lançou a Alemanha na guerra e explico tanto de que maneira isso sustentou um esforço de guerra bem-sucedido até 1941, quanto como chegou a seu inevitável limite nas neves da Rússia. Em seguida, o livro trata do que, certamente, ainda constitui o desafio fundamental de interpretação que qualquer historiador do Terceiro Reich tem de enfrentar, e talvez, especialmente, o historiador econômico: explicar o Holocausto. Utilizando material de arquivo e uma geração de brilhante pesquisa histórica, assinalo as conexões entre a guerra contra os judeus e os projetos mais amplos do regime, os de imperialismo, trabalhos forçados e inanição proposital. Nas mentes dos dirigentes nazistas existiam de fato diversas razões econômicas para o genocídio, e não apenas uma. Finalmente, com base nesses capítulos decisivos sobre os anos 1939-1942, explico o extraordinário esforço de coerção por meio do qual o regime sustentou o esforço de guerra da Alemanha durante três amargos anos, em cujo centro estava Albert Speer.

Quem, a esta altura, já estiver impaciente à espera de conclusões mais específicas deverá passar para o capítulo 19, que dá um breve resumo de, pelo menos, alguns pontos chave. A fim de evitar que o livro fosse ainda mais longo, não incluí uma bibliografia completa. Os títulos de todas as obras citadas aparecem por extenso ao surgirem pela primeira vez em cada capítulo. Na página do autor em www.hist.cam.ac.uk/academic_staff/further_details/tooze.html, há uma bibliografia completa, além de outras fontes de história econômica do Terceiro Reich. Em todo o livro, "tonelada" significa tonelada métrica.

Introdução

Ao revermos com atenção o século XX, é difícil não observar que a história da Alemanha foi dominada por dois temas. Por um lado, a busca pelo progresso econômico e tecnológico, que, por muito tempo, fez da Alemanha, junto com os Estados Unidos e, posteriormente, Japão, China e Índia, uma das maiores economias do mundo. Por outro lado, há a busca pelo objetivo da guerra em escala até então inaudita.[1]

A Alemanha foi a principal responsável por deflagrar a primeira e destruidora Guerra Mundial do século XX. Foi a responsável exclusiva pela segunda. Além disso, durante a Segunda Guerra Mundial, Hitler e seu regime ampliaram as fronteiras do conflito, acrescentando uma campanha geral de genocídio até aquele momento sem rival em intensidade, amplitude e propósito. Após a segunda catástrofe, em 1945, as potências ocupantes trataram de assegurar que a Alemanha não tivesse escolha. Embora os esportes, a tecnologia, a ciência e a cultura fossem aos poucos readmitidos como campos de expressão nacional e individual, e embora a atividade política alemã fosse adquirindo dimensões múltiplas a partir do final da década de 1960, a vida nacional passou a ser dominada pela busca apolítica de bem-estar material, sem dúvida, na Alemanha Ocidental após 1945.[2] Em contraposição, sua primeira rendição, em 1918, foi muito menos completa e as conclusões a que chegaram tanto os alemães quanto seus anteriores adversários foram mais ambíguas. Uma das muitas extraordinárias características da política germânica após a Primeira Guerra Mundial foi a de que, ao longo da existência da República de Weimar, o eleitorado alemão enfrentou a escolha entre uma política centrada na busca pacífica por prosperidade nacional e um nacionalismo militante que exigia mais ou menos abertamente uma retomada das hostilidades contra a França, a Grã-Bretanha e os Estados Unidos. Como a maior parte deste livro tratará de dissecar a maneira pela qual Hitler atrelou a economia da Alemanha à busca desta última opção, parece importante começar estabelecendo com clareza a alternativa à qual se opunha essa visão e como essa alternativa foi afastada da vista pelos desastrosos acontecimentos que levaram à tomada do poder por Hitler.

Seria um erro, naturalmente, negar que existem continuidades que ligam todos os participantes do debate estratégico na Alemanha nas décadas de 1920 e 1930 ao legado imperialista da era dos kaisers Wilhelm.[3] A hostilidade em relação a franceses e poloneses e os desígnios imperiais sobre os vizinhos da Alemanha, a oeste como a leste, nada tinham de novo. No entanto, uma ênfase excessiva na continuidade obscurece o impacto da derrota de novembro de 1918 e da consequente crise traumática sobre a transformação da Alemanha. Essa agonia chegou ao clímax em 1923, quando os franceses ocuparam o Ruhr, coração industrial da economia alemã. Durante os meses seguintes, enquanto Berlim patrocinava uma maciça campanha de resistência passiva, o país descambou para uma hiperinflação e desordem política tão graves que, na altura do outono de 1923, ameaçavam a própria sobrevivência da nação-Estado alemã como tal.[4] O debate estratégico na Alemanha nunca mais foi o mesmo. Por um lado, a crise de 1918-23 deu origem a um ultranacionalismo — em forma da ala radical do DNVP e do Partido Nazista de Hitler — cuja intensidade era mais apocalíptica do que tudo o que ocorrera antes de 1914. Por outro lado, produziu também um desvio verdadeiramente novo na política econômica e internacional da Alemanha. Essa alternativa à militância nacionalista também objetivou obter uma revisão dos onerosos termos do Tratado de Versalhes. Buscou-a, no entanto, sem apoiar-se na força militar. Em vez disso, a política econômica de Weimar deu prioridade à economia como o principal domínio no qual a Alemanha ainda podia exercer influência no mundo. Acima de tudo, buscou segurança e espaço de manobra para a Alemanha desenvolvendo conexões financeiras com os Estados Unidos e integração industrial mais estreita com a França. Em certos aspectos essenciais, isso prefigurava, claramente, a estratégia levada a efeito pela Alemanha Ocidental depois de 1945. Era uma política que gozava do apoio de todos os partidos da coalizão de Weimar — os social-democratas, o DDP da esquerda liberal e o Partido Católico do Centro. Era, no entanto, personificada por Gustav Stresemann, líder do partido DVP dos liberais nacionais e ministro do exterior da Alemanha entre 1923 e 1929.[5]

Quatro anos depois da estabilização de 1924, as eleições gerais de 20 de maio de 1928 constituíram a primeira ocasião na qual a totalidade do eleitorado da Alemanha teve oportunidade de proferir um veredito sobre as realizações da República de Weimar e da política externa de Stresemann. Este último preferiu disputar essa eleição geral na Baviera. Munique, naturalmente, era também um dos campos de atividade favoritos do NSDAP, e, como líder daquele partido pouco conhecido, Hitler esperava atrair mais atenção ao terçar armas com Stresemann. Os eleitores bávaros tinham, assim, uma dramática escolha entre a concepção de Stresemann sobre o futuro da Alemanha, baseada em quatro anos de "revisionismo econômico" pacífico, de um lado, e a rejeição total dos fundamentos da política externa e econômica de Weimar, advogada por Hitler, de outro. Tanto ele quanto Stresemann levaram a sério o confronto. Embora fosse essencial para este último apresentar Hitler como pouco mais do que um lunático, ele confessou haver lido pelo menos um dos discursos publicados do adversário a fim de se informar sobre os argumentos que teria de enfrentar.[6] Por sua vez, Hitler usou o debate com Stresemann para refinar as ideias sobre política externa e economia que formulara, inicialmente, em *Mein Kampf*, o manifesto que compusera na prisão de Landsberg, em 1924.[7] O resultado foi o manuscrito conhecido como "Segundo Livro" de Hitler, terminado no verão de 1928 e que contém trechos substanciais retirados diretamente dos discursos de rua.[8]

I

Como jovem e ambicioso representante do partido Nacional Liberal no Reichstag da época do kaiser, Gustav Stresemann enunciara, inicialmente, sua opinião de que "a política... hoje [é], antes de mais nada, a política da economia mundial".[9] Não se tratava de mera retórica, e sim de uma experiência arraigada em sua biografia.[10] Nascido em 1878, em Berlim, filho de um pequeno engarrafador independente da aromática cerveja Weiss, uma das bebidas favoritas da capital, Stresemann vira os negócios do pai serem prejudicados pela competição das cervejarias maiores. Era um de sete irmãos que terminaram os estudos universitários e ele completou a formação com uma tese sobre economia histórica, começando a trabalhar em 1901 como advogado das manufaturas leves da Saxônia, com o encargo de defender os interesses das indústrias exportadoras contra as exigências superesperançosas da indústria pesada e da agricultura protecionista. Por seus estudos de história econômica e sua experiência prática em política comercial, Stresemann estava convencido de que as forças dominantes no mundo do século XX seriam as três principais economias industriais: a Grã-Bretanha, a Alemanha e os Estados Unidos. Sem dúvida, havia rivalidades entre as grandes potências econômicas, mas elas estavam também inescapavelmente interligadas do ponto de vista funcional. A Alemanha necessitava de matérias-primas e alimentos vindos de mercados exportadores externos para que sua população pudesse ter trabalho e pão. O Império Britânico tinha melhor posição quanto a matérias-primas, mas precisava da Alemanha como mercado de exportação. Além disso, Stresemann, desde o início, tinha certeza de que a emergência dos Estados Unidos como força dominante na economia mundial alterara permanentemente a dinâmica da competição entre as potências europeias.[11] No século XX, o futuro do equilíbrio de poder na Europa seria definido, em grande parte, pelo relacionamento entre os interesses competitivos na Europa em relação aos Estados Unidos. Stresemann, sem dúvida, não subestimava nem a força militar nem a vontade popular como fatores na política de poder. Na corrida pelos encouraçados, ele foi sempre a favor da frota imperial, na esperança de que, algum dia, a Alemanha pudesse vir a rivalizar com os britânicos no apoio ao comércio exterior por meio do poderio naval. Após 1914, ele se tornou no Reichstag um dos mais agressivos proponentes da guerra submarina total. Mas, mesmo em seus momentos mais ardentemente favoráveis ao expansionismo, Stresemann esteve, acima de tudo, motivado por uma lógica econômica centrada nos Estados Unidos.[12] A expansão do território alemão para incluir a Bélgica, a costa francesa até Calais, o Marrocos e um extenso território oriental era "necessária" a fim de assegurar para a Alemanha uma plataforma adequada de competição com os Estados Unidos. Nenhuma economia que não tivesse um mercado seguro de pelo menos 150 milhões de clientes poderia esperar competir com as economias de escala que Stresemann conhecera em primeira mão nos bastiões industriais dos Estados Unidos.

Não pode haver dúvida de que a repentina derrota da Alemanha, no outono de 1918, foi um profundo choque para Stresemann, deixando-o próximo a um colapso físico e psicológico. O fato abalou para sempre sua confiança na força militar como meio ao exercício da política de poder, sem dúvida, no que se referia à Alemanha. Mais fundamentalmente, a derrota suscitou dúvidas em seu espírito a respeito do sistema social e político alemão, que se mostrara menos adaptável do que o da Grã-Bretanha ou o da França. Isso, no entanto, robusteceu sua crença na força determinante da economia. A economia mundial era a única esfera na qual a Alemanha era na verdade indispensável. Já em abril de 1919 Stresemann exigia que, devido à debilidade militar alemã, a base de sua política exterior fosse a força de suas grandes empresas. "Hoje, necessitamos créditos do exterior. O *reich* já não é confiável como devedor... mas as pessoas privadas e as grandes empresas, individualmente, ainda têm crédito. Isso se baseia no respeito ilimitado do mundo pelas realizações da indústria e do comércio alemães."[13] A economia era o único campo por meio do qual a Alemanha seria capaz de construir relações com os Estados Unidos, única potência que poderia ajudá-la a contrabalançar a agressão dos franceses e o desinteresse dos britânicos. E essa visão de uma parceria transatlântica, claramente, estimulou as ações de Stresemann, tanto durante sua breve porém decisiva passagem pela Chancelaria da República, em 1923, quanto, em seguida, como ministro do Exterior, entre 1924 e 1929. Ao enfrentar e vencer uma tempestade de excessos nacionalistas e acabar com a ruinosa campanha de resistência passiva à ocupação francesa do Ruhr, enquanto demonstrava a disposição da Alemanha em pagar as reparações de guerra, Stresemann abriu as portas para uma relação especial com os Estados Unidos.

Isso, naturalmente, teve um preço. Stresemann ficou, dali em diante, vulnerável a acusações da direita de que era um "candidato francês".[14] As acusações foram ainda mais reforçadas por sua decisão de usar táticas de cooperação em vez de confrontação a fim de obter a retirada acelerada das forças francesas que patrulhavam a Renânia.[15] Claro que nada poderia estar mais distante da verdade. Stresemann era, em todos os aspectos, um puro nacionalista alemão. Nunca se afastou das posições favoráveis ao expansionismo, que adotara durante a Primeira Guerra Mundial, por não ver motivos para lamentá-las. Tampouco estava disposto a aceitar como solução de longo prazo a fronteira oriental com a Polônia, tal como definida pelo plebiscito de 1921 e por uma decisão da Liga das Nações. Sua estratégia, baseada na manipulação dos interesses interligados dos Estados Unidos, Grã-Bretanha e França, era, simplesmente, mais complexa do que o modo confrontativo preferido pelos ultranacionalistas.

O primeiro êxito de Stresemann foi a Comissão Dawes, reunida em Paris, em 1924, a fim de estabelecer um sistema prático por meio do qual a Alemanha pudesse pagar as reparações sem comprometer sua estabilidade financeira.[16] O presidente da comissão era o general Charles G. Dawes, banqueiro e industrial de Chicago que havia chefiado o fornecimento de suprimentos aos norte-americanos e Aliados na Primeira Guerra Mundial. O verdadeiro arquiteto do esquema, porém, foi Owen Young, presidente da General Electric e, portanto, um dos líderes da indústria dos Estados Unidos.[17] A General Electric, além disso, estava estreitamente ligada à Allgemeine Elektrizitäts Gesellschaft (AEG), o segundo maior conglomerado de engenharia elétrica da Alemanha. Dawes e Young preencheram com sobras as esperanças que Stresemann depositava nos Estados Unidos. As exigências imediatas de reparações à Alemanha foram substancialmente reduzidas e a anuidade integral de 2,5 bilhões de marcos de ouro de antes da guerra somente entraria em vigor em 1928/9. J.P. Morgan fez sua parte mobilizando um entusiástico voto de confiança de Wall Street, com um empréstimo inicial de 100 milhões de dólares pelos quais houve uma massiva e excesiva procura. O restabelecimento do *reichsmark* com lastro em ouro, à paridade de antes da guerra contra o dólar acabou com a instabilidade da moeda alemã.[18] A Agência de Reparações proporcionou proteção adicional. Esse escritório era chefiado por uma das jovens estrelas de Wall Street, Parker Gilbert, que tinha o poder de sustar transferências de pagamentos de reparações caso pusessem em perigo a estabilidade da moeda alemã. As exigências dos "credores de reparações" europeus ficaram, dessa maneira, relegadas a uma segunda ordem de prioridades nas finanças germânicas. O capital norte-americano não inundou inicialmente a Alemanha, como, às vezes, se afirma.[19] No entanto, dado o grande diferencial de taxas de juros entre os Estados Unidos e a Alemanha, onde as economias haviam se evaporado no auge da hiperinflação, as condições dos empréstimos eram claramente favoráveis. Entre outubro de 1925 e o final de 1928 o influxo de capital estrangeiro foi tão grande que a Alemanha teve condições de fazer os pagamentos das reparações sem sequer necessitar obter superávit na conta de comércio exterior. Isso convinha a britânicos e franceses porque lhes permitia insistir em pagamentos por parte da Alemanha sem precisar abrir seus mercados a mercadorias no valor de bilhões de marcos de ouro. Ao mesmo tempo, permitia a Washington pressionar para que a França e a Grã-Bretanha honrassem as dívidas que tinham com os Estados Unidos em consequência da guerra.

Esse carrossel, no qual os alemães tomavam dinheiro emprestado dos norte-americanos para pagar aos franceses e britânicos, que, por sua vez, pagavam aos Estados Unidos, suscitou ansiedades de todos os lados.[20] Mesmo assim, cumpriu seu objetivo. O Congresso norte-americano fazia questão de que o reembolso dos créditos feitos aos aliados fosse o mais completo possível.[21] Os novos credores dos Estados Unidos para com a Alemanha estavam tendo bons lucros, e a República de Weimar desfrutava de um padrão de vida consideravelmente mais elevado do que seria possível se tivesse sido obrigada a pagar as reparações com os superávits de exportação. Hjalmar Schacht, nomeado por Stresemann presidente do Reichsbank, em novembro de 1923, preocupava-se cada vez mais com o crescimento da carga de débitos internacionais do país.[22] Compartilhava, porém, a visão estratégica de Stresemann. À medida que os interesses norte-americanos na Alemanha aumentassem, cresceria também o interesse de Washington em assegurar que exigências excessivas de reparações por parte da França e Grã-Bretanha não viessem a prejudicar os investimentos dos Estados Unidos. Vista da forma mais simples e mais cínica, a estratégia da Alemanha consistia em explorar a proteção proporcionada pela Agência de Reparações a fim de tomar emprestadas aos Estados Unidos quantias tão elevadas que as taxas dessa dívida tornavam impossíveis as transferências de fundos para as reparações.[23] Mais sutilmente, o objetivo de Stresemann e Schacht era fazer com que os interesses financeiros norte-americanos se transformassem na principal força motriz da revisão das reparações alemãs, permitindo que Berlim normalizasse suas relações com Londres e Paris. No final da década de 1920, essa estratégia parecia estar dando certo. Em 1928, não foram os alemães e sim os norte-americanos, especialmente, o presidente do Banco Central (U.S. Federal Reserve), Benjamin Strong, quem começou a insistir em uma renegociação das obrigações alemãs a título de reparações de guerra antes que entrassem em vigor as anuidades integrais que seriam devidas seguindo o Plano Dawes.[24] Strong não agia assim por amor à Alemanha, e sim no interesse de dar segurança ao enorme investimento dos Estados Unidos na economia germânica. Uma crise grave poderia desestabilizar diversos entre os maiores bancos norte-americanos.

Tabela 1. Empréstimos do exterior: posição da dívida externa alemã, primavera de 1931 (milhões de *reichsmarks*)

	Longo prazo	Curto prazo	Total
Estados Unidos	5.265	3.143	8.408
Grã-Bretanha	1.100	2.053	3.153
Holanda	1.174	2.069	3.243
Suíça	512	1.878	2.390
Outros	1.494	2.826	4.320
Total	9.545	11.969	21.514

Fonte: C.R.S. Harris, *Germany's Foreign Indebtedness* (Oxford, 1935), 9, 95.

II

Se, no caso de Stresemann, nossos problemas de interpretação derivam do fato de que suas políticas parecem fantasticamente semelhantes àquelas sobre as quais a estabilidade da Alemanha tem repousado desde 1945, a dificuldade em compreender a visão de Hitler é diferente. Este último habitava um universo mental estranho e conflituoso que temos de nos esforçar para entender ou até mesmo para levar a sério.

É tentador deduzir que as visões de mundo muito diferentes adotadas por Hitler e Stresemann derivam das histórias de suas vidas, também muito diversas. As dificuldades enfrentadas por Hitler para encontrar um lugar no mundo são bastante conhecidas e não precisam ser repetidas aqui.[25] Sem dúvida, há um contraste muito forte com o histórico de mobilidade social ascendente de Stresemann. Para ambos, a guerra representou uma mudança radical; mas, enquanto a saúde cronicamente deficiente de Stresemann o impediu de servir na Primeira Guerra Mundial, Hitler teve a experiência das trincheiras durante o conflito. Não admira, diante disso, que Stresemann tenha sido capaz de conservar seu otimismo quintessencialmente burguês, mesmo durante o pesadelo de 1918-23, enquanto que as ideias de Hitler tinham traços muito mais sombrios. Não obstante, tanto um quanto o outro foram produto de uma cultura política comum. Ambos apoiavam a opinião geral de que a Primeira Guerra Mundial tinha sido resultado da competição imperialista.[26] Especificamente, ambos culpavam a Grã-Bretanha por haver iniciado a guerra, numa tentativa proposital de prejudicar a Alemanha como competidora econômica e naval. No caso de Stresemann, no entanto, esse modelo de bom-senso em relação à competição econômico-militar era suavizado por seu entendimento da interconexão mútua da economia mundial e, acima de tudo, pela importância que ele atribuía aos Estados Unidos como contrapeso para a Grã-Bretanha e a França. A visão de Hitler, por outro lado, era muito mais beligerante. Ele considerava que a ideologia liberal de progresso por meio da indústria, trabalho árduo e liberdade de comércio nada mais era senão uma mentira espalhada por propagandistas judeus. Com efeito, qualquer esforço do povo alemão em busca da salvação por meio da indústria e do comércio acabaria por acarretar a competição com a Grã-Bretanha. A Alemanha enfrentaria novamente a constelação de 1914 — uma aliança continental avassaladora controlada e financiada pelos banqueiros judeus do centro financeiro londrino. A conspiração judaica internacional, que governava agora não apenas Washington e Londres, mas também a ditadura bolchevista, levaria a Alemanha novamente à derrota.

Para Hitler, os fatores decisivos da história do mundo não eram o trabalho e a indústria, e sim a luta pelos meios limitados de sustento.[27] A Grã-Bretanha podia apoiar-se no livre comércio, porém somente porque já havia conquistado um império por meio da força militar. O que o povo alemão necessitava a fim de assegurar um padrão de vida decente era "espaço vital", *Lebensraum*, e isso somente seria obtido pela conquista militar. As colônias haviam entusiasmado a Alemanha dos kaisers, mas isso significava espalhar pelo mundo o precioso sangue germânico. Em vez disso, Hitler preferia a conquista do *Lebensraum* contíguo, a oeste. Também, neste caso, é certamente possível apontar similaridades com o pensamento dos partidários das anexações no tempo da guerra. Depois do Tratado de Brest-Litovsk, também Stresemann sonhara com um *Grossraum* alemão a leste. Porém, como vimos, seu principal objetivo era conquistar um mercado em escala suficiente para se ombrear com os Estados Unidos. Hitler, ao contrário, queria as terras e não seus habitantes nativos. O objetivo da conquista não era acrescentar povos não germânicos. A população dos territórios conquistados teria de ser retirada. O regime burguês da Alemanha imperial não tivera coragem para esse tipo de política racial radical em relação à grande minoria polonesa que habitava as regiões da fronteira leste. Mas para que a Alemanha prevalecesse, não havia alternativa a uma impiedosa política de conquista e despovoamento. O destino da Alemanha era a guerra. Concretamente, Hitler parece ter contemplado uma série mais ou menos sistemática de passos que começariam com a incorporação da Áustria e, em seguida, a subordinação dos principais Estados da Europa central, mais especialmente a Tchecoslováquia, culminando com um ajuste de contas com os franceses.[28] O caminho estaria, então, livre para um avanço em direção ao oriente. Naturalmente, ele não desejava a repetição da constelação da Primeira Guerra Mundial e, quanto a isso, a Grã-Bretanha era fundamental. Estava firmemente convencido de que, ao contrário da estratégia de exportações, que levaria, inevitavelmente, a um conflito com a influência global do Império Britânico, sua estratégia de expansão continental não significava uma ameaça à Grã-Bretanha, cujos interesses básicos estavam fora da Europa. Em sua concepção estratégica, na década de 1920 e início da de 1930, era essencial ser capaz de assegurar para a Alemanha uma posição dominante na Europa sem entrar em conflito com a Grã-Bretanha. Na verdade, numa reversão da lógica de Stresemann, Hitler achava que a Grã-Bretanha acabaria por considerar a Alemanha uma aliada na competição que, fatalmente, ocorreria com os Estados Unidos.

Na infância, como muitos outros milhões de rapazes de língua alemã, Hitler tinha sido leitor entusiástico dos livros de Karl May* sobre faroestes germânicos.[29] Logo depois da Primeira Guerra Mundial, seu fascínio tomou cores mais sombrias, especialmente, em relação ao presidente Wilson, que, na esteira de Versalhes, tornou-se objeto de aversão quase universal na Alemanha. Em 1923, Hitler escreveu que somente um espasmo de imbecilidade temporária decorrente da penúria causada pelo bloqueio anglo-judeu poderia explicar que a Alemanha tivesse se colocado à mercê de "um bandido como Wilson, que foi a Paris com uma delegação composta de 117 banqueiros e financistas judeus...".[30] Em *Mein Kampf*, escrito no ano seguinte, os Estados Unidos mal figuravam na visão estratégica de Hitler. Três anos depois, devido ao papel dos Estados Unidos nos negócios da Alemanha, esse paroquialismo já não era possível. Como Hitler não poderia deixar de notar, os Estados Unidos — ainda que não constituíssem um fator militar nos assuntos europeus — eram uma força econômica que tinha de ser reconhe-

* Karl Friedrich May (1842-1912), autor alemão de sucesso, escreveu principalmente romances de aventuras ambientados no oeste dos Estados Unidos. (*N. do T.*)

cida. Com efeito, o notável avanço industrial norte-americano mudara os parâmetros da vida cotidiana no "Velho Continente". Como disse o próprio Hitler, no que, sem dúvida, é um dos trechos chave de seu "Segundo Livro",

> "Os europeus sonham hoje com um padrão de vida que, para eles, provém tanto das possibilidades da Europa quanto das verdadeiras condições dos Estados Unidos. Devido à tecnologia moderna e às comunicações que ela possibilita, as relações internacionais entre povos se tornaram tão estreitas que os europeus, ainda que não tenham plena consciência desse fato, aplicam como medida de suas vidas as condições da vida norte-americana..."[31]

Não surpreende que Hitler tenha se impressionado mais com o domínio norte-americano da indústria automobilística. Na verdade, ele era entusiasta de automóveis. No "Segundo Livro", porém, o que o preocupava eram as implicações estratégicas da liderança dos Estados Unidos nessa nova e crucial indústria. Ao imaginarem um futuro de opulência semelhante à norte-americana, os europeus costumavam esquecer que "a relação entre a superfície e a população no continente americano é amplamente superior..." A imensa vantagem competitiva dos Estados Unidos em tecnologia industrial era, acima de tudo, função do "tamanho" do "mercado interno" do país e de sua "riqueza em poder de compra mas também em matérias-primas". O enorme volume de "vendas internas garantidas" era o que possibilitava à indústria automobilística norte-americana adotar "métodos de produção que, na Europa, seriam simplesmente impossíveis, dada a falta desse mercado interno".[32] Em outras palavras, o "fordismo" exigia um *Lebensraum*.

Enquanto Stresemann via a ascensão dos Estados Unidos como fator de estabilização dos assuntos europeus, para Hitler, o fenômeno simplesmente aumentava os riscos na luta pela sobrevivência racial. Tampouco esse combate poderia ficar limitado à esfera econômica: "A decisão final na luta pelo mercado mundial dependerá da força..."[33] Mesmo que seus homens de negócios fossem bem-sucedidos, a Alemanha logo se veria novamente na situação de 1914, obrigada a lutar pelo acesso aos mercados mundiais em termos altamente desfavoráveis. Hitler acreditava que o emergente domínio econômico dos Estados Unidos colocava em risco a "importância global" de todos os países europeus. A menos que os líderes políticos da Europa conseguissem sacudir suas populações fazendo-as abandonar a "falta de pensamento político", a "ameaça da hegemonia global do continente norte-americano" as reduziria todas ao status da "Suíça ou Holanda".[34] Não que Hitler fosse adepto das ideias pan-europeias. Considerava-as insípidas, idiotice "de judeus". A resposta europeia aos Estados Unidos teria de ser liderada pelo mais poderoso dentre os países europeus, no modelo dos Impérios Romano ou Britânico, ou, então, segundo a ação unificadora da Prússia, na Alemanha do século XIX.

> "No futuro, o único Estado capaz de fazer frente à América do Norte será aquele que compreender, por meio da essência de sua vida interior e do sentido de sua política externa, a maneira de elevar o valor de seu povo em termos raciais, levando-o à forma de Estado mais adequada a esse objetivo... A tarefa do movimento nacional-socialista é fortalecer e preparar a pátria para essa missão".[35]

Junto com a França e a União Soviética, portanto, os Estados Unidos passavam a fazer parte do elenco de inimigos de Hitler, e deveriam ser enfrentados, após um período de consolidação interna, se possível, em aliança com a Grã-Bretanha. Vale a pena acentuar este último ponto. A insistência de Hitler na necessidade dessa aliança não era apenas consequência do foco de conquistas no leste, que é o principal argumento estratégico do *Mein Kampf*, mas também de sua percepção da ameaça representada pelos Estados Unidos, novo tema de seu "Segundo Livro".

Assim, Hitler e Stresemann divergiam na avaliação da posição da Alemanha em relação à aurora do "século norte-americano" e também quanto à importância relativa da economia e da política. Por trás dessas divergências, no entanto, havia uma diferença mais fundamental no entendimento que cada um tinha da história.[36] As reações de ambos ao desastre da Primeira Guerra Mundial são prova clara disso. A essência da posição de Stresemann era que a guerra não havia mudado a direção fundamental da história do mundo, que era ditada pela trajetória inevitável do desenvolvimento econômico. Embora a Alemanha tivesse sido derrotada, a guerra enfraquecera a Grã-Bretanha e a França e promovera os Estados Unidos, abrindo, assim, as portas para uma reafirmação do poderio alemão, ainda que limitado à esfera econômica. Hitler considerava esse tipo de ideias como características do otimismo ingênuo da burguesia alemã. Não era, contudo, um pessimista.

Rejeitava as profecias sombrias de Spengler. Para ele, no entanto, a história não oferecia garantias. O fator determinante fundamental na história não era o objetivo final do desenvolvimento econômico, e sim a luta entre os povos em busca dos meios de vida. O resultado dessa batalha pela sobrevivência era sempre incerto. Mesmo no breve lapso de "2 mil anos" de história humana, dizia Hitler:

> "potências mundiais governaram culturas que somente conhecemos por meio de lendas, cidades imensas desmoronaram em ruínas... Quase além da capacidade de compreensão... estão as preocupações, necessidades e sofrimentos de milhões e milhões de indivíduos, que, anteriormente, como substância viva, eram personagens e vítimas de tais acontecimentos... E quão indiferente é... o presente. Quão infundado é o eterno otimismo e quão danosa é sua ignorância voluntária, sua recusa em ver e sua recusa em aprender".[37]

Sacudir a população de seu estupor otimista e energizá-la com a sensação de risco apocalíptico era a verdadeira missão da liderança política. A ideia de que a Alemanha pudesse, simplesmente, progredir de maneira gradual em direção a um padrão de vida mais elevado como o que se via nos Estados Unidos era uma ilusão. Para Hitler, a derrota na Primeira Guerra Mundial anunciava o ponto de partida de uma luta não menos definitiva do que a que ocorrera entre Cartago e Roma. A menos que os alemães se levantassem diante do desafio, 1918 poderia muito bem ter sido o presságio de uma *Untergang* tão completa quanto a sofrida pelas grandes civilizações da Antiguidade. Tal perspectiva não deixava espaço para passividade nem para paciência. Diante do inimigo judeu-bolchevista, absolutamente implacável, até mesmo uma estratégia extremamente arriscada podia justificar-se. Na década de 1920 e 1930, era possível perdoar as plateias por tomarem a linguagem extremamente belicosa de Hitler como afetação retórica. A seriedade fatal de sua visão apocalíptica do mundo somente se tornaria completamente visível em 1939.

III

Assim, o eleitorado alemão tinha diante de si uma escolha clara, e a resposta foi explícita. Na eleição geral de maio de 1928, o partido de Hitler conquistou somente 2,5% dos votos, obtendo apenas 12 das 491 cadeiras no Reichstag. Por outro lado, embora a parcela dos votos obtidos pelo DVP tivesse declinado, o partido de Stresemann ainda detinha a respeitável quantidade de 45 assentos.[38] E, enquanto o DVP gozava do apoio generoso das grandes empresas, no outono de 1928, os nazistas estavam tão depauperados financeiramente que foram obrigados a suspender a reunião anual do partido. As vendas do *Mein Kampf* tinham declinado tanto que, temendo o mercado, os editores de Hitler resolveram atrasar a publicação do "Segundo Livro". O outro partido da extrema direita, o DNVP, viu sua participação no Parlamento cair de 103 para 73 cadeiras. Essas perdas e a consequente crise de liderança no movimento nacionalista, que levaram à eleição do ultranacionalista Alfred Hugenberg para chefe do DNVP, foram as principais notícias do verão e outono de 1928. Por outro lado, os social-democratas, partido fundador da República de Weimar, tiveram uma grande vitória. Sua representação no Reichstag subiu de 131 para 153 assentos. Junto com o DVP de Stresemann, o DDP e o Partido Católico do Centro conseguiram uma maioria funcional com Herman Müller como chanceler. Gustav Stresemann continuou ministro do Exterior, já no quinto ano.

Em 1928, portanto, apesar da presença de elementos como Hitler e seu partido, a República de Weimar possuía um sistema parlamentar em funcionamento e um governo comprometido com a busca da revisão do Tratado de Versalhes com o beneplácito dos Estados Unidos. Existia, claramente, um potencial de desastre, porém, até mesmo os observadores mais pessimistas dificilmente poderiam prever que, dentro de dez anos, a Alemanha lançaria novamente a Europa em uma terrível guerra e incitaria a mais impiedosa campanha de assassínio genocida da história da humanidade. Este livro não é uma história da República de Weimar, mas, para iniciar o relato do regime de Hitler, é preciso explicar inicialmente de que maneira a estratégia de Stresemann foi derrubada, abrindo as portas para a visão muito mais radical de Hitler.

Um fator chave que contribuiu para a desestabilização da República de Weimar após 1929 foi a frustração das esperanças investidas na "nova ordem" norte-americana pelas forças pró-republicanas da Alemanha.[39] Em 1923-24, o êxito da estabilização da República de Weimar havia dependido fundamentalmente do envolvimento dos Estados Unidos. Dali em diante, a credibilidade da "estratégia atlântica" de Stresemann e Schacht estava vinculada à expectativa de que a influência dos Estados Unidos continuaria a crescer e acabaria por permitir uma revisão abrangente dos termos do Tratado de Versalhes. Isso dependeria do reconhecimento pelos Estados Unidos do vínculo entre as dívidas de guerra da Grã-Bretanha e França para com os EUA e as exigências de reparações feitas por aqueles dois países à Alemanha. Owen Young voltou a Paris na primavera de 1929 a fim de renegociar o acordo de reparações.[40] No entanto, o novo governo de Herbert Hoover não se comprometera a permitir um vínculo explícito entre as dívidas de guerra dos aliados e as reparações.[41] Isso, por sua vez, significava que o Plano Young, fatalmente, causaria desapontamento.[42] Em lugar da redução do montante da anuidade das reparações de 2,5 para 1,5 bilhão de marcos de ouro do pré-guerra, esperada pelo governo Müller, a importância exigida da Alemanha foi reduzida apenas marginalmente para pouco mais de 2 bilhões de *goldmarks.* Além disso, o Plano Young retirou a proteção fornecida pela Agência de Reparações. Isso poupava à Alemanha a humilhante supervisão estrangeira e tinha a intenção de constituir um primeiro passo para colocar as reparações alemãs num plano comercial e apolítico, mas significava também que, agora, a Alemanha somente poderia atrasar em apenas dois anos, no máximo, a transferência da maior parte de suas obrigações de reparação. Essa decisão teria de ser tomada agora pelo governo alemão, e não por uma agência norte-americana "neutra".

O desapontamento resultante do Plano Young foi devastador para a credibilidade da estratégia atlântica. A acrimônia que cercou as negociações impediu qualquer esperança de uma comercialização em larga escala das dívidas políticas alemãs. A partir de 1928, os empréstimos norte-americanos de longo prazo à Alemanha começaram a declinar em meio a boatos sobre o futuro das reparações e diante de um aumento das taxas de juros nos Estados Unidos.[43] A Alemanha continuou a tomar dinheiro emprestado em 1929 e a vender ações de suas firmas a estrangeiros, porém, mais da metade do influxo de divisas era agora de curto prazo. Ainda viriam novos prejuízos para as relações econômicas transatlânticas. Durante as eleições norte-americanas, Herbert Hoover obteve o apoio do meio-oeste com promessas de proteção à agricultura. Durante a tramitação no Congresso, a legislação comercial, que ficou conhecida com o nome de tarifa Smoot-Hawley, recebeu uma série de emendas que estabeleceram proteção significativa contra importações de manufaturas da Europa. Na altura do outono de 1929, os europeus já haviam percebido que, não apenas o Congresso não permitiria reduções substanciais dos pagamentos das dívidas dos aliados e que tampouco havia perspectivas de novos créditos norte-americanos de longo prazo, mas também que a nova tarifa, provavelmente, tornaria mais difícil aos devedores europeus obter os dólares de que necessitavam para o serviço de suas obrigações para com Wall Street.[44]

Nunca saberemos de que maneira Stresemann teria reagido a essa desastrosa sequência de acontecimentos. A saúde dele vinha se deteriorando desde a primavera de 1928 e o esforço para conservar a ala direita do DVP alinhada com o governo da Grande Coalizão foi demasiado. Poucas horas depois de conseguir a concordância do governo alemão ao Plano Young, Stresemann sofreu uma série de ataques cardíacos e morreu. Porém, mesmo antes de sua morte prematura, surgiram indícios de uma mudança de rumo. Alguns argumentam que os debates intensos entre ele e o ministro francês do Exterior, Aristide Briand, no verão e outono de 1929, foram motivados, pelo menos em parte, por uma sensação de decepção em relação aos Estados Unidos. E, na última semana de junho de 1929, Stresemann havia discursado no Reichstag dizendo que a Europa estava se tornando "uma colônia daqueles que tiveram mais sorte do que nós". Chegara o tempo em que "as economias francesa, alemã e, talvez, outras na Europa teriam de encontrar uma forma conjunta de enfrentar uma competição que nos prejudica a todos", numa referência inusitadamente antagonista aos Estados Unidos.[45]

No entanto, qualquer tentativa de integração europeia seria apenas uma das reações possíveis diante da frustração das esperanças depositadas na América.[46] Uma opção diametralmente oposta surgiu com o comportamento de Hjalmar Schacht, presidente do Reichsbank. Em termos evolutivos, Schacht representa o "elo perdido" entre a estratégia de revisionismo econômico de Stresemann e a agressão militar unilateral que a substituiu depois de 1933. Nascido em 1877, em uma família germano-norte-americana, Horace Greely Hjalmar Schacht tinha um passado de sucesso ao estilo dos kaisers Wilhelm, assim como Stresemann.[47] Embora o pai tivesse tido problemas, primeiro como jornalista e depois em uma série de negócios malogrados, Schacht tirou o melhor partido possível de sua esmerada educação. Tal como Stresemann, começou a vida profissional fazendo *lobby* para interesses liberais de livre comércio, e, em seguida, ascendeu rapidamente na hierarquia do Banco de Dresden. Em 1914, tornou-se membro da administração financeira da

Bélgica ocupada, mas foi obrigado a renunciar em 1915, em meio a rumores de corrupção. Pouco depois, foi contratado pelo concorrente do Dresden, o Nationalbank. Como diretor dessa empresa em rápida expansão, Schacht foi um dos que mais lucraram com a hiperinflação. Tal como Stresemann, era um *Vernunftrepublikaner* (republicano pela razão, mais do que por convicção). Membro fundador do partido liberal de esquerda DDP, em 1918, foi ele o candidato de Stresemann para chefiar o Reichsbank no auge da crise do Ruhr.[48] Dali em diante, Schacht passou a ser considerado aliado chave no esforço de Stresemann para restaurar a respeitabilidade internacional da Alemanha. Tido por todos como responsável pela estabilização do *reichsmark*, em 1924, Schacht mantinha relações estreitas tanto com os círculos de banqueiros dos Estados Unidos quanto com Montagu Norman, governador do Banco da Inglaterra. Com efeito, durante o caos de 1923-24, Schacht havia considerado uma alternativa britânica à estratégia de Stresemann, sondando a possibilidade de atrelar o *reichsmark* à libra esterlina em vez de ao dólar.[49] Mas, depois do acordo de Dawes, ele ficou ainda mais comprometido com a estratégia atlântica do que Stresemann.[50] Mais do que no caso deste último, no entanto, essa concepção racional da estratégia alemã se chocava em Schacht com um profundo sentimento de orgulho nacional ferido. Com muito mais persistência e muito menos tato do que Stresemann, Schacht ligou a questão de um acordo financeiro a exigências de revisão territorial.[51] Queria não apenas obter a aceleração da retirada de tropas francesas do solo alemão, mas também aproveitou todas as oportunidades para reabrir a questão territorial com a Polônia e chegou a insistir na restituição de colônias alemãs. Em abril de 1929, as exigências revisionistas de Schacht estiveram a ponto de fazer descarrilhar as discussões em torno do Plano Young. O Plano em si mesmo era um golpe devastador contra sua confiança na opção norte-americana. Imediatamente após a morte de Stresemann, ele adotou uma postura de oposição frontal ao governo Müller. Utilizou seus contatos em Wall Street para sabotar um esforço do governo alemão para levantar novo empréstimo nos Estados Unidos; em 6 de dezembro de 1929, publicou um relatório fortemente crítico ao Plano Young e, na verdade, a toda a estratégia financeira da República de Weimar desde 1924.[52] Seus dias como presidente do Reichsbank estavam obviamente contados. Na altura da primavera de 1940, ele já havia renunciado e atrelado sua sorte às forças que, agora, se juntavam na extrema direita da política alemã e se opunham ferozmente a qualquer prosseguimento da cooperação financeira com os antigos inimigos da Alemanha.

A maioria dos partidos políticos alemães, no entanto, permaneceram comprometidos com os princípios fundamentais do cumprimento de obrigações. Com efeito, a exigência de respeitar o Plano Young justificava medidas de austeridade doméstica que eram extremamente atraentes a um amplo segmento da ala direita e da comunidade de negócios. Na primavera de 1930, portanto, a Grande Coalizão se desfez devido à questão de cortes orçamentários.[53] Hermann Müller seria o último chanceler social-democrata durante quase 40 anos. Foi demitido em favor de um governo minoritário liderado por um nacionalista convicto, o católico Heinrich Brüning. No Reichsbank, Schacht foi substituído por Hans Luther. Desde então, persiste um acalorado debate sobre as decisões de política econômica tomadas pelo chanceler Brüning e pelo presidente do Reichsbank entre março de 1930 e maio de 1932.[54] Grande parte desse tema, no entanto, não nos interessa aqui. Quando se leva em conta as condicionantes internacionais, é claro que Brüning e Luther tinham as mãos atadas, sem dúvida, em 1930.[55] Segundo as regras do padrão ouro, com o Plano Young exigindo pagamentos anuais de 2 bilhões de *reichsmarks* e os mercados internacionais de capitais cada vez mais nervosos devido aos empréstimos alemães, a deflação era a única opção.[56] Os custos políticos eram imensos. Entre abril e julho de 1930, o sistema parlamentar alemão se digladiou na luta sobre o pacote deflacionário de Brüning. A fim de forçar a aprovação do imposto eleitoral altamente controvertido, Brüning, inicialmente, recorreu, em 16 de julho de 1930, aos poderes de emergência previstos no artigo 48 da Constituição de Weimar. Seguiram-se mais cortes orçamentários e aumentos de impostos, com o decreto abrangente emergencial de 26 de julho. Além do colapso do comércio mundial e da iminente crise dos negócios, o resultado foi a debacle da economia. Entre junho de 1930 e fevereiro de 1931, o número de desempregados aumentou em 2,1 milhões, o dobro do acréscimo sazonal normal. Nas eleições gerais de setembro de 1930, os nacional-socialistas de Hitler conseguiram uma assombrosa vitória eleitoral, com uma votação que cresceu de 2,5% para 18,3%, obtendo 107 assentos, o que os tornava o segundo partido no Reichstag. A fuga de capitais que se seguiu privou o Reichsbank de um terço de suas reservas e obrigou a novo aumento das taxas de juros.[57] Porém, ao mesmo tempo, a estratégia da deflação estava surtindo o efeito desejado. O déficit comercial de 2,9 bilhões de *reichsmarks*, em 1928, transformou-se em um superávit de 2,8 bilhões em 1931 (ver Apêndice, Tabela A1). No entanto, esse superávit não decorria de aumento de exportações e sim do fato de que, devido à Depressão, a procura de produtos estrangeiros importados diminuiu ainda mais rapidamente do que as vendas alemãs no exterior. À medida que as fábricas iam fechando, o flagelo do desemprego e da pobreza se espalhou pela sociedade alemã e a procura de matérias-primas vindas do exterior e bens de consumo desabou. Foi um processo brutal de ajuste, mas a Alemanha estava seguindo a receita normal do mecanismo do padrão ouro. Em outubro de 1930, Brüning foi recompensado com um crédito-ponte de 125 milhões de dólares agenciado por Lee, Higginson e Cia., de Nova York.[58]

O pouco espaço de manobra de que podia dispor o governo Brüning em 1930 e no início de 1931 era em matéria de política externa, mas não em economia. Essa liberdade foi utilizada com consequências funestas.[59] Em vez de seguir a fórmula de Stresemann da década de 1920, que combinava a satisfação econômica com uma diplomacia cautelosa, Brüning e Julius Curtius juntaram o cumprimento das disposições financeiras do Plano Young com uma retórica na política externa que tomaram emprestada à direita nacionalista. O primeiro elemento da nova política alemã foi a decisão de construir dois novos cruzadores de combate para a Marinha, apesar da desesperadora situação financeira do *reich*. O segundo e terceiro elementos foram a proposta de uma união aduaneira austro-alemã e a política cada vez mais ativa da Alemanha na Europa central e do sudeste, simbolizada pelo esforço de concluir acordos comerciais bilaterais exclusivos com a Hungria e a Romênia. As três vertentes dessa estratégia eram dirigidas contra a França. Eram uma consequência lógica da recusa anterior de Brüning à proposta de Briand sobre relações econômicas franco-germânicas mais estreitas. Foram, no entanto, extremamente inoportunas. Durante a década de 1920, uma das premissas da política alemã tinha sido a de que embora a principal ameaça militar à Alemanha viesse da França, esta era uma potência de terceira classe em termos financeiros, atrás dos Estados Unidos e da Grã-Bretanha.[60] Na altura de 1931, no entanto, isso significava uma grave falta de compreensão do equilíbrio de poder no seio do sistema financeiro internacional. Depois da estabilização do franco, em 1926, o Banco Central francês tratou sistematicamente de acumular ouro. Em 1931, suas reservas já eram substancialmente maiores do que as do Banco da Inglaterra e rivalizavam até mesmo com as do Federal Reserve dos Estados Unidos. Briand renovou, no início de 1931, sua investida à Alemanha, sugerindo que, a fim de ajudar Brüning a cumprir os compromissos do Plano Young, o mercado de capitais parisiense poderia abrir-se a empréstimos de longo prazo a Berlim. O governo de Brüning reagiu, em 21 de março de 1931, anunciando publicamente a proposta de uma união aduaneira austro-germânica, o que fechava com estrondo a porta à cooperação econômica franco-alemã.

Por meio dessa política externa agressiva, Brüning reduziu ainda mais seu espaço de manobra no terreno econômico.[61] Sem a perspectiva de empréstimo externo, sua única opção era forçar a adoção de mais uma dolorosa rodada de deflação. Para que isso fosse palatável ao eleitorado doméstico, era preciso uma ação imediata para acelerar a revisão do Plano Young. Assim, em junho de 1931, junto com o segundo decreto deflacionário de emergência, Brüning lançou uma exigência agressiva pedindo o fim das reparações.[62] Foi isso o que, em fim de contas, fez precipitar-se o desastre. Os mercados financeiros estavam inquietos desde março com o mau presságio representado pelo ressurgimento do nacionalismo alemão. Mas, apesar da crise bancária na Áustria, não tinha havido uma corrida aos bancos alemães e nem um ataque contra a moeda do país.[63] O que deflagrou a crise foi a escalada da tensão internacional causada por Brüning. Horas depois do agressivo comunicado do governo alemão, espalhou-se nos mercados financeiros o temor de que o chanceler estivesse prestes a anunciar uma moratória unilateral, tanto no que se referia às reparações quanto em relação às obrigações da Alemanha para com os credores privados. Durante a semana seguinte, as reservas do Reichsbank caíram de 2,6 bilhões para 1,9 bilhão de *reichsmarks*. Apesar de um brutal aumento das taxas de juros, as reservas desabaram inexoravelmente até o nível mínimo necessário para proporcionar "lastro ouro" para a moeda. Quando os problemas dos bancos DANAT e Dresdner chegaram às manchetes, em 17 de junho, o Reichsbank já estava em plena crise monetária. Esta foi tão severa que o presidente Herbert Hoover foi obrigado a intervir de modo dramático e sem precedentes.

Mas, mesmo enquanto a situação se tornava crítica, no início do verão de 1931, a lógica básica da estratégia atlântica continuava a funcionar.[64] Avaliando equivocadamente a reação francesa, o governo de Hoover adotou uma linha notavelmente débil em resposta à reviravolta nacionalista da política externa de Brüning.[65] Em vez de condenar a proposta da união aduaneira, Washington mostrou-se disposto a considerá-la como um primeiro passo para a integração econômica da Europa. No outono de 1931, o Departamento de Estado dos Estados Unidos chegou a expressar impaciência para com a França e a Polônia por deixarem de tratar das preocupações alemãs quanto às fronteiras orientais. Mais grave do que tudo, em 20 de junho de 1931, em resposta aos boatos de uma moratória iminente, Washington, finalmente, concordou com a vinculação entre as reparações e as dívidas de guerra dos aliados.[66] No interesse da preservação dos empréstimos norte-americanos à Alemanha, Hoover propôs uma moratória geral tanto dos "pagamentos políticos" da Alemanha quanto das dívidas de guerra dos aliados, abrindo a porta para o cancelamento formal das obrigações alemãs de reparação, um ano mais tarde, na conferência de Lausanne.[67] Na altura de junho de 1931, no entanto, os franceses não estavam dispostos a fazer concessões. Sem ter sido consultado por Hoover e ressentindo-se do fato de que os Estados Unidos estavam colocando os interesses de seus credores de longo prazo acima das exigências francesas de reparações, Paris atrasou a aprovação da moratória até 6 de julho, tempo suficiente para uma hemorragia de divisas do Reichsbank da ordem de centenas de milhões de *reichsmarks*. Foi nesse intervalo crucial que as crises bancária e comercial se tornaram fatalmente emaranhadas. Na segunda-feira, 13 de julho, o banco DANAT entrou em colapso, precipitando uma corrida geral aos bancos.[68] O gabinete e o Reichsbank não tiveram alternativa a não ser declarar o fechamento geral do sistema financeiro alemão e anunciar, em 15 de julho, um novo método de controle cambial que abolia o funcionamento do padrão ouro livre na Alemanha.[69] O valor do *reichsmark* em termos de ouro permanecia nominalmente igual, mas, do verão de 1931 em diante, os depósitos privados em moeda estrangeira na Alemanha foram nacionalizados. Qualquer residente que recebesse moeda estrangeira sob qualquer forma era obrigado a trocá-la por *reichsmarks* fornecidos pelo Reichsbank. Qualquer pessoa que necessitasse de moeda estrangeira somente podia obtê-la solicitando-a ao Reichsbank, e essas solicitações estavam sujeitas a um rigoroso racionamento. A moeda estrangeira era alocada aos importadores segundo uma percentagem fixa do volume de suas transações financeiras nos doze meses anteriores à crise. O Reichsbank passava, assim, a dispor de um meio direto de regular todas as importações feitas pela Alemanha. Em agosto, para completar a narrativa da crise, a moratória da dívida foi ampliada por meio do chamado Acordo de Congelamento, estendendo-se mais além das reparações alemãs para os créditos de curto prazo, que eram o elemento mais instável da montanha de dívidas do país.[70]

Mas a tempestade ainda não havia passado. Depois de Viena e Berlim, Londres foi a baixa seguinte na onda de instabilidade financeira que varria a Europa. Em 20 de setembro, depois de semanas de grande especulação contra a libra, a Grã-Bretanha acompanhou a Alemanha, abandonando o padrão ouro.[71] Ao contrário do Reichsbank, no entanto, o Banco da Inglaterra preferiu sair do padrão ouro, não por meio da suspensão da livre convertibilidade, e sim abandonando a taxa fixa em relação ao ouro. Em poucas semanas, a principal moeda comercial do mundo se desvalorizou em 20% contra o *reichsmark*. A âncora do sistema financeiro global se desprendera. O abandono do ouro por parte da Grã-Bretanha transformou uma grave recessão em uma profunda crise da economia internacional. Na altura do final de setembro, doze países já tinham acompanhado os britânicos, permitindo que suas moedas flutuassem livremente. Outros onze desvalorizaram suas taxas de câmbio mantendo a relação fixa com o ouro; os que mantiveram a antiga paridade com o ouro, como a Alemanha, a França e a Holanda, não tinham outra forma de defender seus balanços de pagamento senão adotando restrições draconianas na convertibilidade da moeda e no comércio. Mas os exportadores alemães enfrentavam, agora, obstáculos enormes. Como a maior parte de seus principais concorrentes obtivera importante vantagem competitiva em virtude da desvalorização, o volume das exportações alemãs reduziu-se em mais 30%, entre 1931 e 1932. O superávit comercial de 2,8 bilhões de *reichsmarks* em 1931, que tanto custara ganhar, transformou-se, no prazo de um ano, em pouco mais de alguma centenas de milhões, e, até mesmo, essa precária margem somente podia ser conservada mediante novas e brutais reduções nas importações. Na altura da primavera de 1932, a alocação de divisas aos importadores alemães foi reduzida à metade do montante disponível antes da crise.[72]

Uma forma óbvia de aliviar os problemas da Alemanha teria sido desvalorizar o *reichsmark* para alinhá-lo com a libra esterlina.[73] Com efeito, o Banco da Inglaterra já era favorável a uma desvalorização da moeda alemã desde o verão, como reação mais eficaz às crises bancária e monetária.[74] Não se deve imaginar que as autoridades responsáveis da Alemanha se tivessem mostrado absolutamente contrárias a essa medida. Brüning, mais tarde, afirmou ter tido a esperança de realizar uma desvalorização de 20% logo que a fase aguda da crise tivesse passado e a Alemanha tivesse acumulado suficientes reservas de divisas para ter certeza da capacidade de manutenção do novo nível do *reichsmark*.[75] Em setembro de 1931, Hjalmar Schacht esperava que a Alemanha aproveitasse o embaraço da Grã-Bretanha para, com isso, obter concessões em matéria de comércio ou créditos, vinculando o *reichsmark* à libra esterlina. No entanto, essa estratégia podia acarretar graves riscos, que o Reichsbank conhecia bem. Na mentalidade popular, a desvalorização estava inseparavelmente ligada à experiência da hiperinflação. Em 1922 e 1923, a queda vertiginosa do valor do *reichsmark* em relação ao dólar constituíra o índice diário dos sofrimentos da Alemanha. Não era surpresa, portanto, que os comentaristas alemães se assustassem com um cenário no qual as limitadas reservas monetárias aumentassem o preço das importações, deflagrando a inflação. Sem dúvida, o Reichsbank se preocupava com a possibilidade de que suas magras reservas monetárias o deixassem indefeso caso ocorresse um ataque especulativo contra a desvalorizada moeda alemã. No entanto, o elemento finalmente decisivo foi o efeito da desvalorização sobre o valor da dívida externa alemã em *reichsmarks*. A maior parte da dívida externa do país era denominada em moeda estrangeira. O efeito imediato de uma redução do valor do *reichsmark* seria, portanto, o aumento do peso das obrigações da Alemanha para com o estrangeiro em termos de moeda local. Embora o Banco da Inglaterra pudesse receber com prazer uma desvalorização alemã, os Estados Unidos deixaram claro preferir que a Alemanha atendesse ao serviço de sua dívida de longo prazo e, ao mesmo tempo, protegesse o balanço de pagamentos por meio de controles de câmbio.[76] Com a decisiva intervenção do presidente Hoover na questão das reparações, insinuando, até mesmo, que seria capaz de apoiar as reivindicações alemãs contra a Polônia, Berlim optou, mais uma vez, em favor da estratégia atlântica. O governo do chanceler Brüning acreditava que mais cedo, e não mais tarde, a ação dos Estados Unidos na questão das dívidas de guerra faria com que a Grã-Bretanha e a França aceitassem o fim das reparações. Isso, o que Brüning confiantemente esperava, abriria as portas para a normalização das relações políticas e econômicas com a Europa.[77] Ocorreu, no entanto, que foram necessários doze desastrosos meses para que, finalmente, se chegasse a um acordo em Lausanne. Enquanto isso, as perspectivas para a economia alemã eram sombrias.

Preso ao ouro, devido aos empréstimos norte-americanos, mas enfrentando a desvalorização da maioria das moedas com as quais a Alemanha comerciava, Brüning não teve outra opção a não ser forçar nova rodada de deflação, e fazê-lo por meio de decreto. O quarto decreto presidencial de emergência, em 8 de dezembro de 1931, além de proibir o uso de uniformes dos partidos e as manifestações políticas, também ordenou cortes obrigatórios nos salários, remunerações, preços e taxas de juros, seguidos de mais uma redução nos gastos governamentais e um aumento de impostos.[78] A revista *The Economist* considerou as medidas "uma liberdade econômica sem paralelo fora do território da URSS".[79] Para o cargo de Comissário da deflação, Brüning escolheu o prefeito de Leipzig, o empedernido conservador Carl Gödeler, que imediatamente lançou uma campanha de austeridade com farta publicidade.[80] Isso não disfarçava, no entanto, o fato de que a Alemanha agora enfrentava a ruína. O desemprego aumentou para mais de 6 milhões de pessoas e grande parte da comunidade de negócios se encontrava diante de um iminente colapso. A inflação era evidentemente um fantasma assustador aos olhos do público alemão, mas, devido a seu efeito imediato sobre a economia, a deflação era infinitamente pior, principalmente, por causa do impacto sobre os balanços das empresas. Enquanto os rendimentos e receitas caíam, alinhando-se com a deflação de preços e salários, as dívidas, hipotecas e outras obrigações financeiras permaneciam nos níveis elevados de antes da Depressão. Durante o inverno de 1931-32, as falências começaram a destruir o tecido dos negócios na Alemanha. Após a crise do verão de 1931, todos os bancos passaram ao controle do Estado. Houve bancarrotas espetaculares no setor de seguros e nas empresas de engenharia. A AEG, uma das principais firmas alemãs de engenharia elétrica, estava em apuros. Na Vereinigte Stahlwerke, maior conglomerado europeu de aço e carvão, a crise somente foi evitada por meio da aquisição pelo governo de uma grande parte das ações, anteriormente de propriedade de Friedrich Flick. O ministro das Finanças, Hermann Dietrich, disse a um colega de partido: "Minha intenção não era nacionalizar metade do Ruhr... mas o perigo de que interesses estrangeiros comprassem as ações e o fato de que um colapso... abalaria... a Stahlverein e isso, por sua vez, comprometeria a estrutura dos bancos alemães, penosamente reconstruída, deixou-me sem escolha..."[81]

Diante desse desastre econômico crescente, desmoronou o "consenso da deflação" que sustentara Brüning durante os primeiros 18 meses como chanceler.[82] Mais uma vez, Hjalmar surgiu como guia da manada. Durante o ano de 1930 e início de 1931, ele se abstivera de criticar abertamente o governo de Brüning, talvez, na esperança de ser nomeado para um cargo oficial em alguma coalizão nacionalista conservadora. Depois dos desastres do verão de 1931, abandonou a discrição fazendo um discurso dramático num comício das forças nacionalistas em Bad Harzburg, no qual denunciava a falta de espinha dorsal da política de reparações de Brüning.[83] O rejuvenescimento da Alemanha, declarou ele, não dependia de programas de partidos políticos e nem mesmo de inteligência. Era uma questão de "caráter". Schacht já não fazia segredo da fonte de onde esperava vir essa renovação moral. Os principais organizadores do evento eram Hugenberg e o DNVP, mas a grande notícia foi o aparecimento de Schacht no palanque de Harzburg ao lado de Adolf Hitler.[84]

IV

Sem dúvida, a reviravolta nacionalista na política externa alemã, em 1930-31, foi desastrosamente inoportuna. Não obstante, com a moratória de Hoover em vigor e com os norte-americanos advogando, agora, decisivamente o fim das reparações, o programa atlântico tinha, de certa forma, chegado à sua conclusão lógica. Em circunstâncias normais, o prosseguimento da existência de um eixo financeiro transatlântico, certamente, continuaria a ser uma opção atraente para a Alemanha. No entanto, o colapso da economia norte-americana e a decisão britânica em abandonar o padrão ouro destruíram a premissa fundamental na qual se baseara a concepção de Stresemann. Longe de ser uma necessidade histórica autoevidente, a unidade e interdependência mútua da economia mundial estava, agora, sendo profundamente questionada. Havia, naturalmente, vozes dentro e fora da Alemanha que clamavam por um esforço construtivo para refazer o tecido da ordem internacional.[85] Mas, dado o desastre econômico global, muitos acreditavam que o problema era a própria dependência econômica internacional.[86] Visões nacionalistas, visões de um futuro no qual as conexões financeiras globais não fossem a influência determinante no destino de uma nação pareciam agora mais plausíveis.[87] E, mesmo antes que Hitler chegasse ao poder quatro elementos chave dessa agenda nacionalista já estavam plenamente em evidência.

Existe um preconceito profundamente entranhado tanto na percepção histórica popular quanto na literatura histórica, de que a mudança de política econômica realmente importante entre a República de Weimar e o Terceiro Reich foi a implementação urgente, depois de 1933, de programas de recuperação nacional e criação de postos de trabalho.[88] De maneira geral, Heinrich Brüning transformou a deflação em um fetiche. Por outro lado, a criação de postos de trabalho e a luta contra o desemprego desempenharam papel crítico na propaganda do regime de Hitler. À luz da quase contemporânea "revolução keynesiana" na economia, esse contraste entre antes e depois de 1933 adquiriu significado histórico ainda maior. Para os keynesianos, na Alemanha e fora dela, o desastre da República de Weimar será sempre a mais crua ilustração das consequências de depositar demasiada fé nas propriedades curativas do mercado livre, conexão retórica amplamente utilizada na longa luta de retaguarda dos keynesianos contra as forças intelectuais da Nova Direita nas décadas de 1970 e 1980.[89] A história da Alemanha entre 1929 e 1933, sem dúvida, pode servir a esse objetivo. Mas, se quisermos compreender o regime de Hitler mais além desse anacrônico quadro de referência, parece fora de lugar a ênfase na criação de postos de trabalho como chave para o entendimento da política econômica nazista. A criação de postos de trabalho, na verdade, somente emergiu como tema de intenso debate na ala direita da política alemã na segunda metade de 1931. O partido nazista não a adotou como parte importante de seu programa senão no final da primavera de 1932, e ela ali permaneceu apenas durante 18 meses, até dezembro de 1933, quando os gastos para criação de empregos civis foram formalmente retirados da lista de prioridades do governo de Hitler. Apesar das afirmações da propaganda de Goebbels e não obstante as preocupações de comentaristas e historiadores posteriores, as medidas de criação de postos de trabalho civis, sem dúvida, não eram ponto fundamental na agenda da coalizão nacionalista que tomou o poder em janeiro de 1933. De fato, entre os parceiros da coalizão de janeiro de 1933, o tema da criação de empregos era altamente controvertido.[90] Hugenberg, líder do DNVP, indispensável parceiro de Hitler na coalizão, opunha-se ferozmente a medidas financiadas por meio de crédito. A criação de postos de trabalho também era vista com desconfiança pelo mundo dos negócios e pelos banqueiros próximos ao partido nazista, que nesse assunto tinha um eloquente porta-voz na pessoa de Hjalmar Schacht. Tudo isso fazia agudo contraste com os três temas que realmente uniam a direita nacionalista e tornaram possível o governo de Hitler em 30 de janeiro de 1933: a tripla prioridade do rearmamento, o repúdio às dívidas alemãs no exterior e a salvação da agricultura germânica. Eram esses os assuntos que tinham dominado a agenda da ala direita desde a década de 1920. Após 1933, adquiriram caráter prioritário, se necessário, à custa da criação de empregos. O que marcou, de fato, a linha divisória entre a República de Weimar e o Terceiro Reich foi a ação de Hitler em relação a esses três temas, e não a criação de postos de trabalho. O desarmamento e as finanças internacionais tinham estado ligados desde a década de 1920. Mas, em 1932, numa desesperada tentativa final de forjar uma solução pacífica para os problemas da Europa, o governo do presidente Hoover criou uma ligação ainda mais estreita entre os dois temas.[91] No final de 1931 todos aceitavam a ideia de que o fim das reparações dependia do cancelamento das dívidas de guerra da França e da Grã-Bretanha pelos Estados Unidos. A moratória de emergência de 1931, havia reconhecido isso na prática. No entanto, Hoover ainda tinha de convencer o Congresso quanto à redução da dívida e para isso precisava mostrar progressos no desarmamento. Seria absolutamente inaceitável que a França e a Grã-Bretanha utilizassem o alívio financeiro que reivindicavam dos Estados Unidos para se entregarem a um aumento das despesas militares. No início de 1932, portanto, os norte-americanos lançaram "processos" gêmeos de conferências: em Genebra, para o desarmamento, e em Lausanne, para as dívidas políticas. Uma terceira vertente foram os laboriosos preparativos para uma conferência internacional sobre a economia global, que deveria tratar da desordem no sistema financeiro mundial e do prejudicial aumento do protecionismo internacional. Na década de 1920, diante de um esforço norte-americano anterior para reconstituir a ordem internacional, a estratégia de Stresemann tinha sido colocar a Alemanha como aliada chave dos Estados Unidos. Em contraste, a partir de 1932, os governos de Franz von Papen, do general Kurt von Schleicher e, finalmente, de Adolf Hitler, adotaram a posição oposta. Em vez de buscar prosperidade e segurança em arranjos multilaterais garantidos pelo poderio dos Estados Unidos, trataram de assegurar vantagens unilaterais para a Alemanha, se necessário até mesmo em oposição aos esforços dos Estados Unidos para restaurar a ordem internacional.[92]

Durante toda a década de 1920, houve preparativos secretos para o rearmamento da Alemanha, porém nunca em proporções realmente ameaçadoras.[93] Stresemann sempre tomara cuidado para que as atividades clandestinas dos militares não prejudicassem seus objetivos primordiais de negociar a retirada das tropas francesas do solo alemão e conseguir uma redução substancial das reparações. A evacuação dos últimos soldados estrangeiros da Renânia, no verão de 1930, preparou o cenário para discussões mais concretas. Aparentemente, Brüning preferia um calendário no qual o Reichswehr, o Exército alemão, começasse o rearmamento tão logo a questão das reparações ficasse resolvida. Na altura de dezembro de 1931, o Reichswehr, finalmente, terminara o segundo Rüstungsplan (plano de rearmamento), que contemplava um dispêndio de pouco mais de 480 milhões de *reichsmarks* ao longo de cinco anos.[94] O objetivo era dar à Alemanha, em caso de ataque, a capacidade de suprir uma força defensiva de 21 divisões equipadas com um pequeno complemento de artilharia, tanques e aviões. Uma versão mais ambiciosa do plano, denominada *Milliardenprogram* (programa de 1 bilhão de *reichsmarks*), evidenciava as despesas extra na infraestrutura industrial destinada a manter essa força permanentemente adestrada. No entanto, tal planejamento, por não exigir expansão do poderio do Reichswehr em tempo de paz, permanecia, pelo menos, formalmente, dentro dos termos do Tratado de Versalhes. Durante o ano de 1932, o papel cada vez mais preeminente do general Schleicher na política alemã trouxe novo sentimento de urgência e ousadia ao pensamento do Reichswehr. Na segunda metade de 1932, a liderança do Exército começou a planejar uma violação do Tratado por meio de um aumento significativo do poderio militar em tempo de paz. O plano *Umbau*, autorizado por Schleicher, em 7 de novembro de 1932, previa a criação de um Exército permanente de 21 divisões baseadas em um efetivo de 147 mil soldados profissionais e uma milícia substancial. No outono de 1932, a delegação alemã para as conversações de desarmamento em Genebra se retirou temporariamente da conferência em uma tentativa de fazer com que a França e a Grã-Bretanha aceitassem igualdade de status com a Alemanha: qualquer que fosse o acordo alcançado, teria de se aplicar a todas as partes. Mas Schleicher, que acedeu à Chancelaria em dezembro de 1932, ainda não resolvera romper completamente com a comunidade internacional. Obtido o princípio da igualdade, os alemães voltaram a Genebra. Por trás de Schleicher, no entanto, havia hostes de generais mais agressivos, inclusive Werner von Blomberg, que exigia o recurso ostensivo ao rearmamento unilateral. Além disso, o problema prático do rearmamento impunha seu próprio calendário. Com os prejuízos causados pela Depressão à indústria alemã de engenharia, parecia que, caso não chegassem em breve recursos financeiros governamentais, a capacidade industrial da qual, em última análise, dependia o rearmamento em pouco tempo deixaria de existir.[95] Com esse pensamento em mente, o governo do general Schleicher adotou, de forma pioneira, o uso da criação de empregos, tanto como forma de ocultar os gastos militares dos olhos dos observadores estrangeiros quanto como uma forma de unir o povo alemão em defesa do rearmamento.

Em termos estritamente econômicos, a agenda definidora do nacionalismo alemão, a partir do Plano Dawes de 1924, não era a criação de postos de trabalho e sim o repúdio às obrigações internacionais da Alemanha, primeiro as reparações e, em seguida, os créditos internacionais tomados desde o início da década de 1920 para fazer face àquelas obrigações. Até 1932, como vimos, a lógica ditava a necessidade de manter a proximidade com os Estados Unidos. O Plano Young, pelo menos, oferecia uma anuidade reduzida e somente a pressão norte-americana prometia alguma perspectiva de eliminação final das reparações. Assim, os ultranacionalistas permaneciam em minoria e o cumprimento das obrigações era a pedra de toque da política respeitável. Na altura do outono de 1932, no entanto, a situação ficou bastante diferente. Em julho daquele ano, na conferência de Lausanne sobre reparações, a Grã-Bretanha e a França concordaram com um acordo que representava *de facto* o fim dos pagamentos de reparações pela Alemanha.[96] É significativo que isso tenha sido feito, contra a vontade dos norte-americanos, por meio da vinculação entre o término definitivo de todas as obrigações alemãs e o cancelamento de todas as dívidas francesas e britânicas para com os Estados Unidos. A Grã-Bretanha fez um pagamento final dessas dívidas em dezembro de 1932, porém sob protesto. A França, a Bélgica, a Polônia, a Estônia e a Hungria, simplesmente, deram o calote. O primeiro ministro Édouard Herriot, que advogara honrar os pagamentos franceses, sofreu uma derrota esmagadora no parlamento. Os Estados Unidos já não conseguiam controlar a Europa, e isso tinha implicações dramáticas para a estratégia alemã.

Em janeiro de 1933, a Alemanha ainda devia 19 bilhões de *reichsmarks* a credores estrangeiros, dos quais 10,3 bilhões em títulos de longo prazo e 4,1 em empréstimos de curto prazo cobertos pelo Acordo de Congelamento.[97] Pelo menos 8,3 bilhões de *reichsmarks* eram devidos aos Estados Unidos, que era de longe o maior credor. Essa carga devedora, contraída desde 1924, ameaçava o padrão de vida alemão não menos fortemente do que as reparações, que agora haviam sido retiradas da mesa de negociação. Para o serviço de suas dívidas, a Alemanha necessitava transferir para o exterior juros e principal no montante aproximado de um bilhão de *reichsmarks* por ano, e, dada a indisponibilidade de crédito, na década de 1930, ao contrário da de 1920, o país se via diante da perspectiva de fazer "transferências reais", isto é, não podia, simplesmente, pedir dinheiro emprestado a fim de pagar aos credores. Para o serviço da dívida, era preciso que as exportações alemãs excedessem as importações em, pelo menos, um bilhão de *reichsmarks*. Isso significava uma redução substancial do padrão de vida. Com o fim das reparações, quase a metade dos onerosos pagamentos do serviço da dívida se destinariam a um único país, os Estados Unidos. Embora a Alemanha ainda necessitasse da assistência norte-americana para obrigar a França e a Grã-Bretanha a abolir as reparações, era do interesse de Berlim cooperar com Washington, ainda que a carga das dívidas com os Estados Unidos fosse pesada e a possibilidade de obter novos créditos fosse pequena. Após o acordo de Lausanne sobre as reparações, com a França e a Grã-Bretanha amargamente ressentidas com os Estados Unidos, por causa das próprias dívidas de guerra, aquele imperativo se evaporou. Tampouco os alemães tinham motivos para temer sanções comerciais norte-americanas em caso de calote. A balança comercial transatlântica era altamente desfavorável à Alemanha. Nesse aspecto, os esforços dos Estados Unidos para estabilizar a Europa tinham sido fundamentalmente contraditórios.[98] As tarifas norte-americanas superiores a 44%, que davam aos EUA vantagens competitivas em praticamente todos os setores das manufaturas, tornavam difícil, e mesmo impossível, a seus devedores pagar suas dívidas, mesmo que desejassem fazê-lo. Tão logo as reparações foram levantadas, essa contradição no seio da política econômica externa norte-americana proporcionou aos nacionalistas alemães uma desculpa perfeita para o calote.

Naturalmente, essa não é a única conclusão que pode ser tirada a partir das condições da Alemanha. O unilateralismo agressivo e o calote não eram algo predeterminado. Na década de 1920, Stresemann havia procurado transformar a Alemanha em um dos principais advogados do livre comércio multilateral, orientação entusiasticamente apoiada, pelo menos, pelas indústrias voltadas para a exportação.[99] Afinal, em tempos de prosperidade, a Alemanha tinha sido uma das principais nações comerciantes, exportando praticamente a todas as partes do mundo. Em 1932 e 1933, já estavam em curso negociações preliminares para a realização de uma Conferência Econômica Mundial em Londres, na qual as tarifas seriam tema fundamental.[100] Ainda havia a oportunidade para que a Alemanha agisse como força positiva em favor da liberalização, e não da desintegração nacionalista. Na altura de 1932, no entanto, as vozes em favor do liberalismo foram abafadas pelo clamor ensurdecedor do nacionalismo econômico. Com efeito, dado o desmoronamento do padrão ouro, até mesmo as associações industriais do *reich* passaram a ter dificuldades em manter o consenso sobre o livre comércio multilateral. Novamente, nesse caso, o líder do ataque nacionalista foi Hjalmar Schacht, ex-presidente do Reichsbank. No final de 1931, ele apresentou um novo plano comercial a um grupo de importantes industriais alemães.[101] Por meio de uma sistema que lembrava o empregado durante a Primeira Guerra Mundial, todas as importações alemãs ficariam sujeitas a um controle central. Poderiam, então, ser usadas com o objetivo de obrigar os fornecedores de mercadorias para a Alemanha a aceitar quantidades ao menos iguais de exportações alemãs. Devido ao prejuízo que isso causaria às complexas relações comerciais multilaterais do país, o plano de Schacht somente obteve apoio de uma minoria entre os industriais germânicos. Nas fileiras da agricultura, no entanto, os inimigos do liberalismo encontraram adeptos mais dispostos.

Na medida em que os interesses econômicos foram responsáveis pelo colapso da República de Weimar e pela instalação, em 30 de janeiro de 1933, do governo de Hitler, o grupo principalmente responsável não foi o das grandes empresas e nem mesmo da indústria pesada, e sim os aguerridos agricultores alemães.[102] Desde a década de 1870, a agricultura era uma causa perdida para o liberalismo.[103] Bismarck obtivera o apoio do setor agrícola, em 1879, por meio da imposição da primeira tarifa substancial sobre os cereais. Isso não detivera o declínio da agricultura, mas retardara significativamente o que, de outra forma, poderia ter representado um processo verdadeiramente dramático de deslocamento social e migração interna. Em meados do século XIX, os trabalhadores em agricultura eram cerca de metade do total. Em 1925, essa proporção caíra a 25%, mas isso ainda significava que 13 milhões de pessoas dependiam da agricultura para ganhar a vida. O *lobby* agrícola era, portanto, um eleitorado vital para todos os partidos políticos, com exceção dos social-democratas e dos comunistas, nenhum dos quais conseguia preparar um programa agrícola digno de crédito. Mas, no final da década de

1920, entretanto, os partidos respeitáveis de centro-direita lutavam por conservar apoio nos círculos agrários, à medida que a comunidade rural alemã era progressivamente radicalizada devido ao colapso mundial dos preços dos produtos de base.[104] Em consequência, o *lobby* ruralista começou a exigir, não apenas mais proteção e alívio de suas dívidas, mas também uma reorientação fundamental da política comercial da Alemanha. Como as tarifas não tinham se mostrado eficazes para afastar a competição dos preços baixos, os agricultores exigiam, agora, introdução de quotas específicas a fim de restringir a importação de determinados produtos agrícolas vindos de certos países.[105] Os alemães de tendência liberal sempre se haviam oposto às tarifas agrícolas. Ao discriminar entre parceiros comerciais individuais, as novas propostas ameaçavam destruir completamente o sistema de comércio multilateral. Não se podia negar, entretanto, que as medidas de emergência de julho de 1931 apontavam nessa direção. Afinal, o novo sistema de racionamento de divisas posto em prática pelo Reichsbank fornecia exatamente o instrumento necessário para controlar a composição das importações da Alemanha.[106] Brüning, no entanto, resistiu firmemente às quotas. Seu governo deu amplo apoio à agricultura em todos os demais aspectos, mas não foi possível encontrar um compromisso sobre quotas.[107] Nesse ponto, Papen e Schleicher seguiram o exemplo de Brüning. Papen aprovava as quotas em princípio, porém somente dentro dos limites "permissíveis segundo os tratados de comércio em vigor", e, quando seu governo caiu, não houve ação decisiva da parte de Schleicher.[108] Isso, no entanto, levou o *lobby* agrícola à absoluta oposição à República.[109] No início de 1933, importantes líderes da facção agrícola intervieram decisivamente justo ao presidente Paul von Hindenburg, que possuía grandes propriedades rurais, para fazê-lo aceitar uma coalizão entre o DNVP de Hugenberg e o partido Nazista de Hitler. Assim como advogados do calote na dívida, os agricultores queriam um governo que levasse adiante, unilateralmente, sua concepção do interesse nacional da Alemanha, obrigando os vizinhos e parceiros comerciais a aceitarem suas condições.

V

Os inimigos do liberalismo estavam visivelmente em ação na Alemanha. Na altura de 1932, os danos ao sistema parlamentar já pareciam irreparáveis, tornando altamente provável a substituição da República de Weimar por algum tipo de regime autoritário e nacionalista. Afinal, a Alemanha chegava ao fim de 1932 com generais tanto na Chancelaria quanto na presidência da República. Porém, quanto mais ficamos sabendo sobre a movimentação de bastidores que levou à nomeação de Hitler, em 30 de janeiro de 1933, menos parece correto afirmar que esse resultado específico fosse de alguma forma predeterminado. Parece haver todos os motivos para crer que o mundo teria sido poupado do pesadelo de uma ditadura nacional socialista se Hitler fosse mantido fora do governo durante mais alguns meses. Os nazistas tinham colhido seu triunfo eleitoral mais espetacular, em julho de 1932, nas eleições gerais seguintes à demissão do chanceler Brüning, conseguindo 37,2% dos votos. No entanto, graças à resistência do presidente Hindenburg e de membros importantes do gabinete Papen, a posição de chanceler do *reich* não foi oferecida a Hitler e este se recusou a aceitar qualquer cargo inferior a esse.[110] Apesar dessa vitória eleitoral, o NSDAP permaneceu na oposição e sofreu as consequências disso na segunda eleição geral de 1932, em novembro. Embora as urnas não tivessem produzido uma maioria parlamentar operante, precipitando a queda do chanceler Papen, elas proporcionaram um sério golpe contra o partido de Hitler, que viu sua votação regredir a menos de 33%. O eleitorado ficara evidentemente frustrado com a decisão de Hitler em não participar do governo. Os ativistas do partido começavam a desanimar. O ímpeto que levara o NSDAP de vitória em vitória desde 1929 estava visivelmente exaurido. Após o recuo de novembro, as divisões entre a esquerda e a direita, que haviam afetado o nacional socialismo, na década de 1920, reemergiram repentinamente. Em dezembro de 1932, o general Schleicher, o verdadeiro "fazedor de reis" da política alemã, finalmente tomou ele próprio o poder e começou o governo de maneira popular lançando a primeira iniciativa nacional de criação de postos de trabalho. Gustav Stolper recordou, mais tarde, uma alegre reunião no café da manhã na Chancelaria do *reich*, em janeiro de 1933, no qual Schleicher e seus assessores faziam previsões sobre quantos votos os nazistas iriam perder nas eleições que ele pretendia convocar na primavera.[111]

Enquanto isso, surgiram nos Estados Unidos os primeiros indícios de recuperação econômica, em junho de 1932.[112] Após o levantamento das reparações em Lausanne, a procura dos títulos alemães começou a se tornar mais forte.[113] Isso era crucial, porque fornecia uma oportunidade para que os bancos em apuros se livrassem de ativos sem liquidez e refizessem suas reservas monetárias. No final do verão, houve sinais de uma revitalização do setor de construção. Inevitavelmente, quando terminou o tempo da colheita e a atividade de construção amainou no inverno, o desemprego novamente aumentou, aproximando-se da marca chocante de 6 milhões. Mas os peritos consideraram auspicioso o simples fato de que não tivesse ultrapassado o nível do ano anterior. O "nível de desemprego sazonalmente ajustado", conceito novo que estava na moda devido à incipiente ciência da análise do ciclo de negócios, havia se estabilizado. Na altura do final do ano de 1932, o respeitado relatório anual do Reichskreditgesellschaft juntou-se ao jornal de Stolper, *Der Deutsche Volkswirt*, com uma avaliação otimista da situação econômica da Alemanha.[114] Em dezembro de 1932, até mesmo o Instituto de Berlim para Pesquisa sobre o Ciclo de Negócios, o comentarista mais influente do país no período do entreguerras e também o mais pessimista, declarou que pelo menos o processo de contração estava superado.[115] O correspondente do *The Economist* em Berlim informou que "pela primeira vez, em três ou quatro anos" a burguesia alemã podia vislumbrar "uma centelha de luz econômica".[116] Esse ponto é importante, porque contradiz todas as apreciações subsequentes sobre a economia da Alemanha sob o nacional socialismo.[117] Em 1933, a economia do país não era um cadáver; estava iniciando o que poderia ter-se transformado em uma vigorosa retomada cíclica. Sem dúvida, em 1º de janeiro de 1933, os editoriais de Ano-Novo na imprensa de Berlim foram otimistas. *Vorwaerts*, o diário social democrata, saudou o ano-novo com a manchete: "Ascensão e Queda de Hitler".[118]

Afinal de contas, o que decidiu o destino da Alemanha e, com ela, o do mundo foi o trágico erro de cálculo de uma pequena roda de conservadores ultranacionalistas. O ex-chanceler Papen, amargurado por sua demissão, em dezembro de 1932, conspirou com o *lobby* agrícola e alguns dos elementos mais agressivos dentre os militares a fim de pressionar o já enfermo Hindenburg a demitir Schleicher e formar um novo governo baseado na plataforma popular do nacional socialismo. Isso não era possível sem fazer de Hitler o chanceler, porém o ultranacionalista Hugenberg ficaria com os ministérios da Agricultura e dos Assuntos Econômicos. O general Blomberg seria o ministro da Defesa e Papen o vice-chanceler. Não devemos presumir que o equilíbrio de forças no governo Hitler-Hugenberg-Papen-Blomberg estivesse predeterminado. Havia forças poderosas na sociedade alemã, especialmente os militares e as igrejas, mas também a liderança dos negócios do país que muito poderiam ter feito para afastar Hitler e seus seguidores de sua trilha.[119] A Alemanha não foi, de forma alguma, obrigada a aceitar a política de antissemitismo, rearmamento agressivo e diplomacia unilateral. Na verdade, alguns leitores poderão considerar absurdo ter de fazer essa afirmação. Ao fazê-la, porém, torna-se evidente que esse modelo de crítica diante dos fatos nem sempre é aplicado com equanimidade a todos os aspectos do regime de Hitler. De fato, a esfera econômica, frequentemente, fica completamente isenta desse escrutínio crítico. Muitas vezes, presume-se que o regime de Hitler somente enfrentou as verdadeiras escolhas estratégicas de política econômica, nas quais a ideologia nacional socialista era realmente influente, em 1936, quatro anos após a chegada ao poder. Muitas vezes, presume-se que a atenção à crise do desemprego, deva ter sido a primeira prioridade do regime. Esse, no entanto, é apenas mais um dos efeitos de dar atenção excessiva à criação de postos de trabalho. No que se refere à crise do desemprego, é possível narrar uma história na qual o regime de Hitler tenha, simplesmente, procurado uma resposta funcional, há muito esperada, à profunda crise econômica da Alemanha. Com efeito, em muitos relatos, mesmo recentes, é possível detectar indícios de admiração pela capacidade do regime de Hitler em se afastar do intratável conservadorismo que, supostamente, restringiu governos anteriores.[120] Porém, como já foi sugerido e será detalhado no capítulo seguinte, os temas "keynesianos" de criação de postos de trabalho nunca foram tão proeminentes na agenda do governo de Hitler como se costuma supor. As decisões de política econômica mais cruciais tomadas no período 1933-34 não se referiam ao desemprego, e sim às dívidas externas da Alemanha, à sua moeda e ao desarmamento, e, com relação a essas questões, não é possível fingir inocência política. Tais temas se encontravam no próprio cerne do programa nacionalista de autoafirmação que era a verdadeira agenda do governo de Hitler. Além disso, se conferirmos a devida ênfase às questões da dívida externa e do comércio exterior, torna-se evidente que, para muitos milhões de alemães, o milagre econômico de Hitler constituiu, na verdade, uma experiência altamente ambígua.

Se quisermos evitar uma história econômica despolitizada do regime nazista, discordante de nossa opinião sobre todos os demais aspectos da história do regime, precisamos ter sempre em mente que, mesmo em 1933, havia alternativas à estratégia econômica adotada pelo governo de Hitler. E não apenas isso: essas alternativas poderiam muito bem ter trazido grandes benefícios materiais à maioria da população alemã. No entanto, mesmo percebendo as alternativas e, portanto, mantendo firmemente à vista a possibilidade de crítica, tampouco devemos subestimar os danos causados tanto dentro quanto fora da Alemanha pela Grande Depressão. Ainda que Hitler não tivesse sido nomeado chanceler e Schleicher tivesse permanecido no poder, é difícil imaginar que a Alemanha seguisse uma trajetória que não fosse prejudicial aos esforços de último recurso para restituir ao mundo a paz e a estabilidade, nas conversações sobre desarmamento em Genebra e na Conferência Econômica Mundial em Londres. Acrescente-se que imaginar que a questão seria, em última análise, decidida pela Alemanha equivaleria a cair na armadilha solipsista da estratégia nacionalista. A Alemanha poderia seguir uma política mais amistosa para com a estabilização global, mas a possibilidade de atingir esse objetivo ilusório dependia criticamente das demais grandes potências, e, em 1933, o ambiente era muito menos favorável à uma estratégia multilateral do que havia sido dez anos antes. Acima de tudo, a posição dos Estados Unidos havia mudado drasticamente. Em 1923, Stresemann, sem dúvida, tinha tido razão ao apostar nos Estados Unidos como a força dominante nos assuntos mundiais, tanto economicamente quanto como futura superpotência militar. Dez anos depois, a posição dos Estados Unidos estava, fatalmente, enfraquecida devido à crise mais severa jamais registrada na história econômica. Quando Hitler assumiu o poder, Hoover foi substituído por Roosevelt, que, nos primeiros meses de seu governo, se concentrou em salvar o país do desastroso espasmo final da Depressão, excluindo tudo ou mais. Passar-se-iam muitos anos até que os Estados Unidos ressurgissem como pivô de todos os cálculos estratégicos, e, a essa altura, o macabro regime de Hitler já adquirira demasiado ímpeto para que pudesse ser detido de outra forma que não fosse a força bruta.

PARTE I

Recuperação

1

“A cada trabalhador seu trabalho”

Em 1º de fevereiro de 1933, dois dias depois de sua nomeação para o cargo de chanceler,* transpirando de ansiedade, Hitler gravou o primeiro pronunciamento nacional pelo rádio de sua vida.[1] O fio condutor de seu discurso foi a decisão de seu governo de superar a desintegração resultante da rendição da Alemanha em novembro de 1918 e a revolução “comunista” subsequente.[2] O fato de haver ele escolhido até mesmo essa ocasião de triunfo para retornar àquele acontecimento de 14 anos antes, fornece um claro atestado da centralidade desse trauma em sua visão política. Como políticas específicas, Hitler prometeu um programa de quatro anos para resgatar os camponeses alemães da pobreza e superar o desemprego dos operários do país. Prometeu reformar o aparelho do Estado e trazer ordem à confusa divisão de trabalho entre as autoridades do *reich* e as estaduais e locais. No que toca à política social, ofereceu a promessa de um programa de assentamento agrícola, serviços para os trabalhadores e garantia de manutenção do sistema de saúde e previdência. A promoção do trabalho e da economia nos serviços públicos produziria, por sua vez, uma garantia contra qualquer “perigo para nossa moeda”. Tudo isso era bastante claro quanto às pretensões de Hitler. Quanto à política externa, ao contrário, era preciso ler as entrelinhas. O novo chanceler mencionou ritualmente as negociações de desarmamento em Genebra, sublinhando sua disposição em aceitar até mesmo a extinção do Exército alemão, desde que houvesse desarmamento geral. Afirmou, no entanto,

* Cargo equivalente ao de primeiro-ministro. (*N. do T.*)

que a principal missão do governo nacional era "a proteção do direito [nacional] à vida e, por esse meio, a restauração da liberdade de nosso *Volk*".[3] Tratava-se da linguagem cifrada dos nacionalistas para significar o oposto. A liberdade que Hitler tinha em mente era que a Alemanha perseguisse seu interesse nacional mediante ação unilateral, se necessário, por meios militares, independentemente de limitações ou tratados.

Dois dias depois, a convite do general Blomberg, que acabara de ser nomeado ministro da Defesa, Hitler deu à liderança militar alemã uma ideia mais sincera de seus objetivos. Nessa ocasião, ele repetiu as opiniões que desenvolvera em *Mein Kampf* e no "Segundo Livro". O que é notável é, simplesmente, que o tivesse feito agora como recém-nomeado chanceler da Alemanha. Nada mudara sua convicção fundamental de que a luta pelo *Lebensraum* era a única salvação para o país.[4] A tarefa da política doméstica era a consolidação das bases para o rearmamento. A destruição do marxismo, a reconstrução da economia e o resgate dos camponeses constituíam os meios para atingir aquele objetivo. Assim como em 1928, Hitler não fez segredo de suas intenções de longo prazo. A primeira prioridade do rearmamento alemão era escapar à avassaladora ameaça representada pela França e por seus aliados, que poderiam intervir a qualquer momento. O objetivo de longo prazo era "possivelmente, a busca de novas possibilidades de exportação [isto é, colônias], possivelmente — e, provavelmente, melhor ainda — a conquista de novo *Lebensraum* no leste e sua impiedosa germanização. É certo que a situação econômica existente somente pode ser modificada por meio de poder político e luta. Tudo o que puder ocorrer agora... é mera improvisação."[5] Menos de uma semana depois, em 9 de fevereiro, ao presidir a comissão ministerial para a criação de empregos, o chanceler reiterou os mesmos pontos básicos. Em sua opinião, havia apenas uma prioridade: o rearmamento. "O futuro da Alemanha depende apenas e exclusivamente da reconstrução da Wehrmacht. Todas as demais tarefas devem ceder a precedência à obra do rearmamento... De qualquer forma, eu [Hitler] acredito que, no futuro, em caso de conflito entre as necessidades da Wehrmacht e as demais, os interesses da Wehrmacht devem ter prioridade em todos os casos."[6]

O rumo estava traçado, poucos dias depois da ascensão de Hitler ao poder, mas o calendário das ações seguintes dependia de um complexo conjunto de limitações domésticas e internacionais.

I

As eleições gerais, programadas para 5 de março, significavam um teste crucial da popularidade de Hitler. Era essencial que os partidos do governo conseguissem obter uma ampla maioria a fim de poder impor sua agenda ditatorial sob uma capa de legalidade. Em três eleições gerais anteriores, em 1930 e 1932, os 19 milhões de eleitores alemães não tinham logrado acordo sobre um programa de recuperação econômica nacional. Mesmo em 1932, no auge da popularidade, com as promessas de criação de empregos feitas por Strasser proclamadas em suas faixas de propaganda, os nazistas não tinham atraído o apoio de mais do que um terço do eleitorado. Para que o governo de Hitler assegurasse uma sólida maioria, era obviamente essencial evitar alarmar o público com perigosas aventuras em política externa. Era também crucial preservar a fachada de unidade nacionalista na qual se baseava o governo de Hitler. Em seu gabinete, a pasta das finanças ficou com Schwerin von Krosigk, ex-funcionário público conservador, que, sabidamente, se opunha à criação de empregos financiada por meio de créditos. Hans Luther, o papa da ortodoxia monetária, permaneceu na presidência do Reichsbank. Alfred Hugenberg, líder do DNVP, elemento essencial na coalizão de Hitler, era ao mesmo tempo ministro de Assuntos Econômicos e de Agricultura. Embora em matéria de economia fosse nacionalista em todos os sentidos da expressão, Hugenberg era também contrário à criação de postos de trabalho além dos que já tinham sido aprovados pelo chanceler Schleicher. Procurar forçar uma expansão imediata dos gastos governamentais contra tamanha oposição teria afastado Hitler de sua principal prioridade em fevereiro de 1933, que era a mobilização do exausto partido nazista para um esforço eleitoral final.[7]

Tanto o "gigantesco e abrangente" pacote de criação de empregos que Hitler prometera na segunda noite de seu mandato quanto as agradáveis promessas feitas aos militares teriam de esperar até que os votos fossem contados. De qualquer forma, não havia grande necessidade de ação imediata.[8] Hitler havia herdado de seu antecessor, o general Schleicher, um programa completo de criação de empregos, financiado por créditos, com um orçamento total de 600 milhões de *reichsmarks*. Nenhuma parcela desses fundos havia sido gasta quando ele assumiu o cargo. As medidas iniciais de rearmamento e de criação de postos de trabalho tomadas pelo novo governo consistiram, portanto, em utilizar o dinheiro de Schleicher. Dos 600 milhões, 200 foram atribuídos aos objetivos do *reich*, e, dessa última quantia 190 milhões foram reivindicados pelos militares; outros 200 milhões foram despendidos pelos governos locais. O resto serviu para melhoras nas terras agricultáveis.

Os resultados das eleições de março desapontaram Hitler[9] e Goebbels. Os nazistas não conseguiram sequer chegar perto da maioria absoluta, mesmo com o uso de práticas de intimidação na propaganda eleitoral, o que confirma a conclusão a que chegou a maioria dos observadores no outono de 1932. Como movimento político, o partido nazista tinha atingido seu limite, muito inferior à maioria do eleitorado alemão. Agora, no entanto, Hitler e seu partido já não precisavam depender tanto do processo eleitoral. Após muita pressão sobre o Partido Católico do Centro, ele conseguiu a maioria de dois terços de que necessitava para a Lei de Concessão de Plenos Poderes, de 23 de março de 1933. Isso o liberava para governar por decreto. O caminho estava livre para o uso decisivo da força física. Em marcante contraste com os relutantes revolucionários de novembro de 1918, que tinham feito o possível para reprimir a revolta popular contra a Primeira Guerra Mundial e a monarquia guilhermina, os nazistas não hesitaram em combinar as urnas com a força bruta. Na primavera de 1933, o partido nazista e seus aliados nacionalistas lançaram em toda a Alemanha uma campanha feroz voltada, sobretudo, contra os comunistas, os social-democratas e a pequena minoria judaica da Alemanha. Inexplicavelmente, os sindicatos socialistas se deixaram iludir, acreditando poder cooperar com o governo de Hitler. Chegaram a se unir a ele e a Goebbels para transformar o dia 1º de maio de 1933 em uma festividade dos trabalhadores nacionais, na primeira ocasião em que a data foi comemorada como feriado. No dia seguinte, batalhões vestidos de camisas pardas invadiram os escritórios dos sindicatos e os destruíram. Centenas de milhões de *reichsmarks* em propriedades e valores foram confiscados. Robert Ley, leal a Hitler e inveterado beberrão, assumiu a chefia da nova Frente Trabalhista Alemã (Deutsche Arbeitsfront, DAF). O dinamismo dos militantes nazistas (NSBO) nessa altura atingira proporções que preocuparam o próprio Ley. Assim, a fim de restabelecer a ordem, o *reich* nomeou comissários regionais do trabalho (*Treuhänder der Arbeit*) para fixar salários e dirimir conflitos entre empregadores e nazistas rebeldes gerentes de oficinas.

Enquanto isso, iam sendo removidos os obstáculos a uma política mais expansionista dos gastos governamentais. Em abril de 1933, o ministro do

Trabalho do *reich*, Franz Seldte, de convicções nacionalistas, tomara a si a causa da criação de empregos, insistindo com Hitler para que usasse os desfiles de 1º de maio como plataforma de lançamento do programa de criação de postos de trabalho, há muito prometido. Os mercados de trabalho seriam estimulados por um pacote financiado mediante créditos e orçado entre 1 bilhão e 1,6 bilhão de *reichsmarks*.[10] Em meio à violência do *Machtergreifung* (tomada do poder), Hans Luther foi enviado como novo embaixador da Alemanha em Washington. Foi substituído na presidência do Reichsbank por Hjalmar Schacht, que voltava para seu segundo mandato à frente da política monetária alemã. Isso não causou surpresa, dada a já conhecida filiação de Schacht ao partido nazista desde o outono de 1931. Era, porém, um sinal claro das intenções agressivas de Hitler. Em abril, as mudanças no Reichsbank foram seguidas pela nomeação de Fritz Reinhardt (nascido em 1895) para secretário de Estado no Ministério das Finanças do *reich*. Desde 1932, Reinhardt fizera-se notar junto com o infortunado Gregor Strasser, como principal porta-voz do partido em matéria de criação de empregos.[11] Sua nomeação, ao lado do conservador Krosigk, assinalava uma mudança decisiva no equilíbrio de poder.

A posição de Schacht sobre criação de empregos e inflação de créditos era complexa. Ele não tinha apreço pelos planos públicos.[12] Por outro lado, sem dúvida, achava que a política monetária precisava ter um papel criativo. Além disso, sua nomeação em março de 1933 pode perfeitamente ter sido condicionada a uma concordância prévia com gastos substanciais para a criação de postos de trabalho. Seja como for, a verdadeira afinidade de Schacht com a direita nacionalista não tinha a ver com a política doméstica e sim com a agenda internacional. Nos debates paroquiais sobre a tomada do poder pelos nazistas costuma-se esquecer o tumultuado contexto internacional em que ela ocorreu. O *Machtergreifung* de Hitler coincidiu tanto com a posse de um novo presidente norte-americano quanto com as dramáticas convulsões finais da Grande Depressão.[13] Quando Roosevelt assumiu a Presidência, os Estados Unidos estavam em meio a um pânico financeiro que o obrigou à imposição de um fechamento nacional dos bancos e a restringir a exportação de capital. Em 19 de abril de 1933, o país suspendeu unilateralmente a convertibilidade em ouro e deixou que o dólar se depreciasse. Durante os quatro meses seguintes, a moeda dos Estados Unidos caiu 30% em relação ao *reichsmark*. A repercussão em todo o mundo constituiu um choque devastador sobre o que restava do sistema internacional de taxas de câmbio fixas.[14] A desvalorização do dólar colocou a Alemanha diante da escolha entre desvalorizar ou não a própria moeda. Se não acompanhasse o dólar, afastando-se do ouro, a Alemanha ficaria absolutamente incapacitada de competir em todos os mercados exportadores do mundo. Por outro lado, a desvalorização da moeda norte-americana trazia uma imensa vantagem, ao reduzir o valor em *reichsmarks* dos débitos da Alemanha para com os Estados Unidos. No próximo capítulo, trataremos mais amplamente da questão da desvalorização. Mas, na primavera de 1933, Schacht apoiou Hitler, denunciando quaisquer aventuras monetárias.[15] Utilizando, para os próprios fins, o sentimento popular, Hitler e Schacht fizeram da defesa do valor oficial do *reichsmark* em ouro o símbolo da confiabilidade e integridade do novo regime. Ao contrário do que acontecera em 1923, agora era o valor do dólar, e não o do *reichsmark*, que despencava nos mercados de câmbio mundiais.

Ao mesmo tempo, Schacht percebeu, claramente, a oportunidade apresentada pela caótica situação internacional e embarcou para uma viagem aos Estados Unidos, esperando aproveitar o enfraquecimento temporário do principal credor da Alemanha.[16] A ausência de Schacht de Berlim foi a principal razão do adiamento, até o final de maio, do acordo final sobre o plano de recuperação dos empregos. Ao regressar, ele imediatamente acordou com o Ministério das Finanças (RFM) os termos de um pacote de criação de postos de trabalho orçado em 1 bilhão de *reichsmarks*.[17] O chamado "programa Reinhardt" foi, finalmente, aprovado pelo gabinete em 28 de maio e anunciado ao público alemão em 1º de junho. Pouco mais de um ano após o famoso discurso de Gregor Strasser no Reichstag exigindo ação para tratar da crise do emprego, o partido nazista cumpria a promessa feita. O pacote era amplo. Um bilhão de *reichsmarks* era uma importância muito substancial comparada com os gastos normais do *reich* em bens e serviços, os quais durante os piores anos da crise haviam caído até 1,95 bilhão. O alvo dos recursos do programa Reinhardt eram justamente as prioridades definidas, antes de 1932, por Strasser e outros advogados da criação de empregos. O dinheiro se destinaria a assentamentos não urbanos, obras viárias e moradia, atendendo a um espectro amplo de interesses nacionais e sociais. O importante era que o pacote seria financiado por meio de créditos.

"Criação produtiva de créditos" era o cerne do implacável debate que dividia a opinião econômica mundial durante o período do entreguerras.[18] A questão fundamental era saber se os gastos públicos, financiados a curto prazo com dinheiro recém-emitido, poderiam ter impacto real sobre a produção e o emprego. Todos os participantes do debate concordavam em que os gastos para a criação de empregos financiados por elevação de impostos nada acrescentavam ao volume total da demanda. Os impostos simplesmente transferiam poder de compra da mão dos cidadãos privados para o Estado. Se, como alternativa, o Estado aumentasse seus recursos por meio de empréstimos tomados no mercado de capitais, isso não acarretaria redução imediata dos gastos privados porque os recursos disponíveis para empréstimos de longo prazo vinham em última análise da poupança privada, isto é, de rendas familiares não gastas. No entanto, quando os capitais escasseavam no mercado, os *reichsmarks* que o Estado pedia emprestado não podiam ser usados por mutuários privados. Nesse caso, os empréstimos estatais "expulsavam" o investimento privado. A única forma de financiar a expansão do emprego sem prejudicar a atividade econômica privada, era por meio da criação de "crédito novo". Para os defensores da ortodoxia, isso não era lógico. A emissão de cheques não podia produzir maior quantidade de bens reais, mais equipamentos ou fábricas. O dinheiro era meramente um símbolo, um meio de troca. Emitir mais dinheiro não poderia criar empregos "reais", assim como o debate sobre a criação de empregos não criava, por si mesmo, novas oportunidades de trabalho. A criação de empregos financiada por créditos, simplesmente, resultaria em inflação. Inicialmente, poderia haver a ilusão de um efeito "real". Os trabalhadores estariam ocupados em obras governamentais. Mas, à medida que os preços se elevassem, o poder de compra de salários e lucros iria desaparecendo. As despesas privadas diminuiriam. A inflação induzida pela criação de crédito governamental funcionaria como um imposto oculto. Não haveria mais empregos reais criados do que os que pudessem ter sido financiados pelo sistema fiscal normal. Para os que defendiam a criação de empregos, esse argumento ortodoxo se baseava em um engano. Se a economia estivesse em pleno emprego, com todos os operários e fábricas funcionando no limite máximo, a criação de créditos novos poderia levar à inflação. Nesse caso, seria efetivamente verdade que os gastos governamentais adicionais fossem financiados por "poupança involuntária". Mas se operários e máquinas estivessem ociosos, não seria preciso que o jogo tivesse soma zero. Afinal, com milhões de trabalhadores desempregados e com as fábricas necessitando desesperadamente de encomendas, havia poucos motivos para esperar que os preços aumentassem. Em condições de emprego de massa, o financiamento de gastos governamentais por meio de créditos novos resultariam em maior demanda real, mais produção e emprego, em vez de inflação. A arte da política econômica era fornecer a dose correta de estímulo financiado por meio de crédito, mas não uma quantidade excessiva que levasse a economia além do limite do pleno emprego e produzisse uma corrida inflacionária. Em 1933, com 6 milhões de desempregados e a maior parte da indústria alemã funcionando com menos da metade da capacidade, não era difícil manter esse equilíbrio.

A experiência inicial de criação de empregos financiados por meio de créditos não foi lançada pelo governo de Hitler, e sim pelo general Schleicher em dezembro de 1932.[19] O primeiro passo era fazer com que as empresas que executavam projetos do governo fossem pagas, não diretamente em moeda e sim em títulos que rendiam juros (títulos de criação de emprego) em nome da entidade estatal para a qual a obra fosse feita. A fim de persuadir os contratistas a aceitar essa forma pouco usual de pagamento, os títulos de criação de emprego eram garantidos por um grupo de bancos filiados ao Estado. Dentre esses, os mais importantes eram o *Deutsche Gesellschaft für öffentliche Arbeiten* e o *Deutsche Bau- und Bodenbank*, que tinham sido criados, em 1930, com o objetivo de financiar o plano abortado de Brüning de um programa de criação de emprego para enfrentar os efeitos da Depressão.[20] Mediante um deságio, os contratistas podiam trocar os títulos em qualquer banco participante do consórcio. Os bancos recebiam os recursos financeiros necessários ao descontar os títulos no Reichsbank. Este, portanto, acabava ficando com os títulos em troca de dinheiro novo. Para que isso fosse aceitável ao Reichsbank, o RFM prometia redimir os títulos segundo um calendário fixo. Uma vez realizada a recuperação da economia, o RFM levantava os fundos necessários por meio do fluxo adicional de receita fiscal gerada pela revitalização econômica ou por meio do lançamento de empréstimos governamentais de longo prazo, tão logo os mercados financeiros estivessem recuperados e a poupança aumentasse significativamente.

O anúncio do programa Reinhardt, sem dúvida, surtiu efeito propagandístico, gerando por toda a Alemanha uma onda de ativismo local.[21] O principal paladino nacional da "Batalha pelo Trabalho" (Arbeitsschlacht) era Erich

Koch, o *gauleiter** da Prússia oriental. Quando Hitler assumiu o poder, em janeiro de 1933, esse enclave rural pouco desenvolvido, separado da Alemanha pelo corredor polonês, tinha 130 mil desempregados registrados. Em apenas seis meses, em 16 de julho de 1933, o primeiro distrito da Prússia oriental foi declarado livre do desemprego. Um mês depois, o *gauleiter* Koch informou ao *führer* que sua província estava totalmente "limpa". Mais de 100 mil homens e mulheres haviam sido postos a trabalhar numa demonstração espetacular da energia nacional-socialista. Terras incultas foram aradas, fertilizadas e semeadas. Criaram-se assentamentos para uma nova geração de colonos agrícolas. Goebbels providenciou para que essa façanha despertasse "assombro e admiração por todo o *reich* e muito além das fronteiras da Alemanha". Mas, na verdade, ao que revela a pesquisa, a "Batalha pelo Trabalho" na Prússia oriental foi, do início ao fim, uma encenação cuidadosamente manejada dos meios de comunicação. A economia agrícola da Prússia oriental se prestava admiravelmente a medidas rápidas, porém primitivas, de criação de emprego. Quem escolheu a remota província como plataforma de lançamento da nova campanha foi Walther Funk, ex-editor de publicações de negócios e agora secretário de Estado no Ministério da Propaganda de Goebbels. Göring, que era o primeiro ministro da Prússia, pressionara o Ministério das Finanças do *reich* para que concentrasse uma parcela desproporcional do fundo nacional de criação de empregos em um território onde havia apenas 1,89% dos desempregados de todo o país.[22] Koch não o desapontou. Os desempregados da Prússia oriental foram implacavelmente convocados. Milhares de homens casados foram levados como gado aos chamados "Campos de Camaradagem" (*Kameradschaftslager*), onde eram obrigados a participar de um pesado programa de escavações e educação política preparado pela Frente Trabalhista Alemã. Koch conseguiu até mesmo registrar um dos primeiros desses campos de concentração improvisados como uma atividade de criação de empregos.

O triunfo na Prússia oriental proporcionou um exemplo para os líderes do partido em toda a Alemanha. O "Plano Koch" foi seguido pelo "Plano Tapolski" para a Renânia, o "Plano Göring" para Berlim, o "Plano Siebert" para a Baviera e o "Plano Hellmuth" para a Franconia. No entanto, o pri-

---

* Título dado aos líderes regionais nomeados pelo partido nazista (NSDAP). A palavra é formada pelos substantivos *Gau*, termo antigo que significa "região", revivido pelos nazistas, e *Leiter*, "líder". (*N. do T.*)

mitivo programa de "escavação generalizada" não era adequado às regiões mais desenvolvidas da Alemanha.[23] Mesmo no setor da construção, os movimentos de terra somente serviam para empregar os operários menos qualificados. Pedreiros, carpinteiros, encanadores e eletricistas necessitavam de outros tipos de emprego. Depois dos operários na indústria de construções, o grupo mais numeroso de desempregados eram os metalúrgicos, que consideravam desprezível o trabalho em construção de estradas. Essa atividade era ainda menos adequada às dezenas de milhares de funcionários de escritório e secretárias que buscavam desesperadamente trabalho nos distritos comerciais de Hamburgo ou Berlim. Não admira, portanto, que a queda no desemprego, em 1933, beneficiasse principalmente as regiões rurais. Os lugares onde se concentrava o desemprego, Berlim, Hamburgo, Bremen e o Ruhr, assim como as cidades meridionais de Stuttgart e Munique, se beneficiaram relativamente pouco na fase inicial da recuperação. Para piorar a situação, as municipalidades descobriram que, ao candidatar-se para receber recursos do programa Reinhardt, essas solicitações eram sujeitas a críticas minuciosas e muitas vezes obstrucionistas. A construção de novos prédios foi desestimulada em favor da construção de estradas. As cidades que se atrasavam no reembolso dos créditos para criação de empregos, emitidos antes de 1933, foram excluídas dos planos. O motivo para essa mesquinhez na administração do programa Reinhardt torna-se mais claro ao examinarmos a distribuição geral dos recursos. A maior parte do dinheiro era reservada a obras locais de infraestrutura de várias espécies. No entanto, entre 1933 e 1934, uma quantia constantemente crescente, que chegou finalmente aos 230 milhões de *reichsmarks,* foi retirada para "medidas especiais" e colocada à disposição das autoridades do *reich.* Essas "medidas especiais" eram um eufemismo para a infraestrutura militar — estradas estratégicas, aeródromos, quartéis e canais.[24]

Na mitologia de criação de empregos do regime nazista, as *autobahns* ocupam lugar especial.[25] Ironicamente, no entanto, essas superestradas nunca foram principalmente concebidas como medidas de criação de emprego e não contribuíram materialmente para a redução do desemprego.[26] Seguiam uma lógica, não de criação de empregos, e sim de reconstrução e rearmamento nacional, na verdade, uma lógica tão simbólica quanto prática. A ideia de uma rede de estradas de longa distância para unir os centros de população da Alemanha fascinava os peritos desde a década de 1920.

Já em 1925 foi constituída uma empresa para promover uma nova Hansa motorizada, uma rede de cidades comerciais unidas por superestradas. Hitler abraçou entusiasticamente essa visão e, pouco depois de assumir o poder, nomeou Fritz Todt para construir a rede.[27] Todt era engenheiro civil competente, mas foi escolhido principalmente por sua dedicação política. Era um "velho combatente" (1891-1942) do partido nazista, homem de inquestionável lealdade pessoal a Hitler, que adotou a *Weltanschauung* racial sem hesitação. Em seu memorando seminal sobre "construção e administração de rodovias", de dezembro de 1932, Todt apresentava o programa da modernização das estradas, não como resposta à crise do desemprego, e sim como meio de reconstrução nacional.[28] Com uma dotação de 5 bilhões de *reichsmarks* ao longo de cinco anos, ele prometeu construir uma rede integrada de 6 mil novos quilômetros de rodovias. O financiamento não viria dos empréstimos tomados aos "bancos judeus", e sim da poupança dos trabalhadores alemães. Como explicava o próprio Todt, em última análise, o propósito dessas gigantescas rodovias era militar. O dilema estratégico fundamental da Alemanha era sua vulnerabilidade a ataques militares tanto do leste quanto do oeste. As *autobahns* serviriam de "linha de suprimento" na reconstrução de um sistema de defesa nacional. Em cinco anos, prometeu Todt, ele seria capaz de realizar uma grandiosa repetição da operação francesa no Marne, que havia salvo Paris dos exércitos do Kaiser. Com as estradas de Todt, seria possível levar 300 mil soldados da fronteira oriental à ocidental em duas noites de transporte ininterrupto. Desde o início, a visão de Todt estava assim mesclada ao sonho do rearmamento nacional. Um Exército de 300 mil soldados equivalia ao triplo do limite permitido pelo Tratado de Versalhes. Isso não impedia, naturalmente, que as estradas permanecessem abertas em tempo de paz para o "uso econômico de tráfego de passageiros e carga". Tampouco Todt deixava de perceber a importância da criação de empregos. Sua estimativa era de que um orçamento anual de 1 bilhão de *reichsmarks* permitiria a contratação de 600 mil trabalhadores, especialmente se o uso de máquinas fosse o mínimo.

Hitler ficou contente. Sobrepujando a oposição da Reichsbahn, a empresa nacional de ferrovias, ele apoiou Todt no estabelecimento de uma empresa estatal de estradas de rodagem. Nos últimos dias de junho de 1933, Todt foi nomeado inspetor-geral das estradas alemãs, com jurisdição sobre as *autobahns* e as principais vias provinciais. Sua repartição se tornaria uma poderosa instituição do Terceiro Reich, verdadeira contraparte da Reichsbahn como elemento influente na infraestrutura de transportes do país e uma das precursoras do futuro sistema de controle econômico. Em 23 de setembro, no canteiro de obras de Frankfurt-Darmstadt, Hitler e Goebbels montaram um grande espetáculo para as câmeras dos noticiários cinematográficos. Hitler fez mais do que encher a primeira pá de terra: encheu um carrinho de mão inteiro.[29] Na prática, no entanto, o efeito do programa de superestradas sobre o desemprego foi desprezível. Em 1933, não mais de mil operários estavam empregados no primeiro trecho de *autobahn*. Doze meses após a nomeação de Todt, a força de trabalho nas rodovias era de apenas 38 mil trabalhadores, uma pequena fração dos empregos criados desde que Hitler assumira o governo. Devido a outras exigências financeiras mais urgentes do regime de Hitler, Todt teve de se esforçar para conseguir até mesmo os recursos necessários à manutenção das rodovias existentes.

Com os fundos de Schleicher integralmente distribuídos, na altura do final do verão de 1933, e o retardamento do início do programa Reinhardt, o Ministério do Trabalho do *reich* via com preocupação as perspectivas para o inverno.[30] Em setembro de 1933, o desemprego reduzira a menos de 4 milhões. No entanto, com o final das colheitas e da estação propícia à construção, temiam-se dificuldades iminentes. Anteriormente, no verão de 1932, o chanceler Papen cometera o desastroso erro de prometer o fim dos problemas econômicos e tivera de enfrentar novo aumento do desemprego no inverno de 1932-33. Conforme declarou Hitler a representantes da indústria, no final de setembro de 1933, era vital evitar um segundo retrocesso psicológico. Era preciso convencer os alemães de que o pior havia passado.[31] Com esse objetivo, o partido nazista redobrou, no outono de 1933, a campanha de propaganda contra o desemprego. Ao mesmo tempo, os ministérios do *reich* começaram a preparar o novo programa especificamente destinado a manter o programa de construções nas áreas urbanas durante os difíceis meses de inverno. O segundo programa Reinhardt, de setembro de 1933, representou um retorno a ideias menos ambiciosas de criação de oportunidades de trabalho, que não se baseavam no efeito direto de gastos governamentais financiados por meio de créditos e sim em subsídios indiretos à atividade privada. O programa tinha também âmbito mais modesto, 500 milhões de *reichsmarks* foram destinados a subsídios para reparação de prédios e mais 300 milhões alocados a um subsídio às taxas de juros sobre hipotecas reali-

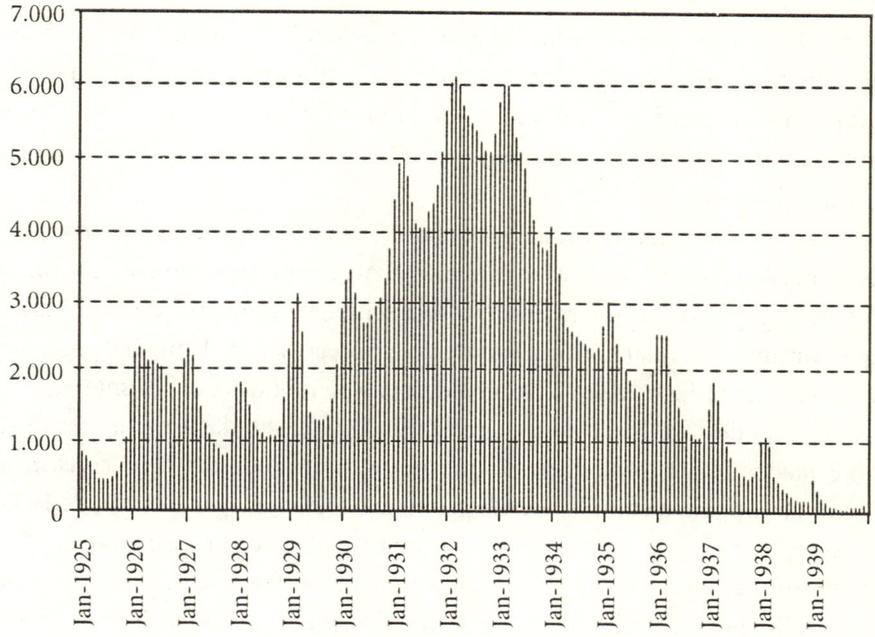

Gráfico 1. Desemprego no território pré-1938 da Alemanha (milhares)

zadas até o fim do ano fiscal 1933-34. Ambos os programas tiveram efeito mensurável. Durante o primeiro inverno do Terceiro Reich, o número de desempregados não aumentou significativamente acima do nível de 4 milhões ao qual tinha se reduzido no outono de 1933. Em termos políticos, a tarefa estava cumprida.

Finalmente, o alívio chegava às áreas urbanas. Na cidade de Northeim, na província de Hanover, por exemplo, a "Batalha pelo Trabalho" somente começou para valer em outubro de 1933.[32] O novo prefeito, que era do partido nazista, pressionou os empregadores locais para que admitissem novos funcionários. Na primavera seguinte, a exortação foi acompanhada por um programa substancial de obras públicas. Demonstrando novo espírito de solidariedade social, as autoridades nazistas da cidade dedicaram dezenas de milhares de horas-homem à construção de apartamentos para a população local mal alojada. O centro medieval de Northeim foi cuidadosamente restaurado. A antiga muralha e fosso se transformaram em parque público. Os prédios de madeira ainda sobreviventes no centro da cidade receberam devotada atenção. Na floresta próxima, foi construído um amplo teatro ao ar livre. De acordo com o espírito da época, o local foi consagrado como antigo sítio teutônico, ou *Thingstätte.* A intenção por trás desse arcaísmo era absolutamente moderna. Na altura de 1936, a repartição de turismo de Northeim atraía 60 mil visitantes anualmente e o *Thingstätte* se tornara local favorito no circuito de conferências dos nazistas.

Os governos locais em toda a Alemanha, estimulados pela constante propaganda de Goebbels, desejavam ardentemente a renovação do esforço contra o desemprego na primavera de 1934. A assembleia municipal de Hamburgo, que continuava a lutar contra taxas de desemprego acima da média, preparou uma lista de projetos que ascendia a dezenas de milhões de *reichsmarks,*[33] na expectativa de acolhida favorável em Berlim. Em agosto de 1933, dirigindo-se ao *gauleiter*, Hitler havia disposto que a luta contra o desemprego consistiria em uma campanha em três fases. A primeira ocorrera na parte inicial de 1933. A segunda, o programa Reinhardt, fora uma atividade vigorosa com o objetivo de consolidar as realizações do ano anterior. Em 1934 ocorreria a terceira onda na batalha pelo trabalho. Porém, como o *gauleiter* iria descobrir doze meses depois da chegada dos nazistas ao poder, a criação de empregos civis, por si mesma, já não era a primeira prioridade do regime de Hitler. O rearmamento, objetivo central da política nacionalista, dominava agora a agenda.

II

As medidas de rearmamento tomadas pelo governo de Hitler nos primeiros meses foram baseadas em recursos financeiros e planejamento herdados da República de Weimar, assim como tinham sido as relativas à criação de empregos civis. Quaisquer providências mais radicais dependeriam da situação internacional. A expansão das dimensões das forças armadas alemãs em tempo de paz significaria uma violação ostensiva do Tratado e uma afronta à conferência internacional de desarmamento em Genebra. Tudo tinha de ser cuidadosamente preparado e coordenado com outros aspectos da política externa, especialmente, na área financeira.[34]

Como vimos, os pagamentos das reparações tinham cessado efetivamente com a moratória de Hoover, em julho de 1931. No outono sobreviera o Acordo de Congelamento, que tratava das dívidas alemãs de curto prazo. Em julho de 1932, a França e a Grã-Bretanha acordaram encerrar as exigências de reparações. Em dezembro de 1932, a própria França parara de pagar suas dívidas de guerra para com os Estados Unidos. Seguindo esse precedente, era apenas questão de tempo um calote alemão quanto à dívida de 10 bilhões de *reichsmarks* para com os credores de longo prazo, principalmente, os Estados Unidos.[35] Mesmo depois do acordo de Lausanne sobre o fim das reparações, em 1932, o serviço das dívidas internacionais alemãs exigia uma soma anual de um bilhão de *reichsmarks*.[36] Pode-se aquilatar a severidade do impacto dessa exigência sobre a economia alemã, comparando-a com o total das exportações, cujo montante, em 1933 era de 4,8 bilhões de *reichsmarks*, com importações de 4,2 bilhões. Também, nesse aspecto, observa-se o efeito devastador da deflação mundial sobre os devedores mundiais. Em 1929, as exportações alemãs tinham superado 8 bilhões de *reichsmarks*. A conta de importações, naturalmente, declinara, acompanhando os preços mundiais dos produtos de base, mas, em termos proporcionais, a carga da dívida aumentara extraordinariamente.

A economia alemã não podia prescindir das importações. A fim de alimentar sua população densamente aglomerada, o país precisava importar gorduras e forragem para animais. As fontes domésticas não eram suficientes para satisfazer o enorme apetite de 19 milhões de famílias alemãs para o consumo de carne, leite e manteiga. Os enormes rebanhos de porcos e vacas somente podiam subsistir por meio de volumosas importações de alimentos de alto conteúdo de energia para animais. As grandes indústrias, como a têxtil, dependiam inteiramente de algodão e lã importados. Os altos fornos do Ruhr eram alimentados com minério de ferro da Escandinávia, dependência que se tornou maior com a perda da Alsácia-Lorena, em 1918. O único recurso que a Alemanha possuía em abundância era o carvão. Mas a frota crescente de automóveis, caminhões e aviões queimava petróleo e corria sobre pneus fabricados com borracha importada. Devido a essa dependência, o nível das importações fornecia a principal indicação do vigor do metabolismo econômico alemão. Em 1928, quando a República de Weimar se aproximou do pleno emprego, o volume real de importações, ajustado em virtude da forte queda dos preços globais de matérias primas, tinha sido 50% mais elevado do que aquele com o qual a Alemanha sobrevivia em 1933. A economia do país não poderia se recuperar para atingir níveis de atividade econômica semelhantes aos normais sem um aumento substancial no volume de insumos externos. Para piorar as coisas, à medida que a Alemanha se recuperasse, em companhia da Grã-Bretanha e dos Estados Unidos, a demanda conjunta desses dois países teria o efeito de elevar os preços nos mercados mundiais de *commodities*. Tudo dependia, portanto, da capacidade alemã em manter um fluxo saudável de exportações com o qual atender ao serviço da dívida e pagar as importações.

O comércio exportador alemão, no entanto, tinha sido duramente afetado pela onda de instabilidade monetária precipitada pelo abandono britânico do padrão ouro em 1931 e o consequente crescimento do protecionismo global. *Sir* Frederick Phillips, funcionário do Tesouro de Sua Majestade, confessou com tranquila franqueza: "Nenhum país jamais causou choque mais forte ao comércio internacional do que nós, ao depreciarmos a libra esterlina e quase simultaneamente passarmos do livre comércio ao protecionismo."[37] A desvalorização do dólar feita por Roosevelt, em abril de 1933, piorou ainda mais as coisas. Embora essa desvalorização tivesse reduzido a carga da dívida alemã em termos de *reichsmarks*, tornava ainda mais difícil aos exportadores germânicos obter os dólares necessários. Por volta de 1933, a balança comercial começou a se aproximar inexoravelmente do déficit e as parcas reservas de divisas do Reichsbank rapidamente se esgotaram.[38] Em janeiro de 1933, as reservas nacionais de moeda forte eram de pouco mais de 800 milhões de *reichsmarks*. Já no verão tinham se reduzido a apenas 400 milhões, devido aos pagamentos do serviço da dívida, que não eram suficientes para cobrir mais do que um mês de importações mínimas. Sem falar na importância política das dívidas com o exterior, estava muito próximo o momento em que o regime de Hitler enfrentaria difícil escolha. Por um lado, poderia adotar medidas desesperadas para aumentar as exportações, incluindo uma desvalorização do *reichsmark* a fim de torná-lo mais competitivo em relação à libra e ao dólar. Caso as exportações não crescessem, a escolha seria entre manter uma base mínima de importações necessária à recuperação do país ou abortar a recuperação a fim de satisfazer as exigências dos credores externos.

Confrontado com esse mesmo dilema, em 1930, o governo de Brüning adotara a segunda opção, realizando uma deflação e cortando as importações a fim de permitir à Alemanha honrar suas obrigações quanto às reparações. À luz da posição tomada por Hitler e seus colegas desde o anúncio do Plano Young, não havia dúvida quanto à orientação que adotariam. Em abril de 1933, o gabinete deu a Schacht carta branca para declarar uma moratória das dívidas internacionais da Alemanha, no momento que considerasse adequado.[39] Inicialmente, Schacht esperava explorar a confusa situação nos Estados Unidos, anunciando imediatamente o calote.[40] Achava que o governo de Roosevelt, preocupado com a depressão agrícola doméstica, poderia preferir sacrificar os interesses de Wall Street em troca de um acordo com a Alemanha para aumentar as importações de matérias-primas. A primeira entrevista de Schacht com o presidente pareceu confirmar essa suposição. Mas, antes que o dirigente alemão pudesse adotar uma providência irrevogável, o departamento de Estado dos EUA, interveio, emitindo um curto comunicado reafirmando que o novo governo esperava que a Alemanha honrasse suas dívidas. No último momento, Schacht foi obrigado a um recuo embaraçoso.[41] Ao contrário do que ocorrera na década de 1920, porém, a pressão dos Estados Unidos já não era suficiente para obrigar a Alemanha a agir. No fim de maio de 1933, Schacht convocou uma conferência dos credores da Alemanha em Berlim, na qual procurou persuadi-los da necessidade de pelo menos uma moratória parcial. Os credores, entretanto, não se convenceram de que ele estivesse agindo de boa-fé e recusaram-se a fazer quaisquer concessões. Os balanços mensais do Reichsbank sugeriam que Schacht estivesse exagerando a escassez de divisas mediante a aceleração do pagamento de dívidas de curto prazo.[42] A falta de acordo proporcionou-lhe o pretexto de que necessitava para agir unilateralmente. Em 8 de junho, o gabinete aprovou uma moratória unilateral nas dívidas alemãs de longo prazo, a se iniciar em 30 do mesmo mês. Como sinal de "boa-fé", os devedores alemães continuariam a fazer pagamentos em *reichsmarks*, em contas administradas pelo Reichsbank. No entanto, os *reichsmarks* acumulados nas contas dos credores não seriam mais transferidos em moeda estrangeira. Os pagamentos em divisas somente seriam retomados quando a balança comercial alemã voltasse a apresentar um superávit saudável. Isso dependeria, em última análise, dos países credores. Se quisessem receber o pagamento da dívida, teriam de comprar produtos alemães. Se a Alemanha não conseguisse obter o superávit comercial necessário, não poderia atender ao serviço da dívida externa em grande escala.

A suspensão dos pagamentos da dívida foi o primeiro ato agressivo de política externa de parte do governo de Hitler. Embora já tivesse sido amplamente esperado, mesmo assim, provocou choque e insatisfação nas capitais comerciais do mundo.[43] Após a primeira experiência com Schacht, Roosevelt o descreveu, simplesmente, como "um f.d.p.".[44] A Conferência Econômica Mundial, iniciada em Londres em 12 de junho de 1933, poderia ter proporcionado a oportunidade de uma reação internacional combinada. No verão de 1933, porém, isso era pouco provável. Os Estados Unidos, a França e a Grã-Bretanha estavam em profundo desacordo a respeito de todas as questões fundamentais de política econômica.[45] Na verdade, a política norte-americana também passava por controvérsias internas.[46] Por um lado, o secretário de Estado, Cordell Hull, e o presidente Roosevelt se apresentavam como internacionalistas, insistindo em que a Conferência Econômica Mundial ocorresse o mais rapidamente possível e aplainando o caminho com uma trégua tarifária global. Depois que Hugenberg adotou, com rapidez, um novo sistema de quotas e monopólios de importação a fim de satisfazer a principal exigência da comunidade agrícola, o governo de Hitler achou melhor concordar com a agenda de Hull, pelo menos, até o fim da Conferência. Por outro lado, Roosevelt comprometeu sua própria posição pró-comércio, primeiro adiando publicamente qualquer redução das tarifas norte-americanas até 1934, e, mais imediatamente, permitindo que o dólar entrasse em queda livre.[47] A fim de limitar os danos, os britânicos tentaram desesperadamente convencer Roosevelt a concordar com a estabilização da taxa entre o dólar e a libra em um nível próximo do que prevalecia antes de 1931. Em 3 de julho, porém, o presidente Roosevelt expediu o chamado "telegrama-bomba", afirmando que a estabilização do dólar estava fora de cogitação. A recuperação dos Estados Unidos tinha prioridade absoluta, ainda que isso significasse levar à pobreza seus principais parceiros comerciais.

Nesse panorama, não havia esperança de qualquer acordo substancial em Londres e certamente, nenhuma possibilidade de uma reação combinada em relação à Alemanha. O ministro Hugenberg conseguiu causar embaraço ao restante da delegação germânica com um discurso de improviso no qual exigia, não apenas a devolução das colônias alemãs como também liberdade para a expansão para o leste. No verão de 1933, no entanto, os problemas alemães tinham muito menos importância do que a disfunção geral do sistema financeiro global. Berlim tampouco estava disposta a apoiar Hugenberg. As colônias eram uma preocupação da velha escola e não faziam parte essencial da visão de Hitler sobre política externa. No final do mês, Hugenberg já renunciara a todos os cargos que ocupava e tanto ele quanto seu partido, o DNVP, descambaram para o esquecimento. Seu sucessor na pasta da Agricultura foi o ideólogo nazista radical, Walther Darré. No Ministério de Assuntos Econômicos, Hugenberg foi substituído por Kurt Schmitt, presidente da Allianz, a principal companhia de seguros da Alemanha. Schacht, por sua vez, partiu de Londres com a convicção robustecida de que o tempo da economia mundial multilateral tinha chegado ao fim.

Precisamente, no mesmo momento em que a Alemanha anunciava a moratória de suas dívidas de longo prazo, o governo de Hitler também deu passos decisivos no sentido do rearmamento. Os termos do pacote financeiro que sustentava a primeira fase real do rearmamento estão documentados em um memorando da Wehrmacht que data de 1938. Essa fonte não esclarece a data exata em que foi feito o acordo, mas o mais provável é que tenha sido na reunião do gabinete de 8 de junho de 1933, mesmo dia em que a Alemanha anunciou a moratória da dívida.[48] Estiveram presentes à reunião, Schacht, o ministro da Defesa Blomberg, Göring e Erhard Milch, secretário de Estado no Ministério da Aeronáutica. A importância do que foi acordado constitui uma dramática mudança de todas as concepções anteriores do rearmamento alemão. O montante aprovado por Schacht foi de 35 bilhões de *reichsmarks* ao longo de oito anos, à razão de quase 4,4 bilhões por ano. A título de comparação, os gastos militares anuais da República de Weimar não eram da ordem de bilhões e sim de centenas de milhões de *reichsmarks*. A renda nacional total em 1933 havia caído a cerca de apenas 43 bilhões de *reichsmarks*. Mesmo com uma recuperação rápida, o programa de Schacht exigia que entre 5 e 10% do PIB alemão fosse alocado à defesa durante os oito anos seguintes. Em comparação com a época atual, trata-se do dobro ou triplo das despesas com a defesa na maioria dos países ocidentais, e teriam de ser atendidas por um país de renda *per capita* muito inferior. Os Estados Unidos e a Grã-Bretanha somente tiveram despesas militares dessa magnitude durante as fases mais intensas da Guerra Fria, na década de 1950, e, mesmo assim, baseados em níveis muito mais elevados de renda. O programa de 35 bilhões de *reichsmarks*, em junho de 1933, implicava portanto, se não a completa militarização da sociedade germânica, pelo menos, a formação de um complexo industrial-militar substancial, com graves ramificações para o restante da economia.

Dado o terrível estado da economia alemã, em 1933, e o choque nos mercados financeiros, não era concebível nem sequer levantar a primeira parcela dos 35 bilhões de *reichsmarks* por meio de impostos ou empréstimos convencionais. Assim, durante o verão de 1933, Schacht iniciou uma versão militar do sistema de financiamento extraorçamentário usado, inicialmente, para a criação de empregos civis.[49] Já em abril de 1933, o gabinete concordara em dispensar o setor militar dos processos normais de fiscalização orçamentária.[50] Poucas semanas depois das reuniões do início de junho, foram organizadas repartições oficiais de contabilidade para canalizar recursos de fora do orçamento que, agora, deveriam ser destinados aos militares. A partir de abril de 1934, os contratistas de armamentos passariam a ser pagos por meio de promissórias emitidas em nome de Mefo GmbH. Essa obscura empresa foi formada com um capital de 1 milhão de *reichsmarks* integralizados pela Vereignte Stahlwerke, Krupp, Siemens, Deutsche Industrie Werke e Guttenhoffnungshütte (GHH).[51] A Krupp e a Deutsche Industrie Werke eram grandes produtoras de armamentos. A Siemens e a Vereignte Stahlwerke, provavelmente, foram incluídas devido à excelente reputação em obter créditos, embora também pudessem beneficiar-se consideravelmente dos gastos militares. Apoiados nesses nomes de prestígio, os títulos do rearmamento tornaram-se aceitáveis como garantia pelo Reichsbank. Mediante um pequeno deságio, os contratistas podiam resgatar as promissórias da Mefo no banco central. No entanto, como pagavam juros interessantes e eram efetivamente garantidas pelo *reich*, a maioria delas permaneceu em circulação. Um pequeno número dessas promissórias foi emitido, no outono de 1933, para ajudar os primeiros contratistas da Luftwaffe numa crise de liquidez.[52] Os desembolsos em larga escala começaram em abril de 1934, convenientemente, sincronizados para coincidir com a retomada da propaganda em torno da segunda onda de medidas de criação de empregos.

Em todos os aspectos, com exceção da propaganda, as medidas de criação de postos de trabalho civis, tomadas em 1933, foram muito menos significativas do que as decisões relativas ao rearmamento e à dívida externa. O pacote de gastos militares era imensamente maior do que quaisquer das possibilidades contempladas de criação de empregos. Segundo o acordo de junho de 1933, as despesas militares seriam quase três vezes maiores do que o total combinado de todas as medidas de criação de emprego anunciadas em 1932 e 1933. O mais importante, no entanto, era a dimensão estratégica. A criação de empregos era tema estritamente doméstico, mas a moratória da dívida e as decisões de rearmamento tinham ramificações de escala global. Pode ter sido apenas coincidência que a moratória da dívida tenha sido anunciada no mesmo dia em que o gabinete tomou a decisão sobre o rearmamento, mas, mesmo assim, a coincidência demonstra uma lógica mais profunda. Como vimos, desde o início da década de 1920, a base da estratégia alemã de segurança tinha sido contrapor a influência econômica dos Estados Unidos à ameaça militar dos vizinhos europeus da Alemanha. As dívidas alemãs para com os Estados Unidos representavam o aspecto financeiro daquela jogada transatlântica. E, como também vimos, Brüning havia continuado a honrar essas obrigações durante as crises de 1931 e 1932. A decisão de suspender os pagamentos no verão de 1933 marcou uma reviravolta fundamental.[53] De fato, o governo de Hitler estava declarando sua independência em relação à garantia implícita de segurança que os Estados Unidos haviam fornecido à República de Weimar desde 1923-24. No início, esse rompimento fora apenas parcial. Diante da indignação dos credores, Hitler e Schacht recuaram, desistindo da insistência em uma moratória total. Após o primeiro anúncio, concordaram em prosseguir, pelo menos, com um pagamento parcial. Enquanto isso, a propaganda alemã continuava a falar na necessidade de manter boas relações com os Estados Unidos. A moratória, no entanto, foi um primeiro passo decisivo e era apenas lógico que fosse. Quanto a proteção oferecida pelos norte-americanos, o governo de Hitler anunciou sua intenção de voltar ao perigoso jogo da competição militar continental.

Em seu "discurso de paz", de 17 de maio de 1935, Hitler procurou ainda acalmar os nervos na Alemanha e no exterior.[54] Mas isso foi apenas um movimento tático. Em discussões confidenciais com o autoritário primeiro-ministro da Hungria, Julius Goemboes, em 17-18 de junho de 1933, ele afirmou explicitamente a intenção de "esmagar completamente a França".[55] Tão logo o programa de 35 bilhões de *reichsmarks* foi acordado, ficou claro que o embuste não poderia ser mantido por muito tempo. A Alemanha precisava encontrar uma forma de se retirar das conversações de desarmamento em Genebra. A oportunidade surgiu em outubro de 1933, quando a Grã-Bretanha apresentou uma nova rodada de propostas de desarmamento. Os franceses, imediatamente, rejeitaram qualquer possibilidade de serem os primeiros a tomar medidas de redução de suas forças armadas. Os britânicos não concordaram com uma contraproposta alemã de permissão para seu rearmamento até o nível reduzido já sugerido para as demais potências europeias. O governo alemão preferiu interpretar isso como um recuo britânico em relação ao importantíssimo princípio de paridade que, supostamente, havia sido concedido à Alemanha em dezembro de 1932. Em 14 de outubro de 1933, Hitler anunciou não estar mais disposto a aceitar o humilhante status de segunda classe para a Alemanha e se retirou tanto das conversações de desarmamento quanto da Liga das Nações.[56] A decisão de Hitler foi tomada com apoio integral de Blomberg e do ministro do Exterior, Konstantin von Neurath, com o caloroso endosso de Schacht e dos representantes da indústria alemã mais ligados aos temas políticos. Tampouco pode haver dúvida de que essa audaciosa rejeição da derradeira e humilhante relíquia de Versalhes foi entusiasticamente acolhida pelo povo alemão. No entanto, o ânimo nos bastidores de Berlim era de pânico. Blomberg e Göring, aparentemente, esperavam que a França reagisse com intervenção militar. Foram feitos planos urgentes para a defesa de Berlim em última instância. Da maneira como aconteceram as coisas, mais uma vez, o Terceiro Reich se beneficiou com a desunião de seus inimigos. Durante o inverno de 1933-34, o governo francês ficou paralisado com um súbito recrudescimento da atividade fascista doméstica, que culminou nas extraordinárias brigas de rua do início de 1934.[57] A Polônia foi neutralizada, no início de 1934, por meio de concessões econômicas e um tratado de amizade. Não obstante, de uma forma que se repetiria mais adiante, a agressão de Berlim criou uma sensação de ameaça que, por sua vez, forneceu a justificativa para uma escalada nos planos de rearmamento da Alemanha.[58] Em rápida sucessão, as três forças da Wehrmacht prepararam-se para obter vantagens dos 35 bilhões de *reichsmarks* prometidos por seu benfeitor no Reichsbank.

Göring e o novo Ministério da Aeronáutica do *reich* foram os primeiros a se movimentar. Planos preparados em 1932 previam uma Força Aérea secreta de 200 aviões. Em meados de setembro, Milch elevou essa quantidade para 2mil aviões de ataque até 1935.[59] Como veremos, isso marcou o início de um gigantesco programa de construção industrial controlado pelo Ministério da Aeronáutica de Göring. O Exército finalizou seu programa de expansão de armamentos em dezembro de 1933.[60] O crescimento do Exército seria dividido em quatro fases. No final de 1937, a Alemanha teria um Exército permanente com 21 divisões, ou 300 mil homens, que, em tempo de guerra, poderiam ser aumentadas para 63. Esperava-se que isso fosse o suficiente para uma defesa eficaz contra um ataque conjunto da Polônia e da França. Na fase seguinte, que duraria quatro anos, de 1938 a 1941, seria acrescentada a capacidade ofensiva para um ataque. O programa do Exército de 1933 é importante porque representou a pré-programação da subsequente escalada da política externa de Hitler. A fim de atingir o novo objetivo do Exército em criar uma força de 300 mil homens, seria necessário introduzir o recrutamento obrigatório dentro dos dois anos seguintes, o que constituía violação fundamental do Tratado de Versalhes. Além disso, era preciso resolver a questão da Renânia. Segundo os dispositivos do Tratado, a zona a oeste daquela província deveria permanecer desmilitarizada. Isso significava que o Ruhr, coração da indústria pesada alemã, não podia ser defendido. Mas, sem os recursos industriais do Ruhr, não poderia haver planos militares realistas. Era, portanto, necessário que a Renânia voltasse ao controle exclusivo da Alemanha, no máximo, até o fim de 1937. A partir de dezembro de 1933, começou a contagem regressiva para uma confrontação com a França.

À luz desse antagonismo, seria de se esperar que o governo alemão buscasse se proteger por meio de um relacionamento mais estreito com a Grã-Bretanha. No entanto, em dezembro de 1933, com apoio total do gabinete, Schacht aumentou a pressão na frente financeira de maneira calculada para ofender ao máximo os britânicos e os norte-americanos. Os protestos contra a moratória de Schacht tinham sido tão fortes, em junho de 1933, que a Alemanha fora obrigada a recuar e continuar a fazer pagamentos, pelo menos, de metade do principal e dos juros devidos aos credores estrangeiros. Arranjos ainda mais favoráveis foram feitos com os holandeses e suíços.[61] Embora pequenos, esse países estavam entre os principais credores de curto prazo da Alemanha. Como eram também clientes importantes das exportações germânicas, constituíam fonte vital de divisas. Tinham, portanto, a faca e o queijo na mão nas negociações com o *reich*. Se a Suíça, por exemplo, instituísse um acordo compulsório de compensação, afirmando um direito prévio em nome de seus credores contra toda a receita de exportação da Alemanha, isso privaria o Reichsbank das divisas de que necessitava desesperadamente para pagar as importações de matéria-prima e alimentos vindos dos Estados Unidos e do Império Britânico.[62] Por outro lado, holandeses e suíços tinham grande interesse em manter vínculos comerciais com o vizinho muito maior e todos os motivos para temer encontrar-se em desvantagem num acordo de reescalonamento de dívidas negociado pela Grã-Bretanha e Estados Unidos sem serem consultados. Isso resultou em acordos de compensação, segundo os quais a Holanda e a Suíça concordavam em manter altos níveis de importação em troca da concordância alemã em continuar a pagar a dívida a eles. Representantes dos credores britânicos e norte-americanos protestaram fortemente contra esse tratamento desigual, porém, em vão. Em 18 de dezembro, justamente no momento em que o Exército alemão completava o novo plano de expansão, Schacht anunciou uma redução unilateral, de 50 para 30%, do ritmo dos pagamentos em dinheiro aos credores estrangeiros. O que desagradou especialmente aos britânicos foi o fato de que nessa moratória foram incluídos os empréstimos dos Planos Dawes e Young, que deveriam ter tratamento prioritário sobre os recursos alemães.[63] A indignação em Londres e Washington cresceu enormemente. Em janeiro de 1934, o governo britânico deu um ultimato formal à Alemanha segundo o qual, a menos que Schacht regressasse à mesa de negociações, as receitas de exportação da Alemanha para a Grã-Bretanha ficariam sujeitas à compensação obrigatória. Seriam colocadas sob controle oficial britânico com a imposição de uma taxa a fim de satisfazer as exigências da City. A violência da reação britânica obrigou Schacht a um recuo temporário. Uma reunião geral de credores foi convocada para abril de 1934, em Berlim, e o serviço das dívidas dos planos Dawes e Young recomeçou temporariamente.

Ao mesmo tempo em que Schacht trazia de volta à baila a questão da dívida, a Marinha alemã começou também a se preparar para um desafio direto à Grã-Bretanha. Inicialmente, a declarada preferência de Hitler por uma aliança com os britânicos suscitara na Marinha o receio de que pudesse ser excluída da bonança dos armamentos. Hitler preocupava-se em evitar conflitos com a Grã-Bretanha sobre colônias. No entanto, a habilidosa manipulação do *führer* por parte do almirante Erich Raeder resultou em que, por volta de março de 1934, também a Marinha iniciou um programa de expansão denominado "Programa de Substituição da Construção Naval".[64] Tal como a Luftwaffe e o Exército, Raeder partia da premissa de que a Alemanha devia agir unilateralmente sem se preocupar com as implicações internacionais de seu rearmamento. O almirante projetou uma força substancial que violava as restrições de Versalhes: oito encouraçados em vez dos seis permitidos por Versalhes; três porta-aviões, que não constavam do Tratado; oito cruzadores em vez dos seis permitidos; 48 destróieres em vez de 12; e 72 submarinos completamente ilegais. Devido ao custo e complexidade da construção naval, o horizonte temporal do planejamento de Raeder era longo. A nova frota somente estaria pronta para ação em 1949. No entanto, era preciso começar imediatamente a utilizar os recursos e, a partir da segunda metade de 1934, os estaleiros do norte da Alemanha começaram a receber importantes encomendas.

Durante os anos de 1933 e 1934, toda essa atividade militar ocorreu sob um véu de completo sigilo. Nas entrevistas com a imprensa internacional,

Hitler continuou a negar quaisquer medidas destinadas ao rearmamento. No entanto, na primavera de 1934, a atividade alemã era tão grande que já não podia ser ocultada dos observadores estrangeiros curiosos.[65] Em abril de 1934, reagindo à publicação de um orçamento do *reich*, que mostrava um aumento extraordinário das despesas militares, os franceses se retiraram de todas as conversações bilaterais de temas militares.[66] Instado a explicar o crescimento do orçamento militar, o *reich* se limitou a afirmar que a Alemanha se dedicava apenas a despesas essenciais de manutenção e renovação.

III

No início de 1934, o governo do *reich* estava ansioso por dar visibilidade à fase seguinte da Batalha pelo Trabalho. No começo do ano, o Ministério da Propaganda e o Ministério de Assuntos Econômicos levaram a efeito muitas consultas em preparação para a grandiosa abertura da segunda onda da Batalha pelo Trabalho, marcada para 21 de março, data tradicional das comemorações da primavera. As festividades nacionais foram coreografadas, literalmente, minuto a minuto. A parte mais importante desse evento nacional foi um discurso de Hitler aos trabalhadores em construções reunidos no canteiro de obras da *autobahn*, em Unterhaching, nos arredores de Munique. O projeto de programa que circulou confidencialmente, em 5 de março, dizia o seguinte:

> 10h45 Os trabalhadores da *Reichsautobahn* (aproximadamente mil) apresentam-se no canteiro de obras com os recém-contratados num grupo separado. O canteiro de obras fica fechado num trecho de 500 metros, para que não seja invadido pelos espectadores (cordão de isolamento a cargo da polícia e da SS)
>
> 11h O *führer* chega ao canteiro de obras (início da transmissão por rádio em todas as estações da Alemanha), relato introdutório pela rádio. O *führer* recebe as boas-vindas pelo *Gauleiter* (3 minutos). O Inspetor-Geral de Rodovias da Alemanha, dr. Todt, faz o relatório sobre os trabalhadores do segmento de Munique e todas as demais rodovias da Alemanha e relata o progresso na construção (3 minutos). Em seguida, convida o *führer* a inspecionar a rodovia.
>
> 11h — 11h25 — O *führer* inspeciona a rodovia, acompanhado por:
>
> *Gauleiter*

Ministro do Trabalho do Reich
Secretário de Estado Funk, do Ministério do *reich* para Esclarecimento Público e Propaganda
Inspetor-Geral de Rodovias da Alemanha, dr. Todt.
Líder da Frente Trabalhista, dr. Ley
Presidente da diretoria da *Reichsautobahn*, diretor-geral Dorpmüller
Chefe da Seção da Baviera do Ministério do *reich* para Esclarecimento Público e Propaganda, Nippold
Engenheiro-chefe da construção do setor de Munique
2 operários da construção
(O cordão de isolamento zela para que ninguém mais se junte ao grupo do *führer*). Enquanto Hitler inspeciona a rodovia, o ministro do *reich* para Esclarecimento Público e Propaganda faz seu discurso. O discurso é transmitido somente pelo rádio e não pelos alto-falantes do canteiro de obras. Quando o grupo do *führer* chega ao fim do trecho inspecionado, a banda da Nationalsozialistische Betriebszellenorganisation de Munique toca uma estrofe da canção "Irmãos da Mina" [Bruder in Zechen und Gruben].[67] O discurso do ministro da Propaganda termina quando a banda começa a tocar.
11:25 O grupo do *führer* chega ao fim do trecho inspecionado.
11:25 — 11:45 Discurso do *führer*.
11:45 Uma estrofe do "Deutschlandlied" e "Horst Wessel".
11:50 Fim da transmissão.[68]

Por todo o país, a transmissão do discurso de Hitler pelo rádio foi o grande acontecimento de uma manhã de eventos e comícios. Para que todos pudessem ouvir o *führer*, o Ministério da Propaganda decretou uma pausa nacional nas atividades a partir das 10h45. A fim de evitar disputas desagradáveis, Hitler resolveu que os trabalhadores não seriam descontados em seus salários, mas os empregadores poderiam exigir em compensação, uma hora extra de trabalho. O Ministério da Propaganda emitiu instruções precisas para os eventos locais que deveriam ocorrer em todos os canteiros de obras, fábricas, oficinas, fazendas e escritórios. As escolas também receberam orientação. Os professores introduziriam a transmissão pelo rádio, explicando o objetivo da data e "a importância econômica nacional da Batalha pelo Trabalho". Na prática, as instruções do Ministério da Propaganda eram mínimas.

Os funcionários locais do partido assumiram a direção das solenidades. Na cidade industrial de Hanover, por exemplo, as comemorações começaram às 7h da manhã, com a cerimônia de "convocação ao trabalho" de mil desempregados, diante da repartição municipal do trabalho.[69] Em formação, os novos contratados marcharam pelo centro da cidade até dez locais de construção especialmente abertos para a ocasião. O dia terminou com discursos públicos e um comício do qual participaram os que haviam encontrado trabalho desde 1933 e os que ainda esperavam uma oportunidade. A mensagem era clara: na batalha nacional pela recuperação econômica, ninguém seria esquecido.

Como exercício de propaganda, a Batalha pelo Trabalho entrou em nova fase na primavera de 1934. O fato mais notável, no entanto, foi que nem um só *reichsmark* em dinheiro novo foi alocado a projetos nacionais de criação de emprego em 1934 ou em qualquer momento posterior, pois os ministérios em Berlim haviam tomado uma decisão nesse sentido em 6 de dezembro de 1933.[70] Já havia projetos suficientes autorizados anteriormente e capazes de manter a atividade em 1934. Os novos requerentes foram informados de que os recursos do programa Reinhardts já estavam integralmente aplicados e que não haveria alocação de novas verbas. Somente com grande dificuldade as cidades onde havia maior desemprego, como Berlim e Hamburgo, conseguiram verbas especiais. Em ambos os casos, as considerações políticas foram determinantes. Goebbels e Göring consideravam Berlim como feudo pessoal.[71] Hamburgo confirmara a reputação de perigoso centro revolucionário ao demonstrar o mais baixo índice de apoio a Hitler no referendo que se seguira à morte de Hindenburgo em novembro de 1934. Porém, em geral, o *reich* se manteve firme. Não haveria dinheiro novo para a criação de empregos após dezembro de 1933. Com efeito, a partir da primavera de 1934, os subsídios do *reich* para a criação de postos de trabalho local foram cortados em um sexto, para horror dos funcionários municipais ansiosos por manter baixos os índices estatísticos de desemprego.[72] Em maio, a Chancelaria do *reich* estava sendo bombardeada por apelos ansiosos dos paladinos da criação de emprego, inclusive o *gauleiter* Koch, da Prússia oriental, que se preocupava ao ver que as realizações do ano anterior estavam, agora, ameaçadas.[73]

Os apelos foram em vão. No início da primavera de 1934, o equilíbrio de prioridades já se modificara irrevogavelmente. Na capital, já era sabido que a criação de empregos perdera a prioridade central. A delegação de Hamburgo, em Berlim, relatou: "De certa forma, a criação de empregos prossegue no verão [de 1934] com base nas medidas militares planejadas. Porém, por motivos óbvios, não pode haver propaganda pública a esse respeito".[74] Em abril de 1934, o mecanismo secreto de financiamento do rearmamento passou a funcionar integralmente. Os títulos da Mefo representavam milhões. A escrituração não era exata. No entanto, em 1934, as despesas militares chegaram a, pelo menos, 4 bilhões de *reichsmarks*, dos quais menos da metade apareceu no orçamento oficial do *reich*. Isso significava que, pelo segundo ano consecutivo do governo de Hitler os gastos militares já correspondiam a mais de 50% das despesas do governo central em bens e serviços. Em 1935, a parcela destinada aos militares aumentou para 73%.[75] Ao mesmo tempo, o anúncio espetacular da Batalha pelo Trabalho, em março de 1934, coincidiu exatamente com o auge da campanha de criação de empregos. Segundo estatísticas oficiais do mercado de trabalho, o número de empregados em todas as formas de criação de postos de trabalho subiu de 289 mil, em fevereiro de 1933, quando Hitler assumiu o poder, a 1.075.000 em março de 1934, com um crescimento de quase 800.000 trabalhadores.[76] No mesmo período o desemprego caiu a menos de 2,6 milhões de pessoas. Dessa forma, o auge dos esquemas de criação de trabalho explica, diretamente, 30% da redução no registro de desempregados. Mesmo no período em que foram mais abrangentes, eles representaram uma minoria dos empregos criados. A partir da primavera de 1934, o número de pessoas abrangidas pelos esquemas de criação de empregos caiu a uma média de 700 mil, reduzindo-se a quase nada em 1935. A conclusão é inevitável: apesar da fanfarra de propaganda que acompanhou a renovação da Batalha pelo Trabalho, em 1934, esta realmente pouco ou nada contribuiu para o prosseguimento da redução do desemprego.

Na altura de 1934, a recuperação geral da economia alemã foi visivelmente muito além dos enlameados canteiros de obras dos esquemas de criação de emprego. Para compreender as forças que engendraram esse recrudescimento, é preciso utilizar mais extensamente o material estatístico disponível. Graças às muitas inovações em estatísticas econômicas patrocinadas pela República de Weimar, é possível reconstituir, a partir de fontes da época, um panorama bastante abrangente dos principais componentes da economia alemã durante o período da recuperação.[77] É possível comparar séries estatísticas, não apenas sobre despesas governamentais, mas também sobre investimentos. Deduzindo esses número da renda nacional, podemos inferir uma estimativa do consumo familiar.

Tabela 2. Crescimento econômico da Alemanha nazista

	1932	1933	1934	1935
PIB a preços de 1913	43,1	46,3	51,5	57,8
dos quais:				
Militares do *reich*	0,3	0,5	2,9	5,5
Civis do *reich*	1,3	2,1	2,8	2
Governo local	4,7	5,5	5,7	5,2
Consumo privado	39	37,6	38,2	40,5
Investimento privado	1,1	3,6	5,5	7
Contas externas	– 3,2	– 2,9	– 3,6	– 2,4
Modificações anuais do PIB e componentes da demanda, PIB em bilhões de *reichsmarks*				
PIB		3,2	5,2	6,2
Militares do *reich*		0,1	2,5	2,6
Civis do *reich*		0,9	0,7	– 0,8
Governo local		0,8	0,2	– 0,5
Consumo privado		– 1,5	0,6	2,3
Investimento privado		2,5	2	1,5
Contas externas		0,4	– 0,7	1,1
Parcela de crescimento do PIB devido a (%)				
Militares do *reich*		4,2	47	41,6
Civis do *reich*		27	13,1	– 13,1
Governo local		24,6	4,1	– 7,4
Consumo privado		– 45,9	11,7	37,1
Investimento privado		79	37,4	23,6
Contas externas		11,2	– 13,4	18,2
Total da contribuição do setor público		55,7	64,3	21,1
Total da contribuição do setor privado		44,3	35,7	78,9

Fonte: A. Ritschl. *Deutschlands Krise und Konjunktur 1924-1934* (Berlim, 2002), apêndice. A. Ritschl, "Deficit Spending in Nazi Recovery, 1933-1938" Working Paper n°. 68, Institute for Empirical Research in Economics, Universidade de Zurique (dezembro 2000).

É inegável que, tanto em 1933 quanto em 1934, ocorreu uma poderosa recuperação "natural" do setor empresarial na Alemanha. Em 1933, as despesas de investimento, especialmente no mercado de capitais, foram importantes impulsionadoras da recuperação. Os primeiros sinais dessa prosperidade deram motivo à estranha onda de otimismo que tomou conta da República de Weimar pouco antes de seu desaparecimento.[78] Após 1933, a política governamental deixou marca tão forte na evolução da economia que falar em um prosseguimento da "recuperação natural" é, até certo ponto, matéria de especulação. Não podemos saber, com certeza, o que teria acontecido se outro governo tivesse assumido o poder. No entanto, as estatísticas mostram os indícios de uma continuação da recuperação dos negócios na Alemanha. Sem dúvida, é razoável especular que, mesmo sem a intervenção do governo, poderia perfeitamente ter ocorrido uma robusta recuperação, como foi o caso após a primeira grande recesssão na República de Weimar, em 1925.[79] Em 1933, o investimento privado, tanto na construção quanto em finanças, foi de longe o mais importante componente da recuperação. Nas estatísticas sobre o mercado de trabalho esse fato transparece nos grandes aumentos de produção de ferro e aço, metalurgia, materiais de construção e têxteis. Nos primeiros seis meses do governo de Hitler, no entanto, essa recuperação dos negócios foi anulada por uma grave retração do valor real do consumo familiar. E, mesmo em 1934, quando se poderia esperar que a recuperação do mercado de trabalho estimulasse fortemente o consumo familiar — o famoso "efeito nocaute" dos gastos decorrentes da criação de empregos, previstos pelos keynesianos —, na verdade, aquele fator concorreu apenas de maneira modesta para o progresso da economia como um todo.[80] Embora não seja possível avaliar o consumo senão de forma limitada, esse relato pessimista fica confirmado por outros indicadores, como os índices de vendas no varejo.[81] As vendas de alimentos, roupas e outras necessidades familiares somente começaram a se recuperar significativamente seis meses depois da assunção do poder por Hitler. Isso não é surpreendente, quando sabemos que a renda real de muitos trabalhadores diminuiu muito em 1933, quando houve estagnação dos salários e os preços dos alimentos começaram a subir. Os contemporâneos perceberam a demora no desenvolvimento do consumo. No inverno de 1933-34, houve grande preocupação, especialmente no Ministério de Assuntos Econômicos do *reich*, porque, até aquele momento, a recuperação não se havia traduzido em verdadeira elevação do poder de compra das famílias.[82] Com efeito, ao abandonar a ideia de futuros planos de novos gastos governamentais para a criação de empregos, no final de 1933, os ministérios do *reich* o fizeram, em parte, por preferirem que a recuperação, em 1934, fosse alavancada menos por atividades de construção financiadas pelo governo do que por uma revitalização do consumo privado.

Como a queda do consumo anulava o crescimento do investimento, a demanda privada total representou menos da metade da recuperação da demanda agregada tanto em 1933 quanto em 1934. Desde o início, portanto, a recuperação econômica de Hitler foi alavancada, principalmente, pelo setor público.[83] O que também é visível, além disso, é que entre 1933 e 1934 as prioridades do Estado germânico mudaram radicalmente. Em 1933, os gastos para a criação de postos de trabalho civis, sem dúvida, fizeram grande diferença, com gastos crescentes tanto no nível local quanto no nacional. Os gastos civis do *reich* continuaram a crescer, significativamente, em 1934, mas o que, em geral, costuma ser esquecido é que, a partir de 1934, isso foi sobretudo anulado por fortes restrições aos governos locais. Em grande parte, os gastos para criação de empregos, simplesmente, "realocaram" verbas que, de outra forma, teriam sido utilizadas por aqueles governos. Foi essa a realidade por trás da promessa de Hitler, em 1º de fevereiro de 1933, de racionalizar as relações entre o *reich* e os governos locais. Uma recuperação alavancada pelo Estado caminhou de mãos dadas com uma centralização sem precedentes dos gastos públicos, da qual os militares foram os principais beneficiários.[84]

Por volta de 1935, o PIB alemão em termos reais já se recuperara, aproximadamente, aos mesmos níveis de 1928. Sem dúvida tratou-se de uma recuperação muito rápida, mas não foi demasiadamente superior à que ocorreu nos Estados Unidos, com uma mescla de políticas muito diferente. Tampouco foi superior, em termos de taxa de crescimento, à da recuperação da República de Weimar depois da primeira grave recessão, no inverno de 1926-27, quando a taxa anual de crescimento foi mais elevada do que em qualquer momento durante o Terceiro Reich.[85] É possível, portanto, imaginar que uma recuperação de rapidez semelhante tivesse ocorrido sob um regime de políticas bastante diferentes. Nesse sentido estrito, com base nos fatos, a política econômica nazista não pode reivindicar ter sido a "causa" da recuperação econômica da Alemanha.[86] No entanto, não se pode deixar de reconhecer que a recuperação tal como efetivamente ocorreu foi claramente marcada pelo governo de Hitler. Em 1935, o consumo privado ainda se encontrava

7% abaixo dos níveis anteriores à Depressão e o investimento privado era 22% inferior. Por outro lado, os gastos estatais eram 70% superiores aos de 1928 e esse aumento se devia quase que integralmente às despesas militares. No que diz respeito ao *reich*, não pode haver dúvida de que o rearmamento já era a prioridade principal no início de 1934. Entre 1933 e 1935, a parcela das despesas militares na renda nacional germânica aumentou de menos de 1% para 10%. Nunca se tinha visto um realinhamento da produção nacional total dessa magnitude em tão curto espaço de tempo em nenhum país capitalista em tempo de paz. Concentrado em um complexo industrial-militar altamente restritivo, o impacto de gastos da ordem de 10 bilhões de *reichsmarks* no curto período dos primeiros três anos do governo de Hitler foi realmente dramático. Segundo estimativas contemporâneas, em 1935, um quarto da indústria alemã estava ocupada em vários tipos de "produção não destinada ao mercado".[87] E, em 1934, as consequências dessa extraordinária reestruturação da economia alemã acarretariam a primeira verdadeira crise do regime nazista.

2

Novos rumos

O VERÃO DE 1934 FOI O MOMENTO em que ficou claro para todos os observadores estrangeiros, com exceção dos mais indulgentes, que o governo de Hitler não era um governo "normal". Durante meses, tinha sido evidente o crescimento da pressão política sobre o regime.[1] As maciças fileiras de camisas pardas (SA) se ressentiam do fracasso de "seu" governo em realizar uma verdadeira revolução populista, nacionalista e antissemita. No outro flanco da coalizão de Hitler, o ex-chanceler Franz von Papen e seu grupo de aristocratas se alarmavam com os sinais do que acreditavam ser "degeneração plebeia". O que mais assustava era a encarniçada luta entre o SA e o Exército a respeito do futuro do rearmamento. Ernst Röhm, líder do SA, vislumbrava o rearmamento alemão como uma mobilização nacional e popular, de uma forma que desagradava profundamente os soldados profissionais. Hitler deixara clara sua posição, em fevereiro de 1934, ao impor um "acordo" que limitava as atividades dos camisas pardas.[2] Desafiadoramente, no entanto, o SA continuou com seus exercícios paramilitares. Em maio de 1934, estes haviam se tornado de tal forma alarmantes que Hitler ordenou um mês de "férias" coletivas durante junho. A própria liderança do partido nazista se encontrava dividida. Enquanto Göring e Himmler conspiravam contra Röhm, Goebbels idolatrava os SA e imaginava um ajuste final de contas com os "reacionários". O fator decisivo, no entanto, era o Exército. Em 21 de junho, o presidente Hindenburg e o ministro da Defesa Blomberg exigiram de Hitler que "impusesse a razão aos baderneiros revolucionários". Do contrário, o Exército decretaria a lei marcial e Hindenburg declararia o fim da "experiência Hitler". A decisão final foi tomada em meio aos festejos do casamento do *gauleiter* Josef Terboven, em Essen, no coração do Ruhr, em 28 de junho. Hitler ocupou-se pessoalmente do expurgo. De manhã cedo, no dia 30 de junho de 1934, no balneário de Bad Wiessee, próximo a Munique, deu a ordem para a prisão e posterior execução dos principais líderes do SA. Enquanto isso, em Berlim, Goebbels e Göring cuidavam dos "reacionários". Tropas da SS invadiram o gabinete do vice-chanceler Van Papen e mataram a tiros seu secretário. Os demais funcionários de Papen foram presos. O próprio Papen somente foi poupado devido ao mal-estar diplomático que a liquidação de um membro ativo do governo alemão poderia ocasionar. Outros tiveram menos sorte. O general Schleicher, antigo chanceler da República e chefe do Reichswehr, foi assassinado junto com a mulher. Gregor Strasser, arquiteto da política de criação de empregos do partido nazista, que tinha sido expulso do partido, em dezembro de 1932, após conspirar com Schleicher, foi morto em Berlim. As vítimas confirmadas da Noite das Facas Longas chegaram a 85. O número total pode ter sido superior a 200.

Fora da Alemanha, a notícia desses assassinatos aprovados pelo Estado foi recebida com horrorizada descrença. Sem dúvida, o regime de Hitler não estava comprometido com as normas básicas da legalidade. Poucas semanas depois da Noite das Facas Longas, essa impressão foi confirmada por outra abusiva demonstração de violência nazista.[3] Desde o início de 1934, os seguidores de Hitler na Áustria vinham executando uma campanha de terrorismo contra o governo autoritário do chanceler Engelbert Dollfuss. Em 25 de julho, estimulados pelo partido alemão, os nazistas austríacos lançaram um golpe de Estado. Na esperança de um êxito espetacular, Hitler deu ordem ao Exército do sul para que se preparasse para ajudar os golpistas. O Exército austríaco, entretanto, permaneceu leal e sufocou facilmente o levante, mas o chanceler Dollfuss morreu, abatido a tiros na Chancelaria em Viena por homens que usavam o distintivo da cruz suástica. No exterior, a reação foi de condenação unânime. Especialmente alarmante foi o repentino aumento da tensão nas fronteiras da Áustria. Para impedir qualquer tentativa de um *Anschluss* imediato, Mussolini mobilizou várias divisões. A Itália não tinha interesse em ver a influência alemã se estender além dos Alpes. Também verificaram-se movimentos de tropas na fronteira com a Hungria, o que, por sua vez, alarmou a Iugoslávia.[4] O cenário parecia estar pronto para uma reação em cadeia nos Bálcãs, semelhante à de agosto de 1914. Segundo a Gestapo, no verão de 1934, a Alemanha estava tomada por uma verdadeira "psicose de guerra". Mas, ao contrário de 20 anos antes, tratava-se de medo e não de entusiasmo.[5]

Não admira que esses acontecimentos extraordinários dominem as lembranças do verão de 1934. No entanto, exatamente naquele momento a Alemanha estremecia na iminência do desastre econômico. Entre março e setembro de 1934 o regime nazista atravessou a situação mais próxima a uma crise socioeconômica em todos os seus 12 anos de história.[6] A partir do início de 1934, as reservas de divisas do Reichsbank se reduziram de forma alarmante. A situação era tão desesperadora que os alemães que viajavam ao exterior somente podiam obter moeda estrangeira no limite máximo de 50 *reichsmarks* por mês. A fim de impedir um mercado negro de câmbio de *reichsmarks* fora da Alemanha, os viajantes eram proibidos de levar notas do dinheiro alemão para fora do país.[7] Simultaneamente, o Reichsbank e o Ministério de Assuntos Econômicos (RWM) iniciaram o doloroso processo de reduzir as quotas mensais de divisas para os importadores alemães. No verão, estas foram cortadas a 5% dos níveis que os importadores recebiam antes da crise, em julho de 1931. Como todas as principais indústrias da Alemanha dependiam de matérias-primas do exterior, essa brutal restrição provocou o temor de uma nova onda de demissões. A escassez de matérias-primas não prenunciava somente o desemprego, mas também carência de suprimentos aos consumidores. A colheita de 1934, inusitadamente pobre, aumentava as preocupações. Generalizou-se o descontentamento popular com a elevação dos preços dos alimentos importados. Não apenas os consumidores tinham poucos motivos para alegrar-se. O ambiente nos círculos empresariais, no segundo ano do governo de Hitler estava longe de ser ameno. O mercado de ações reagiu ao agressivo discurso de Hitler ao inaugurar a nova Batalha pelo Trabalho, em 21 de março de 1934, com uma forte queda nos preços dos títulos.[8] Em maio de 1934, o crescimento do descontentamento do povo era tal que Goebbels se sentiu obrigado a lançar uma campanha nacional contra os rebeldes: uma "barragem de comícios, demonstrações e anúncios" que durou dois meses, contra os "idiotas e críticos".[9] O principal tema dessa campanha foi a necessidade de que os alemães comuns demonstrassem mais coragem em arrostar os efeitos da escassez de divisas: "Ajudar a superar a crise de divisas [crise de transferência] é dever de todo alemão". Porém, assim como Hitler, Goebbels não poupou críticas aos homens de negócios: "Todos têm de fazer sacrifícios". Os judeus, sobretudo, teriam de aprender a se comportar como "hóspedes" em seu lar alemão.[10] O ministro de Assuntos Econômicos, Kurt Schmitt, que procurou, em vão, se impor na crescente crise, foi atacado por todos os lados. Wilhelm Keppler, assessor econômico pessoal de Hitler, conspirou com Heinrich Himmler para dar à política econômica um cunho mais ideológico.[11] Os operários radicais e a Frente Trabalhista Alemã, de Robert Ley, exigiram novo tratamento para os trabalhadores nacionais. No Reichsbank, Schacht aliou-se a Göring e ao Exército advogando mais rearmamento, e se tornou o principal porta-voz público em favor de um programa agressivo de calote unilateral da dívida. Na segunda semana de junho de 1934, o *Evening Standard*, de Londres, que não podia ser acusado de simpatia pelo nazismo, preocupou-se ostensivamente com a possibilidade do fim do regime de Hitler.

A crise econômica chegou ao auge num momento decisivo.[12] Em 14 de junho de 1934, Schacht decretou a suspensão completa dos pagamentos em moeda estrangeira de toda a dívida internacional da Alemanha. Ao mesmo tempo, cortou as importâncias em divisas distribuídas aos importadores alemães. Em 23 de junho de 1934, o Reichsbank abandonou completamente o sistema organizado de racionamento mensal de divisas. Dali em diante, a moeda estrangeira era distribuída em pequenas quantidades diariamente, segundo as disponibilidades. De um dia para o outro, os importadores não podiam ter certeza de obter as divisas necessárias para satisfazer os fornecedores estrangeiros. O comércio exterior parecia dirigir-se à completa paralisia. Enquanto isso, a reação internacional ao calote alemão tornou-se mais exasperada do que nunca.[13] Em 25-26 de junho, a Câmara dos Comuns, em Londres, realizou uma sessão extraordinária de 48 horas para aprovar legislação que autorizava ação coercitiva. O tom do debate foi hostil; até mesmo Neville Chamberlain usou termos belicistas. Após quase 15 meses de agressivo unilateralismo alemão, a paciência de Londres se esgotara. Com o apoio da oposição, o Parlamento ratificou poderes abrangentes para o confisco dos ganhos dos exportadores alemães para compensar os credores britânicos. As sanções entrariam em vigor em 1º de julho. A Alemanha respondeu com uma lei que dava poderes ao RWM para tomar qualquer medida de retaliação necessária à proteção dos interesses econômicos alemães.

Enquanto a SS fazia o trabalho sujo, as duas maiores economias da Europa, Grã-Bretanha e Alemanha, aproximavam-se perigosamente de uma guerra comercial total. Tal confrontação teria efeitos incalculáveis sobre a recuperação econômica de Hitler. A Grã-Bretanha não era apenas o principal mercado para as exportações alemãs, e, portanto, a maior fonte de divisas; o Império Britânico era também o principal provedor de muitas das matérias-primas importadas pela Alemanha. Para piorar a situação, a City de Londres era o maior fornecedor de financiamento de curto prazo para o comércio exterior da Alemanha. Mesmo que as importações alemãs não fossem de origem britânica, eram frequentemente financiadas por bancos da Grã-Bretanha. Um esforço concentrado de retaliação contra o calote alemão teria tido forte impacto sobre o regime ainda frágil de Hitler. Sem dúvida, o ministro de Assuntos Econômicos do *reich* sentiria a pressão. Kurt Schmitt, que gostava de se apresentar elegantemente vestido com o uniforme de coronel honorário da SS, sabia estar sendo desprezado nos círculos do SA. Nos bares frequentados pelos soldados das tropas de choque, a canção "Horst Wessel" era, agora, cantada com outra letra:

> Os preços sobem, o cartel se agita,
> O capital marcha com passos cuidadosos,
> Os corretores são membros do partido
> E o protetor do capital é Herr Schmitt.[14]

Se os boatos de um golpe de Estado do SA fossem verdadeiros, os dias do ministro estavam contados. No início do verão, a saúde de Schmitt entrou em colapso sob a pressão.[15] O desfecho chegou em 28 de junho, durante um discurso rotineiro depois de um jantar a uma plateia de exportadores de Berlim. O ministro começou expondo a situação extremamente grave que a economia alemã enfrentava e perguntou: "Que se pode fazer?" Antes que pudesse responder à própria pergunta, o sangue sumiu de seu rosto e ele desabou em meio à frase. A água de seu copo derramou-se por sobre as páginas do discurso.[16] No dia seguinte, a imprensa foi informada da licença do ministro. Vinte e quatro horas depois, a SS foi lançada contra os líderes do SA. O caminho estava livre para que Hjalmar Schacht e seus amigos militares afirmassem sua posição incontroversa de sócios de Hitler no poder.

I

A causa imediata da crise foi o nível perigosamente baixo das reservas de divisas do Reichsbank. Como vimos, as reservas declinaram fortemente nos primeiros meses do governo de Hitler. Em seguida, estabilizaram-se, durante o verão de 1933, em torno de 400 milhões de *reichsmarks* e, em fevereiro, retomaram a queda, desta vez, vertiginosa. Em junho de 1934, a quantidade de moeda forte em poder do Reichsbank reduzira-se a menos de 100 milhões de *reichsmarks*, que mal davam para cobrir uma semana de importações, mesmo em níveis mínimos.

O motor dessa desastrosa hemorragia era o crescente déficit em conta-corrente. Como vimos, o aumento nas importações era previsível e já vinha sendo esperado há muito tempo.[17] Com efeito, o crescimento das importações era o sintoma mais evidente do vigor da recuperação de Hitler. O problema verdadeiramente alarmante era a queda das exportações. Enquanto a economia doméstica alemã se recuperava, as exportações continuavam a declinar. Durante todos os meses de 1933, as vendas ao exterior foram menores do que em 1932 e a brecha aumentava à medida que o ano corria. Essa tendência prosseguiu em 1934, com receitas de exportação no início do verão desse ano 20% abaixo do mesmo período no ano anterior. Sem exportar, a Alemanha não tinha como pagar as importações de que necessitava desesperadamente e nem como atender ao serviço da dívida externa. Não se tratava apenas de um imperativo financeiro abstrato. A sobrevivência de milhares de firmas e milhões de trabalhadores dependia dos clientes no exterior. Os distritos de manufaturas leves das regiões central e oriental da Alemanha, as grandes cidades comerciais do vale do Reno, os portos do Báltico e do mar do Norte viviam do comércio exterior. O fato de que os volumes exportados pela Alemanha permaneceram 40% abaixo do nível de 1932 foi uma das principais causas do desemprego, tanto na indústria quanto no comércio.[18]

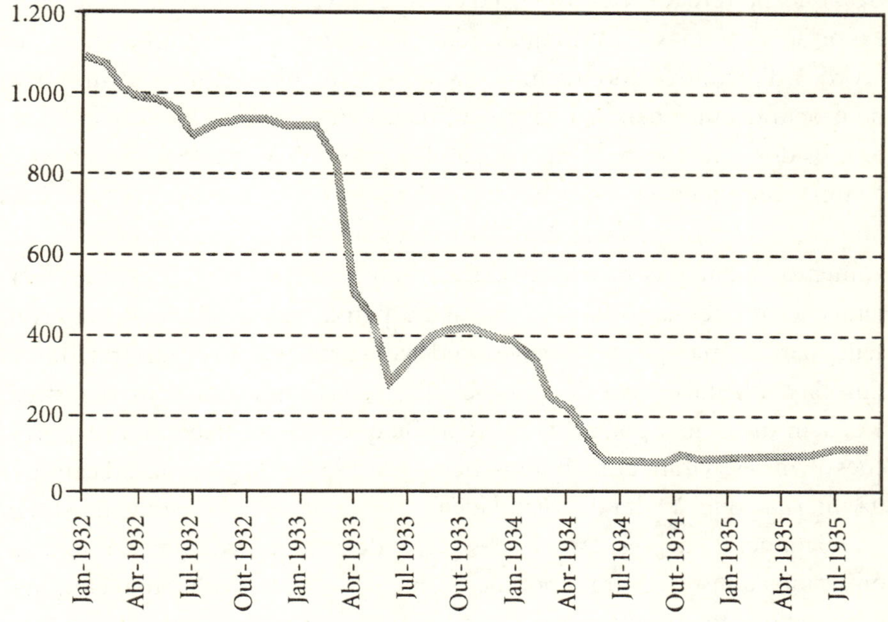

Gráfico 2. Declínio das reservas de ouro e divisas do Reichsbank
(milhões de *reichsmarks*)

As causas do declínio das exportações alemãs foram objeto de aceso debate dentro e fora do país.[19] Schacht e a imprensa local de inspiração governamental culpavam as "injustas" restrições ao comércio alemão. Não há dúvida de que o grande aumento do protecionismo que se seguiu à crise monetária de 1931 dificultou enormemente as exportações.[20] Mas a Alemanha não era apenas vítima do protecionismo de outras nações. Além da Grã-Bretanha, o país era o maior mercado importador da Europa, e sua guinada para o protecionismo, a partir de 1930, desempenhara importante papel na aceleração do ciclo de restrições na base do "olho por olho". Mais ainda, a agressiva diplomacia alemã na questão da dívida aumentou os problemas. Uma das características mais alarmantes das estatísticas comerciais da Alemanha, em 1934, foi a grave queda das vendas à França, Holanda e Suíça. Esses três países haviam reagido à moratória alemã, em 1933, negociando acordos de compensação, que asseguravam a recuperação de parte das receitas de exportação da Alemanha em forma de serviço da dívida. Embora esses acordos inicialmente tivessem sido feitos na suposição de que a balança comercial continuaria a ser favorável à Alemanha, a experiência mostrou que, na verdade, eles tiveram o efeito de nivelar o comércio bilateral. As exportações alemãs eram prejudicadas pelas formalidades burocráticas dos acordos. Por outro lado, os importadores germânicos tinham o incentivo de procurar obter máxima vantagem da abertura das contas oferecida nos termos dos tratados de compensação. Do ponto de vista alemão, tratava-se de uma consequência desastrosa, pois o país dependia dos superávits obtidos no comércio com seus vizinhos europeus a fim de pagar as importações de alimentos e matérias-primas do exterior. Embora o sistema de acordos bilaterais de compensação fosse essencial à expansão do comércio alemão com seus vizinhos mais pobres ao sul e a sudeste, a proliferação de tais tratados na Europa ocidental era considerada pelo Reichsbank um verdadeiro desastre.[21]

Além disso, não pode haver dúvida de que esses obstáculos às exportações alemãs se viram aumentados, depois de 1933, pela generalizada antipatia internacional à falta de legalidade e antissemitismo do regime de Hitler. Imediatamente, depois das eleições gerais de 5 de março começaram a ser praticados abusos contra a população judaica da Alemanha, que culminaram no boicote oficial às empresas de judeus, proclamado em 1º de abril de

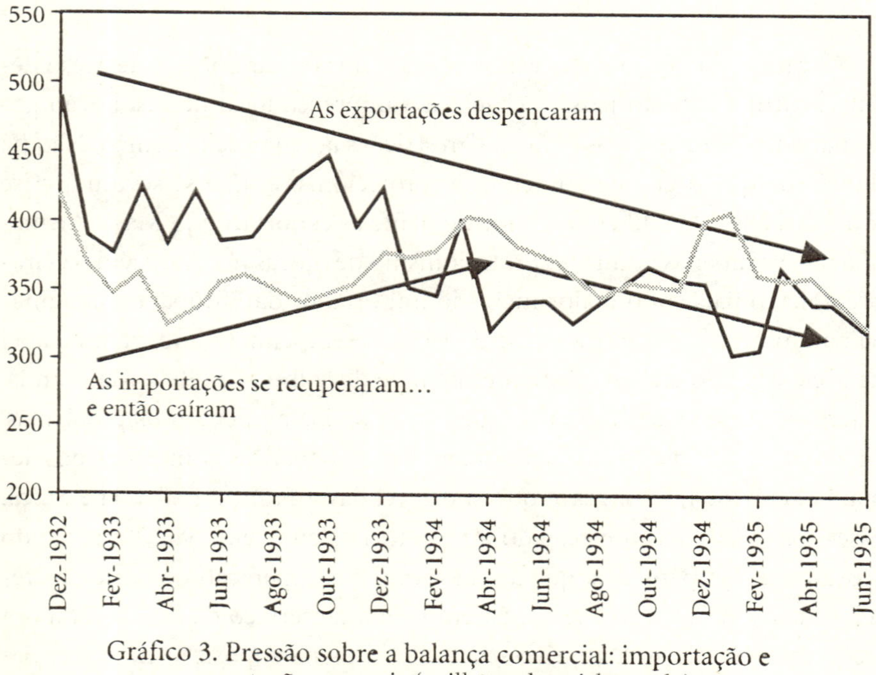

Gráfico 3. Pressão sobre a balança comercial: importação e exportação mensais (milhões de *reichsmarks*)

1933.[22] Isso, por sua vez, fez com que as entidades judaicas, principalmente nos Estados Unidos, organizassem boicotes aos artigos de origem alemã. Embora seja difícil avaliar o impacto exato desse sentimento negativo, é claro que foi levado muito a sério em Berlim. O boicote provocou ansiosos debates entre o Reichsbank e diversas firmas grandes alemãs.[23]

Em julho de 1933, Hitler afirmou, em uma importante reunião de líderes nazistas, que a primeira onda de ações revolucionárias contra os judeus teria de ser suspensa devido à oposição que suscitara na opinião internacional contra a Alemanha.[24] Além do boicote comercial, no entanto, houve uma contradição ainda mais direta entre a política antissemita dos nazistas e as restrições impostas pelo balanço de pagamentos. Até então, na década de 1930, o antissemitismo do regime de Hitler possuía um objetivo coerente, este era a expulsão dos judeus do solo alemão. Nesse aspecto, a política teve bastante "êxito", em 1933, com a partida de 37 mil judeus do país devido à violência após a tomada do poder. O "problema" era que os emigrantes somente partiam em grupos numerosos se lhes fosse permitido levar consigo, ao menos, parte de seus bens, a não ser que estivessem em situação desesperadora. Nesse aspecto, os judeus alemães não eram diferentes de qualquer outra população migrante. Segundo os estatutos o Reichsbank deveria fornecer aos migrantes as divisas necessárias para que atendessem a suas necessidades no exterior. Mas, caso as famílias judias prósperas tivessem emigrado em massa da Alemanha, entre 1933 e 1934, os efeitos sobre as reservas de divisas do Reichsbank teriam sido desastrosos. De acordo com uma estimativa conservadora, a riqueza dos judeus alemães, em 1933, chegava a, pelo menos, 8 bilhões de *reichsmarks*. A transferência sequer de uma pequena fração dessa importância estava, claramente, além das possibilidades do Reichsbank. De qualquer forma, a sangria foi bastante grave. Conforme um relatório detalhado compilado pelo Reichsbank, as perdas em divisas decorrentes da emigração, entre janeiro de 1933 e junho de 1935, atingiram um total de 132 milhões de *reichsmarks*, dos quais os emigrantes judeus foram responsáveis por 124,8 milhões.[25] As transferências chegaram ao auge, em outubro de 1933, a mais de 11 milhões de *reichsmarks*, mas, durante a primeira metade de 1934, giraram em torno de 6 milhões por mês. Com reservas totais de divisas de, aproximadamente, 100 milhões de *reichsmarks*, o Reichsbank não poderia suportar essa san gria. Por esse motivo, o banco reagiu, simplesmente, elevando o desconto aplicado aos correntistas que desejassem transferir seus ativos para o exterior por intermédio do Golddiskontbank.[26] Além disso, a partir de maio de 1934, tornaram-se mais severas as disposições do chamado imposto de fuga de capitais do *Reich*, com o nível mínimo de responsabilidade reduzido de 200 mil para 50 mil *reichsmarks*, e as autoridades passaram a ter margem maior para fazer as avaliações.[27] Essas medidas concorreram para reduzir fortemente o fluxo de moeda estrangeira para o exterior devido à emigração. No verão de 1935, as perdas mensais do Reichsbank haviam caído para 2 milhões de *reichsmarks*. O efeito, no entanto, foi profundamente contraditório. Em vez de estimular a emigração, o Terceiro Reich agora impunha pesados impostos a quem desejasse sair do país. O resultado foi previsível. Uma vez passada a violência inicial da tomada do poder, a emigração judaica reduziu-se a apenas 23 mil, em 1934, e 21 mil, em 1935. A partir de 1934, a escassez de divisas se tornaria o maior obstáculo a uma política coerente de emigração forçada.

Nada disso, no entanto, impediu que os antissemitas paranoicos, como Joseph Goebbels, culpassem integralmente as maquinações da comunidade judaica mundial pelas dificuldades de balanço de pagamentos da Alemanha. O discurso de Goebbels, na abertura da campanha contra os "idiotas e críticos", no Sportpalast, em 11 de maio de 1934, estava cheio de violentas ameaças antissemitas: "Se a Alemanha foi obrigada a informar o mundo de que já não se encontrava em condições de pagar suas dívidas e pagar os juros, os culpados não somos nós." A verdadeira causa do problema era o boicote judeu, e os judeus da Alemanha tinham de pagar por isso. Sob uma torrente de aplausos, Goebbels anunciou que, se ocorresse uma crise financeira, o "ódio, ira e desespero do povo alemão recairiam sobre aqueles que pudermos agarrar aqui em nossa terra."[28]

Mas o motivo básico da falta de competitividade da Alemanha não era *político* nesse sentido grosseiro. O problema principal era a taxa de câmbio não competitiva do *reichsmark*. Como vimos, esse desalinhamento fundamental surgira, inicialmente, no outono de 1931, após a desvalorização da libra esterlina. O segundo choque ocorrera em abril de 1933, com a desvalorização do dólar. Em 1933, somente 20% do comércio mundial era ainda feito entre países cujas moedas tinham valor fixo em termos de ouro. Como a Alemanha não seguira essa tendência, os preços de seus produtos de exportação, traduzidos ao câmbio oficial do *reichsmark*, simplesmente, não eram competitivos. Não era um problema de indústrias ou setores específicos. Não era uma questão de salários elevados ou de taxas e impostos excessivos. Às taxas de câmbio em vigor, todo o sistema de preços e salários da Alemanha estava fora de compasso com o que prevalecia no restante da economia mundial.

Em 1933, Hitler e Schacht haviam desprezado a solução mais óbvia para esse problema: a desvalorização. Para Hitler, desvalorização equivalia a inflação, e, sem dúvida, era verdade que o aumento do custo das matérias-primas importadas por qualquer desvalorização significativa da moeda teria elevado o nível de preços na Alemanha. No verão de 1934, o Reichsbank estimou que uma desvalorização de 40%, suficiente para anular a margem competitiva da Grã Bretanha e dos Estados Unidos, teria acarretado um aumento do custo de vida da classe trabalhadora em 5,4 a 7,4%, com os preços dos alimentos subindo, pelo menos, 10%.[29] Se isso resultaria ou não em uma inflação sustentada, era outra questão. Nas muitas avaliações do problema feitas pelo Reichsbank, o endividamento alemão era muito mais importante. Desvalorizar o *reichsmark* significaria negar todas as vantagens que a Alemanha obtivera, desde 1931, por meio da desvalorização das moedas de seus credores. Esse era o argumento definitivo. Como disse Schacht, em um raro momento de sinceridade, em 1934: "Ele nunca rejeitou a desvalorização, em princípio. Sempre disse que, enquanto a Alemanha tivesse uma dívida externa volumosa, a desvalorização não fazia sentido. Tão logo possamos nos livrar da dívida externa tudo vai ser muito diferente."[30]

O problema que se colocava agora com urgência maior do que nunca era como manter as exportações alemãs sem desvalorização. No outono de 1933, foi encontrada uma solução por meio de diversos esquemas, todos os quais utilizavam a vantagem que a Alemanha obtivera com a moratória da dívida externa. Tanto por meio de um complexo sistema de recompra quanto pela manipulação das contas bloqueadas dos credores externos, o Reichsbank encontrou formas de subsidiar os exportadores alemães à custa dos credores, o que valeu a Hjalmar Schacht, na década de 1930, a duvidosa reputação de bruxo das trevas das finanças internacionais. A capacidade de manipulação da Alemanha para com seus credores era mais claramente visível na depreciação do valor dos títulos alemães (promissórias) nos mercados financeiros de Nova York e Londres. Em janeiro de 1933, antes que Hitler assumisse o poder, os títulos devidos pelas municipalidades e tomadores empresariais eram negociados em média a 62% do valor nominal.[31] A ascensão de Hitler

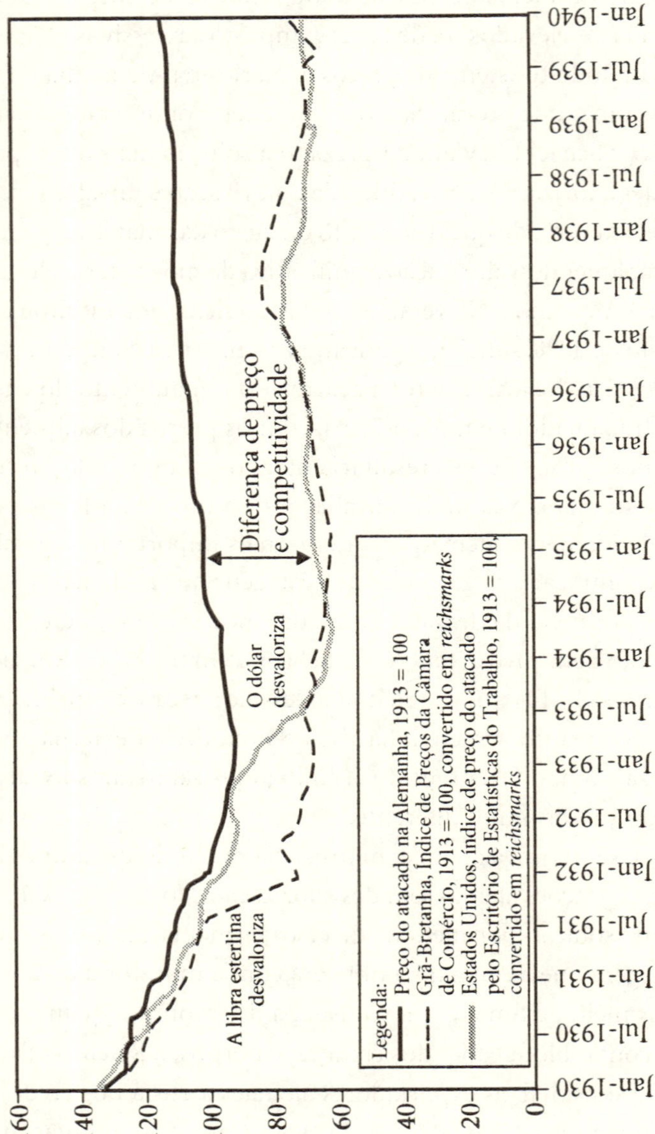

Gráfico 4. A diferença de competitividade: o preço da não desvalorização

Nota: Para mostrar o efeito da desvalorização, este gráfico compara o nível de preços na Alemanha aos da Grã-Bretanha e dos Estados Unidos traduzidos em *reichsmarks*. Com a queda do dólar e da libra esterlina em relação ao *reichsmark*, que permanecia fixo em termos de ouro, o nível dado do índice de preços nos Estados Unidos e na Grã-Bretanha era mais baixo em relação ao que prevalecia na Alemanha.

ao poder reduziu essa diferença em 12 pontos, para 50%. Após o anúncio da moratória parcial, em junho de 1933, os títulos caíram para 40%. Um dos sistemas de subsídio, portanto, fazia com que os exportadores alemães comprassem os títulos com fortes descontos em Londres e Nova York. Um título de valor nominal de 100 dólares (com o valor de 350 *reichsmarks*, à taxa em vigor de 3,50 *reichsmarks* por um dólar) podia ser comprado em Nova York, em abril, por aproximadamente 50 dólares (175 *reichsmaks* à taxa prevalecente). Com o título desvalorizado agora em poder do exportador alemão, a dívida para com um credor estrangeiro se transformava em uma dívida de um alemão para com outro. O subsídio para o exportador era fornecido pelo Reichsbank, que recomprava os títulos em poder dos exportadores alemães, direta ou indiretamente, a taxas mais próximas do valor nominal. Para um exportador que se beneficiasse desse esquema, os 50 dólares em receita de exportação transformados em dólares dos títulos não valiam 175 *reichsmarks* e sim algo próximo a 350. Na verdade, isso significava uma desvalorização de 50% da moeda alemã, permitindo ao exportador vender suas mercadorias em dólares em condições que de outra forma significariam grave perda. A diferença em relação a uma desvalorização normal era que ela não ocorria à custa dos devedores e importadores alemães. Segundo o esquema de recompra, o custo ficava com os credores estrangeiros, que vendiam os títulos alemães por uma fração do valor.[32] Naturalmente, nem todos os exportadores da Alemanha necessitavam de subsídios. As mercadorias vendidas por meio de cartéis, os equipamento especializados ou as *commodities* em que a Alemanha era monopolista representavam quase um terço das exportações do país. O resto foi subsidiado a partir do outono de 1933, a uma taxa de 20 a 30%, o que significava uma taxa geral de subsídio de cerca de 10%. Sem dúvida, nos cálculos do Reichsbank, o êxito das autoridades alemãs em levar adiante esses esquemas de subsídio às exportações era a principal razão contra as medidas de desvalorização. A Alemanha, ao que parecia, tinha encontrado uma maneira de aumentar suas exportações sem impor ao restante da economia as desvantagens da desvalorização — alto custo das importações e a carga onerosa da dívida externa.

No entanto, na primavera de 1934, quando as reservas do Reichsbank chegaram a níveis críticos, esse otimismo foi desaparecendo.[33] Apesar do início promissor, o sistema de subsídios à exportação baseado em recompras da dívida não estava dando certo. Hitler teria de adotar medidas drásticas para elevar as exportações ou então impor fortes restrições às importações. Esta última opção, no entanto, prejudicaria toda a recuperação. A Alemanha não era capaz de produzir, trabalhar e consumir sem as importações. Como vimos, as prioridades básicas do governo já tinham sido indicadas na primeira metade de 1933. As despesas previstas para o rearmamento eram muito maiores do que qualquer dos planos imaginados para a criação de empregos, assim como os riscos diplomáticos, financeiros e políticos incorridos. No verão de 1933, os interesses dos credores estrangeiros da Alemanha tinham sido sacrificados. A partir do início de 1934, a exaustão das reservas do Reichsbank obrigou o regime de Hitler a optar novamente. Repetindo, a escolha era entre tomar medidas radicais para estimular as exportações ou estabelecer prioridades seletivas de um tipo de importações em relação a outros, isto é, ou as necessidades de importação das indústrias destinadas a satisfazer as necessidades dos consumidores ou as das ligadas aos investimentos estatais e ao rearmamento. Ambas as coisas não eram possíveis. Essa escolha bem definida torna mais claro o entendimento da extraordinária decisão, mencionada no capítulo anterior, de não destinar novas verbas à criação de postos de trabalho civis após dezembro de 1933. Se fosse possível seguir uma política de recuperação com duas vertentes, tanto de criação de empregos civis quanto de rearmamento, não parece haver motivos para duvidar que Berlim teria adotado tal opção. O que a impediu foram as limitações do balanço de pagamentos.

Dentro da Alemanha, o reconhecimento público da escolha entre prioridades militares e civis se tornou um tabu. Os observadores estrangeiros, no entanto, não estavam sujeitos às mesmas restrições. A conexão entre dívidas de guerra e rearmamento tinham sido tema habitual de debate internacional desde a década de 1920. O aumento dos gastos militares da Alemanha, depois de 1933, era suficientemente evidente até mesmo nos números publicados do orçamento do país. Na primavera de 1934, a imprensa financeira estrangeira suscitava, regularmente, a contradição entre a atividade exuberante dos militares alemães e as declarações de Schacht de que o país não tinha condições de atender ao serviço da dívida externa.[34] A conclusão era óbvia. Se a Alemanha realmente pretendesse tratar com seriedade a crise de divisas, e se desejava obter concessões dos credores, teria de desistir do rearmamento unilateral. Essa argumentação foi feita com clareza ao ministro alemão do Exterior pelo embaixador norte-americano, William Dodd, em junho de 1934.[35] De fato, a escolha que a Alemanha enfrentava era tão clara que não era possível reprimir inteiramente o debate, mesmo dentro do próprio *Reich*. Muita coisa estava em jogo, e para muita gente.

Até mesmo nas atas do gabinete surgem indícios de importantes diferenças de opinião quanto aos rumos futuros da política.[36] Em fevereiro de

1934, tanto Kurt Schmitt, no RWM, quanto Krosigk, no Ministério das Finanças do *reich*, prepararam relatórios de conjuntura que sugeriam a possibilidade de um curso alternativo.[37] O RWM queria concentrar os esforços na elevação do nível da demanda de consumo, por meio de cortes nas contribuições para previdência social e nas taxas destinadas a organizações paraestatais, como a Frente Trabalhista Alemã. Por sua vez, o RFM esperava desobstruir o caminho para uma recuperação "natural", liderada pela comunidade de negócios, mediante um rigoroso programa de disciplina fiscal, incluindo os militares. Naquela conjuntura de delicado equilíbrio, é concebível que uma intervenção decidida de Hjalmar Schacht, como a que ele realizara por ocasião do Plano Young, em 1929, tivesse feito diferença. Sem dúvida, se ele houvesse utilizado sua influência em favor de Schmitt e Krosigk, poderia haver obrigado Hitler a fazer uma dolorosa escolha entre a "ortodoxia financeira" e as exigências do rearmamento. Mas, em vez de apoiar os esforços de Kurt Schmitt para limitar os gastos militares, Schacht, propositalmente, o deixou sozinho. A ocasião-chave parece haver ocorrido em março de 1934, quando Schmitt e Schacht foram convocados por Hitler para uma reunião particular no Obersalzberg, na qual seriam decididas as diretrizes da futura política econômica. Antes da reunião, Schmitt teve o cuidado de chegar a um acordo com Schacht a fim de não conceder mais do que 15 bilhões de *reichsmarks* para o rearmamento. Mas, quando chegou o momento do encontro crucial com Hitler, Schacht deixou que Schmitt desse a notícia desagradável e, em seguida, declarou que, na opinião dele, "nenhuma importância em dinheiro era demasiada para essa tarefa nacional vital."[38] Na verdade, Schmitt, mais tarde, recordou que Schaht se declarara disposto a "arruinar a economia" em busca do rearmamento.[39] Na reunião do gabinete, em 23 de março de 1934, Schacht apoiou o ministro da Defesa Blomberg para evitar qualquer ameaça grave ao orçamento militar. Poucas semanas mais tarde, essa decisão foi institucionalizada por um acordo que isentava os militares do escrutínio detalhado de parte do Ministério das Finanças. Dali em diante, Blomberg, simplesmente, apresentava uma soma total de gastos militares a uma comissão tríplice, constituída por Krosigk, Schacht e ele próprio. Na descrição feita por Krosigk sobre essas reuniões, ele sempre comparecia sabendo perfeitamente que, caso se opusesse às exigências de Blomberg, o general recorreria a Hitler, o qual não hesitaria em elevar as despesas militares a níveis ainda maiores do que os originalmente solicitados. Não admira que, raramente, Krosigk considerasse prudente discutir.

Havendo anulado Schmitt na questão do rearmamento, em 1934, Schacht propositalmente elevou a tensão na frente internacional. Num discurso amplamente divulgado na Câmara de Comércio Norte-americana, em Berlim, ele anunciou que, a menos que as exportações alemãs se recuperassem em prazo breve, ele seria obrigado a adotar medidas drásticas para reduzir as importações de matérias-primas dos Estados Unidos e do Império Britânico. Cumprindo o prometido, em março de 1934, o Reichsbank começou a reduzir progressivamente as quotas mensais de divisas para os importadores alemães. Em abril, o RWM concordou em estabelecer unidades de vigilância (*Überwachungsstellen*) a fim de racionar as importações de lã, algodão e material para embalagens, dessa forma proporcionando ao *reich* a infraestrutura administrativa para um aperto seletivo das importações. No verão, outras unidades foram criadas em relação aos couros, peles e metais não ferrosos. Pressionado pelo balanço de pagamentos e pela recusa em desvalorizar, Schacht impunha um sistema de controle burocrático ainda mais abrangente sobre a economia e os negócios na Alemanha.[40]

Devido à pesada burocracia exigida, tanto pelo sistema de subsídios à exportação quanto pelo mecanismo de restrição de importações, a opção de desvalorizar permaneceu teimosamente latente.[41] O assunto ficou sendo uma espécie de tabu. No entanto, lendo as entrelinhas das publicações periódicas sobre economia, é evidente que a possibilidade de desvalorização continuava a ser amplamente debatida. Isso é confirmado pelos relatórios confidenciais internos do departamento econômico do Reichsbank. Não se deve esquecer que, em época recente, em maio de 1932, Gregor Strasser havia comprometido publicamente o partido nazista a abandonar o padrão ouro. Embora essa promessa tivesse sido rapidamente retirada do manifesto eleitoral do partido, no outono de 1932, e o próprio Strasser fosse expulso, ainda havia muita gente no interior da agremiação que considerava a desvalorização o complemento lógico de uma política de criação de empregos e de independência econômica nacional.[42] Na altura de 1934, a essas vozes juntaram-se os economistas liberais e os empresários práticos, profundamente alarmados pela tendência à burocracia e ao controle estatal. A desvalorização, que antes fora uma causa "radical", parecia agora a única forma de preservar certo grau de normalidade nos negócios cotidianos. Como vimos, em cidades comerciais como Hamburgo, o desemprego era ainda dolorosamente elevado em 1934, e, sem uma revitalização do comércio exterior, parecia haver pouca perspectiva de melhoria imediata da situação. Por isso, a Hansa Bund, organização dos círculos comerciais do norte da Alemanha, foi a mais vigorosa advogada da desvalorização, e o semanário *Wirtschaftsdienst*, de Hamburgo, foi quem proporcionou o foro mais amplo para o debate.[43] Em seus editoriais, o *Wirtschaftsdienst* mantinha a linha de Schacht, rejeitando a desvalorização como possibilidade imediata. No entanto, o jornal era marcadamente positivo em suas informações sobre a experiência de outros países com a desvalorização. Após a reunião de primavera da Hansa Bund, em abril de 1934, a publicação deu um passo adiante: "À luz da intensificação dos debates privados sobre comércio exterior...", dizia o artigo, "a questão da desvalorização" não deveria mais ser "evitada de maneira tímida."[44]

A especulação sobre a desvalorização parece ter chegado ao auge, em maio de 1934, em resposta a um comentário ambíguo feito pelo ministro das Finanças Krosigk, amplamente divulgado dentro e fora da Alemanha.[45] Krosigk disse, em público, o que Schacht estava disposto a confessar em privado. O Terceiro Reich não rejeitava a desvalorização em princípio, e sim não a considerava prática, além de arriscada para um país como a Alemanha, com dívidas externas vultosas e reservas mínimas de moeda estrangeira. Os mercados responderam com uma onda de especulações.[46] Enquanto isso, no verão de 1934, os círculos empresariais começaram a fazer os próprios preparativos. Especialmente, no ramo de têxteis, que dependia de grandes quantidades de lã e algodão importados, tornou-se costumeira a tendência de fazer constar nos contratos que o pagamento seria feito em marcos-ouro. Em Hamburgo, a Associação dos Comerciantes de Borracha Natural distribuiu um modelo de contrato a seus membros, especificando condições de pagamento que os protegeriam de uma possível desvalorização O *reichsmark* já estava na mira dos especuladores. O ambiente era tal que o jornal do partido, *Die Volkswirtschaft*, considerou necessário denunciar essas atividades como um ato de sabotagem contra o país.[47]

No final de maio, as opções para a Alemanha haviam se tornado claramente óbvias. Em artigo notavelmente franco, o *Wirtschaftsdienst* afirmou que, se o governo do *reich* havia tomado a decisão definitiva de não desvalorizar, deveria tirar as conclusões necessárias.[48] Na opinião do jornal, a escolha contra a desvalorização significava uma nítida separação entre as políticas econômicas liberais de países como a Grã-Bretanha e um novo sistema emergente de gerência econômica nacional-socialista. Se a desvalorização fosse definitivamente rejeitada, nesse caso, não haveria alternativa senão iniciar imediatamente o estabelecimento de um novo e poderoso sistema de controles econômicos. O *Wirtschaftsdienst* não economizou palavras. Se era verdade que o governo alemão tencionava romper, definitivamente, com a ordem econômica liberal, então, estava em uma posição muito semelhante à do início de uma guerra. Era perigoso permanecer na defensiva. As autoridades do *reich* tinham de passar ao ataque, adotando medidas muito mais amplas para regular as importações e promover exportações independentemente das consequências para as relações com seus parceiros comerciais.

O *Wirtschaftsdienst* havia percebido perfeitamente em que direção sopravam os ventos em Berlim. No início do verão de 1934, os canais midiáticos à disposição de Schacht, especialmente o semanal *Der Deutsche Volkswirt*, foram mobilizados para uma campanha contra Schmitt, ministro dos Assuntos Econômicos, com apoio integral dos militares. O coronel Georg Thomas, principal economista do Estado-Maior do Ministério da Defesa, era fiel seguidor de Schacht. Quando começou o verão daquele ano ele bombardeou seu ministro, o general Blomberg, e Wilhelm Keppler, assessor econômico pessoal de Hitler, com memorandos em que urgia a adoção de um novo sistema de regulamentação econômica. O sistema paralelo e sem coordenação, por meio do qual o Reichsbank distribuía divisas e o RWM tentava controlar o comércio diretamente por meio das unidades de vigilância, não estava funcionando. O sistema era sujeito a vazamentos e os esforços desesperados dos empresários alemães para explorar suas brechas estavam tendo efeito contraproducente. Como as agências de vigilância regulavam somente as matérias primas, os comerciantes passaram a importar volumes crescentes de produtos acabados, que eram mais caros. As restrições não se aplicavam aos acordos de compensação que cobriam o comércio da Suíça e da Holanda. Assim, os importadores canalizavam o comércio através desses países. A fim de assegurar divisas para si, os comerciantes começaram a tratar novos empréstimos de curto prazo com bancos estrangeiros, muitas vezes, com taxas de juros exorbitantes. Enquanto isso, as reservas de moeda forte do Reichsbank continuavam a declinar mês a mês e Schacht pouco fez para resistir à tendência negativa. Com efeito, é difícil escapar à conclusão de que ele estivesse propositalmente forçando uma crise, aumentando a pressão sobre Schmitt.

A tensão chegou ao auge na segunda metade de junho, com o anúncio de Schacht, no dia 14, de uma completa moratória no pagamento da dívida externa e a imposição de um novo regime de distribuição diária de divisas. Isso não apenas provocou crise nas relações externas da Alemanha, mas também deu a Schacht o controle total. O pobre Schmitt não era rival para Schacht. Com a saúde abalada, retirou-se aliviado da ribalta política, voltando a uma posição influente nos negócios de seguros. Os principais funcionários do RWM, no entanto, eram mais firmes. Sob a liderança do secretário de Estado, Hans Posse, o ministério fez um último esforço para mudar o curso dos acontecimentos. Posse (1886-1965) havia feito carreira em política comercial no ministério e tinha anteriormente apoiado Stresemann no DVP. Mas aproveitou, ao máximo, a *Machtergreifung*, obtendo a nomeação para o mais alto posto para funcionários de carreira no ministério do *reich* depois da renúncia de Hugenberg. Em novembro de 1933, ingressou no partido nazista.[49] No verão de 1934, Hitler parece até mesmo haver pensado nele por algum tempo como possível sucessor de Schmitt. Posse era, sem dúvida, um conformista, mas os hábitos liberais eram duradouros. No início de julho, preparou com sua equipe um plano para a administração das contas externas da Alemanha com base em um esquema imaginado por Vincent Krogmann, *gauleiter* de Hamburgo, cujas ideias refletiam as tendências para o livre comércio de seus concidadãos. Convertido tardiamente ao nacional-socialismo, Krogmann (1889-1978) não questionou a decisão do *führer* de manter o valor oficial da moeda alemã. Em vez disso, propôs a criação de um "pseudomercado" de divisas, no qual o mecanismo de preços, e não a regulamentação burocrática, seria utilizado para equilibrar a oferta e a demanda. Todos os exportadores continuariam a entregar seus ganhos de divisas ao Reichsbank e, em troca, receberiam, não *reichsmarks*, e sim títulos de câmbio. Esses títulos habilitariam o portador a receber as divisas. O cerne da ideia de Krogmann era fazer com que esses títulos fossem livremente negociáveis. Seriam trocados por *reichsmarks*, porém, não a uma taxa arbitrária fixada pelos funcionários do Reichsbank, mas em um processo competitivo de leilão entre os vários interesses conflitantes que buscavam divisas para importar produtos escassos ou para o pagamento de dívidas no exterior. A "taxa de câmbio" interna desses títulos seria, portanto, determinada pelas forças do mercado, resultando em uma desvalorização "interna" espontânea do *reichsmark*. Embora os críticos denunciassem o Plano Krogmann como mais um esquema insano de câmbio, a Áustria, na verdade, adotou sistema semelhante no início de 1934, e isso era, frequentemente, citado como exemplo nos debates na Alemanha.[50]

Em 19 de julho de 1934, o RWM finalmente concluíra um projeto do Plano Krogmann para apresentação ao gabinete.[51] No entanto, quando o trabalho dos funcionários do RWM ia chegando ao fim, o coronel Thomas, do Ministério da Defesa, entrou em contato com Wilhelm Keppler. Anteriormente, no mesmo verão, Thomas havia assegurado a Keppler que a situação das reservas de divisas, embora grave, não representava uma ameaça imediata ao rearmamento. Agora, ele estava mais alarmado. Thomas afirmou abruptamente que a situação desesperadora das reservas monetárias do *reich* representava uma ameaça imediata à continuidade do rearmamento. Se a Alemanha se visse envolvida numa guerra, como parecia possível no delicado verão de 1934, o resultado seria um desastre. Ao fazer essa dramática declaração a Keppler, a intenção óbvia de Thomas era que Hitler agisse, e não se enganou. Em poucos dias, em meio à confusão causada por tentativa malograda de golpe na Áustria, Schacht foi convocado a uma audiência pessoal no festival de Bayreuth. Não possuímos registro confiável do que transpirou. No entanto, o resultado foi que Schacht foi nomeado ministro interino de Assuntos Econômicos. Não assumiu o cargo de forma permanente porque, se fizesse parte do gabinete, sua posição nominalmente independente de chefe do Reichsbank ficaria comprometida, assim como sua participação na exclusiva fraternidade dos diretores de bancos centrais no Banco de Ajustes Internacionais. Como interino, no entanto, Schacht tinha plena autoridade no RWM e demonstrou-o imediatamente após o regresso a Berlim. Ao encontrar o secretário de Estado Posse em seu novo gabinete de trabalho, Schacht perguntou: "O senhor gosta de música?" Inocentemente, Posse respondeu: "Gosto muito". A réplica de Schacht foi tipicamente sarcástica: "Não sou uma pessoa musical, mas estive em Bayreuth."[52] Com a aprovação pessoal de Hitler e o firme apoio dos militares, a posição de Schacht era inexpugnável. O Plano Krogmann foi descartado. O rumo da política econômica alemã estava decidido. Em vez de procurar sair da crise mediante uma combinação de desvalorização e aproximação com as potências ocidentais, o Terceiro Reich manteria o curso da autoafirmação nacionalista. Os meios para isso seriam a diplomacia bilateral orientada para criar divisões no exterior e a organização autoritária doméstica.

II

A crise no balanço de pagamentos da Alemanha, em 1934, deixou uma marca duradoura nas relações comerciais do país. Costuma-se descrever a política comercial alemã a partir do verão daquele ano como autárquica — um esforço generalizado para restringir as importações e atingir a autossuficiência. Um exame mais detido das estatísticas de comércio revelam que a "autarquia", na verdade, significou uma política seletiva de desvinculação dirigida, principalmente, contra os Estados Unidos, o Império Britânico e, em menor grau, a França.[53] Por sua vez, essa política estava diretamente ligada ao repúdio das dívidas externas da Alemanha. Os problemas de balanço de pagamentos do país, no início da década de 1930, eram sobretudo relacionados aos grandes blocos econômicos do mundo: os Estados Unidos e o Império Britânico. Os EUA eram, de longe, o maior emprestador internacional à Alemanha. Somente o serviço da dívida para com esse país consumia, ao menos, 600 milhões de *reichsmarks* além do grande déficit bilateral, que, em 1929, montava em quase 800 milhões de *reichsmarks*. Entre 1933 e 1934, esse déficit se reduzira a 230 milhões. Mas, ao ritmo de 800 milhões de *reichsmarks* por ano, o total do rombo no balanço de pagamentos da Alemanha, por conta das obrigações para com os Estados Unidos no serviço da dívida e nas importações líquidas, era claramente insustentável. Os líderes da República de Weimar aceitaram essa situação enquanto necessitavam do apoio norte-americano na resistência a reparações. Quando estas foram levantadas, em 1932, em Lausanne, tal consideração não mais se aplicava.

O primeiro passo em direção a um verdadeiro calote foi a moratória parcial do verão de 1933. O governo norte-americano podia protestar em nome de seus credores privados, o que foi feito no início de 1934. No entanto, como não havia possibilidade de novos empréstimos à Alemanha no futuro previsível, os Estados Unidos tinham pouca margem real de manobra. Poderiam suspender os fornecimentos de matérias-primas, mas, em uma guerra comercial transatlântica total, tudo o que os alemães tinham a perder era um vultoso déficit comercial.[54] Para os norte-americanos, a melhor defesa contra um calote era unir os demais credores da Alemanha, principalmente, a Grã-Bretanha. Porém, como os alemães bem compreendiam, era mais provável que a declaração de uma moratória geral resultasse na rivalidade entre os credores.[55] Holandeses e suíços se afastaram, no outono de 1933, a fim de obter acordos bilaterais favoráveis. Na primavera de 1934, a solidariedade anglo-norte-americana ainda estava intacta. Do ponto de vista de Schacht, a importância da crise do verão de 1934 foi o racha na frente única Estados Unidos-Grã-Bretanha. Uma guerra comercial com Londres seria, sem dúvida, um desastre para a Alemanha, mas também teria graves consequências para os britânicos. O arriscado jogo de Schacht foi visivelmente motivado por uma compreensão clara dos possíveis prejuízos para a City de Londres e para os exportadores no campo das relações econômicas germano-britânicas. Em uma reunião entre o Reichsbank e o RWM, em agosto de 1934, ele declarou: "Vou correr riscos com a Inglaterra... temos de atravessar esse vale. Estava disposto a ir às últimas consequências no trato com a Inglaterra e a Suíça."[56]

A agressão de Schacht acabou beneficiando-o.[57] A fim de evitar a imposição de compensações compulsórias, os alemães concordaram em retomar o serviço em relação aos empréstimos Dawes e Young, que eram as dívidas mais sensíveis. Por sua vez, os britânicos se deixaram arrastar a um entendimento comercial bilateral, que tomou a forma do Acordo Anglo-Germânico de Pagamentos, de 1º de novembro de 1934. Extraordinariamente, o Banco da Inglaterra chegou a fornecer a Schacht um empréstimo que permitiu à Alemanha cancelar um volume embaraçoso de créditos comerciais não honrados.[58] Não pode haver dúvida da importância estratégica do Acordo Anglo-Germânico. Não apenas dividiu a frente Grã-Bretanha-Estados Unidos e estabilizou as relações com o mais importante parceiro comercial da Alemanha, mas também forneceu uma via de escape para o impasse a que tinham chegado acordos anteriores de compensação com os vizinhos da Alemanha na Europa ocidental.[59] Ao contrário de acordos anteriores desse tipo com a Holanda e a Suíça, o Acordo Anglo-Germânico de Pagamentos garantia à Alemanha uma margem substancial de "divisas gratuitas" para uso fora da zona de libra esterlina. Um total de 55% das receitas alemães em libras seriam destacadas para importações ilimitadas de mercadorias britânicas pela Alemanha. Outros 10% ficariam para o serviço das obrigações de curto e médio prazo para com os credores britânicos. O resto, ao menos em tese, estava à disposição para ser usado fora da zona da libra.

Uma vez quebrada a frente unida de credores, Schacht tinha liberdade para completar o processo de desvinculação da economia alemã em relação aos Estados Unidos. Após 1934, a Alemanha dispensou aos credores norte-americanos tratamento especialmente discriminatório. Até mesmo os titulares de créditos dos empréstimos Dawes e Young, supostamente a forma mais privilegiada da dívida, foram pagos a uma taxa 30% inferior à concedida aos credores britânicos. Ao mesmo tempo, pelo menos, 900 milhões de dólares em títulos de empresas e do governo foram colhidos na moratória completa de transferências para pagamentos.[60] Berlim deixou claro que a melhoria das condições dependeria da obtenção de condições mais favoráveis às exportações alemãs para os Estados Unidos. Após 1934, no entanto, as relações comerciais germano-norte-americanas se deterioraram marcadamente.[61] A estratégia de bilateralismo de Schacht, coroada pelo Acordo Anglo-Germânico de Pagamentos, chocava-se com a estratégia de multilateralismo impulsionada com não menor vigor pelo secretário de Estado Hull, em Washington. Como a queda precipitada do dólar finalmente terminara, Hull iniciou uma campanha sistemática em prol da liberalização do comércio com a Lei de Acordos Comerciais Recíprocos de 1934.[62] A legislação procurava pôr em prática reduções seletivas nas tarifas norte-americanas como forma de abrir o empacado sistema internacional de comércio. Dado o firme ânimo de Washington, o anúncio feito, em outubro de 1934, pela Alemanha, de que se retirava do Tratado de Comércio e Amizade firmado entre a República de Weimar e os Estados Unidos, em 1923, provocou forte reação. O secretário de Estado Hull denunciou a decisão germânica como "um ato de agressão contra todo o sistema norte-americano de tratados comerciais", e desligou a Alemanha da condição de nação mais favorecida.[63] Schacht pediu negociações tarifárias nos termos da Lei de Acordos Comerciais Recíprocos, mas Hull recusou, citando as práticas comerciais discriminatórias da Alemanha.[64] Se tivesse entrado em acordos bilaterais com Berlim, Hull teria solapado a credibilidade de toda a sua estratégia, especialmente, aos olhos dos principais parceiros comerciais dos Estados Unidos na América Latina.[65] Enquanto isso, as trocas entre os Estados Unidos e a Alemanha declinaram rapidamente. Em 1928, o valor das exportações norte-americanas para a Alemanha foi de 2 bilhões de *reichsmarks* e as germânicas para os Estados Unidos atingiram 796 milhões. Em 1936, os níveis eram irrisórios. As exportações dos EUA não chegaram a 232 milhões de *reichsmarks* e o comércio no sentido oposto foi de menos de 150 milhões.

Essa extraordinária contração do comércio entre a Alemanha e os Estados Unidos, que eram as duas maiores economias do mundo, constituiu a verdadeira substância da política comercial "autárquica" de Schacht.[66] Foi compensada por uma tentativa concertada do *reich* para cultivar vínculos com produtores no sudeste europeu e na América Latina, capazes de fornecer substitutos para as matérias-primas não mais obtidas nos Estados Unidos e na Grã-Bretanha.[67] Foram concluídos importantes acordos comerciais com a Hungria, em fevereiro, e com a Iugoslávia, em maio de 1934.[68] Arranjos alcançados com o Chile garantiram à Alemanha o acesso ao salitre e cobre. O Brasil surgiu como principal fornecedor, não apenas de café, mas também de algodão. Nos últimos anos da década de 1930, a mudança geral na estrutura das importações alemãs se tornara substancial. Mas o âmbito das novas relações comerciais da Alemanha estava inerentemente limitado aos desequilíbrios de poder de compra entre ela e países menos desenvolvidos. Schacht comentou, com verve característica: "Pode-se vender muito menos a *coolies*... do que a operários industriais... altamente qualificados."[69] Além disso, a agressiva "invasão" da América Latina pela Alemanha em nada contribuiu para melhorar as relações com os Estados Unidos. Especialmente, no Brasil, a Alemanha e os EUA encontravam-se em conflito direto. O urgente esforço alemão em aumentar suas importações de algodão e café permitiu ao governo brasileiro escapar do projeto de Cordell Hull de uma zona hemisférica de livre comércio.[70] De fato, as preocupações norte-americanas com a crescente influência da Alemanha sobre o Brasil eram tão fortes que o Rio de Janeiro conseguiu imitar os germânicos na moratória de suas volumosas dívidas para com os Estados Unidos, sem precisar temer retaliações agressivas de Washington.

Um dos mais notáveis acordos bilaterais, que começou a funcionar em ampla escala depois de 1934, tratava diretamente do conflito entre as limitadas reservas alemãs de divisas e o grande desejo do regime em estimular a emigração dos judeus.[71] Conhecido como Transferência de Haavara, era uma transação entre o *reich* e um grupo de empresários sionistas baseados na plantação de laranjas de Hanotea, em Natania, nos arredores de Tel Aviv. Embora o mandato exercido pela Grã-Bretanha restringisse a imigração de candidatos que não possuíssem recursos financeiros, qualquer pessoa que provasse ter pelo menos mil libras palestinas (uma libra da Palestina valia uma libra esterlina) recebia visto grátis de entrada, denominado "visto para capitalistas". O objetivo da Transferência de Haavara pretendia tirar partido dessa brecha. O esquema operava por meio da permissão aos judeus para que fizessem pagamentos a um fundo em Berlim em troca de certificados de crédito no valor suficiente em libras palestinas que os habilitasse a obter o cobiçado visto. Por sua vez, Hanotea utilizava os recursos depositados em Berlim para comprar mercadorias alemãs para exportação a Palestina. Os emigrantes eram reembolsados em libras palestinas quando a mercadoria era vendida a clientes judeus ou árabes. Na prática, o arranjo assegurava que cada *reichsmark* de capital exportado por um emigrante judeu alemão fosse compensado por uma encomenda de exportação. À medida que o Reichsbank aumentava o controle sobre as reservas de divisas, e, apesar das pequenas dimensões da economia, Haavara se tornou um dos meios mais eficientes para que os judeus exportassem capital da Alemanha. No total, 50 mil pessoas, um décimo da população judaica alemã em 1933, conseguiram utilizar o esquema para escapar do país. Levaram consigo 106 milhões de *reichsmarks* com os quais obtiveram a notável soma de 5,5 milhões de libras palestinas. Dessa forma, pagavam um ágio acima da taxa de câmbio oficial (12,50 *reichsmarks* por uma libra palestina) de apenas 35%, quando a maioria dos emigrantes judeus apenas conseguia salvar uma pequena fração de suas posses.

Mas os arranjos estruturais dessa espécie nas relações comerciais da Alemanha eram tema de estratégia de longo prazo. Em 1934, fazia-se necessária uma solução imediata para a crise de divisas que se desenhava no horizonte. Dada a decisão de não desvalorizar, isso somente podia significar uma coisa: mais burocracia. Schacht e seus funcionários no Reichsbank e no RWM esboçaram um sistema abrangente de controle do comércio durante o mês de agosto de 1934.[72] O Reichsbank alocava as divisas disponíveis na base das receitas de exportação. Reservava os recursos necessários para fazer os pagamentos da dívida já acordados a fim de assegurar que a Alemanha cumprisse suas obrigações de curto prazo. O restante era entregue a um grupo de repartições supervisoras, ao todo 25, uma para cada classe principal de *commodities*. A proposta que Schacht delineara originalmente em 1932 para monopólios de exportação baseados nos que existiam na época da Primeira Guerra Mundial foi modificada para proporcionar maior grau de descentralização e iniciativa privada. As agências supervisoras não eram as que se dedicavam ao comércio de exportação. Sua tarefa era examinar os pedidos de divisas feitos pelos importadores privados e distribuir os recursos escassos segundo a prioridade nacional. Naturalmente, a primeira prioridade era conferida aos exportadores e fornecedores que concorriam para o esforço armamentista. Os importadores que conseguissem aprovação de uma das agências recebiam os chamados Certificados de Câmbio (*Devisenbescheinigungen*). De posse de tal certificado, qualquer importador tinha garantia de receber divisas do Reischsbank. A partir de 1935, as importações feitas sem Certificados de Câmbio foram proibidas. Não admira que essa ideia de um sistema burocrático de controle direto recebesse completa aprovação dos militares. Um projeto de plano foi debatido entre os ministérios em meados de agosto e Schacht o apresentou a Hitler no Obersalzberg, no fim do mês, em companhia do ministro Blomberg e do general do Exército, Walter von Reichenau. A composição desse grupo era uma clara indicação de onde se localizava o poder no Terceiro Reich.

Os militares haviam sido aliados de Schacht, desde 1933, e as relações entre eles se estreitaram ainda mais depois da Noite das Facas Longas. No entanto, é significativo que o plano tivesse de ser levado a Hitler. O *führer* pode não haver seguido o detalhamento diário da política econômica, mas não era possível tomar decisões importantes sem sua aprovação.[73] Dias depois, Schacht anunciou o arcabouço do chamado Novo Plano a uma plateia de empresários que haviam comparecido à feira comercial de Leipzig. Como era de seu feitio, Schacht se referiu à própria proposta como uma "monstruosidade" que a Alemanha era obrigada a adotar devido à recusa dos credores em aceitar condições de comércio mais razoáveis. Ignorando completamente sua atuação na sistemática exacerbação da crise, Schacht culpou integralmente as circunstâncias externas pelo recuo da Alemanha à autarquia.[74]

O sistema teve êxito em estancar a hemorragia de divisas. Nos meses seguintes ao anúncio do Novo Plano, as importações se reduziram drasticamente. No terceiro trimestre de 1935, o volume de importações já era quase exatamente igual a pior época da recessão, três anos antes. Porém, em comparação a 1932, a produção industrial aumentara quase 100%.[75] Evidentemente, esse dramático aperto das importações destinadas à economia alemã não era sustentável. Foi possível apenas no curto prazo porque os produtores conseguiram aproveitar estoques acumulados de matérias-primas. Tão logo estes se exaurissem, a recuperação econômica cessaria. Qualquer aumento substancial das importações dependia da recuperação das exportações. Isso, no entanto, não ocorreu. No verão de 1934, o otimismo que cercara os esquemas de subsídios às exportações, alguns meses antes, desapareceu quase completamente. O Reichsbank tinha tanta fome de divisas que já não podia sustentar o mecanismo de recompra de títulos como principal fonte de subsídios, pois isso colocava em mãos estrangeiras uma parcela substancial das receitas de exportação da Alemanha. Os demais esquemas que funcionavam à custa dos credores estrangeiros já não eram suficientes para fornecer a sustentação necessária. O Reichsbank estimava que, para contrarbalançar a paralisante desvantagem competitiva, seria necessário subsidiar a 25% mais de dois terços das exportações alemãs (240 milhões de um total de 340 milhões de *reichsmarks).* Isso custaria 60 milhões por mês, dos quais, no máximo, 40 milhões poderiam ser levantados com os credores estrangeiros da Alemanha.[76] O resto teria de vir mais ou menos diretamente dos cofres do *Reich*. Dada a pressão geral sobre as finanças do país e a possibilidade de acusações de *dumping*, tratava-se, como reconheceu Schacht, de "uma medida absolutamente desesperada".[77] Ele, tampouco, esperava que o sistema de subsídios generalizados à exportação perdurasse durante mais de um ano: "O que faremos no segundo ano é outro assunto". Como vimos, não descartava uma eventual desvalorização. Por outro lado, "se o *dumping* der certo e nossas restrições às importações também, podemos contar com um alto fluxo de moeda estrangeira. Nesse caso, poderemos voltar à ofensiva com o mecanismo de recompra de títulos." Como acentuou Schacht, em uma reunião com dirigentes do partido em novembro de 1934, era forçar a resolução final do problema da dívida e, ao mesmo tempo, assegurar as matérias-primas necessárias para sustentar o rearmamento. Para ele, havia um nexo óbvio. Os problemas comerciais do país não teriam solução definitiva até que "a Alemanha possa, novamente, erguer-se no mundo como fator de poder. Enquanto não tivermos recuperado nosso poderio, não faz sentido entusiasmar-nos com teorias."[78]

Com a severa regulamentação das importações e a proliferação de acordos bilaterais de compensação, o Novo Plano poderia facilmente transformar-se em uma camisa de força capaz de restringir o progresso futuro da recuperação econômica alemã. Schacht foi salvo por três fatores: a contínua recuperação da economia mundial, que produziu uma revitalização da demanda de exportações alemãs; a disposição de vários países, especialmente, a Grã-Bretanha — mas não os Estados Unidos — em aceitar o novo sistema comercial alemão; e a própria decisão e eficácia com que o Novo Plano foi imposto. O método usado para financiar o sistema ampliado de subsídios à exportação foi uma medida de último recurso, como reconhecera Schacht. A partir de maio de 1935, foi criada uma taxa progressiva sobre a produção industrial alemã a fim de levantar as dezenas de milhões de *reichsmarks* necessários mensalmente para manter a competitividade das exportações.[79] Para a maioria das indústrias, a taxa foi estabelecida entre 2% e 4% da produção.[80] Isso pode não parecer draconiano, mas, como se tratava da produção e não dos lucros, o impacto foi considerável. Para dar um exemplo, em 1935, a indústria de tubos de aço experimentou vendas domésticas de 15,6 milhões de *reichsmarks.* Os lucros nesse ramo foram de 1 milhão de *reichsmarks* por mês. Desse total, não menos de 400 mil *reichsmarks*, ou 40%, foram recolhidos a título de contribuição para o subsídio às exportações.[81] Em indústrias menos rentáveis, o impacto foi mais severo. A subsidiária da Ford em Colônia, cheia de problemas, informou o escritório central da empresa, em Dearborn, que a taxa de 3% anularia completamente quaisquer lucros que pudessem sobrevir em 1935.[82] No primeiro ano de aplicação à indústria alemã como um todo, a taxa produziu 700 milhões de *reichsmarks.* Não admira que fosse extremamente impopular. Mas os protestos das empresas foram respondidos com a "emergência especial do Estado".[83] Não se pode negar a eficiência do sistema. No final de 1935, a taxa industrial produzia recursos suficientes para um subsídio de quase 30% em cada encomenda estrangeira.

As medidas tomadas em resposta à crise de divisas de 1934 estabeleceram as bases para a organização da gestão da economia alemã durante os anos subsequentes. As agências de controle e o esquema de subsídios à exportação, junto com o complexo sistema de entidades empresariais, cartéis e controle de preços que os sustentava, ainda estavam em funcionamento dez anos depois, em plena economia de guerra. O sistema sobreviveu porque deu certo. A partir de 1935, em consequência tanto da recuperação da economia mundial quanto do novo e eficiente esquema de subsídios, o desastroso declínio da economia alemã foi freado. De junho de 1935 até a primavera de 1938, o crescimento sustentado das exportações era vital para manter o ímpeto da recuperação econômica impulsionada por Hitler. As exportações não voltaram aos níveis pré-Depressão, e nem foram suficientes para dar ao Reichsbank senão um grau mínimo de confiança. Permitiram, porém, o aumento constante do volume de exportações, saindo do absoluto fosso em que estavam metidas no verão de 1935. Se considerarmos a quantidade extraordinariamente pequena de divisas e ouro à disposição do Reichsbank e a dificuldade em obter crédito, o volume de negócios de exportação e importação que a Alemanha nazista conseguiu realizar sob o Novo Plano foi realmente notável. Nas condições modernas de mercado livre e sem inibições de empréstimos internacionais, o FMI aconselha os bancos centrais a manter reservas de precaução equivalentes a seis meses de importações. O complexo mecanismo do Novo Plano de Schacht permitia ao Reichsbank manter o comércio internacional de uma das maiores e mais sofisticadas economias do mundo com reservas de divisas que, em meados da década de 1930, não representavam mais do que cobertura para uma semana. O mínimo que se pode dizer é que foi um notável sucesso de organização.

Não admira que esse êxito só tenha sido possível com grande esforço burocrático. No final da década de 1930, estimou-se que só as organizações oficiais do Novo Plano empregavam mais de 18 mil funcionários em funções de direção, administradores e agentes administrativos que trabalhavam com temas de controle monetário.[84] Nas empresas privadas, havia muitos milhares mais. Mas a gestão do balanço de pagamentos da Alemanha exigia também uma série de decisões políticas muito difíceis. A partir da primavera de 1934, o Reichsbank e o RWM tornaram mais severos diversos aspectos do consumo familiar que dependiam de matéria-prima importada. O resultado foi dividir a economia alemã em duas partes. Enquanto as indústrias de bens de investimento e os setores ligados ao esforço de autossuficiência mantiveram o ímpeto de recuperação, o crescimento dos setores de consumo, principalmente, têxteis, foi bruscamente estancado. Durante mais de dois anos, desde a primavera de 1934, a Alemanha de Hitler, praticamente, não experimentou crescimento na produção de bens de consumo.

Não se deve subestimar a importância desses fatos. A imagem convencional da economia alemã como motor da modernidade industrial, frequentemente, marcara a permanente significação dos setores "tradicionais" orientados para o consumo, como alimentos e têxteis. Entre as grandes empresas da indústria pesada, não figuravam os setores de têxteis e roupas, que, tampouco, possuíam conexões políticas no nível mais elevado.[85] Em 1933, no entanto, os setores de têxteis e roupas se encontravam ainda entre os principais empregadores industriais na Alemanha.[86] O recenseamento daquele ano mostra 1,2 milhão de pessoas empregadas em têxteis — fiação e tecelagem — e no curtume de couros. Mais 1.477 milhão de pessoas ganhavam a vida na produção de calçados e roupas. Além disso, meio milhão de alemães eram empregados do comércio atacadista e varejista ligado à indústria têxtil. No total, os têxteis e as roupas representavam pouco mais de 20% do emprego industrial e uma parcela semelhante da produção total. Em termos do número de pessoas empregadas, os têxteis e roupas eram mais importantes do que a engenharia mecânica e elétrica, a indústria química ou a mineração de carvão. As consequências das decisões de reduzir drasticamente o fornecimento de algodão, couro e lã importados, do qual o setor dependia para obter 80% das matérias-primas necessárias, eram, portanto, de extrema gravidade.

Mas era impossível escapar à necessidade de escolher. Em 1934, as importações de matérias-primas para a produção de têxteis e couros representaram nada menos de 26% da conta total de importações. Se o Reichsbank e o RWM estivessem realmente dispostos a restringir as importações da Alemanha e, ao mesmo tempo, manter o esforço de rearmamento, a indústria têxtil fatalmente seria a vítima principal. Não foi surpresa, portanto, que as primeiras agências de controle tivessem sido organizadas para monitorar as importações de algodão e lã. No verão, a queda do ritmo no setor de têxteis já era tão grave que as agências em Berlim começaram a se preocupar com dispensas em massa de operários. A fim de impedir uma reversão no esforço de criação de empregos, um decreto obrigou o setor de têxteis a operar suas fábricas durante um máximo de 36 horas semanais. Ao mesmo tempo, estabeleceu-se uma proibição geral de novos investimentos em fábricas de têxteis. Qualquer expansão da capacidade industrial passou a depender de licença do RWM. Não admira que o impacto dessas medidas causasse pânico tanto aos comerciantes quanto aos consumidores. As lembranças da austeridade da Primeira Guerra Mundial ainda estavam vivas nas mentes. A fim de acalmar os temores de inflação, o RWM tomou as primeiras medidas para um controle sistemático de preços no setor têxtil, cujo resultado foi sustar a imediata onda de especulação. No entanto, devido à necessidade de restringir o consumo de algodão e lã importados, não era do interesse do regime manter permanentemente reprimido o preço das roupas. Após 1934, a indústria têxtil surge como o setor da economia alemã no qual se permitiu mais visivelmente a elevação dos preços.

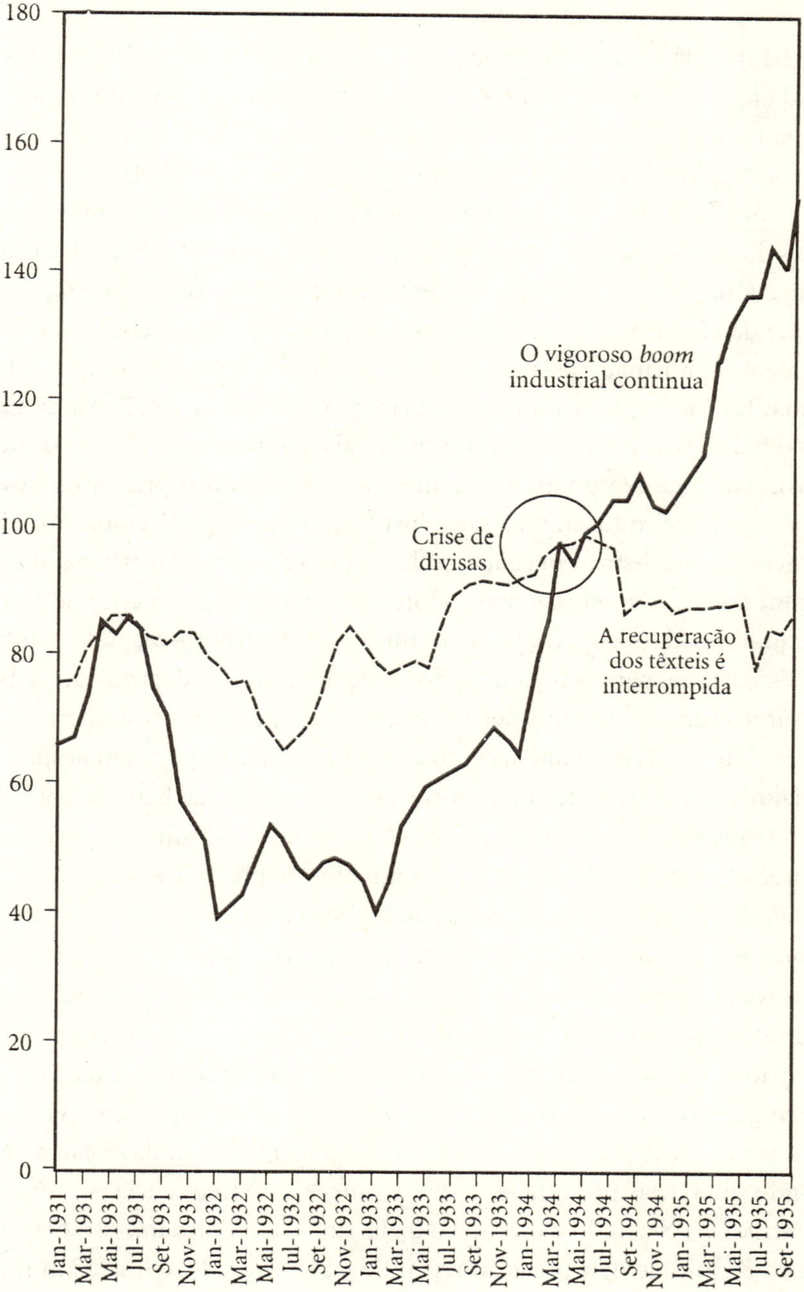

Gráfico 5. A recuperação desigual do Terceiro Reich: produção de têxteis e bens de investimento (1929 = 100)

III

Não há dúvida de que o regime pagou um elevado preço político pelas dificuldades econômicas de 1934. Todos os indícios que possuímos sobre a opinião pública, principalmente, de relatórios confidenciais vindos dos escritórios regionais da Gestapo, confirmam que, no verão de 1934, a população alemã estava mais inquieta por causa dos problemas econômicos resultantes da crise de divisas do que pela violência da Noite das Facas Longas. O lugar-comum simplista, que considera que os alemães foram seduzidos pelo regime de Hitler por causa do sucesso da criação de empregos, não é absolutamente confirmado pelas evidências.[87] A recuperação econômica, embora rápida, foi incompleta, mesmo na primeira metade de 1935. Ainda havia milhões de desempregados, muitos dos quais, durante muitos anos, somente tinham conhecido a pobreza. Sua melhor esperança nos primeiros três invernos do Terceiro Reich foi a nova instituição Caridade Nacional Socialista de Inverno, que distribuiu centenas de milhões de *reichsmarks* em alimentos gratuitos aos *Volksgenossen* mais pobres. Além disso, após a crise de 1934, o desequilíbrio da recuperação econômica alemã tornou-se agudo. Milhões de pessoas que, para seu ganha-pão, dependiam das indústrias de bens de consumo enfrentavam uma perspectiva de curto prazo e curtos salários. Para regiões inteiras da Alemanha, como a Saxônia e Baden, que eram desproporcionalmente dependentes de exportações e produção de bens de consumo, a recuperação foi, na melhor das hipóteses, parcial.[88] Mesmo os que estavam empregados tinham de suportar os aumentos de preços e a deterioração da qualidade. A aparente incapacidade do regime tanto em garantir estabilidade de preços quanto o fornecimento regular de artigos de necessidade diária, inclusive alimentos e vestuário, era profundamente desconcertante. Segundo relatos da Gestapo, o ânimo popular, no outono de 1934, era apático e sombrio. A irritação com as muitas mesquinhas restrições da vida cotidiana era ampla e o protesto ostensivo não estava longe da superfície. Assim comentava um relatório: "As donas de casa nos mercados ainda se calam. Mas, quando uma delas protesta — o que acontece com frequência —, ninguém a contradiz."[89] Segundo o escritório da Gestapo, em Potsdam, isso era sintomático da atitude de frustração reprimida. Sempre que se juntavam multidões no outono de 1934 — nas filas das agências de emprego dos canteiros de obras de autoestradas ou nas paradas de ônibus —, havia agitação mais ou menos ostensiva contra o regime. Os acampamentos de trabalhadores para construção de estradas, cujas condições miseráveis eram notórias, eram lugares especialmente preocupantes. Os relatórios da Gestapo de Berlim registram 140 detenções, em outubro de 1934, depois de um "motim" em um sítio local de construção.[90] Em Dortmund, os trabalhadores passaram a substituir a saudação oficial "Hitler Grüss"* por expressões irônicas como "Salve 3,50 *reichsmarks!*" cuja resposta era "Batatas a 3,75 *reichsmarks*". Mesmo que a recuperação nazista tenha proporcionado empregos e alívio da profunda pobreza, ainda faltava muito para o "retorno à normalidade" pela qual os alemães realmente ansiavam.

No final de 1934, Joseph Goebbels, ministro da Propaganda, a quem, normalmente, credita-se um grau de controle quase mágico sobre a população alemã, sentia-se profundamente frustrado com a atitude do público. A campanha nacional contra os "críticos e idiotas" que ele lançara com sua arenga antissemita em maio de 1934 não tinha dado bons resultados. Em muitas partes do país, o comparecimento às reuniões era tão escasso que todo o programa teve de ser discretamente terminado. Em outras regiões, os governos locais se queixavam de que a retórica superinflamada de Goebbels, na verdade, servia para agitar a população, alertando-a para a profundidade da crise monetária. Os dramas de junho e julho, refletidos nos aumentos dos preços de artigos importados, somente confirmaram os temores do público quanto à falta de substância da recuperação econômica nazista.[91] Na primeira de uma série de entrevistas na imprensa (Dias de Imprensa do Reich), em 18 de novembro de 1934, Goebbels fez uma avaliação notavelmente franca de sua estratégia em reação a essa nova atitude de apatia e depressão. O ministro mostrou-se claramente enfadado com a interminável obsessão pelas pequenas inconveniências da vida cotidiana. O que fazia falta não eram resmungos, e sim uma concentração resoluta nas ambições maiores do regime. O papel da imprensa era traduzir as dificuldades mundanas da vida de todos os dias à luz da aura dourada do ideal mais elevado. O próprio Goebbels não queria mais relatos sobre o estado sombrio da opinião pública. "Não quero ouvir nada, não quero ver nada, não quero saber nada... Sei o que está acontecendo, mas não é preciso que me digam. Não me estraguem os nervos. Preciso ter confiança para poder trabalhar".[92]

---

* A expressão pode ser entendida como "Saudações hitlerianas" , ou "Salve, Hitler". (*N. do T.*)

3

Sócios: o regime e o mundo dos negócios na Alemanha

NA SEGUNDA-FEIRA, 20 DE FEVEREIRO DE 1933, às seis horas da tarde, um grupo de cerca de 25 homens de negócios foi convocado a comparecer a uma reunião privada na mansão de Hermann Göring, na qualidade de presidente em exercício do Reichstag, na qual Hitler, o chanceler do *reich*, iria "explicar suas políticas".[1] Os convidados formavam um grupo heterogêneo. Entre eles, havia líderes da indústria alemã, como Georg von Schnitzler, o segundo homem da IG Farben; Krupp von Bohlen, que era, ao mesmo tempo, chefe do Império Krupp, em virtude de casamento, e, naquela ocasião, presidente da Associação Industrial do *reich*, e o dr. Albert Vögler, principal executivo da Vereinigte Stahlwerke, a segunda maior firma produtora de aço do mundo. Mas na lista havia também diversas figuras, sem dúvida, de segunda linha. Os empresários foram, inicialmente, recebidos por Göring e Hjalmar Schacht. O próprio Hitler somente apareceu após considerável espera. Se os homens de negócios esperavam um debate sobre pontos específicos de política econômica, certamente, se decepcionaram. Em vez disso, Hitler lançou-se a uma avaliação geral da situação política. Assim como ocorrera em seu discurso de âmbito nacional em 1º de fevereiro, o tema central foi a reviravolta da história da Alemanha, marcada pela derrota e pela revolução em 1918. A experiência dos últimos 14 anos mostrara que "a empresa privada não pode ser mantida na era da democracia". Os negócios baseavam-se acima de tudo nos princípios de personalidade e liderança individual. A democracia e o liberalismo levavam inevitavelmente à social-democracia e ao comunismo. Após 14 anos de degeneração, era chegado o momento de resolver as divisões fatais no interior do corpo politico alemão. Hitler não teria piedade de seus inimigos da esquerda. Era hora de "esmagar completamente o outro lado". A fase seguinte da luta começaria após as eleições de 5 de março. Se os nazistas conseguissem obter mais 33 assentos no Reichstag, as ações contra os comunistas ficariam cobertas por "meios constitucionais". Porém, "seja qual for o resultado, não haverá recuo... caso as eleições não decidam... a decisão terá de vir, mesmo que seja por outros meios".

Hitler não permitiu perguntas da plateia e nem explicou exatamente o que esperava dos líderes de negócios. Ele não tinha ido ali para negociar, e sim para informá-los de suas intenções. Certamente, os ouvintes não ficaram em dúvida. O novo chanceler da Alemanha pretendia acabar com a democracia parlamentar. Planejava esmagar a esquerda alemã e, para isso, estava mais do que disposto a usar a força. Pelo menos segundo os registros sobreviventes, o conflito entre a esquerda e a direita foi o tema central dos discursos tanto de Hitler quanto de Göring em 20 de fevereiro. Não houve nenhuma menção nem à política antijudaica e nem a uma campanha de conquistas no estrangeiro.[2] Hitler deixou que Göring revelasse o objetivo imediato da reunião. Como o mundo alemão dos negócios tinha interesse principal na luta contra a esquerda, deveria fazer uma contribuição financeira adequada. "O[s] sacrifício[s]", observou Göring, "seriam muito mais fáceis se [a indústria] compreendesse que a eleição de 5 de março será, provavelmente, a última dos próximos dez anos, talvez, mesmo dos próximos 100 anos." Krupp von Bohlen, porta-voz designado pelos empresários industriais, tinha preparado extensas notas para um debate detalhado da política econômica, mas, diante daquele apelo cru, desistiu de trazer à baila pormenores tediosos. Em vez disso, limitou-se a afirmar que todos os presentes com certeza concordariam com a solução mais rápida possível para a situação política. Os homens de negócios apoiavam firmemente o objetivo de estabelecer um governo no interesse do povo alemão. Somente sob um Estado forte e independente seria possível à economia "desenvolver-se e florescer".

Após aquela troca de lugares-comuns nacionalistas, Hitler e Göring se retiraram e Hjalmar Schacht passou a tratar das coisas importantes. Propôs um fundo para as eleições no valor de 3 milhões de *reichsmarks*, a ser compartilhado entre os nazistas e seus companheiros da coalizão nacionalista. Durante as três semanas seguintes, Schacht recebeu contribuições de 17 diferentes grupos de empresários. As maiores doações individuais vieram da IG Farben (400 mil *reichsmarks*) e do Deutsche Bank (200 mil *reichsmarks*). A Associação da Indústria de Mineração fez também um generoso depósito de 400 mil *reichsmarks*. Outros doadores importantes foram os organizadores da Exposição Automobilística de Berlim (100 mil *reichsmarks*) e um grupo de empresas de engenharia elétrica, incluindo a Telefunken, AEG e Accumulatoren Fabrik.[3] Nos anos seguintes, a *Adolf Hitler Spende* tornar-se-ia institucionalizada como contribuição regular para as despesas pessoais do *führer*. Em termos práticos, no entanto, o que realmente fez a diferença foram as doações de fevereiro e março de 1933. Elas proporcionaram uma importante injeção de recursos em dinheiro num momento em que o partido estava gravemente desprovido de fundos e tinha de enfrentar, como predissera Göring, a última eleição competitiva de sua história.

I

A reunião de 20 de fevereiro e suas consequências são os exemplos mais notórios da disposição dos grandes empresários alemães em ajudar Hitler a estabelecer seu regime ditatorial. Não é possível esconder as provas. Nada sugere que os líderes das grandes empresas alemãs estivessem cheios de ardor ideológico pelo nacional-socialismo, antes ou depois de fevereiro de 1933. Tampouco Hitler pediu a Krupp & Co. que aderissem a uma agenda de antissemitismo violento ou de guerras de conquista. O discurso feito aos homens de negócios na mansão de Göring não foi o mesmo que ele fizera aos generais poucas semanas antes, quando falou abertamente de rearmamento e da necessidade de expansão territorial. Mas o que o Hitler e seu governo efetivamente prometeram foi o fim da democracia parlamentar e a destruição da esquerda alemã, e, para isso, a maioria das grandes empresas estavam dispostas a fazer um pagamento inicial substancial. À luz do que Hitler disse, na tarde de 20 de fevereiro, a violência do *Machtergreifung* não deveria ter surpreendido ninguém. Krupp e seus colegas foram voluntariamente sócios na destruição do pluralismo político na Alemanha. E o efeito líquido, no final de 1934, foi exatamente o que se pretendia: uma ampla desmobilização popular. O contraste com o cenário político alemão de dez anos antes era claro. O movimento trabalhista fora destruído. Mas, da mesma forma, após a Noite das Facas Longas, desapareceu o potencial paramilitar autônomo da direita. Sem dúvida, houve forte grau de ambiguidade sobre quem realmente poderia reivindicar a liderança da Revolução Nacional de Hitler. E essa ambiguidade era agravada pelo fato de que a pacificação das "massas" coincidiu com uma entusiástica adesão de amplo espectro de profissionais e outros grupos de elite à causa do Nacional-Socialismo.[4] Esse entusiasmo, que ultrapassava em muito a simples *Gleichschaltung* ("coordenação" política), resultou em intensa competição entre vários candidatos que almejavam poder e privilégios. Estava claro, porém, que a autoridade legítima no Terceiro Reich vinha do topo, idealmente, do nível mais alto para baixo. E também estava claro que muitos líderes do mundo alemão dos negócios cresceram nessa atmosfera autoritária.[5] No âmbito das próprias empresas eram eles agora os líderes incontestes, assim entronizados pela legislação trabalhista nacional de 1934.[6] Proprietários e gerentes, igualmente, aderiram com entusiasmo à retórica do *Führertum*. Ela se mesclava com o conceito de *Unternehmertum* (liderança empresarial), cada vez mais em voga nos círculos de negócios, como contraponto ideológico às tendências intervencionistas dos sindicatos trabalhistas e do Estado de bem-estar de Weimar.[7]

Em termos materiais, as consequências da desmobilização se fizeram sentir na mudança do poder de barganha no local de trabalho.[8] Com efeito, a nova legislação congelou as remunerações e salários ao nível a que tinham chegado no verão de 1933 e deixava quaisquer ajustes futuros em mãos de avaliadores regionais do trabalho (*Treuhänder der Arbeit*), cujos poderes eram definidos pela Lei de Regulamentação do Trabalho Nacional (*Gesetz zur Ordnung der Nationalen Arbeit*), promulgada em 20 de janeiro de 1934. Tal lei é, frequentemente, considerada expressão cabal do poder dos empresários, pois os níveis nominais de salários que prevaleceram depois de 1933 eram muito mais baixos do que os de 1929. Do ponto de vista empresarial, no entanto, a situação era muito mais complexa. Embora os salários tivessem declinado em relação a 1929, o mesmo acontecera com os preços. Na prática, a Depressão muito pouco aliviou o custo real dos salários.[9] As folhas de pagamento das empresas tinham se reduzido não tanto pela diminuição dos salários reais e sim mediante demissões de trabalhadores e manutenção dos demais em regime temporário. Não obstante, quando o congelamento de salários de 1933 combinou-se com a destruição dos sindicatos trabalhistas e uma atitude altamente condescendente para com a cartelização das empresas, tema a que retornaremos, a perspectiva de lucro era, sem dúvida, muito favorável. Embora os salários tivessem começado timidamente a subir com o fechamento dos mercados de trabalho, havia ampla expectativa de que permanecessem abaixo dos preços e lucros na recuperação que se avizinhava. E o que talvez seja mais importante é que o regime de Hitler prometia libertar as empresas alemãs da gestão de seus assuntos internos, ao livrá-las da supervisão de sindicatos trabalhistas independentes. No futuro, aparentemente, os salários seriam determinados pelos objetivos de produtividade dos empregadores e não pelos ditames da negociação coletiva.[10]

Nesse sentido estreito, portanto, o estabelecimento do regime de Hitler, claramente, realizou o que fora prometido em 20 de fevereiro. E, para os empresários que operavam em pequena escala, nacional ou local, os anos posteriores a 1933 foram, sem dúvida, uma era dourada de "normalidade" autoritária. No entanto, encerrar a análise neste ponto resultaria em um relato altamente parcial. Na reunião de 20 de fevereiro, Krupp von Bohlen jamais teve oportunidade de ventilar a ampla gama de temas de interesse da indústria alemã.[11] Para simplificar, em prol da clareza, a agenda de tempo de paz dos elementos mais preocupados com a política no mundo dos negócios alemão consistia em, pelo menos, duas vertentes, uma doméstica e outra internacional. A agenda doméstica era de conservadorismo autoritário, com pronunciada aversão à política parlamentar, impostos elevados, gastos sociais e sindicatos trabalhistas. A visão internacional dos homens de negócios alemães, no entanto, era de matiz muito mais "liberal". Embora a indústria alemã não fosse absolutamente avessa a tarifas, a Associação Industrial do *reich* apoiava fortemente um sistema de movimentação de capitais sem peias e um multilateralismo sustentado pelos princípios da nação mais favorecida.[12] No caso da indústria pesada, essa defesa do comércio internacional era ligada a visões de blocos europeus de comércio, de variadas dimensões.[13] Nas indústrias importantes, inclusive carvão, aço e produtos químicos, o comércio internacional estava organizado na estrutura de cartéis formais, às vezes, de âmbito global.[14] A Siemens e a AEG dividiam, entre si, o mercado global de engenharia elétrica mediante entendimentos com seus principais competidores norte-americanos.[15] No entanto, esses arranjos eram todos escolhidos livremente pelos empresários alemães e seus correspondentes estrangeiros, independentemente da interferência do Estado. Nesse sentido, embora não fossem realmente liberais, eram, pelo menos, casos de autoadministração voluntarista dos negócios. Enquanto isso, grandes setores do comércio exterior alemão permaneciam livres de regulação mediante cartéis de qualquer tipo, mais notavelmente, os têxteis, artigos de metal e engenharia, sendo a Associação dos Produtores de Máquinas, a VDMA, expoente particularmente agressiva do livre-comércio.

Esse contraste entre o autoritarismo doméstico e o "liberalismo" internacional definia a posição ambígua na qual o mundo alemão dos negócios se encontrava em 1933. Por um lado, o governo de Hitler levava os empresários alemães a se aproximarem mais do que antes da realização de sua agenda doméstica. No final de 1934, o Terceiro Reich conseguira impor um estado de pacificação popular que não havia existido na Alemanha, desde o início da era industrial, no século XIX. Por outro lado, a desintegração da economia mundial e a tendência cada vez mais protecionista da política germânica estavam profundamente alheias a grande parte da comunidade de negócios do país. Nesse sentido, pode-se divisar o que, talvez, seja um contraste útil entre as posições do empresariado alemão em 1933 e em 1923. A traumática crise do nascimento da República de Weimar resultara em uma estabilização doméstica profundamente insatisfatória para a maioria da comunidade de negócios da Alemanha. Mas isso era aceito porque o Plano Dawes costurado pelos norte-americanos oferecia uma solução internacional altamente atraente. A estratégia de Stresemann significava, na prática, a ressurreição do Estado alemão apoiado nos bancos e empresas industriais do país. Conforme ele esclareceu repetidas vezes, contava com o poder exportador e vigor financeiro de companhias como a Siemens, a AEG, a IG Farben e a Vereinigte Stahlwerke. O potencial de produção e credibilidade permitiriam à Alemanha pacificar as relações com a França e consolidar uma nova e poderosa conexão com os Estados Unidos. Dada a extraordinária arrogância, ambição e nacionalismo de alguns dos mais importantes nomes da indústria pesada alemã, Stresemann estava aceitando riscos muito graves.[16] Em 1923, ele teve de resistir a desafios do empresário industrial do Ruhr, Hugo Stinnes, que procurou adotar uma política independente em relação à França.[17] Em 1929, Albert Vögler, da Vereinigte Stahlwerke, levantou dificuldades por causa da ratificação do Plano Young. E, à direita de Vögler, havia gente como Gustav Blohm, armador de Hamburgo, ou Ernst von Borsig, magnata da engenharia pesada de Berlim, que apoiava o DNVP e era a favor de um retorno absoluto ao militarismo e ao rearmamento.[18] No entanto, a Associação Industrial alemã (*Reichsverband der deutschen Industrie*), organização de cúpula da indústria do país, em geral, justificou a confiança que nela depositava Stresemann. Embora jamais tivessem sido completamente silenciados, os ultranacionalistas eram minoritários e a Reichsverband usou sua influência para assegurar que um número suficiente de deputados do DNVP votasse com o governo, primeiro para aprovar o Plano Dawes, em 1924, e depois o Plano Young, em 1930.[19] Além disso, endossou entusiasticamente a agenda internacional de livre comércio propugnada pelo Ministério de Assuntos Econômicos e pelo Ministério do Exterior do *reich* na Liga das Nações. Em contraste, embora fingisse apoiar o nacionalismo, a Associação Industrial do *reich* mostrou, na melhor das hipóteses, um apoio morno aos esforços da Reichswehr para se rearmar clandestinamente.[20]

No final dos anos 1920, no entanto, as limitações da estratégia de Stresemann tornaram-se aparentes também para os empresários alemães. O influxo de capital estrangeiro e a frouxa política fiscal do *reich* traziam à Associação Industrial "desequilíbrios" cada vez mais insuportáveis na economia doméstica. Não admira, portanto, que ela tenha dado apoio entusiástico ao chanceler Brüning quando, na primavera de 1930, este prometeu satisfazer tanto a agenda doméstica quanto a internacional de uma só vez.[21] Com o fluxo de novos capitais estrangeiros temporariamente estancado, cumprir as estipulações do Plano Young exigia um programa severo de deflação doméstica, o que, por sua vez, permitiu a Brüning avançar na reação doméstica — o chamado "Plano Young doméstico" — pelo qual a comunidade de negócios há muito suspirava. O que o *lobby* alemão dos negócios, junto com a maioria dos demais observadores acostumados à experiência econômica convencional, não compreendeu foi a severidade da crise internacional e doméstica que isso desataria. Em 1932, muitos dos bastiões do vigor econômico com os quais tão confiantemente contava Stresemann haviam sido abalados até os alicerces. Os Bancos Deutsche, Dresdner e Commerz somente se salvaram do colapso devido à intervenção do Estado.[22] A indústria de engenharia (Borsig e HANOMAG), de cervejaria (Schultheiss-Patzenhofer) e de seguros (Frankfurter Allgemeine Versicherungsgesellschaft, FAVAG) foram levadas a bancarrotas espetaculares.[23] A AEG, antes uma das principais empresas da Alemanha, estava cheia de problemas.[24] Em 1932, Friedrich Flick somente conseguiu escapar do desastre financeiro ao persuadir o *reich* a comprar suas ações da parte carbonífera da Vereinigte Stahlwerke a um preço altamente inflado.[25] Em consequência, o *reich* passou a possuir o que era potencialmente um conjunto de ações de controle não somente do setor bancário, mas também da indústria pesada. Mas a crise não se limitava a firmas ou setores individuais: era sistêmica. O colapso do padrão ouro e a desastrosa proliferação do protecionismo fraturaram a sólida base do liberalismo econômico.

Diante dessa série extraordinária de desastres, a Associação Industrial do *reich* se apoiou, inicialmente, no chanceler Brüning e, depois, no general Schleicher, na esperança de que fosse possível salvar alguma coisa em meio aos destroços.[26] Sem dúvida, as grandes firmas não desejavam a volta aos arranjos domésticos de 1920. Mas que alternativa poderia haver a uma política econômica orientada internacionalmente? Tendo isso em mente, as grande empresas pouco poderiam esperar de bom do governo nomeado pelo presidente Hindenburg em 30 de janeiro de 1933. Tanto Hitler quanto Schacht e Hugenberg eram inimigos notórios do liberalismo econômico. E, apesar do terreno comum de oposição à constituição de Weimar e a hostilidade para com os partidos de esquerda, é esse o pano de fundo essencial contra o qual devemos interpretar a reunião de 20 de fevereiro. Hitler não se dirigia a uma parcela de opinião que estivesse em completo acordo com seu governo; muito pelo contrário.[27] Alguns dos principais empresários alemães, talvez, especialmente, Carl Friedrich von Siemens, tinham até mesmo recusado o convite de Göring.[28] E Krupp estaria sendo ingênuo caso esperasse que Hitler se deixaria arrastar a um debate em profundidade sobre a política econômica. Hitler e Schacht sabiam que isso seria contraproducente, pois não haveria forma de concordar nos temas principais da política internacional. As opiniões de Schacht sobre política comercial e dívida externa já tinham sido objeto de crítica do Reichsverband.[29] Porém, mais significativamente, Hitler e Schacht sabiam não necessitar do acordo dos homens de negócios. No período pós-Primeira Guerra Mundial, o *lobby* dos negócios tinha sido suficientemente forte para conter os impulsos revolucionários de 1918-19. Agora, a mais profunda crise do capitalismo deixara os empresários alemães impotentes para resistir a um intervencionismo de Estado que não vinha da esquerda, e sim da direita.[30]

II

Os primeiros anos do regime de Hitler assistiram à imposição de uma série de controles, sem precedentes em tempo de paz, sobre as atividades privadas na Alemanha. Em grande parte, derivavam da dificuldade de gerir o balanço de pagamentos alemão, e, nesse sentido, sua origem era claramente a grande crise financeira do verão e outono de 1931. No entanto, com a completa desintegração do padrão ouro após a desvalorização do dólar, o calote da Alemanha sobre a dívida de longo prazo que avançava lentamente, inclusive milhões de *reichsmarks* devidos pelas empresas alemãs, e a imposição do Novo Plano, essas regulamentações assumiram um caráter novo e mais sistemático.[31] Como já vimos, o Novo Plano, que regulava efetivamente o acesso de cada uma das firmas alemãs a matérias-primas de origem estrangeira, criara uma numerosa burocracia nova, que controlava as funções vitais de uma ampla parcela da indústria alemã. Embora, naturalmente, as exportações fossem estimuladas, a recusa do governo em desvalorizar fazia com que a maioria dos exportadores somente se tornassem competitivos se antes solicitassem um subsídio. Isso também exigia muita documentação e mais burocracia. Por sua vez, o subsídio à exportação era financiado por uma severa taxa redistributiva aplicada sobre toda a indústria do país. A gerência desse complexo sistema de controles era a principal função de uma nova estrutura de organizações comerciais compulsórias, imposta por Schacht entre o outono de 1934 e a primavera de 1935.[32] Em cada setor, a multidão de associações voluntárias existente foi agrupada numa hierarquia de Grupos do *reich* (para a indústria, bancos, seguros, etc.), Grupos de Negócios (*Wirtschaftgruppen*, para mineração, aço, engenharia, etc.), e Grupos Setoriais (*Fachgruppen*, para a antracita em oposição à mineração de lignito, etc.). Todas as firmas alemãs tinham de se inscrever. Cada subdivisão em cada Grupo de Negócios era dirigida por seu próprio *führer*.[33] Estes eram indicados pelas associações existentes, avaliados pelo Grupo do *reich* e nomeados por Schacht. A função primordial dos Grupos de Negócios era atuar como canais entre as firmas individuais e o Ministério de Assuntos Econômicos do *reich*. Os decretos eram baixados por esse ministério por intermédio do Grupo de Negócios. As queixas, sugestões e informações eram levadas a Berlim pelas firmas também através dos Grupos de Negócios. A organização produzia incansavelmente publicações, orientação e recomendações sobre as melhores práticas. Com base em decretos de emergência promulgados, inicialmente, nos estágios finais da Primeira Guerra Mundial, os Grupos de Negócios foram também autorizados a recolher relatórios obrigatórios de seus membros, estabelecendo um sistema inédito de estatísticas industriais.[34] Depois de 1936, foi-lhes permitido penetrar ainda mais profundamente no funcionamento interno das empresas-membros, com a introdução de sistemas padronizados de contabilidade. As funções realmente indispensáveis dos Grupos de Negócios, no entanto, eram as relativas à operação do Novo Plano. Do lado das importações, todas as agências supervisoras tinham funcionários vindos desses Grupos.[35] Do lado das exportações, a partir de 1935, os Grupos de Negócios passaram a ser encarregados de avaliar o desempenho das empresas e de administrar a taxa que financiava o subsídio à exportação. [36]

Como todo esse aparelho de controle tinha o objetivo de limitar as importações da Alemanha, o efeito foi eliminar quase toda a competição estrangeira nos mercados do país. Nada que pudesse ser produzido domesticamente era importado e isso abrangia praticamente todos os artigos manufaturados. Combinado com os níveis crescentes da demanda nacional, isso permitiu aos produtores alemães eliminar a deflação e impor uma elevação substancial de preços. Após anos de deflação, o índice de preços ao consumidor aumentou quase 6% entre a primavera de 1933 e agosto de 1934, o suficiente para gerar temores de inflação.[37] A fim de impedir que a situação fugisse ao controle, o RWM promulgou uma série de decretos sobre preços, culminando, em novembro de 1934, com a recondução de Carl Gördeler ao posto de comissário do *reich* para o controle de preços.[38] Como vimos, Gördeler havia granjeado reputação de austeridade na inútil batalha para contrabalançar a desvalorização da libra esterlina com as medidas draconianas da quarta deflação de Brüning. Seu papel no Terceiro Reich foi expurgar todos os aumentos excessivos de preços que tinham ocorrido desde o verão de 1933. Ironicamente, devido a suas tendências liberais, o resultado, ao fim de 1935, foi a criação de um amplo sistema de formação de preços mediante supervisão estatal.

Para esse sistema, eram fundamentais os poderes extraordinários de supervisão exercidos pelo *reich* sobre o sistema ramificado de cartéis da Alemanha.[39] Em julho de 1933, o RWM dotou-se de autoridade para impor cartéis compulsórios. O mesmo decreto deu também ao ministério o direito de supervisionar a atuação dos cartéis existentes, baixar regulamentação das atividades de seus membros e regular os preços por eles estabelecidos. Ao todo, nos três anos entre 1933 e 1936, o RWM supervisionou a conclusão de nada menos de 1.600 cartéis voluntários e impôs 120 acordos compulsórios. Até mesmo indústrias grandes e fragmentadas como a de impressão, cujo faturamento era superior a 1 bilhão de *reichsmarks* por ano, divididos entre literalmente milhares de pequenas firmas, podiam agora estabelecer-se em unidades organizadas, com preços mínimos claramente determinados. Os cartéis compulsórios tinham o poder de controlar os investimentos no setor e de racionalizar a estrutura existente da indústria por meio de "aquisições sistemáticas". A segunda lei de cartéis, do verão de 1933, retirou a proteção legal fornecida pela República de Weimar às firmas que não pertencessem a cartéis, para que conduzissem seus negócios da forma que desejassem. Os cartéis tinham agora a possibilidade de utilizar os tribunais para acionar os não membros que cobrassem preços "injustos", ou preços que fossem "prejudiciais ao bem-estar da nação". Os cartéis voluntários foram assim transformados em organizações compulsórias sob supervisão do Estado. Em 1936, a supervisão cotidiana dos cartéis foi delegada pelo RWM aos Grupos de Negócios e aos Grupos Setoriais.[40] Estes, por sua vez, usaram esse novo sistema padronizado de contabilidade para ajudar a reforçar e refinar a disciplina do estabelecimento de preços.

A combinação de demanda doméstica crescente com o fim da competição externa, os aumentos de preços e os salários relativamente estáticos criaram um contexto no qual era difícil não auferir vultosos lucros.[41] Com efeito, em 1934, os bônus pagos às diretorias de algumas dessas firmas eram tão espetaculares que causavam forte embaraço ao governo de Hitler.[42] À luz do aumento muito mais modesto da renda dos trabalhadores, parecia que os comunistas e social-democratas tinham realmente razão. O regime nazista era uma "ditadura dos chefes". Tendo regulamentado as importações, as exportações e o estabelecimento de preços domésticos, o RWM passou, portanto, na primavera de 1934, a controlar o uso dos lucros dos negócios. A distribuição de lucros aos acionistas não deveria exceder uma taxa de 6% do capital. Isso, naturalmente, não teve efeito sobre a lucratividade subjacente. Significava, simplesmente, que os contadores das empresas eram estimulados a disfarçar os lucros em lançamentos exagerados de depreciações e reservas. Durante os anos seguintes, as empresas alemãs acumularam gigantescas reservas financeiras que podiam ser usadas internamente para financiar investimentos. E isso, além dos aspectos cosméticos, era, claramente, o verdadeiro objetivo do decreto sobre os dividendos. Do ponto de vista das autoridades do *reich*, a finalidade era dividir os recursos nacionais disponíveis para investimento e despesas públicas. O investimento industrial seria financiado por meio dos lucros não distribuídos aos acionistas. O acesso das empresas tomadoras de empréstimos ao mercado de capitais de longo prazo — alimentados pelos poupadores familiares cujas economias fluíam para os bancos, bancos de poupança e fundos de seguros — seria restringido, reservando esses recursos para uso do Estado.[43]

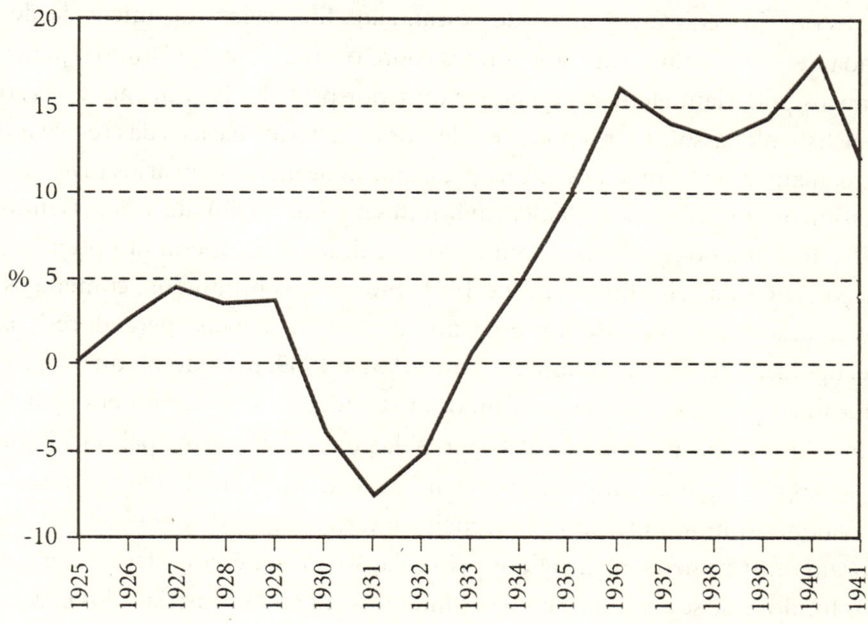

Gráfico 6. Taxa de retorno do capital na indústria alemã, 1925-1941

Os controles do Reichsbank sobre os fluxos financeiros na economia alemã foram ainda mais acentuados pelo novo sistema de regulamentação bancária imposto em 1934. A crise de 1931 deixara o *reich* com uma parcela de ações suficiente para controlar os três principais estabelecimentos bancários do país — o Deutsche Bank, o Dresdner Bank e o Commerzbank. Se alguns dos porta-vozes da ala esquerda nazista tivessem podido agir como desejavam, poderia até mesmo ter havido uma nacionalização completa do sistema bancário, seguida pela divisão dos bancos nacionais de comércio e criação de um sistema integrado de bancos regionais. Não admira que essa ideia fosse vigorosamente apoiada pelas caixas regionais de poupança (*Sparkassen*), nas quais os ativistas nazistas locais possuíam fortes interesses.[44] Mas Hjalmar

Schacht tratou de assegurar que esse radicalismo não surtisse efeitos. Em vez disso, o momento de crise foi transformado em oportunidade para reforma gerencial e supervisão mais estreita por parte do banco central. Entre setembro de 1933 e outubro de 1934, uma comissão de inquérito organizou uma série de debates cuidadosamente orquestrados, nos quais as posições radicais foram sendo progressivamente descartadas. O resultado final foi um projeto de lei que conferia ao Reichsbank extensos poderes de supervisão. A fim de impedir a repetição dos escândalos financeiros do início da década de 1930, foram impostos limites sobre o nível de empréstimos que os bancos poderiam efetuar a qualquer tomador privado. Pela primeira vez, o Reichsbank passou a ter o poder de definir os critérios básicos das reservas e a regulamentar completamente a apresentação de ativos bancários privados. Assim, os grandes bancos de Berlim foram salvos da nacionalização. Os indícios sugerem, no entanto, que nunca conseguiram se recuperar dos prejuízos decorrentes da crise financeira de 1931. Em termos puramente comerciais, os grandes bancos de Berlim estavam entre os principais "perdedores" na recuperação econômica nazista.[45] Entre 1932 e 1939, período no qual a produção alemã mais do que dobrou, os ativos totais aumentaram em apenas 15%. Em contraste, os ativos dos bancos de poupança, o principal veículo do que se pode chamar "liquidez popular", aumentaram em 102% no mesmo período. Ao mesmo tempo, os negócios internacionais dos grandes bancos foram drasticamente restringidos pelo colapso do comércio exterior alemão. Os fundos que se acumulavam nas contas dos clientes industriais dos bancos os tornaram mais independentes do que nunca diante dos empréstimos bancários. E aqueles que necessitavam de financiamento externo para os projetos de alta prioridade do regime podiam voltar-se para novos emprestadores, sustentados pelo Estado, como o Bank für Industrie-Obligationen ou o Aero-Bank da Luftwaffe.[46] Isso não significa, naturalmente, que todos os três grandes bancos sobreviventes não conseguissem elevados lucros. Tampouco pode-se negar que os bancos tenham desempenhado papel importante na determinação do desenvolvimento de certas companhias de relevo. Mais notavelmente, talvez, o Deutsche Bank esteve estreitamente envolvido com a Mannesmann e seu principal executivo, Walter Zangen, um dos mais cobiçosos buscadores de lucros do regime nazista.[47] Porém, contrariamente à opinião de que os Grandes Bancos tivessem sido as principais influências do nacional-socialismo, é, na verdade, difícil pensar em qualquer outro período da história moderna da Alemanha no qual essas instituições tenha tido menos influência do que no período entre 1933 e 1945.

Uma parte bastante mais dinâmica e não menos essencial da infraestrutura econômica moderna era a indústria de geração de eletricidade. Também ela recebeu do nacional-socialismo uma nova estrutura reguladora. Como no caso do sistema bancário, a rede alemã de eletricidade era dividida entre um pequeno número de gigantescos oligopólios e uma variedade de fornecedores locais e municipais. Os principais geradores, com suas imensas estações de energia, vastas redes de transmissão, minas de carvão e companhias construtoras próprias, estavam entre as maiores corporações industriais da Alemanha. A força dominante dessa indústria era a geradora de eletricidade do Ruhr, a poderosa Rheinisch-Westfälische Elektrizitäteswerke (RWE).[48] Nominalmente, a maioria de suas ações era controlada pelas municipalidades do Ruhr, mas o poder de fato dentro da RWE era exercido por um quadro de gerentes profissionais, advogados e técnicos, e um grupo-chave de acionistas privados, que representavam interesses em carvão e aço. O líder desses interesses comerciais na junta supervisora da RWE era Albert Vögler, da Vereinigte Stahlwerke, o principal produtor de aço da Alemanha. O irmão de Albert, Eugen Vögler, dirigia a companhia construtora associada à RWE, a HOCHTIEF.[49] Fora das regiões ocidentais da Alemanha, as principais geradoras eram as grandes *holdings* de companhias de eletricidade de propriedade do Estado prussiano e do *reich*, VEBA, VIAG e BEWAG, com os quais a RWE havia chegado a um acordo de partilha de mercados, a chamada "eletro-paz" (*Elektrofrieden*), em 1929.[50] Isso deixava os pequenos geradores municipais e regionais, estabelecidos nos primeiros anos da eletrificação, como únicos verdadeiros competidores. Após 1933, muitas dessas empresas caíram nas mãos das organizações locais do partido nazista e, nada surpreendente, manifestaram-se contra o poder superdominante das principais geradoras. Novamente, porém, sucumbiram às manobras de Schacht e do RWM, que agiam tanto como força centralizadora quanto como escudo para os interesses corporativos. Desde seus primeiros tempos na atividade bancária, Schacht mostrara-se favorável a um programa de centralização da geração de eletricidade, necessário para uma lucratividade eficiente. E essa predileção era, claramente, visível no projeto de lei de eletricidade proposto por seu ministério ao Gabinete, no outono de 1935. Os funcionários de Schacht justificavam sem rebuços a necessidade de controle centralizado dos novos investimentos em geração de eletricidade em termos dos "interesses mais amplos do setor de energia da Alemanha" (*übergeordenetes Interesse der deutschen Energiewirtschaft*).[51] Isso era demais para os nacional-socialistas, como o ministro do Interior do *reich*, Wilhelm Frick, que se sentiu tão insatisfeito a ponto de mandar retirar o projeto de lei para reformá-lo de maneira a que a intervenção estatal passasse a ser justificada em termos da necessidade de assegurar "liderança unificada" (*einheitliche Führung*) no interesse do bem comum (*interesse des Gemeinwohls*) e em prol de "assegurar a defesa nacional" (*sicherstellung der Landesverteidigung*). O conteúdo da lei, no entanto, permaneceu igual. Solidificava a posição das companhias geradoras existentes, enquanto conferia poderes sem precedentes de supervisão ao Ministério de Assuntos Econômicos do *reich*. O processo de consolidação e concentração, iniciado em 1920, continuou sem diminuição com os impulsos ideológicos dos ativistas nazistas locais.[52]

A tendência da administração econômica do *reich* em se desenvolver nessa direção mais intervencionista tinha sido forte desde o final da Primeira Guerra. O Reichsbank reformado, os ministérios de Assuntos Econômicos, do Trabalho e da Alimentação e Agricultura do *reich* eram produto da Primeira Guerra Mundial e suas consequências.[53] Muitos dos sistemas regulatórios introduzidos, depois de 1933, tinham estado em discussão desde a década de 1920, inclusive a lei de eletricidade e a nova lei de empresas, adotada em 1937. No entanto, depois de 1933, a situação era diferente, pelo menos, no sentido de que o Estado agia com grau de independência e autoridade muito maior do que antes. Para esse objetivo, a retórica da Revolução Nacional de Hitler era uma capa conveniente. No entanto, na prática, o Reichsbank e o Ministério dos Assuntos Econômicos do *reich* não tinham intenção de permitir que os ativistas radicais da SA, os operários militantes do partido Nazista ou os comissários *gauleiter* ditassem o rumo dos acontecimentos. Sob o slogan de "Estado forte", a burocracia ministerial deu forma a uma nova estrutura nacional de regulamentação econômica. Talvez não de todo surpreendente, nas reminiscências dos burocratas do RWM, os primeiros anos sob o comando de Schacht eram recordados com carinho: "Nós trabalhamos e governamos com incrível dedicação. Realmente, dávamos as cartas. Para os burocratas do ministério, o contraste com a República de Weimar era patente. Já não se ouviam conversas partidárias no Reichstag. A linguagem da burocracia estava livre da fórmula paralisante: tecnicamente correta porém politicamente impossível".[54]

Seria absurdo negar a realidade dessa mudança. A crise do capitalismo corporativo durante a Grande Depressão havia efetivamente alterado de maneira permanente o equilíbrio do poder. Nunca mais as grandes empresas influenciariam os rumos do governo na Alemanha tão diretamente quanto o tinham feito entre a eclosão da Primeira Guerra Mundial, em 1914, e o início da Depressão, em 1929. A administração econômica do *reich*, por sua vez, acumulara poderes inéditos de controle econômico nacional.[55] Podia-se, portanto perguntar por que motivo não havia mais resmungos, protestos ou mesmo oposição declarada contra a nova linha adotada em Berlim. Como já tratamos no capítulo anterior, não seria correto dizer que não existia tal divergência. Havia pessoas na comunidade de negócios cuja opinião, refletida em periódicos como *Wirtschaftsdienst*, que não ousavam contemplar a possibilidade de desvalorização, linha de pensamento que questionava a necessidade de adotar a moldura restritiva do controle burocrático. As inconveniências cotidianas do Novo Plano, para não mencionar a taxa para exportações, eram, sem dúvida, extremamente impopulares. Mas o espaço para argumentação e debate era limitado de várias formas e não apenas devido ao controle coercitivo do regime sobre os meios de comunicação.

Uma variedade de obstáculos argumentativos se sobrepunha. Ao ligar suas reputações pessoais à estabilidade do *reichsmark*, já na primavera de 1933, Hitler e Schacht tinham feito o melhor de seus esforços para tornar inegociável a questão da desvalorização. Além disso, em sua argumentação com os credores da Alemanha, Schacht aproveitou hábitos mentais que tinham ficado profundamente arraigados desde os debates da década de 1920 sobre as reparações. Tinha tornado-se lugar-comum no debate econômico alemão considerar os problemas de balanço de pagamentos do país como "estruturais" e, portanto, além da capacidade de controle da própria Alemanha.[56] A economia alemã, como qualquer economia moderna, não podia prescindir de importações de alimentos e matérias-primas. Para pagá-las, o país precisava exportar, e, se esse fluxo de bens fosse obstruído pelo protecionismo e por desvalorizações prejudiciais aos vizinhos, a Alemanha não teria opção a não ser recorrer a um controle estatal ainda maior sobre importações e exportações, o que por sua vez tornava necessária uma gama de outras intervenções. Nesse sentido, apesar das indagações sobre uma possível desvalorização, o dramático aumento de controles por parte do Estado podia ser visto como produto inevitável da "necessidade histórica" e não como escolha política consciente.[57] De qualquer forma, dada a limitada recuperação do comércio mundial, em 1934 e 1935, não havia motivo para impaciência. Os empresários pouco tinham a perder ao se concentrar nos mercados domésticos alemães em expansão. As aflições somente se tornaram realmente agudas em 1936-7, quando parecia que o restante da economia mundial poderia, finalmente, retornar à prosperidade.

Mais ainda, embora seja importante fazer justiça à mudança das relações de poder entre o Estado e o mundo dos negócios que, sem dúvida, ocorreu no início da década de 1930, devemos ter cautela a fim de evitar cair na armadilha de considerar os negócios na Alemanha, simplesmente, como objeto passivo do novo e draconiano sistema de regulamentação do regime.[58] Como vimos, os lucros iam crescendo rapidamente a partir de 1933, e isso abria perspectivas futuras atraentes para a gestão empresarial alemã. Inicialmente, os lucros foram usados para reparar os danos causados pela Depressão. Em seguida, a partir dos últimos anos da década de 1930, serviram para financiar um recrudescimento extraordinário dos investimentos como jamais tinha sido visto anteriormente na história industrial do país.[59] O que, positivamente, o regime de Hitler permitiu ao mundo dos negócios foi recuperar-se da desastrosa recessão, acumular capital e dedicar-se ao desenvolvimento em alta pressão de certas tecnologias-chave: as tecnologias necessárias para atingir os objetivos gêmeos do regime — aumento da autossuficiência (autarquia) e rearmamento. De fato, a tecnologia é um dos elementos principais para entendimento das relações entre o regime de Hitler e a comunidade alemã de negócios. Enquanto que, para a estratégia de Stresemann, a importância dos negócios na Alemanha tinha sido definida por fatores econômicos — a competitividade e credibilidade internacionais do empresariado —, o Terceiro Reich precisava da indústria alemã acima de tudo por seus recursos produtivos, tanto em termos tecnológicos quanto de organização. E, se uma das definições de "poder" é a capacidade de realizar, nesse caso, nesse sentido mais amplo, a indústria alemã continuou a exercer poder no Terceiro Reich. Apesar do dramático crescimento da regulamentação estatal, os industriais e suas equipes técnicas e gerenciais eram indispensáveis, senão na concepção, pelo menos, na execução da política nacional.

III

O entrelaçamento de lucros, política e tecnologia foi mais dramático no caso do grande gigante alemão da química, IG Farben. Nos últimos anos da década de 1930, essa empresa, com mais de 200 mil empregados e ativos superiores a 1,6 bilhão de *reichsmarks*, era uma das maiores empresas privadas não apenas da Alemanha, mas de todo o mundo. Em Nuremberg e posteriormente, sua estreita relação com o regime nazista foi considerada emblemática do mais amplo emaranhado da indústria alemã com o Terceiro Reich.[60] Em termos históricos, no entanto, a aliança entre a indústria química alemã e o regime de Hitler era original e desenvolveu-se a partir de uma cadeia de decisões tomadas durante as décadas precedentes.[61] Antes de 1914, a indústria química alemã, como líder progressista da segunda revolução industrial com profundo interesse no comércio multilateral e uma visão menos do que reacionária em política doméstica, pertencia ao grupo liberal dos negócios alemães e, até certo ponto, isso ainda era verdade na década de 1920. A IG Farben foi um dos mais importantes sustentáculos industriais da política de cumprimento de Stresemann e favorecia uma estratégia de acomodação com a República. A IG ocupava uma posição global dominante numa impressionante gama de setores químicos e farmacêuticos. Mantinha um relacionamento igualitário com a poderosa Standard Oil, dos Estados Unidos. Meras empresas químicas, como a ICI britânica e a DuPont norte-americana, não lhe faziam sombra. Embora a Depressão tenha golpeado fortemente a IG, a firma, sem dúvida, teria prosperado sob quase qualquer regime imaginável na Alemanha na década de 1930. A indústria química da Alemanha não "precisava" de Hitler, em qualquer sentido dessa palavra. E, mesmo assim, em consequência de uma série de decisões técnicas, os líderes da indústria química alemã se aproximaram do Estado alemão numa aliança cada vez mais estreita.

Pouco depois da virada do século, cientistas próximos à IG dedicaram-se ao desenvolvimento de uma nova geração de produtos químicos sintéticos, iniciando espetacularmente com a produção sintética de nitrogênio, segundo o processo Haber-Bosch.[62] Possibilitando a produção doméstica tanto de explosivos quanto de fertilizantes, isso transformou a indústria química alemã e, acima de tudo, a BASF num dos baluartes do esforço de guerra alemão na Primeira Guerra Mundial. Na década de 1920, esse caminho de desenvolvimento tecnológico foi levado mais longe por Carl Bosch, o verdadeiro inspirador por trás da fusão que reformou a Interessengemeinschaft (IG) Farben, em 1925.[63] Com efeito, o objetivo central de Bosch ao promover a fusão parece ter sido atingir uma escala suficiente para poder financiar o progresso de suas tecnologias sintéticas extremamente dispendiosas.[64] Em setembro de 1923, o grupo de pesquisadores de Bosch havia sintetizado metano, e, em 1928, nas instalações de Leuna, próximo a Merseburg, no cinturão industrial da Alemanha central, a IG Farben embarcou na construção da primeira instalação mundial para a hidrogenação do carvão, o processo de alquimia pelo qual o carvão se transforma em petróleo. Esse programa seguia uma clara lógica científica, mas era também motivado por essa fixação extremamente moderna, a ideia de que, algum dia, o petróleo se esgotaria. O investimento de 330 milhões de *reichsmarks* na tecnologia de Leuna baseada no carvão seria lucrativo quando os poços de petróleo secassem e os preços do combustível disparassem.

Foi esse empenho em relação à química sintética que transformou a IG Farben na mais próxima e mais importante colaboradora industrial do regime de Hitler, à frente de todas as demais. A tecnologia da IG oferecia à Alemanha a oportunidade de se tornar independente do petróleo importado. Com efeito, no futuro não muito distante, as equipes de pesquisa de Bosch prometiam ir além da hidrogenação e chegar à produção em massa eficiente de borracha sintética, acrescentando, assim, um segundo ingrediente importante à guerra motorizada. Da mesma forma, foi o dispendioso investimento da IG Farben nessas tecnologias o que trouxe à empresa, cuja mentalidade era internacional, um poderoso incentivo para colaborar com Hitler e seu programa nacionalista. A aposta de Bosch na iminente exaustão de petróleo foi um tiro pela culatra. A perspectiva de escassez do óleo provocou uma onda de prospecções bem-sucedidas. No final da década de 1920, após um desenvolvimento espetacular na Venezuela, Califórnia, Oklahoma e na bacia permiana, no oeste do Texas, os mercados mundiais de petróleo cru ficaram superabastecidos.[65] Para piorar, em outubro de 1930, perfuradores independentes no Texas encontraram o famoso "gigante negro". Em poucos meses, os preços mundiais do petróleo desabaram, deixando o investimento da IG Farben, em Leuna, sem razão econômica. Para Carl Bosch, isso, sem dúvida, foi uma grave derrota. A IG, no entanto, podia ter desistido da hidrogenação. Uma perda de algumas centenas de milhões de *reichsmarks* não seria suficiente para levar a firma à falência. Mas abandonar o projeto teria sido completamente contrário à visão de Carl Bosch para a firma, que agora dependia da disposição do governo alemão em taxar fortemente o petróleo importado.[66] Essa necessidade de auxílio político impeliu a IG a entrar em contato com o partido de Hitler. Os nazistas eram conhecidos entusiastas da autossuficiência nacional. Hitler, porém, era também apaixonado por veículos a motor e a IG temia que isso o fizesse preferir gasolina barata importada. No outono de 1932, após o êxito espetacular dos nazistas nas eleições de julho, dois funcionários da IG que tinham ligações com círculos da extrema direita foram mandados a Munique para informar Hitler sobre a importância do projeto de combustível sintético para o país

Ao tomar essa iniciativa, a IG fazia pouco mais do que se precaver. A principal prioridade era assegurar o futuro de Leuna e prosseguir no programa de pesquisa, e não lançar a Alemanha em um programa de larga escala de autossuficiência em combustíveis. Nos primeiros tempos do governo de Hitler, o principal propugnador em favor de um esquema de hidrogenação em ampla escala não era profissional de química, e sim especialista em carvão. Na qualidade de principal executivo da Vestag, o gigantesco conglomerado de aço e carvão, e presidente da comissão supervisora do RWE, grande companhia de geração de eletricidade, Albert Vögler tinha interesse vital na expansão do mercado de carvão e em estabelecer novos vínculos com a indústria química.[67] Aproveitando o interesse de Hitler pela autossuficiência, Vögler propôs um plano de produção de vários milhões de toneladas de combustível sintético. Devido à confusão política de 1933, isso levou alguns meses, mas, em 10 de agosto de 1933 Vögler pôde informar o professor dr. Carl Krauch, principal técnico do programa de sintéticos da IG, que o secretário de Estado Erhard Milch, do Ministério da Aeronáutica, estava interessado em conversar com a IG sobre o futuro do suprimento alemão de combustíveis. Dois dias depois, o Ministério de Assuntos Econômicos do *reich* assegurou à IG que não deveria preocupar-se quanto ao futuro comercial da fábrica de Leuna:

> Nós, nacional-socialistas, temos a intenção de expandir a base alemã de matérias-primas em geral [...] a partir dessa premissa, é natural que desejemos aumentar a produção de gasolina a partir de matérias-primas alemãs. De um ponto de vista puramente econômico, seria um erro produzir gasolina do-

> méstica a um preço de 19 *pfennigs*, quando o preço mundial é de 5 *pfennigs*. Mas eu declarei aos importadores: que garantias podem dar-me quanto à manutenção da paz mundial? Para nós, nacional-socialistas, além dos critérios econômicos [...[as motivações militares são decisivas. Estou, portanto, decidido a promover a produção de combustível a partir de matérias-primas alemãs por todos os meios e fornecer as necessárias garantias de preço e de vendas.[68]

No final do ano, com urgente estímulo tanto do Ministério da Aeronáutica quanto do Exército, o Ministério das Finanças do *reich* já finalizara os termos da chamada *Benzinvertrag*. As partes essenciais desse contrato eram o compromisso da IG de expandir suas instalações em Leuna até uma capacidade de 350 mil toneladas anuais, em troca da garantia dada pelo *reich* de que a empresa auferiria lucros de, pelo menos, 5% do capital investido. Caso os preços de mercado fossem derrubados devido a importações baratas, o *reich* proporcionaria um subsídio para assegurar a rentabilidade de Leuna. Por outro lado, os lucros acima de 5% seriam entregues ao *reich*. Inicialmente, o Ministério das Finanças hesitou em fornecer essa garantia, temendo que Leuna jamais pudesse autofinanciar-se. Não teria sido preciso preocupar-se. A partir de 1936, Leuna passou a gerar grandes lucros, a maioria dos quais chegou aos cofres do *reich*. A IG Farben, e não o *reich*, teve motivos para se arrepender dos termos do *Benzinvertrag*.

A principal preocupação de Hitler e dos advogados do rearmamento não eram os termos financeiros do acordo, e sim a escala inadequada de produção de Leuna: 350 mil toneladas por ano eram apenas um pequeno passo em direção à autossuficiência. No início de 1934, Hitler começou a exercer pressão pessoal em favor de um programa mais substancial e conseguiu seu intento tão logo Hjalmar Schacht assumiu o RWM em agosto de 1934, em meio a desastrosa crise de divisas. Em 21 de setembro, Schacht convocou uma conferência dos principais industriais do ramo de carvão e óleos minerais em Berlim e informou-os de que a situação alemã em matéria de divisas estrangeiras exigia uma grande expansão da produção doméstica de combustíveis.[69] Na época, mesmo com preços mundiais baixos, as importações de gasolina e derivados do petróleo estavam custando à Alemanha 200 milhões de *reichsmarks* anuais. Conforme Leuna já demonstrara, as instalações para hidrogenação eram extremamente dispendiosas. Schacht estimava que entre 250 e 300 milhões de *reichsmarks* seriam necessários para a primeira fase da expansão. Naturalmente, o Estado poderia fornecer os recursos, mas o *reich* tinha outros compromissos prementes. Por isso, Schacht apelou diretamente para os interesses mineradores. "Tinham auferido grandes lucros e obtido muitas vantagens com recursos naturais que, na verdade, pertenciam ao povo em geral. Agora, esperava-se que fizessem uma contribuição. Era sabido que diversas empresas de mineração de carvão possuíam recursos líquidos substanciais. As firmas que não tivessem dinheiro sonante deveriam tomar empréstimos." Não admira, talvez, que os industriais ficassem completamente aturdidos. Em sua opinião, a hidrogenação do carvão era antieconômica e o comprometimento de importâncias tão vultosas de capital não lhes permitiria aproveitar outras oportunidades durante a recuperação econômica. Mas Schacht não recuou. Não conseguindo obter concordância voluntária, fez o ministério preparar um projeto de decreto para a criação de Associações Econômicas Compulsórias na Indústria do Carvão (*Verordnung über die Errichtung wirtschaftlicher Pflichtgemeinschaften in der Braunkohlenwirtschaft*). Dez das principais empresas carboníferas foram recrutadas em 25 de outubro de 1934 para formar a Braunkohlenbenzin AG (Brabag). Cada uma recebeu instruções para preparar um cheque de, pelo menos, 1 milhão de *reichsmarks* para uso imediato. Novas empresas de carvão foram acrescentadas às originais em novembro, e Schacht ameaçou com multas exorbitantes e prisão para quem quer que se recusasse a cooperar. A fim de satisfazer as exigências dos militares, três novas fábricas de combustível sintético construídas sob licença da IG Farben deveriam entrar em funcionamento até 1936.

Para assegurar que esse cronograma fosse observado, a Brabag seria dirigida não por seus relutantes proprietários, e sim por uma equipe de gerentes escolhidos a dedo nos quais se podia confiar para levar o projeto a termo no prazo fixado. A parte técnica foi fornecida por Carl Krauch, da IG.[70] O programa acelerado de construção foi supervisionado por Heinrich Koppenberg, engenheiro recrutado do conglomerado Flick, que na Junkers estava se revelando como uma das principais molas propulsoras da gigantesca expansão industrial da Luftwaffe. Os interesses militares estavam representados pelo general da reserva Alfred von Vollard-Bockelberg, ex-chefe de fornecimentos do exército e veterano do rearmamento secreto. As operações cotidianas da Brabag seriam chefiadas por Fritz Kranefuss (1900-1945?). Kranefuss vinha de uma família de fabricantes de charutos de Herford, Westfália, e, após breve passagem pela Marinha Imperial e pelo Freikorps, passara por uma aprendizagem comercial normal. No entanto, suas principais qualificações eram os excelentes contatos políticos que possuía. Era sobrinho de Wilhelm Keppler, assessor econômico pessoal de Hitler, e membro do partido nazista desde 1932. Ele era colaborador íntimo de Heinrich Himmler e pertencia à equipe de Rudolf Hess, vice-líder do partido. A nomeação de Kranefuss para chefiar a Brabag foi aprovada pessoalmente por Hitler numa reunião com Schacht e Keppler, no início de novembro de 1934. O próprio Keppler presidia a comissão supervisora da Brabag. A fim de acalmar os investidores estrangeiros que possuíam ações da indústria de carvão da Alemanha, Schacht nomeou seu fiel colaborador, Helmuth Wohlthat, para fazer parte da diretoria da Brabag. Os termos comerciais das operações da Brabag, que foram finalizados, na primavera de 1936, eram não menos favoráveis ao *reich* do que os que tinham sido acordados com a IG Farben em 1933. O *reich* garantia os acionistas da Brabag contra perdas operacionais. Garantia também a cobertura das centenas de milhões de *reichsmarks* que a Brabag foi obrigada a tomar emprestados para financiar sua expansão vertiginosa. Mas a taxa de lucros foi fixada em 5% e qualquer importância que excedesse essa taxa era deduzida em benefício do *reich*. Na prática, todos os lucros eram impiedosamente revertidos em novas expansões. Em 1939, a Brabag tinha ativos avaliados em 350 milhões de *reichsmarks*. Os relutantes investidores jamais receberam quaisquer dividendos, mas o Terceiro Reich estava firmemente a caminho de adquirir importante margem de autossuficiência (ver Apêndice, Quadro A2.)

IV

Assim como o setor químico, também o de aço passara por consolidação importante na década de 1920. O resultado foi a formação da Vereinigte Stahlwerke (Vst ou Vestag, abreviadamente), empresa gigantesca que rivalizava com a IG Farben no tamanho e era a segunda entre as congêneres do mundo, atrás apenas da U.S. Steel.[71] Dentro da indústria siderúrgica, no entanto, a posição da Vestag nem sequer se aproximava da preponderância da IG Farben no setor químico. A Vestag competia com a Krupp, Flick,

GHH, Klöckner, Mannesmann, Hoesch e Roechling. Cada qual possuía áreas de excelência técnica específica, e muitas tinham interesses na indústria de engenharia e outras semelhantes. Todas, porém, fabricavam ferro e aço. Por baixo dessa estrutura oligopolista na siderurgia, havia a não menos complexa estrutura do setor de carvão, intimamente entrelaçada com o de aço.[72] O resultado era um cenário de confusa complexidade, ainda pouco compreendido.[73] Com efeito, a dificuldade em definir uma posição única da indústria pesada em relação ao regime de Hitler evidenciou-se desde os primeiros meses do Terceiro Reich.

Krupp, Fritz Thyssen e Albert Vögler estiveram, intimamente, envolvidos nos acontecimentos posteriores a 30 de janeiro de 1933. Cada um, no entanto, tomava direções diferentes. Gustav Krupp (1870-1950) não apenas chefiava a quarta empresa alemã, mas era também o presidente da Reichsverband der deutschen Industrie, no momento em que Hitler chegou ao poder. Se acreditarmos no relato mais recente de suas atividades, Krupp, inicialmente, suspeitava do regime de Hitler e, acima de tudo, preocupava-se em preservar a autonomia da mais alta associação de homens de negócios da Alemanha.[74] Nisso, ele parece ter sido apoiado por outros membros da velha guarda empresarial, principalmente, Paul Reusch, gerente-geral da GHH e por Carl Friedrich von Siemens.[75] Aparentemente, Krupp chegou a contemplar a possibilidade de reviver a estratégia da indústria alemã diante da revolução de 1918. Isso significava uma aliança com o movimento sindical alemão como forma de afirmar a autoridade autônoma da indústria privada contra a ameaça de guerra civil entre nazistas e comunistas. No entanto, na primavera de 1933, esse esforço foi ainda mais efêmero do que após a Primeira Guerra Mundial. A decisão dos nazistas em destruir o movimento sindical alemão era irrevogável, e Krupp, como presidente da Associação Industrial do *reich*, viu-se ultrapassado por Fritz Thyssen (1873-1951). Herdeiro de uma das maiores fortunas do Ruhr, Thyssen era importante beneficiário da fusão que criara a Vestag. Desde o início da década de 1930, ele fora um dos mais genuínos adeptos de Hitler nos círculos dos altos negócios.[76] A esse respeito, no entanto, Thyssen seguiu uma trajetória quixotesca. Sua verdadeira inspiração era o modelo corporativo de organização industrial, cujo pioneiro fora a Itália fascista. A característica distintiva dessa visão era a inclusão de empregadores e empregados em uma única organização, que impunha a unidade social mediante um decreto governamental. Não admira que isso não agradasse aos velhos baluartes da reação, como Krupp e Reusch. O romantismo social de Thyssen também encontrou pouco apoio de parte de Kurt Schmitt, no Ministério de Assuntos Econômicos do *reich*, e de Schacht, no Reichsbank. Tanto Krupp quanto Thyssen, portanto, viram-se excluídos da nova estrutura de organização industrial estabelecida por Schacht durante o inverno de 1934-5, a fim de implementar o Novo Plano.

No nível empresarial, no entanto, tanto Krupp quanto a Vestag encontraram formas de se arranjarem mais do que confortavelmente com o novo regime. Não é surpreendente que ambas as principais firmas alemãs do ramo de aço fossem membros fundadores da Mefo. No início de 1936 os negócios com os militares já representavam 20% das vendas da Krupp, com encomendas dirigidas tanto à Gusstahlfabrik, em Essen, quanto igualmente às instalações de Gruson da Krupp, na Saxônia, que era responsável pela blindagem e por montagens secundárias navais de grande complexidade.[77] A Germaniawerft era a base-mãe da construção de submarinos alemães, na Primeira Guerra Mundial, e somente fora mantida viva na expectativa de, algum dia, receber novas encomendas navais. Como vimos, o rearmamento naval, inicialmente, atrasou-se em relação ao do Exército e da Luftwaffe. Mas, no outono de 1933, Essen havia, pelo menos, conseguido a promessa de que a Marinha tinha "interesse sério" (*ernstes Interesse*) na sobrevivência da Germaniawerft. E em agosto de 1934, a paciência de Krupp foi, finalmente, recompensada com encomendas de seis pequenos submarinos, seguidas, poucos meses depois, por um contrato para cinco destróieres e a primeira série de U-VII, que se tornaria o submarino padrão da Marinha alemã.[78] Com a Gruson também sendo notificada de grandes encomendas de chapas blindadas, no fim de 1934 todos os ramos de atividade da Krupp tinham, pelo menos, a perspectiva de lucros.

A Vestag, como a Krupp, tinha absorvido pesadas perdas durante a Depressão e estava interessada em encomendas militares. Tinha, porém, mais motivos do que a Krupp para chegar a um *modus vivendi* amigável com o novo regime. À medida que Hitler consolidava seu poder, em 1933, a preocupação mais premente para a gerência da Vestag era a tranquila reprivatização das ações que tinham passado à propriedade do *reich* no início de 1932. Auxiliando Thyssen nesse esforço estava Albert Vögler (1877-1945), presidente da diretoria da Vestag e figura onipresente durante o *Machtergreifung*.[79] Vögler tinha iniciado a carreira como humilde aprendiz e subira a uma posição preeminente como um dos auxiliares mais competentes de Hugo Stinnes. Após a morte de Stinnes em abril de 1924, Vögler emergiu como figura dominante na indústria pesada alemã e como um dos arquitetos da Vestag. Em 1933, foi ele quem levou a Hitler uma proposta grandiosa para uma nova indústria de combustíveis baseada no carvão. A ideia, sem dúvida, fazia parte de uma reorganização mais geral da indústria carbonífera, que incluía também a notória manobra pela qual Paul Silverberg, principal industrial judeu da Alemanha, foi privado do controle da produtora de lignito, a Rheinbraun, e exilado na Suíça.[80] Na primavera de 1933, Vögler foi recompensado por sua cooperação com a nomeação para a comissão supervisora do *holding* industrial do *reich*, a VIAG, e quando Schacht procurou um industrial para participar do inquérito bancário, Vögler foi a escolha óbvia.[81] Não apenas as ações da Vestag foram transferidas sem problemas para a propriedade privada, mas também a maior firma alemã do ramo do aço assumiu posição de controle na nova estrutura organizacional de Schacht para essa indústria.[82] Os Grupos de Negócios de fundições e mineração eram chefiados por sócios da Vestag, e Schacht aprovou Ernst Pönsgen para chefiar o Grupo de Negócios para a própria indústria do aço. Pönsgen (1871-1949), nascido em família de industriais do Ruhr, tinha sido o imediato de Vögler na Vestag, desde 1926, e era seu principal perito em matéria de cartel.[83] A partir de 1930, chefiou o cartel alemão do aço e presidiu o conselho regional da indústria pesada do Ruhr. O mais importante, no entanto, foi seu papel na negociação do Cartel Internacional do Aço, em 1926, e sua ligação extremamente próxima com a ARBED, o gigante do aço, de Luxemburgo, e com seu diretor Alois Meyer. Em 1935, Pönsgen foi a escolha natural para suceder Albert Vögler na chefia da Vestag, quando este foi "elevado" à comissão supervisora.

Enquanto a diplomacia de Vögler guiava a Vestag através do tumulto político do *Machtergreifung*, a tarefa de obter uma fatia generosa dos negócios militares foi delegada às subsidiárias, especialmente, a Bochumer Verein, chefiada por Walter Borbet (1881-1942) e a Deustsche Edelstahlwerke, especialista em produção de aços de alta qualidade, cujo jovem chefe, Walter Rohland (1898-1981), estava evidentemente destinado a posições superiores. Borbet e Rohland representavam gerações sucessivas da metalurgia militar no Ruhr. O primeiro era nacionalista da velha escola.[84] Também era convicto fabricante de armas, que nutriu por toda a vida inveja da Krupp, devido à primazia que esta reivindicava na manufatura de armamentos. Durante a Primeira Guerra Mundial, Borbet tinha sido pioneiro na introdução de aço de baixo custo para canhões, que utilizavam um mínimo de ligas importadas, e, na década de 1920, transformou a Bochumer Verein em um dos centros de desenvolvimento de fundição centrífuga, processo revolucionário no qual os canos dos canhões, em vez de serem perfurados em lingotes sólidos, eram feitos de metal derretido por centrifugação. A dedicação de Walter Rohland ao projeto do rearmamento não era menos pessoal do que a de Borbet.[85] Em 1916, Rohland entrara para o corpo militar de engenharia e participara das fases finais da batalha de Verdun. Sobreviveu, mas seu irmão favorito, Fritz, morreu lutando a seu lado, em maio de 1917. Mas 1918 não representou para ele o fim da guerra. Alguns dos trechos mais vívidos de suas memórias têm a ver com a resistência à ocupação francesa do Ruhr, em 1923. Quando Hitler declarou abertamente o rearmamento da Alemanha, em 1935, Rohland imediatamente aproveitou a oportunidade para retomar a carreira militar, embora ocupasse posição de responsabilidade na Vestag, alistando-se no 11º Regimento Panzer, como capitão da reserva, e participando entusiasticamente das manobras. O futuro executivo principal da Vestag teve, portanto, conhecimento direto desses veículos, o que lhe valeu o apelido de "Panzer Rohland".

Por sua vez, Borbet dificilmente conseguia conter seu entusiasmo, em 1933. Poucos meses depois da tomada do poder, ele já debatia ativamente as encomendas da Mefo com Erhard Milch, do Ministério da Aeronáutica, e com o general Blomberg. Em 1934, conseguiu a primeira entrevista pessoal com Hitler a fim de tratar de temas de rearmamento e, em 1935, recebeu em Bochum, não apenas o general Blomberg (ministro da Defesa), mas também Göring (Força Aérea), o almirante Raeder (Marinha), o general Fritsch (comandante em chefe do Exército) e o próprio Hitler. Em 1934, por sugestão da Wehrmacht, a Bochumer Verein comprou a massa falida da firma de engenharia HANOMAG, com o objetivo específico de produção de artilharia.[86] Borbet foi recompensado por seu entusiasmo com um fluxo constante de encomendas de armamentos: 30 milhões de *reichsmarks* em pedidos em 1934, subindo a 50 milhões um ano mais tarde, quase rivalizando com Krupp. Borbet e a Bochumer Verein podem não haver projetado os canhões da Wehrmacht, mas seu êxito no desenvolvimento da técnica de moldagem centrífuga foi o que permitiu a produção a baixo custo da famosa peça de artilharia antiaérea desenvolvida, conjuntamente, por Krupp e Rheinmetall.

Quanto a Walter Rohland, foi ele quem fez da Deutsche Edestahlwerke a principal construtora de cabines para os Panzer. As instalações em Krefeld não apenas forneciam aço de alta qualidade fundido eletricamente, mas também eram líderes mundiais na difícil técnica de solda de chapas blindadas, fundamental para a produção de tanques de guerra modernos.

O denominador comum das carreiras de Borbet e Rohland em metalurgia foi sua preocupação com a alta qualidade dos aços fundidos por processo elétrico, sem a qual o rearmamento teria sido impossível.[87] Examinando-se apenas os algarismos da produção de carvão e aço bruto, pode-se ter a surpreendente impressão de que a indústria pesada alemã foi parceira um tanto relutante do rearmamento (ver Apêndice, Quadro A2). A produção de carvão ficou muito aquém do crescimento geral da produção industrial, e a produção de aço cresceu a uma taxa menos do que exuberante. Mas não seria difícil encontrar os motivos dessa lentidão. Desde o início da década de 1920, os gerentes do Ruhr procuravam lidar com uma supercapacidade crônica, herança do "superinvestimento" feito durante a Primeira Guerra Mundial e da hiperinflação subsequente.[88] Diante da aceleração da produção de armamentos, na década de 1930, não pretendiam repetir o erro. Embora os temores de supercapacidade possam ter freado uma expansão geral da produção da indústria pesada em certas áreas-chave, principalmente, a especialidade da fundição por processo elétrico, não houve conflito de interesse semelhante entre as necessidades de rearmamento e as da indústria em busca de lucros. O aço de alta qualidade eletricamente fundido tanto era vital para os fins do rearmamento quanto constituía elemento importante nos negócios futuros. Embora a produção alemã de aço comum mal atingisse a metade da capacidade dos Estados Unidos, mesmo no pico de produção, em aço eletricamente fundido a Alemanha estava a par com os EUA em 1939.[89] Com Borbet e Rohland na vanguarda, a produção de aços especiais de alta qualidade do *reich* cresceu sete vezes entre 1929 e 1939.

V

Ao contrário do que ocorreu no setor de produtos químicos e de aço, no qual o regime tratava com produtores grandes e bem estabelecidos, a intervenção industrial mais dramática do Terceiro Reich dirigiu-se a uma indústria que, em 1933, era um setor de proporções completamente insignificantes. A história da produção de aviões no Terceiro Reich merece ser colocada no centro de nosso entendimento de toda a história industrial do regime.[90] Em 1932, a indústria aeronáutica alemã empregava 3.200 pessoas e não tinha capacidade de produzir mais do que uma centena de aviões por ano. Menos de dez anos depois, o regime havia criado uma atividade industrial de produção de aeroplanos e motores aeronáuticos de muitos bilhões de *reichsmarks*, que empregava, pelo menos, 250 mil pessoas e era capaz de produzir anualmente mais de 10 mil dos mais sofisticados aviões de combate do mundo. De todos os efeitos industriais do rearmamento, esse era de longe o mais importante. Na hierarquia das primeiras 100 firmas alemãs, o grupo Flick, a Deschimag, a Henschel e a Blohm & Voss estavam diretamente envolvidas com a produção de aviões.[91] Da mesma forma, a elevada posição na hierarquia, ocupada pela Daimler-Benz e pela BMW, mais conhecidas por seus automóveis e motocicletas, devia-se, em grande parte, a suas vendas de motores aeronáuticos em rápida expansão. Especialistas em subcomponentes para a ampliação da Luftwaffe foram fornecidos pela Siemens e pela AEG, tanto diretamente quanto por meio de sua subsidiária Telefunken, de propriedade conjunta. A ITT-Lorenz, a Bosch e a Vereinigte Deutsche Metallwerke (controladas pela Metallgesellschaft) eram importantes fornecedoras da Luftwaffe. O alumínio e o magnésio eram fornecidos pela Vereinigte Aluminiumwerke, de propriedade da *holding* estatal VIAG e pela IG Farben. Os blocos moldados de aço de alta qualidade vinham da Deutsche Edelstahlwerke, de Rohland, e da Krupp. Mas, ao lado da contribuição dessas empresas industriais diversificadas, a característica realmente surpreendente da lista de principais corporações da Alemanha, no final da década de 1930, é a presença de nada menos do que seis produtoras especializadas em aviões, nenhuma das quais, em 1933, teria chegado sequer à lista das 500 principais. Em 1938, a Junkers, mesmo antes de iniciar seu mais notável período de expansão, já estava junto da Daimler-Benz como décima segunda maior empregadora privada da Alemanha. Mais abaixo na lista surgiam a Arado, a Heinkel, a Dornier, a Focke-Wulf e a Bayerische Flugzeugwerke, mais conhecida como Messerschmitt. O que distinguia os produtores de aviões era que, ao contrário dos armadores ou dos fabricantes de canhões e tanques, eles não tinham uma produção civil significativa.[92] Os aviões militares que estavam fabricando, no final da década de 1930, tinham muito pouco ou nenhum valor como produtos comerciais. Não havia, portanto, alternativa de emprego civil para a ampla capacidade especializada de fabricação que o Minsitério da Aeronáutica tinha tornado realidade. Embora todas as firmas, exceto a Junkers, fossem nominalmente propriedade privada, eram todas criaturas do Ministério da Aeronáutica do *reich* e de seu diretor, o secretário de Estado, Erhard Milch. Fundamentalmente, por conseguinte, o maior setor manufatureiro da Alemanha não era apenas controlado pelo Estado: era produto da iniciativa estatal, do financiamento estatal e da gestão estatal. Na verdade, estava baseado em um dos mais ostensivos atos de coerção aplicados contra uma atividade de negócios não judaica da história do Terceiro Reich. No dia 17 de outubro de 1933, de manhã cedo, o dr. Hugo Junkers foi preso em sua casa de férias em Bayrischzell, sob acusação de traição.[93] Junkers era o principal pioneiro da aviação na Alemanha, engenheiro de sucesso que em sua fábrica em Dessau havia construído o primeiro avião inteiramente de metal do mundo. A fábrica de Junkers, embora de dimensões modestas, era de longe a maior instalação industrial aeronáutica da Alemanha. Por vezes, é sugerido que a expropriação de Hugo Junkers foi consequência de seu interesse pela política internacionalista e pelo pacifismo. Mas ele era de fato um nacionalista conservador, que abraçara entusiasticamente a causa do rearmamento. Suas dificuldades eram, simplesmente, ser proprietário da maior fábrica de aviões da Alemanha e o fato de que Göring e seu secretário de Estado, Erhard Milch, estavam decididos a obter o controle sobre ela. Na década de 1920, Junkers tinha divergido dos militares alemães a respeito do rumo futuro do rearmamento aéreo. Os novos donos do poder não estavam dispostos a discutir. Após 24 horas de detenção na polícia, Junkers concordou em assinar a passagem de sua firma para o *reich*. O controle gerencial foi entregue a Heinrich Koppenberg (1880-1960), veterano do conglomerado industrial Flick, que, da mesma forma que Krauch, na área química, e Vögler e Borbet, na do aço, tinha granjeado reputação no esforço armamentista da Primeira Guerra Mundial.[94] Na comissão supervisora da Junkers ele foi assessorado por Hellmuth Roehnert, que logo seria encarregado da Rheinmetall, controlada pelo Estado, e também por Karl Rasche e Emil Meyer, do Dresdner Bank, igualmente colocado sob controle estatal, além de Wilhelm Keppler, que parecia estar em toda parte. Claramente, não se tratava de coincidência o fato de que a mesma combinação de Keppler e Koppenberg iria também desempenhar papel de destaque na iniciativa da Brabag de produzir combustível sintético.

Tendo a Junkers como elemento central, Milch e o Ministério da Aeronáutica organizaram um enorme incremento da capacidade de produção de aviões e motores aeronáuticos. A nova orientação foi explicada à indústria aeronáutica alemã em uma conferência realizada, em Berlim, em 20 de outubro de 1933, dois dias depois da expropriação da Junkers.[95] Ao receber os industriais de aeronaves em solene silêncio, com o braço erguido em saudação, Göring anunciou a intenção do *führer* de estabelecer o poderio aéreo da Alemanha dentro dos 12 meses seguintes. Todas as empresas da indústria aeronáutica teriam de aceitar integrar-se num plano geral apresentado pelo RLM. O primeiro programa foi concebido com base nos projetos existentes, com a Junkers e a Dornier fornecendo uma força improvisada de bombardeiros, e a Arado e a Heinkel, responsáveis por aviões de caça, reconhecimento e ataque contra alvos terrestres e para treinamento. As novas fábricas de aviões deveriam ser "aperfeiçoadas" pelos produtores já estabelecidos. Sob estreita supervisão do ministério, a indústria passou por uma expansão fenomenal, de menos de 4 mil trabalhadores, em janeiro de 1933, para quase 54 mil, dois anos depois. Ao mesmo tempo, o Ministério da Aeronáutica expediu contratos de projetos para uma geração inteiramente nova de aviões e motores. Foi somente depois de 1935, na segunda fase da expansão, que a Junkers, a Dornier e a Heinkel se estabeleceram como principais fabricantes de bombardeiros e a BfW, de Willy Messerschmitt, conquistou sua posição dominante na produção e projeto de aviões de caça. Os outros fabricantes de aviões foram agrupados em blocos de cooperação em torno dessas firmas voltadas para o desenvolvimento, cada qual responsável por uma fábrica principal que tratava dos suprimentos, treinamento de mão de obra e fornecimento de equipamento pesado e conjuntos industriais necessários para a produção e montagem das peças com exatidão. Na primavera de 1938, cerca de 120 mil pessoas trabalhavam na fabricação de aviões e outras 48 mil na de motores aeronáuticos, além de mais 70 mil empregadas em equipamento aéreo e reparos.

Naturalmente, a construção dessa base industrial era um empreendimento altamente dispendioso. O RLM parece haver esperado receber montantes significativos de capital privado. Muitas firmas apressaram-se em participar da indústria, em 1933, o que foi sem dúvida encorajador. Entre os aspirantes a fabricantes de aviões estavam o conglomerado de indústria pesada Flick, os construtores de locomotivas Henschel, e os estaleiros Blohm e Deschimag.

No entanto, a onda inicial de entusiasmo não levou a um aumento sustentado de investimento privado. Embora todas as outras firmas fornecedoras da Luftwaffe, com exceção da Junkers, tivessem permanecido em poder de particulares, sua expansão teve de ser financiada quase completamente pelo RLM. Dada a recuperação geral da economia alemã e as oportunidades alternativas de investimento por ela oferecidas, simplesmente, não era comercialmente justificável investir grandes somas de recursos financeiros numa indústria superlotada, que dependia, inteiramente, do fluxo imprevisível de encomendas governamentais. Em meados da década de 1930, o RLM chegou a oferecer a venda da Junkers, a mais brilhante estrela da indústria aeronáutica, à Vestag, a gigantesca empresa siderúrgica, mas os contadores do Truste do Aço rejeitaram a oferta por considerá-la demasiadamente arriscada. A decisão da Siemens em vender à BMW seu ramo de motores radiais foi sintomática.[96] Dada a posição lucrativa da Siemens no setor de componentes elétricos e comunicações, a empresa ficou satisfeita em abandonar os arriscados negócios com a Luftwaffe. Em nenhum caso, a recusa de maior envolvimento no recrudescimento da indústria de armamentos teve algo a ver com oposição política. Refletia, simplesmente, a precária lógica comercial do setor da Luftwaffe. Todos os parâmetros eram fixados pelo Estado e podiam ser alterados à vontade pelo Ministério da Aeronáutica. Entrar nesse mercado significava expor a empresa a enormes riscos, a menos que o financiamento para a expansão fosse proporcionado pelo próprio Estado. E isso foi o que fez o Ministério da Aeronáutica, por intermédio do chamado Aerobank, que agia como financiador para todo o setor da Luftwaffe.

O Estado também fornecia outras precondições para a expansão da frota aérea alemã. Em 10 de junho de 1936, o Ministério da Aeronáutica assinou um segundo grande contrato com a IG Farben, desta vez, para construir uma fábrica em Leuna com capacidade de produzir 200 mil toneladas de combustível aeronáutico por ano. O aditivo de chumbo tetraetílico altamente tóxico, necessário para aumentar o teor de octanagem, seria fornecido graças ao acordo de compartilhamento de patentes com a Standard Oil, de Nova Jersey.[97] A Standard transferiu a tecnologia para Leuna, apesar dos protestos do Departamento de Estado em Washington. Em troca, com acordo integral das autoridades alemãs, a Standard recebeu da IG os segredos da nova tecnologia de borracha sintética. Escusado dizer que a expansão dos combustíveis aeronáuticos foi feita integralmente a expensas do Ministério da Aeronáutica. O *reich* também disponibilizou uma segunda précondição crítica para a acelerada expansão da Luftwaffe, ao patrocinar um grande aumento da produção de alumínio, a mais indispensável matéria-prima da indústria aeronáutica. Assim como era o caso do aço, a produção de alumínio na Alemanha dependia da importação de bauxita. Ao contrário do minério de ferro, porém, a bauxita podia ser conseguida em quantidades suficientes na Hungria e na Iugoslávia, países com os quais o RWM negociara acordos comerciais bilaterais eficazes. Para processar o minério, a empresa estatal Vereinigte Aluminiumwerke, que fazia parte do grupo VIAG, despejou 180 milhões de *reichsmarks* em uma expansão que elevou em dez vezes a capacidade de fusão de metais.[98]

A indústria de aviões foi o modelo de sucesso na expansão industrial dirigida pelo Estado do Terceiro Reich. No entanto, mesmo nesse setor, havia espaço para a iniciativa empresarial. Em certas ocasiões, com efeito, a indústria aeronáutica alemã tornar-se-ia sinônimo de atividade empresarial independente, competitiva e, frequentemente, contraproducente. Fundamentalmente, isso se devia à extrema dificuldade em controlar uma indústria manufatureira altamente complexa e sujeita a extrema incerteza tecnológica. Em 1930, a maioria dos aviões militares eram ainda biplanos de madeira e pano. Somente em 1935, a Luftwaffe testou a primeira geração de monoplanos feitos inteiramente de metal e com motor de pistão de alto desempenho. Menos de cinco anos depois, Ernst Heinkel lançou o primeiro protótipo de avião de caça a jato do mundo, abrindo a perspectiva de que os aviões militares viessem, em breve, a operar próximo à barreira do som ou além dela. Cada uma dessas transições envolvia avanços fundamentais em aerodinâmica, metalurgia e projeto estrutural e de motores, que eram extremamente difíceis de prever. E o projeto do avião não era o único problema. Os aparelhos tinham de ser fabricados de forma eficiente e em grande escala. Naturalmente, o Ministério da Aeronáutica não comprava aviões, simplesmente, por existirem. Precisava de armas para empregar em uma futura guerra, cujo desenrolar era também completamente incerto. Qual seria o papel da Força Aérea: apoiar o Exército e a Marinha ou construir uma arma estratégica independente? Nesse caso, que tipos de bombardeiros seriam necessários e como fazer para protegê-los? Como faria a Alemanha para se resguardar contra a ameaça aérea inimiga? E, aliás, quem seriam os inimigos da Alemanha?

Em nenhum outro aspecto do rearmamento, e, na verdade, de nenhuma outra forma, a indústria alemã foi afetada por incerteza tecnológica tão profunda. E essa característica da expansão da Luftwaffe foi o que a tornou tão atraente para a iniciativa empresarial, pela competição entre os fabricantes de aviões para oferecer a "solução técnica" de que Göring necessitava. Em 1936, Heinrich Koppenberg tratava de transformar, rapidamente, a Junkers em um complexo manufatureiro capaz de rivalizar com as maiores firmas da indústria alemã. Henschel foi o pioneiro em diversas técnicas de prensar metais e nos equipamentos altamente complexos necessários para a montagem em massa. A Daimler-Benz, a BMW e a Junkers competiam ferozmente no desenvolvimento de motores. Ao escolher o projeto de avião de caça Messerschmitt (BfW) 109, em 1935-6, o Ministério da Aeronáutica resolveu, pelo menos, um de seus problemas técnico-estratégicos. Até o início da década de 1940, o Messerschmitt 109 asseguraria que a Força Aérea alemã estivesse equipada com um avião de caça mais do que adequado. A Luftwaffe, no entanto, ainda batalhava para resolver a questão mais básica da moderna guerra aérea: como lançar bombas. Embora Heinkel tivesse iniciado o desenvolvimento de um bombardeiro quadrimotor, em meados de 1930, o principal foco do Ministério da Aeronáutica eram bombardeiros bimotores médios, para os quais três projetos foram propostos, em 1935, pela Dornier (Do 17), Heinkel (He 111) e Junkers (Ju 86). A fim de proporcionar trabalho às novas fábricas e assegurar às tripulações recém-treinadas algo com que voar, os três fabricantes foram pressionados a iniciar imediatamente a produção. Era evidente, porém, que nenhum dos três projetos constituía realmente uma arma aérea estratégica. Faltava-lhes capacidade de carga e velocidade. Além disso, não se podia saber de que maneira seriam capazes de penetrar as defesas aéreas dos caças inimigos sem contar com proteção. Portanto, apesar do êxito na elevação da capacidade de produção, já em 1936, ficara evidente que a Luftwaffe precisava desenvolver pelo menos mais uma geração de aviões e motores para se transformar em uma Força Aérea realmente eficiente na guerra. A busca por soluções técnicas foi o que manteve a indústria aeronáutica alemã em constante movimentação durante toda a década de 1930 e no início da de 1940. O futuro da Luftwaffe como Força Aérea militar, assim como investimentos de bilhões de marcos, dependiam do resultado.

VI

Quem foram os perdedores na política industrial da década de 1930? Ninguém jamais consideraria a indústria têxtil como beneficiária do regime de Hitler. No entanto, mesmo nesse setor, por meio de um ousado exercício de política industrial, o regime nazista reuniu, em torno de si, um grupo de colaboradores interessados em seu programa de autossuficiência e rearmamento.[99] Não houve nesse campo investimentos espetaculares como os que caracterizaram a Luftwaffe ou o programa de combustível sintético. Mas o programa de fibras sintéticas viria a ter importância crucial para grande parte da indústria alemã e teria significação vital na reforma do suprimento de vestuário para a população do país. Em junho de 1934, o RWM informou por escrito aos dois principais produtores de fibras sintéticas — a IG Farben e Vereinigte Glanzstofffabriken (VGF) — de que "o atual estado das reservas monetárias do *reich* exige uma extrema redução das importações de algodão e lã..." Mais especificamente, é claro, isso era uma exigência da política de Schacht de se dissociar seletivamente dos Estados Unidos, tradicional fornecedor de algodão à Alemanha. "A fim de fortalecer a base doméstica de matéria-prima o mais rapidamente possível, é dever peremptório das fábricas alemãs de raiom não apenas utilizar plenamente sua capacidade manufatureira, mas também expandi-la aceleradamente". As autoridades do *reich* desejavam dobrar a produção de raiom-viscose, além de um grande aumento das chamadas fibras comuns até, pelo menos, 100 mil toneladas anuais.[100] Como no caso do petróleo, o problema era que os preços mundiais de lã e algodão estavam fortemente reduzidos. Sem dúvida, no que dizia respeito à IG Farben, as fibras sintéticas estavam destinadas a permanecer num nicho de mercado. A viabilidade de criação de novas capacidades de produção na Alemanha dependeria inteiramente do Estado. Mas no verão de 1934, o envolvimento político no assunto atingiu o nível mais elevado. Em agosto, Hitler inspecionou, pessoalmente, amostras de tecidos feitos com a fibra comum Vistra, da IG Farben, expressando "extrema satisfação" com a qualidade. Em novembro de 1934, como parte da reorganização do Ministério de Assuntos Econômicos do *reich*, o controle sobre o programa de fibras sintéticas foi entregue ao representante pessoal de Hitler para política econômica, Wilhelm Keppler, que, por sua vez, o delegou a Hans Kehrl (1900-1984).[101] Proprietário de uma pequena indústria têxtil, em Cottbus, e membro do partido desde 1932, além de *Gauwirtschaftsberater* (conselheiro econômico regional) do Kurmark Gau, se tornou parte da equipe de Keppler, no início de 1934. Não tinha simpatias pela IG Farben e nem pela VGF e não se deixou abater com a recusa de ambas. Keppler e Kehrl pensaram em aplicar coerção do tipo utilizado contra a Junkers ou a organização da empresa Brabag. Porém, como Keppler se apressou em assegurar a IG, a coerção direta nunca seria uma opção real para com a maior empresa alemã. Em vez disso, Kehrl foi autorizado a manobrar à margem do produtor principal. Utilizando seus contatos na hierarquia regional do partido, ele estabeleceu quatro sindicatos "voluntários", um para cada uma das principais regiões produtoras de têxteis da Alemanha: Silésia, Saxônia,Turíngia e Renânia. Cada um dos sindicatos subscreveu um capital de 4 milhões de *reichsmarks* para a construção de quatro novas fábricas de fibras sintéticas, com capacidade individual mínima de 7 mil toneladas por ano. Não pode haver dúvida de que a pressão política teve papel importante na campanha de subscrição do capital. Muitas firmas consideraram que sua participação seria uma forma de agradar a *Gauleitung* local. Outra motivação importante foi a esperança em driblar as restrições à importação de fibras naturais, ao obter acesso privilegiado aos produtos sintéticos domésticos. Por outro lado, as principais firmas têxteis, como a Dierig, transformaram-se em participantes genuinamente entusiastas, considerando o raiom e as fibras comuns como alternativas de longo prazo ao mercado já maduro de tecidos de lã e algodão. Com o nome fantasia Flox, as novas fibras artificiais conquistaram grande popularidade na década de 1930. De qualquer forma, o *reich* esforçou-se para que os investimentos tivessem baixo risco. Segundo as disposições da "Lei de garantias para a expansão da indústria de matérias-primas" (*Gesetz über die übernahme von Garantien zum Ausbau der Rohstoffwirtschaft*), Keppler foi autorizado a fornecer todos os subsídios necessários às fábricas das novas fibras comuns. O *reich* fez arranjos para garantir um empréstimo sob os auspícios do Dresdner Bank e forneceu a necessária informação técnica por meio de dois peritos importantes, escamoteados da divisão de fibras da IG Farben. O principal deles era Walther Schieber, membro do partido nazista da Turíngia, nomeado gerente-geral da Zellwoll AG dessa província. Diante do fato consumado, a VGF, a mais débil das duas indústrias principais do ramo, cedeu e concordou em se juntar ao programa de expansão financiado pelo Estado. A IG Farben, por sua parte, manteve a independência e prosseguiu com o programa de expansão limitada para o raiom, elevando a produção a não mais de 30 mil toneladas anuais. Em 1936, Keppler já podia se orgulhar da produção adicional de 45 mil toneladas de fibras comuns, além de mais de 50 mil toneladas de seda sintética. Em 1937, a fatia de mercado para as fibras produzidas na Alemanha dobrara, chegando a quase 40%.

O exemplo da VGF suscita a questão mais geral do desempenho das firmas de propriedade estrangeira na Alemanha de Hitler. Muitas alegações sensacionalistas foram feitas a esse respeito nos anos recentes e é necessária certa dose de realismo. É verdade que houve considerável investimento direto estrangeiro na Alemanha, tanto na década de 1920 quanto anteriormente a 1914. Durante a Segunda Guerra Mundial os norte-americanos estimaram a existência de cerca de 450 milhões de dólares investidos diretamente em negócios na Alemanha.[102] O investimento de quase 65 milhões de dólares da Standard Oil na Deustch-Amerikanische Petroleum Gesellschaft, combinado com os estreitos vínculos com a IG Farben, fazia dela a corporação industrial norte-americana com maiores interesses na Alemanha. Era, no entanto, seguida de perto pela General Motors (GM), que possuía 54,8 milhões investidos na Opel AG, de Russelsheim, maior fabricante de automóveis do país. Em comparação, os interesses da Ford, avaliados em somente 8,5 milhões, eram relativamente modestos, assim como da IBM em sua subsidiária alemã Dehomag.[103] Outros interesses norte-americanos mais significativos, cada qual com cerca de 20 milhões de dólares, incluíam a Woolworth, a fabricante de máquinas de costura Singer e a ITT, entre cujos interesses na Alemanha estava a Conrad Lorenz, um dos fornecedores mais importantes de equipamento de rádio e eletrônica da Luftwaffe. Os norte-americanos não eram os únicos estrangeiros interessados na indústria alemã. Multinacionais britânicas e holandesas, como a Anglo-Persa (BP) e a Royal Dutch Shell (anglo-holandesa), tinham importantes interesses no refino e distribuição de petróleo na Alemanha. A empresa britânica de pneumáticos Dunlop tinha consideráveis investimentos na indústria alemã da borracha.[104] O conglomerado de indústria pesada ARBED, quintessencialmente europeu, tinha interesses significativos em carvão e nas fábricas de cabos Felten e Guilleaume, de ambos os lados da fronteira. Todos esses investimentos industriais lucraram de várias maneiras com a recuperação econômica de Hitler. Quanto mais se afastavam de suas matrizes estrangeiras e mais estreitamente colaboravam com o regime, melhores eram seus resultados. Por sua parte, o regime, especialmente, nos primeiros anos, fez grande esforço para tranquilizar os representantes da Ford, GM e ITT quanto à sua situação na Alemanha. Wilhelm Keppler aconselhou a ITT a nomear para sua diretoria o barão von Schroeder, um dos organizadores da ascensão de Hitler ao poder, em janeiro de 1933.[105] A gerência da fábrica da Ford, em Colônia, era extremamente pró-nazista e a Opel, provavelmente, lucrou mais com a motorização levada a efeito por Hitler do que qualquer outro fabricante de automóveis.

Mesmo reconhecendo esse importante envolvimento estrangeiro no surto de prosperidade nazista, não se pode ignorar o fato de que o total acumulado do investimento direto na Alemanha empalidecia diante dos bilhões devidos e não pagos a bancos norte-americanos e europeus e a portadores de títulos. E, na questão crucial da repatriação do capital investido ou dos lucros obtidos, os investidores diretos não tinham melhor tratamento do que outros titulares de dívidas alemãs. Todos eram sujeitos aos mesmos controles cambiais que somente possibilitavam a troca de *reichsmarks* por moeda estrangeira mediante descontos punitivos. Em certo ponto, num esforço desesperado para liquidar seu investimento na IG Farben, a Du Pont colocou à venda, por menos de 300 mil dólares, ações que valiam 3 milhões, em 1929.[106] A ICI britânica, finalmente, conseguiu vender suas ações da IG Farben, mas somente após prolongadas negociações e sendo obrigada a aceitar um complicado *swap* que envolvia ações da filial suíça da IG. Não admira que uma vez dissipado o pânico inicial, a maioria dos investidores com interesses na Alemanha tenha preferido não reclamar e reinvestir os lucros obtidos. Nesse sentido, estavam sujeitos à mesma lógica do restante das empresas alemãs. Mesmo que não conseguissem distribuir os lucros da maneira costumeira, pelo menos, realizavam vigorosa acumulação de capital.

VII

Na metade da década de 1930, os resultados dessa multidão de negociações e compromissos eram altamente satisfatórios para o regime de Hitler. Em vez de causarem obstáculos à mudança política, como ocorrera na primeira revolução alemã, entre 1918 e1919, as grandes empresas, em muitos aspectos, se tornaram sócias da Revolução Nacional de Hitler. Sem dúvida, as autoridades políticas conservavam a iniciativa. Às vezes, ela vinha de Schacht, do

Ministério de Assuntos Econômicos do *reich* ou do Reichsbank. Em certos casos vinha do Ministério da Aeronáutica, de Göring, ou de outros ramos das forças armadas. Outras vezes, os iniciadores eram Wilhelm Keppler e sua equipe especial para assuntos de matérias-primas. No entanto, em praticamente todos os contextos, mesmo naqueles em que poder-se-ia esperar alguma resistência, os representantes do regime encontraram colaboradores ativos no mundo dos negócios da Alemanha. O programa de autarquia, o rearmamento e, até mesmo, a massa de novas agências reguladoras, tudo isso foi apoiado e estimulado por conhecimentos gerenciais fornecidos graças à indústria alemã. Hitler ficou famoso por dizer que não era necessário nacionalizar as empresas do país caso fosse possível nacionalizar a própria população. Sem dúvida, no que toca à elite gerencial, um dos mais importantes segmentos da população, o regime encontrou sócios bem-dispostos.

4

Volksgemeinschaft com parcimônia

EMBORA, EM ÚLTIMA ANÁLISE, A MOTIVAÇÃO DE Hitler fosse uma visão apocalíptica de destruição nacional, ele também nutria uma ideia mais convencional de progresso e riqueza nacional.[1] Quando um jornalista pediu-lhe que revelasse seus objetivos políticos ulteriores, Hitler delarou simplesmente: "Tenho a ambição de fazer o povo alemão rico e a Alemanha bela. Quero levantar o padrão de vida dos indivíduos."[2] Sem dúvida, ele considerava esse propósito uma visão abrangente de prosperidade nacional para todos os *Volksgenossen* (camaradas raciais). O Terceiro Reich homenageava os trabalhadores alemães e sua contribuição à comunidade racial como nenhum outro regime político anterior. Nesse aspecto, a linguagem oficial da Alemanha nazista estabeleceu padrões bastante diferentes dos da República de Weimar, sem falar na monarquia dos Kaisers. No fundo, o sonho de Hitler era, sem dúvida, coletivista. Mas ele ridicularizava a "ideologia da frugalidade" e o "culto do primitivismo", disseminado pelos bolcheviques. O povo alemão merecia coisa melhor. Precisava ser elevado a um nível mais alto de vida, mais adequado à visão da *Volksgemeinschaft* racial (comunidade racial) como comunidade de valor racial superior. Nas palavras da Frente Trabalhista Alemã, o "objetivo político final" do nacional-socialismo era assegurar que "o *Volk* obtenha um estilo de vida correspondente a sua capacidade e ao nível de sua cultura". O problema fundamental era o enorme hiato entre essas elevadas aspirações e a realidade da Alemanha. Pelos padrões da época, sem falar nos do restante do século XX, a Alemanha das décadas de 1920 e 1930 não era uma sociedade rica. E para evitar confusão, talvez valha a pena acentuar que isso não era um efeito de curto prazo da Grande Depressão. O problema da desigualdade econômica internacional era mais profundo.

Tabela 3. A Alemanha na economia mundial na década de 1930 (médias 1924-1935)

	Vista a partir da década de 1930 (Colin Clark)				Vista de 2001 (Angus Maddison)			
	Renda nacional total, milhões de unidades internacionais ($)	Unidades internacionais *per capita*	Renda nacional total em relação aos EUA=100	Renda *per capita* em relação aos EUA=100	PIB total em milhões 1990 Geary-Khamis internacionais	PIB *per capita*	PIB total em relação ao dos EUA	PIB *per capita* em relação ao dos EUA
Estados Unidos	66.203	542	100	100	727.803	5.963	100	100
Canadá	5.084	494	8	91	44.787	4.347	6	73
Grã-Bretanha	21.854	477	33	88	242.385	5.287	33	89
Suíça	1.917	476	3	88	23.877	5.922	3	99
Nova Zelândia	691	468	1	86	7.142	4.839	1	81
Austrália	2.543	399	4	74	32.395	5.091	4	85
Holanda	2.624	335	4	62	41.443	5.289	6	89
França	12.480	302	19	56	177.404	4.287	24	72
Dinamarca	1.008	285	2	53	17.734	5.006	2	84
Alemanha	17.580	271	27	50	243.983	3.762	34	63
Bélgica	2.033	253	3	47	38.842	4.832	5	81
Áustria	1.613	242	2	45	22.103	3.314	3	56
Tchecoslováquia	2.680	193	4	36	38.091	2.318	5	39
Hungria	1.205	177	2	33	19.975	1.796	3	30
Grécia	922	145	1	27	14.304	2.261	2	38
Itália	5.320	131	8	24	119.207	2.934	16	49
Polônia	3.428	122	5	23	51.620	1.204	7	20
Romênia	1.471	104	2	19	17.027	1.239	2	21
Bulgária	524	87	1	16	7.623	2.736	1	46
União Soviética	14.710	87	22	16	255.719	1.461	35	25

Fontes: A. Maddison, "Quantifying and Interpreting World Development: Macromeasurement before and after Colin Clark", *Australian Economic History Review*, 44 (2004), 1-34; Maddison, *The World Economy: A Millenial Perspective* (Paris, 2001).

I

Em 1938, o prestigioso periódico *Welwirtschaftliches Archiv*, de Hamburgo, publicou um artigo de Colin Clark, jovem australiano que estava construindo reputação como um dos principais estatísticos econômicos do mundo.[3] O título do trabalho de Clark era "Comparação internacional da renda nacional" e sua importância devia-se a Clark ter feito o primeiro esforço sistemático para ir além de uma simples tradução de estimativas de renda nacional, utilizando taxas de câmbio correntes, passando a considerar a complexa questão da paridade do poder de compra.[4] Seu trabalho pioneiro estabeleceu um quadro que tem sido ampliado e refinado, mas não substancialmente modificado ao longo de 70 anos de pesquisas subsequentes. Em termos de renda *per capita*, Clark estimou que a Alemanha tinha um padrão de vida igual à metade daquele dos Estados Unidos e, pelo menos, um terço inferior ao que prevalecia na Grã-Bretanha. Com base em trabalhos realizados nos últimos 30 anos, podemos tornar esse dados comparáveis, não apenas através do espaço, mas também através do tempo.[5] Em termos do final do século XX, a renda nacional alemã *per capita* em 1935 (cf.p.138) chegava a aproximadamente 4,5 mil dólares, em comparação com a atual renda *per capita* do país, em torno de 20 mil dólares. Na classificação de desenvolvimento econômico de hoje, a Alemanha do Terceiro Reich (cf p. 138) estaria junto com a África do Sul, o Irã e a Tunísia. Naturalmente, essa comparação é um tanto forçada porque o Irã e a África do Sul do início do século XXI têm a possibilidade de importar a alta tecnologia de sociedades mais avançadas, sejam reatores nucleares, computadores ou aviões a jato, em condições que não estavam à disposição da Alemanha de Hitler. A comparação é, portanto, favorável à situação da Alemanha, mas mesmo assim é sugestiva ao apontar para a natureza altamente desigual do desenvolvimento econômico alemão, na década de 1930.

O hiato entre a Alemanha e os Estados Unidos foi a descoberta menos surpreendente de Clark. Na década de 1920, os elementos-padrão do consumo de massa do século XX — o automóvel, a geladeira e o rádio — já estavam estabelecidos como norma nos Estados Unidos, numa época em que o acesso às mesmas mercadorias era restrito a um círculo limitado da classe média alta na Europa.[6] Como assinalou Hitler em seu "Segundo Livro", esse grande diferencial no padrão de vida não poderia ser entendido sem referência à abundância de recursos naturais e à vasta escala de mercados consumidores nos Estados Unidos. Essas condições estimulavam avanços dramáticos nas tecnologias de manufaturas, o que permitia à média dos norte-americanos atingir um nível material de vida com o qual as pessoas comuns na Europa somente podiam sonhar. As origens do "sistema norte-americano" datam de, pelo menos, meados do século XIX e do início da produção em massa de rifles nos arsenais do governo dos Estados Unidos.[7] Mas, à medida que o novo século avançava, a ideia de fabricação em massa foi sendo progressivamente estendida a máquinas cada vez mais complexas, dos rifles às máquinas de costura, destas às bicicletas e das bicicletas aos automóveis. No início da década de 1920, era, principalmente, o Modelo T da Ford que personificava o triunfante progresso em direção a uma nova era de produção industrial. Em suas fábricas de automóveis, em Highland Park, e depois no rio Rouge, em Detroit, Henry Ford lançou os elementos essenciais do que, em breve, seria conhecido como "fordismo": linha de montagem de alta velocidade transportada em esteiras; o uso de novos tipos de ferramentas de produção de grande volume, principalmente, prensas e tornos automáticos; a utilização, sempre que possível, de maquinaria de finalidades especiais, projetada, especialmente, para otimizar a produção de determinados produtos padronizados; um esforço decidido para baixar o custo de matérias-primas e componentes por meio da integração vertical desde a matéria-prima até a montagem final; o uso de grande quantidade de mão de obra semiespecializada e não especializada; e um arranjo de oficina no qual níveis extremos de esforço eram trocados por salários estarrecedores. O resultado final era um produto padronizado, fabricado em massa a um custo extraordinariamente baixo. Os carros de Ford eram tão baratos e o nível de remuneração de seus operários tão elevado que a própria força de trabalho fornecia um importante mercado para os veículos que produzia, situação praticamente impensável na Europa.

Seria ingênuo, naturalmente, considerar Ford de maneira simplista. Henry Ford nada mais era do que um propagandista.[8] A indústria europeia do início do século XX, certamente, não ignorava as técnicas de produção em massa.[9] A IG Farben, a Vereinigte Stahlwerke, a Siemens e a AEG eram empresas integradas verticalmente, que rivalizavam com suas correspondentes norte-americanas e aproveitavam a produção em massa de artigos que iam de corantes têxteis a produtos farmacêuticos, folhas de metal e lâmpadas elétricas.[10] Na linha imediatamente abaixo dessas empresas gigantescas, havia literalmente centenas de pequenos produtores na Alemanha que fabricavam em massa desde parafusos a lamparinas a gás e sanfonas.[11] A macabra matança da Primeira Guerra Mundial teria sido impossível não fosse o fato de que os beligerantes eram capazes de produzir meios de destruição em massa e em enorme escala. Talvez, mais notavelmente, em 1918, a Grã-Bretanha, a França, a Alemanha e a Itália competiam na produção de aviões de combate, sem dúvida, a invenção mecânica mais espetacular do início do século XX.[12] Entre 1914 e 1918, a Alemanha, sozinha, produziu 47 mil aeroplanos de todos os tipos, recorde que não era, de forma alguma, inferior à produção norte-americana, que chegou ao auge, em 1918, com 14 mil aviões. Essas máquinas voadoras eram frágeis arranjos feitos de madeira, arame e lona impermeável. Mas eram, sem dúvida, máquinas complexas, movidas por motores que, somente 15 anos após o primeiro voo dos irmãos Wright, já eram 20 a 30 vezes mais possantes do que a pequenina máquina de 12 cavalos daqueles aviadores. Nada disso teria sido possível sem progressos extraordinários em metalurgia e equipamento que, de forma alguma, eram propriedade exclusiva de Detroit. Na vanguarda da metalurgia moderna, os europeus tinham a própria posição. Inegável era a imensa vantagem norte-americana na fabricação em massa. Segundo comparações contemporâneas, em meados da década de 1930, a vantagem de produtividade da América do Norte sobre seus rivais europeus era maior do que 2 para 1, na maioria dos ramos das manufaturas, e chegava até 4 para 1 e mesmo 5 para 1, na produção de veículos a motor e rádios[13]

O mais surpreendente, do nosso ponto de vista no século XXI, é a clara inferioridade da Alemanha em relação à Grã-Bretanha. Segundo Clark, não apenas esta última tinha uma renda *per capita* mais elevada do que a primeira, mas, em sua opinião, a economia britânica era maior do que a alemã, embora a população da Grã-Bretanha fosse muito menos numerosa. Essa conclusão foi modificada por cálculos mais recentes. Hoje acreditamos que, na década de 1930, a economia alemã era ligeiramente maior. No entanto, a afirmação de que a renda *per capita* na Alemanha era substancialmente mais baixa do que na Grã-Bretanha mostrou-se sólida. O desnível não podia ser atribuído a diferenças qualitativas na produtividade dos setores manufatureiros alemão e britânico.[14] Em quase todos os setores industriais, as firmas de ambos os países se equiparavam. O que reduzia a renda alemã era o amplo e ineficiente setor agrícola e a quantidade substancial de pequenas oficinas no setor de ofícios e serviços. Na década de 1930, a produtividade *per capita* na agricultura alemã era equivalente apenas à metade da indústria, numa época em que mais de 9 milhões de pessoas ainda se ocupavam da agricultura.[15]

Naturalmente, os alemães comuns não teriam conhecido as estimativas estatísticas mais recentes. Mas os algarismos de Clark, simplesmente, confirmaram o que, na época, o bom-senso indicava. Nas décadas de 1890 e 1900, a Alemanha dos Kaisers alegrava-se com a ideia de que estava rapidamente se aproximando da Grã-Bretanha.[16] Embora essa fosse, sem dúvida, uma boa notícia, também significava um reconhecimento do atraso relativo da Alemanha. Depois da Primeira Guerra Mundial, da hiperinflação e da imposição de um punitivo regime de reparações, bastava o bom-senso para perceber que o desenvolvimento econômico alemão ficaria atrasado durante décadas. Essa convicção era tão sólida que os indícios estatísticos, do contrário, foram acolhidos com exclamações de raiva e descrença.[17] Em geral, acreditava-se que os trabalhadores britânicos tinham padrão de vida mais elevado do que seus correspondentes germânicos, fato que muitos atribuíam ao crônico subemprego na indústria da Grã-Bretanha, na década de 1920. A notável prosperidade das classes médias britânicas no período do entreguerras não teve paralelo na Alemanha. Além disso, a impressão de poderio econômico da Grã-Bretanha era multiplicada devido a suas possessões coloniais. Aos alemães parecia que, tanto a Grã-Bretanha quanto as demais potências coloniais, junto com os Estados Unidos, exerciam um domínio sobre as matérias-primas do mundo.[18] Embora, naturalmente, a Alemanha possuísse empresas gigantescas, as multinacionais do setor bancário londrino, as empresas petrolíferas e as corporações no setor da borracha resumiam a fantástica influência global do capitalismo moderno. Dada a posição da Alemanha de hoje como uma das nações mais ricas e poderosas do mundo, é difícil compreender esse sentimento de inferioridade tão profundamente arraigado. Sem ele, porém, é impossível entender a sensação de pobreza desesperançada que afligia o debate público na Alemanha durante o período do entreguerras. E é contra esse pano de fundo que devemos considerar as aspirações materiais de Hitler para a *Volksgemeinschaft*.

Se tivermos de penetrar nas vidas cotidianas dos alemães comuns, precisaremos descer das alturas abstratas da contabilidade nacional comparativa. Na década de 1930, os salários por hora da maioria dos alemães não era fixado em *reichsmarks*, e muito menos em dólares da década de 1990 ajustados segundo a paridade do poder de compra, e sim em *pfennigs*. Somente os operários mais bem pagos, como os operadores qualificados de máquinas ou tipógrafos ganhavam mais de um *reichsmark* por hora. Na outra extremidade da escala, os trabalhadores do sexo masculino com salários mais baixos nas serrarias e indústrias têxteis tinham salários de 59 *pfennigs*.[19] As mulheres operárias sem qualificação nas indústrias têxteis ou de alimentos não podiam esperar mais do que 42 a 45 *pfennigs*. Em 1936, com a economia alemã em situação de pleno emprego, 14,5 milhões de pessoas, equivalentes a 62% de todos os contribuintes do fisco, declararam rendas anuais inferiores a 1,5 mil *reichsmarks*, correspondentes a vencimentos semanais de pouco mais de 30 *reichsmarks* ou salários por hora de cerca de 60 *pfennigs*.[20] Outros 21%, ou 5 milhões de trabalhadores administrativos e industriais, declararam rendas anuais entre 1,5 mil e 2,4 mil *reichsmarks* (vencimentos semanais entre 30 e 50 *reichsmarks*). Somente 17% de todos os contribuintes declararam renda superior a 2,4 mil *reichsmarks*, ou 50 por semana. Essa pirâmide de rendimentos era, claramente, dividida por classe social e gênero. Os trabalhadores industriais do sexo masculino ganhavam, em média, 1.761 *reichsmarks* líquidos, em 1936, enquanto que as mulheres operárias percebiam somente 952. Os homens empregados em serviços administrativos recebiam em média 3 mil *reichsmarks*, quase o dobro de suas correspondentes femininas. Não é fácil passar das rendas individuais para a soma dos salários por família. No entanto, os números citados dão certa indicação da possível amplitude de variação. Uma família do operariado industrial na qual tanto um homem quanto uma mulher trabalhassem, podia considerar-se afortunada se conseguisse renda de pouco mais de 2,7 mil *reichsmarks* por ano. Em contraste, uma família empregada em serviços administrativos poderia ter uma renda conjunta de mais de 4 mil *reichsmarks*, por meio da soma de um salário masculino médio com uma segunda renda, talvez de uma filha solteira.

A verdadeira significação dessas modestas quantias surge quando são comparadas com os preços pagos pelas famílias alemãs pelos artigos de necessidade básica.[21] Um quilo de pão preto custava 31 *pfennigs*, na década de 1930, o equivalente a meia hora de trabalho para muitos trabalhadores alemães de baixos salários. A batata era o principal alimento da classe operária alemã. Cinco quilos custavam somente 50 *pfennigs*. Um quilo de toucinho valia meio dia de trabalho, a 2,14 *reichsmarks*. A manteiga era extraordinariamente cara. Em 1936, o preço de 1 kg era de 3,10 *reichsmarks.* Duzentos e cinquenta gramas de manteiga custavam mais do que o salário de uma hora. A expressão "chorar o leite derramado" assume novo sentido quando verificamos que 1 litro do precioso líquido valia 25 *pfennigs.* A 1,44 *reichsmarks* a dúzia, os ovos não podiam ser considerados baratos. E, até mesmo, a cerveja, que, no varejo, custava 88 *pfennigs* o litro, tinha peso considerável no orçamento da classe trabalhadora. Não admira que a maioria dos alemães subsistisse com uma dieta monótona de pão e geleia, batatas, repolho e carne de porco, e bebesse água e pequenas quantidades de leite e cerveja. Daí o termo pejorativo "Kraut" (repolho), que designava popularmente os alemães na França e na Inglaterra. Eram também ávidos consumidores de café e seus substitutos, num total de quase 5 kg por ano. Eram também fumantes constantes, consumindo dois cigarros por cabeça por dia. A somente 3 *pfennigs* a unidade, os cigarros eram um luxo que, até mesmo, os mais pobres podiam apreciar. Em geral, os gastos com alimentação, bebidas e tabaco representavam nas famílias da classe operária entre 43% e 50% da média dos orçamentos familiares.[22] Os aluguéis consumiam outros 12%, o que significa que a despesa média com moradia para as famílias operárias alemãs era de apenas 24 *reichsmarks* mensais. Outros 5% pagavam as contas dos serviços públicos. Com isso, restava um total de apenas 67 *reichsmarks* mensais por família de quatro pessoas para todas as demais despesas, como vestuário, equipamento para o lar, transporte, saúde, seguros e gastos sociais e de educação. Um par de sapatos masculinos valia 10 *reichsmarks.* Uma meia-sola custaria 4 *reichsmarks.* Não seria possível comprar calçados para crianças por menos de 6 *reichsmarks*, salário diário da maioria dos trabalhadores. Quando o dono da casa precisava de uma roupa nova, isso consumia praticamente toda a renda disponível da família.

Claramente, na Alemanha de Hitler, somente uma pequena minoria da população vivia em circunstâncias que, hoje em dia, consideraríamos confortáveis.[23] Isso ficou também confirmado pelos estudos comparativos internacionais. Em 1929, a companhia Ford encomendou uma pesquisa sobre os salários necessários em cada um de seus 14 locais de atividade na Europa a fim de que os operários pudessem chegar a um padrão de vida comparável com os do grau mais baixo de remuneração em Dearborn.[24] A pesquisa foi realizada pelo Escritório Internacional do Trabalho, em Genebra, com ajuda financeira dos Estados Unidos, e o resultado mostrou a extensão do hiato que separava a América da Europa. Talvez não fosse surpresa, numa comparação entre os amplos espaços do meio-oeste dos Estados Unidos com as superpopulosas cidades europeias, que a mais gritante diferença fosse relativa à moradia. Até mesmo os trabalhadores menos bem pagos em Detroit consideravam normal um apartamento de quatro cômodos com dependências de serviço. Isso causou certo embaraço aos pesquisadores em Berlim e Frankfurt porque essas acomodações tão amplas "em geral não são ocupadas por operários". O aluguel anual de um apartamento básico daquelas dimensões custaria pelo menos 1.020 *reichsmarks*. Se contasse com as instalações de serviço comuns nos Estados Unidos, como banheiro e cozinha separados, privada interna e água corrente, o aluguel poderia chegar a 1.380 *reichsmarks*. Isso equivalia, aproximadamente, a quatro vezes o que uma família operária equivalente na Alemanha, na verdade, gastava com moradia. No total, para se equiparar ao padrão de vida de Detroit, tanto em Frankfurt quanto em Berlim, no início da década de 1930, seria necessária uma renda entre 5.380 e 6.055 *reichsmarks*, importâncias muito além dos sonhos mais desvairados da maioria dos trabalhadores alemães.

Para qualquer pessoa com conhecimentos normais de economia moderna, a solução dos problemas da Alemanha era óbvia. A fim de escapar de sua relativa pobreza, a Alemanha precisava de crescimento econômico generalizado, um crescimento movido a progresso tecnológico e acumulação de capital tanto humano quanto físico. Isso permitiria o aumento da produtividade do trabalho, salários mais altos e preços mais baixos por artigos de alta qualidade, propiciando um aumento geral do padrão de vida. Com base na tendência de longo prazo de seu crescimento, no sentido mais mecânico, a Alemanha estava atrasada de 25 a 30 anos em relação aos Estados Unidos. Sem dúvida, havia vozes dentro e fora do Terceiro Reich que adotavam essa visão.[25] Na década de 1920, já se falava comumente em "produtivismo" e "racionalização".[26] Uma vez recuperada da recessão e tão logo os mercados de trabalho começaram a se tornar mais escassos em meados da década de 1930, a indústria alemã dedicou-se ativamente à racionalização e investimento em novos equipamentos de capital. No início da década de 1940, como veremos, a indústria beneficiava-se de um recrudescimento do investimento como nunca houvera em sua história. O regime nazista também deu atenção especial a seu "capital humano". Na década de 1920, debateu-se intensamente a melhoria do sistema de treinamento industrial. A partir de

1933, a aprendizagem e o treinamento no próprio local de trabalho receberam maciço apoio estatal. Entre outros requisitos, foi preciso criar uma força de trabalho de metalúrgicos inteiramente nova para as fábricas que serviam à Luftwaffe. Em consonância com a revalorização retórica da mão de obra alemã, o Terceiro Reich estabeleceu a norma de que cada jovem alemão deveria aspirar, no mínimo, ao status de operário semiespecializado.[27] Não se tratava de simples palavras. Em 1939, somente 30 mil rapazes egressos das escolas entraram para a força de trabalho como operários não qualificados, comparados com 200 mil, em 1934. Para muitas famílias da classe trabalhadora, as décadas de 1930 e 1940 foram períodos de verdadeira mobilidade social, não no sentido de ascensão à classe média, porém, dentro da hierarquia do operariado, o que levou um autor a falar na "desproletarização" da classe trabalhadora alemã.[28]

Mas, embora o Terceiro Reich não rejeitasse o produtivismo e a racionalização, esse aspecto, por si só, não é suficiente para permitir o entendimento do pensamento nazista sobre a economia. Tampouco é possível compreender o meio intelectual mais amplo no período entre as duas guerras. Nunca é demais ressaltar que, no início da década de 1930, a Alemanha acabava de experimentar quase 20 anos nos quais o declínio econômico e a insegurança haviam sobrepujado em muito a sensação de prosperidade e progresso econômico. Ao longo da década anterior, a integração econômica internacional havia provocado crise. O investimento levara à insolvência. Centenas de milhares de jovens que tinham embarcado esperançosos em aprendizados ou em busca de graus universitários viam-se perdidos no desemprego. À luz dessa experiência, não era preciso ser ideólogo radical de direita e nem paranoico antissemita para duvidar da eficácia da doutrinal liberal de progresso.[29] Os alemães sempre haviam trabalhado com afinco. Poupavam e investiam diligentemente. Sua tecnologia industrial não tinha rival, pelo menos, na Europa. No entanto, a Alemanha não era um país rico. Diante disso, que motivo poderia haver para acreditar que o país pudesse em breve regressar a uma trilha de progresso constante, na qual parecia haver estado nos anos felizes anteriores a 1914? Os economistas profissionais tampouco ofereciam consolo.[30] Naturalmente, havia os que aderiam firmemente ao otimismo liberal do século XIX. Na década de 1930, no entanto, essas não eram as vozes mais altas. Os economistas alemães que meditavam sobre temas de crescimento de longo prazo tendiam a concordar com Rosa Luxemburgo, ao argumentar que a busca de expansão industrial levaria a uma competição cada vez mais feroz por mercados de exportação, rivalidade que forneceu tanto a Stresemann quanto a Hitler a principal explicação para o desastre da Primeira Guerra Mundial.[31] Os defensores da "nova economia", da década de 1930 não eram mais otimistas. Ao contrário da popularização de sua obra no pós-guerra, o Keynes da década de 1930, não era o apóstolo do crescimento. Sua *Teoria Geral*, de 1936, mostrava as formas pelas quais as economias empacadas em depressões deflacionárias poderiam ser ajudadas na recuperação por meio da política fiscal dos governos. Não era uma fórmula mágica para o crescimento econômico. Com efeito, Keynes e muitos de seus principais acólitos nos Estados Unidos eram céticos quanto à possibilidade de expansão econômica sustentável no longo prazo.[32]

Esse pano de fundo é essencial para podermos compreender a recusa de Hitler em aceitar o evangelho liberal do progresso econômico. O crescimento não podia ser tomado como inevitável e Hitler, de forma alguma, foi o único a afirmá-lo. Como vimos, a doutrina da vida econômica como campo de batalha já estava plenamente formada no *Mein Kampf* e no "Segundo Livro" de Hitler. A depressão subsequente somente estimulou essa visão darwinia-

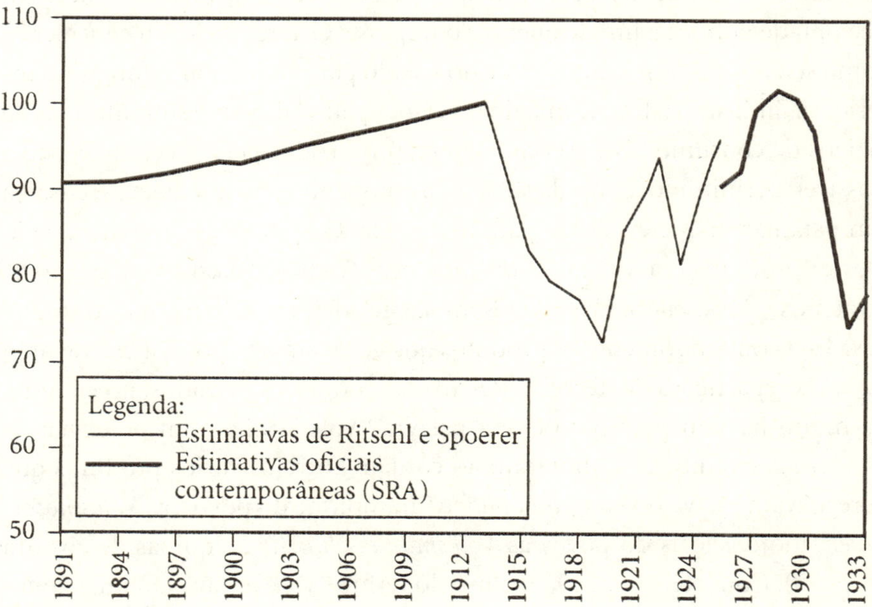

Gráfico 7. Quarenta e dois anos de progresso econômico da Alemanha, de 1891 a 1933 (renda nacional *per capita*, 1913 = 100)

na. Dada a densidade populacional da Alemanha e a insistência do *führer* na inevitabilidade do conflito decorrente do crescimento de exportações, a conquista de novo *Lebensraum* era, sem dúvida, uma forma de elevar o nível da renda *per capita* da Alemanha. Dificilmente, Hitler poderia ser mais enfático ou mais coerente em sua defesa dessa posição. Como vimos, ele fez questão de reiterar essa convicção logo nos primeiros dias de seu governo, em 1933. Uma política externa agressiva, baseada na força militar, era a única base real de prosperidade econômica.

No curto prazo, no entanto, havia intervenções políticas específicas que podiam ser efetuadas para remediar os prejuízos causados ao padrão de vida alemão por muitos anos de preconceito e negligência. Hitler e seus acólitos estavam firmemente convencidos de que o desenvolvimento do padrão de vida na Alemanha tinha sido cerceado, desde 1918, por uma aliança diabólica formada entre burgueses liberais egoístas e socialistas primitivos.[33] Essa conspiração de baixas expectativas beneficiara somente a burguesia alemã, e, ao mesmo tempo escamoteara da maioria da população os benefícios plenos das novas tecnologias de produção em massa. Ford tinha tido a visão empresarial de romper com o passado e transformar em artigo popular o que antes fora um produto de luxo. Na Alemanha, fazia-se necessário um ato decisivo de vontade política a fim de quebrar o impasse. O Terceiro Reich considerou como sua missão usar a autoridade do Estado para coordenar esforços no interior da indústria a fim de imaginar versões padronizadas e simplificadas de artigos de consumo. Estes seriam, então, produzidos pelo preço mais baixo possível, permitindo à população alemã conseguir uma imediata ascensão a um patamar mais elevado de padrão de vida. O epíteto, geralmente, ligado a esses produtos era *Volk*: o *Volksempfanger* (rádio), *Volkswohnungs* (apartamentos), *Volkswagen*, *Volkskuhlshrank* (geladeira), *Volkstraktor* (trator).[34] Essa lista contém somente os produtos que gozavam do apoio oficial de uma ou mais repartições do Terceiro Reich. Os produtores privados, no entanto, há muito haviam percebido que a palavra "Volk" tinha bom potencial de *marketing*, e também se juntaram ao cordão. Entre os vários produtos que apregoavam estava o *Volksgramophone* (gramofone do povo), as *Volksmotorrader* (motocicletas do povo) as *Volksnahmaschinen* (máquinas de costura do povo). Com efeito, em 1933, o uso do termo "*Volk*" estava tão inflacionado que o recém-estabelecido conselho alemão de publicidade foi obrigado a proibir seu emprego sem licença.

Como veremos, a maioria dos *Volksprodukte* fracassaram. Não é difícil entender o motivo, dada a falta geral de poder de compra na Alemanha. No entanto, não devemos desprezar apressadamente esse esforço como simples consequência da irracionalidade do regime de Hitler.[35] Se quisermos fazer justiça ao Terceiro Reich, temos de procurar compreendê-lo segundo seus próprios termos. Não podemos esperar fazê-lo partindo da concepção atual de progresso econômico como algo de base ampla e eventual expansão ilimitada. Com o que sabemos sobre o desenvolvimento econômico da Alemanha, após 1945, podemos argumentar plausivelmente em favor da continuidade e irresistível força do crescimento econômico de longo prazo. Mas por que motivo essa visão seria plausível para os alemães, em 1933? Dada a convicção generalizada de que a intervenção política decisiva era responsável por provocar recuperação espetacular dos níveis de emprego, por que motivo não poderia ter o mesmo efeito dramático sobre o consumo?

II

O primeiro *Volksprodukt* anunciado pelo regime de Hitler, o rádio popular, foi, ao mesmo tempo, o de motivação política mais transparente e de longe o de maior êxito. Como vimos, Hitler fez o primeiro discurso pelo rádio como Chanceler, em 1º de fevereiro de 1933, poucos dias depois de assumir o poder. Naquele ponto, no entanto, havia somente 4,3 milhões de receptores de rádio licenciados na Alemanha, para uma população de 66 milhões. Somente um quarto das famílias alemãs poderiam ouvir a fala do *führer*.[36] Para que o rádio cumprisse o esperado papel de instrumento de propaganda, isso, sem dúvida, precisaria mudar. O principal obstáculo para uma maior disseminação do rádio era o preço. Os aparelhos mais baratos à venda, no início da década de 1930, custavam mais de 100 *reichsmarks*, soma claramente excessiva à luz dos números que acabamos de apresentar. Para que o rádio chegasse a atingir a massa da população, algo teria de ser feito para projetar e produzir um receptor mais em conta. Em maio de 1933, o Ministério da Propaganda tomou a iniciativa, celebrando um acordo com um grupo de industriais do rádio para promover a produção em larga escala de um novo tipo padrão de aparelho.[37] Teria de ser mais barato do que qualquer outro receptor previamente colocado no mercado, porém, de qualidade suficiente para permitir aos ouvintes receber estações regionais e as transmissões nacionais mais potentes. A fim de assegurar o nicho de mercado, os membros do cartel do rádio concordaram em não oferecer produtos competidores na mesma faixa de preço. O aparelho recebeu, orgulhosamente, o nome de *Volksempfänger* (VE) 301, numa alusão à nomeação de Hitler para o cargo de chanceler (30 de janeiro de 1933). O preço era de apenas 76 *reichsmarks*. Sem dúvida, para a família alemã média comprar um VE 301 era ainda um compromisso financeiro significativo. Assim, para tornar os aparelhos mais atraentes, diversas empresas de serviços públicos ofereceram esquemas de pagamento parcial, pelos quais era possível aos usuários adquiri-los mediante um pagamento inicial de somente 7,25 *reichsmarks*, seguidos de 18 prestações de 4,40 *reichsmarks*.[38] Goebbels lançou o VE 301 na exposição de rádios de Berlim, em agosto de 1933. Segundo o noticiário, todo o sortimento inicial foi vendido no primeiro dia. Foi feita, imediatamente, uma enorme encomenda adicional, e, nos 12 meses seguintes, mais de 650 mil *Voslksempfänger* foram vendidos, além de outros 852 mil entre 1934 e 35.[39] A indústria de rádios tornou-se uma das mais genuinamente bem-sucedidas na década de 1930, estimulando não apenas a produção eletrônica mas também a manufatura de caixas de baquelite e madeira. Em 1935, a indústria dos rádios mostrava todos os indícios de uma bolha especulativa. A produção superava a demanda, os estoques tinham crescido a níveis indesejáveis e três dos menores produtores, inclusive a Seibt, cujo principal engenheiro tinha sido responsável pelo *Volksempfänger*, entraram em liquidação.[40] Dali em diante, sob a liderança da Telefunken, principal produtora, os avanços foram mais constantes e, em 1937, a economia de escala era de tal ordem que o preço do VE 301 básico foi reduzido para 59 *reichsmarks*. Já, em 1938, a penetração dos rádios nas grandes cidades da Alemanha chegara a 70%. No campo, entretanto, os rádios continuavam a ser um luxo. A pobreza relativa da Alemanha ainda era, claramente, evidente pelas estatísticas comparativas. Na segunda metade de 1938, somente metade das famílias alemãs podia comprar um rádio, em comparação com 68% na Grã-Bretanha e 84% nos Estados Unidos.[41] Um ano depois, houve um grande avanço com a introdução de um novo modelo básico, o *Deutscher Kleinempfänger* (DKE), que custava somente 35 *reichsmarks*. Conhecido, popularmente, como "goela de Goebbels" (*Göbbels Schnautze*), o DKE podia ser considerado responsável por levar o rádio ao alcance de praticamente todas as famílias alemãs. Em 12 meses, foram vendidas um milhão de unidades e, mesmo durante a guerra, os negócios prosperaram. Nos oito anos entre 1934 e 1942, a penetração do rádio na Alemanha quase dobrou. Por outro lado, seria ingênuo atribuir isso simplesmente, ao programa *Volksempfänger*. Não deixou de ser observado que, fora da Alemanha, era possível comprar pelo mesmo preço um receptor muito superior manufaturado nos Estados Unidos.[42] O *Volksempfänger*, por outro lado, não era absolutamente competitivo nos mercados mundiais, e somente quantidades ínfimas encontraram compradores no exterior. É perfeitamente concebível, portanto, que, numa Alemanha livre das amarras dos controles cambiais de Schacht e aberta aos amplos benefícios do comércio internacional, a difusão do rádio tivesse sido ainda mais rápida. Não obstante, a ligação do *Volksempfänger* com o apogeu do rádio transformou-o no modelo para subsequentes produtos *Volks*.

Não pode haver dúvida de que, para Hitler, o automóvel era o grande símbolo do estilo de vida do consumidor moderno,[43] mas, no início da década de 1930, era ainda um luxo reservado a uma pequeníssima minoria da população alemã.[44] Em 1932, havia somente 486.001 automóveis licenciados em toda a Alemanha. Em Berlim, cidade de 4 milhões de habitantes, havia menos de 51 mil automóveis. Em comparação, as ruas de Berlim estão, hoje, congestionadas com 1,2 milhão de carros. Se imaginarmos uma rua de uma cidade moderna com 29 dentre cada 30 automóveis retirados do cenário, podemos ter uma impressão de como eram raros os veículos a motor na Alemanha nazista.[45] Em relação ao número de lares, havia um carro para cada 37 famílias, em 1933. Isso, no entanto, é enganador, porque dá a falsa impressão de que, na década de 1930, os automóveis eram primordialmente objeto de consumo familiar. Na verdade, somente uma pequena minoria de veículos licenciados se destinava exclusivamente ao uso pessoal. Na Alemanha de Hitler, a imensa maioria era usada para fins comerciais.

Mesmo antes do anúncio do *Volkswagen*, Hitler não escondia seu desejo de ver multiplicar o número de proprietários de automóveis. Ele foi o primeiro chanceler alemão a inaugurar a Exposição Internacional de Veículos em Berlim, e encontrou tempo para essa participação mesmo durante a frenética campanha de fevereiro de 1933. A importância por ele atribuída à motorização ficou clara com a declaração de que, "se antes procurava-se medir o padrão de vida de uma população pelo número de quilômetros de trilhos de estrada de ferro, no futuro isso será feito pelo número de quilômetros de estradas adequadas ao tráfego de automóveis".[46] Como Hitler bem sabia, em 1933 a Alemanha não atingira essa categoria. Nesse ano, somente 25% das principais estradas alemãs tinham superfícies rijas adequadas para elevado volume de tráfego rodoviário. Para remediar esse déficit, o projeto de *autobahn* foi anunciado no verão de 1934 e a responsabilidade pela construção e manutenção das rodovias nacionais foi consolidada nas mãos de Fritz Todt. Em abril de 1933, o regime anunciou também a abolição de impostos sobre todas as compras de carros novos. Antes de 1933, esses impostos eram os mais elevados da Europa e, pelo menos, dez vezes maiores do que os praticados em média nos estados dos Estados Unidos.[47] Não admira que o resultado fosse um considerável aumento da produção e aquisição. De um total de 486.001, em 1932, o número de automóveis licenciados mais do que duplicou, atingindo 1,271 milhão, em 1938. Como esses números sugerem, no entanto, a expansão da motorização tinha limites nítidos. No final da década de 1930, a Alemanha era ainda uma sociedade na qual possuir um automóvel era privilégio de uma pequena minoria.

Em comparação com a renda familiar média, os automóveis eram, simplesmente, caros demais. Em 1938, um estudo abrangente feito pelo *Institut für Konjunkturforschung* concluiu que o custo mínimo de adquirir um carro e utilizá-lo durante 10 mil quilômetros por ano era de 67,65 *reichsmarks* mensais.[48] Uma família de classe trabalhadora de quatro pessoas, com renda de 2,3 mil *reichsmarks* por ano, perceberia que após as despesas com alimentos, moradia e serviços públicos, possuir um automóvel consumiria integralmente os recursos disponíveis. Segundo o Escritório de Estatísticas do *reich*, a quantia realmente gasta por essa família "média" com transporte, em meados da década de 1930, seria de 17 *reichsmarks* por ano, computando as tarifas de transporte público e o custo de manutenção de bicicletas. Isso representava 1/30 da despesa necessária para o menos dispendioso dos automóveis. O estudo do Instituto revelou também os dois principais obstáculos para um preço mais barato de carros. O custo de capital para a compra do veículo significava 30% a 35% do custo mensal. O preço da gasolina era o outro fator principal.

No final da década de 1930, o preço de um litro de gasolina no Terceiro Reich era de 39 *pfennigs* (aproximadamente 1,70 dólares de 1990). A esse preço, uma família que fizesse uma excursão de 160 km num carro eficiente despenderia o equivalente a um dia inteiro de trabalho para o trabalhador alemão médio.[49] Somente uma fração desse preço exorbitante, no entanto, se devia ao preço de mercado da gasolina. Ao longo daquela década, por causa do excesso mundial de oferta de petróleo, o preço de um litro de gasolina no golfo do México variava entre 2 e 3 *pfennigs*, cerca de 10% do preço cobrado aos motoristas alemães. A gasolina podia ser comprada no porto de Hamburgo por até 5,13 *pfennigs* o litro, inclusive contando o custo do transporte. Os custos de distribuição e comercialização acrescentavam mais 13 *pfennigs*. Em outras palavras, o preço de custo da gasolina era, provavelmente, em torno de 20 *pfennigs* o litro, que era o valor pago pelos consumidores nos Estados Unidos.[50] O que determinava o custo real da gasolina no Terceiro Reich era a política. Nesse aspecto, o regime não era diferente da República de Weimar ou da maioria das sociedades europeias de hoje. Isso tem de estar presente em qualquer análise séria da política nazista em relação à motorização. Os impostos e a exigência legal de acrescentar álcool produzido domesticamente dobravam o preço da gasolina. Se a promoção da motorização tivesse sido a principal prioridade do regime de Hitler, o custo de operação para um pequeno carro familiar poderia ser reduzido em até 15%, mediante a abolição dos impostos. Isso, no entanto, era impossível. A argumentação da IG Farben triunfara. Muito mais importantes, estrategicamente, para o regime de Hitler do que a motorização popular eram os problemas do balanço de pagamentos e o projeto de autarquia em combustíveis a ele ligado, que exigia a elevação do preço da gasolina na Alemanha muito além dos níveis do mercado mundial. Na década de 1930, o custo da gasolina produzida na fábrica da IG Farben, em Leuna, era de 15 a 17 *pfennigs* o litro, o que implicava em, pelo menos, 30 *pfennigs* ao consumidor. Um imposto sobre o combustível importado era, portanto, indispensável para sustentar o ímpeto do programa do combustível sintético. Mas, à medida que a pressão sobre as finanças do *reich* crescia, durante a década de 1930, esse imperativo estratégico combinava-se com as necessidades mais óbvias do Ministério das Finanças. Os impostos sobre o petróleo importado eram uma significativa fonte de receita, no montante de 421 milhões de *reichsmarks*, em 1936, isto é, um terço da receita alfandegária total do Estado alemão. E, quando, em dezembro de 1936, a pressão sobre as finanças do *reich* aumentou ainda mais, até mesmo o combustível doméstico passou a ser submetido a uma taxa de, pelo menos, 4 *pfennigs* por litro.

A inegociabilidade do imposto sobre combustíveis foi o que obrigou os defensores da motorização em massa do regime de Hitler a se concentrar ainda com mais intensidade no custo do próprio carro. A indústria que se desenvolvera para satisfazer o magro mercado alemão para automóveis estava muito distante da potência que a indústria de veículos a motor do país iria se tornar na segunda parte do século XX.[51] A grande quantidade de pequenos produtores a custos elevados era sustentada por pesadas tarifas sobre veículos importados. Embora o "fordismo" fosse amplamente debatido nos círculos empresariais, a reduzida dimensão dos produtores alemães impedia que a maioria tivesse capacidade para chegar a economias de escala. A principal exceção era a Opel, que, desde 1929, era inteiramente de propriedade da General Motors. Ironicamente, não foi a Ford, mas sua grande rival, quem introduziu a metalurgia de produção em massa ao estilo da Ford.[52] E o aumento substancial de aquisição de automóveis a que o regime de Hitler presidiu, após 1933, foi em grande parte impelido por decisões de investimento tomadas pela GM em Detroit. Explorando a eficiência de sua moderníssima fábrica em Russelsheim, a Opel assumiu a liderança na introdução de uma nova geração de pequenos carros familiares, oferecendo uma boa combinação de desempenho, confiabilidade e conforto. E foi a Opel quem também assumiu a vanguarda em matéria de custos, reduzindo o preço de seu modelo P4 à quantia espetacular de apenas 1,45 mil *reichsmarks* na fábrica. Em 1936, automóveis na categoria inferior a 1,5 litros representavam 70% dos novos licenciamentos na Alemanha de Hitler, e, dos 150 mil vendidos nessa categoria, quase a metade era fabricada pela filial alemã da GM. Para a Opel, no entanto, 1,45 mil *reichsmarks* foi o limite. Como a esse preço os carros somente ficavam ao alcance de uma ínfima minoria da população alemã, era difícil perceber, em meados da década de 1930, de que maneira a indústria poderia, em breve, ingressar num verdadeiro mercado de massa. A completa motorização da sociedade alemã teria de esperar que o crescimento econômico seguisse sua trajetória, permitindo a gradual disseminação de poder de compra crescente a grupos cada vez mais numerosos da comunidade.

Mas Hitler ficou impaciente. Em 7 de marco de 1934, na segunda Exposição Internacional de Automóveis do Terceiro Reich, em Berlim, ele aproveitou a oportunidade não apenas para anunciar o programa nacional de combustíveis mas também para declarar sua intenção de lançar um carro popular.[53] Pensava, especificamente, em um veículo para famílias, com 30 cavalos de potência, capaz de transportar quatro pessoas com certo conforto, com o preço fixado na quantia extraordinariamente baixa de 1 mil *reichsmarks*. Não admira que a imprensa reagisse com entusiasmo a esse ousado projeto. A indústria automobilística, no entanto, entusiasmou-se muito menos. Dado o estado da tecnologia de fabricação e o custo da matéria-prima, ninguém podia imaginar a possibilidade de produzir um veículo adequado por menos do que 1mil *reichsmarks*. Tampouco era claro como o *reich* poderia prover a gasolina e a borracha necessárias para essa motorização em massa, devido aos problemas crônicos de balanço de pagamentos. Não obstante, à luz da grande excitação dos meios de comunicação, a Daimler-Benz e a Auto Union sentiram-se compelidas a iniciar negociações sobre o projeto do Volkswagen. As duas principais firmas produtoras de propriedade alemã temiam que, de outra forma, o regime pudesse recorrer à obrigatoriedade ou, até mesmo, que fizesse algum arranjo com Detroit. Por isso a Daimler-Benz e a Auto Union acertaram com a Associação da Indústria Automobilística Alemã estabelecer um grupo conjunto de pesquisa, chefiado por Ferdinand Porsche, a fim de explorar a possibilidade de satisfazer as exigências de Hitler.

Porsche era, sem dúvida, um engenheiro inspirado e tinha excelente relacionamento com Hitler, baseado no entusiasmo de ambos pelos esportes motorizados. O que o recomendava, especialmente, à indústria automobilística era o fato de que ele, aparentemente, concordava com a atitude básica em relação ao projeto do Volkswagen. Pretender produzir um automóvel familiar de alta qualidade por menos de 1,2 mil *reichsmarks* era simplesmente irrealista. A indústria imaginou que Porsche era o homem indicado para convencer Hitler desse inescapável limite econômico. Os construtores, no entanto, subestimaram tanto a determinação inflexível de Hitler e a força implacável da ambição de Porsche. Em vez de recuar, Hitler renovou seu comprometimento com o Volkswagen no discurso inaugural da Exposição Internacional de Automóveis, em fevereiro de 1935. Mais tarde, no mesmo ano, Porsche iniciou os testes de estrada do primeiro protótipo do "fusca". Previsivelmente, no entanto, ele não conseguira resolver o problema do custo. Em correspondência confidencial, orçou o preço de venda do VW entre 1,4 mil e 1,5 mil *reichsmarks*, isto é, não mais barato do que a mais recente oferta da Opel. Porsche, no entanto, não desistiria facilmente. Trabalhando, aceleradamente, nos protótipos e com a Opel aumentando a pressão ao anunciar nova rodada de reduções de preços para seus modelos básicos, ele começou, ativamente, a fazer intrigas contra seus chefes na indústria de veículos. Em janeiro de 1936, Porsche convidou Hitler para o primeiro passeio experimental oficial do VW, sem sequer informar a Associação Automobilística. Esta reagiu com um relatório que criticava o projeto de Porsche e revelava que o preço corrente do carro era de 1,6 mil *reichsmarks*. Hitler despejou sua fúria não contra Porsche e sim contra a indústria, num discurso feito na abertura da Exposição Internacional, em fevereiro de 1936. Após reiterar sua convicção de que somente o gênio técnico poderia levar à motorização em massa, Hitler atacou a indústria automobilística alemã, acusando-a de haver inconscientemente sucumbido à uma visão elitista do automóvel como artigo dispendioso de luxo. Simplesmente, não era aceitável que a Alemanha, com metade da população dos Estados Unidos, tivesse 50 vezes menos veículos. Ninguém deveria duvidar da determinação do governo nacional-socialista em levar o projeto VW a uma conclusão bem-sucedida.[54] Afirmou haver assegurado a Porsche que, se necessário, o projeto seria levado adiante por decreto, mesmo contra a resistência da indústria. O preço-alvo seria conseguido por meio de um corte compulsório no custo do aço e do alumínio que Porsche comprava.

Em julho de 1936, o projeto começou, definitivamente, a escapar das mãos da indústria alemã. Após uma demonstração bem-sucedida no Obersalzberg, em 11 daquele mês e ano, Hitler resolveu que o carro de Porsche seria construído, não em alguma das fábricas existentes na Alemanha, e sim em uma nova instalação especial. O *führer* afirmou que esta poderia ser construída por 80 a 90 milhões de *reichsmarks*. A fábrica teria capacidade para produzir 300 mil automóveis por ano e as primeiras entregas seriam feitas a tempo para a Exposição Internacional, no início de 1938. Diante da impossibilidade de cumprir o objetivo de um preço de venda de 1 mil *reichsmarks* em condições comerciais, aparentemente, a indústria automobilística alemã ficou, em geral, satisfeita ao ver Porsche e seu preocupante projeto transferidos para o setor estatal. Como projeto comercial o VW não era viável. Uma fábrica organizada mediante o recrutamento compulsório das empresas privadas, como fora feito com a Brabag, prejudicaria a indústria inteira. Era melhor usar recursos públicos, aliás, os fundos da Frente Trabalhista Alemã (DAF). Essa sugestão parece ter vindo de Franz Joseph Popp, fundador da BMW, que era também membro da junta supervisora da Daimler-Benz. Popp sugeriu que a DAF assumisse o projeto Volkswagen como não destinado ao lucro. Essa classificação proporcionaria à fábrica concessões fiscais que ajudariam a reduzir o preço final do carro. O mais importante, do ponto de vista da indústria, era que isso limitaria as vendas do VW exclusivamente aos operários filiados a DAF, reservando, assim, o lucrativo mercado da classe média para os fabricantes privados. A diretoria da DAF aceitou de bom grado a oportunidade. Como, mais tarde, disse Robert Ley, líder da DAF, em 1937, o partido substitui a empresa privada devido ao "completo fracasso" desta última, por "falta de visão, malevolência, busca de lucros e estupidez".[55] Em maio de 1937, com pagamentos feitos a Porsche e sua equipe de projetistas num total de 1,8 milhão de *reichsmarks*, a indústria resolveu evitar mais prejuízos e rescindiu sua associação com o projeto VW. Em 28 de maio de 1937, Porsche e seus colegas fundaram a *Gesellschaft zur Vorbereitung des Deutschen Volkswagen mbH* (Gezuvor). Um ano depois, iniciou-se a construção da fábrica de Porsche, em Fallersleben, na Alemanha central. Em outubro de 1938, junto com Fritz Todt e os projetistas aeronáuticos, Willy Messerschmitt e Ernst Heinkel, Porsche recebeu a alternativa hitleriana ao Prêmio Nobel, o Prêmio Nacional Alemão.

O problema central, no entanto, continuava sem solução. Como poderia o Volkswagen ser produzido por um preço ao alcance da maioria dos alemães? A DAF afirmava em consonância com a ideologia nazista, que o carro seria agora promovido como um instrumento de política social e não para o lucro. No entanto, essa organização tampouco possuía um esquema coerente de financiamento do projeto. Desde o início, tinha ficado claro que os custos de capital para a construção da fábrica nunca poderiam ser ressarcidos com a venda de carros a 990 *reichsmarks* por unidade. O financiamento da construção teria, portanto, de ser feito por outros meios comerciais. A DAF, que havia herdado os importantes negócios operados pelos sindicatos alemães, tinha ativos estimados, em 1937, em cerca de 500 milhões de marcos. Recebia também um substancioso fluxo anual de contribuições de seus 20 milhões de membros. Mas as demandas da construção da fábrica eram grandes. Longe dos 80-90 milhões de *reichsmarks*, inicialmente imaginados por Hitler, o planejamento de Porsche vislumbrava agora a construção da maior fábrica de veículos do mundo. A primeira fase, que deveria atingir uma capacidade de 450 mil carros por ano, foi orçada em 200 milhões de *reichsmarks*. Na terceira e última etapa, a produção anual deveria chegar a 1,5 milhão de automóveis, suficiente para ultrapassar até mesmo as instalações de Henry Ford, em River Rouge. Um investimento dessa ordem trazia grande pressão à DAF. A parcela inicial de 50 milhões de *reichsmarks* para iniciar as obras somente pôde ser levantada por meio de uma venda apressada de prédios de escritórios e outros ativos dos sindicatos confiscados depois de 1º de maio de 1933. Mais 100 milhões foram obtidos mediante operações que comprometiam os recursos do banco da DAF e de sua empresa de seguros. Os carros propriamente ditos seriam comprados por meio do chamado "esquema de poupança VW": em vez de proporcionar empréstimos a seus clientes para a aquisição dos carros, a DAF recolhia as poupanças dos futuros proprietários de Volkswagens.

Para comprar um VW, os consumidores tinham de fazer um depósito semanal de, pelo menos, 5 *reichsmarks* em uma conta da DAF na qual não recebiam juros. Quando o saldo chegasse a 750 *reichsmarks*, o comprador tinha direito de receber seu carro. Enquanto isso, a DAF recolhia juros no total de 130 *reichsmarks*. Além disso, os compradores eram obrigados a assinar um contrato de seguro de dois anos de duração, ao preço de 200 *reichsmarks*. Esse contrato de poupança não era transferível, a não ser em caso de morte, e retirar-se dele, normalmente, significava a perda de toda a importância depositada. No final de 1939, um número notável de 270 mil pessoas havia subscrito esses contratos e no fim da guerra, o número de poupadores VW tinha crescido para 340 mil. No total, a DAF recolheu 275 milhões de *reichsmarks* em depósitos. Nem um só Volkswagen, no entanto, foi jamais entregue a um comprador civil no Terceiro Reich. Após 1939, toda a produção foi reservada para uso oficial de vários tipos. A maior parte da fábrica semiconcluída de Porsche foi revertida para produção militar. Os 275 milhões de *reichsmarks* depositados pelos poupadores VW perderam-se na inflação do pós-guerra. Após uma longa batalha judicial, os primeiros compradores receberam compensação parcial, porém, somente na década de 1960. Mas, mesmo que não tivesse havido guerra, os acontecimentos até 1939 deixaram evidente o fracasso desastroso de toda a concepção do "carro do povo". Para chegar, ainda que remotamente, próximo do sonhado alvo de 990 *reichsmarks* por unidade, a enorme fábrica do VW tinha de produzir veículos à razão de, pelo menos, 450 mil por ano. Isso, no entanto, representava o dobro de toda a produção corrente da indústria alemã de automóveis e era muito superior aos compradores contratados até o final de 1939. Presumindo uma produção de "somente" 250 mil veículos por ano — que era muito mais do que o mercado alemão podia suportar — o custo médio por carro era superior a 2 mil *reichsmarks*, o que significava uma perda de mais de 1 mil *reichsmarks* por carro ao preço oficial. Além disso, mesmo ao preço de 990 *reichsmarks*, o VW estava fora do alcance da maioria dos alemães. Uma pesquisa com 300 mil pessoas que poupavam para comprar seu carro em 1942, revelou que, em média, os poupadores VW tinham rendimentos anuais de aproximadamente 4 mil *reichsmarks*, o que os colocava confortavelmente na faixa superior da distribuição da renda na Alemanha. Os operários industriais, que eram o verdadeiro público-alvo da retórica do *Volksgemeinschaft*, não representavam mais do que 5% dos clientes em perspectiva do VW.

III

Tanto o *Volksempfänger* quanto o Volkswagen eram bens de consumo ambicionados e símbolos atraentes de modernidade. Eram, porém, bens de compra discricionária, com impacto apenas marginal nas preocupações materiais da vasta maioria dos alemães. Essas preocupações se concentravam em alimentos, vestuário e moradia. Em capítulos anteriores, descrevemos as restrições impostas à indústria têxtil e de confecções; basta dizer que o vestuário era parte importante do orçamento dos consumidores e que os preços aumentaram substancialmente depois de 1933. Trataremos da questão da alimentação no contexto da agricultura no próximo capítulo. A moradia, no entanto, merece atenção especial, porque era uma área de política econômica que tocava o coração do tipo de *Volksgemeinschaft* que o nacional-socialismo pretendia criar. E, ao contrário de automóveis e rádios, a moradia era um tema no qual qualquer governo alemão tinha obrigação de tomar posição. Era uma área de consumo que se tornara progressivamente mais politizada desde o início do século e que não se mostraria completamente suscetível a qualquer esquema de solução rápida.

A maneira mais comum de descrever a situação da moradia na Alemanha no período do entreguerras é a de "escassez de habitações". Grupos rivais de interesses competiam para definir esse déficit, com estimativas que variavam entre 1 e 2 milhões de apartamentos, dependendo do autor do cálculo.[56] O conceito de escassez, no entanto, é problemático. Num mercado "livre", autoequilibrado, não há escassez. Um excesso de demanda sobre a oferta tende a elevar os preços, resultando em diminuição da demanda efetiva e aumento da oferta, o que elimina o déficit. Os sintomas de escassez no mercado imobiliário de habitações na Alemanha do entreguerras eram portanto, primordialmente, reflexo das "distorções" introduzidas pela imposição de controles sobre os aluguéis após o fim da Primeira Guerra Mundial.[57] Esses controles tinham sido necessários durante o período inflacionário a fim de impedir uma epidemia de despejos e criação de uma massa de sem-teto. Nesse aspecto, os controles foram altamente eficazes. Eram um dos elementos principais do Estado de bem-estar de Weimar. No entanto, tinham um custo. Com os aluguéis da maioria do estoque de moradia fixados em níveis substancialmente inferiores aos que prevaleciam em 1913, a construção de novos apartamentos se tornou muito pouco atraente para investidores privados. As autoridades de Weimar procuraram aliviar a situação por meio de um programa de construção de larga escala, mediante subsídios públicos, financiado por uma taxa sobre os proprietários de imóveis existentes — a *Hauszinssteuer* — justificada pelos benefícios por eles recebidos quando a hiperinflação tornou irrisórias as hipotecas.[58] O financiamento público, sem dúvida, constituiu uma grande contribuição ao estoque de moradias e as novas propriedades frequentemente eram construídas com agradáveis versões de projetos modernos. No entanto, beneficiavam apenas indiretamente o conjunto da população, porque, dados os custos prevalecentes de produção, o aluguel mínimo mensal que dava acesso ao subsídio era de 40 *reichsmarks* por mês, soma muito superior à que as famílias da classe trabalhadora consideravam ao seu alcance. Simultaneamente, um recenseamento nacional, realizado no auge do surto de construção pública, na época de Weimar, revelou sintomas, se não de escassez de moradias, pelo menos de graves deficiências. Em 1927, nas cidades da Alemanha, pelo menos, um em cada seis apartamentos tinham pensionistas ou sublocatários que moravam junto com os ocupantes principais. Entre esses moradores-extra havia, pelo menos, 377 mil famílias de três ou mais pessoas, que moravam como sublocatárias em apartamentos ocupados por outras pessoas. Além disso, os estatísticos estimaram a existência de, pelo menos, 750 mil apartamentos na Alemanha que podiam ser considerados super-habitados. Centenas de milhares de famílias de classe média eram obrigadas a compartilhar aposentos, às vezes, duas ou três pessoas em cada quarto. Muitos aglomeravam-se em apartamentos de um ou dois cômodos que não possuíam cozinha e nem banheiro separados. Relatos da época falam em famílias que viviam em porões úmidos e sujeitos aos ventos. Quando o desemprego transformou milhares de pessoas em sem-teto, surgiram acampamentos improvisados onde moravam dezenas de milhares de pessoas nos arredores das cidades alemãs.

A Depressão causou prejuízo fatal ao sistema de construções com subsídios públicos de Weimar. À medida que a receita fiscal declinava rapidamente e os gastos sociais aumentavam, o fluxo de recursos públicos para novas construções entrou em colapso. De um máximo de 1,34 bilhão, em 1928, o subsídio público à habitação caiu até 150 milhões de *reichsmarks*, em 1932, com consequências devastadoras para as atividades ligadas à construção.[59] Em Berlim, cidade de mais de 4 milhões de habitantes, somente 2.606 novos apartamentos tiveram construção iniciada nos últimos seis meses de 1931. Nessa situação extrema, o *reich* tomou a medida extraordinária de anunciar um subsídio para os assentamentos construídos pelos próprios desempregados e suas famílias à margem das cidades alemãs. Cada assentamento receberia terreno suficiente a fim de que as famílias tivessem alto grau de autossuficiência em seu suprimento de alimentos.[60] O *reich* proporcionaria um empréstimo subsidiado de 2,5 mil *reichsmarks* para a construção e o restante viria da ajuda dos próprios moradores.

A ascensão de Hitler ao poder acabou permanentemente com o sistema de subsídios para a construção de moradias utilizado por Weimar. No Terceiro Reich, havia usos mais importantes para a receita da *Hauszinssteuer* do que o financiamento de habitação social. A deflação tinha ajudado a trazer os aluguéis para mais próximo do restante dos salários e preços, melhorando a rentabilidade de moradias de propriedade privada. No entanto, a construção em qualquer grau substancial continuava a depender, de uma forma ou outra, de subsídio. A maior alocação em bloco para habitação na Alemanha de Hitler ocorreu com os programas de criação de empregos de 1932 e 1933, que forneceram um total de 667 milhões de *reichsmarks* para subsidiar consertos e conversão de apartamentos existentes. Além disso, foram fornecidos 45 milhões de *reichsmarks* em forma de subsídios para a construção de moradias privadas. Os resultados desse programa foram substanciais, porém concentrados, principalmente, na conversão de apartamentos grandes já existentes em unidades menores, mais fáceis de alugar. Em geral, a política habitacional do Terceiro Reich nos primeiros anos consistiu em transferir de volta a responsabilidade para fontes privadas de financiamento. Enquanto, na República de Weimar 42,4% de todo o financiamento para a habitação havia sido fornecido pelas autoridades públicas, em 1936, essa proporção caíra a 8%. O novo mecanismo mais eficaz de política habitacional imaginado pelo regime de Hitler foi o *Reichbürgerschaft*, uma garantia pública para hipotecas levantadas por senhorios privados. Embora isso não exigisse que o *reich* proporcionasse os recursos, a disposição do Estado em garantir os emprestadores contra calotes ajudou a reduzir o custo dos empréstimos.[61]

Se é que se pode dizer que o regime de Hitler possuía uma política habitacional, essa consistiu, nos primeiros anos, em acelerar a construção do programa de assentamentos patrocinado pelo governo, lançado inicialmente em 1931. Em vez de ser considerado um refúgio para que os trabalhadores desempregados escapassem da economia industrial, os assentamentos na periferia urbana eram, agora, exibidos como o futuro da moradia na Alemanha. O ideólogo nazista Gottfried Feder, que desempenhou brevemente, em 1934, o cargo de comissário principal dos assentamentos (*Reichskommissar für das Siedlungswesen*), contemplava um gigantesco programa de redistribuição da população que abarcaria o período até a década de 1980. De 10 a 15 milhões de alemães deveriam encontrar moradia em cidades pequenas, com nomes atraentes como Hitlerburg e Göringen.[62] A realidade, no entanto, estava completamente em desacordo com essa visão. Comparado com os bilhões gastos pela República de Weimar para o próprio programa de moradias sociais, o regime de Hitler proporcionou somente 180 milhões de *reichsmarks* para subsidiar seu esquema habitacional nos assentamentos. Mesmo levando em conta uma quantia muito modesta para a construção dos assentamentos e presumindo que os próprios moradores forneceriam a parte principal da mão de obra, essa importância era suficiente para construir apenas 35 mil unidades. Os assentamentos eram circundados por um amplo terreno, mas eram rudimentares até mesmo pelos padrões contemporâneos em matéria da qualidade de vida oferecida aos habitantes. Os materiais usados na construção eram de tão má qualidade que em alguns casos as instituições hipotecárias consideravam que as casas não eram suficientemente duráveis para oferecer a necessária segurança. Não havia eletricidade nem água corrente. Não foram providenciadas instalações de esgoto porque acreditava-se que os moradores usariam as águas com resíduos para fertilizar suas hortas.[63] Talvez, não seja surpreendente que a reação não tenha sido entusiástica. Embora a ideologia dos assentamentos continuasse a ser promovida pelos escritórios do partido, era evidente que o Terceiro Reich precisava de uma nova política habitacional.

Diante do constante problema de superpopulação nas cidades, o Ministério do Trabalho do *reich* lançou, em 1935, uma visão alternativa de moradia nacional-socialista em forma dos chamados *Volkswohnungen*.[64] Sem qualquer concepção de assentamento ou maior ambição de ligar a população alemã à terra, os *Volkswohnungen* deveriam proporcionar habitação urbana sem luxo para a classe trabalhadora, com construções que, segundo as primeiras projeções, teriam um custo de 3 mil a 3,5 mil *reichsmarks*. Água quente corrente, aquecimento central e banheiro adequado foram descartados como excessivamente dispendiosos. Haveria eletricidade, porém somente para iluminação. Cada unidade habitacional seria subsidiada por empréstimos do *reich* de, no máximo, 1,3 mil *reichsmarks*. Os aluguéis seriam fixados em um nível que não excederia 20% dos rendimentos dos que se encontravam na base da hierarquia operária, ou seja, entre 25 e 28 *reichsmarks* mensais.[65] Para conseguir esse baixo custo, no entanto, as dimensões dos *Volkswohnungen* não seriam maiores do que 34 a 42 metros quadrados. Embora isso fosse prático, estava longe de satisfazer os propagandistas da *Volksgemeinschaft*. O ministério de Goebbels recusou-se a aceitar que moradias de padrão tão baixo merecessem o nome de "*Volkswohnung*" e a DAF insistiu em que as dimensões mínimas de um apartamento para a classe trabalhadora fossem de 50 a 70 metros quadrados, suficiente para permitir que uma família ocupasse três ou quatro cômodos.[66] Porém, como a experiência revelou, os cálculos de custo do Ministério do Trabalho eram na verdade exageradamente otimistas. Em 1939, o custo de construção permissível para, até mesmo, os pequenos *Volkswohnungen* tiveram de ser elevados para 6 mil *reichsmarks*, aumentando o aluguel para 60 *reichsmarks* mensais e colocando, até mesmo, essa acomodação básica fora do mercado popular de locação. O máximo absoluto que as famílias de classe operária se dispunham a pagar eram 35 *reichsmarks* por mês. Em vez dos 300 mil *Volkswohnungen* anuais pretendidos pelo Ministério do Trabalho, foi iniciada a construção de apenas 117 mil, entre 1935 e 1939.

Como no caso do Volkswagen, o regime de Hitler não conseguiu resolver a contradição entre suas aspirações para o padrão de vida alemão e o poder de compra real da população. Mas também, como no caso do Volkswagen, isso não impediu que a DAF defendesse um programa utópico de construção futura.[67] No final da década de 1930, a ideia oficial de "moradia popular" era um grande apartamento familiar de, pelo menos, 74 metros quadrados, completamente eletrificado, com três quartos de dormir, um para os pais, um para os filhos e outro para as filhas. Ao mesmo tempo, estimava-se que um apartamento, construído segundo as especificações da DAF, custaria 14 mil *reichsmarks*, 40% a mais, até mesmo, do que os construídos pela República de Weimar. O orçamento limitado das famílias alemães, no entanto, exigia que esses generosos apartamentos fossem entregues aos *Volksgenossen*, por aluguéis mensais não superiores a 30 *reichsmarks*. O *reich* teria, simplesmente, de arcar com uma parte do custo. Mas, como no caso do Volkswagen, a DAF também esperava que a produção em massa pudesse ser uma solução. Em 1938 os peritos em racionalização da DAF estimaram que apenas 5% do conteúdo de um prédio normal era constituído por componentes produzidos em massa; no caso do VW, seriam 100%. Com eficiente produção em massa, a DAF esperava baixar o custo de seus generosos *Volkswohnungen* para até 7 mil *reichsmarks*.[68] Ainda como no caso do VW, a sedutora lógica das economias de escala, em combinação com subsídios estatais sem limite, transformariam em realidade a visão do nacional-socialismo sobre uma *Volksgemeinschaft* próspera.

IV

No final da década de 1930, a realização desse projeto nacional-socialista estava, no mínimo, incompleta. Confrontados com as próprias ambições, os *Volksprodukte* tinham fracassado. Mas não basta nos determos aí. É preciso prosseguir com essa conclusão perguntando qual a significação atribuída pelo regime a esses fracassos. E, tão logo fazemos essa pergunta, fica evidente que a frustração experimentada com os *Volksprodukte* não colocava em questão nenhum dos postulados ideológicos básicos do nacional-socialismo. Não porque a realização de um padrão mais elevado de vida fosse um objetivo secundário; sem dúvida, não o era. Como Hitler acentuou repetidas vezes, retirar o povo alemão do estado de relativa pobreza, elevando-o a um padrão de vida adequado a seu status ariano, era um objetivo central de sua política. Simplesmente, as limitações do poder de compra dos alemães não constituíam surpresa para Hitler e outros fiéis seguidores. Enquanto os alemães fossem obrigados a habitar um *Lebensraum* inadequado, cercado por potências hostis, estimuladas pela conspiração global judaica em seu antagonismo em relação à Alemanha, não era de admirar que os automóveis não estivessem ao alcance da população. Não era surpresa que as famílias trabalhadoras alemãs tivessem de se esforçar para pagar o aluguel de meros 40 metros quadrados de moradia inadequada. Os projetos dos *Volksprodukte* eram arautos de um novo futuro. Seria ingênuo, no entanto, imaginar que pudessem por si sós transformá-lo em realidade. Como disse o próprio Hitler no "Segundo Livro", se o Estado alemão não fosse capaz de assegurar suficiente *Lebensraum* para o povo alemão, "todas as esperanças sociais" seriam "promessas utópicas sem qualquer valor real".[69] O verdadeiro instrumento para a consecução da riqueza consumista ao estilo norte-americano era a Wehrmacht que acabava de ser montada, a ferramenta por meio da qual a Alemanha obteria espaço vital como o dos Estados Unidos.

Convenciona-se, nas histórias do Terceiro Reich, contrapor o rearmamento aos objetivos "civis" do regime como se fossem alternativas mutuamente excludentes, opinião frequentemente resumida como uma escolha entre "canhões ou manteiga". Há nisso inegável verdade. Como vimos, a partir de 1934, o Novo Plano de Schacht dava prioridade à importação de matérias-primas cujo destino final era o rearmamento, preferindo-as à importação das matérias-primas necessárias para o consumo civil. Ao mesmo tempo, a fim de custear o rearmamento, o *reich* recolhia impostos e poupança privada em um total de quase 60 bilhões de *reichsmarks*. Sem essa carga, o consumo familiar e o investimento privado, certamente, poderiam ter sido substancialmente maiores. Como parcela da renda nacional, em 1938, os gastos militares já haviam se elevado a 20%, suficientes para custear até mesmo o mais gigantesco programa habitacional. Ao mesmo tempo, no entanto, a fórmula "canhões ou manteiga" é enganosa. No nível estratégico, os canhões eram, em última análise, considerados como meio para obter mais manteiga, literalmente através da conquista da Dinamarca, da França e dos ricos territórios agrícolas da Europa oriental. Nesse sentido, o rearmamento era um investimento para a prosperidade futura. Mas, embora isso possa resumir com exatidão o pensamento de Hitler, Göring e outros membros da liderança político-militar, também implica certo grau de entendimento dos propósitos ulteriores do rearmamento que, certamente, não eram compartilhados pelos alemães médios, na década de 1930.[70] No entanto, isso suscita perguntar qual era o significado real do rearmamento para a Alemanha nessa década. Será realmente correto considerar o rearmamento, simplesmente, um empecilho para a melhoria do padrão de vida, como mais um obstáculo para a realização dos sonhos de consumo de massa? Ou seria na verdade mais apropriado reverter esse rumo lógico e pensar no rearmamento como uma forma especial de consumo de massa coletivo?

Sem dúvida, essa é a forma pela qual a análise econômica considera os gastos militares, não como uma maneira de investimento produtivo, e sim como um modo de consumo público improdutivo. Nesse nível analítico, não há diferença entre a compra de tanques e aviões de combate e os gastos para a construção de edifícios públicos, arenas esportivas ou gigantescas instalações de lazer no Báltico. Sempre do ponto de vista econômico, a reintrodução do recrutamento militar, em 1935, significava longas férias coletivas para milhões de jovens, que passavam a ser alimentados e vestidos a expensas do público sem que estivessem empenhados em trabalho produtivo. Mais ainda, é difícil negar que houvesse um grau de paralelismo entre as várias organizações juvenis de massa do partido nazista, a atividade coletiva organizada dos militares e as campanhas organizadas de lazer do KdF (*Kraft durch Freude* — Força por meio da alegria). Na experiência dos rapazes, essas organizações formavam uma sequência, por meio da qual era possível passar da Juventude Hitlerista, via Wehrmacht, para os quadros da DAF ou do KdF. Em um nível simbólico, além disso, a Wehrmacht era a peça central para muitos dos eventos de massa ritualizados do regime. A partir de 1934, o "Dia da Wehrmacht" se tornaria um acontecimento constante e bem-recebido nas convenções do partido em Nuremberg, com dezenas de milhares de soldados e milhares de cavalos e veículos, incluindo regimentos inteiros de tanques e complexas batalhas simuladas, em perfeita coreografia.[71] A Wehrmacht também figurava, com grande aplauso, nos comícios de massa no campo.[72] Em certa ocasião, chegou a haver descida de paraquedas sobre uma multidão de camponeses admirados. Embora não tenha havido pesquisas adequadas sobre o tema, não pode haver dúvida de que o rearmamento, na década de 1930, tanto era um espetáculo popular quanto uma sangria no padrão de vida alemão, em outras palavras, uma forma espetacular de consumo público.

Os contemporâneos se impressionaram com a entusiástica acolhida da reintrodução do recrutamento militar obrigatório, na primavera de 1935.[73] Indícios notáveis coligidos por historiadores trabalhistas demonstram a identificação passional que muitos operários alemães, claramente, experimentavam para com as armas que produziam. Com certeza, isso se devia ao elevado status atribuído ao trabalho especializado necessário à produção de armamentos,[74] mas também tinha algo a ver com as próprias armas. Não eram artigos comuns e sim a afirmação do poderio nacional, propriedade coletiva da nação alemã, para serem manuseadas pela nata da masculinidade do país. Um manual sobre tanques surgido durante a guerra chamava veementemente a atenção de sua jovem guarnição para essa ligação:

> Por cada tiro que disparares teu pai pagou 100 *reichsmarks* em impostos, tua mãe trabalhou durante uma semana na fábrica... O Tigre custa um total de 800 mil *reichsmarks* e exige 300 mil horas de trabalho. Trinta mil pessoas tiveram de contribuir com o salário de toda uma semana, 6 mil trabalharam durante uma semana para que possas ter um Tigre. Homens dos Tigres, toda essa gente trabalhou para vós. Pensai no que tendes nas mãos![75]

Quaisquer que fossem as limitações do fornecimento de artigos sofisticados de consumo à sociedade civil, a Wehrmacht convocou, especialmente, a população masculina para o consumo coletivo dos frutos plenos da modernidade industrial.[76] Isso não quer dizer que a Wehrmacht tivesse escapado das limitações da economia alemã: era um reflexo exato da incompleta modernização da sociedade germânica. A maioria dos soldados de Hitler marchava a pé para a batalha e utilizava cavalos para grande parte de seu transporte. Nesse sentido, o Exército alemão das décadas de 1930 e 1940 estava destinado a continuar sendo um "exército pobre", como disse um historiador. Mas, na qualidade de membros da Wehrmacht, os jovens estavam alistados em uma organização que era, inegavelmente, um veículo para a modernização industrial. Como ocorrera na Primeira Guerra Mundial, o alistamento militar proporcionava a muitos rapazes a primeira experiência com caminhões e automóveis.[77] Quaisquer que fossem as limitações do *Volksempfänger*, centenas de milhões de *reichsmarks* foram investidos, na década de 1930, em equipamento de rádio e infraestrutura eletrônica da Wehrmacht. Todos os soldados alemães conheciam o funcionamento básico do sistema de rádio. O mais espetacular de tudo foi a Luftwaffe. Se o Exército alemão, em muitos aspectos, ainda tinha raízes no século XIX, a ideia de uma "Força Aérea pobre" é uma contradição em termos. No final da década de 1930, a Luftwaffe e as indústrias a ela ligada tinham alistado a força de trabalho de centenas de milhares de homens. Mesmo que somente alguns milhares tivessem sido treinados para tripular as aeronaves, outras centenas de milhares mais estavam ligados à infraestrutura necessária ao apoio aos aviadores, e, para muitos outros milhões, a Luftwaffe fornecia um ponto de identificação imaginário, transformando em realidade o sonho de uma década de uma Força Aérea nacional.[78] Pelo menos, nesse sentido, a ideia de uma *Volksgemeinschaft* próspera era mais do que simples retórica. Se a Alemanha não era capaz de rivalizar com os Estados Unidos em termos de consumo privado, no número de automóveis, rádios ou geladeiras por família, pelo menos podia orgulhar-se de um estoque nacional de aviões de combate e tanques imensamente mais numerosos.

5

A salvação dos camponeses

A OLHO NU, SEM DÚVIDA, A MAIS flagrante diferença entre a situação econômica da Alemanha, Grã-Bretanha e Estados Unidos era o grande domínio sobre matérias-primas e terras proporcionado pela extensão continental da América do Norte e pela vasta amplidão do Império Britânico. A fome por território foi um dos impulsos mais importantes, senão *o* mais importante, por trás da explosão europeia em direção ao mundo, que modificou profundamente a estrutura do poder mundial desde o século XVII.[1] Se o Renascimento e o Iluminismo europeus, com seu legado racionalista de ciência e tecnologia, foram componentes fundamentais da modernização, o mesmo se pode dizer do insaciável ímpeto europeu de vencer a escassez por meio da conquista e colonização de vastas extensões de terras "vazias", tanto na Eurásia quanto nas Américas ou na Australásia. O resultado, ao final do século XIX, foi uma drástica transformação na distribuição de terras e populações. Enquanto isso, os povos nativos da América do Norte, de grande parte da América Latina e da Australásia foram vítimas de genocídio mais ou menos proposital. Trinta milhões de escravos africanos foram despachados através do Atlântico para trabalhar em plantações de arroz, cana-de-açúcar e algodão. Quarenta milhões de colonos europeus atravessaram os mares em busca de um padrão de vida mais elevado. Na direção oposta, seguiu o fluxo de mercadorias produzidas nas novas áreas de conquista e ocupação, fluxo que se transformou em dilúvio, no final do século XIX, quando o custo do transporte diminuiu substancialmente. O resultado foi uma revolução espetacular no sistema global de abastecimento alimentar, que, por sua vez, repercutiu, sobre as enormes populações camponesas da Europa.[2]

Devemos ter em mente essa fase épica de globalização quando tratamos de analisar o nacional-socialismo e, em particular, sua política agrária. Com muita frequência, a preocupação de Hitler e seus seguidores com os problemas do *Lebensraum*, alimentação e agricultura é vista como indício primário de seu atavismo e atraso. Isso não poderia ser mais equivocado. A busca por territórios mais amplos e mais recursos naturais não era uma louca obsessão de ideólogos racistas. Essas preocupações vinham sendo comuns na Europa durante, pelo menos, os 200 anos anteriores. Sem dúvida o processo de expansão europeia estava em grande parte estancado, na altura de 1914. Mas a exceção importante a essa regra era a Eurásia, com o prosseguimento do esforço russo em povoar e desenvolver o vasto território a leste dos Urais. E foi para o leste que Hitler dirigiu o olhar ao liderar o movimento de expansão do povo alemão. A questão de saber de que forma as sociedades europeias e suas populações rurais deveriam reagir à nova economia alimentar global não era um tema marginal. Era uma das questões fundamentais que as sociedades europeias enfrentavam no século XX.

Embora a Grã-Bretanha fosse a principal exceção, em todo o resto da Europa, grandes parcelas da população continuavam a se ocupar com agricultura até a segunda metade do século XX.[3] Na Alemanha da década de 1930, a vida camponesa glorificada pelos nazistas agrários não era uma fantasia arcaica. Os ideólogos agrários tratavam de uma realidade social importante. Embora seja comum considerar a economia alemã, no início do seculo XX, como competidora global moderna, dinâmica e vanguardista, na verdade, até a década de 1950, uma minoria substancial da população alemã continuava a subsistir trabalhando o solo, sob condições de extraordinário atraso, em muitos casos.[4] O censo de 1933 registrou, nada menos, do que 9,342 milhões de pessoas trabalhando em agricultura, quase 29% da força de trabalho total. E, além dos agricultores em tempo integral, muitos milhões de outros alemães produziam, pelo menos, uma parte dos próprios alimentos em pequenas hortas ou criando porcos e galinhas em suas casas.[5] Segundo o recenseamento de 1933, 32,7% da população vivia em comunidades rurais de menos de 2 mil habitantes. Se acrescentarmos os que moravam em pequenas cidades-mercado, com populações entre 2 mil e 20 mil, a proporção sobe para 56,8%. E o que essas estatísticas não podem mostrar é o verdadeiro atraso em grande parte da vida rural alemã, inclusive na década de 1930. Nesse caso em particular, o registro fotográfico é o melhor guia. No período do entreguerras, as fotos das turmas nas escolas primárias, normalmente, contêm imagens e fileiras e mais fileiras de crianças descalças, cujos pais não tinham condições de comprar sapatos, pelo menos, nos meses de verão.[6] Imagens do trabalho nos campos mostram pessoas idosas curvadas sobre arados primitivos, puxados por animais fatigados.[7] O transporte do feno, a colheita, o beneficiamento e a dura e enlameada tarefa da colheita de batata e beterraba eram feitos à mão. E, embora metade da população alemã vivesse próxima ao campo, muitos mais levariam consigo a lembrança da migração do interior para as cidades. O próprio Hitler iniciou o *Mein Kampf* com um relato da viagem de seu pai, "filho de um camponês pobre", das províncias montanhosas da Baixa Áustria para Viena, e sua aposentadoria, após a carreira no serviço público, em uma fazenda "próxima à cidade-mercado de Lambach... regressando, assim, no circuito de uma vida longa e laborio sa, às origens de seus antepassados".[8] O sentimento agrário nazista, com sua retórica florida e racista de sangue e solo, e grandiosas ideias sobre o futuro dos camponeses alemães, não era um verniz atávico cobrindo um regime industrial moderno. O nazismo, tanto como ideologia quanto como movimento político de massa, foi produto de uma sociedade ainda em transição.

Da mesma forma, a preocupação obsessiva de Hitler com a alimentação se baseava na realidade contemporânea. Embora a fome tivesse sido banida da Europa ocidental, na segunda metade do século XIX, em grande parte, devido à capacidade da Europa em aproveitar grandes fontes de alimentos vindos do ultramar, a Primeira Guerra Mundial trouxera a questão de volta à agenda da política europeia.[9] Embora o bloqueio britânico e francês não tivesse chegado a produzir fome generalizada, provocou uma epidemia de subnutrição crônica na Alemanha e na Áustria, considerada responsável pela morte de 600 mil pessoas.[10] A Depressão e o desemprego em massa causaram graves privações que atingiram muita gente.[11] E, mesmo nos tempos de bonança, a subnutrição crônica era generalizada na base da escala social e em todas as demais sociedades europeias, no início do século XX. De uma forma ou de outra, praticamente, todas as pessoas vivas na Alemanha na década de 1930 tinham passado por uma experiência pessoal aguda de fome prolongada e insaciável. Tampouco a inanição em massa era uma ameaça distante, restrita à África e Ásia. Nas fronteiras orientais da Alemanha, no início da década de 1920, o tumulto da guerra, a revolução e o conflito civil na Rússia, Polônia e Ucrânia tinham causado um desastre agrícola que, em 1923, acarretara a morte de, talvez, até 5 milhões de pessoas.[12]

Em certo sentido, pode-se dizer que a originalidade e radicalismo do nacional-socialismo residia na recusa em permitir que essas questões básicas da modernização fossem retiradas da agenda do século XX. Naturalmente, era bastante conveniente aos vencedores da Primeira Guerra Mundial considerar encerrada a questão do *Lebensraum*. Em comparação com a Alemanha densamente povoada, a França dispunha de uma proporção amplamente favorável entre população e terras, assim como seu próprio e considerável império. A Grã-Bretanha e os Estados Unidos controlavam o coração tanto do continente americano quanto da Australásia. Com o completo domínio das rotas marítimas, não admira que ficassem satisfeitos ao ver reduzir-se a agricultura alemã e sua população passar a depender de alimentos importados. Ao se recusar a aceitar como inevitável tal estado das coisas, a Alemanha nazista não estava buscando uma volta ao passado. Simplesmente, não admitia que a distribuição de terras, recursos e população, resultante das guerras imperiais dos séculos XVIII e XIX, tivesse de ser considerada definitiva. Não podia se conformar com a ideia de que o lugar da Alemanha no mundo fosse a de uma economia artesanal de tamanho médio, completamente dependente de alimentos importados. Isso, na opinião de Hitler, era a fórmula para a "morte da raça". Diante da superpopulação e dos baixos salários nas cidades, as famílias urbanas se esforçariam por reduzir a taxa de natalidade. Os melhores cérebros emigrariam para novos territórios que oferecessem mais oportunidades de progresso. Devido à falta de recursos naturais, a economia alemã nunca seria capaz de rivalizar com a prosperidade vista nos Estados Unidos. E, se a Alemanha jamais tivesse de emergir como competidora comercial de peso, estaria à mercê dos propagandistas britânicos e judeus do liberalismo global, que não hesitariam em deflagrar uma segunda e catastrófica guerra e, ao mesmo tempo, prejudicar a frente doméstica alemã por meio do bloqueio.

I

De fato, a agricultura era questão essencial para toda a ala direita nacionalista. E, não por coincidência, no ministério, formado em 30 de janeiro de 1933, o cargo de ministro da Agricultura foi, inicialmente, entregue a Alfred Hugenberg. Embora tardasse em tratar do tema da criação de empregos, Hugenberg começou a trabalhar diligentemente, reforçando as muralhas protecionistas que isolavam a agricultura alemã do restante do mercado mundial.[13] A fim de consolidar a proteção dos interesses dos plantadores de cereais, ele estabeleceu uma agência central de compra que garantiria preços mínimos a todos os produtores. Em junho de 1933, os agricultores alemães em débito foram efetivamente retirados do sistema normal de crédito, recebendo proteção completa contra os credores. As importações ficaram sujeitas a quotas, como o *lobby* agrícola há muito reivindicava. A atitude francamente favorável de Hugenberg para com a proteção à agricultura foi o que deu à comunidade internacional a primeira indicação da agressão aberta que se poderia esperar do governo de Hitler. Comparado com Hugenberg, até mesmo Hjalmar Schacht parecia liberal. E ainda ficaria pior. Quando Hugenberg renunciou a todos os seus cargos, após o escândalo na Conferência Econômica Mundial, o Ministério da Alimentação e Agricultura foi confiado a Richard Walther Darré, chefe da organização agrícola do partido nazista. O Ministério da Agricultura tornou-se, assim, o único que tratava de temas econômicos chefiado por um nazista portador da carteira do partido. Para seu imediato no ministério, Darré escolheu Herbert Backe, colaborador íntimo e membro antigo do partido. Juntos, Darré e Backe dariam forma a um programa de política agrária que modificaria boa parte da economia alemã.

Richard Walther Darré nasceu em 1895, numa família de colonos alemães na Argentina. Tal como Hitler, tinha sido salvo pela Primeira Guerra Mundial.[14] Sua carreira escolar terminara de maneira desastrosa sem o diploma Abitur, passaporte para a respeitabilidade da classe média. A guerra tornou-se uma nova oportunidade. Mediante contatos feitos nas trincheiras, ele conseguiu recomeçar a instrução, obtendo uma vaga na Faculdade de Agricultura, em Halle, onde se diplomou, em 1925, com uma dissertação de mestrado sobre criação de porcos. Durante os anos seguintes, combinou seus conhecimentos especializados de genética animal com a leitura atenta dos textos clássicos sobre antissemitismo do século XIX, formando uma versão particularmente extremada de racismo agrário. Depois de mais dois livros, estabeleceu sua posição de jovem e importante ideólogo de direita, com ligações estreitas com o grupo de bruxos nacionalistas conhecido como Artamenen.[15] Darré foi apresentado a Hitler, em 1930, por meio de amigos comuns da Turíngia, e pouco depois ingressou no partido nazista, encarregado da tarefa especial de organizar uma entidade agrícola. No período de três anos, sua organização conquistou o campo alemão. As entidades de agricultores, que tinham sempre sido dominadas pelos interesses dos Junkers, foram completamente subvertidas. Na eleição de março de 1933, os eleitorados agrícolas do norte e leste da Alemanha figuraram entre as poucas regiões que deram a Hitler a maioria absoluta que ele ambicionava. Além da importância inerente ao assunto, a significação do campesinato como força eleitoral política conferiu a Darré, o líder inconteste, considerável influência política nos primeiros anos do regime nazista. No simulacro de eleições para o Reichstag inteiramente nazista, de novembro de 1933, Darré surgiu em sétimo lugar na lista eleitoral, depois de Hitler, Rudolf Hess (lugar-tenente de Hitler), Wilhelm Frick (Ministro do Interior do *reich*), Göring, Goebbels e Röhm (líder dos SA). As festividades anuais da colheita, organizadas, pela primeira vez, em outubro de 1933, no Bückberg, Baixa Saxônia, constituíram impressionantes demonstrações do poder político de Darré. Maiores do que os comícios anuais do partido em Nuremberg, eram eventos que a elite política do novo regime não podia dispensar.

Mas Darré não foi apenas um organizador político de grande sucesso. Também exerceu profunda influência sobre Heinrich Himmler e sua entidade, a SS. Himmler tinha conhecido Darré antes mesmo de 1930, por meio do Artamenen. Ambos tinham frequentado a faculdade de agricultura e compartilhavam um interesse genuíno por arqueologia e a história antiga mística das primeiras tribos germânicas.[16] Foi por instigação de Darré que a SS iniciou o processo de transformação passando de uma irmandade fraterna mediante juramento a uma comunidade de famílias de pureza racial comprovada, que se autoperpetuava e expandia — uma *Sippengemeinschaft* (comunidade de clã). Os homens da SS que pretendiam se casar tinham de solicitar permissão ao *SS-Sippenamt* (escritório de clã) de Darré. Dali em diante, a SS e a elite da liderança da ala agrária nazista se desenvolveram em forma de comunidade inter-relacionada. Darré fazia questão de que os principais colaboradores que tinha no Ministério da Agricultura ingressassem na SS. Backe, principalmente, ocuparia mais tarde um posto de importância na SS e tinha ligações íntimas com Himmler. Naturalmente, havia rivalidade.[17] No final da década de 1930, as ligações pessoais entre Darré e Himmler se deterioraram gravemente. No entanto, a colaboração entre a SS de Himmler e Herbert Backe continuou muito estreita. Ter em mente essa conexão tão próxima entre o grupo agrário e a SS é crucial para compreender como os problemas gêmeos de elevar o campesinato alemão e gerir o abastecimento de alimentos puderam dar origem a algumas das políticas mais extremadas e assassinas do Terceiro Reich.

Para Walther Darré e a maioria dos ultranacionalistas, o que estava em jogo não era apenas a saúde econômica da agricultura, mas o futuro da raça alemã a longo prazo. A versão particularmente extrema da ideologia camponesa de Darré se baseava em leituras seletivas de literatura arqueológica, linguística e sociobiologia da virada do século. Para ele, o caráter histórico das tribos germânicas era definido por sua história como agricultores firmemente enraizados na terra. Os grandes inimigos desse campesinato germânico sempre foram elementos nômades não fixados na terra, e o grupo mais perigoso dentre esses eram os judeus. A forma moderna de nomadismo era a população das cidades, destituída de bases sólidas. A crise que afligira o campesinato alemão, no início do século XX, tinha sido consequência de ataques constantes e de erosão pelas influências judaicas sem raízes. O processo de desenraizamento havia começado em toda a Europa, no século XVI. Durante os séculos seguintes, adquiriu ímpeto, tomando forma política espetacular logo após a Revolução Francesa. Em nome da liberdade, liberais do século XIX haviam rompido o laço fundamental que ligava o povo alemão à terra. Milhões de camponeses tinham sido desenraizados e a própria terra se transformara em mercadoria, que podia ser comprada e vendida livremente. Essa expropriação capitalista havia gerado o desastroso processo de migração e degeneração que dizimara o setor rural na Alemanha. Desde a unificação, em 1871, todos os recenseamentos nacionais registravam quantidades decrescentes da população dedicada à agricultura. Para Darré, as trágicas consequências desses acontecimentos ficavam mais claramente evidentes na taxa de natalidade. A partir de 1870, quando as taxas de fertilidade se igualaram nas cidades e no campo em 40 nascimentos por mil habitantes, a taxa de natalidade nas cidades alemãs passara a declinar verticalmente. Em 1920, os nascimentos não eram mais de 17 por mil habitantes. E, desde a guerra, também o campo começara a acompanhar essa tendência desastrosa. Em 1930, a taxa de natalidade no setor rural chegara a 20 por mil. Para Darré, isso confirmava os postulados básicos de sua teoria. A raça alemã, oriunda de uma profunda ligação com a terra, simplesmente, não era capaz de se manter em uma sociedade dominada por uma cultura urbana propagada pelos agentes judeus do comércio e da liberdade de troca. Confinada às cidades, a raça alemã estaria fadada à extinção.

Os temas arqueológicos e antropológicos, sobre os quais Darré gostava de meditar, condena-os a surgir aos nossos olhos como manifestações de um bizarro atavismo. Porém, em vez de pensar em Darré como um ideólogo retrógrado, é mais revelador considerá-lo um fundamentalista agrário, alguém profundamente crítico da atualidade, mas que não aspirava a provocar uma completa regressão às condições de atraso anteriores a 1800, e sim em direção a uma visão de vida nova, de renascimento.[18] Os pensadores *völkisch* do período do entreguerras fizeram questão de se afastar do romantismo do século XIX, por um lado, e do pessimismo fatalista popularizado pelo êxito do *Declínio do Ocidente*, de Spengler, por outro. Ninguém que tenha, verdadeiramente, procurado ler os livros de Darré pode evitar a impressão de que seu autor estava convencido de que os princípios do *Blut und Boden** estavam firmemente enraizados nos resultados mais recentes da pesquisa histórica, antropológica e biológica. Pelo menos, em sua "metodologia", o racismo de Darré não se baseava em preconceito cego, e sim em uma compreensão supostamente sistemática das características eternas e trans-históricas das diferentes raças e culturas.[19] O que confere aura arcaica e nada prática a seu pensamento é a incapacidade de articular uma visão mais clara de como as "características eternas da raça germânica", definida por suas origens biológicas e arqueológicas, se relacionava com o processo histórico de modernização que tivera tamanho impacto de transformação na sociedade alemã desde o início do século XIX. Tal incapacidade em apresentar uma narrativa histórica convincente de modernização criava a impressão de que Darré pretendia um retorno absoluto ao passado. Na verdade, porém, essa lacuna característica de seu pensamento tinha pouca ou nenhuma consequência prática para a política. Sua visão a-histórica ou trans-histórica era apenas uma corrente no agrarianismo nazista. O braço-direito de Darré, o agrônomo e secretário de Estado do Ministério da Agricultura, Herbert Backe, encarregou-se de prosseguir a obra.

Backe (1896-1947) tem sido caracterizado, simplesmente, como tecnocrata "eficiente" e "apolítico", ao estilo de Albert Speer.[20] Como tal, ele serve

---

* "Sangue e solo". (*N. do T.*)

de modelo com o qual se pode comparar Walther Darré. De fato, Backe não era menos ideólogo do nazismo do que Darré ou mesmo Heinrich Himmler.[21] Nascido em Batumi, Geórgia, filho de um homem de negócios alemão com a filha de uma família de camponeses do Württenberg que tinha se mudado para a Rússia no início do século XIX. Dessa forma, a "Marcha para o Leste" (*Drang nach Osten)* fazia parte da biografia de Backe. Inicialmente, deslocado pela revolução de 1905, viu-se ele internado nos Urais em 1914. Profundamente decepcionado, escapou, em 1918, de volta à Alemanha, onde se esforçou para completar a educação e sustentar a família em circunstâncias extremamente difíceis. Entrou para o partido nazista em 1922 com o número de filiado 22.766, e distinguiu-se, ainda nessa etapa inicial, por sua fixação na questão racial. Após uma pausa, na década de 1920, Backe reativou a filiação ao partido, em 1931, e foi eleito para o parlamento prussiano, em 1932, estimulado por Darré. Como veremos, na década de 1940, ele iria cooperar com Himmler na execução de genocídio em escala épica. A diferença entre Darré e Backe não está no grau de compromisso ideológico de um e outro, e sim na maneira como cada qual concebia a missão histórica do nacional-socialismo. Backe transpôs o hiato entre as verdades eternas de Darré e a realidade histórica do século XX com uma visão convencional da história.[22] De maneira semelhante a Hitler, acreditava que o nacional-socialismo havia recebido a missão de superar as contradições do capitalismo do século XIX e realizar a reconciliação entre o povo alemão e a economia que o sustentava. Apesar de todos os males, considerava que a modernização da economia e da sociedade alemãs do século XIX era uma preliminar inevitável e necessária para as possibilidades do século XX. Como dissera Hitler, em fevereiro de 1933, o novo *reich* seria construído não apenas sobre os eternos alicerces da existência *völkisch* alemã, mas utilizaria, também, todas as "realizações e tradições desenvolvidas no curso da história recente".[23]

Backe conhecia bem história econômica, e o ponto de partida de sua análise era precisamente a narrativa de globalização com que começamos. Não tinha ilusões de que fosse possível retornar ao estado de coisas anterior ao advento do livre-comércio global do início do século XIX. Ao mesmo tempo, porém, o século passado demonstrara também as perniciosas consequências de levar ao extremo a revolucionária doutrina "judaica" de livre-comércio. O livre-comércio nada mais era do que a cortina de fumaça por trás da qual a Grã-Bretanha, veículo favorito do parlamentarismo e liberalismo judeus, procurava monopolizar a riqueza do mundo inteiro. A produção camponesa autossuficiente havia sido deslocada pela dramática emergência de um mercado global, primeiro para a lã e o algodão provenientes das propriedades agrícolas do sul da América do Norte e das gigantescas fazendas da América Latina, África do Sul e Austrália. Em seguida, depois de 1870, com a chegada do transporte barato a longas distâncias, os esteios da agricultura europeia — trigo, carne e laticínios — tinham sido tragados pela divisão internacional do trabalho. Em todo o mundo, a produção camponesa diversificada fora deslocada pelas monoculturas em grandes plantações. O novo mercado global de alimentos poderia haver extinguido a fome na metrópole industrial, mas, como assinalava Backe, as monoculturas da agricultura capitalista haviam espalhado a insegurança alimentar por vastas regiões do mundo. No registro histórico, nunca tinha havido fomes generalizadas tão severas nem tão frequentes como no século XIX.[24] As crises agrícolas das décadas de 1920 e 1930 eram, simplesmente, as derradeiras etapas da desastrosa campanha de conquista levada a cabo pelo liberalismo.

Na visão de Backe, o agrarianismo racial de Darré se mesclava a uma crítica mais convencional do capitalismo como força histórica de transformação. Utilizando um cânone anticapitalista do populismo, apreciado tanto à direita quanto à esquerda, os ideólogos nazistas suscitavam imagens de trigo sendo queimado e jogado ao mar, milhares de hectares de terra jazendo sem cultivo enquanto, ao mesmo tempo, exércitos de europeus e norte-americanos desempregados sofriam de fome. Tal como Hitler, Backe acreditava que a missão do nacional-socialismo era a eliminação do governo podre da burguesia. Longe de padecer de falta de sentido prático, a ideologia de Backe proporcionava uma grandiosa *rationale* histórica para o extremo protecionismo já implementado pelos agrarianistas nacionalistas. Longe de ser retrógrada, a visão de Backe dava ao nacional-socialismo, a missão de realizar uma reconciliação das contradições não resolvidas do liberalismo do século XIX. A relíquia ultrapassada de uma era antiquada não era o nacional-socialismo e sim a ideologia vitoriana do livre mercado.[25] Após os desastres econômicos do início da década de 1930, não havia motivo para se aferrar a essa doutrina perigosa e arcaica. O futuro pertencia a um novo sistema de organização econômica, capaz de realizar tanto a segurança do abastecimento nacional de alimentos quanto a manutenção de uma comunidade rural saudável, como fontes de vitalidade racial.

II

Conforme a liderança nazista não se cansava de informar à população e ao mundo em geral, o problema político fundamental da Alemanha era a falta de terras. O país era muito mais densamente povoado do que a França e não possuía colônias, como a Grã-Bretanha. Para os leitores de hoje, vivendo como vivemos em sociedades pós-agrícolas, essa retórica soa um tanto vazia. É difícil acreditar que, ao falar em *Lebensraum*, Hitler realmente estivesse se referindo simplesmente à terra, e não a algo mais valioso, como as matérias-primas industriais. Mas, ao fazer tais suposições, corremos o risco de ignorar o fato de que a "falta de terras" era ainda, na década de 1930, um dos principais problemas da sociedade alemã. Diante dos países mais ricos da Europa Ocidental, sem falar das fabulosamente bem-dotadas populações da América do Norte, a Alemanha era realmente pobre em território. Comparada com a Grã-Bretanha, a Alemanha possuía mais terras dedicadas à agricultura, mas sua população rural era desproporcionalmente mais numerosa. Comparada com a França, a população agrícola alemã era menor em termos relativos, mas as terras francesas eram de muito melhor qualidade. Embora pudesse ombrear-se com países como a Grã-Bretanha e os Estados Unidos em termos de PIB *per capita*, em terras por agricultor, a Alemanha estava muito mais próxima de "países rurais" atrasados como a Irlanda, a Bulgária ou a Romênia. Entre os grandes países da Europa Ocidental, somente a Itália tinha proporção maior de população rural em relação a seu território.

A escassez de terras que os camponeses alemães enfrentavam era ainda mais complicada por problemas de distribuição. Depois da Primeira Guerra Mundial, foi possível evitar levantes de camponeses em toda a Europa oriental por meio de drásticas reformas agrárias que deixaram a maior parte dos campos, mais notavelmente, na planície do Danúbio, em mãos de pequenos proprietários rurais.[26] Não houve redistribuição de terras na mesma escala na Alemanha. Em 1933, 7 mil propriedades de mais de 500 hectares, pouco mais de 0,2% de todas as fazendas, constituíam quase 25% dos campos agricultáveis da Alemanha. Em contraste, 74% de todas as fazendas alemãs — 2,26 milhões no total — trabalhavam apenas 19% das terras, em trechos amplamente dispersos de entre 0,5 e 10 hectares. No meio, havia as grandes fazendas de 10 a 100 hectares, que representavam 25% de todos os estabelecimentos agrícolas e 43% das terras aráveis. Essa população rural

Tabela 4. Mão de obra rural e terras

	População Rural (milhares)	Terra arável (milhares de ha)	Terras aráveis por agricultor em ha	Terras aráveis por agricultor, Alemanha = 100 em ha
Canadá	1.107	23.120	20,9	1009,5
Estados Unidos	10.752	137.333	12,8	617,4
Dinamarca	561	2.663	4,7	229,4
Grã-Bretanha	1.413	5.329	3,8	182,3
União Soviética	71.734	223.916	3,1	150,9
França	7.709	21.386	2,8	134,1
Estado Livre da Irlanda	678	1.484	2,2	105,8
Alemanha	9.388	19.422	2,1	100,0
Polônia	10.269	18.557	1,8	87,3
Itália	8.008	12.753	1.6	77,0
Romênia	9.207	13.866	1,5	72,8
Bulgária	2.464	3.711	1,5	72,8
Índia Britânica	179.947	125.397	0,7	33,7

Fonte: SRA, *Statistisches Jahrbuch für das Deutsche Reich 1937*, (Berlim, 1937), 38 e 41

estratificada, composta de um pequeno número de grandes propriedades, um corpo maciço de fazendas viáveis e uma massa de unidades marginais, que sobreviviam com esforço, produzia uma povoação rural igualmente diferenciada. As fazendas de entre 2 e 20 hectares dependiam quase completamente do trabalho familiar em tempo integral do proprietário, sua mulher e dependentes. Abaixo de 2 hectares, predominavam os agricultores temporários. Acima de 20 hectares, a carga de trabalho era demasiado pesada para uma única família. No entanto, as propriedades de 20 a 100 hectares eram legitimamente consideradas "fazendas camponesas", porque empregavam, principalmente, "peões de fazenda" (*Knechte)* e empregadas, que moravam na propriedade, permaneciam solteiras e recebiam uma parte significativa de sua retribuição em espécie e não em forma de salário.[27] Acima de 100 hectares, a força de trabalho agrícola era, principalmente, de assalariados rurais, com importante participação de supervisores, administradores e artesãos.

Para a maioria dos membros da comunidade rural, exceto os mais privilegiados, a vida era difícil. Nas fazendas de camponeses, especialmente, a sobrevivência dependia de longas jornadas de mais de doze horas, seis dias por semana, tanto para os homens quanto para as mulheres.[28] O trabalho era penoso e, muitas vezes, perigoso. A moradia ficava muito aquém dos modestos padrões das cidades alemãs e as comunidades rurais não possuíam as amenidades urbanas. A taxa de retorno por unidade de trabalho era decepcionantemente baixa. As fazendas de área superior a 20 hectares, pelo menos, ofereciam a perspectiva de um padrão de vida decente para o fazendeiro e sua família.[29] Em algumas regiões, com solos de melhor qualidade e próximas a mercados urbanos, as fazendas de 10 hectares eram ainda viáveis. Mas qualquer família que dependesse de uma propriedade menor do que isso teria de enfrentar, ao mesmo tempo, pobreza atroz e trabalho árduo, a menos que o terreno estivesse localizado em área extremamente favorável ou possuísse solo de qualidade excepcional. Os recenseamentos fornecem, pelo menos, uma orientação geral sobre as estatísticas pertinentes a essa situação. O limiar crítico entre a agricultura em tempo integral ou parcial ocorria na faixa de 2 hectares.[30] Dentre as propriedades dessas dimensões, 70% ou mais eram cultivadas em tempo parcial. Ao contrário, dois terços das fazendas entre 2 e 5 hectares eram cultivadas em tempo integral por seus proprietários. No total, o recenseamento alemão de 1933 enumerou 1,1 milhão de chefes de família, com 3,9 milhões de dependentes, que eram agricultores em tempo integral em terrenos entre 2 e 10 hectares. Nem todas essas famílias dependiam integral e exclusivamente de suas fazendas. Dos 3,9 milhões de dependentes, 450 mil apareciam como tendo alguma ocupação independente. Se presumirmos que esses titulares de rendimentos se distribuíam de maneira constante na população rural, quase a metade das famílias de camponeses no grupo marginal estaria beneficiada por uma fonte importante de rendimentos adicionais. Isso, porém, ainda deixaria, pelo menos, 2,3 milhões de pessoas inteiramente dependentes de terrenos entre 2 e 10 hectares, ou

2,6 milhões, se incluirmos os que subsistiam em propriedades ainda menores. Para essas famílias, a fome por terras era uma realidade desesperadora e constante. E, se adotarmos uma definição mais ampla, as verdadeiras dimensões do problema se tornam ainda mais evidentes. Se tomarmos 20 hectares como padrão satisfatório, nesse caso nada menos do que 88% da população rural, que trabalhava 0,5 hectares ou mais, não possuíam terras suficientes — 12 milhões de pessoas, ou 18% da população alemã. Para esse grande grupo, muitos dos quais não tencionavam abandonar o campo, a escassez de espaço constantemente invocada na propaganda nacionalista tinha sentido muito concreto.

Uma solução óbvia para os problemas de superpopulação que afligiam, acima de tudo, as províncias do sul e do sudoeste era a divisão das grandes propriedades de mais de 500 hectares, criando fazendas de dimensões mais modestas. Desde o final do século XIX, a reforma agrária vinha sendo sugerida por um amplo espectro da opinião pública alemã, desde os nacionalistas liberais do centro — inclusive o respeitado Max Weber — até os radicais agrícolas da extrema direita.[31] Esperavam eles que o assentamento maciço de camponeses nos latifúndios da Prússia oriental consolidasse a população agrária da Alemanha. O cultivo intensivo das províncias do leste por camponeses ajudaria a aumentar as colheitas e contribuiria para a autossuficiência nacional. Mais importante ainda, a criação de uma nova classe de camponeses alemães nas planícies alagadiças orientais, de pouca densidade demográfica, proporcionaria uma barreira étnica contra o influxo de migrantes poloneses. Em 1919, a República de Weimar endossou explicitamente essa forma nacionalista de reforma social. A nova constituição conferiu função social à propriedade de terras agrícolas. Em nenhum lugar do *reich*, a proporção de terras dos grandes latifúndios deveria exceder 10%. Nas províncias em que essa relação não existisse ainda, comissões de compra de terras deveriam adquirir, progressivamente, grandes propriedades e transferir a terra para camponeses assentados. Na prática, a transformação dos terrenos em propriedades adequadas ao assentamento de camponeses mostrou ser extremamente dispendiosa e contrária ao interesse dos Junkers. O grandioso programa de assentamentos da República de Weimar progrediu apenas modestamente. Entre 1919 e 1933, somente 939 mil hectares haviam sido transferidos a novos colonos, menos de 10% das terras pertencentes a propriedades de dimensões superiores a 100 hectares. Mas o fator limitante do impacto do programa de assentamentos não foi somente a influência dos Junkers. Um cálculo simples mostra que, mesmo um programa amplo de reforma agrária seria incapaz de satisfazer a ambição dos políticos agrários alemães de levar a efeito uma mudança fundamental na relação entre a sociedade rural e a urbana. Se todas as terras em propriedades acima de 500 hectares fossem expropriadas e utilizadas para criar fazendas familiares de 20 hectares, o número total de novos assentamentos não seria superior a 500 mil. Isso teria permitido a consolidação da população camponesa mais precária em assentamentos de menos de 10 hectares, mas não teria impedido o declínio da população agrícola a longo prazo. Com efeito, ainda que todas as terras agrícolas da Alemanha estivessem disponíveis para redistribuição, isso seria suficiente apenas para proporcionar a cada uma das 3 milhões de famílias camponesas nada mais do que 13 hectares. A conclusão era inevitável. Mesmo nas condições mais favoráveis, o território da Alemanha não era bastante amplo para sustentar uma população agrícola substancialmente maior do que aquela a que o país ficara reduzido, em 1933, com padrões de vida aceitáveis em relação aos que prevaleciam nas cidades.

Os ideólogos nazistas não deixaram de notar essas conclusões. Na verdade, o que distinguia os nazistas agrários era exatamente seu ceticismo sobre o assentamento como solução para os problemas da Alemanha. Como explicara Hitler no capítulo 4 do *Mein Kampf*, a ideia de assentamentos nos territórios orientais da Alemanha era um objetivo importante.[32] Considerá-lo, porém, como solução fundamental para os problemas do país era uma ilusão perigosa. Era mais um exemplo da falácia liberal de que a Alemanha seria capaz de prosperar por meio da utilização cada vez mais intensiva de seus recursos nacionais. Somente com a conquista de novo *Lebensraum* poder-se-ia atingir a prosperidade, e a direção desse novo impulso de assentamentos era evidente. O Terceiro Reich começaria onde as tribos germânicas haviam se detido "... há 600 anos. Interromperemos a eterna migração germânica para o sul e o oeste e dirigiremos nossas vistas para as terras a leste".[33] No julgamento de Nuremberg, Darré procurou apresentar-se como inocente protetor da população rural.[34] Na verdade, porém, não pode haver dúvida de que ele e Backe foram, desde o início, cúmplices dos sonhos de conquista de Hitler. A malfadada tese de doutorado de Backe, em 1926, tinha por título "A economia de trigo da Rússia como base para o povo e a economia do país".[35] Não se tratava, no entanto, de mais um estudo sobre a economia russa. A tese de Backe era, na verdade, um manifesto em favor do imperialismo racial. Para ele, qualquer fato construtivo na Rússia somente poderia ocorrer por meio da "infiltração de elementos étnicos de maior qualidade que se transformem em uma classe superior e combatam a massa da população. O reservatório [para essa infiltração] será o 'Povo sem Espaço' [os alemães] ..."[36] Deve-se reconhecer que os examinadores de Backer não aprovaram sua tese. Nos círculos *völkisch*, no entanto, essas visões de conquista de inspiração racial eram comuns. Quando o partido nazista se preparava para assumir o poder, no eufórico verão de 1932, Darré desenvolveu em termos muito específicos a missão que caberia a SS em um relatório entregue a uma conferência secreta sobre liderança, que tratava da futura política do Terceiro Reich em relação ao leste.[37] Conforme Hitler deixara claro tanto no *Mein Kampf* quanto no "Segundo Livro", não se podia falar em incorporar a população local da Europa oriental. O prelúdio de um programa maciço de assentamentos alemães teria, portanto, de ser uma "rearrumação" demográfica profunda. Os que permanecessem serviriam de trabalho escravo nas fazendas ocupadas por alemães (*Adelhöfe*). A SS seria a arma para esse movimento de colonização. A comunidade de clãs cuidadosamente preparada por Darré e Himmler encontraria seu lar definitivo em forma de sólida barreira racial, um espesso cinturão de fazendas de colonos que se estenderia ao longo dos confins orientais do *reich*, atrás do qual os camponeses alemães poderiam executar sua missão colonizadora. Escusado dizer que tais visões não se destinavam ao consumo público. Mas não há motivo para duvidar que eram levadas a sério pela liderança nazista. Embora nos seja difícil acreditar, a ideologia agrária é crucial para compreender, não o arcaísmo do regime de Hitler, e sim sua extraordinária militância.

III

Certamente, não pode existir dúvida quanto à energia popular em apoio ao programa camponês de Darré nos anos iniciais do regime. Em 1º de outubro de 1933, meio milhão de pessoas se juntaram na encosta do Bückeberg, adjacente a Hameln (Hamelin), a fim de participar da primeira comemoração do festival da colheita do *reich*, novo feriado nacional em homenagem aos camponeses alemães.[38] Centenas de trens convergiram de todas as comunidades rurais da planície setentrional da Alemanha durante todo o dia, trazendo milhares de delegações de camponeses, muitas vestindo trajes típicos. A maior parte da assistência acorreu voluntariamente, atraída pela perspectiva de um dia de folga e a oportunidade de ver o *führer* em pessoa. Os zelosos burocratas do partido se esmeraram em transformar a ocasião em um êxito. Segundo um coordenador regional da região de Hannover, "somente os aleijados, débeis, indolentes ou insensíveis devem permanecer em suas casas, assim como os elementos hostis ao Estado". A gigantesca massa despejada pelas estações ferroviárias em torno de Hamelin marchou em coluna de seis pessoas, ladeadas à direita e à esquerda por homens da SS, Reichswehr e Serviço Trabalhista uniformizados. As instruções superiores eram difundidas por alto-falantes montados em balões de observação da Reichswehr, ancorados em pontos estratégicos do itinerário. Somente podemos imaginar a impressão que a reunião terá produzido nos aldeões do interior provinciano. A intenção óbvia era a montagem de um espetáculo avassalador de energia e firme direção política. Em 1933, o caos nas escarpas do Bückeberg não favoreceu esse desígnio. Os primeiros a chegar esperaram durante horas na encosta do morro, observando as infindáveis filas que marchavam subindo o vale, aguardando Hitler. O avião que o transportava somente aterrissou em Hamelin, no início da tarde, após um dia cheio recebendo dezenas de delegações camponesas na capital. Quando Hitler marchou triunfantemente, em direção ao cume do Bückeberg, a multidão o acompanhou freneticamente. As fotos sugerem que, ao contrário dos comícios em Nuremberg, em anos posteriores, foi permitido ao povo chegar suficientemente perto para poder tocá-lo. Dezenas de crianças caminhavam diante de seu grupo, levando guirlandas de flores. Hitler levou quase uma hora para percorrer os últimos 600 metros até chegar à plataforma da tribuna dos oradores. Enquanto isso, as bandas de música da Reichswehr tocavam alto a "Badenweiler Marsch", misturada com os frenéticos "Sieg Heil" da multidão. Junto com o *Führerkult*, o agrarianismo e a pseudorreligião, o militarismo popular era ingrediente vital na fórmula do Bückeberg. Em anos posteriores, complicadas batalhas simuladas tornaram-se uma das principais atrações do festival da colheita, mas já em 1933 os soldados eram elemento essencial do espetáculo. Quando Hitler, finalmente, chegou ao palanque, tudo estava pronto para uma fanfarra seguida de 21 tiros de uma bateria de canhões leves. Do outro lado do vale do rio Weser, podia-se vislumbrar, envolto em névoa, o 13º Regimento de Cavalaria evoluindo a galope numa formação que reproduzia uma cruz suástica girando sobre seu eixo central.

Os comícios de massa da escala do de Bückeberg não eram lugar adequado para debates sobre política agrícola, mas proporcionavam ocasiões importantes no calendário político que regulava a sequência da formulação de política em Berlim. Davam aos fiéis a oportunidade de comemorar as realizações do regime e também serviam de plataforma a partir da qual eram fornecidas indicações sobre a futura orientação dessas políticas. O Bückeberg de 1º de outubro de 1933 preencheu esses dois objetivos. No início de outubro, Hitler já havia tomado a decisão de levar adiante o mais dramático de seus rompimentos públicos com a comunidade internacional, abandonando a Liga das Nações e os debates internacionais sobre desarmamento em Basileia. Isso foi pré-anunciado em seu discurso com frases caracteristicamente ameaçadoras.[39] Além disso, à luz dos acontecimentos subsequentes, a exibição proposital da recuperada capacidade militar em Bückeberg assumiu significado especialmente premonitório, ainda que a Reichswehr não tivesse podido apresentar mais do que uma carga de cavalaria. O interesse dos seguidores de Darré, no entanto, não era na política externa. Os camponeses em Bückeberg comemoravam a extraordinária colheita de 1933. Também haviam comparecido para festejar um governo que, no mês anterior, havia promulgado duas das leis mais abrangentes em matéria de política agrícola em toda a história moderna, medidas semelhantes às reformas liberais do início do século XIX, porém com intenção contrária.

Em 26 de setembro de 1933, Darré e Backe haviam apresentado ao surpreendido gabinete uma proposta radical destinada a assegurar para sempre a posse das propriedades rurais alemãs. O projeto de lei (*Reichserbhofgesetz*) entronizava a ideologia do *Blut und Boden*, de Darré, na legislação alemã.[40] A fim de proteger os camponeses como "Fonte do Sangue do Povo Germânico", o projeto propunha a criação de uma nova categoria de propriedade rural, a *Erbhof* (fazenda hereditária), protegida contra as dívidas, isolada das forças do mercado e passada de geração em geração entre as famílias camponesas racialmente puras. A lei se aplicava a todas as fazendas de tamanho suficiente para proporcionar a uma família alemã um padrão de vida adequado (um *Ackernahrung*, mais tarde, definido como um mínimo de 7,5 hectares, aproximadamente), mas que não excedessem 125 hectares em superfície. Todos os proprietários de tais fazendas eram obrigados a se registrar em uma lista, ou *Erbhofrolle*. A palavra "camponês" (*Bauer*) era definida, dali em diante, como título honorário, reservado para os que constassem do registro. Os que não pertencessem ao *Erbhofrolle* seriam mencionados, dali em diante, simplesmente como "agricultores" (*Landwirte*). O registro no *Rolle* protegia cada *Erbhof* para todo o sempre contra o pesadelo do confisco. Da mesma forma, impunha também restrições. Os *Erbhöfe* não podiam ser vendidos e nem usados como garantia em hipotecas. As propriedades registradas como *Erbhöfe* não podiam, portanto, ser livremente comercializadas por seus possuidores imediatos. Independentemente dos arranjos existentes entre cônjuges, os *Erbhöfe* deveriam ter um único proprietário do sexo masculino, que deveria documentar sua linhagem de descendência até 1800, exigência semelhante à dos funcionários públicos. Os "camponeses" seriam alemães ou de "origem semelhante" (*Stammsgleich*), dispositivo que excluía os judeus ou qualquer pessoa que tivesse algum antepassado judeu. Além disso, os camponeses titulares de *Erbhöfe* deveriam ser honrados e fisicamente capazes, exigência abrangente que excluía as pessoas casadas com judeus e também os que tivessem defeitos físicos ou não fossem férteis. Na prática, naturalmente, o número de judeus que possuíam terras aráveis, sem falar de fazendas, era pequeno, e os camponeses alemães que tinham ancestrais judeus, provavelmente, tampouco eram muitos. Mesmo assim, a importância simbólica de entronizar a doutrina racial na legislação sobre propriedade era considerável. Ainda mais importante para os camponeses médios era o fato de que a lei do *Erbhof* lhes retirava a faculdade de escolher os herdeiros. A linha de sucessão passava a ser fixada em lei. Todo o *Hof* passaria a único herdeiro do sexo masculino (segundo o *Anerbenrecht*), normalmente, o filho mais velho ou o mais novo, ou então o pai ou um irmão do proprietário falecido. Tanto quanto possível, as mulheres eram privadas de direitos de sucessão. As viúvas sobreviventes somente tinham direito à manutenção da propriedade. Todos os demais candidatos potenciais à herança ficavam completamente excluídos. Os irmãos que não herdassem a fazenda somente tinham direito a receber instrução vocacional adequada à posição social da família. Se viessem a ter dificuldades futuras, poderiam pleitear a proteção da fazenda familiar.

Junto com essa extraordinária intervenção nos direitos de propriedade dos camponeses alemães, foi instituído também um drástico programa de redução de dívidas. Backe e Darré propuseram que os titulares dos *Erbhöfe* assumissem, coletivamente, a responsabilidade das dívidas de cada um. As dívidas de todos os *Erbhöfe*, estimadas entre 6 e 9 bilhões de *reichsmarks*, seriam transferidas ao Rentenbank Kreditanstalt, banco hipotecário patrocinado pelo Estado. O Rentenbank pagaria aos credores originais juros entre 2 e 4%, dependendo do empréstimo original. Por sua vez, os *Erbhöfe*, fossem ou não devedores, fariam no futuro um pagamento anual ao Rentenbank, avaliado em 1,5% do valor da fazenda (*Einheitswert*). Para os *Erbhöfe* que não tivessem dívidas, tratava-se evidentemente de uma exigência significativa. Portanto, à guisa de compensação, os que tivessem dívidas pouco volumosas receberiam títulos que garantiam a seus filhos tratamento privilegiado no programa de assentamentos na Prússia oriental. Com isso, Backe esperava não apenas criar solidariedade entre os *Erbhöfe* mas também ligar a redução das dívidas a um programa acelerado de colonização.

A lei dos *Erbhöfe* era dirigida à média das propriedades rurais alemãs, num total de aproximadamente, um milhão de fazendas. Não pretendia cobrir propriedades rurais marginais e muito menos as pequenas parcelas de peões. Tampouco, significativamente, ocupava-se dos beneficiários tradicionais do protecionismo agrário, as grandes propriedades. Darré não era figura querida entre os Junkers. Enquanto Hugenberg e os nacionalistas tinham se mostrado leais aos interesses dos grandes proprietários, murmurava-se que os "bolchevistas agrários" que agora controlavam o ministério planejavam um programa maciço de reforma agrária a fim de romper os baluartes da aristocracia no leste. De todas as medidas econômicas tomadas pelo governo de Hitler, nos primeiros anos, a lei dos *Erbhöfe* foi a mais claramente marcada pela ideologia nazista específica. O protecionismo agrícola, o calote das dívidas, o bilateralismo no comércio exterior e o rearmamento eram políticas que uniam as facções do partido nazista em competição: Hjalmar Schacht, os nacionalistas e os militares. Esse não era o caso da lei dos *Erbhöfe*. Era uma medida ditada, primordialmente, pelo agrarianismo de estilo nazista formulado por Darré e Backe. Consciente de sua posição isolada, Darré teve o cuidado de obter a aprovação de Hitler para a proposta de lei durante uma visita ao Obersalzberg, no início de setembro de 1933.[41] Em agricultura, assim como em outros aspectos da política, nenhuma providência importante era tomada sem a anuência de Hitler. No entanto, Darré e Backe enfrentaram forte oposição no gabinete. O ministro da Justiça, que era prussiano, indignou-se com o curto prazo no qual tal "passo de extraordinária e fundamental importância" (*Schritt von ungeheurer grundsätzlicher Bedeutung*) estava sendo apresentado ao gabinete. Schmitt, ministro de Assuntos Econômicos do *reich*, preocupou-se com a possibilidade de que a proteção oferecida pela lei dos *Erbhöfe* viesse a criar uma nova classe de indolentes "camponeses do Estado", sem interesse na eficiência. O presidente do Reichsbank, Schacht, denunciou a proposta por solapar toda a base dos créditos hipotecários agrícolas.

Apesar dessas importantes objeções, a aprovação de Hitler foi decisiva. Tão pronto o *führer* declarou que o princípio do *Erbhof* era inalterável, já não era possível impedir o advento da lei. Ao mesmo tempo, no entanto, ele sugeriu que os principais partidos prosseguissem nas negociações sobre os detalhes da implementação. O resultado, durante os meses seguintes, foi uma constante batalha entre o Reichsbank, o RWM e os agrários, que acabou em concessões importantes. O proposto programa de alívio coletivo de dívidas, principal elemento econômico do projeto *Erbhof*, foi engavetado. Os *Erbhöfe* não devedores ficaram livres da obrigação de pagar as dívidas de outros camponeses. Em sua divergência com Darré, Schacht foi ainda mais longe. Como os *Erbhöfe* não podiam oferecer as terras em hipoteca, Schacht expediu instruções para que lhes fossem negadas todas as formas de crédito de longo prazo. Naturalmente, esperava com isso obrigar Darré a recuar. A posição deste último nos primeiros anos do regime, no entanto, era demasiadamente poderosa para que ele sucumbisse a essa chantagem. O ministério comandado por Darré tratou de providenciar para que os camponeses dos *Erbhöfe* em dificuldades recebessem repasses diretos ou empréstimos garantidos pelo ministério.[42] Em muitos casos, os tribunais foram persuadidos a relaxar a aplicação das regras altamente restritivas sobre o uso de terras como garantia. E as estatísticas, sem dúvida, dão a entender que isso foi o suficiente para impedir problemas graves no investimento agrícola durante os anos subsequentes.[43]

Na verdade, um dos problemas mais graves foi convencer os próprios camponeses das vantagens da lei dos *Erbhöfe*. Nas regiões meridionais e ocidentais, onde a regra era a herança mediante partilha, a nova lei foi recebida com hostilidade e indiferença. Mas, mesmo na planície do norte da Alemanha, onde há muito prevalecia o *Anerbenrecht*, o entusiasmo inicial com a *Reicherbhofgesetz* em pouco tempo, transformou-se em descontentamento. O princípio geral da herança indivisível da fazenda familiar era bastante aceito, porém jamais havia sobrepujado o direito do fazendeiro, em última instância, de decidir a respeito da distribuição de sua propriedade. Em toda parte, era considerado normal compensar os filhos que não herdavam a fazenda familiar. Nunca as esposas e filhas, que frequentemente contribuíam com importantes ativos no casamento, haviam sido tratadas de maneira tão desigual. E como poderia o fazendeiro fazer investimentos e organizar suas finanças sem acesso ao crédito hipotecário? No início de 1934, a agência da Gestapo, em Hannover, região de grandes e prósperas propriedades rurais camponesas, relatou extensa e irada insatisfação com as novas regras. Se Darré e seus homens estavam interessados em famílias numerosas, seria melhor que pensassem duas vezes, porque o resultado das normas sobre sucessão da lei dos *Erbhöfe* seria a exportação das famílias de um e dois filhos para a área rural. Houve muito ressentimento em relação às grandes propriedades às quais as regras dos *Erbhöfe* eram inaplicáveis. Em uma parte da Baixa Saxônia, que poderia ter sido incluída no sistema, ao funcionários locais simplesmente disseram: "Grande número de camponeses acredita que não será capaz de conviver com a lei dos *Erbhöfe*".[44] Na prática, o que fez amainar a onda inicial de resistência camponesa foi uma série de emendas à estrutura inflexível da lei original e um constante processo de litígios no novo sistema de tribunais do *Erbhof*. No tocante à questão crucial do titular da propriedade, foram permitidas formas de copropriedade dos *Erbhöfe* na primeira geração. Os tribunais foram também lenientes no tratamento de petições para assumir novos créditos com garantia fundiária. Houve idêntica flexibilidade quanto à venda de terras. No sul, um dos principais temas de controvérsia foi a definição do limite inferior para inclusão no registro de *Erbhof*. Também, nesse caso, o tratamento foi flexível. As autoridades se mantiveram firmes, no entanto, a respeito de um dos princípios. Quaisquer que fossem as concessões feitas à geração atual de camponeses, a aplicação da lei no momento da sucessão era estrita. A herança única por um só titular foi rigorosamente aplicada em todo o *reich* para todos os *Erbhöfe*, independentemente das sensibilidades locais.

Dadas essas objeções, talvez, não seja surpreendente que os registros de *Erbhöfe* não tivessem sido preenchidos tão rapidamente quanto se esperava nos tempos iniciais do primeiro festival de colheita do *reich*. A lei dos *Erbhöfe* não transformou a estrutura da propriedade fundiária na Alemanha. Simplesmente, não havia um número suficiente de fazendas das dimensões adequadas. Não obstante, nas categorias de tamanho que se ajustavam, claramente, aos limites do *Erbhof*, entre 10 e 100 hectares, a taxa de registro foi elevada. A grande maioria das médias e grandes propriedades camponesas ficou sujeita às novas regras. E, nas regiões onde essas fazendas predominavam, o *Erbhof*, logo, se tornou comum. Nesse sentido, a lei atingiu seu objetivo, consolidando um conjunto de propriedades cujo tamanho médio, em termos nacionais, era de pouco menos de 20 hectares, dimensão que logo seria definida como ideal para a eficiência do trabalho de uma família na nova ordem da agricultura alemã.

IV

O segundo passo fundamental dado por Darré e Backe, no outono de 1933, foi o estabelecimento da *Reichsnährstand* (RNS).[45] Não é demais afirmar que a instituição dessa organização e seu sistema de controle de preços e de produção representou o fim do livre mercado de produtos agrícolas na Alemanha. A produção agrária e de alimentos, que até meados do século XIX havia sido indubitavelmente o segmento mais importante da economia alemã, e que ainda na década de 1930 constituía um elemento extremamente significativo do produto nacional total, passou a estar isenta da influência das forças do mercado. Conforme Backe, claramente, articulou ainda antes de 1933, o mecanismo de fixação de preços era a chave.[46] A RNS usou os preços para regular a produção. Os preços mais elevados serviam para estímulo e a redução dos preços, em termos relativos, fazia com que a produção se dirigisse a outros setores. Mas os preços propriamente ditos não eram mais determinados livremente pelo equilíbrio de oferta e demanda, e sim fixados, centralmente, pelos funcionários da RNS. Além disso, para assegurar que a produção se desenvolvesse o mais eficientemente possível, a RNS estendeu o controle e supervisão a todos os campos de cultivo, celeiros e ordenhas do país. Em contraste com a lei dos *Erbhöfe*, que se aplicava a uma minoria de propriedades rurais, a RNS se imiscuiu em todos os escaninhos da cadeia alimentar.[47] Em cada uma das 55 mil aldeias da Alemanha havia um *Ortsbauernführer* responsável pela supervisão das atividades cotidianas. Os *Ortsbauernführer* eram subordinados a 50 *Kreisbauernführer*, que, por sua vez, dependiam de um dos 19 *Landesbauernführer*. Do nível do *reich* ao do *Kreis*, a organização se dividia em três áreas funcionais responsáveis pela ideologia geral e temas das fazendas e do mercado. A autoridade política da organização emanava de Berlim, de onde

Darré e Backe dirigiam a política geral, mas o coração espiritual do novo regime era a Baixa Saxônia, centro da produção rural camponesa da Alemanha. O próprio Darré possuía uma fazenda nessa região. A cidade de Goslar era a sede tanto das reuniões anuais do *Bauernstand* quanto do departamento ideológico da RNS. A Associação de Camponeses do Norte e a recém-criada repartição de assuntos rurais também estavam localizadas ali. Goslar abrigava igualmente, a Escola Superior Camponesa (*Bauernhochschule*) e duas escolas agrícolas de ensino médio. O Bückeberg, centro emotivo do império rural de Darré, ficava a poucos quilômetros de distância.

Assim como a Frente Trabalhista Alemã, de Robert Ley, a RNS era uma organização autossustentada que operava em estreita cooperação com o Ministério da Alimentação e Agricultura do *reich*. Os recursos da RNS provinham de uma taxa cobrada de todas as fazendas do país, de 2 *reichsmarks* por 1 mil *reichsmarks* do valor das terras (*Eiheitswert*). Isso fornecia dinheiro suficiente, já no final da década de 1930, para pagar um corpo permanente de mais de 20 mil funcionários, a partir do nível de *Kreis*, além de um orçamento anual superior a 100 milhões de *reichsmarks*. Não admira que a construção desse império desse origem a uma corrente constante de insatisfação, tanto entre os camponeses aos quais a intensa regulamentação da RNS suscitava recordações da Primeira Guerra Mundial, quanto do *lobby* de homens de negócios que desconfiavam da ambição regulatória da organização.[48] Hjalmar Schacht, em especial, era um crítico implacável. No entanto, quando se considera o volume da produção agrícola da Alemanha na década de 1930, não se pode dizer que a organização da RNS fosse exagerada.[49] Em qualquer ano que se tome, o valor da colheita de trigo, por si só, era igual à produção anual da indústria pesada do país — mineração de carvão, produção de ferro e aço. Ainda assim, a diferença de esforço organizativo dedicado às duas operações era extraordinária. O atraso de grande parte da agricultura alemã indicava uma escassez crônica de gerência e supervisão eficientes, déficit que a RNS procurava preencher com uma corrente infindável de palestras, material educativo e cursos, assim como intervenções mais diretas nas práticas rurais camponesas.

Do ponto de vista econômico, uma das inovações mais importantes da RNS foi não se limitar às fazendas, mas se aplicar a todas as atividades correlatas. Em seu âmbito, incluíam-se as cooperativas de crédito, que forneciam recursos aos agricultores a fim de adquirir os estoques anuais de sementes, e as cooperativas e negociantes aos quais a produção era destinada. Incluíam-se, também, as fábricas de laticínios, os moinhos e as instalações que processavam alimentos para consumo nas cidades. A RNS não exercia o controle exclusivo da indústria alimentícia; compartilhava-o com os Grupos de Negócios de Schacht e com as organizações pertinentes das indústrias artesanais. No entanto, sua influência era enorme, porque controlava os preços que os processadores pagavam pela matéria-prima. Tomando em conjunto a agricultura e a indústria de alimentos, a RNS era, sem dúvida, uma organização poderosa. Ao exercer controle mais ou menos direto sobre mais de 25% do PIB alemão, correspondia à orgulhosa afirmação de Darré de que representava a maior entidade econômica do mundo, com vendas de mais de 30 bilhões de *reichsmarks*.[50] Além de um total de 6 milhões de produtores independentes, controlava mais de 40% de toda a força de trabalho da Alemanha. A RNS tinha impacto ainda mais direto sobre os lares das famílias do país, porque fixava os preços pelos quais elas compravam seus alimentos e bebidas, que, em média, representavam quase a metade dos orçamentos familiares. Vista em seu conjunto, a RNS era o principal elemento da economia alemã e os desígnios de Darré e Backe, no início da década de 1930, eram muito ambiciosos. Em 1933 e 1934, ambos utilizaram todas as oportunidades para apresentar o modelo da RNS como padrão de organização econômica. Enquanto a estrutura da nova organização industrial de Schacht ainda se encontrava pendente de decisão, em 1934, Darré esforçou-se para subordinar à RNS os produtores de equipamento agrícola, um dos mais importantes elementos da indústria de engenharia da Alemanha. Em 1933, após a queda de Hugenberg, e, novamente, em 1934, depois da renúncia de Kurt Schmitt, murmurava-se que Darré estaria tentando conquistar o Ministério de Assuntos Econômicos. Durante a crise de divisas estrangeiras de 1934, Ferdinand Fried, um dos principais propagandistas da autarquia, publicou um projeto de organização de toda a economia industrial segundo o modelo da RNS.[51] Em lugar do sistema frouxamente articulado de cartéis e grupos de negócios, haveria uma única organização coesa, com metas de preços e produção diretamente controlada pelas autoridades centrais. Toda e qualquer extensão do modelo da RNS, no entanto, acabou sendo bloqueada pela oposição de Schacht e dos grupos de interesses industriais. Também nessa arena os acontecimentos do verão e outono de 1934 foram decisivos. No outono, Darré viu-se lutando na retaguarda contra a influência dominante do sistema de câmbio e controle comercial de Schacht, disputa decorrente do fato de que a agricultura da Alemanha, assim como sua indústria, dependia de insumos importados.

Em 1933, o sentimento no setor agrícola era de euforia, não apenas devido ao ativismo do novo governo, mas também por um clima ideal e uma colheita recorde. A RNS iniciou a vida com a grata tarefa de comprar estoques substanciais de grãos a preços mínimos subsidiados. O resultado, já na altura de maio de 1934, foi uma ampla reserva de cereais tanto para consumo humano quanto animal, o que proporcionaria um importante apoio nos primeiros anos. Os generosos preços pagos aos agricultores foram transferidos diretamente aos consumidores, que enfrentaram um drástico aumento do custo de vida. Após anos de preços decrescentes, o índice oficial de preços de alimentos subiu, entre 1933 e 1934, de 113,3 para 118,3. No fim do ano de 1933, os preços do leite foram elevados para 22 *pfennigs* o litro, mediante intervenção direta da RNS. Essas mudanças podem parecer pequenas, mas pode-se apreciar sua importância ao compará-las com os modestos orçamentos com que os lares alemães tinham de subsistir de semana a semana. Além disso, a inflação era distribuída de maneira altamente desigual. Uma repartição trabalhista de Hamburgo alertou, no início de 1934, para uma corrida às compras, quando os consumidores se viram diante de um aumento de 10% nos preços em um único mês. Como vimos, a inquietação popular sobre a inflação nos preços dos alimentos era um dos sinais mais preocupantes assinalados pela Gestapo, em 1934. A ansiedade era tão severa que parecia haver sobrepujado qualquer vantagem de propaganda obtida na luta contra o desemprego. Essa reação extremamente negativa ao aumento dos preços durante a crise econômica e política de 1934 teve impacto de duração extraordinariamente longa na política de produção agrícola do Terceiro Reich. Dali em diante, a RNS teve de enfrentar enorme pressão política para evitar quaisquer novos incrementos de preços, ainda que fossem necessários para estimular a produção.

Para piorar a situação, no início do verão de 1934, tornou-se evidente que a colheita recorde do ano anterior não se repetiria. A produção de grãos declinou drasticamente. Em consequência, em 21 de julho de 1934, Darré foi obrigado a se apresentar diante de seus rivais políticos para pedir uma quota diária de divisas estrangeiras de 1,6 milhão de *reichsmarks* para a compra de alimentos e forragem importados.[52] Se não obtivesse esses recursos, ele temia ter de considerar medidas severas para reduzir o consumo das famílias. Dado o estado precário da opinião pública, essa opção era altamente indesejável. Porém, à luz da crise do balanço de pagamentos da Alemanha, não era possível pensar em novos aumentos na importação de alimentos. No verão de 1934, Schacht somente fornecia divisas diariamente para as importações mais essenciais, e assumira grandes riscos diplomáticos deixando de pagar grande parte da dívida externa alemã. Assim como fizera na luta contra Schmitt, Schacht usou a distribuição de divisas como arma contra Darré. Exigiu que a RNS vendesse os estoques de cereais acumulados no ano anterior e acusou Darré de haver criado um monstro burocrático exageradamente volumoso.[53] Darré reagiu espalhando o boato de que Schacht, o principal membro do gabinete que não pertencia ao partido nazista, era, na verdade, agente da maçonaria internacional.[54] Mas, debaixo da feroz retórica, o dilema era real. Desde as últimas décadas do século XIX, a dieta alemã se tornara progressivamente mais rica em gorduras animais e proteínas. A carne e o leite provinham, na maior parte, de animais alemães, mas estes, por sua vez dependiam de forragem importada com elevado teor de proteína e fatores energéticos. Desde a década de 1920, as sementes oleaginosas, como a soja e o amendoim se tornaram elemento vital da produção alemã de laticínios. Com o auxílio da dieta rica em proteína e gorduras, tinha sido possível aumentar a produção média das vacas leiteiras do país a 2.200 litros por ano, com os melhores exemplares chegando a mais de 4mil litros anuais.[55] Dado o preço relativo do leite e das sementes oleaginosas, isso era rentável do ponto de vista dos fazendeiros, mas impunha uma pesada carga no orçamento alemão de divisas. Em 1928 e 1929, as importações de sementes oleaginosas representavam mais de 850 milhões de *reichsmarks* por ano.[56] Durante a recessão, o colapso dos preços mundiais de *commodities* forçou uma redução dessa fatura, mas ainda continuava a ser uma despesa em divisas que o Reichsbank dificilmente podia suportar.

Depois da decepção da colheita de 1934 e da crise desesperada de divisas, o novo desafio para a organização de Darré e Backe era provar que poderia constituir não apenas um sistema de apoio econômico aos agricultores, mas também um veículo para a autossuficiência nacional. Tomando emprestada uma expressão empregada por Mussolini, o festival da colheita de 1934 adotou o *slogan* "Batalha da Produção" (*Die Erzeugungsschlacht*). Era preciso fazer tudo para assegurar uma colheita melhor em 1935. Toda a organização da RNS foi mobilizada. Realizaram-se mais de 400 mil reuniões e milhões de folhetos e manuais sobre eficiência produtiva foram distribuídos em todas as aldeias do país.[57] A RNS estabeleceu um orçamento específico para propaganda a fim de financiar uma enorme campanha de publicidade. Na retórica da RNS, o militarismo popular cada vez mais substituía a linguagem do "sangue e solo". Os camponeses dos *Erbhöfe* foram declarados "tropas de choque" da batalha dos cereais. O novo *slogan* da RNS era "Camponeses dos *Erbhöfe*, avante!" (*Die Erbhofbauern vor die Front!*).[58] A Batalha da Produção costuma ser, geralmente, menosprezada como simples exercício de propaganda.[59] Isso, porém, não faz justiça à RNS nem às restrições que a organização tinha de enfrentar. Se levarmos em conta a redução dos insumos importados, a produção rural de fontes domésticas aumentou 28%, entre 1927 e 1936.[60] Dada a estrutura da agricultura alemã e os padrões de alimentação, na década de 1930, não admira que a RNS nunca tenha conseguido alcançar a autossuficiência. A manutenção da produção, sem falar em aumento, na incapacidade de poder pagar preços substancialmente mais elevados aos camponeses, já seria uma façanha. O que a RNS conseguiu fazer foi não apenas um incremento apreciável na produção doméstica de alimentos, mas também uma melhora considerável na capacidade de resistência da agricultura alemã diante de choques.[61]

O segredo das atividades da RNS, na década de 1930, foi, por um lado, a gestão dos estoques nacionais de cereais e, por outro, um esforço decidido para reduzir a dependência de produtos importados para a cadeia alimentar animal. Nos bastidores, a RNS supervisionou uma mudança importante da base nutritiva de suínos e animais leiteiros.[62] Depois de 1933, o Reichsbank nunca destinou mais de 260 milhões de *reichsmarks* à importação de sementes oleaginosas, menos da metade do nível na República de Weimar. Embora a forragem animal fosse muito mais barata na década de 1930, em termos de volume, a importação de óleo foi reduzida, entre 1932 e 1936, de 2,3 milhões de toneladas a menos de 1,1 milhão por ano. Os alimentos carboidratados importados, como o milho, de substituição mais fácil pelo produto doméstico, foram ainda mais reduzidos. Em 1936, os animais das fazendas alemãs consumiam apenas metade da proteína importada e 30% dos carboidratos importados que estavam disponíveis em 1928-29.[63] Para cobrir essa lacuna, os camponeses foram estimulados a substituir o feno, os nabos e os subprodutos nutritivos da cultrura de beterraba para produção de açúcar — como as folhas e cabeças. Para que isso se tornasse palatável aos animais leiteiros, a RNS estimulou a adoção quase universal de silos de fermentação (*Gärfutterbehälter*). Na década de 1920, a fermentação de alimento animal era rara nas fazendas alemãs. Em 1939, a RNS já havia supervisionado a instalação de mais de 8 milhões de metros cúbicos de capacidade. Da mesma forma, a organização reorientou as bases alimentares do rebanho de porcos.[64] A população suína, que era a fonte principal de carne para consumo humano, era o elemento vital da cadeia alimentar, com um rebanho que oscilava entre 23 e 25 milhões de animais, conforme o preço da carne de porco e o custo da forragem disponível. Do ponto de vista da RNS, a consideração fundamental era a substituição de cereais por batatas na alimentação dos animais, em vez de utilizar estas últimas para alimento humano. Antes da existência da RNS, era normal que quantidades superiores a 2 milhões de toneladas de centeio fossem aproveitadas na cadeia alimentar em forma de carne de porco, em vez de pão. Depois de 1935, dada a dificuldade em assegurar o fornecimento de cereais para consumo humano, isso se tornou impossível. O preço do centeio foi elevado e os porcos da Alemanha passaram a ser alimentados, predominantemente, com batatas e outros nutrientes produzidos domesticamente.

O que a RNS não podia fazer era manipular o clima. Depois da colheita espetacular do verão de 1933, os anos seguintes geraram resultados decepcionantes. Entre 1934 e 1937, a produção de trigo e centeio foi constantemente desapontadora. A colheita de batatas em 1935, foi desastrosa. Para gerenciar essas decepções, o principal recurso da RNS era a grande reserva de cereais acumulada durante a colheita recorde de 1933. Os déficits de 1934 e 1935 foram cobertos por meio da utilização do estoque acumulado no primeiro ano de fartura do Terceiro Reich. Tratava-se, por sua própria natureza, de uma solução de curto prazo. No verão de 1936, as reservas de cereais que, no início de 1934, eram de 3,5 milhões de toneladas, tinham sido reduzidas ao perigoso nível de menos de 700 mil. Era uma quantidade apenas suficiente para garantir a continuidade até a colheita seguinte. Já no verão de 1935, começou-se a falar na necessidade de introduzir o racionamento do pão. Por motivos óbvios, isso foi considerado politicamente inaceitável. Em vez disso, a RNS recorreu a um programa organizado de substituição, por meio do qual a farinha de trigo passou a ser diluída com fubá de milho e, até mesmo, amido de batata.[65] Quanto às carnes e à manteiga, o regime foi mais rigoroso. A fim de gerir a escassez de manteiga, introduziu-se, no outono de 1935, um discreto sistema de racionamento, por meio de listas de consumidores mantidas pelos varejistas. Igualmente, não foi possível proteger o abastecimento de carnes do impacto da desastrosa escassez de batatas de 1935. A fim de assegurar que haveria batatas suficientes para o consumo humano, a RNS reduziu a população suína e determinou um forte aumento do preço dos produtos derivados. Em Berlim, o preço do presunto cozido subiu quase 30% entre 1934 e 1936. A partir de 1936, a RNS também suplementou a alimentação alemã por meio de importações. Em 1936, foram importadas mais de 1 milhão de toneladas de cereais. Em 1937, as importações cresceram a mais de 1,6 milhão de toneladas. Não há dúvida de que no ano anterior, 1936, tratou-se de uma medida de último recurso ditada pelos dois anos seguidos de más colheitas e pela exaustão dos estoques.[66] Isso, no entanto, não significava uma mudança fundamental na estratégia da RNS e, claramente, não representava um recuo na Batalha da Produção.[67] A partir de 1937, a produção alemã tornou-se mais do que adequada para atender à demanda doméstica. As importações passaram a se destinar não ao consumo corrente, e sim à reconstituição dos estoques nacionais de cereais, que chegaram em 1939 a níveis adequados para atender o abastecimento de pão durante um ano inteiro.[68]

É fácil equivocar-se na compreensão da constante atmosfera de crise que afligia a RNS. Em nenhum momento, a população da Alemanha esteve ameaçada com uma verdadeira penúria de alimentos.[69] As "faltas" de carne e manteiga não foram causadas por um colapso do abastecimento, e sim por um crescimento súbito da demanda, especialmente, por parte dos consumidores da classe trabalhadora. Os alemães que recentemente haviam recuperado seus empregos e que tinham dinheiro nos bolsos, simplesmente, não desejavam adotar a austera dieta vegetariana promovida pela liderança nazista com seus almoços dominicais de legumes cozidos. Em condições normais de mercado, naturalmente, o hiato entre oferta e procura teria sido preenchido pelo aumento de preços. Os preços elevados desestimulariam a demanda e, ao mesmo tempo, promoveriam um esforço produtivo maior de parte dos camponeses alemães, além de atrair uma onda de importações do exterior. Sem dúvida, a RNS adotou essa opção em relação aos produtos especialmente escassos. Em geral, no entanto, um aumento geral nos preços dos alimentos era descartado devido ao receio de provocar a mesma reação negativa que ocorrera em 1934. Esse congelamento político de preços era o que criava a aparência de escassez, obrigando a RNS a recorrer a formas mais ou menos ostensivas de racionamento. Somente em 1938, com o surgimento de problemas reais de abastecimento de laticínios, foi que o governo, finalmente, elevou os preços pagos aos camponeses alemães pelo leite. Mesmo assim, esse aumento não foi repassado aos consumidores. A elevação do preço pago ajudou, portanto, a estimular a produção, mas nada fez para restringir a procura.

A RNS enfrentava outras queixas além da falta de alimentos. A polícia secreta, que monitorava ansiosamente os sentimentos dos camponeses, também encontrava muitos indícios de insatisfação. Havia constantes reclamações sobre preços baixos e interferência administrativa.[70] Os camponeses, sem dúvida, se viam mais restringidos do que anteriormente, em tempos de paz. Nos primeiros dois anos do governo nazista, foram promulgados 250 novos regulamentos para a agricultura, ou seja, um a cada três dias.[71] Provavelmente, as restrições mais onerosas impostas pela RNS eram as que obrigavam os camponeses a entregar quotas de leite a indústrias de laticínios licenciadas pela organização. Era uma interferência crucial, porque a distribuição diária de leite e manteiga às cidades era a mais importante fonte de dinheiro líquido para a maioria das fazendas de camponeses. As processadoras de laticínios da RNS pagavam à vista, naturalmente, mas os camponeses tinham de aceitar um preço centralmente determinado e um esquema de entregas que não era exatamente o que prefeririam. Para as fazendas localizadas nas proximidades dos mercados urbanos, era um grave prejuízo. Na região de Hamelin, estimou-se que a perda anual dos camponeses era de até 2 mil *reichsmarks* por fazenda. Foi necessário instituir pesadas multas a fim de assegurar o cumprimento das quotas. Em setembro de 1935, com centenas de fazendas entregando quantidades estranhamente pequenas de leite às fábricas de laticínios locais, a Gestapo denunciou o que parecia ser uma "greve do leite" na região de Wesermünde. Ao mesmo tempo, postos de controle na estrada para Bremen detectaram seis camponeses contrabandeando cerca de 40 kg de manteiga para venda ilegal na cidade.[72]

Esses exemplos são, sem dúvida, pitorescos. Mas as reclamações dos camponeses não costumam ser boa indicação para compreender a economia do apoio à agricultura. Os habitantes das zonas rurais da Alemanha tinham antigas lembranças e entendimento sólido de seus direitos. Recordavam os tempos dourados, do início do século XX, quando a competição com a América do Norte era contornada eficientemente por meio de tarifas modestas e um mínimo de intervenção governamental. Se levarmos em conta a desastrosa situação da agricultura mundial, na década de 1930, fica evidente que os camponeses alemães gozavam, na verdade, de um nível de proteção sem precedentes na história, e isso, sem dúvida, tinha um preço. Em troca da exclusão da competição estrangeira nos mercados domésticos, os pequenos proprietários de terras tinham de aceitar ampla regulamentação e controle. A partir de 1930, a agricultura na Alemanha, como, em geral, em toda a Europa, cada vez menos se aproximava de uma indústria regulada pelo mercado e cada vez mais se assemelhava a uma estranha mistura de propriedade privada e planejamento estatal. A verdadeira história é narrada pelo nível de preços pagos aos camponeses alemães se comparados com os preços que poderiam haver obtido, caso estivessem expostos ao impacto total da competição externa. Nessas bases, os registros não mostram ambiguidade. Embora seja verdade que os produtores de cereais, sem dúvida, gozavam de uma margem de proteção mais ampla do que os produtores de leite, os preços pagos aos camponeses alemães nos tempos do nacional-socialismo por todos os tipos de produtos agrícolas eram, pelo menos, o dobro dos que prevaleciam no mercado mundial. Igualmente, segundo o Novo Plano de Schacht, a indústria alemã também gozava de proteção abrangente. Assim, o acontecimento realmente revelador, após 1933, foi a melhoria dos termos de troca entre a agricultura e a indústria. Durante a Depressão, os preços de produtos agrícolas haviam declinado mais do que os preços industriais. Depois de 1933, a diferença entre preços agrícolas e industriais reduziu-se rapidamente. Os primeiros subiram mais velozmente do que os outros e isso, mais uma vez, acompanhava os acontecimentos nos mercados globais, nos quais a agricultura continuava atrasada.

Na noite de 30 de janeiro de 1933, Hitler prometera restaurar em quatro anos a bonança dos camponeses alemães, e a RNS, sem dúvida, cumpriu essa promessa. Segundo cálculos da agência econômica alemã mais autorizada, a renda total das fazendas, na qual os produtos de origem animal representavam mais de 60%, cresceu quase 14%, em 1933-4, e mais 11,5%, em 1934-5. Ao mesmo tempo, a carga impositiva e os juros dos créditos agrícolas reduziram-se significativamente.[73] Fazendo o ajuste para levar em conta a deflação geral de preços, os aumentos da renda líquida dessas dimensões mais do que compensavam a Depressão. A situação teria sido ainda melhor se não fosse o clima desfavorável e a má colheita de 1934.

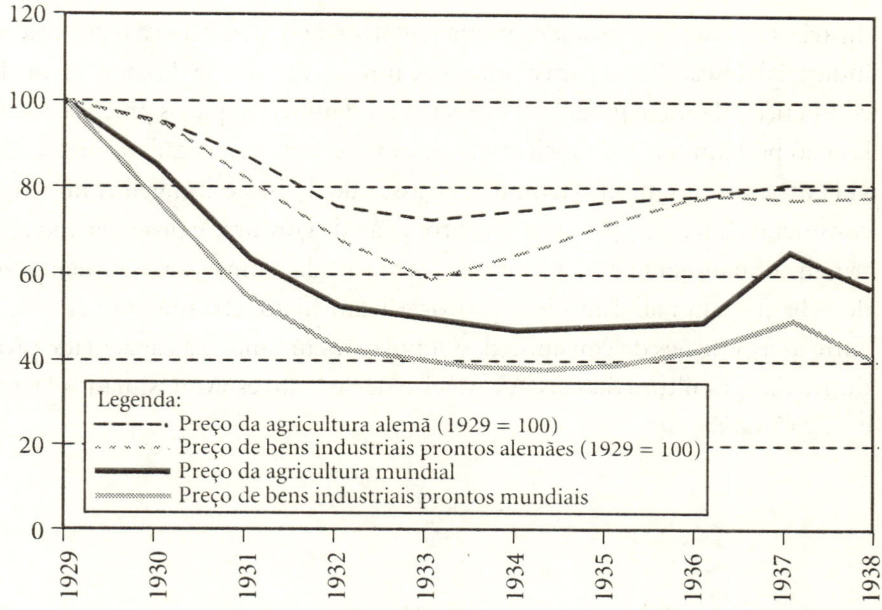

Gráfico 8. Preços industriais e agrícolas, na Alemanha e no mundo (1929 = 100)

Por sua incapacidade em satisfazer qualquer dos principais grupos de interesse do Terceiro Reich, a RNS tornou-se vítima do próprio esforço para estender o controle a todos os aspectos da produção de alimentos. A criação da RNS, certamente, conferiu ao regime nazista um grau sem precedentes de controle sobre um segmento vital da economia. Porém, da mesma forma, politizou uma vasta faixa da vida cotidiana. Sua influência organizativa abarcou todas as famílias do país. Para os camponeses, e não sem razão, a RNS e sua regulamentação intrusiva eram culpadas de praticamente tudo, com exceção do clima. Igualmente, os consumidores percebiam que a tarefa diária da compra de alimentos e, até mesmo, a preparação das refeições familiares estavam então sujeitas a intervenção política e comentários propagandísticos.[74] Em última análise, no entanto, as dificuldades enfrentadas pela RNS não eram atribuíveis a fantasias ideológicas de Darré ou à lentidão e incompetência de sua organização. Os problemas da RNS eram consequência do esforço da Alemanha em gerir a rápida recuperação econômica e o maciço programa de reestruturação industrial diante de restrições limitativas do balanço de pagamentos. Desde 1934, os aumentos dos preços e salários industriais tinham sido sustados numa tentativa de impedir que a recuperação industrial descambasse para a inflação e nova deterioração da capacidade de competição da Alemanha. Isso, por sua vez, significava que os preços agrícolas não podiam ser substancialmente elevados sem prejudicar os padrões de vida urbanos. Ao mesmo tempo, a escassez de divisas estrangeiras impedia, consideravelmente, o progresso na produção de gorduras e proteínas, ao restringir a quantidade e qualidade de forragem disponível para alimentação do rebanho animal. Tudo isso provocava um hiato, claramente percebido entre as aspirações de consumo das populações urbanas e a capacidade produtiva da agricultura do país. A cavaleiro desse hiato estavam situados Darré e a *Reichsnährstand*.

V

Em 1936, no máximo, tornara-se abundantemente evidente que, mesmo com a gestão mais adequada, era simplesmente impossível à Alemanha, confinada a seu território atual, atingir, ainda que de longe, a autossuficiência, especialmente se o governo estivesse decidido a manter os padrões de vida existentes e a estrutura da agricultura do país. Podia-se especular, naturalmente, sobre as possibilidades que se abririam se o Terceiro Reich tivesse tido a constância de forçar a adoção das estritas mudanças estruturais que estavam sendo impostas por Stalin à União Soviética. Não havia, é claro, a ideia da coletivização, pelo menos, não até 1945, quando o Exército Vermelho vitorioso, finalmente, transformou em realidade a antiga ambição de reorganizar as grandes propriedades do leste.[75] No entanto, no final da década de 1930, alguns agrônomos alemães começavam a considerar a possibilidade de superar os problemas agrícolas do país por meio de uma radical concentração de toda a terra disponível em fazendas de dimensões eficientes, permitindo à RNS executar um programa drástico de racionalização e mecanização.[76] Nada disso, porém, fazia sentido político na década de 1930. Em vez disso, os problemas enfrentados pela Alemanha, simplesmente, confirmavam a convicção dos políticos agrários nazistas, inclusive Hitler, de que a solução final das dificuldades do país estava na conquista do leste. Os cálculos dos agrônomos da RNS sugeriam que, a fim de atingir a autossuficência com a tecnologia existente e nos padrões de vida da época, o Terceiro Reich precisava acrescentar de 7 a 8 milhões de hectares disponíveis para agricultura aos 34 milhões de hectares localizados dentro de suas próprias fronteiras.[77] Pode parecer um exagero afirmar que os problemas da agricultura alemã constituíram um fator de progressiva radicalização do regime de Hitler; mas, quando o *führer* buscou conferir um significado concreto ao conceito de *Lebensraum*, foi para a agricultura que ele se voltou.

Por motivos óbvios, são raras as declarações documentadas sobre a amplitude das ambições imperialistas da liderança nazista, depois de 1933. Se tivessem escapado, em público, da boca de alguma figura importante do regime de Hitler, causariam furor internacional.[78] Mas, embora essas ambições tenham permanecido em geral reservadas, não pode haver dúvida de que o objetivo final da expansão para o leste constituía um importante ponto de referência para todos os principais líderes nazistas. Como mencionamos, Darré invocou essa possibilidade, no outono de 1932, meses antes da chegada ao poder. Hitler fez o mesmo, em fevereiro de 1933, em seu primeiro discurso à liderança militar alemã e, novamente, no início de 1934, à mesma plateia. No início de 1936, num discurso que somente surgiu dos arquivos em tempos recentes, Darré esboçou uma visão, notavelmente, concreta das conquistas alemãs a um grupo de funcionários da RNS.[79]

Os conselheiros regionais a quem ele se dirigia eram figuras importantes da organização. Todos eram filiados ao partido. No entanto, certamente, não pertenciam ao círculo mais íntimo da liderança nazista, o que torna mais significativa a disposição de Darré em concretizar as ambições de longo prazo do regime.

Após estender-se, por algum tempo, sobre a importância da categoria racial para a ideologia nazista e sobre a diferença, nesse ponto, entre o nacional-socialismo e o fascismo italiano, Darré chegou ao tema central de suas declarações. O futuro do *Volk* alemão dependia, acima de tudo, da conquista de novas terras para assentamentos agrícolas. Em completo acordo com Hitler, Darré rejeitou qualquer possibilidade de colonização no além-mar. A única região possível para essa expansão ficava a leste. Qualquer leitor atento do *Mein Kampf* já saberia disso. Mas o que Darré disse em seguida era um pouco mais específico e um tanto mais surpreendente:

> A área natural para assentamento para o povo alemão é o território a leste das fronteiras do *reich*, até os Urais, limitado ao sul pelo Cáucaso, mar Cás-

> pio, mar Negro e o divisor de águas entre as bacias do Mediterrâneo e do Báltico mais o mar do Norte. Nós ocuparemos esse espaço, segundo a lei de que um povo superior sempre tem o direito de conquistar e possuir as terras de povos inferiores.

As questões morais não se aplicavam. O *Volk* alemão tinha direito a reivindicar esse enorme território e deslocar os que nele habitavam. Na terra existia somente uma lei, a de que os fracos deviam ceder o lugar aos fortes. Darré compreendia que alguns dos membros de sua plateia poderiam achar essas ideias fantásticas ou exageradas. Convidava-os, porém, a considerar o fato de que todo o território, do Reno aos Urais, não era realmente mais extenso do que o da Austrália ou o do Canadá. A extensão desse futuro Império Germânico, portanto, seria idêntica ao de apenas um dos domínios britânicos. Para os alemães, senhores de todas as tecnologias modernas de transporte, tais dimensões nada tinham de excessivas. Claramente, Darré não tinha em mente fantasias medievais ao recordar a seus ouvintes que

> Nós, alemães, somos líderes no campo das aeronaves e dos aviões comerciais mais modernos. Nós, alemães, construímos as estradas mais modernas do mundo e possuímos comboios ferroviários aerodinâmicos e de alta velocidade que correm sobre nossos trilhos e que sobrepujam amplamente a velocidade de qualquer trem.

Naturalmente, ele sabia muito bem que por enquanto a Alemanha não tinha os meios necessários para ocupar aquele território, mas isso não tinha importância.

> É necessário, antes de mais nada, ter o objetivo em mente e dedicar-se a ele. Um objetivo político como esse tem de ser transmitido de boca em boca, de uma fazenda da Alemanha para outra, deve tornar-se a base do ensinamento em nossas escolas camponesas. Então, um dia, nosso povo seguirá o estadista que aproveitar a oportunidade aberta de desbravar para o Povo Sem Espaço as terras do leste.

Finalmente, Darré advertiu seus ouvintes de que isso não era tema para um futuro distante:

A Europa foi libertada da paralisia da Paz de Versalhes e está em movimento. Não se passarão dez anos antes que o panorama político da Europa, novamente, se mostre bastante diferente do que é hoje. Nessa altura, o povo alemão terá de estar preparado para vencer os desafios que se antepõem a sua raça.

PARTE II

Guerra na Europa

6

1936: quatro anos para a guerra

Em retrospecto, parece evidente que o mundo começou a descambar para a guerra não em 1939, e sim quatro anos antes.[1] Em outubro de 1935, Mussolini lançou o ataque contra a Abissínia, sem provocação. Em maio de 1936, o imperador Haile Selassie encontrava-se no exílio e os italianos haviam instalado um regime genocida que custaria as vidas de milhares de etíopes. Dois meses depois, em julho de 1936, oficiais da extrema direita iniciaram uma rebelião contra o governo espanhol da Frente Popular, que acabara de ser eleito. Em poucas semanas, o país viu-se imerso em uma sangrenta guerra civil. Do outro lado do mundo, o instável equilíbrio foi desfeito, em 6 de março de 1936, com a derrubada do primeiro ministro liberal japonês Okada Keisuke e sua substituição pelo belicoso ministro do Exterior Hirota Koki. No verão de 1937, a guerra recomeçara abertamente na China. A Alemanha nazista não deixava dúvidas sobre sua posição nessa crescente polarização da política mundial. Hitler apoiou Mussolini na África e explorou a consequente perplexidade anglo-francesa ao enviar tropas à Renânia, em flagrante violação do Tratado de Versalhes. No verão de 1936, aviões de transporte Ju 52 da Luftwaffe levaram Franco e tropas rebeldes do Marrocos para o território continental da Espanha. Poucos meses depois, a Legião Condor da Luftwaffe entrou em ação sobre Madri. Logo após, em novembro de 1936, a Alemanha aliou-se ao Japão, principal agressor na Ásia, com o pacto antiComintern.

A ameaça de guerra era óbvia, de tal forma que o principal mercado de seguros do mundo — o Lloyds de Londres — cessou as operações em cobertura de propriedades contra guerras no final de 1936.[2] A questão era saber se a guerra seria inevitável. Os governos da França e da Grã-Bretanha estavam ansiosos por evitar um conflito mais amplo, não porque temessem uma derrota, e sim porque acreditavam que somente as potências mais afastadas — os Estados Unidos, a União Soviética e o Japão — seriam beneficiados. Para simplificar drasticamente, a reação de ambos à Alemanha era formada por três elementos.[3] Para a França e a Grã-Bretanha, a primeira prioridade era assegurar a capacidade de negociar a partir de uma posição de força militar defensiva. Os dois países começaram, portanto, a fazer esforços sérios, em 1936, para reagir ao rearmamento alemão.[4] O segundo elemento principal era desfazer parte dos prejuízos causados pela Grande Depressão mediante a restauração de certo grau de confiança entre as três principais potências ocidentais — a França, a Grã-Bretanha e os Estados Unidos.[5] Desde 1933, os dois últimos haviam conseguido recuperar-se da recessão, mas ainda estavam em disputa entre eles no tocante à agenda norte-americana de liberalização do comércio. Por sua vez, a França estiolava-se na camisa de força do padrão ouro. Finalmente, a terceira e mais conhecida das facetas do apaziguamento era o esforço em organizar um pacote de concessões suficiente para amarrar Hitler a um acordo duradouro de paz na Europa. Após sua reeleição, em novembro de 1936, Roosevelt reviveu a multiforme agenda norte-americana, que fracassara no tumulto entre 1932-3, sugerindo a ideia de uma segunda conferência europeia de paz a fim de debater o desarmamento, o comércio e a redistribuição de possessões coloniais e das matérias-primas que estas possuíam.[6] Os britânicos, no entanto, mostraram-se cautelosos. A opinião em Londres estava dividida quanto à confiança que poderia ser depositada nos Estados Unidos. Mais importante, os britânicos somente estavam dispostos a discutir o desarmamento, principal prioridade de Roosevelt, a partir de uma posição de poderio defensivo. Uma conferência geral teria, portanto, de esperar até que as defesas aéreas britânicas estivessem suficientemente reforçadas. Enquanto isso, Chamberlain preferia uma abordagem parcelada, oferecendo concessões sobre colônias, comércio e crédito na esperança de que isso abrisse o caminho para um acordo sobre paz e segurança.

As propostas de apaziguamento viram-se poderosamente reforçadas pelo fato de que o regime de Hitler, depois de passada a tormenta de indignação seguinte à operação na Renânia em março de 1936, parecia estar iniciando uma fase de relativa "respeitabilidade". No verão de 1936, a Alemanha hospedou os atletas do mundo, nas Olimpíadas de Berlim, acompanhados por hostes de jornalistas internacionais. Goebbels mordeu os lábios quando a imprensa alemã recebeu instruções para dar ampla cobertura aos triunfos de Jesse Owens e outros atletas afro-norte-americanos.[7] Em 1937, na feira internacional de amostras de Paris, o pavilhão alemão foi uma das principais atrações.[8] Já com cinco anos, o regime de Hitler podia apresentar-se como ditadura modelar. O desemprego tinha caído a níveis insignificantes. A economia prosperava. Para milhões de alemães, a vida voltava a ser algo semelhante ao normal.[9] A selvagem onda de repressão entre 1933-4 tinha cumprido seu papel. O número de internados nos campos de concentração de Hitler reduziu-se a poucos milhares. Por algum tempo, até mesmo o antissemitismo do regime amainou. Comparado com a belicosa agressão da Itália fascista na África e do Japão imperial contra a China, para não mencionar os excessos amplamente difundidos dos julgamentos espetaculares de Stalin, o governo de Hitler parecia positivamente razoável. Naturalmente, havia quem não deixasse de acreditar que a paz não seria possível enquanto Hitler permanecesse no poder. Na Grã-Bretanha e na França, no entanto, a maioria se mostrava claramente disposta a dar espaço a uma Alemanha autoritária na Europa, por mais desagradável que considerassem o regime de Hitler. Após 1936, havia a oferta de um arranjo com as potências ocidentais que representava pouco ou nenhum desafio à estrutura interna de poder do regime de Hitler e que permitiria acomodar o Terceiro Reich num sistema internacional reconstruído de finanças e comércio.

Além disso, a maioria dos alemães, provavelmente, teria acolhido um arranjo desse tipo como resultado altamente satisfatório da "Revolução Nacional", iniciada em 1933. Todos os indícios de opinião pública sugerem que qualquer que fosse o nível de ressentimento com o resultado da Primeira Guerra Mundial, a população alemã temia profundamente uma guerra na Europa e teria recebido bem uma solução baseada no *status quo* de 1936.[10] Há muito poucas provas sobre as atitudes da comunidade de negócios, o que causa frustração. No entanto, em 1933, não pode haver dúvida de que o foco de debate havia se afastado de uma atenção exclusiva aos mercados domésticos e se dirigia agora ao comércio internacional. Como assinalou o respeitado Instituto de Berlim para Pesquisa sobre o Ciclo de Negócios, no relatório do início de maio de 1936, o principal problema enfrentado pela economia alemã era o acesso a matérias-primas.[11] Isso dependia do aumento de exportações, e, na primavera de 1936, havia pelo menos alguns motivos para otimismo nessa questão. O instituto relacionou os Estados Unidos, a Grã-Bretanha, o Japão, a Suécia, a Argentina, o Chile, o Brasil, a Noruega, a Áustria e a Bélgica entre as economias importantes que se encontravam naquele momento em plena recuperação. Somente o bloco do padrão ouro, liderado pela França, continuava em recessão.

Existiam, evidentemente, oportunidades para uma recuperação significativa do comércio mundial. Como veremos, a França procurou obter vantagens, realizando uma mudança drástica em matéria de política econômica a partir do verão de 1936. Hitler e seus colaboradores na liderança alemã, no entanto, recusaram sistematicamente qualquer reaproximação com as potências ocidentais. O anticomunismo era um dos temas constantes da vida política de Hitler, mas, em 1936, isso atingiu dimensões extremas. Enquanto as mentes mais convencionais viam, em 1936, a oportunidade para uma nova conexão com a economia mundial, Hitler e seu círculo mais próximo consideravam a formação de governos da Frente Popular na França e na Espanha sintomas de um recrudescimento da atividade comunista internacional. Dada a visão ideológica que Hitler tinha do mundo, isso tinha implicações mais amplas. "Após um período de relativa prudência retórica" no qual Hitler, Goebbels e os demais haviam evitado expor publicamente as ramificações mais amplas de sua cosmologia antissemita, os "temas básicos da conspiração judaica mundial" voltaram ao primeiro plano em 1936.[12] Confrontado com essa ameaça existencial, Hitler evitou os esforços de britânicos, franceses e norte-americanos para atraí-lo a um arranjo negociado, no qual seriam feitas concessões econômicas em troca de uma moderação no rearmamento alemão. Em particular, Hitler demonstrou franqueza, a partir do verão de 1936. Havendo consolidado seu regime e iniciado o processo de rearmamento, ele agora desejava preparar a Alemanha para a guerra. Hitler não se afastara de sua ideia central. Embora ainda precisasse esclarecer os passos concretos, estava decidido a realizar seu sonho de expandir o *Lebensraum* do povo alemão. Sabia que isso, sem dúvida, levaria ao conflito militar até o início da década de 1940. Sabia que isso trazia enormes riscos e estava resolvido a maximizar as chances de sucesso da Alemanha, por meio tanto de uma preparação militar-econômica quanto da diplomacia oportunista.

Naturalmente, essa história foi narrada inúmeras vezes e pelo menos quatro gerações de estudiosos têm analisado minuciosamente a documentação.

No entanto, as questões específicas que nos interessam neste livro ainda permanecem notavelmente obscuras. Até hoje, não possuímos um relato completo e coerente do papel desempenhado pelos fatores econômicos no esforço de Hitler em direção à guerra.[13] A dinâmica de uma economia armamentista tem de estar no cerne desse debate.[14] Por um lado, o armamento era um aspecto da atividade industrial e econômica no qual Hitler demonstrava interesse permanente e constante. Por outro lado, os gastos militares cada vez mais dominavam o comportamento da economia alemã. De todo o crescimento da produção nacional da Alemanha, entre 1935 e 1938, quase a metade (47%) era explicado diretamente pelo aumento dos gastos militares do *reich*.[15] Se acrescentarmos o investimento, do qual grande parte era ou ditada pelas prioridades da autarquia ou pelo rearmamento, essa proporção sobe para dois terços (67%). Em contraste, o consumo privado era responsável por apenas 25% do crescimento durante esse mesmo período, embora, em 1935, tivesse representado 70% da atividade econômica total. Se considerarmos somente a parcela da atividade econômica diretamente controlada pelo Estado, a preponderância dos gastos militares é ainda mais dramática. De todos os bens e serviços comprados pelo *reich*, a Wehrmacht comparecia com 70%, em 1935, e 80%, três anos depois. Não admira, portanto, que o debate sobre qualquer aspecto da política econômica fosse dominado pelo rearmamento. Por sua vez, foi por meio do rearmamento que o futuro da economia alemã ficou ligado à questão fundamental agora diante do governo de Hitler: a questão da guerra ou da paz.

I

Como vimos, Hjalmar Schacht foi um dos principais arquitetos da nova Wehrmacht alemã, e recebeu o devido reconhecimento por isso quando toda a panóplia do armamento alemão foi exibida publicamente, pela primeira vez, num comício em Nuremberg, em 1935.[16] Mas o rearmamento tal como planejado por Schacht, no verão de 1933, ficava dentro de certos limites: 35 bilhões de *reichsmarks*, durante oito anos, a uma taxa média de 4,3 bilhões anuais. Era uma importância calculada para realizar o plano de rearmamento de 1933 em dois estágios: quatro anos para construir uma capacidade defensiva básica e mais quatro para formar uma força ofensiva significativa de ataque. Em 1934, as despesas militares chegaram a 4,2 bilhões de *reichsmarks*. Em 1935, subiram a um valor entre 5 e 6 bilhões. Em linhas gerais, no entanto, permaneceram dentro da orientação de Schacht. É tentador, portanto, descrever esse período como de rearmamento "moderado".[17] Porém, como vimos, isso seria enganoso em relação às prioridades da política, em 1934. O excesso de despesas militares, em 1935, era mais do que simples indisciplina orçamentária: indicava uma poderosa dinâmica de aceleração. Cada vez mais o rearmamento do Terceiro Reich via-se impelido pelas pressões de uma corrida armamentista internacional que a própria Alemanha havia deflagrado. À medida que a Alemanha se rearmava, estimulava seus inimigos potenciais a agir da mesma forma. Na primavera de 1935, a França estendeu o período do serviço militar obrigatório para dois anos e o governo britânico anunciou uma importante revisão de sua política de defesa[18] e foi adiante, em maio, no reforço de sua segurança, mediante um tratado de assistência mútua com a União Soviética, complementado por um acordo semelhante entre os soviéticos e os tchecos, sobre a fronteira oriental da Alemanha. Em 1936, a França, a Grã-Bretanha, os Estados Unidos e a URSS haviam elevado suas despesas militares. Em vez de responder com moderação, a liderança militar alemã reagia a cada nova ameaça acelerando o ritmo de seu rearmamento.[19] Em dezembro de 1933, o Exército previra um efetivo de 21 divisões em tempo de paz. No final de 1934, isso já não era o bastante. Em março de 1935, Hitler anunciou ao mundo a criação de um Exército alemão em tempos de paz com nada menos que 36 divisões. Essa escala foi, por si só, suficiente para romper a orientação de Schacht quanto aos gastos. Mas, no outono de 1935, o general Ludwig Beck, novo chefe do Estado-Maior, convencera-se de que, mesmo que a Alemanha mantivesse uma postura defensiva, necessitaria de uma força capaz de responder agressivamente a qualquer ameaça a suas fronteiras. Isso exigia uma revisão do esquema de dois estágios que constituíra a base do planejamento do rearmamento, desde 1931. Ao mesmo tempo, pedia melhoramentos qualitativos drásticos. A única arma que parecia ter alguma probabilidade de êxito contra os vizinhos altamente fortificados da Alemanha era o tanque de guerra. Por isso, em dezembro de 1935, Beck acrescentou 48 batalhões de tanques às projetadas 36 divisões, adiantando em pelo menos um ano a criação da força ofensiva de ataque que originalmente havia sido prevista para o segundo estágio do rearmamento.[20] Ao mesmo tempo, a Luftwaffe iniciou nova fase de multiplicação, com uma expansão prevista para aumentar sua força de 48 esquadrões, em agosto de 1935, para mais de 200, até outubro de 1938.[21] Em março de 1936, Hitler acelerou mais ainda o processo, ao autorizar a Luftwaffe a iniciar de imediato a introdução da mais nova geração de aviões aerodinâmicos, inteiramente construídos com metal.[22]

As consequências econômicas foram dramáticas. Para 1936, as forças armadas contemplavam orçamentos bastante superiores à importância anual com que Schacht concordara, em 1933.[23] As consequências para o balanço de pagamentos não eram menos graves. Para 1936, a Wehrmacht exigia o dobro da importação de minérios de ferro e outros metais, borracha e petróleo, em relação ao que obtivera em 1935. Além disso, o rearmamento nessa escala tinha importantes implicações de longo prazo para a economia da Alemanha. Centenas de milhares de empregos se tornariam dependentes da atividade militar, o que representava um futuro incerto além do período imediato do rearmamento. Mas a Wehrmacht já não estava disposta a exercer automoderação. Em 18 de novembro de 1935, o ministro da Defesa, Blomberg, instruiu as forças armadas a ignorarem todas as limitações financeiras.[24] Em 1934, como vimos, Schacht conseguira sobrepujar seu rival, Kurt Schmitt, prometendo à Wehrmacht tudo o que ela desejasse. Estava na hora de receber a fatura. Em dezembro de 1935, ao ser confrontado com as exigências de matérias-primas de Blomberg, Schacht foi categórico:

> O senhor espera que eu forneça as divisas estrangeiras necessárias para suas necessidades. Devo responder que, nas condições atuais, não vejo possibilidade de fazê-lo... se o pedido agora... se destina ao aumento do rearmamento, claro que, longe de mim, a ideia de modificar o apoio que durante anos concedi ao maior rearmamento possível, tanto antes quanto depois da chegada ao poder. É meu dever, no entanto, assinalar os limites econômicos que restringem qualquer política desse tipo.[25]

Esse embate com os militares foi de tal forma chocante para Schacht, que ele começou a reconsiderar toda a base da política que levara a efeito desde 1933. Em novembro de 1935, a embaixada britânica em Berlim acreditava ter informações fidedignas de que Schacht "aproveitaria uma oportunidade favorável para desvalorizar o marco ao nível da libra esterlina".[26] Qualquer que fosse o crédito dado a tais boatos, é certo que Schacht achava estar diante de uma retomada da crise no balanço de pagamentos. No outono de 1935, o Reichsbank previu que, no ano seguinte, a Alemanha enfrentaria uma escassez líquida de divisas de, pelo menos, 400 milhões de *reichsmarks*. Para cobrir esse déficit, o Reichsbank somente possuía reservas de 88 milhões de *reichsmarks*. Em março de 1936, após dois anos de redução de importações, os estoques de matérias-primas do país se encontravam em níveis desesperadoramente baixos e havia a possibilidade real de grave interrupção da atividade industrial.[27] Como vimos, o mesmo era verdade em relação aos cereais. Mais importante, a indústria do aço, liderada por Ernst Pönsgen, da Vereinigte Stahlwerke, estava seriamente alarmada com o rápido esgotamento dos estoques de minério de ferro e sucata. A fim de conservar tais reservas e evitar uma súbita interrupção do fornecimento, o Ruhr sugeriu uma redução geral do ritmo da produção de aço. Os industriais somente deixaram de implementar essa medida de emergência porque o Ministério de Assuntos Econômicos do *reich* temia a eclosão de uma onda nacional de pânico.[28] Por sua vez, os militares preocupavam-se mais com a borracha e o petróleo. Em 1936, as fábricas de borracha da Alemanha estavam funcionando com estoques de matéria prima suficientes para cobrir apenas dois meses de produção normal.[29] Ainda mais ameaçadora era a situação em relação ao petróleo, pois a Alemanha dependia da importação vinda da Romênia. Embora Schacht tivesse tido participação importante no lançamento da expansão do programa de combustível sintético, em 1934, era agora acusado de contemporização. O petróleo não era o único pomo de discórdia. No início de 1936, Schacht granjeou a inimizade de Wilhelm Keppler, conselheiro econômico pessoal de Hitler, ao vetar uma proposta da equipe deste último para aliviar as restrições sobre a indústria do aço por meio do aumento da extração e fusão de minério de ferro alemão de baixo teor.[30] Em 1934, Keppler e Schacht tinham sido aliados, mas, agora, eram inimigos ferozes.

Como resultado direto da aceleração na fabricação de armamentos, abriu-se um hiato na liderança do Terceiro Reich. Schacht estava às turras, não apenas com Darré e os agrários, mas também com os militares e com Keppler e sua equipe. Somente Hitler poderia resolver uma disputa daquela gravidade, mas suas atenções estavam absorvidas, no início de 1936, pela iminente remilitarilização da Renânia — de longe, seu gesto de política externa mais ousado e perigoso até aquela data. Somente após a triunfante conclusão desse assunto, em 7 de março, é que ele resolveu a questão das prioridades econômicas. Em 4 de abril de 1936, o *führer* nomeou Hermann Göring para o cargo de comissário especial de divisas estrangeiras e matérias-primas.[31] Anteriormente, Göring desempenhara papel apenas marginal na política econômica. No seio da elite nazista, no entanto, ele gozava da reputação de ser conservador e partidário do mundo dos negócios. Com efeito, inicialmente Schacht apoiou a designação de Göring, acreditando que ele defenderia o Reichsbank e o Ministério de Assuntos Econômicos de críticas do partido nazista. Tratou-se, porém, de um grave erro de cálculo. Göring era altamente ambicioso e implacável. E, mais importante, o chefe da Luftwaffe estava absolutamente comprometido com a prioridade do rearmamento. Além disso, as instruções de Hitler a Göring eram absolutamente claras. Sua missão não era encontrar um ponto de equilíbrio entre as necessidades civis e as militares. O objetivo de sua nomeação era assegurar "o prosseguimento da preparação militar".

No final de 1936, Göring já reunira a própria equipe de peritos e iniciado uma série de reuniões a fim de debater o futuro do Novo Plano de Schacht.[32] Os resultados não foram animadores. Os subsídios à exportação contemplados no Novo Plano estavam tendo certo efeito. No entanto, sua eficácia dependia, em grande parte, da demanda externa, sobre a qual a Alemanha não tinha controle. Enquanto isso, as exigências de matérias-primas da Wehrmacht cresciam a cada mês e, devido à recuperação da economia internacional, o preço de matérias-primas importadas aumentara em, pelo menos, 10%, desde 1935. Mais ainda, no início do verão de 1936, já não se falava simplesmente em rearmamento. Em 12 de maio de 1936, Göring pediu à comissão de assuntos de exportação que examinasse o problema de onde a Alemanha poderia obter matérias-primas "caso estejamos em guerra amanhã". Em outras ocasiões falou-se ameaçadoramente em "emergência" ou em "cenário A".[33] Diante dessa possibilidade, a Wehrmacht lançou-se em nova rodada de planejamento expansionista. Em junho de 1936, o secretário de Estado Milch, do Ministério da Aeronáutica, expediu a ordem de que a Força Aérea alemã deveria atingir seu poderio máximo na primavera de 1937, e não mais em 1938. O Exército, por sua vez, elevou a meta de 36 divisões em tempo de paz para 43, incluindo 5 Divisões Panzer e 4 de Infantaria Motorizada. Além disso, foi preparado, em junho de 1936, um plano que previa o fornecimento, até outubro de 1940, da infraestrutura e equipamento necessários a um exército de 102 divisões e mais de 3,6 milhões de homens.[34] Era uma força ainda maior do que a que fora comandada pelo Kaiser, em 1914. As implicações desse extraordinário programa de expansão foram detalhadas pelo general Friedrich Fromm, chefe do escritório administrativo central do Exército alemão (*Allgemeines Heeresamt*), num memorando que marca uma reviravolta na história do Terceiro Reich.[35] Não apenas afirmava com clareza o tipo de exército que o Estado procurava construir; Fromm também descrevia com absoluta nitidez as consequências de um programa de armamentos daquela magnitude para a economia alemã.

A força ofensiva que Ludwig Beck contemplara, inicialmente, em dezembro de 1935, sem dúvida, tinha uma importante vanguarda blindada.[36] Fromm previu recursos orçamentários para três divisões Panzer completas, cada qual com mais de 500 tanques.[37] Também assegurou quatro divisões de Infantaria Motorizada plenamente equipadas e três divisões chamadas "Leves" que, no final da década de 1930, seriam equipadas com mais de 200 veículos blindados de combate. Além disso, o Exército de guerra de 1939 teria sete brigadas Panzer independentes, cada uma das quais seria capaz de constituir o núcleo de uma Divisão Panzer. Todas essas unidades fariam parte do Exército regular, de forma a estarem prontas para ação imediata no momento em que eclodisse a guerra. Não é fácil estimar o número exato de tanques contemplados por Beck e Fromm devido à constituição flutuante dessas formações inovadoras, mas a quantidade total não pode ter sido inferior a 5 mil veículos. Em 1936, no entanto, os únicos tanques produzidos em série da Alemanha eram os veículos leves Mark I e Mark II, ambos armados somente com metralhadoras. Eram, evidentemente, inadequados para as finalidades ofensivas que Beck tinha em mente. O cerne da força blindada alemã de combate, tal como prevista em 1936, deveria consistir em 1.812 tanques médios — modelos Mark III e Mark IV. Estes tanques, no entanto, ainda estavam sendo desenvolvidos, em 1936, e não se esperava que entrassem em produção antes de 1938. Fromm não imaginava que o poderio alemão em matéria de tanques a postos para o combate, em 1939, fosse muito maior do que 870. Sem dúvida, era um poderio considerável, mas não se pode dizer que o plano de armamentos da Alemanha, em 1936, fosse suficiente para conferir à Wehrmacht vantagem avassaladora na corrida armamentista mundial. A produção prevista de tanques médios e pesados da França era significativamente maior do que a da Alemanha no final da década de 1930.[38]

Mais impressionante do que o poderio blindado do novo Exército de Hitler eram suas dimensões físicas. O plano de Fromm previa 68 divisões de infantaria, apoiadas por 21 divisões Landwehr de segunda linha. As divisões de infantaria mais bem equipadas, com um total de 17.700 homens, possuíam entre 500 e 600 caminhões, 390 automóveis e um número semelhante de motocicletas. Para o grosso do transporte, porém, o Exército alemão dependia de cavalos.[39] Em comparação com um complemento de 120 mil caminhões em tempo de guerra, quase na sua totalidade requisitados às empresas privadas, Fromm contemplava 630.700 cavalos, ou um animal para cada quatro homens no Exército de terra ativo. Nas divisões médias da Wehrmacht, as carroças e vagões puxados por cavalos eram mais numerosos do que os automóveis e caminhões. Grande parte da artilharia pesada usaria tração animal.[40] Também é instrutivo examinar a distribuição da despesa prevista no orçamento de Fromm. Dos 35,6 bilhões de *reichsmarks* que seriam despendidos entre 1937 e 1941, menos de 5% (4,7%) destinava-se a tanques e veículos motorizados. Em contraste, 32% do orçamento era para fuzis, artilharia e munição. As fortificações, principalmente nas fronteiras ocidentais da Alemanha, consumiam 8,7%, quase o dobro do que seria gasto em tropas motorizadas. Nada disso invalida o salto qualitativo constante do plano militar de 1936. Os militares alemães estavam agora empenhados na construção acelerada de uma força gigantesca, da qual uma parte importante era explicitamente destinada a operações ofensivas móveis. Devemos, porém, descartar qualquer noção de que o esforço armamentista do Terceiro Reich fosse cuidadosamente preparado para a construção de uma *blitzkrieg* motorizada maciça. Em termos quantitativos, a expansão do Exército alemão, sem dúvida, marcava novos padrões. Mas, em termos qualitativos, mesmo nos momentos de mais viva fantasia, permanecia arraigada em uma sociedade caracterizada por um desenvolvimento muito desigual.

O relatório de Fromm não deixa dúvida de que a construção dessa enorme força de combate levaria a economia alemã a seus limites. A acumulação de equipamento para um Exército de 102 divisões em tempo de guerra, num período de apenas quatro anos, exigiria uma imensa aceleração das despesas militares. Durante os três anos seguintes, apenas o Exército precisaria gastar 9 bilhões de *reichsmarks* por ano, o dobro do montante acordado para toda a Wehrmacht, no verão de 1933. Deixando de lado a questão de saber se haveria divisas estrangeiras suficientes, as implicações para a economia alemã e para as finanças do Reich eram drásticas. A fim de produzir equipamentos para uma força de mais de 4 milhões de homens, em apenas quatro anos, grande parte da indústria alemã teria de ser modernizada. Seria necessário que novas fábricas entrassem em produção no período de tempo mais curto possível. Seria preciso encarar o problema do que fazer com essa capacidade tão logo as metas do rearmamento acelerado fossem cumpridas. Se as fábricas tivessem de ser mantidas em prontidão para a guerra, a intendência teria de expedir volumosas encomendas de munição muito além das necessidades das forças armadas em tempo de paz. Caso o *reich* desejasse evitar esses custos, seria necessário empreender um processo de conversão a atividades civis extremamente complexo. E, ainda que isso tivesse êxito, a conversão para atividades civis deixaria a Alemanha despreparada para efetivamente equipar seu imenso Exército em caso de guerra. Como disse Fromm: "Pouco depois de completada a fase de rearmamento, a Wehrmacht terá de ser utilizada, pois de outra forma haverá uma redução da demanda ou no nível da prontidão para a guerra." Portanto, antes que o Exército embarcasse nessa expansão vertiginosa, a liderança política teria de encontrar resposta para a pergunta: existe "firme intenção de empregar a Wehrmacht em uma data já fixada?"

A questão da guerra ou da paz era agora inevitável. A gigantesca máquina de mobilização não podia ser mantida indefinidamente em movimento. Se não houvesse a intenção de utilizar o Exército em um momento predeterminado, nesse caso, toda a *lógica* do rearmamento, ao ritmo contemplado no verão de 1936, teria de ser questionada. Dada a escala dos recursos necessários, os meios e os fins já não podiam ser separados. A guerra passava a ser contemplada, não como uma opção, e sim como a consequência lógica dos preparativos em curso.

II

Não é de admirar que o memorando supersecreto de Fromm não tenha tido ampla circulação. Mas, no verão de 1936, qualquer pessoa que estivesse intimamente envolvida na política de Berlim deve ter percebido que o Terceiro Reich chegara a uma encruzilhada. Assim como em 1934, a situação em termos de divisas estrangeiras já era bastante ruim por si própria para justificar atitudes drásticas.[41] A fim de afastar o desastre imediato, Göring ordenou uma invasão draconiana da propriedade privada. Todos os dólares, francos e libras, todos os gramas de ouro e os demais ativos alemães no exterior deveriam ser colocados à disposição do *reich*. É sintomático que Göring tenha delegado a responsabilidade de organizar o serviço especial de investigação de ativos em moeda estrangeira a Reinhard Heydrich, da SS.[42] Schacht opôs-se a essas medidas, temendo que os sinais de desespero abalassem a confiança no *reichsmark*. Durante os doze meses subsequentes, no entanto, as equipes de Göring arrecadaram 473 milhões de *reichsmarks* em moeda estrangeira, suficientes para sustentar a Alemanha, pelo menos, ao longo dos 18 meses seguintes.[43] Preparando-se para o embate, Göring começou a consolidar sua posição contra Schacht. Em 6 de julho, na véspera da nomeação de Heydrich, Göring convocou uma reunião com Keppler e Herbert Backe, do Ministério da Agricultura. Da agenda constava a criação de uma nova organização, controlada por Göring e encarregada de uma campanha total a fim de preparar a Alemanha para a guerra, mediante a expansão das fontes de alimentos e matérias-primas. Göring garantiu tanto os recursos financeiros necessários quanto a proteção política contra Schacht. Anunciou também que iria debater todo o assunto com Hitler durante o retiro de verão do *führer* em Berchtesgaden.[44] Ao mesmo tempo, Göring encomendou uma rodada final de relatórios de peritos sobre o problema do balanço de pagamentos da Alemanha. Desta vez, os peritos deveriam tratar do grande tabu da política econômica nazista, a questão da desvalorização. Seria possível aliviar a pressão no balanço de pagamentos por meio da redução da taxa de câmbio do *reichsmark* a um nível mais competitivo?

O dr. Trendelenburg, veterano funcionário público, que ocupava na ocasião uma função importante na *holding* industrial do Estado, a VIAG, foi encarregado de analisar a desvalorização de um ponto de vista técnico.[45] Seu relatório foi considerado tão sensível que as impressoras do *reich* produziram apenas dez exemplares. As cópias foram numeradas, as formas dos tipos na *Reichsdruckerei* foram destruídas e toda a documentação da comissão foi triturada. Com base nos dados compilados por Trendelenburg, Göring solicitou, então, a Carl Gördeler, *Oberbürgermeister* de Leipzig e ex-comissário de preços do *reich*, que fizesse uma avaliação geral das opções de políticas para o país. O memorando resultante constitui uma declaração extraordinariamente franca sobre a gravidade das opções com que se defrontava a Alemanha.

Gördeler começou rejeitando o sistema existente de promoção de exportações de Schacht. O Novo Plano tinha conseguido contrabalançar grande parte das desvantagens competitivas da Alemanha em termos de preços. Gördeler, no entanto, não acreditava que os parceiros comerciais do país ainda tolerassem por muito tempo um sistema que equivalia a um *dumping* subsidiado pelo Estado. Em vez de promover o comércio, os esforços da Alemanha para aumentar as exportações somente provocariam hostilidade e contramedidas agressivas. Um indício claro disso era a contínua deterioração das já tensas relações comerciais com os Estados Unidos.[46] Em 1º de junho de 1936, Washington ameaçou a Alemanha com a imposição de tarifas punitivas a menos que o sistema de subsídios fosse abolido. Os esforços diplomáticos para resolver a crise foram rechaçados pelo secretário de Estado, Cordell Hull, e, no início de agosto, a Alemanha foi obrigada a ceder. Dado o crítico estado das reservas de divisas alemãs, Schacht não podia se dar ao luxo de uma guerra comercial total com os Estados Unidos, que poderia dar um exemplo a ser seguido pelo Canadá e o restante do Império Britânico.[47] Foi evitada um confrontação absoluta, porém, à custa das exportações alemãs para os Estados Unidos, agora reduzidas a completa insignificância. Tanto quanto Gördeler podia perceber, a única maneira de impedir a contínua deterioração da posição econômica internacional da Alemanha seria a desvalorização, acompanhada de uma liberalização dos movimentos de divisas. Gördeler reconheceu os riscos inerentes, mas também assinalou as grandes vantagens. Ao levar os níveis de preços na Alemanha para próximo do de seus competidores, a desvalorização tornaria redundante todo o atravancado aparelho de promoção do comércio. As firmas alemãs, finalmente, poderiam competir em condições de igualdade. Esse ajuste, no entanto, somente poderia ter êxito se obtivesse a aceitação dos parceiros comerciais da Alemanha. Se eles reagissem permitindo que as próprias moedas se desvalorizassem, ou impusessem restrições comerciais, os exportadores alemães não obteriam nenhuma vantagem. Para que a desvalorização produzisse plenos benefícios, teria de ser acompanhada por uma reaproximação diplomática com a Grã-Bretanha e os Estados Unidos.

No verão de 1936, o governo da Frente Popular de Leon Blum, em Paris, perseguia exatamente essa opção.[48] Enquanto Roosevelt e Hull levavam a Alemanha ao limiar de uma guerra comercial, uma delegação secreta francesa foi recebida em Washington a fim de discutir um esforço conjunto para o realinhamento das moedas do mundo. À medida que a Espanha descambava para a guerra civil, os governos francês e norte-americano tomaram a questão monetária como oportunidade para cimentar a solidariedade das "três grandes democracias" e assegurar as bases de um futuro de "paz e prosperidade liberais". A Grã-Bretanha, terceira das "grandes democracias", não apreciou a retórica grandiloquente, mas o Tesouro e o Banco da Inglaterra apoiaram plenamente o desejo francês de abandonar o padrão ouro, prometendo abster-se de qualquer ação retaliatória. Tampouco por coincidência, a Grã-Bretanha iniciou conversações sobre um possível acordo comercial com os Estados Unidos, em junho de 1936. Conforme expressou o secretário do Exterior britânico, Anthony Eden, "se a paz é o objetivo da diplomacia", nesse caso, "não temos diante de nós tarefa mais importante do que manter a boa vontade dos Estados Unidos".[49]

Existem paralelos evidentes nos argumentos que circulavam, na época, em Berlim. Em seu memorando a Göring, Gördeler acentuou enfaticamente a "grandiosa possibilidade" de que um retorno da Alemanha à economia mundial anunciaria o início de uma nova era de cooperação econômica internacional.[50] A condição para a cooperação, no entanto, era o fim do unilateralismo. A Alemanha necessitaria do apoio de britânicos e franceses e teria de controlar os gastos militares. Gördeler ia mais longe ainda. Achava que seria necessário, também, fazer concessões sobre "a questão judaica, a questão da maçonaria, a questão do império da lei, a questão da Igreja"; "bem posso imaginar que teremos de fazer com que certos temas... estejam em maior grau de alinhamento com as atitudes imponderáveis de outros povos, não na substância, mas na forma de tratá-los".[51] É tentador afirmar que, dado o estado de espírito prevalecente em Londres e Paris, Gördeler exagerava o preço que a Alemanha teria de pagar por um acordo econômico. A moderação no rearmamento seria, sem dúvida, *sine qua non*, mas parece absurda a ideia de que os britânicos e franceses pudessem transformar em pontos de contenda as leis antijudaicas de 1935 ou o tratamento dado às igrejas. Gördeler tratava de uma agenda que era tanto doméstica quanto internacional. O que desejava para a Alemanha era uma volta à respeitabilidade conservadora. Sem dúvida, considerava o realinhamento com a opinião mundial uma forma de seguro contra qualquer radicalização futura do regime de Hitler. Essa mesma lógica se aplicava à política econômica. Para Gördeler, uma das principais vantagens de uma política de desvalorização e liberalização comercial era precisamente o efeito disciplinador que isso teria sobre as finanças da Alemanha. A fim de manter a confiança dos mercados monetários após uma desvalorização, a Alemanha teria de voltar à disciplina fiscal. Em curto prazo, os efeitos para a economia alemã poderiam ser drásticos. Gördeler calculava que haveria entre 2 e 2,5 milhões de desempregados. Sendo veterano da deflação de Brüning, Gördeler não se deixava intimidar por essas dificuldades. A política liberal exigia visão de longo prazo. As indústrias de exportação da Alemanha acabariam por se recuperar, e se o país pudesse liderar o mundo no retorno a uma paz comercial harmoniosa, as perspectivas futuras seriam ilimitadas. De qualquer forma, as opções eram poucas. Em 1936, ainda era possível tomar a iniciativa, mas daquele ponto em diante, com a situação cada vez mais tensa, o poder do "inimigo" para ditar as condições tendia a aumentar. Quanto mais tempo a Alemanha hesitasse, menor seria seu poder de barganha.

O memorando de Gördeler foi um raro ato de coragem individual, assim como sua decisão, pouco depois de 1936, de se tornar figura de proa na conspiração opositora ao regime de Hitler.[52] Para Gördeler, esse caminho o levou diretamente de 1936 à fracassada tentativa de atentado a bomba de julho de 1944 e à prisão de Plötzensee, onde foi executado em 2 de fevereiro de 1945. Poucos membros do *establishment* alemão se sentiam dispostos a acompanhá-lo naquela difícil senda. Não pode haver dúvida, porém, de que suas ideias sobre política econômica eram amplamente compartilhadas. Figuras eminentes do mundo dos negócios expressaram apoio, incluindo Vögler, da Vereinigte Stahlwerke, e Robert Bosch e Hermann Bücher, da AEG.[53] Tal como Gördeler, desprezavam a corrupção dos *parvenus* do partido nazista e compartilhavam de sua preocupação quanto à insustentabilidade de uma recuperação alimentada por crescentes gastos governamentais. Em 1934, como vimos, Schacht e Hitler impediram qualquer debate sobre a desvalorização, e os conservadores, como Gördeler, tinham-no apoiado.[54] Agora, até mesmo homens como Gördeler e Trendelenburg compreendiam que a desvalorização era o único caminho para que a Alemanha retornasse a uma situação semelhante à normalidade econômica. Segundo boatos amplamente disseminados, os interesses comerciais haviam pressionado Schacht, na primavera de 1936, para que fosse abandonado o sistema de taxas de exportação e adotado um ajuste monetário.[55] Foi mais do que coincidência o fato de que, do outro lado do Reno, os conservadores franceses passavam precisamente pelo mesmo tipo de conversão exatamente no mesmo momento. Diante da perspectiva de que o governo da Frente Popular de Leon Blum, que dependia do apoio dos comunistas, complementasse sua política de criação de empregos domésticos mediante a imposição de controles cambiais — a fórmula empregada por Schacht desde 1933 —, a direita francesa abandonou, abruptamente, a obstinada adesão ao padrão ouro. Se a escolha era entre desvalorizar o franco em cooperação com a Grã-Bretanha e os Estados Unidos ou acompanhar a Alemanha em direção ao "fascismo econômico", a decisão era fácil.[56]

Na Alemanha de Hitler, no entanto, não poderia haver um debate aberto como aquele.[57] Durante todo o verão, diversos membros da diretoria do Reichsbank encomendaram relatórios a suas equipes econômicas sobre as vantagens e desvantagens da desvalorização e as implicações para a Alemanha do abandono do ouro por parte da França. Ao contrário de 1934, quando até mesmo os memorandos confidenciais do Reichsbank evitavam qualquer menção ao rearmamento, o nexo era agora demasiado evidente para que pudesse ser ignorado. Talvez o mais abrangente desses documentos seja o que foi compilado por três chefes de departamento do Reichsbank sob o título "A moeda alemã em caso de desvalorização do Bloco do Ouro".[58] Era demasiado otimista. As consequências para a Alemanha de uma desvalorização na França seriam, sem dúvida, graves, mas a decisão a respeito de uma reação adequada suscitava questões estratégicas fundamentais. Os funcionários do Reichsbank concordavam com Gördeler que, para ser bem-sucedida, a desvalorização teria de ser sustentada mediante consolidação fiscal.

> A decisão sobre se, nesse caso, devemos manter nossa paridade [com o ouro] terá de ser inicialmente pesada em relação à questão do rearmamento. A manutenção da paridade tornará o rearmamento mais difícil, porém, não impossível. A desvalorização e o rearmamento, ao contrário, são mutuamente excludentes: será preciso escolher uma coisa ou a outra. Se não, a desvalorização descambará para a inflação, terá de haver uma segunda desvalorização definitiva e, de qualquer maneira, o rearmamento terá de cessar.[59]

Como o relatório era sombrio quanto às perspectivas para a Alemanha, qualquer que fosse a decisão entre desvalorizar ou não, é difícil evitar a conclusão de que a verdadeira preocupação dos economistas do Reichsbank fosse menos a questão da desvalorização do que as extraordinárias exigências financeiras do rearmamento. Como vimos, Schacht já suscitara essa preocupação, em dezembro de 1935, e sua crescente crítica aos excessivos gastos militares foi sustentada, no início de 1936, por uma série de memorandos internos do Reichsbank que acentuavam a gravidade do desequilíbrio fiscal e monetário da Alemanha.[60] Mas, no início do verão de 1936, no entanto, Schacht já não possuía a força política de que gozara nos primeiros 18 meses do regime. A essa altura, a ditadura de Hitler já estava firmemente consolidada. Não houve gestões amplas por parte da liderança do Reichsbank. Em vez disso, o banco manteve-se aferrado ao complexo sistema de controles cambiais e de comércio, que havia sido erigido desde 1931, e colaborou em conservar em sigilo os relatórios de Gördeler e Trendelenburg. Não houve oposição coerente ao caminho advogado por Göring e foi fácil a este derrotar Gördeler. Em conversas formais, Göring descartou os argumentos de Gördeler como "completamente inutilizáveis".[61] Em privado, era menos complacente. O exemplar do memorando por ele pessoalmente recebido está cheio de notas indignadas à margem: "Oh!" "Que ousadia!" "Bobagem". Göring remeteu o relatório a Berchtesgaden, onde o próprio *führer* estava preparando um documento sobre a economia alemã, com o seguinte comentário: "Isto pode ser muito importante, meu *führer,* para seu próprio memorando, porque revela a completa confusão e incompreensão de nossos homens de negócios burgueses. Limitação de armamentos, derrotismo, incompressão da situação alternativa da política externa. As recomendações dele [de Gördeler] são adequadas para um prefeito, mas não para a liderança do Estado".[62]

No fim das contas, tudo dependia de Hitler. Este, sem dúvida, compreendia a importância do momento. Não costumava redigir declarações sobre a política a ser seguida, e somente o fez em ocasiões decisivas da história de seu regime. O memorando de agosto-setembro de 1936 é recordado, acima de tudo, como uma afirmação de política econômica.[63] Com efeito, é mencionado sempre como "Memorando do Plano Quadrienal", fornecendo a Göring o aval para seu novo programa econômico. Mas a declaração de Hitler tem tanto a ver com a estratégia geral e o rearmamento quanto com a economia. Isso era típico do estilo meândrico do *führer*. Dados os problemas que a Alemanha tinha de enfrentar em 1936, no entanto, era, sem dúvida, necessária uma resposta ampla. A questão não era mais o balanço de pagamentos. O que estava em jogo era o futuro do Terceiro Reich.

Em devida forma, Hitler iniciou seu memorando com uma reafirmação dos temas básicos do *Mein Kampf.* A essência da política era "a luta histórica das nações pela vida". Isso manifestara-se em uma série de grandes choques: o cristianismo e as invasões bárbaras, o surgimento do Islã, a Reforma. A Revolução Francesa marcara o começo da era moderna. Desde então, o mundo se movia "com velocidade crescente em direção a um novo conflito, cuja solução mais extrema é o bolchevismo; a essência dessa corrente é a eliminação das camadas da humanidade que, até hoje, forneceram liderança, substituindo-as pelo judaísmo internacional". Era impossível qualquer acomodação: "A vitória do bolchevismo contra a Alemanha não levaria a um Tratado de Versalhes, e sim à destruição final. Na verdade, ao aniquilamento, do povo alemão..." Dada a natureza apocalíptica da ameaça, o rearmamento nunca seria "demasiado grande e nem seu ritmo demasiado rápido". "Por mais equilibrado que deva ser o modelo geral da vida de uma nação, em momentos específicos, é preciso que haja certos distúrbios no equilíbrio, à custa de outras tarefas menos vitais. Se não conseguirmos levar o Exército alemão tão rapidamente quanto possível ao nível de principal Exército do mundo... a Alemanha estará perdida!" A política econômica estava inteiramente subordinada àquela prioridade essencial: "A nação não vive para a economia, para os líderes econômicos ou para teorias econômicas ou financeiras; ao contrário, as finanças e a economia, os líderes econômicos e as teorias, devem estar incondicionalmente a serviço dessa luta pela autoafirmação de nossa nação."

Os problemas da Alemanha nessa luta pela sobrevivência eram bem conhecidos. "Estamos superpovoados e não podemos alimentar-nos com nossos próprios recursos". Mas, depois de quatro anos de governo, Hitler estava cansado de encarar aqueles problemas antigos. Estava agora impaciente para agir. "Não faz... sentido repetir infindavelmente o fato de que nos faltam alimentos e matérias-primas; o que importa é adotar as medidas que podem trazer uma solução final para o futuro e um alívio temporário das condições durante o período de transição." Hitler não explicou essa "solução final", além de reiterar os eufemismos do *Mein Kampf*: "A solução final está na expansão de nosso espaço vital..." Somente nas linhas finais do memorando ele retornou a esse ponto. A parte principal do documento é ocupada pela apresentação das medidas necessárias nesse ínterim. Hitler rejeitou, explicitamente, qualquer ideia de que a Alemanha pudesse salvarse aumentando as exportações. Dada a competição nos mercados estrangeiros, não se podia esperar alívio dessa maneira. Não desperdiçou palavras quanto à questão da desvalorização. Em vez disso, insistiu em que os preparativos econômicos da Alemanha deviam ser encarados com a mesma "rapidez" e "decisão" e da maneira "implacável" aplicada aos assuntos militares. Especificamente, a Alemanha precisava intensificar os esforços para substituir as matérias-primas por similares domésticos. Três áreas tinham importância imediata: petróleo, borracha e minérios. Os problemas de viabilidade econômica, factibilidade técnica "e outras desculpas assim" deveriam ser descartados.

> Não se trata de discutir se devemos esperar mais... não é tarefa de nosso governo aplicar o cérebro a métodos de produção. Ou possuímos uma indústria privada, e nesse caso é tarefa dela aplicar o cérebro aos métodos de produção, ou achamos que é tarefa do governo decidir os métodos de produção, e, nesse caso, não precisamos da indústria privada.

As agências do Estado não tinham de se aliar aos dirigentes das empresas privadas, como tinha feito Schacht, poucos meses antes, apoiando a Vestag contra Keppler na questão do minério de ferro alemão.

> A função do Ministério dos Assuntos Econômicos é, simplesmente, determinar as tarefas econômicas; a indústria privada deve cumpri-las... Ou a indústria alemã compreende as novas tarefas econômicas ou se mostrará incapaz de sobreviver por mais tempo nesta idade moderna na qual um Estado soviético está preparando um plano gigantesco. Mas, nesse caso, não será a Alemanha quem sucumbirá, e sim, no máximo, alguns industriais.

Caracteristicamente, as ameaças de Hitler chegaram ao clímax na parte final do memorando, que tratava da aversão do mundo dos negócios aos controles de divisas. Em completa consonância com a campanha de confisco de Göring e Heydrich, Hitler atacou os que acumulavam os preciosos ativos em moeda estrangeira:

> Por trás disso, em alguns casos, há o desprezível desejo de possuir, para qualquer eventualidade, algumas reservas no exterior, as quais são assim retiradas

do âmbito da economia doméstica. Considero isso uma sabotagem proposital... contra a defesa do *reich*, e por isso acredito necessário que o Reichstag adote as duas leis seguintes:

1. Uma lei que puna a sabotagem proposital com a pena de morte; e
2. uma lei que considere os judeus em geral responsáveis por todos os prejuízos causados à economia alemã por espécimes individuais dessa comunidade criminosa...

Além dessas medidas específicas, Hitler pedia um "plano multianual" para tratar de todos os diversos desafios que ele enumerava. Era uma questão política. Somente depois que o Estado nacional-socialista mostrasse a implacável liderança que a situação exigia seria possível pedir ao povo alemão os sacrifícios que poderiam vir a ser necessários. Em particular, Hitler parece ter tido presentes as previsões do verão, as quais sugeriam que uma aguda escassez de divisas estrangeiras poderia tornar necessária a introdução de racionamento de vestuário e gorduras animais. Tais restrições somente poderiam ser suportadas se o povo alemão tivesse consciência de que o partido proporcionava firme liderança. O memorando de Hitler terminava, portanto, com uma dupla missão para o novo plano econômico:

1. O Exército alemão deve estar em condições operacionais dentro de quatro anos.
2. A economia alemã deve estar preparada para a guerra dentro de quatro anos.

Assim, Hitler respondia às perguntas de Gördeler e Fromm de forma inteiramente coerente com a posição geral que adotara desde a década de 1920. A salvação final da Alemanha somente poderia vir mediante conquista, e não por meio do comércio. E, para iniciar essa campanha, o horizonte de tempo era de quatro anos, perfeitamente compatível com o plano de expansão do Exército.

A importância dessas instruções transparece na forma pela qual o "Memorando do Plano Quadrienal" foi tratado em seguida. Em setembro de 1936, somente Göring e o ministro da Guerra, Blomberg, receberam o texto completo. Albert Speer herdou de Fritz Todt uma cópia, em 1942.

Hjalmar Schacht, contra quem grande parte da argumentação de Hitler era claramente endereçada, nunca viu o texto integral. Mas, ao ter conhecimento das intenções do *führer*, ele entrou em pânico. No início da tarde de 2 de setembro, telefonou ao coronel Thomas, do escritório econômico-militar da Wehrmacht, um de seus aliados mais próximos entre os militares, suplicando-lhe que intercedesse com Blomberg. As tecnologias sintéticas nas quais Hitler tanto confiava não estavam prontas. Ao anunciar a intenção da Alemanha em romper com o mercado mundial, Hitler estava "apertando a corda em volta de nosso próprio pescoço".[64] Os parceiros comerciais da Alemanha reagiriam irados, negando todos os esforços de Schacht para aumentar as exportações. A Grã-Bretanha e outros países europeus poderiam, até mesmo, sentir-se estimulados a seguir o exemplo norte-americano, fechando seus mercados às importações subsidiadas da Alemanha. Mas os amigos de Schacht nas forças armadas haviam-no abandonado. Blomberg recusou-se a interceder e Thomas não tomou nenhuma iniciativa individualmente.[65] Numa reunião secreta do Conselho Ministerial da Prússia, em 4 de setembro de 1936, Göring leu em voz alta trechos do memorando de Hitler.[66] Nas notas estenográficas da reunião, a mensagem ficou reduzida a estas frases proféticas: "Começa com a noção de que o choque com a Rússia é inevitável. O que os russos são capazes de fazer, nós podemos fazer também". No futuro, todas as medidas econômicas seriam tomadas "como se estivéssemos em estado de guerra iminente". Cinco dias depois, o Plano Quadrienal de Hitler foi anunciado a uma multidão que o ovacionava, no comício anual do partido, em Nuremberg, acompanhado por duros comentários antissemitas de Goebbels e Hitler.[67] Essa versão, no entanto, não fazia menção à guerra. O objetivo do Plano Quadrienal era apenas assegurar a manutenção do padrão de vida da Alemanha e proporcionar emprego aos trabalhadores do país além do término do período de rearmamento.

As semanas seguintes foram cheias de considerável incerteza. Embora Göring tivesse se identificado publicamente como a figura principal do novo plano multianual, ele não possuía mandato de Hitler. Os elementos populistas do partido alarmaram-se com a preeminência assumida por Göring, que era, universalmente, considerado homem do *establishment*.[68] Schacht, tampouco, havia sido completamente deslocado. Em agosto, ele tinha estado em Paris para participar de conversações sobre a melhoria das relações econômicas franco-germânicas. Aparentemente, levantara a questão de concessões coloniais e o problema imediato de assegurar matérias-primas suficientes para permitir o funcionamento normal da indústria alemã.[69] Um relato chegou a dizer que ele procurava uma "regulamentação econômica" com a França, isto é, uma desvalorização coordenada do *reichsmark* e do franco. Parece, com efeito, que Schacht tenha desejado atrelar o *reichsmark* ao acordo monetário tripartite finalmente anunciado à imprensa do mundo, em 26 de setembro de 1936. Suíços, holandeses, tchecos e italianos acompanharam os franceses na desvalorização durante as semanas seguintes. A contenda que se seguiu, em Berlim, foi registrada no diário de Joseph Goebbels, que tem a seguinte breve anotação no dia 30 de setembro: "Schacht queria desvalorizar..." O que o impediu foi somente a pronta intervenção de Walter Funk, ex-jornalista de negócios e, desde 1933, secretário de Estado do Ministério da Propaganda de Goebbels. Este último escreveu: "Funk foi diretamente ao *führer*... e ele interveio." Somente por essa oportuna intervenção, orgulhava-se Goebbels, "Funk impediu a inflação na Alemanha".[70]

A posição formulada por Hitler no Memorando do Plano Quadrienal era definitiva. Não haveria desvalorização e nem recuo na prioridade do rearmamento. Em 18 de outubro, Göring recebeu autorização formal de Hitler na qualidade de plenipotenciário geral para o Plano Quadrienal. Ao longo dos dias seguintes ele apresentou decretos que lhe davam o poder de se responsabilizar por praticamente todos os aspectos da política econômica, inclusive o controle dos meios de comunicação especializados em negócios.[71] Schacht foi mantido tanto como ministro de Assuntos Econômicos quanto como presidente do Reichsbank. Os mais próximos aos círculos do poder notaram, entretanto, que Göring havia deixado de utilizar o título de "primeiro-ministro da Prússia" e, agora, era simplesmente mencionado como "primeiro-ministro". Göring entronizara-se como o segundo homem do *reich*, não apenas chefe da Luftwaffe e de todo o governo da Prússia, mas também como novo chefe supremo da política econômica. De qualquer maneira, a substância das decisões tomadas, no outono de 1936, não se referiam à sua posição política, e sim ao rearmamento, e isso foi confirmado decisivamente nas semanas subsequentes. No início de dezembro, o Ministério da Aeronáutica tratou de preparar a introdução de uma série completa de aeronaves de combate, sem atender aos protestos de Schacht e do Ministério das Finanças.[72] Em 5 de dezembro, Göring presidiu uma reunião das forças armadas na qual anunciou que, dali em diante, estaria a cargo das finanças militares. Matérias-primas e mão de obra, e não os recursos financeiros, ditariam o ritmo da expansão militar da Alemanha.[73] Um dia depois, o general Fritsch, na qualidade de comandante em chefe do Exército, aprovou formalmente o monumental plano de expansão de Fromm como base para toda a ação futura.[74] Em 17 de dezembro de 1936, na *Preussenhaus* em Berlim, Göring falou a industriais preeminentes em tons positivamente apocalípticos.[75] Recordou aos ouvintes o impacto devastador do bloqueio na Primeira Guerra Mundial e a enorme mobilização que a Alemanha se mostrara capaz de empreender naquele conflito. Enquanto que, antes da guerra, as pessoas falavam preocupadas em gastar alguns bilhões em defesa, o conflito havia custado 160 bilhões de marcos. Agora, os homens de negócios hesitavam novamente em expandir suas fábricas, temendo a carga de um excesso de capacidade. Isso era absurdo, segundo Göring explicou a sua plateia:

> Não há fim em vista para o rearmamento. A luta que se aproxima exige uma medida colossal de capacidade produtiva... O único ponto de decisão, nesse caso, é a vitória ou a destruição. Se vencermos, o mundo dos negócios será suficientemente compensado... É completamente irrelevante saber se, em qualquer caso, os novos investimentos serão amortizados. Estamos, agora, jogando pelo mais alto prêmio... todos os interesses egoístas devem ser descartados. Nossa nação, como um todo, está em jogo. Vivemos numa época em que as batalhas finais estão à vista. Estamos já no limiar da mobilização e já estamos em guerra, embora os canhões ainda não estejam atirando.

Uma semana depois, no dia de Natal de 1936, Göring decretou a mobilização das indústrias que serviam à Luftwaffe. As compras seriam feitas sem referência ao orçamento do Ministério da Aeronáutica. Os trabalhadores em toda a indústria da Alemanha que tivessem recebido treinamento na produção de aeronaves deveriam assumir os postos que lhes fossem destinados em caso de guerra.[76]

Enquanto a administração econômica civil permanecia ainda em grande parte sob controle de Schacht, Göring criou uma nova organização para realizar os objetivos do Plano Quadrienal.[77] Foi recrutado pessoal especializado vindo das forças armadas, como o coronel Fritz Loeb, um dos arquitetos da expansão da Luftwaffe. Também havia gente do partido, como Herbert Backe, que acrescentou a responsabilidade pela agricultura no Plano Quadrienal a suas funções no Ministério da Agricultura, e o *gauleiter* Joseph Wagner, que ficaria responsável pelo controle de preços e salários. Em seguida, vinham pessoas estreitamente ligadas a Göring, como Erich Neumann, funcionário público prussiano de carreira, que, no Plano Quadrienal, assumiu a função de cuidar das questões de divisas estrangeiras. Göring também recrutou uma quantidade considerável de técnicos que tinham estado ativos em programas autárquicos, desde 1934. No departamento de matérias-primas, de Loeb, Carl Krauch, principal perito da IG Farben em combustíveis sintéticos, foi nomeado chefe de pesquisa e desenvolvimento. Paul Pleiger e Hans Kehrl, ambos membros convictos do partido, foram cooptados da equipe de Wilhelm Keppler para assumir a responsabilidade por metais e têxteis sintéticos, respectivamente. Eram homens que tinham se revelado durante os primeiros anos do regime e muitos deles tinham relações pessoais estreitas.[78] Embora o orçamento do Plano Quadrienal não se comparasse com as despesas contempladas pelo exército e pela Luftwaffe, o investimento planejado pela nova organização de Göring era, mesmo assim, enorme. No final de 1937, o investimento em perspectiva para o Plano Quadrienal havia chegado a quase 10 bilhões de *reichsmarks*.[79] No total, o Plano iria representar 20 a 25% de todos os investimentos na economia alemã, entre 1936 e 1940. O objetivo dessas despesas era reduzir à metade a fatura das importações da Alemanha mediante a criação de capacidade de produzir matérias-primas à razão de 2,3 bilhões de *reichsmarks* ou, aproximadamente, 5% do total da produção industrial do país.

Naturalmente, o Plano Quadrienal não começava do zero. Entre 1934 e 1936, Hans Kehrl já havia estabelecido uma nova indústria de fibras básicas (*Zellwolle*), com capacidade anual de 45 mil toneladas. Incorporado sem cerimônia ao Plano Quadrienal, Kehrl dedicou-se à nova meta de chegar a 160 mil toneladas até 1940.[80] Carl Krauch, por sua vez, havia supervisiona-

Tabela 5. Plano Quadrienal: níveis de despesa propostos

	Plano II (janeiro 1937)		Plano III (maio 1937)		Plano IV (dezembro 1937)	
	milhões RM	%	milhões RM	%	milhões RM	%
Óleo mineral	1.438	16,7	1.989	22,6	2.684	28,3
Buna (borracha sintética)	517	6	687	7,8	654	6,9
Outros prod. químicos	2.351	27,3	1.100	12,5	778	8,2
Vias fluviais	1.826	21,2	1.567	17,8	1.518	16
Metais não ferrosos	353	4,1	317	3,6	351	3,7
Ferro e aço	232	2,7	449	5,1	360	3,8
Têxteis	344	4	449	5,1	484	5,1
Alimentos	267	3,1	643	7,3	1.518	16
Carvão	43	0,5	194	2,2	199	2,1
Energia	947	11	1.171	13,3	721	7,6
Madeira	86	1	26	0,3	66	0,7
Máquinas e equip.	198	2,3	194	2,2	76	0,8
Couro	9	0,1	18	0,2	9	0,1
Moradia	0		0		66	0,7
Total do investimento planejado (bilhões de *reichsmarks*)	8.611	100	8.802	100	9.485	100

Fonte: D. Petzina, *Autarkiepolitik im Dritten Reich* (Stuttgart, 1968), 83

do a expansão da produção de combustível sintético, que chegara já a 1,78 milhão de toneladas, em 1936. Devido, porém, ao simultâneo aumento de consumo de combustível na Alemanha, isso servia para cobrir somente 34% das necessidades domésticas.[81] Hitler exigia, agora, que a Alemanha atingisse a autossuficiência em combustíveis para veículos dentro de 18 meses, o que tornava necessário um programa acelerado a fim de acrescentar mais 1 milhão de toneladas adicionais de capacidade. Em quatro anos, a Alemanha deveria atingir a independência em relação a todas as importações de petróleo, com capacidade doméstica de 5,4 milhões de toneladas. A consecução da meta de autossuficiência em combustíveis consumia a parte do leão de todos os recursos investidos no Plano Quadrienal. Mas, pelo menos, Krauch podia aproveitar tecnologias que vinham sendo utilizadas desde o final da década de 1920. A única área em que um avanço tecnológico realmente drástico foi contemplado, em 1936, foi a produção de borracha sintética.[82] Em setembro de 1936, quando Hitler fez seu discurso no comício de Nuremberg, ninguém no mundo possuía a tecnologia para a produção de borracha sintética de alta qualidade, em quantidades industriais. Em 1936, a produção total de borracha sintética *(buna)* da IG Farben não chegou a mais do que algumas centenas de toneladas: a instalação experimental em Schkopau, que produziria somente 2,5 mil toneladas anuais, ainda estava em construção, os militares alemães ainda não tinham aprovado a *buna* como material aceitável para pneumáticos, e os fabricantes de pneus ainda não sabiam como processar o material. Tão logo essa desafiadora lista de problemas tivesse sido sobrepujada, a meta inicial era aumentar a produção em Schkopau para 24 mil toneladas por ano, antes de encetar a construção de mais três fábricas de *buna* durante os quatro anos seguintes.

Como vimos, a carga do financiamento de construção da primeira geração de fábricas de combustível sintético havia sido distribuída por toda a indústria alemã de energia, mediante o recrutamento das minas de carvão. A função realmente indispensável da IG Farben era de fornecedora de tecnologia. Mas, com o anúncio do Plano Quadrienal, a parceria entre a empresa e o regime nazista tornou-se mais intensa. A nomeação de Carl Krauch para chefe de pesquisa e desenvolvimento no escritório de matérias-primas do Plano cimentou um envolvimento que datava, pelo menos, de 1933-4. Pouco depois, Krauch afastou-se de suas funções na gerência da IG, assumindo, em vez disso, uma posição na junta supervisora, da qual foi nomeado presidente em 1940.[83] O verdadeiro equilíbrio de poder e interesse existente nessa relação continua a ser matéria de debate. Em suas funções no Plano Quadrienal, Krauch, sem dúvida, agiu primordialmente segundo o que lhe pareciam ser os interesses do programa autárquico. Porém, dado seu conhecimento íntimo dos enormes recursos técnicos da IG, não admira que, para ele, a melhor solução fosse sempre uma "solução IG". Todos os principais assessores para combustíveis, borracha, explosivos e outros produtos químicos eram seus colegas da IG. Além disso, Krauch trabalhou ostensivamente para assegurar que a liderança em todos os programas químicos não permanecesse em mãos do *establishment* militar, e sim nas da indústria privada. Ao mesmo tempo, entretanto, deve-se reconhecer que o envolvimento no Plano Quadrienal mudou a IG Farben. Apesar das enormes dimensões da IG e de seu poderio tecnológico, a imensa quantidade de recursos canalizada por seu intermédio pelo Estado alemão não poderia deixar de produzir um efeito dramático.

Tabela 6. Borracha e minério de ferro: prioridades gêmeas do Plano Quadrienal

	Borracha		Minério de ferro	
Milhares de toneladas	Importação de borracha natural	*Buna*	Importação de minério de ferro	Produção de minério pré-1938 Alemanha
1929	59		10.670	2.080
1930	51		7.271	1.845
1931	45		4.856	841
1932	50		3.254	442
1933	61		4.104	828
1934	72		6.822	1.372
1935	74	0	9.995	1.849
1936	83	1	8.430	2.259
1937	100	4	9.690	2.759
1938	92	6	10.470	3.360
1939	77	22	10.043	3.928
1940	19	41	6.874	5.019
1941	27	71	12.513	4.755
1942	24	101	13.581	4.137
1943	8	120	15.150	4.080

Fontes: G. Plumpe, *Die IG Farbenindustrie AG* (Berlim, 1990), 385; *Statistiches Handbuch*, 281

Esse ponto se torna muito claro a partir das reminiscências feitas depois da guerra pelo dr. Georg von Schnitzler, segundo homem da IG até 1945.[84]

Num depoimento juramentado, que escreveu nos meses de desespero antes de seu julgamento em Nuremberg, Schnitzler descreve um pacto de Fausto entre o regime de Hitler e a mais jovem geração de técnicos da IG.[85] "As... possibilidades" abertas pelo programa autárquico "sem dúvida exerceram grande fascínio sobre nosso pessoal técnico", escreveu Schnitzler. "Planos para os quais eles não vislumbravam realização prática numa economia normal tornaram-se realizáveis, e as mais fascinantes perspectivas futuras pareciam estar à frente." Normalmente, é claro, os imensos recursos financeiros necessários para fabricar combustível sintético ou construir fábricas de borracha sintética teriam sido cuidadosamente controlados pelas comissões financeiras da IG ou pela diretoria. Mas, a partir do início da década de 1930, o investimento anual da IG aumentou em um ritmo quase incontrolável, de 10-12 milhões de *reichsmarks* anuais, no auge da recessão, para 500 milhões anuais, no início da década de 1940. Esse crescimento extraordinário não era resultado de coerção e sim de um ambiente financeiro de generosidade sem precedentes. Como confessa Schnitzler: "Grande parte de nossa produção... era mais ou menos garantida pela Wehrmacht. Faziam-se acordos de muitos tipos, mas quase todos tinham bases financeiras sólidas, porque o *reich* garantia a amortização, ou decretava uma tarifa protetora, ou obrigava o uso na indústria de consumo..." Essa ausência de restrições financeiras teve um profundo efeito corrosivo no frágil sistema de tomada de decisões empresariais da IG. "A situação aparentemente esplêndida do balanço da IG enfraqueceu a administração central. Técnicos jovens e ativos como Ambros [borracha sintética] e Bütefisch [gasolina sintética], ambos trabalhando nos programas do Plano Quadrienal de Krauch", "... eram independentemente responsáveis por problemas da maior importância, e engajavam-se em compromissos cada vez maiores". Quando pediam que justificassem seus atos, costumavam referir-se a "instruções [*Auflage*] da agência Wehrmacht". Porém, como reconhecia Schnitzler, "às vezes... não ficava bem claro se não teriam sido nossos técnicos quem induziam a Wehrmacht a dar a instrução. A administração central da IG Farben registrava os fatos, quando chegava o momento de pagar as despesas, mas tinha muito pouco a dizer sobre o assunto."

O que quer que se diga, a natureza funcional do relacionamento entre a IG e o Plano Quadrienal demonstra extraordinária estabilidade. Carl Krauch sempre esteve presente na política industrial da Alemanha nazista, de 1933 a 1945. Tendo desempenhado papel-chave na negociação do *Benzinvertrag*, em dezembro de 1933, ele era ainda parte importante do esforço industrial de guerra doze anos mais tarde, nos dias sombrios de 1944-5. Isso dava à IG Farben lugar absolutamente ímpar no Terceiro Reich, que contrasta fortemente com o relacionamento muito mais complexo entre o regime e a indústria pesada da Alemanha.

III

O Plano Quadrienal de Hitler respondeu à pergunta estratégica feita no verão de 1936, mas não tratou de forma alguma da questão prática imediata sobre como conduzir um enorme esforço de rearmamento diante de um grave problema de balanço de pagamentos. No curto prazo, acrescentar à demanda doméstica crescente o programa de investimentos de Göring somente poderia piorar as coisas, ao desviar bens exportáveis para uso domésticos e, ao mesmo tempo, gastar mais matéria-prima estrangeira para a produção de grandes instalações industriais. O que a Alemanha precisava era exatamente o oposto. A fim de assegurar um influxo adequado de divisas fortes e, portanto, de alimentos e matérias-primas, o que Schacht desejava era reprimir a demanda doméstica e, ao mesmo tempo, aumentar as exportações. O rearmamento, no sentido mais amplo, teria de se ajustar a essa realocação mais geral, porque, sem artigos importados e alimentos, a economia alemã simplesmente teria de se deter. A desvalorização teria proporcionado um mecanismo de mercado para atingir esse objetivo, ao reduzir os preços das exportações alemãs no estrangeiro e elevar o preço dos artigos importados. Mas, tendo rejeitado a desvalorização, o regime foi obrigado, assim como em 1934, a recorrer à crescente regulamentação burocrática.

Nos meses que se seguiram ao anúncio do Plano Quadrienal, o problema de assegurar aço suficiente sobrepujou todos os demais temas da política industrial alemã. Embora Göring e sua equipe estivessem tratando de remediar a escassez, mediante a expansão da produção a partir de minério de ferro alemão, esse programa de longo prazo não tinha condições de responder às questões que a política econômica da Alemanha enfrentava em 1936. O Plano Quadrienal somente poderia aliviar substancialmente o gargalo do aço no mínimo em dois anos. Como vimos, Ernst Pöensgen e o Grupo de

Negócios do aço já vinham advertindo sobre uma iminente crise no fornecimento desse produto desde, pelo menos, o início de 1936. Em novembro do mesmo ano, finalmente, obtiveram o que desejavam: um corte de produção de 15% determinado pelo governo, no interesse de preservar os estoques perigosamente baixos de minério de ferro e sucata da Alemanha.[86] Isso pode não parecer draconiano, mas, como as exportações precisavam ser preservadas a todo custo, todo o corte se abateu sobre a demanda doméstica. Da produção mensal total de aproximadamente 1,725 milhão de toneladas, no início de 1936, somente 1,325 milhão de toneladas eram utilizadas domesticamente. O restante era exportado, direta ou indiretamente. A partir de novembro de 1936, esse fornecimento de aço doméstico foi reduzido em 25%, para apenas 1,07 milhão de toneladas, as quais tinham de suprir as necessidades da Wehrmacht, o Plano Quadrienal, o investimento e o consumo.[87] Era essa, na verdade, exatamente a redistribuição que teria sido provocada por uma desvalorização. Agora, no entanto, tinha sido imposta por um *fiat* governamental. Como previra o Ministério do *reich*, a consequência foi uma corrida às compras. Nas usinas produtoras, acumularam-se encomendas de centenas de milhares de toneladas que não poderiam ser satisfeitas em futuro previsível. Em condições normais, a reposta seria o aumento dos preços.[88] As autoridades do Reich, no entanto, estavam ansiosas por evitar que a escassez de matérias-primas importadas descambasse para uma inflação geral. Por isso, o *gauleiter* Wagner, responsável pelo controle de preços no Plano Quadrienal, decretou, em 26 de novembro de 1936, uma proibição geral de aumentos de preços.[89] Formalizando uma tendência, iniciada no início da década de 1930, isso eliminava efetivamente o mecanismo do mercado como forma de regular a escassez na economia alemã. O passo lógico seguinte, como já havia sido reconhecido pela RNS na agricultura pelo menos um ano antes, era a introdução do racionamento, gerenciando a escassez mediante distribuição burocrática em vez do processo do mercado. O racionamento de metais não ferrosos foi adotado, em janeiro de 1937, e o do aço foi imposto a partir de 23 de fevereiro do mesmo ano.[90] Para eliminar o atraso das usinas, todas as encomendas de aço não entregues e que não pudessem ser satisfeitas até o fim de abril de 1937 foram canceladas. A partir do fim de fevereiro, as novas encomendas de aço somente poderiam ser feitas com base em autorizações emitidas segundo a prioridade nacional, conforme definida pelo Ministério de Assuntos Econômicos do *reich*.

Para a operação real da economia alemã, a introdução do racionamento de aço foi muito mais importante do que o anúncio do Plano Quadrienal, seis meses antes.[91] O futuro de todos os empreendimentos industriais da economia nazista, o Plano Quadrienal e todo o programa de rearmamento agora dependiam da quantidade de aço que pudesse ser produzida e quanto seria distribuído de acordo com o sistema de racionamento. Ironicamente, embora a introdução do racionamento em tempo de paz fosse uma medida extraordinária que modificou o funcionamento cotidiano da indústria alemã, o sistema teve efeitos conservadores nos primeiros 15 meses de operação. Para sua grande frustração, a Wehrmacht viu-se atribuir uma quota de aço não mais elevada do que a que comprava mediante canais normais um ano antes, em vez de receber grandes quantidades do produto.[92] De fato, a construção militar e as compras foram congeladas ao nível já atingido em 1936. Isso já era em si significativo, mas, à luz das metas estabelecidas por Fromm, as implicações eram de qualquer forma graves. Para atingir a meta, aprovada em dezembro de 1936, de criar uma força de tempo de guerra com 3,6 milhões de homens até 1940, o Exército solicitara 270.500 toneladas de aço mensais. A alocação mensal real, a partir de fevereiro de 1937, era de apenas 195 mil toneladas.[93] Em consequência, o departamento de Fromm estimou que os estoques de munições não atingiriam o nível desejado antes do outono de 1942. O sistema de fortificações incluído no Plano de 1936 não poderia ser terminado antes de 1948.[94] Tanto a Luftwaffe quanto o Plano Quadrienal sofreram dolorosas restrições. O ousado plano do outono de 1936 — preparar a economia alemã e a Wehrmacht para a guerra no prazo de quatro anos — escapava por entre os dedos, apenas algumas semanas após seu anúncio. No fim de maio de 1937, a liderança do Exército sentiu-se na obrigação de informar o Ministério da Guerra de que a escassez de matérias-primas era já tão profunda que o poderio de combate projetado para 1940 na verdade não poderia existir durante vários anos, problema "que a liderança política deve levar em consideração".[95] O Exército se expandiria conforme planejado. Haveria recrutamento e treinamento, mas o equipamento inadequado o tornaria despreparado para a guerra.[96] Para a Luftwaffe, enquanto isso, Göring aprovara um programa revisto que implicava em um corte imediato de 10% na força de trabalho da indústria aeronáutica.[97] No outono de 1937, a Luftwaffe falava em cortar seus planos de produção em 25% e o plano de expansão de fábricas em 66%.[98] Os resultados são evidentes nas estatísticas. Em vez de expandir-se, como havia sido solicitado em 1936, a produção de aeronaves, na verdade, entrou em ritmo decrescente, entre abril de 1937 e o verão de 1938.[99] A Luftwaffe executou seu reequipamento com aeronaves modernas de combate, porém, somente ao custo de uma drástica redução na produção de todos os demais tipos de aviões, especialmente, os de treinamento.

O que ditava essa calmaria no esforço armamentista era a absoluta prioridade do balanço de pagamentos. Schacht e a liderança política nazista estavam claramente de acordo quanto à necessidade de evitar uma crise aguda como a que tinha quase paralisado a recuperação em 1934. A primeira prioridade, portanto, era restringir as importações e elevar os ganhos de divisas fortes mediante o aumento das exportações. Após haver conseguido uma média entre 330 e 340 milhões de *reichsmarks* por mês, em 1934 e 1935, a receita mensal das exportações da Alemanha subiram a 400 milhões, em agosto de 1936, e galgaram a marca de 530 milhões de *reichsmarks*, no verão de 1937. Isso não teria sido possível sem o sistema muito criticado de subsídios à exportação de Schacht, que, no início de 1937, permitia que cada *reichsmark* de exportações alemãs fosse sustentado à razão de, aproximadamente, 30 *pfennigs*.[100] Mas, naturalmente, o sistema de subsídios já funcionava desde 1935. O que explica a repentina mudança das exportações alemãs é o aumento do comércio mundial. Somente em 1937, os volumes globais de comércio cresceram 25%. Pela primeira vez, desde a década de 1920, houve demanda crescente de mercadorias alemãs e os exportadores estavam claramente decididos a aproveitar a maré. Ainda que Schacht e Gördeler tivessem perdido no debate político com os advogados da autarquia, a IG Farben, a Vereinigte Stahlwerke e a Siemens, junto com milhares de outros exportadores, não se mostravam dispostas a recuar para depender apenas do mercado doméstico. Se havia um mercado mundial lucrativo à espera de ser servido, nesse caso, os homens de negócios alemães queriam estar presentes.

No entanto, como bem compreendia Schacht, a oportunidade não vinha gratuitamente. Dado o histórico da Alemanha em relação ao calote de suas dívidas e seu sistema de promoção de exportações altamente manipulado, o simples fato de que a demanda mundial aumentava não significava que as firmas do país poderiam beneficiar-se. Como vimos, os Estados Unidos já tinham adotado medidas para bloquear importações subsidiadas pela Alemanha. Se desejassem, os demais parceiros comerciais principais também poderiam seguir esse exemplo e impedir a entrada de produtos do

Terceiro Reich em seus mercados. Na Grã-Bretanha, havia quem advogasse exatamente essa providência.[101] No fim de 1936, chegou, novamente, o momento de renovar o Acordo Anglo-Germânico de Pagamentos. Era o arranjo inicialmente concertado em 1931, a instâncias dos norte-americanos, a fim de limitar as obrigações alemãs para com seus credores de curto prazo. Em 1936, os bancos britânicos de compensação, sob a liderança de Reginald McKenna, enérgico presidente do Midland Bank e liberal seguidor de Asquith, iniciou uma campanha agressiva contra quaisquer novas concessões à Alemanha. Na opinião de McKenna, a falta de pressão da City para exigir pagamento integral somente servira para facilitar o rearmamento alemão. Com o anúncio do Plano Quadrienal, a questão, sem dúvida, entrara em nova e perigosa fase. McKenna propôs que a Grã-Bretanha reagisse, como fizera em 1934, com a ameaça de guerra comercial e compensação obrigatória, a menos que Berlim honrasse integralmente suas obrigações financeiras. Schacht, no entanto, manteve-se firme, recusando-se a fazer concessões a Londres. Não podia permitir que a Grã-Bretanha desmantelasse a complexa estrutura de acordos bilaterais, que ele havia construído desde 1934 e da qual o Acordo Anglo-Germânico de Pagamentos constituía a pedra angular. Sabia também que podia contar com amigos influentes do lado britânico. Segundo a opinião dada pela embaixada britânica em Berlim, um colapso do Acordo de Pagamentos "abalaria a confiança de ambos os lados e enfraqueceria também a posição de Schacht". Depois da nomeação de Göring, Schacht passara a ser considerado uma influência moderadora vital no regime de Hitler. A fim de reforçar sua posição, Londres achou melhor manter abertas as portas ao comércio internacional da Alemanha.[102] Com efeito, é tentador inferir que, precisamente, por esse motivo, Hitler teria mantido Schacht no cargo, como isca para os ingleses. Não devemos, no entanto, ignorar os indícios de que, pelo menos em um sentido, a estratégia britânica teve êxito. As concessões econômicas à Alemanha podem não haver alterado o equilíbrio de poder político em Berlim. No entanto, à luz da necessidade desesperadora de divisas estrangeiras, Schacht teve oportunidade de insistir na tese de que, no início de 1937, a prioridade principal não devia ser dada aos armamentos e ao Plano Quadrienal, e sim às exportações. Nos primeiros meses de 1937, a distribuição de aço ao setor exportador foi fixada em 505 mil toneladas mensais — equivalentes à soma do alocado à Wehrmacht e ao Plano Quadrienal.[103] Foi nomeada uma comissão especial com o encargo de assegurar a "coordenação" das necessidades da Wehrmacht e do Plano Quadrienal com a prioridade absoluta conferida às exportações.[104] Ernst Pönsgen, diretor executivo da Vestag, recebeu a tarefa de encontrar mercados no exterior para as 100 mil toneladas adicionais de aço alemão.[105]

Como a fonte da escassez de aço tinha sido a decisão de reduzir a produção, decisão essa decorrente da aguda falta de divisas, a principal prioridade, evidentemente, passou a ser encontrar maneira de expandir a produção sem impor uma carga intolerável à conta de recursos em divisas. A forma óbvia de realizar esse intento era a intensificação da exploração das jazidas alemãs de minério de ferro. Conforme já assinalamos, desde o início de 1936, vinha ocorrendo um debate sobre esse ponto.[106] De um lado, estava a região produtora de aço do Ruhr, liderada por Ernst Pönsgen. As empresas do Ruhr eram legalmente proprietárias das jazidas de minério de ferro da Alemanha, mas, pelo menos até 1937, opunham-se decididamente ao aproveitamento daqueles minérios de baixo teor. Por motivos econômicos, o Ruhr certamente preferia importar minério escandinavo de melhor qualidade, posição fortemente apoiada por Schacht e pelo RWM. Do outro lado estava Paul Pleiger, o perito em aço da equipe de matérias-primas de Keppler, que insistia para que as vastas jazidas de minério de Salzgitter pudessem fornecer milhões de toneladas anuais. Isso seria suficiente para triplicar a quantidade de ferro retirada de fontes domésticas, passando de 2 para 6 milhões de toneladas anuais, o que daria à produção de aço uma base substancial de autossuficiência. Durante o ano de 1936, Pleiger e o restante da equipe de Keppler foram penetrando na órbita de Göring e o mesmo ocorreu, em certo sentido, com a indústria do aço. Diante da aguda escassez de aço, a resistência das firmas do Ruhr ao desenvolvimento daquela riqueza nacional era evidentemente insustentável. Em junho de 1937, a indústria do aço, em colaboração com os escritórios do Plano Quadrienal, havia desenvolvido um programa para elevar a produção alemã do máximo vigente de 19,3 milhões de toneladas a uma "capacidade final" de 24 milhões, quantidade julgada suficiente para aproveitar plenamente a capacidade das indústrias metalúrgicas.[107] O aumento baseava-se, integralmente, no incremento da utilização do minério alemão, exatamente conforme defendia Pleiger. O programa dos 24 milhões de toneladas, no entanto, não era um esquema para a criação de nova indústria, e sim um programa de custo modesto para crescimento orgânico, que exigia um aumento de 10% no número de altos-fornos e aumento proporcional no de fornos de coque, suficientes para assegurar o pleno emprego dos conversores e usinas de aços planos da Alemanha.

Se essa proposta tivesse sido feita seis meses antes, certamente, teria sido decisiva para resolver a disputa. No verão de 1937, porém, já era demasiado tarde.[108] Após meses de obstinada resistência de Pönsgen e seus colegas, Pleiger mostrava-se decidido, não apenas a expandir a produção de minério de ferro, mas a romper o poderio do bloco da indústria pesada do Ruhr. Seu objetivo era estabelecer na Alemanha central um conglomerado de aço independente, controlado pelo Estado e integrado verticalmente, suficientemente grande para desafiar, até mesmo, a Vereinigte Stahlwerke.[109] O homem-chave era Hermann Röchling, principal executivo da indústria pesada do Sarre. Röchling (1872-1955) era metalúrgico genial e dado a visões dramáticas. Era também um nacionalista alemão da velha escola que, após a perda da Alsácia-Lorena, via-se na desconfortável posição de obter na França todo o minério de ferro de que precisava. Tinha, portanto, interesse urgente em desenvolver as novas tecnologias necessárias para fundir os minérios ácidos da Alemanha. A relação entre ele e Pleiger iria deteriorar-se logo, mas foi através de Röchling que Pleiger obteve acesso a Hermann Brassert, engenheiro norte-americano de origem alemã que conhecia bem o mundo e que se sabia ter estado pessoalmente ligado à construção de pelo menos 20% dos altos-fornos do mundo.[110] Anteriormente, na década de 1930, ele havia construído uma usina em Corby, na Inglaterra, que usava minério ácido de teor ainda mais baixo do que o existente em Salzgitter. O problema de Pleiger era que Brassert era também conhecido da Vereinigte Stahlwerke, porque, na década de 1920, tinha atuado como perito assessor no lançamento de bônus siderúrgicos no valor de mais de 40 milhões de dólares nos mercados financeiros dos Estados Unidos.[111] Era crucial, para ele, chegar a Brassert antes da Vereinigte Stahlwerke. Pressionado por Göring, Pleiger agiu rapidamente. No início do verão de 1937, entrou em contato com Brassert no meio do Atlântico, através de um rádio-telefone, e convenceu-o a tomar o próximo navio para Londres. A fim de impedir que fosse raptado pela Vestag, Pleiger forneceu-lhe um acompanhante 24 horas por dia e o levou para a Alemanha no Ju 52 pessoal de Göring, avião conhecido, em todo o país, por exibir as famosas cores vermelhas do esquadrão Richthofen. Após essa aventura, Pleiger e Göring estavam prontos para lançar uma ofensiva total contra a Vestag. O primeiro tiro foi dado em 16 de junho de 1937, numa reunião convocada para debater a situação inadequada da capacidade alemã de produção de aço, na qual Göring ignorou a nova proposta de expansão dos altos-fornos e censurou os industriais por não haverem desenvolvido as reservas alemãs de minério. Um mês depois, em 15 de julho de 1937, Pleiger assinou formalmente a constituição da Reichswerke Hermann Göring, empresa pública com capital acionário inicial de 5 milhões de *reichsmarks* subscritos pelo *reich*. Brassert construiria, em Salzgitter, uma usina de aço plenamente integrada, incorporando a mais avançada tecnologia, com capacidade inicial de 1 milhão de toneladas anuais que, posteriormente, seria elevada para 4 milhões. Nesse ponto, a nova usina rivalizaria com a própria Vestag. Na semana seguinte, em 23 de julho, Göring convidou 300 representantes da indústria siderúrgica alemã para ouvirem um discurso após um jantar no Ministério da Aeronáutica. Anteriormente, na mesma tarde, representantes de seis grandes empresas foram convocados a uma reunião privada. Depois de deixar os convidados esperando durante algum tempo, Göring, finalmente, entrou na sala vestido com uniforme de gala e rodeado por uma grande comitiva de funcionários e militares. Em voz alta e tom agressivo, leu uma declaração já preparada. A indústria pesada alemã tinha descurado o desenvolvimento de uma das principais riquezas do país. Hitler dera-lhes quatro anos, mas os dirigentes desperdiçaram o tempo. Göring perdeu a paciência. Sua tarefa era "derrubar os sabotadores do rearmamento e do Plano Quadrienal e mandá-los para onde mereciam: [para o inferno]".[112] O Estado mostrara-se capaz de realizar dramática expansão da indústria do alumínio e do setor da Luftwaffe. A partir daquele momento os mesmos métodos seriam aplicados ao aço. Todos os títulos de propriedade das jazidas alemãs de minério de ferro seriam fundidos numa única empresa estatal. Três usinas gigantescas seriam construídas junto às jazidas. Salzgitter seria a maior siderúrgica do mundo. Os surpresos empresários receberam um mapa que mostrava as jazidas de suas firmas a serem expropriadas em nome da nova Reichswerke. Em seguida, Göring leu um decreto aprovado pessoalmente por Hitler, que autorizava a venda obrigatória.

Surpreendentemente, Pönsgen e a liderança da Vestag não capitularam imediatamente diante dessa flagrante tentativa de intimidação. Em vez disso, trataram de mobilizar uma frente unida de oposição ao projeto da Reichswerke. Para isso, tinham o apoio total de Hjalmar Schacht, que continuava a ser o presidente do Reichsbank e ministro de Assuntos Econômicos. A indústria concordava com o desenvolvimento dos recursos alemães de minério de ferro, como parte do programa de expansão, para 24 milhões de toneladas. Tampouco opunha-se à ideia da construção de usinas próximas às jazidas. O Ruhr bem podia utilizar uma fonte adicional de ferro fundido. Mas o que não parecia necessário era despender 200 milhões de *reichsmarks* na construção de uma nova usina, com fundição e fábrica de aços planos. Isso ocasionaria excesso de capacidade, aumentaria os custos e provocaria caos na complexa rede de cartéis internacionais que regulavam o comércio europeu de aço.[113] Pleiger e Göring, no entanto, usavam todos os recursos do Estado de polícia. Tinham informantes tanto no Ministério de Assuntos Econômicos do *reich* quanto no cartel do aço, além do serviço de grampos telefônicos pessoal de Göring, o que lhes permitia conhecer de antemão a estratégia de Pönsgen e Schacht. A reunião decisiva ocorreu no Stahlhof, sede da Associação Siderúrgica em Düsseldorf, em 24 de agosto de 1937. No meio da reunião, todas as firmas, com exceção da Vestag, receberam um telegrama de Göring com o seguinte teor: "Peço-lhes, urgentemente, não participarem do memorando de Düsseldorf na Associação Siderúrgica. As atividades desta última com relação à Reichswerke têm assumido, cada vez mais, o aspecto de sabotagem. Heil Hitler! Göring."[114] O secretário de Göring, Paul Körner, mais tarde, confirmou ao escritório de Flick que "o telegrama era a expressão mais comedida da atmosfera prevalecente" na residência de Hitler, em Obersalzberg.[115]

Mesmo sem aquela ameaça ostensiva, no entanto, a reunião no Stahlhof revelou profundas divergências no seio da indústria siderúrgica alemã. O ambicioso e implacável diretor-executivo da Mannesmann, Wilhelm Zangen, recusou-se, desde o início, a se opor ao projeto da Reichswerke.[116] Röchling também pretendia apoiá-lo integralmente. Para ele, que fora um dos paladinos da anexação na Primeira Guerra Mundial, questões básicas estavam em jogo. Dado o crescimento da população da Alemanha e a expansão de novas indústrias metalúrgicas, considerava ilimitada a necessidade futura de aço. Também guardava lembranças pessoais da falta de visão de 1914, quando o general Falkenhayn declarara nem sequer necessitar da produção integral dos três arsenais estatais alemães. Na opinião de Röchling, "não temos chance nesta louca Europa. Algum dia, nos veremos diante de uma confrontação realmente importante... O senhores leram os relatórios da guerra da Espanha. Que conclusões podemos tirar?" Se a indústria alemã do aço não fizesse tudo "para dar ao país a base com a qual sobreviver a essa confrontação, pelo menos, em certo grau", quem seria o responsável? Como veterano da política industrial do império e das discussões sobre reparações no pós-guerra, Röchling falava com certa autoridade. "Conheci, pessoalmente, praticamente todos os estadistas da Europa até 1934... Os senhores não devem ter ilusões sobre o que nos pode acontecer".[117] Diante de tal oposição, os esforços de Pönsgen para estabelecer uma frente comum fracassaram. Em 27 de agosto, a Vereinigte Stahlwerke, a Hoesch e a Krupp iniciaram negociações para a venda de seus direitos de mineração a Paul Pleiger e à Reichswerke. Na primeira semana de setembro, Schacht pediu licença do RWN e entregou o pedido formal de demissão em novembro.

Durante os anos seguintes, Pleiger e Brassert não apenas terminaram, pelo menos a primeira fase das gigantescas usinas em Salzgitter, que iniciaram a produção em outubro de 1939, mas a Reichswerke também forneceu o veículo para uma extraordinária campanha de imperialismo empresarial.[118] No início da década de 1940, a Reichswerke Hermann Göring havia se transformado no que pode ter sido o maior conglomerado industrial do mundo.[119] Em 1938, Pleiger assumiu o controle da Rheinmetall, principal fábrica de armamentos, retirando-a da *holding* estatal VIAG. Após o *Anschluss* com a Áustria, a Reichswerke comprou grandes interesses industriais, em grande parte, à custa da Vereinigte Stahlwerke. Em 1939, após a ocupação de Praga, a Reichswerke acrescentou a gigantesca fábrica Skoda à sua divisão de engenharia e a expansão continuou após a ocupação da Polônia. Em 1940 e 1941, houve novas aquisições nos territórios ocupados e anexados da Europa Ocidental. No entanto, a extraordinária construção desse império pode dar uma falsa impressão sobre a importância da Reichswerke na história econômica mais ampla do regime nazista. As muitas filiais acrescentadas no processo de expansão eram controladas de maneira frouxa pela sede da empresa e muitas delas foram separadas depois de 1941. Como a expansão da Reichswerke decorria, principalmente, de aquisições e não de investimento interno, pouco contribuiu para a dinâmica geral da economia movida pelo rearmamento. Embora a aposta tecnológica de Pleiger tivesse dado resultado e as usinas de Salzgitter produzissem aço perfeitamente aceitável, elas jamais chegaram à posição dominante na indústria siderúrgica, o que era o objetivo de Göring e dele. O único setor crucial no qual a Reichswerke assumiu posição de liderança foi o do carvão. Nesse particular, Pleiger aproveitou tanto uma série de medidas de "arianização", orquestradas por Friedrich Flick, quanto o confisco de importantes interesses mineradores na Silésia após 1939.[120] Na década de 1940, seria o carvão, e não o aço, o que transformaria Paul Pleiger em figura de relevo na organização da economia de guerra da Alemanha.

IV

Assim como o Plano Quadrienal pouco ou quase nada representou para o alívio imediato da escassez de divisas na Alemanha, o projeto da Reichswerke em nada contribuiu para resolver em pouco tempo a escassez de aço. Este problema continuou sem solução e o próprio Hitler foi obrigado a se envolver. No verão de 1937, um memorando em termos duros, oriundo do departamento econômico-militar do Ministério da Guerra, chefiado pelo coronel Thomas, levou a situação dos programas de rearmamento diretamente à atenção do *führer*.[121] Thomas, assim, descreveu-a: "Os soldados não compreendem por que motivo o Estado, o partido [nazista] e o mundo dos negócios têm permissão para lançar grandes projetos de construção quando, por falta de quartéis, eles têm de passar o inverno [em tendas] nos campos de treinamento".[122] Uma maneira óbvia de desviar as críticas dos militares era encarregar um soldado de cuidar do racionamento de aço, e, no início de julho de 1937, Göring nomeou o coronel Hermann von Hanneken, chefe do Estado-Maior do escritório de suprimentos do Exército (*Heereswaffenamt*) para se ocupar dessa tarefa inglória. Hanneken esforçou-se por reorganizar o sistema e assegurar que os militares recebessem as quotas a tempo, mas não conseguiu obter um aumento substancial na distribuição de aço.[123] Em setembro, o ministro da Defesa, Blomberg, não teve alternativa a não ser pedir a Hitler uma decisão.[124] Os programas acelerados de treinamento de 1936 somente poderiam ser completados se a Wehrmacht recebesse, pelo menos, 507.220 toneladas por mês, 70% a mais do que vinha recebendo naquela altura. Da maneira como estavam, todos os programas se encontravam perigosamente atrasados. O resultado, disse Blomberg ameaçadoramente, seria "uma redução de tal ordem na prontidão ofensiva... que não poderia deixar de ter consequências para a liberdade de ação da liderança política do *reich*".[125]

Pela segunda vez, em dois anos, Hitler via-se obrigado a reagir a dificuldades econômicas por meio de uma reiteração fundamental de prioridades estratégicas, desta vez, numa reunião com a cúpula das forças armadas alemãs, em 5 de novembro de 1937. Segundo notas que chegaram até nós, tomadas pelo coronel Friedrich Hossbach, Hitler exigiu que, em caso de sua morte, seus pronunciamentos na ocasião fossem tratados como "sua última vontade e testamento".[126] Como de costume, ele começou com um *tour d'horizon* estratégico, pouco diferente da introdução do Plano Quadrienal.[127] O que era novo, e altamente explosivo, era a indicação de que Hitler agora começava a pensar em termos concretos sobre a expansão territorial do *reich*. Especificamente, ele anunciou a decisão de executar uma ação militar contra a Tchecoslováquia. Esse país não era mencionado no desígnio geral apresentado no *Mein Kampf* e no "Segundo Livro". Mas, além do profundo preconceito antitcheco de muitos membros da liderança alemã, uma olhada no mapa da Europa no período do entreguerras era o bastante para explicar por que motivo a Tchecoslováquia, além da Áustria, seria logicamente o primeiro alvo da agressão de Hitler. A nação-Estado "artificial" da Tchecoslováquia tinha sido criada em Versalhes como parte integrante de um sistema de segurança antialemão. Estava ligada à França por uma aliança militar e, desde 1935, também à União Soviética. Penetrando profundamente no sul da Alemanha, era considerada pelos militares como uma base óbvia para ataques aéreos contra Berlim e a parte meridional do país.

Para Hitler, a questão central era de oportunidade. Era crucial resolver o problema do *Lebensraum*, antes de 1943-45, porque após aquele ponto ele esperava que a vantagem relativa da Alemanha na corrida armamentista decrescesse. A referência de Hitler a 1943-45 é significativa porque sugere uma mudança da escala cronológica de seu memorando do Plano Quadrienal. Hitler demonstrava estar percebendo a desaceleração no ritmo do rearmamento ao longo dos últimos doze meses. A declaração também indica uma percepção da ameaça representada pelo rearmamento de outras potências europeias. Hitler foi ainda mais longe. Caso a França viesse a ser desarmada antes de 1943, em consequência de uma súbita escalada na confrontação social interna, como ocorrera no início de 1934, ou se a atenção da Grã-Bretanha e da França fosse desviada por um conflito no Mediterrâneo, nesse caso, agir poderia ser vantajoso para a Alemanha, ainda que sua preparação militar ainda não estivesse completamente terminada. O que isso dá a entender é que, embora Hitler compreendesse, claramente, as complexidades do calendário armamentista, sua decisão em relação à guerra dependeria, em última análise, da imprevisível evolução do cenário internacional.

Quanto à questão do aço, Hitler reafirmou o compromisso com as decisões sobre rearmamento tomadas em 1936. Durante as semanas seguintes, essa postura foi confirmada por ações decisivas. A reunião "Hossbach" não produziu melhora imediata nas cotas de aço da Wehrmacht.[128] O Exército continuou muito aquém das metas fixadas em 1936 e recebeu muito menos aço do que necessitaria para suprir as deficiências sofridas pela Wehrmacht, em 1937.[129] A fim de romper o impasse, era necessário um aumento substancial da produção de aço, não da Reichswerke Hermann Göring — isso levaria anos — e sim dos altos-fornos e usinas alemães existentes. Foi isso, exatamente, o que começou a ocorrer nas semanas seguintes à conferência Hossbach. Em 22 de novembro de 1937, o coronel Hanneken informou o Grupo de Negócios do ferro e aço de que as restrições que haviam limitado a produção siderúrgica, desde o outono de 1936, seriam abolidas. "Por meio do aumento na extração de minério doméstico e incremento das importações", a produção de ferro bruto da Alemanha deveria ser elevada "ao limite da capacidade".[130] Desde que as restrições existentes sobre o consumo permanecessem em vigor, Hanneken acreditava que isso seria suficiente para atender, pelo menos, às necessidades mais importantes da indústria alemã. No início de fevereiro de 1938, a burocracia da Wehrmacht começou a reagir, com a renovação do debate sobre a aceleração do armamentismo.[131]

Os danos, no entanto, já tinham sido causados em 1937. Em vez de expansão dramática, como era a clara intenção em 1936, a obtenção de armamentos havia se estagnado. Com efeito, em toda a história do regime de Hitler anterior à guerra, 1937 foi o único ano em que os gastos militares não aumentaram significativamente.[132] Como previra Blomberg, isso tinha graves ramificações estratégicas. Em dezembro de 1937, o alto-comando do Exército alemão não esperava que as tropas para tempo de guerra estivessem completamente equipadas e prontas para o combate, antes da primavera de 1943.[133] Isso tinha consequências óbvias para a liderança militar. Como analisaremos no próximo capítulo, o coronel Beck, chefe do Estado-Maior do Exército, reagiu às palavras de Hitler na reunião Hossbach com uma avaliação estratégica alarmante, aconselhando-o a não empreender nenhuma ação agressiva contra os tchecos. Os planos do *führer*, no entanto, eram outros. Em 1936, ele esboçara um calendário segundo o qual o caminho da guerra estaria pronto em quatro anos de mobilização doméstica total. Não conseguira seu desígnio. Era suficientemente realista, como demonstra a reunião Hossbach, para registrar as queixas técnicas da Wehrmacht. Porém, ao contrário dos generais, Hitler não precisava tomar como definitivas as relações da Alemanha com seus vizinhos ou o nível existente de mobilização econômica. Os generais reagiram reajustando seus calendários; Hitler reagiu reajustando os parâmetros. Enquanto fazia todo o possível para elevar a produção de aço e redistribuí-la aos militares, ele passou a aumentar constantemente o nível da tensão internacional. Em vez de criar as condições para a guerra por meio da mobilização doméstica, a tensão internacional iria tornar-se a alavanca principal por meio da qual a liderança do Terceiro Reich — competentemente assistida por importantes industriais e soldados carreiristas — catapultaria a economia alemã a um nível mais elevado de mobilização doméstica. A escalada internacional abriu as portas para a mobilização doméstica, e não o contrário.[134]

Se é possível dizer que um único indivíduo tenha sido o impulsionador desse processo, essa pessoa foi Hitler. A consolidação do regime nazista em torno da pessoa do *führer*, ao longo do inverno de 1937-38, foi um momento decisivo na evolução do Terceiro Reich.[135] A primeira semana de fevereiro de 1938 foi a mais dramática, quando ocorreu uma abrupta reestruturação no topo da hierarquia militar, necessária devido aos escândalos que cercaram o ministro da Defesa, Blomberg, e o comandante em chefe do Exército, general Werner von Fritsch.[136] O ministro da Defesa casara-se, publicamente, com uma mulher que tinha "um passado". A ficha policial de Fritsch revelou acusações não esclarecidas de homossexualismo. Hitler demitiu sumariamente ambos e resolveu a crise dando à Wehrmacht o status de entidade autônoma, independente das três forças da Wehrmacht, com ele próprio como comandante em chefe. Göring, que ambicionara o lugar de Blomberg no Ministério da Defesa, foi, em vez disso, promovido ao posto de marechal de campo. Wilhelm Keitel, oficial que, anteriormente, se mostrara inócuo, foi promovido à função de principal conselheiro militar de Hitler à frente da Wehrmacht. Enquanto isso, o coronel Thomas, principal perito em economia da Wehrmacht, ficou encarregado de um novo escritório econômico-militar. O comando do Exército foi entregue a Werner von Brauchitsch, oficial profissional e respeitável, porém, de caráter débil, que não demonstrou capacidade para se opor a Hitler. Ao mesmo tempo, este último também provocou uma importante mudança no Ministério do Exterior. O conservador Neurath, que era o ministro desde 1932, foi afastado. O lugar foi ocupado pelo ex-embaixador em Londres, Joachim von Ribbentrop, muito mais afinado com a agenda agressiva de Hitler.

O destino do Ministério de Assuntos Econômicos do *reich* foi resolvido na mesma ocasião. Para substituir Schacht no RWM (ele continuou sendo o presidente do Reichsbank), Hitler escolheu o fiel colaborador de Goebbels, Walther Funk. Embora Göring também ficasse decepcionado por não obter esse lugar, pelo menos usou o hiato deixado por Schacht para fundir a administração do Plano Quadrienal com a maquinaria do ministério.[137] Todos os departamentos principais estavam, agora, em mãos de homens politicamente confiáveis. A nova atmosfera do ministério ficava bem resumida numa piada que circulava entre os funcionários mais antigos, que descreviam os recém-chegados amigos de Göring como "conselho de trabalhadores e soldados", recordando os tempos revolucionários de 1918.[138] Hans Kehrl, figura-chave da equipe de matérias-primas de Wilhelm Keppler, foi nomeado supervisor itinerante a fim de assegurar o cumprimento da nova agenda de autarquia e racionamento.

Mais importante ainda foi o novo papel assumido pelo próprio Hitler em relação à política econômica. Naturalmente, nem ele e nem Göring tinham paciência com os detalhes altamente técnicos da política industrial, porém, ambos interessavam-se muito pelo programa de armamentos e isso significava que se preocupavam, seriamente, com o problema do racionamento de matérias-primas. A partir de novembro de 1937 até o fim do Terceiro Reich, não houve ocasião em que a distribuição de aço, matéria-prima básica da economia industrial, tivesse sido alterada significativamente sem a aprovação pessoal de Hitler. Essa afirmação de sua autoridade sobre a política econômica merece estar entre os aspectos mais conhecidos da "segunda tomada do poder". Constituiu uma característica central da maneira pela qual Hitler exercia o poder,[139] e à qual se tem dado pouca importância. Somente juntando os três aspectos do governo do *führer* — diplomático, militar e industrial — podemos compreender verdadeiramente a maneira como ele tratou de desestabilizar o equilíbrio europeu de poder.

7

Na zona de perigo

EM 11 DE MARÇO DE 1938, NUMA reunião matinal da comissão empresarial para o comércio, na IG Farben, um debate de rotina sobre as precauções a tomar em caso de uma emergência militar, a chamada "questão M", de repente assumiu um aspecto surpreendentemente real.[1]

> "Já às 9h30 da manhã as primeiras mensagens alarmantes nos chegaram. O dr. Fischer voltou agitado de uma conversa telefônica e relatou que a Deutsche Gasoline AG [filial da IG] tinha recebido instruções para reabastecer todos os postos de combustível da Baviera e outras partes do sul da Alemanha em direção à fronteira com a Tchecoslováquia. Um quarto de hora depois, veio uma chamada telefônica de Burghausen, segundo a qual um número elevado de trabalhadores tinha sido chamado ao serviço militar. A mobilização estava em pleno curso na Baviera. Na ausência de informações oficiais, que só foram divulgadas no fim da tarde, nós não tínhamos certeza de que, simultaneamente com a marcha de penetração na Áustria, que, para nós, era fato já conhecido, não estaria também acontecendo a 'curta entrada' na Tchecoslováquia, com todas as complicações internacionais que ela provocaria."

Os executivos correram aos telefones a fim de chamar a delegação de diretores da IG que estava a caminho de Cannes para a negociação de um cartel internacional de molibdênio. "Nestas circunstâncias", escreveu o funcionário encarregado da ata, "a conferência sobre a questão M assumiu características altamente significativas. De repente, percebemos — como um relâmpago num céu claro — que um assunto antes tratado mais ou menos de forma teórica, podia tornar-se tremendamente grave..."

I

A anexação da Áustria pela Alemanha foi iniciada em 11 de março e terminou dois dias depois.[2] O *Anschluss* foi um golpe clássico de política externa, ao estilo da remilitarilização da Renânia, em março de 1936. Como vimos, a agressão da Alemanha contra a Tchecoslováquia estava em debate desde novembro de 1937. A anexação da Áustria foi um primeiro passo óbvio para a desestabilização do equilíbrio de poder na Europa Central. Dada a crescente pressão pública e privada aplicada sobre a Áustria, a partir do início de 1938, o *Anschluss* não foi surpresa quando finalmente ocorreu. Hitler calculou bem o momento e apoiou-se numa leitura desapaixonada do cenário internacional mais amplo.[3] Teve crucial importância o fato de que a Itália havia mostrado preocupação com o Mediterrâneo e ausência de interesse nos assuntos austríacos. No início de 1938, Hitler começou a enviar uma série de ultimatos ao primeiro ministro Kurt Schuschnigg e, em seguida, deixou que ele tomasse a primeira decisão equivocada ao convocar um referendo sobre a independência da Áustria para o dia 14 de março. Para evitar esse acontecimento, cujo resultado, provavelmente, apoiaria a independência, a Wehrmacht tratou de mobilizar-se parcialmente, às pressas, e ocupou a Áustria com auxílio do partido nazista local e seus adeptos. As demais potências europeias não tiveram tempo de reagir.

Para a economia alemã, a Áustria representava um pequeno, porém, útil acréscimo.[4] O *Anschluss* aumentou em pouco menos de 8% a produção industrial da Alemanha, uma vez que os recursos da indústria pesada austríaca eram relativamente escassos. Em 1937, a Áustria produziu somente 600 mil toneladas de aço, das quais mais da metade foi exportada. Isso era pouco menos de 4% da produção alemã. Dois terços da produção vinham da Osterreichisch-Alpine Montangesellschaft, ou Alpine, proprietária do Erzberg, fabulosa montanha de 200 milhões de toneladas de minério de ferro do mais elevado teor.[5] A Alpine fornecia não apenas para a economia austríaca, mas também para as indústrias tchecas e italianas. Esse era, sem dúvida, o mais valioso ativo industrial do país. Por direito, deveria ter sido absorvida pela

Vereinigte Stahlwerke, empresa com a qual tinha relações antigas. Em vez disso, foi tomada pela Reichswerke Hermann Göring, que obteve dessa forma, considerável influência em todo o sudeste europeu. Para a economia alemã como um todo, o principal benefício do *Anschluss* foi a absorção da mão de obra desempregada da Áustria. Segundo estatísticas oficiais, a anexação acrescentou 401 mil desempregados aos registros alemães, aumentando a reserva de mão de obra disponível na Alemanha entre 30 e 40%.

Ao contrário, o impacto do *Anschluss* no importantíssimo balanço de pagamentos foi ambíguo. No longo prazo, os efeitos foram claramente negativos. Como a Alemanha, a Áustria dependia de importações tanto para alimentos quanto matérias-primas industriais e se esforçava por manter as exportações em nível suficientemente elevado.[6] Podia-se esperar, portanto, que uma reativação em grande escala da economia austríaca pudesse aliviar os problemas alemães de balanço de pagamentos. No curto prazo, no entanto, esses problemas eram compensados pelo enorme confisco de divisas representado pela imposição de regulamentos draconianos de recursos em moeda estrangeira sobre a economia muito mais liberal da Áustria. Somente as reservas em ouro e divisas do banco nacional da Áustria chegavam a 345 milhões de *reichsmarks*.[7] No total, o butim austríaco em moeda estrangeira atingia, pelo menos, 782 milhões de *reichsmarks*, mais do que dobrando as reservas da Alemanha. Esses recursos eram cruciais, porque, nas primeiras semanas de 1938, a situação do balanço de pagamentos da Alemanha era extremamente sombria. Os recursos privados confiscados desde 1936 já tinham sido em grande parte despendidos. A retomada das exportações que sustentara o balanço de pagamentos durante o ano de 1937, evidentemente, já terminara. À medida que a economia mundial declinava, na primeira metade de 1938, o comércio global caiu em 20%.[8] A partir de janeiro de 1938, o Reichsbank passou a enfrentar um déficit mensal substancial.[9] Em circunstâncias normais, isso obrigaria a um imediato recuo. Numa reunião da equipe do Plano Quadrienal, em 10 de fevereiro de 1938, houve sugestões de corte não apenas do consumo privado, mas também de projetos de alta prioridade do regime.[10] Em vez disso, graças ao butim austríaco, a Alemanha conseguiu financiar, em 1938, um déficit comercial de quase 450 milhões de *reichsmarks*, maior do que a qualquer momento desde 1929. Durante um breve lapso, pelo menos, o *Anschluss* libertou o regime de Hitler das restrições do balanço de pagamentos.

Mas a motivação do *Anschluss* não era apenas o butim. O verdadeiro imperativo era estratégico. A união da Áustria com a Alemanha aumentava drasticamente o poderio do *reich* em relação aos países menores da Europa central e meridional. Desde tempos imemoriais, Viena tinha sido o eixo em torno do qual fluía o comércio do leste e sudeste da Europa. A dissolução do Império Austro-húngaro e os prejuízos da Depressão tinham enfraquecido aquela posição. Depois do *Anschluss*, a compensação oferecida aos vienenses por haverem sido relegados à condição de segunda cidade do *reich* foi a instalação como capital do "império" alemão na Europa sul-oriental. A anexação do comércio da Áustria com a parcela já destinada à Alemanha elevou a dependência da Hungria nas importações da Alemanha de 26 para 44%.[11] Ao longo dos meses seguintes, Berlim utilizou a vantagem adicional concluindo novos tratados com a Hungria e a Polônia.[12] Por outro lado, para a Tchecoslováquia, o *Anschluss* foi um golpe devastador. A presença de tropas alemãs nas províncias orientais da Áustria significava o cerco da Boêmia por três lados. Embora a ocupação militar da Áustria se desenrolasse de maneira pacífica, e apesar da reação apagada das potências ocidentais, o *Anschluss* marcou o ponto em que os temores de guerra na Europa começaram a tomar forma concreta. Em Praga, o clima era de pânico. Ao longo da primavera de 1938, houve boatos de um ataque alemão iminente, que chegaram ao máximo durante a "crise do fim de semana" de 20-21 de maio. Alarmado por relatos falsos de concentração de tropas alemãs ao longo de suas fronteiras, o governo tcheco mobilizou não apenas as forças armadas, mas também seus aliados em Paris e Londres. Os britânicos levaram a cabo uma evacuação de emergência de todos os funcionários não essenciais de sua embaixada em Berlim e lançaram uma advertência de que, se a Alemanha atacasse, os franceses estariam obrigados a defender os aliados tchecos, e a Grã-Bretanha não ficaria indiferente.[13]

O resultado foi a aceleração dos preparativos alemães para a guerra. Os planos para o ataque à Tchecoslováquia estavam em curso, mas Hitler não tinha a intenção de iniciar as operações tão cedo, em 20 de maio. Ficou furioso, porém, ao ver que a "crise do fim de semana" criara a impressão de que ele fora obrigado a recuar devido às ameaças de ação internacional.[14] Sua reação foi característica. Em 28 de maio, uma semana após a crise da mobilização, ele convocou uma reunião com os principais chefes militares e anunciou sua decisão de tratar dos tchecos na primeira oportunidade possível.[15] Pretendia utilizar meios militares. A Wehrmacht recebeu ordens de ficar de prontidão para ação, a qualquer momento, depois de 1º de outubro de 1938. Hitler acreditava poder isolar os tchecos e evitar que a Grã-Bretanha e a França fossem envolvidas. Ainda esperava que os britânicos fossem razoáveis e que a confrontação com a França pudesse ser procrastinada até 1943-4, quando o Exército alemão teria já completado sua preparação. Mas, se as potências ocidentais estivessem decididas a se opor aos seus primeiros passos expansionistas, Hitler não recuaria da guerra. A partir da primavera de 1938, ele começou a contemplar seriamente a necessidade de uma guerra de verdade no ocidente, como prelúdio para o avanço na direção da União Soviética. Embora seja difícil acreditar, dado o destino subsequente da Tchecoslováquia, essa foi, essencialmente, a lição aprendida em Berlim, no início do verão de 1938. O Terceiro Reich teria de considerar a Grã-Bretanha como força adversária do sonho de Hitler de conquistas a leste.[16]

Não se pode superestimar a importância dessa mudança da postura estratégica nos meses seguintes ao *Anschluss*. Para qualquer pessoa com a cabeça fria, isso não deveria constituir surpresa.[17] Não tinha havido progressos no sentido de um acordo com os britânicos, desde o tratado naval de 1935. Os acontecimentos de 1936 somente fizeram aumentar a percepção pública da profunda fissura entre as "democracias" e as "ditaduras" agressivas. Beck, chefe do Estado-Maior do Exército, tornara a hostilidade britânica axioma de seu planejamento, desde 1937, pelo menos. De abril de 1938 em diante, tanto a Luftwaffe quanto a Marinha partiam da mesma premissa. Para Hitler, no entanto, isso foi sem dúvida, uma terrível frustração. Se existe um cerne racional na visão estratégica exposta pela primeira vez no *Mein Kampf*, essa era a ideia de que a Alemanha não seria capaz de levar a efeito uma guerra de conquista no leste caso tivesse de lutar, ao mesmo tempo, contra uma coalizão ocidental. A hostilidade da França sempre fora levada em conta, mas, considerado isoladamente, esse país não constituía um obstáculo intransponível. O fator crucial era a Grã-Bretanha. O avanço alemão para o leste precisava pelo menos da aquiescência britânica. Se a Alemanha tivesse de usar a força para submeter tanto a França quanto a Grã-Bretanha, nesse caso, qualquer raciocínio normal concordaria em que a campanha de conquista no leste teria de ser adiada para um futuro distante. Por sabermos das amplas vitórias da *blitzkrieg* da Wehrmacht, em 1940, nosso pensamento a esse respeito tende a se tornar um tanto anuviado. Em 1938, ninguém — nem os alemães e nem seus adversários — previa a *blitzkrieg*. Para os planejadores estratégicos mais razoáveis da Alemanha, os Impérios Francês e Britânico, com amigos na Europa oriental e apoio do outro lado do Atlântico, pareciam adversários realmente temíveis. Afinal, era a mesma coalizão que derrotara a Alemanha, em 1918. Como vimos, o Exército que estava sendo planejado em 1936 era vasto, mas não suficiente para dar aos alemães uma margem convincente de superioridade em armamento ofensivo, especialmente, tanques. Os generais alemães não subestimavam os franceses e tinham perfeita consciência das graves dificuldades experimentadas que o próprio programa de expansão sofrera em 1937. Além disso, qualquer que fosse o tamanho do Exército, uma ofensiva terrestre jamais seria suficiente para derrotar o Império Britânico. As frotas da Grã-Bretanha e da França que patrulhavam o Atlântico e o Mediterrâneo, asseguravam seu acesso às matérias-primas do mundo. Somente mediante a combinação de suas mínimas forças navais com as da Itália e do Japão, a Alemanha poderia imaginar uma batalha com a Marinha britânica.[18] Na corrida armamentista aérea, a Luftwaffe, sem dúvida, levava vantagem, não havia motivo para duvidar de que as indústrias aeronáuticas britânica e francesa tivessem potencial para rivalizar com a alemã e sobrepujá-la. Acima de tudo, uma confrontação com as potências ocidentais obrigava o regime alemão a considerar o imenso poder econômico dos Estados Unidos. Se este apoiasse a Grã-Bretanha e a França, ainda que não entrasse na guerra com efetivos combatentes, não era preciso entrar em comparações estatísticas detalhadas para perceber que o risco maior estava do lado alemão.

II

Na primavera de 1938, a corrida armamentista desatada pelas agressões alemã, japonesa e italiana atingira tais proporções que ameaçava desestabilizar completamente o milagre econômico de Hitler. Por ocasião da crise de maio de 1938, a França, a Grã-Bretanha e os Estados Unidos já se viam envolvidos em rearmamento substancial.[19] A vantagem dessas potências no campo naval era enorme. Para os que tinham acesso ao orçamento militar confidencial da Alemanha, os dados contemporâneos mais confiáveis sugerem que, desde 1933, a Marinha Real havia gastado mais 30% do que a *Kriegesmarine*. Em vez de reduzir o hiato, a vantagem já esmagadora da Grã-Bretanha em navios de guerra tinha, na verdade, aumentado durante os primeiros oito anos do governo de Hitler.[20] Além disso, a desvantagem alemã ficou ainda mais evidente em 17 de maio de 1938, poucos dias antes da "crise do fim de semana", quando o presidente Roosevelt promulgou a Lei de Expansão Naval. Com um total de 1,15 bilhão de dólares, era a mais alta autorização de verba militar na história dos Estados Unidos em tempo de paz, e assegurava que o país despenderia mais do que qualquer de seus rivais na corrida armamentista naval mundial.[21] Ainda mais preocupante era a evidente intenção britânica de atingir paridade com a Alemanha no ar. No final de abril de 1938, deixando de lado as preocupações do Tesouro e o princípio de que deveria ser permitido à indústria britânica prosseguir como em tempos normais, Londres adotou um novo e ambicioso programa aeronáutico (esquema L), que contemplava a produção de 12 mil aviões modernos de combate ao longo dos dois anos seguintes.[22] Enquanto isso, estava sendo tomada na França a decisão de acelerar a construção naval, modernizar o Exército e executar um reequipamento completo da Força Aérea, segundo o chamado Plano V.[23] Em maio de 1938, o novo governo de direita de Edouard Daladier debatia a duplicação do orçamento militar.

Para que a Alemanha superasse o elevado déficit em armamento naval e para que a Luftwaffe se desenvolvesse a ponto de se transformar em uma arma verdadeiramente estratégica, enquanto o Exército completava seu incremento em terra, a despesa militar do *reich* teria de ser extraordinária. Já vimos as dificuldades que tinham impedido o Terceiro Reich de levar a cabo o programa de expansão do Exército em 1936. Não obstante, nos dias seguintes à crise de maio de 1938, Hitler deu as ordens.[24] A Alemanha encaminhava-se para a guerra. Todas as considerações relativas à economia civil seriam descartadas. O Exército pleno, de tempo de guerra, deveria ser completado até abril de 1939, ainda antes da meta original de abril de 1940. Além disso, o Exército recebeu instruções para preparar estoques de munição suficientes para, pelo menos, três meses de combate. E mais, como consequência direta das ameaças de Paris e Londres, Hitler se dedicou aos trabalhos do término acelerado da própria versão da Linha Maginot, a Muralha Oeste. Seu objetivo era dar proteção à fronteira ocidental enquanto o grosso do Exército alemão cuidava dos tchecos. Como vimos, isso custaria, pelo menos, o dobro da importância orçamentada para as forças blindadas. No período de uma semana, entre 25 e 31 de maio de 1938, o Exército alemão triplicou o pedido de aço, de 400 mil toneladas extra para mais de 1,2 milhão.[25] E isso era apenas o começo. Logo depois da crise de maio, o planejamento da Luftwaffe também deu um salto quantitativo quando Göring encomendou uma frota de nada menos que 7 mil bombardeiros bimotores Ju 88.[26] Ao fazê-lo, encarregou mais da metade da mão de obra da Luftwaffe na produção de um bombardeiro de médio alcance, cuja única razão de ser estratégica eram as operações ofensivas contra a França e a Grã-Bretanha. Mais precisamente, ele apostou em Heinrich Koppenberg, diretor executivo da Junkers e seu sonho expansivo de produção em massa ao estilo de Ford. Todas as empresas envolvidas na época na produção de bombardeiros seriam reorganizadas em torno do escritório central da Junkers em Dachau. Cada fábrica se concentraria na produção de um dos principais componentes: motores, fuselagem, asas ou montagem final. Usando economias de escala "norte-americanas", a Alemanha asseguraria o domínio sobre os inimigos europeus. Koppenberg prometeu entregar, em menos de dois anos, os bombardeiros mais modernos, à razão de 250 por mês. O planejamento naval prosseguia a passo mais lento, mas também foi apanhado no drama da escalada.[27] Em 24 de maio, Hitler ordenou o término acelerado da construção dos encouraçados F e G (*Bismarck* e *Tirpitz*). Determinou também a expansão do programa de submarinos, para o caso de guerra com a Grã-Bretanha.

Tudo isso representava extraordinárias exigências para o Plano Quadrienal.[28] Também, nesse caso, Göring podia apoiar-se na iniciativa interna do complexo industrial-militar. Previsivelmente, quem tomou a dianteira foi Carl Krauch e seu principal colaborador, Otto Ambros, um dos promissores peritos em materiais sintéticos da IG.[29] Após o término dos planos de novos armamentos do *reich*, em 1942-3, ambos estimaram que as necessidades anuais de combustível e petróleo aumentariam para nada menos de 13,8 milhões de toneladas. Graças aos períodos de escassez de aço, o Plano Quadrienal se encontrava atrasado. Em 1938, a produção sintética não excederia 2,4 milhões de toneladas e o fornecimento de combustível para aviões era ainda insuficiente. As deficiências em explosivos e pólvora eram ainda mais gritantes. Em 1918, a Alemanha imperial produzira 13,6 mil toneladas de altos explosivos e 13.250 toneladas de pólvora por mês. No verão de 1938, a capacidade do Terceiro Reich não passava de 5,4 mil toneladas de ambos os materiais. Para preencher o déficit, em 12 de julho de 1938, Göring aprovou uma nova versão do Plano Quadrienal, conhecida como Novo Pla-

Tabela 7. Os oceanos democráticos: despesas navais mundiais

Milhões de RM, PPP	Grã-Bretanha	Estados Unidos	França	Alemanha	Itália	Japão	"Democracias"	"Ditaduras"	Proporção
1929	1.142	1.558	409	201	262	525	3.109	988	3,1
1930	1.072	1.571	448	198	309	501	3.091	1.008	3,1
1931	1.009	1.560	462	192	352	590	3.031	1.134	2,7
1932	872	1.457	399	187	346	593	2.728	1.126	2,4
1933	877	1.268	469	312	326	827	2.614	1.465	1,8
1934	938	1.376	485	497	278	859	2.799	1.634	1,7
1935	1.108	1.798	476	695	256	928	3.382	1.879	1,8
1936	1.388	2.072	517	1.161	300	938	3.977	2.399	1,7
1937	1.595	1.866	444	1.479	313	1.056	3.905	2.848	1,4
1938	1.878	2.026	462	1.756	339	1.049	4.366	3.144	1,4
1939	2.277	2.872	724	2.390	424	1.256	5.873	4.070	1,4
Total 1929-39	14.156	19.424	5.295	9.067	3.505	9.122	38.875	21.694	1,8
Total 1933-39	10.061	13.278	3.577	8.289	2.236	6.913	26.916	17.438	1,5

Fontes: Institut für Konjunkturforschung, *Wochenbericht*, 12 de julho de 1939, 169-72; J. Duelffer, *Weimar, Hitler und die Marine: Reichspolitik und Flottenbau, 1920-1939* (Düsseldorf, 1973), 563

no Militar-Econômico de Produção (*Wehrwirtschaftliche Neuer Erzeugungs Plan*).[30] Em meados de 1941, Krauch almejava atingir uma produção mensal de 17,1 mil toneladas de altos explosivos e 18,1 mil toneladas de pólvora. A produção de combustível sintético foi programada para 8,3 milhões de toneladas, até 1942-3, e 11 milhões, até 1944. E, em agosto de 1938, talvez poucas semanas antes da guerra dos Sudetos, mesmo essa quantidade não era suficiente. Para chegar aos níveis da Primeira Guerra Mundial, até o fim de 1939, Krauch lançou o *Schnellplan*, um programa de emergência de curto alcance que gozava de absoluta prioridade sobre todos os muitos programas da Wehrmacht. A fim de assegurar a Krauch os recursos de que necessitava, Göring o promoveu ao status especial de general plenipotenciário para questões especiais de produção química (GB Chem), posto no qual ele dominou a indústria química alemã até o fim da guerra.[31]

Krauch, na indústria química, e Koppenberg, na Junkers, foram dois dos principais expoentes do novo e liberado industrialismo militar. A visão tecnológica de ambos era sedutora, assim como sua retórica otimista de liderança empresarial. Em Göring encontraram um ouvinte bem-disposto. Porém, apesar da retórica voluntarista, a realização das promessas dependia do fornecimento de recursos. Desde novembro de 1937, Hitler vinha prometendo quotas de aço mais generosas. Depois de meses de espera e frustração, ele finalmente a cumpriu. Em 17 de junho de 1938, numa conferência com Göring, o *führer* anunciou o aumento da quota de aço da Wehrmacht de 325 mil para 500 mil toneladas.[32] Durante os meses seguintes, essa quantidade foi suplementada para 658.333 toneladas. Em agosto de 1938, 35-6% da produção alemã de aço destinava-se à Wehrmacht. Acrescentando-se as alocações do Plano Quadrienal e o programa militar de construção de estradas, a parcela militar da produção alemã de aço era de mais de 40%. Para metais importados mais escassos, como o cobre, a quota era ainda maior. No verão de 1938, embora, nominalmente, ainda em paz, o regime nazista já impelia a economia alemã para uma situação de guerra.

As consequências financeiras foram dramáticas. Antes do *Anschluss*, no início de 1938, o ministro das Finanças, Schwerin von Krosigk, e o presidente do Reichsbank, Schacht, haviam concordado em aplicar uma dose de conservadorismo fiscal à economia alemã que estava superaquecida.[33] A partir de março de 1938, cessaria a emissão dos bônus Mefo.[34] Dali em diante, ao que ambos acordaram, o *reich* teria de respeitar as regras convencionais das finanças públicas. As despesas correntes ficariam limitadas às importâncias que pudessem ser pagas com a receita dos impostos. As despesas incidentais e investimentos de longo prazo seriam financiados com a poupança nacional, por meio do canal normal e não inflacionário de empréstimos de longo prazo. A dramática escalada da tensão internacional após o *Anschluss* acabou com esse programa de austeridade. Em vez de se contrair, como esperavam Schacht e Krosigk, as despesas militares aumentaram. Em 30 de maio, Göring informou o Exército de que "em relação a dinheiro... não precisaremos mais nos preocupar no futuro... o tratamento dessa questão é assunto da liderança política".[35] Embora o Reichsbank mantivesse sua política em relação aos bônus Mefo, as letras de curto prazo do Tesouro (*Schatzanweisungen*), cuja finalidade original era proporcionar ao *reich* meios limitados de financiamento flexível, foram usadas para financiar um surto maciço de despesas militares. Entre abril e outubro de 1938, o Exército alemão, sozinho, gastou nada menos do que 4,9 bilhões de *reichsmarks*, mais de 5% da renda nacional total.[36] No ano-calendário, a parcela de gastos militares em relação à renda nacional foi superior a 19%.

Esse enorme aumento dos gastos militares marcou uma eviravolta decisiva. Até 1938, embora a expansão do setor de armamentos tivesse sido dramática e obrigada a certos acertos marginais, especialmente, em relação a prioridades de importação, isso havia avançado *paripassu* com o crescimento em outras partes da economia. Comparado com o auge da recessão, em 1932, tinha havido, em 1937, uma modesta recuperação, tanto nos investimentos de negócios quanto no consumo familiar. Isso fora possível, em grande parte, porque a margem de recursos não utilizados era muito grande. Com 6 milhões de desempregados, em 1933, tanto os gastos da Wehrmacht quanto a atividade econômica civil puderam expandir-se em paralelo. A principal restrição sobre a economia alemã era a limitação externa imposta pelo balanço de pagamentos. Em 1938, a economia alemã chegou ao limite desse tipo de crescimento econômico extensivo. Era impossível conciliar um aumento de 70% dos gastos militares e os pesados programas de investimento do Plano Quadrienal com qualquer novo aumento do consumo. Numa economia cuja produção se expandia 8% ao ano, o consumo familiar estagnou-se.[37] E isso é uma pálida indicação do drama do processo de ajuste que ocorria no seio da economia alemã. O aço proporciona melhor indicação. Medida em termos de aço, a quantidade de material disponível para objetivos que não os da Wehrmacht foi reduzida em 25%, entre março e julho de 1938, de um auge de 1,345 milhão de toneladas para 1,041 milhão de toneladas.[38] O corte deveria ser ainda mais profundo se não fosse a decisão tomada, no final de 1937, em elevar a produção alemã de aço ao limite da capacidade. Ao mobilizar toda a mão de obra disponível, além da sucata e de um fornecimento especial de minério de ferro sueco da melhor qualidade, as usinas siderúrgicas alemãs atingiram, em 1938, uma produção recorde anual de quase 21,5 milhões de toneladas.[39] Com a economia norte-americana descambando novamente para a recessão, a Alemanha podia afirmar, pelo menos, brevemente, que se tornara a principal produtora mundial de aço.

As consequências dessa redistribuição de recursos para o restante da economia do país foram obviamente drásticas. Mas, com a guerra parecendo iminente, a liderança nazista não hesitou. Göring afirmou a representantes do Exército, no verão de 1938: "As forças armadas não devem se preocupar com o futuro da economia. O marechal de campo [isto é, Göring] tem responsabilidade total. O colapso de partes da economia é irrelevante. Encontraremos meios. O *reich* fornecerá intervenção de apoio."[40] Em 8 de julho, durante um discurso importante aos principais representantes da indústria aeronáutica, Göring explicou as implicações para os empresários individuais. Abandonando a coerência linguística ao peso da ênfase, ele deu socos na mesa. A Alemanha enfrentava a possibilidade "de uma guerra mundial, na qual" seus inimigos seriam "a França e a Inglaterra, a Rússia [e] a América do Norte como forças principais".[41] Quer os Estados Unidos entrassem na guerra como combatentes ou não, Göring não tinha dúvidas de que a Grã-Bretanha e a França poderiam aproveitar sua "imensa reserva de matérias-primas".[42] Dado o poderio dessa enorme coalizão, todos enfrentavam "o maior momento decisivo em toda a história da Alemanha". Tudo tinha de ser feito em prol da aposta de um esforço armamentista maciço. "Minha opinião real é a de que não poderemos salvar nossa pátria, a menos que empreguemos toda a nossa paixão. A indústria alemã deveria deixar de lado todas as preocupações sobre o excesso de capacidade e a lucratividade de longo prazo." Somente importava ganhar a guerra.

> "Para esse objetivo, no entanto, teremos de aceitar riscos. Temos de apostar o que temos de melhor... ninguém aqui existe por si só... todos se erguem e sucumbem com a existência da Alemanha... Não importa que alguém diga –

> não concordo absolutamente com o sistema nacional-socialista. Isso não me importa. Podem não concordar, mas esse é ainda o sistema que, neste momento, decide o destino da Alemanha. Por isso, essas pessoas terão de cooperar, quer queiram quer não... Senhores... nem por um segundo, um só segundo, eu hesitaria — já provei isso em relação a outro assunto [a Reichswerke] ao intervir imediatamente para confiscar... toda a empresa, se eu chegar à conclusão de que essa pessoa não compreende, que somente consegue ver o mundo sentado na privada da própria empresa [*Klosetedeckelhorizon*], e não é capaz de enxergar adiante... essa pessoa é dispensável. Com uma penada minha perderá seus negócios e suas propriedades."

Deixando de lado as grosseiras ameaças de Göring, é evidente que a administração econômica do *reich* compreendia, perfeitamente, o problema da gestão macroeconômica que enfrentava em 1938.[43] O departamento econômico do Reichsbank vinha analisando o problema do excesso de demanda e as dificuldades que isso acarretava, pelo menos, desde 1936. No fim de junho de 1938, o Ministério de Assuntos Econômicos do *reich* havia estabelecido uma seção especial dedicada à gestão dos investimentos nacionais.[44] Utilizando o mais sofisticado sistema de estatísticas macroeconômicas disponível em todo o mundo ocidental, essa seção se dedicou a monitorar as demandas competitivas feitas à economia alemã.[45] Nenhuma economia capitalista, em tempo de paz, havia funcionado com o nível de despesas militares que agora era contemplado na Alemanha nazista. Presumindo-se que as autoridades do *reich* estivessem decididas a impulsionar à força as prioridades da Wehrmacht e do Plano Quadrienal, bem mais do que 20% da renda nacional iria agora ser empregada no rearmamento. A questão era como executar essa enorme transferência de recursos. Realocar matérias-primas, como o aço e o cobre, era o meio mais imediato à disposição. Pelo menos, especulativamente, fechar uma obra de baixa prioridade reduzindo sua quota de aço também tinha o efeito de liberar outros recursos escassos, como a mão de obra e a maquinaria. Mas isso era, no máximo, um mecanismo tosco, como ficava claro pelo número de projetos de construção semiterminados espalhados por toda a Alemanha, habitada por trabalhadores subempregados e maquinaria ociosa esperando que as prioridades do aço fossem novamente modificadas em seu favor. Mas o racionamento quantitativo não era a única maneira de dirigir a economia. Apesar da retórica agressiva de Göring, o dinheiro e os preços ainda eram importantes no Terceiro Reich. Mesmo no caso da indústria siderúrgica, então sujeita a sistemas abrangentes de comando e controle, as transações eram efetuadas por meio de pagamento em dinheiro. Com a propriedade privada ainda como norma, a motivação do lucro continuava a ser, em última análise, o incentivo para a produção. E, desse ponto de vista, o problema enfrentado pelas autoridades do *reich* era o clássico problema da gestão macroeconômica: como regular o volume total da demanda de forma a satisfazer as prioridades-chave do armamento e da autarquia, assegurando, ao mesmo tempo, que a Alemanha não descambasse para a inflação?

O problema dos ministérios do *reich* era de excesso de demanda. Depois de fazer o ajuste para as despesas de consumo, financiadas diretamente pela renda familiar, o volume total de despesas governamentais programadas e o investimento das empresas de um lado da equação excedia substancialmente as fontes disponíveis de financiamento, isto é, a receita dos impostos, os lucros retidos das empresas e a poupança familiar. Para 1938, o RWM esperava que esse déficit chegasse a, pelo menos, 8,1 bilhões de *reichsmarks*.[46] Para colocar essa soma em perspectiva, a receita fiscal e alfandegária do *reich* e das autoridades locais era de 22,2 bilhões de *reichsmarks*. Em 1938, as famílias alemãs já vinham poupando uma margem muito elevada de sua renda e, portanto, havia pouca possibilidade de aumento de "financiamento" vindo dessa fonte. As principais alternativas, portanto, eram o aumento de impostos ou a repressão do investimento privado. Tem-se dito, muitas vezes, que o Terceiro Reich poderia ter feito mais para elevar os impostos.[47] Isso, porém, ignora o fato de que, no final da década de 1930, a sociedade alemã já suportava a maior carga de impostos da Europa.[48] Dado o modesto padrão de vida da população do país, havia pouca margem para elevar a base de rendimentos ou os impostos sobre o consumo. Por isso, o Ministério das Finanças agiu seletivamente. Os impostos sobre as corporações foram abolidos no outono de 1938.[49] Ao mesmo tempo, o *reich* saqueou os cofres dos governos locais, desviando centenas de milhões de *reichsmarks* para prioridades nacionais. E o Ministério das Finanças do *reich* criou obrigações estritas restringindo todas as construções públicas que não fossem explicitamente autorizadas por Berlim.[50] Para assegurar que fosse o *reich*, e não o setor privado, a abocanhar a parte do leão da poupança privada alemã, o Reichsbank exercia constante pressão sobre os bancos de poupança e empresas de seguros para que investissem seus recur-

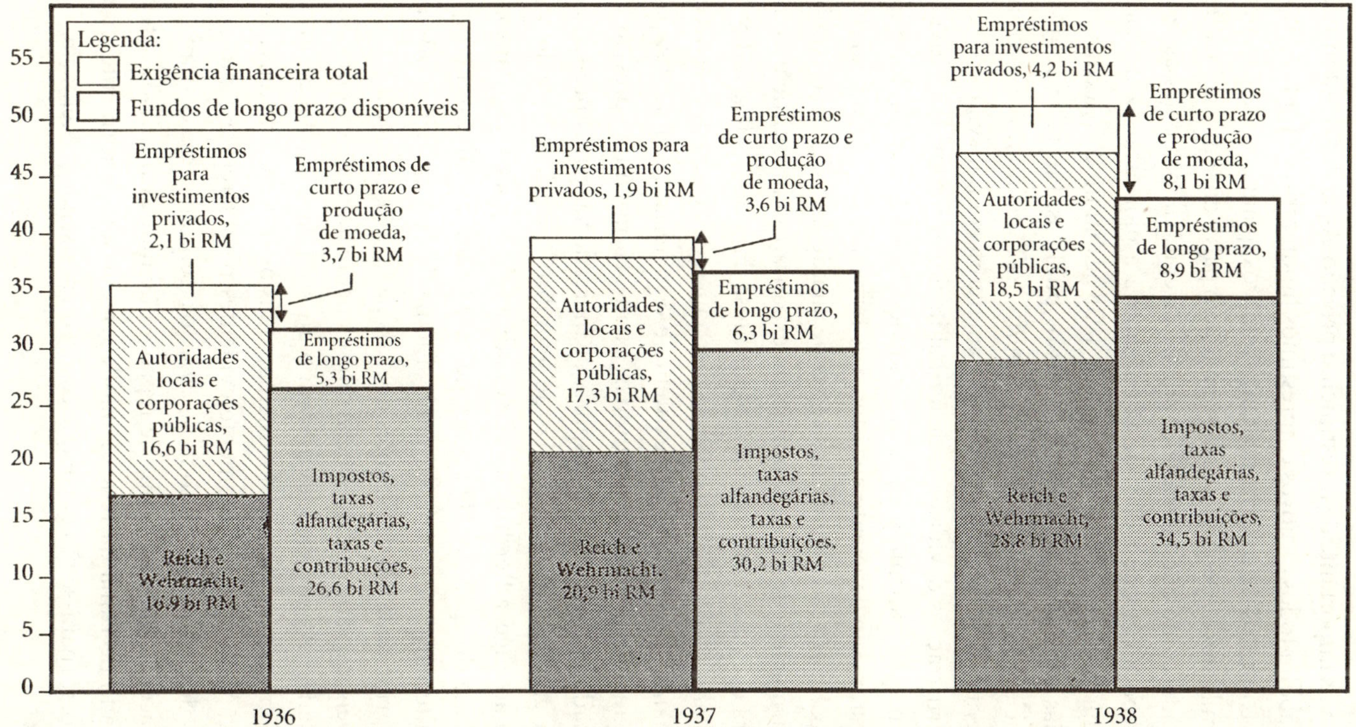

Gráfico 9. Desequilíbrio inflacionário entre necessidades de financiamento e recursos disponíveis, uma visão contemporânea (em bilhões de *reichsmarks*)

sos em bônus do governo e papéis de curto prazo.[51] Mais dramaticamente, o *reich* fez um esforço decidido para restringir as construções particulares, a forma mais importante de investimento privado. A partir do outono de 1938, o *reich* aboliu todos os novos empréstimos hipotecários.[52] Dada a importância dos contratos de construção, tanto públicos quanto privados, para dezenas de milhares de pequenas firmas em todo o país e do significado da escassez de moradia como questão social, é difícil exagerar o impacto dessas restrições. Numa época em que a Alemanha enfrentava a pior escassez de habitações de sua história, os decretos do verão de 1938 acabaram com a construção de moradias com financiamento de recursos públicos. Em tais circunstâncias, um funcionário desesperado do Ministério do Trabalho do *reich* comentou: "Uma grave crise de confiança e muita amargura eram inevitáveis."[53]

As frustrações devidas à escassez habitacional foram, sem dúvida, agudas. Mais preocupante para as autoridades do *reich*, porém, foi o impacto do investimento deficiente no sistema de ferrovias da Alemanha. Em 1938, a Reichsbahn era cada vez menos capaz de atender às exigências combinadas da Wehrmacht e de uma economia em expansão. O investimento em ferrovias fora extremamente reprimido por causa da escassez de aço. Em 1938, a Reichsbahn não conseguiu obter sequer a metade do aço de que necessitava para manter a infraestrutura existente e o material rodante.[54] A partir do verão, graves atrasos afetaram todo o sistema. Houve muita pressão sobre os trabalhadores do setor de transporte de mercadorias para apressar a carga e a descarga. Mas nos últimos dias de setembro, quando a crise de Munique chegou ao auge, a Reichsbahn estava atingindo o ponto de colapso. Menos da metade dos pedidos de vagões de carga eram atendidos a tempo. Não havia alternativa senão passar a um sistema de racionamento ostensivo no qual a prioridade era dada, antes de mais nada, à Wehrmacht e a alimentos perecíveis, carvão, açúcar de beterraba e encomendas de exportação de alta prioridade.[55] As autoridades fizeram o possível para ocultar relatórios técnicos sobre a deterioração do sistema,[56] mas os sintomas de tensão e desorganização eram demasiadamente evidentes para serem escamoteados aos olhares do público. No outono de 1938, os trens de carga costumavam sair das estações cheios de avisos de reparos que indicavam freios defeituosos, e o estado de ruína da rede alemã de ferrovias, anteriormente motivo de orgulho, tornara-se tão grave que começou a suscitar comentários internacionais.[57]

Por trás do aparelho de controle de preços e racionamento, tornou-se evidente, no verão de 1938, que a exagerada aceleração dos gastos militares, desde 1933, havia criado uma situação de grave desequilíbrio na vida econômica alemã. Essa, pelo menos, foi a conclusão que emergiu de uma conferência que durou um dia inteiro em 2 de junho de 1938 e da qual participou um grupo dos mais prestigiosos professores de economia, organizada sob os auspícios do Reichsbank e do escritório de assuntos econômico-militares da Wehrmacht.[58] A reunião começou com um discurso de Schacht sobre questões de moeda e crédito, seguido por um extenso debate. Depois da reunião, o Reichsbank compilou uma lista de pontos essenciais, que dava uma boa indicação das questões que preocupavam a elite responsável pela formulação de política na Alemanha nazista, no verão da crise dos Sudetos. Da lista, constavam:

> as técnicas de improvisação econômica (Mefo *et al*);
> os perigos da dívida alemã não consolidada;
> os limites do endividamento público;
> as possibilidades de uma nova restrição ao consumo;
> o controle do Reichsbank sobre a moeda e a criação de crédito;...
> as possibilidades de satisfazer um eventual aumento da demanda por crédito de parte do setor empresarial;
> o perigo de sintomas deflacionários no caso de uma calmaria nas encomendas governamentais;
> os perigos de uma economia de bolha fora do setor público (compra e aluguel de créditos...);
> os perigos da disseminação de uma falsa aparência de liquidez;
> os perigos do autofinanciamento [das empresas].

A ata da reunião concluiu que o conclave atingira seus objetivos por haver conseguido "um consenso amplo sobre os pontos mais importantes entre as opiniões do Reichsbank e a equipe econômico-militar da Wehrmacht de um lado, e os professores do outro". Houve unanimidade em que o principal problema era o equilíbrio das necessidades do Estado, em outras palavras, o rearmamento, diante das limitações da economia alemã. Os economistas concordaram também com seus anfitriões "que estamos já... na zona de perigo e que uma inflação numa economia de paz seria tão infrutífera quanto psicologicamente inaceitável".

III

As duas áreas de maior preocupação, no verão de 1938, eram o mercado de trabalho e o estado cada vez mais desorganizado do sistema de preços da Alemanha.[59] Ambas se encontravam estreitamente interligadas. Segundo qualquer padrão convencional, a economia alemã em 1938, era de pleno emprego. Na verdade, o país sofria de uma aguda escassez de mão de obra.[60] Em muitas indústrias, tanto os operários quanto as instalações estavam sendo "sobrecarregados". Em 14 de julho de 1938, o Ministério do Trabalho informou à Chancelaria do *reich* que havia somente 292.327 desempregados em todo o *Altreich* (a Alemanha pré-*Anschluss*), isto é, pouco mais de 1% da mão de obra. Desse total, somente 28 mil estavam completamente aptos para o trabalho.[61] No último trimestre de 1938, em Berlim, um dos centros de produção industrial mais importantes do país, as agências de emprego registraram somente 35.170 desempregados, dos quais, no máximo, 6 mil estavam completamente aptos. Dentre estes últimos, pelo menos, um terço era de "profissionais da arte", aspirantes a atores e músicos, que gozavam de proteção remunerada pela corporação de trabalhadores da arte do *reich*. Tratar desse resíduo boêmio representava um problema para os funcionários das agências de emprego de Berlim, que enfrentavam "acessos de raiva" e "queixas intermináveis", mesmo quando "simplesmente se sugeria" uma mudança de profissão. Numa época de emergência nacional, o encarregado de assuntos trabalhistas em Berlim, demonstrando insensibilidade, sentiu-se obrigado a fazer a observação de que era certamente inaceitável que "tantos *Volksgenossen* perfeitamente aptos estejam isentos de... redirecionamento ocupacional radical".[62]

A situação dos funcionários do Ministério do Trabalho poderia ser melhor se não fossem os efeitos do congelamento de salários, reiterado em novembro de 1936, junto com o congelamento de preços. Isso ajudava a impedir que o excesso de demanda transbordasse em uma inflação geral de salários, mas também significava a inexistência de um mecanismo de mercado que guiasse uma redistribuição "espontânea" de trabalhadores para os setores de mais alta prioridade. Nesse ponto, igualmente, o regime de Hitler havia deixado de utilizar um dos mecanismos mais eficazes, flexíveis e discretos para a gerência de períodos de escassez. Com efeito, em 1938, o temor da pressão inflacionária, que todos sabiam pairar sobre a economia alemã, era tão forte, que qualquer flexibilidade na fixação de salários tendia a ser interpretada como indisciplina e, até mesmo, sabotagem.[63] Se não era permitido ao mercado funcionar, a alternativa lógica era distribuir a mão de obra mediante critérios administrativos, como no caso do racionamento do aço. E, em1938, o Terceiro Reich se dirigia claramente nesse sentido. Desde a crise de desemprego, no início da década de 1930, as agências de emprego do *reich* haviam começado a monitorar uma porcentagem cada vez maior da força de trabalho da Alemanha, utilizando detalhados cartões de arquivo que relatavam o histórico das carreiras individuais.[64] Em 1935, esse sistema de informações foi ampliado ao máximo, com a introdução de livros de registro obrigatórios, que identificavam cada indivíduo empregado na economia alemã e fornecia todos os detalhes sobre educação, nível de capacidade e histórico profissional.[65] A agência de empregos local ficava com um exemplar e o empregador com outro. Além disso, no início da década de 1930, a administração trabalhista adotou medidas de limitação das migrações regionais, num esforço para gerenciar os pontos mais críticos de desemprego. Em certo momento, procurando conservar os trabalhadores no campo, as agências de emprego chegaram a proibir o trabalho em atividades não agrícolas a quem tivesse anteriormente trabalhado na agricultura. Em fevereiro de 1937, as exigências do Plano Quadrienal e do rearmamento tornaram necessária a expedição de um decreto sobre os operários metalúrgicos, obrigando-os a pedir licença para mudar de ocupação.[66] Com o esforço armamentista atingindo novos patamares, o decreto de Göring sobre Ässegurar Mão de Obra para Tarefas de Especial Importância para o Estado (*Verordnung zur Sicherstellung des Kräftebedarfs für Aufgaben von besonderer staatspolitscher Bedeutung*), de 22 de julho de 1938, conferiu ao *reich* poderes gerais e recrutamento.[67] Os trabalhadores podiam ser redistribuídos por períodos fixados pelo *reich*, e os empregadores anteriores eram obrigados a mantê-los em suas folhas de pagamento. No final de 1939, nada menos de 1,3 milhão de trabalhadores haviam sido sujeitos a redistribuição compulsória.[68]

Embora o trabalho obrigatório não fosse a regra em relação aos trabalhadores alemães, assim como era o caso no tratamento do mundo dos negócios por parte do regime, agora, instaurava-se a possibilidade de que, caso o rearmamento assim exigisse, o Estado adquiria a capacidade de intervir na vida profissional de cada indivíduo. Também a esse respeito, o regime de Hitler, sem dúvida, adotou atitude excepcional, no verão de 1938. Talvez não seja surpreendente, no entanto, que o racionamento de mão de obra funcionasse ainda menos facilmente do que o racionamento do aço. O decreto que proibia trabalhadores rurais de aceitar emprego na indústria teve de ser abandonado porque, a fim de impedir que seus filhos fossem abrangidos pela medida, as famílias rurais passaram a evitar que iniciassem trabalho no campo.[69] Enquanto isso, nos lugares onde a inflação era mais severa nos centros urbanos, a tentativa de reprimir o mecanismo de mercado teve êxito apenas limitado. Afinal, não era do interesse nem dos empregadores nem dos trabalhadores respeitar as restrições oficiais de salários. Os trabalhadores queriam melhor remuneração e os empregadores — querendo beneficiar-se do surto de atividade — estavam dispostos a pagar o preço do trabalho. Dada a proibição formal de aumentos de salário, o ajuste de vencimentos passou a ser um processo oculto, disfarçado por promoções aceleradas, aprendizados de nível elevado, esquemas de retreinamento, bônus no momento da contratação, melhoria das condições de trabalho e uma variedade de benefícios sociais suplementares. A extensão dessas medidas dependia do grau de supervisão oficial direta a que estivessem sujeitos os empregadores. Ironicamente, os produtores imediatos de armamentos, que eram observados por inspetores militares, frequentemente viam-se em desvantagem em relação a seus contratistas ou fornecedores, que atraíam menos atenção. Em 1938, porém, a constante distorção das escalas de pagamento já não podia ser negada.[70] Além disso, embora fossem denunciados como sintomas de indisciplina inflacionária, e, embora o sistema emergente de diferenciais nos salários padecesse de certo grau de arbítrio, tais incentivos monetários ilícitos eram altamente funcionais, atraindo os trabalhadores para os setores em que eram mais necessários. Embora o número de pessoas empregadas em indústrias de consumo, como têxteis e vestuário, permanecesse abaixo dos níveis de 1929, o número de trabalhadores em indústrias como as de maquinaria e engenharia elétrica aumentou drasticamente e essa mudança foi muito maior do que seria o caso se tivesse sido executada mediante providências administrativas.

Enquanto as atividades de metalurgia, produtos químicos e construção progrediam, a batalha inflacionária pelos recursos afetou, severamente, o setor mais frágil da economia alemã, a agricultura.[71] A maioria das fazendas alemãs utilizava, principalmente, os membros da família, mas o trabalho assalariado era indispensável para o funcionamento de todas as propriedades de mais de 20 hectares. No *Bauerntag*, de 27 de novembro de 1938, Walther

Darré foi obrigado a anunciar que a mais recente pesquisa levada a efeito pela administração trabalhista revelara a redução da população de trabalhadores rurais assalariados em 400 mil pessoas, desde 1933, um declínio de quase 20% num período de apenas cinco anos. Se fosse ajustado segundo o aumento natural que Darré acreditava dever ter ocorrido, o resultado era o chocante total de 700 mil trabalhadores que a agricultura havia perdido, desde 1933.[72] Naturalmente, o trabalho agrícola há muito ocupava o último lugar na hierarquia ocupacional. Os ideólogos racistas do agrarianismo nazista temiam, porém, que o trabalho nas fazendas estivesse se tornando um refúgio para os elementos menos valiosos da sociedade alemã.[73] Os peritos da RNS se assustavam com o resultado de pesquisas como a que foi levada a efeito nos arredores de Göttingen, que revelara quatro casos de "subnormalidade" e duas esterilizações forçadas em uma amostra de apenas 26 moças solteiras. Em Marienburg, a situação não era melhor, com seis casos de "subnormalidade" e uma esterilização forçada numa amostra de 38. Escusado dizer que Darré e suas hostes não haviam imaginado dessa forma o futuro do novo ambiente rural.

Tabela 8. Empregos em fábricas e escritórios, 1933 x 1938 (milhares de trabalhadores)

	Censo 1933	Censo 1938 (registro de trabalho)	Variação	Variação %
Trabalhadores rurais	2.494	1.981	- 513	- 21
Têxteis e vestuário	2.030	1.701	- 329	- 16
Alimentos	1.207	953	- 254	- 21
Comércio	2.686	2.494	- 192	- 7
Saúde e atividade social	595	494	- 101	- 17
Carpintaria	689	623	- 66	- 10
Mineração	756	713	- 43	- 6
Entretenimento	124	84	- 40	- 32
Transporte	983	975	- 8	- 1
Total	11.564	10.018	- 1.546	- 13

	Censo 1933	Censo 1938 (registro de trabalho)	Variação	Variação %
Água, gás, eletricidade	188	195	7	4
Papel e impressão	499	521	22	4
Material de construção	587	632	45	8
Produtos químicos	353	453	100	28
Serviço doméstico	1.280	1.438	158	12
Ferro e aço	1.314	1.533	219	17
Construção e similares	1.745	2.071	326	19
Serviço público	725	1.226	501	69
Engenharia, etc.	1.561	2.307	746	48
Total	8.252	10.376	2.124	26

Fonte: T.W. Mason, *Arbeiterklasse und Volksgemeinschaft* (Opladen, 1975), 1247-8.

O retorno aos plácidos campos da Alemanha rural pode parecer estranho, em um momento internacionalmente dramático. Mas não pode haver dúvida de que, no verão de 1938, a liderança do Terceiro Reich acreditava-se ameaçada por uma crise do abastecimento de alimentos no país. Para os agrarianistas, que constituíam importante grupo de pressão com conexões vitais com o cerne ideológico do partido nazista, os problemas da agricultura punham em xeque todas as realizações do governo de Hitler. Acima de tudo, havia alarme nos círculos da RNS quanto à forma pela qual as famílias do campo reagiam à escassez de mão de obra. As mulheres rurais eram as mais sobrecarregadas de trabalho em toda a população do campo, e reduzir o número de nascimentos era a forma mais óbvia de aliviar sua carga.[74] Em Niedersachsen, coração da população camponesa da Alemanha, o número de filhos por casal declinara até 33% em uma única geração.[75] Ao mesmo tempo, a escassez de mão de obra ameaçava igualmente os esforços da RNS para elevar a produção doméstica. Já em 1937, a colheita exibira todos os sinais característicos de uma "Ação" de emergência.[76] Foi preciso suplementar a mão de obra normal com recrutas da Frente de Trabalho, soldados, presidiários e crianças de escola. Ainda mais preocupantes eram os sinais de que a constante falta de trabalhadores levava as fazendas comerciais da Alemanha a reduzir as formas de produção mais dependentes de mão de obra. Depois do recenseamento pecuário de 1938, houve extrema preocupação na *Reichsnährstand* sobre o futuro do rebanho leiteiro.[77] Embora, a um observador menos interessado, as pequenas variações de produção visíveis nas estatísticas agrícolas alemãs possam parecer insuficientes para justificar um estado agudo de alarme, não há dúvida de que eram levadas extremamente a sério em Berlim. A escola de pensamento prevalecente no Terceiro Reich culpava o fracasso na manutenção do fornecimento de alimentos pelo colapso da frente doméstica na Primeira Guerra Mundial. E uma figura importante como Ludwig Beck, chefe do Estado-Maior do Exército, enfatizou repetidas vezes o sucesso da colheita de 1938 como precondição essencial de prontidão para a guerra.[78] Havia uma preocupação real de que a mobilização completa do Exército, com as exigências de homens e cavalos, levasse a situação da mão de obra agrícola ao desastre. Foi, em parte, por esse motivo que Hitler marcou a data do ataque contra a Tchecoslováquia para outubro, bem depois do fim do armazenamento da colheita.

O que causou a fuga da mão de obra da agricultura foi a imensa diferença de salários e padrão de vida entre a cidade e o campo. Esse desequilíbrio tinha sido o motor da migração na Alemanha, pelo menos, desde meados do século XIX. A aguda escassez de mão de obra do final da década de 1930, simplesmente, acelerou o fluxo. O mercado de mão de obra para a construção em expansão era, especialmente, atraente para os trabalhadores rurais não qualificados. O esforço acelerado para a construção da Muralha do Oeste, ao longo da fronteira com a França, foi geralmente considerado responsável pela desorganização do mercado de trabalho na região ocidental da Alemanha.[79] Na segunda metade de 1938, os botequins rurais estavam cheios de rumores sobre somas fabulosas que podiam ser ganhas nas novas e gigantescas obras do *führer*. E o Ministério do Trabalho do *reich* mencionou especialmente, um afortunado indivíduo que, havendo misturado um pouco de concreto em sua fazenda, foi contratado como supervisor na Muralha do Oeste, com o extraordinário salário de 350 *reichsmarks* mensais. Os funcionários do ministério comentaram, desaprovadoramente: "Pouco depois, o camponês voltou a sua aldeia natal para uma visita, de roupa nova, e recebeu toda a atenção que seria de se esperar na estalagem local."[80] Dizia-se que alguns operários especializados em construção ganhavam salários melhores do que oficiais graduados do Exército. E isso não era por acaso. Em maio de 1938, Hitler retirara o controle sobre a Muralha do Oeste do Departamento de Engenharia do Exército, entregando-o a Fritz Todt, idolatrado mestre construtor das *autobahns*. A missão de Todt era terminar as fortificações antes da eclosão das hostilidades, independentemente do custo. O decreto de Göring sobre recrutamento de mão de obra proporcionou-lhe os poderes legais necessários para obter os 250 mil operários de que precisava.[81] Porém, de maneira típica na situação da economia alemã, no final da década de 1930, ele preferiu suplementar o recrutamento com incentivos monetários. Os contratistas da Muralha do Oeste foram isentados das regras normais de fornecimento militar, o que lhes permitiu inflar os lucros e os salários que pagavam. No verão de 1939, Todt terminou sua missão. As partes mais vulneráveis da fronteira ocidental da Alemanha ficaram reforçadas com milhares de casamatas e ninhos de canhões. O preço, no entanto, foi um elevado choque inflacionário no mercado de mão de obra.

A agricultura exemplificava, assim, o problema mais básico que afligia a gestão da economia alemã no verão de 1938: a desorientação do processo de tomada de decisões provocada pela politização de todos os aspectos da vida econômica. Quem poderia dizer qual era o nível adequado de renda dos trabalhadores rurais? Para a RNS, os baixos rendimentos dos camponeses alemães refletiam a contínua "subvalorização" do trabalho agrícola, amarga herança ideológica dos corruptos antecessores do Terceiro Reich. Para sustentar essa tese, os agrônomos da RNS compararam a parcela adicional *per capita* obtida pelos trabalhadores da indústria e da agricultura e chegaram à conclusão de que o trabalho no campo estava subvalorizado em, pelo menos, 25%.[82] Era necessário um "reequilíbrio" dos rendimentos agrícolas e industriais, para o que a RNS sugeriu várias soluções.[83] Uma opção era cobrar da população urbana, pelo menos, mais 10% pelos alimentos, reduzindo a demanda urbana "excessiva" e permitindo aos agricultores pagar melhores salários. Se essa medida fosse descartada por ser inflacionária, a RNS propunha a extensão de uma hora no dia de trabalho da indústria, com o pagamento extra desviado para a agricultura, o que, na verdade, representava uma taxação de 10% sobre os rendimentos urbanos. Alternativamente, a organização sugeria uma deflação geral de todos os preços e salários urbanos, a fim de alinhá-los aos preços rurais e à remuneração paga aos camponeses.

Para não falar do choque que qualquer dessas propostas causaria à economia urbana, as premissas da argumentação são dignas de nota. A RNS partia do pressuposto de que todas as formas de trabalho tinham valor igual e que, portanto, dever-se-ia esperar uma distribuição igual de rendimentos *per capita* em toda a economia. Essa presunção é alheia a qualquer tipo de raciocínio econômico convencional, que supõe a relatividade dos rendimentos como reflexo da contribuição produtiva, avaliada segundo preços determinados pela oferta e demanda. Desse ponto de vista, a explicação fundamental para a pobreza da agricultura alemã era simples: baixa produtividade da mão de obra. Segundo as formas convencionais de mensuração, a produtividade dos mais de 9 milhões de pessoas empregadas nas fazendas da Alemanha era, aproximadamente, igual à metade da dos operários típicos em atividades não agrícolas.[84] O que realmente era escasso no campo não era a mão de obra, e sim o capital e tecnologia necessários para o uso eficiente do trabalho. Tais comparações de produtividade, naturalmente, dependiam dos preços relativos pagos pelos produtos industriais e agrícolas. A RNS pedia preços agrícolas mais elevados, mas isso ignorava a enorme diferença entre os preços pagos pelos consumidores alemães por alimentos e os preços que prevaleciam nos mercados mundiais.[85] No final da década de 1930, no entanto, o "mercado mundial", no que dizia respeito à Alemanha, era uma abstração cada vez mais irrelevante. Dada a politização de seu comércio exterior, o país já não comprava a preços "mundiais". Em vez disso, as importações de produtos agrícolas constituíam artigo de barganha em uma complexa rede de arranjos bilaterais, nos quais a Alemanha, frequentemente, pagava sobretaxas substanciais para que seus parceiros comerciais conservassem a boa vontade e se mantivessem leais ao Terceiro Reich.[86]

Com efeito, no final da década de 1930, a politização do sistema econômico alemão era tão ampla que se tornara quase impossível encontrar padrões confiáveis de valoração, seja para o trabalho na agricultura ou para qualquer outra mercadoria. Essa era a inquietante conclusão a que chegara uma série de relatórios confidenciais sobre o "verdadeiro" valor externo do *reichsmark*, compilados pelo Reichsbank.[87] Em 1938, a supervalorização do *reichsmark*, que dominara o debate alguns anos antes, foi suplantada por um problema mais fundamental. O argumento em favor da desvalorização repousava na suposição de que existia um sistema coerente de preços na Alemanha, porém, fora do alinhamento com o que prevalecia em outros países, e isso poderia ser resolvido por meio de um ajuste no valor externo do *reichsmark*. Segundo o Reichsbank, isso já não era realista. Durante anos, as taxas de troca entre os diversos bens não vinham mais sendo determinadas por esse funcionamento anônimo e contínuo do sistema de mercado, e sim por uma série de decisões políticas *ad hoc* e incoerentes. A consequência era que, para os fins do comércio exterior, o *reichsmark* já não tinha um valor bem-definido. O poder de compra do *reichsmark* nas transações externas dependia inteiramente do artigo em termos do qual era medido e do local de origem desse artigo. Tomemos, por exemplo, o algodão bruto, artigo especialmente importante: a Alemanha pagava preços próximos aos do valor no mercado mundial pelas importações provenientes do Egito, uma sobretaxa de apenas 15% nas que vinham da Índia britânica e de 28% aos fornecedores norte-americanos, mas não menos de 47% e 72% às novas fontes de fornecimento no Brasil e no Peru, respectivamente. No caso da manteiga, as importações da Dinamarca eram feitas aos preços mundiais, enquanto os holandeses recebiam uma taxa de 63%. Tampouco havia um padrão coerente nessas "sobretaxas nacionais". Ao contrário do enorme custo adicional do algodão peruano, a sobretaxa para o petróleo refinado da mesma fonte era de apenas 10%. Da mesma forma, as sobretaxas pagas à Romênia variavam entre 27% e 48% pelo milho. Também não havia discrepância correspondente nos arranjos comerciais com a Iugoslávia e a Hungria; esses países recebiam menos de 30%, tanto pelo trigo quanto pelo milho. A conclusão do Reichsbank era que cada vez fazia menos sentido discutir a desvalorização "correta" necessária para alinhar os sistemas de preço alemão e internacional, pois "toda a estrutura de preços no comércio exterior, tanto em termos dos artigos quanto dos países, está confusa em um grau que dificilmente permite crédito".[88]

Quando Walther Darré discursou perante a assembleia geral dos camponeses alemães (*Bauerntag*), no outono de 1938, afirmando duramente que o problema da mão de obra agrícola somente poderia ser resolvido caso "o NSDAP... tomasse a inalterável decisão de vencê-lo, quaisquer que fossem as circunstâncias",[89] isso não era uma expressão de ignorância econômica. Era uma afirmação exata sobre o determinante básico da distribuição de recursos na Alemanha nazista.[90] No caso, o apelo de Darré foi em vão. A liderança nazista tinha outros assuntos em mente. Por mais grave que pudesse parecer a situação na agricultura, o que realmente preocupava o regime de Hitler, no verão de 1938, não eram as ordenhas e o preço do leite. Após meses de azeda argumentação, o problema das fazendas leiteiras teve um "ajuste" político por meio da elevação do preço do leite na fazenda em 2 *pfennigs*. Como Rudolf Hess havia deixado claro que um aumento do preço pago pelos consumidores estava fora de questão, o conflito foi resolvido à custa das fábricas de laticínios, estreitando suas margens de lucro. Isso não reduziu a demanda de leite e nem foi suficiente para resolver o déficit de renda dos fazendeiros de leite da Alemanha. Pelo menos, no entanto, mandou um sinal político de que o regime não era indiferente aos interesses do segmento agrário.[91] O verdadeiro problema que o Terceiro Reich enfrentava, no verão de 1938, não era a questão de como tratar dos perturbadores efeitos sociais do rearmamento acelerado. O que tinha de ser resolvido era a questão da guerra ou paz. E a respeito dessa decisão existencial, uma perigosa fissura ameaçava abrir-se entre as diversas facções no interior da liderança do regime de Hitler.

IV

Nunca houve muita coerência entre os que se opunham à guerra, em 1938. Entre eles, havia figuras conservadoras marginais, como Ulrich von Hassel e Carl Gödeler, mas também gente mais influente como Hjalmar Schacht, Schwerin von Krosigk, no Ministério das Finanças, e o recém-nomeado secretário de Estado do Ministério do Exterior, Carl Friedrich von Weizsäcker.[92] A maioria dos generais do Exército também se opunha a uma guerra contra a Grã-Bretanha e a França. A motivação de muitos era puramente militar, mas alguns tiravam conclusões mais amplas, especialmente, Ludwig Beck e seu sucessor na função de chefe do Estado-Maior do Exército, Franz Halder. Até mesmo Hermann Göring, apesar do papel que desempenhava na escalada das exigências no esforço de rearmamento, fazia parte dos adversários de uma guerra prematura, em 1938.[93] Obviamente, o que esses homens tinham em comum não era uma oposição de princípio ao regime de Hitler. Tampouco se opunham à guerra *per se*. O que os unia era a opinião de que dado o estado dos armamentos da Wehrmacht e da economia alemã, no verão de 1938, o Terceiro Reich não estava em posição de se arriscar a uma guerra de grandes proporções contra a Grã-Bretanha e a França, especialmente, se esses países contassem com o apoio dos Estados Unidos.

O general Beck fez a primeira argumentação contra a guerra num memorando preparado em reação direta aos comentários de Hitler na conferência "Hossbach", de 5 de novembro de 1937, e repetiu os mesmos argumentos básicos numa série de relatórios e discursos até o início de agosto de 1938.[94] Em sua opinião, a reação francesa e britânica à crise de maio tinha de ser levada a sério. Uma ação militar da Alemanha contra a Tchecoslováquia certamente provocaria a intervenção das potências ocidentais. A Alemanha se veria, então, enfrentando o Exército mais numeroso da Europa, mobilizado pelos franceses, combinado com os enormes recursos econômicos do Império Britânico, seguro na proteção da Marinha Real. Além disso, era uma falácia considerar a França e a Grã-Bretanha isoladamente. Beck achava axiomático que, ambas as potências, em caso de conflito com a Alemanha, seriam capazes de utilizar os recursos econômicos dos Estados Unidos. "A esse respeito", escreveu ele, em 5 maio de 1938, "as medidas tomadas por ambos os países a fim de usar a América como fornecedora de material militar são altamente significativas, pois estão muito mais avançadas do que foi o caso em 1914". Em 1938, prosseguiu ele, a Alemahnha enfrentou "uma coalizão tcheca, francesa, britânica e norte-americana, cuja cooperação em caso de guerra [era] já mais estreitamente coordenada do que em 1914."[95] Beck não se entregou a uma comparação detalhada do poderio militar. Não precisava fazê-lo. Era evidente, para todos os interessados, que esse grupo ocidental possuía vantagem material avassaladora. A superioridade naval já era imensa. Quaisquer déficits potenciais podiam ser facilmente resolvidos com a assistência dos Estados Unidos. Em vez de se arriscar a uma ofensiva imediata, a Grã-Bretanha e a França levariam a Alemanha a uma longa guerra de desgaste. A única esperança da Wehrmacht era realizar ataques decisivos contra tchecos e franceses, em rápida sucessão. Isso, no entanto, dependia de que o Exército e a Força Aérea da Alemanha estivessem prontos para o combate desde o início. Beck não fez comentários a respeito da Luftwaffe, porém, fontes internas deixavam claro que, no outono de 1938, essa força estava longe da prontidão para a guerra.[96] O Exército alemão, sem dúvida, derrotaria os tchecos. O que preocupava Beck era a possibilidade de que a França interviesse no oeste enquanto a maioria das forças armadas alemãs estivesse ocupada na Boêmia. Além disso, ainda que a Alemanha conseguisse sobreviver a esse período de risco, em 1938, o Exército alemão visivelmente não estava em posição de infligir uma derrota decisiva aos franceses no campo de batalha. Para tornar viáveis os planos de 1936, seria preciso um enorme aumento no esforço armamentista. Beck, pelo menos, havia aprendido a lição dos atrasos de 1937. Seja ou não possível uma "aceleração dos armamentos", escreveu ele, no início do verão de 1938, "isso é algo que exige verificação. Muitos anos de experiência sugerem que tais tentativas sempre foram frustradas pelas limitações impostas pela realidade".[97]

Havia motivos para discutir a análise de Beck sobre os riscos de uma operação na Tchecoslováquia e, especialmente, sua opinião sobre a possibilidade de um ataque francês imediato contra a fronteira ocidental da Alemanha.[98] De qualquer forma, era um erro de sua parte misturar essas preocupações operacionais com sua avaliação estratégica, mas importante e mais correta. Como ficou demonstrado, na última semana de setembro de 1938, se Hitler tivesse insistido em usar a força militar para liquidar a Tchecoslováquia, os governos francês e britânico não teriam recuado. Em 28 de setembro de 1938, a Europa oscilava no limiar da guerra.[99] Para a Alemanha, o resultado, seguramente, seria desastroso. Como Beck compreendeu, claramente, dado o equilíbrio subjacente de população, matérias-primas e poderio financeiro, seria a Alemanha, e não a Grã-Bretanha e a França, quem teria de forçar uma decisão militar rápida. Seguindo a lógica da própria análise de Beck, era muito improvável que a França corresse o risco de uma ampla ofensiva no ocidente. Em vez disso, preferiria uma longa guerra de desgaste. O comportamento do governo Roosevelt lhes dava todos os motivos para esperar a assistência norte-americana.[100] Além disso, Beck estava claramente correto em sua avaliação do estado do Exército alemão. Qualquer que fosse o calendário exato para a conquista da Boêmia, em 1938, a Alemanha, sem dúvida, não possuía os meios militares para desferir um golpe rápido e decisivo contra a França imediatamente depois de uma invasão da Tchecoslováquia. O Terceiro Reich seria, nesse caso, obrigado a assumir uma postura defensiva, cercado a leste e a oeste por forças potencial ou ativamente hostis.

É interessante notar que, quando Beck pensou nos nomes que poderia trazer para auxiliar em seus esforços de oposição à guerra, não incluiu Hjalmar Schacht em sua lista, e sim Göring — tanto como comandante em chefe da Luftwaffe quanto como a pessoa que ele achava ter sido responsável pela demissão de Blomberg e Fritsch, e que poderia portanto, sentir-se tentado, "no momento adequado, a livrar-se também do *führer*".[101] Para apresentar a argumentação econômica contra a guerra, Beck esperava atrair Schwerin von Krosigk, ministro das Finanças do *reich*. É revelador que Beck acreditasse poder contar com Krosigk para intervir junto a Hitler somente depois da segunda metade de setembro, "pois o estado do Tesouro nesse momento o obrigará a fazê-lo".[102] O julgamento de Beck estava correto. Em agosto de

1938, aparentemente, por iniciativa própria, Krosigk entrou em contato com o secretário de Estado, Weiszäcker, no Ministério do Exterior, a fim de se inteirar da situação diplomática. Por sua vez, Weiszäcker já chegara à conclusão, no início de junho de 1938, de que, na eventualidade de uma guerra contra a Grã-Bretanha e a França, a Alemanha se veria diante de uma "coalizão mundial" (*Weltkoalition*), que incluiria tanto os Estados Unidos quanto a União Soviética. Ainda que pudesse contar com a ajuda da Itália e do Japão, o resultado desse conflito não poderia estar em dúvida. A Alemanha sofreria "exaustão e derrota" (*Erschöpfung und Niederlage*).[103] Pouco depois, Krosigk solicitou uma entrevista com Hitler e, quando o *führer* lhe recusou esse privilégio, redigiu um memorando em que apresentava a situação das finanças do *reich* e as repercussões para a diplomacia alemã.[104]

Em sua argumentação, Krosigk não podia, simplesmente, apresentar a Hitler uma declaração ostensiva de bancarrota, porque isso solaparia fatalmente a própria credibilidade.[105] Por outro lado, estava ansioso por convencer Hitler da gravidade da situação financeira do *reich*. A fim de começar com uma menção positiva, Krosigk iniciou seu memorando recordando o papel do Ministério das Finanças do *reich* nos programas de criação de emprego e de rearmamento. Até 1938, insistiu ele, os programas haviam sido financiados, em grande parte, por receitas de impostos e empréstimos seguros de longo prazo. A primeira fase da expansão tinha se concluído com o fim da emissão de títulos Mefo, na primavera de 1938. A fim de satisfazer ao repentino aumento de gastos militares após o *Anschluss*, Krosigk fora obrigado a recorrer ao expediente de elevar impostos e emitir títulos de curto prazo. Isso fora suficiente em maio e junho. Agora, porém, devido à extraordinária aceleração do rearmamento, o *reich* sofria uma grave crise de fluxo de caixa. Em agosto, o Exército despendera 900 milhões de *reichsmarks* e, em setembro, a cifra subira para 1,2 bilhão. No final do mês, os recursos de caixa do *reich* estariam "esgotados". Assegurar o dinheiro necessário mediante "impressão de moeda" estava "fora de questão", por isso, ele precisava desesperadamente obter novo empréstimo. No entanto, como a Europa parecia estar descambando para a guerra, uma onda de sentimento negativo engolfava os mercados financeiros. Entre abril de 1938 e o final de agosto, o mercado de títulos da Alemanha caíra 13%.[106] O *reich*, afirmava Krosigk, estava preso a uma onda crescente de "psicose de guerra e inflação". Essa "psicose" era reforçada pelos sinais de inflação incipiente visível em toda a economia do país. Porém, acima de tudo, o estado dos mercados refletia o fato de que o *reich* "se encaminhava para uma grave crise financeira..." precipitada pelos preparativos para a guerra. "Os comentários em todos os círculos" esperavam que a guerra eclodisse em 1º de outubro, que, como vimos, era a data que Hitler marcara para a possível operação contra a Tchecoslováquia.[107] No mercado de títulos, o verniz de confiança somente havia sido preservado mediante a intervenção oficial. O Ministério das Finanças estava recomprando as próprias promissórias a preços melhores do que os oferecidos por investidores privados. Graças à atitude cautelosa adotada pelo menos, até a primavera de 1938, nem tudo estava perdido. Krosigk fazia questão de insistir em que a estabilização financeira era ainda possível. A grande inflação da década de 1920 havia apagado a maioria das obrigações financeiras do *reich*, de forma que o volume total da dívida que pesava sobre o Estado nada tinha de esmagador. Desde que as autoridades tomassem medidas drásticas para gerenciar o mercado de capitais e colocar em ordem a própria casa, as exigências de empréstimo do regime poderiam ser controladas. No entanto, para que isso ocorresse de maneira normal por meio de empréstimos de longo prazo, a Alemanha precisava restaurar a confiança do mercado, "esclarecendo" sua política externa. Nesse ponto, Krosigk chegava à verdadeira argumentação de seu memorando. "Como todas as guerras, no futuro, serão feitas não apenas com meios militares mas também constituirão guerras econômicas de grande amplitude", ele considerava seu "dever inescapável" apresentar, "com a maior veracidade e sinceridade, minha profunda preocupação pelo futuro da Alemanha..." Na eventualidade de uma confrontação com os tchecos, a possibilidade de que a guerra permanecesse localizada não dependia principalmente da Grã-Bretanha. Como detentor de um título de intelectual Rhodes, Krosigk se considerava conhecedor da Inglaterra e, como tal, acreditava necessário advertir Hitler para que não subestimasse a decisão dos ingleses. "O fato de que a Inglaterra não esteja militarmente preparada para a guerra não a impede de fomentá-la, pois possui dois grandes trunfos. Um é a esperada participação dos Estados Unidos da América no início da guerra." Para Krosigk, não menos do que para Göring, Weiszäcker e Beck, o apoio norte-americano aos inimigos do Terceiro Reich era axiomático.[108] O segundo "trunfo" britânico era o conhecimento das "debilidades econômico-financeiras" da Alemanha. Com isso em mente, a Grã-Bretanha e a França combateriam em uma guerra de desgaste. "As potências ocidentais não se precipitarão contra a Muralha do Oeste e sim deixarão que as debilidades da Alemanha surtam efeito até que nós, após êxitos militares iniciais, nos tornemos cada vez mais débeis e, finalmente, percamos nossa vantagem militar devido aos fornecimentos de armamento e aviões dos Estados Unidos." Tudo, no entender de Krosigk, argumentava em favor de adiar a guerra. A Alemanha somente poderia "ganhar esperando" e era precisamente por esse motivo que os "comunistas, judeus e tchecos" exibiam tanto "desejo fanático" de envolver Hitler em um conflito desastrosamente prematuro. Aquela era sua "última possibilidade de causar uma guerra mundial" e "destruir o odiado Terceiro Reich". Em vez de reagir às provocações, a Alemanha deveria "aguardar seu momento", completar o armamentismo e criar "um equilíbrio entre os preparativos econômicos e militares..." Nesse caso, em breve, chegaria o dia em que a Alemanha poderia desferir o "golpe de misericórdia final" contra os tchecos sem envolver-se em uma confrontação desastrosa com a Grã-Bretanha e a França.

Em última analise, é difícil saber o quanto se deveria levar a sério a "oposição" interna a Hitler, no verão de 1938.[109] As fontes são simplesmente demasiado escassas e pouco confiáveis. Ao tempo em que Krosigk finalizava seu memorando, Ludwig Beck já havia renunciado ao posto de chefe do Estado-Maior do Exército, por ter fracassado no esforço de mobilizar a liderança militar em uma posição coletiva contra Hitler. Surpreendentemente, Beck concordou, até mesmo, em manter em segredo a notícia de sua renúncia até que a crise tivesse passado. Parece, no entanto, que sua demissão não significou o fim da conspiração militar. Franz Halder, seu sucessor na chefia do Estado-Maior, compartilhava da análise do colega sobre a situação estratégica e estava disposto a dar um passo adiante na organização de um golpe militar de verdade. Na última e fatal semana de setembro, com a Europa no limiar da guerra, um esquadrão de emergência aparentemente estava preparado em Berlim para atacar a Chancelaria do *reich* e prender Hitler e a liderança nazista.[110] Tem sido dito, às vezes, que o esforço de última instância para a conciliação empreendido por Chamberlain foi o que minou a decisão daquele grupo. Mas, na verdade, os esforços de Chamberlain fracassaram. Se Hitler tivesse querido a guerra em 1º de outubro de 1938, poderia tê-la feito. Os franceses e britânicos tinham chegado a um ponto em que já não podiam mais fazer concessões.[111] Os exércitos da França e da União Soviética estavam mobilizados. A Marinha Real encontrava-se em alerta total. Em 29 de setembro de 1938, foi Hitler quem recuou, e não seus adversários, e não há melhor explicação para essa abrupta mudança de rumo do que o próprio peso das provas, argumentos e pressões exercidas sobre ele nas semanas anteriores. Hitler ouvia expressões de preocupação não de Beck e Krosigk, mas também de Göring e, talvez, mais importante, de Mussolini, que interveio, pessoalmente, em 28 de setembro.[112] Ninguém pode acusar Göring ou Mussolini de ser contra a guerra em princípio. Mas nenhum dos dois queria arriscar-se a uma guerra contra a Grã-Bretanha e a França, em 1938. Além disso, caso Hitler se abstivesse de uma agressão militar ostensiva, franceses e britânicos estavam, claramente, dispostos a lhe dar praticamente tudo o que ele pedisse. Com relutância, Hitler recuou e aceitou o acordo generosamente oferecido na conferência de Munique. Ao fazê-lo, sem dúvida, ele salvou seu regime do desastre.

V

A violenta energia acumulada no interior do movimento nazista, durante o verão de 1938, foi descarregada não na guerra e sim num ataque sem precedentes contra a população judaica. A partir do verão de 1938, o partido nazista organizou uma onda de ultrajes antissemitas que culminou num expurgo de âmbito nacional, em 9 de novembro de 1938, acontecimento sem paralelo na história moderna da Europa ocidental.[113] Fazer esta ligação entre a crise dos Sudetos e a *Kristallnacht* é mais do que mera inferência sociológica. Em relatórios sobre o expurgo de novembro de 1938, as filiais locais do serviço de inteligência da SS (SD) ofereceram unanimemente a explicação de que o comportamento da minoria judaica durante a crise era o que tinha levado a população da Alemanha a executar violentas represálias contra eles. A liderança da SS estava, claramente, tomada pelo temor de que a Alemanha se visse envolvida em uma guerra de grandes proporções, enquanto centenas de milhares de judeus ainda permaneciam no país. Foi o medo da "subversão judaica" que levou a SS, no final de outubro, a levar a cabo a brutal expulsão da Alemanha de 70 mil judeus poloneses, inclusive os pais de Herschel Grynzspan, o jovem cuja tentativa frustrada de assassinato do embaixador alemão em Paris forneceu o pretexto imediato para o expurgo de novembro.

Mas a cronologia da emigração judaica da Alemanha e da Áustria revela outro motivo de longo prazo para a drástica escalada da violência antissemita de 1938. O ponto principal é simplesmente que, desde o aumento inicial, em 1933, a emigração judaica da Alemanha se estagnara ao ritmo de "apenas" 20 mil pessoas por ano. Nesse ritmo, descontando também a taxa natural de declínio da população judaica por motivos etários, teria sido necessário esperar até o final da década de 1940 para que a SS atingisse seu objetivo de livrar a Alemanha da minoria semita. Pode-se citar muitos fatores para explicar o ritmo relativamente baixo da emigração dos judeus. No entanto, o principal obstáculo era, claramente, o custo extremamente alto de sair da Alemanha. Isso, por sua vez, era consequência do mesmo problema que afligia praticamente todos os demais aspectos da política nazista: a escassez de divisas estrangeiras. Em abril de 1938, por iniciativa de funcionários do partido na Áustria, o departamento econômico do Reichsbank executou um breve estudo da questão: "Que quantidade de divisas seria necessária para transferir toda a riqueza investida pelos judeus na Alemanha?" Somente para os judeus alemães, sem incluir a população judaica da Áustria, a estimativa foi entre 2,2 e 5,15 bilhões de *reichsmarks*. Na ausência de um grande empréstimo externo, isso significava várias vezes as reservas de divisas existentes no Reichsbank.[114] À luz dessa disparidade, não admira que o *reich* impusesse taxas punitivas aos candidatos a emigrantes. E, quando a situação em matéria de moeda estrangeira se deteriorou, depois de 1936, as penalidades financeiras aumentaram muito.[115] Perversamente, o próprio fato de que os judeus vinham sendo estimulados a emigrar tornava-os suspeitos *prima facie* de pretender contrabandear capital para fora do país. Em vez de facilitar a emigração, a burocracia das divisas e da emigração transformou-se em nova forma de perseguição e discriminação.[116] Tendo estado estreitamente ligados a questões de divisas estrangeiras, desde 1936, Reinhard Heydrich e a SD não eram, de forma alguma, ingênuos quanto aos obstáculos financeiros para a "emigração voluntária". No verão de 1938, a SD entrou em negociações diretas com o RWM na esperança de obter mais moeda forte para aquela finalidade.[117] A tentativa, porém, malogrou, o que não surpreende dada a situação do Reichsbank. A política antijudaica da SD enfrentava, dessa forma, um impasse. Contra esse pano de fundo, a onda crescente de violência e discriminação antissemita assumiu, em 1938, sua verdadeira significação funcional. Se a SS não era capaz de facilitar a emigração, pelo menos, poderia aumentar o incentivo por meio de uma onda de terror físico e discriminação que tornaria impossível a vida dos judeus na Alemanha.

Somente poucas horas depois que os gerentes da IG Farben debateram as entusiasmantes possibilidades abertas pelo *Anschluss*, uma onda de violência se abateu sobre os judeus da Áustria como um pesadelo. Uma testemunha recorda a noite de 11 de março de 1938 como "a abertura dos portões do inferno", uma tempestade de "inveja, malevolência e ódio, um desejo malvado de vingança".[118] Até mesmo os alemães se preocuparam com a torrente de antissemitismo popular que haviam desatado na Áustria. Em poucas semanas, praticamente todos os negócios de propriedade de judeus na Áustria se encontravam sob o controle de um comissário nazista autonomeado. Em 26 de abril de 1938, Berlim entrou em cena. Todos os judeus alemães e austríacos, com ativos de mais de 5 mil *reichsmarks*, foram obrigados a declará-los a um registro oficial. Dali em diante, o Plano Quadrienal asseguraria a "utilização" dos ativos dos judeus "no interesse da economia da Alemanha". A partir da mesma data, todas as vendas de negócios pertencentes a judeus ficaram condicionadas à aprovação oficial de conselheiros regionais do partido nazista. Na prática, isso apenas formalizava uma função que tais funcionários vinham exercendo, desde 1933. Para aumentar a pressão pela venda, o Ministério de Assuntos Econômicos do *reich*, o Ministério das Finanças e o Reichsbank, sistematicamente, penalizavam as firmas não arianas remanescentes. Empresas de propriedade de judeus recebiam a mais baixa prioridade na distribuição de matérias-primas. O Reichsbank instruiu suas filiais a cessar os empréstimos a homens de negócios não arianos. Os regulamentos cambiais e fiscais eram aplicados com zelo punitivo. Os baluartes sobreviventes da comunidade judaica de negócios logo sucumbiriam. As vendas para arianização em 1938 chegaram a 340 fábricas importantes, quase todas no ramo de têxteis e vestuário, 370 firmas de comércio atacadista e, nada menos, de 22 bancos privados, inclusive nomes de prestígio como Warburg e Bleichröder.[119]

Tanto os alemães "comuns" quanto representantes proeminentes do capitalismo empresarial do país aproveitaram a oportunidade para comprar firmas, propriedades e outros ativos a preços de banana. Os principais bancos, liderados pelo Deutsche e pelo Dresdner, competiram ferozmente pela compra de firmas "arianizáveis".[120] Fortes grupos aquisitivos industriais, como Flick e Mannesmann, beneficiaram-se amplamente.[121] No entanto, a atenção dada em anos recentes ao saqueio de lojas de judeus obscureceu o que, provavelmente, foi o resultado mais significativo do registro oficial da riqueza em mãos de judeus. No total, os judeus alemães e austríacos declararam 8,5 bilhões de *reichsmarks* em ativos brutos — 7 bilhões líquidos em passivos pendentes. Dessa soma considerável, somente 1,19 bilhão de *reichsmarks* era representada por ativos empresariais. Dando o desconto para o fato de que a riqueza líquida dos judeus da Áustria foi registrada em pouco mais de 2 bilhões de *reichsmarks*, é improvável que o capital empresarial judeu na Alemanha fosse muito superior a 850 milhões de *reichsmarks*. Qualquer que fosse a forma de avaliação, era uma pequena proporção de todos os ativos existentes na economia alemã. A arianização, sem dúvida, modificou a fisionomia das principais ruas de comércio varejista em cidades como Berlim e Hamburgo, e modificou também a estrutura de propriedade em alguns bairros residenciais altamente visíveis. O impacto mais amplo, no entanto, foi limitado. Somente em um punhado de setores, houve uma mudança maior de propriedade, principalmente, no setor de varejo, e, em especial, nas lojas de departamentos, têxteis, vestuário e bancos privados. Em geral, a ideia de que a pequena minoria judaica jamais tivesse ocupado "posição dominante" na economia e que a "arianização", portanto, pudesse ter constituído uma reviravolta importante na vida econômica do país, deve ser vista como o que realmente foi: um absurdo mito antissemita.

De longe, o maior beneficiário da perseguição aos judeus alemães não foi o mundo dos negócios e sim o Estado alemão e, portanto, indiretamente, os contribuintes em geral.[122] Desde 1933, o Estado havia tomado a iniciativa de confiscar as riquezas da população judaica por meio do imposto para a retirada de ativos do país e os descontos cobrados pelo Reichsbank. Para avançar mais, seria necessária uma ação legal de aberta perseguição fiscal. Como vimos, a ideia de um "imposto judeu" tinha sido debatida muitas vezes desde que Hitler lançou suas instruções no memorando do Plano Quadrienal, responsabilizando os judeus por qualquer prejuízo à economia da Alemanha. Os ministérios, porém, hesitaram.[123] Foi necessária a crescente tensão da crise dos Sudetos para sobrepujar as inibições. À medida que a expectativa de guerra atingia o clímax em setembro de 1938, o mesmo ocorreu com o clima de violência contra os judeus. As autoridades municipais de Munique e Nuremberg abriram um precedente importante com a demolição das sinagogas durante o verão. Isso foi seguido por um surto de ataques antissemitas e demonstrações em todo o sul e sudeste da Alemanha, que segundo a SD, "assumiram em parte o caráter de expurgos" (*pogrom*).[124] Em Viena, a hostilidade foi constante. No outono, bairros judeus inteiros estavam sendo esvaziados à força e as pessoas enviadas para alojamentos temporários, à espera da emigração "voluntária". O *pogrom* de âmbito nacional, ordenado por Hitler, na noite de 9 de novembro, representou, assim, o macabro final de um período de prolongada escalada. Segundo os meticulosos registros compilados pelos avaliadores alemães das perdas materiais, os danos montaram a mais de 220 milhões de *reichsmarks*. Pelo menos, 91 cidadãos judeus foram assassinados e centenas de outros se suicidaram. A extensão do sistema de campos de concentração, iniciado sistematicamente em 1936, permitiu à SS encarcerar nada menos do que 30 mil judeus do sexo masculino em uma única noite.[125] Somente foram libertados depois de concordarem em requerer emigração.

Três dias depois do *pogrom*, em 12 de novembro, Göring afirmou sua autoridade por meio de uma importante conferência sobre a questão judaica. Como chefe do Plano Quadrienal, Göring indignou-se com a destruição generalizada de bens ocorrida nos dias anteriores. "Basta dessas demonstrações! Elas não causam danos aos judeus, e sim a mim, que sou a autoridade final para a coordenação da economia da Alemanha." Göring irritou-se, especialmente, com as peles e joias saqueadas, em Berlim, e expediu ordens especiais de prisão dos responsáveis. O que era mais grave, as ruas da Alemanha ficaram cheias dos destroços de milhares de vitrinas quebradas. Os judeus pagariam a conta da limpeza, mas a substituição dos vidros belgas de alta qualidade custaria ao Reichsbank 3 milhões de *reichsmarks* em preciosas divisas estrangeiras.[126] Assim, disse Göring: "Preferia que tivessem matado 200 judeus sem destruir coisas valiosas." A questão judaica seria, agora, "de uma vez por todas", "coordenada e resolvida de uma forma ou de outra". Isso significou, inicialmente, a imposição de um imposto punitivo. Segundo os termos de um decreto formalmente anunciado em 12 de novembro, "a atitude hostil dos judeus para com o povo alemão e o *reich*... torna necessária uma defesa decisiva e uma severa expiação". A comunidade judaica recebeu ordem de pagar uma multa de 1 bilhão de *reichsmarks*. Além disso, os judeus alemães foram obrigados a reparar todos os prejuízos causados em 9 de novembro, e a renunciar à reivindicação de seguros ao *reich*. O Ministério das Finanças do *reich* estava tão ansioso por receber o dinheiro que conseguiu convencer um consórcio dos principais bancos de Berlim a fazer um adiantamento com garantia de reembolso pelo "imposto judeu".[127] Ao mesmo tempo, o Primeiro Decreto para a Retirada dos Judeus da Vida Econômica (*Erste Verordnung zur Ausschaltung der Juden aus dem Wirtschaftsleben*) fazia exatamente o que o nome prometia. Bania os judeus das atividades de varejo e artesanato. Proibia-os de comprar mercadorias em feiras comerciais e vedava a eles a assunção de funções de direção em qualquer firma.[128]

Em conjunto, as diversas medidas adotadas, em 1938, representavam uma ampla expropriação da população judaica. A maior parte dos 1,1 bilhão de *reichsmarks* em ativos comerciais, registrados no verão de 1938, foi vendida antes do fim do ano. Juros de várias centenas de milhões de *reichsmarks* foram recebidos por numerosos dentre os mais vorazes interesses empresariais da Alemanha. Ao longo de três anos, a taxa de 12 de novembro sobre capital produziu um total de 1,127 bilhão de *reichsmarks* para o Estado. Além disso, centenas de milhões de marcos foram coletados em "taxa de retirada" das dezenas de milhares de judeus que fugiam do país. Muitos bilhões mais foram deixados nas contas das instituições financeiras que gerenciavam o processo de transferência. Em 3 de dezembro, todos os ativos pertencentes a judeus e não vendidos, inclusive objetos pessoais como joias e obras de arte, foram colocados sob a supervisão de guardiães alemães, à espera da venda no futuro.[129] O dinheiro resultante da venda, ainda depositado nominalmente na conta da comunidade judaica, foi investido em bônus do governo, aliviando, assim, a situação financeira do *reich*.[130] No fim do ano, já com os regulamentos sobre a venda de propriedades imobiliárias firmemente estabelecidos, praticamente toda a riqueza de judeus que ainda permanecia no *reich* encontrava-se registrada, e o tesouro do Estado ficou mais rico em vários bilhões de *reichsmarks*. Para evitar confusão, deve-se frisar que se tratou de uma transferência puramente financeira. Esses atos de perseguição em nada melhoraram a posição geral da economia alemã. Sem dúvida, houve certos ganhos de eficiência com o fechamento de muitas firmas pequenas e artesanatos pertencentes a judeus.[131] Mas não se deve elogiar esse efeito de racionalização. Dada a pequena escala daqueles negócios, a quantidade de mão de obra e outros recursos liberados por esses meios não pode ter sido senão trivial. Tampouco devemos exagerar os benefícios fiscais amealhados pelo *reich*. Segundo os registros do Ministério das Finanças, a receita dos dois principais impostos cobrados aos judeus, a taxa de riqueza e a taxa de retirada do país, chegou, no ano fiscal 1938-9, ao montante de 498,5 e 342,6 milhões de *reichsmarks*, respectivamente.[132] Isso representava somente 5% do total de receitas do *reich* provenientes de outros impostos e tarifas alfandegárias.[133] Em 1939, a percentagem foi menor. O total de cerca de 1 bilhão de *reichsmarks*, arrancado tanto em 1938 quanto em 1939, foi devastador para a comunidade judaica e proporcionou, às finanças do *reich*, um alívio bem-vindo em um momento de graves dificuldades financeiras. Porém, é simplesmente irrealista imaginar que a perseguição financeira a uma minoria diminuta e cada vez mais empobrecida pudesse representar uma contribuição significativa e duradoura às enormes despesas com o rearmamento alemão.

Mais ainda, embora a escalada de perseguição e violência fornecesse à comunidade judaica todos os incentivos para deixar o país, o problema de assegurar suficiente quantidade de divisas não fora resolvido. Em 25 de março de 1938, poucas semanas depois do *Anschluss*, o presidente Roosevelt propusera a formação de uma comissão internacional para tratar do problema de "refugiados políticos" da Alemanha e da Áustria recém-anexada.[134] Em 6 de julho, delegados de 32 países, liderados pelos Estados Unidos, Grã-Bretanha e França, reuniram-se no Hotel Royal, no balneário francês de Evian. Da conferência, participaram também representantes de 39 organizações não governamentais e uma multidão de, pelo menos, 200 jornalistas. Durante os nove dias seguintes, assistiu-se a um espetáculo deplorável. A precondição óbvia para uma "solução" do problema dos refugiados era a disposição em receber um número maior de pessoas. Além do preconceito antissemita mais ou menos explícito, cujas expressões ostensivas representaram um prato cheio para a imprensa nazista, o principal obstáculo para a flexibilização das quotas de imigração era a questão financeira. Como poderiam os refugiados sustentar-se em outros países, uma vez que todos ainda sofriam de desemprego substancial? A resposta a essa questão, segundo concordavam todos, dependia da boa vontade do governo alemão em permitir que os candidatos a emigrar levassem consigo ao menos parte de seus ativos pessoais. O governo, no entanto, recusava-se a qualquer envolvimento com a conferência de Evian, denunciando-a como um esforço internacional coletivo para tirar da Alemanha suas últimas reservas de divisas estrangeiras. O impasse persistiu durante o outono, com o Ministério do Exterior alemão e a SS evitando qualquer contato com a recém-formada Comissão de Refugiados e seu diretor, George Rublee. Somente depois da conferência com Göring, em 12 de novembro de 1938, o presidente do Reichsbank, Hjalmar Schacht, foi autorizado a tentar um último ato de cínica feitiçaria financeira.[135]

Em colaboração com o ministro da Economia da Áustria, Hans Fischböck, Schacht montou um esquema que permitiria à Alemanha "exportar" a população judaica, sem prejudicar suas reservas de divisas. A ideia foi utilizar a riqueza dos judeus alemães e austríacos, já efetivamente sob controle do *reich*, para garantir um empréstimo em moeda estrangeira no total de, pelo menos, 1,5 bilhão de *reichsmarks*. Esse fundo, a ser subscrito pela "comunidade judaica internacional", permitiria iniciar uma nova vida no exterior a todos os fisicamente capazes de emigrar. Em dezembro de 1938, Schacht viajou a Londres para apresentar a Rublee as linhas gerais do esquema. Hitler, claramente, aprovou o plano de Schacht e Göring também parece tê-lo levado a sério.[136] No final de janeiro, Göring encarregou Reinhard Heydrich de dirigir uma repartição central para a emigração de judeus (*Zentralstelle für jüdische Auswanderung*) a fim de acelerar a emigração, segundo as linhas de Schacht. Parece haver pouco motivo para duvidar de que, se o Terceiro Reich tivesse podido expulsar centenas de milhares de judeus, levantando, ao mesmo tempo, um volume substancial de divisas por meio de um empréstimo internacional, teria aproveitado imediatamente a oportunidade. O fato, entretanto, foi que "a rede global de altas finanças judaicas", com que Schacht contava para fornecer os recursos, era uma ficção da imaginação antissemita. Todos os esquemas existentes para pagar a saída de judeus da Alemanha enfrentaram considerável oposição das comunidades judaicas dentro e fora do país. Com exceção do programa sionista Haavara, jamais houve aporte significativo de recursos.[137] Em vez de uma retirada organizada, o que ocorreu foi uma debandada. Entre março de 1938 e setembro de 1939, mais de 200 mil judeus escaparam em massa da Alemanha e da Áustria.[138] Assim fizeram, apesar da perfeição da voraz burocracia alemã, que lhes confiscou praticamente todos os ativos materiais.[139] Submeteram-se a essa provação porque a ameaça do que os esperava, agora, na Alemanha fez parecer que valia a pena pagar qualquer preço a fim de poder partir.

VI

Na segunda metade de 1938, a indignação internacional causada pelos maus-tratos infligidos pela Alemanha a sua população de judeus, as fantasias antissemitas da liderança nacional-socialista, a crescente confrontação entre Berlim e as potências ocidentais e as tensões sociais e domésticas da Alemanha misturaram-se em um coquetel explosivo.[140] Com ênfase cada vez maior, Hitler e outras figuras-chave da liderança nazista interpretavam o enfrentamento que se avolumava entre o Terceiro Reich e as "potências ocidentais" não apenas em termos convencionais de competição entre grandes potências, e sim através do prisma de sua cosmologia antissemita. Para a liderança nazista, a coalizão internacional em formação contra a agressão de Hitler era a prova clara do âmbito global da conspiração judaica. Perversamente, Göring, Heydrich e outros parecem haver acreditado que o êxito na aceleração da emigração, na verdade, causaria o aumento da agitação judaica contra a Alemanha, pois essa era a melhor maneira para que os judeus desmontassem os sentimentos antissemitas surgidos nos países que recebiam os refugiados. Göring levantou esse argumento no início de seu rude discurso aos industriais do setor aeronáutico em 8 de julho de 1938: "os judeus... fazem agitação em prol da guerra em todo o mundo. Uma coisa é clara: o antissemitismo ergueu-se agora, em todos os países como consequência lógica do excessivo aumento do número de judeus nesses países, e os judeus somente podem esperar salvação caso consigam deflagrar uma guerra mundial". Claramente, diante dos industriais aeronáuticos, Göring sentiu necessidade de justificar esse desabafo, e, por isso, acrescentou: "Se menciono a agitação dos judeus em favor da guerra, é porque tenho bons motivos para fazê-lo, afinal os judeus que dominam o grosso da imprensa mundial estão em posição de usá-la para propaganda psicológica".[141] Como vimos, Krosigk usou argumento semelhante em seu apelo a Hitler, em setembro, para evitar uma guerra contra a Tchecoslováquia. Na verdade, nem Göring nem Krosigk estavam completamente equivocados. Em 1938, havia uma conexão entre o antissemitismo nazista e a escalada na tensão internacional. Mas o que causou os prejuízos foi o repúdio internacional às indignidades cometidas pelo nazismo, e não a agitação judaica.[142] A esse respeito, a *Kristallnacht* marcou uma reviravolta decisiva. Em consequência dela, lord Halifax, secretário do Exterior da Grã-Bretanha, abandonou a anterior posição de advocacia do apaziguamento em favor de uma forma mais agressiva de contenção.[143] A reação dos Estados Unidos, no entanto, teve maior significado no longo prazo.

Assinalamos que os Estados Unidos mal figuravam nas várias elucubrações de Hitler durante os 18 meses anteriores à eclosão da guerra, em setembro de 1939.[144] Embora isso seja verdade quanto aos pronunciamentos do *führer* sobre a estratégia mais geral, e, particularmente, aos que dirigiu à liderança militar, em maio e agosto de 1939, é necessário fazer algumas qualificações em certos aspectos vitais.[145] Como vimos, Beck, Göring e Krosigk consideravam o potencial industrial dos Estados Unidos um dado estratégico chave e, como veremos, esse ponto iria ser veementemente reiterado por vozes tanto no seio do alto-comando da Wehrmacht quanto do Plano Quadrienal na primeira metade de 1939. É possível, naturalmente, que Hitler tenha descartado tudo isso, embora indícios posteriores apontem o contrário, mostrando-o perfeitamente realista quanto à ameaça que o poderio econômico norte-americano representava para a Alemanha. O que não se pode negar, no entanto, é a posição central dos Estados Unidos em, pelo menos, uma das principais preocupações de Hitler, a questão judaica. A partir de 1938, a "questão judaica internacional" passou a ser entendida no Terceiro Reich como sinônimo dos Estados Unidos.[146] O movimento antigermânico de boicote, no início da década de 1930, já preparara o cenário. O papel de Roosevelt ao preparar a conferência de Evian e sua intervenção em favor do estabelecimento de um Estado judeu na Palestina reforçou ainda mais a ideia de uma conspiração mundial. Mas a *Kristallnacht* foi o marco importante.[147] Os Estados Unidos reagiram ao 9 de novembro com um "furacão" de indignação pública.[148] Como notou o desamparado embaixador do *reich*, a comoção pública que teve de enfrentar foi tão intensa que tornou "impossível" qualquer "esforço constante" em nome dos interesses da Alemanha.[149] Pouco depois, em seguida à decisão norte-americana de retirar seu embaixador junto ao *reich*, ele foi chamado de volta a Berlim. Nas semanas subsequentes, somente a intervenção do secretário de Estado, Cordell Hull, impediu o Tesouro norte-americano de impor severas tarifas punitivas às exportações alemãs. Em seu discurso sobre o Estado da União, em 4 de janeiro de 1939, Roosevelt tirou conclusões severas.[150] Ligando questões ideológicas diretamente à política externa, ele ressaltou a ameaça, tanto à segurança quanto aos valores fundamentais dos Estados Unidos, colocada por países "onde a religião e a democracia desapareceram" e onde "a boa-fé e a razão em assuntos externos cederam o passo à ambição estridente e à força bruta". Após o *Sudetenland* e a *Kristallnacht*, ninguém parecia dar nomes aos bois. A imprensa nazista reagiu com uma cruel campanha de propaganda antissemita e antinorte-americana, na qual Roosevelt era retratado como instrumento do capital judeu.[151] Em 25 de janeiro, o Ministério do Exterior da Alemanha enviou aos seus funcionários uma circular que analisava a "questão judaica como fator na política externa de 1938", na qual os Estados Unidos eram explicitamente mencionados como "quartel-general do judaísmo mundial".[152]

E o próprio Hitler respondeu a Roosevelt, em seu discurso ao Reichstag, em 30 de janeiro de 1939, aniversário da tomada do poder.

O "discurso de 30 janeiro" de Hitler é comumente citado como o anúncio do Holocausto. Mas o que nos interessa aqui é sua importância como indício da avaliação econômica e militar mais ampla do *führer*, no início de 1939. As terríveis ameaças por ele lançadas contra os judeus da Europa estavam colocadas em um contexto retórico mais geral que é crucial para o entendimento do ânimo beligerante da liderança do Terceiro Reich após Munique e a *Kristallnacht*. O tema antissemita perpassa por toda a fala de Hitler, porém, mesclado, por um lado, com o velho tema do *Lebensraum*, e, por outro, com um novo e aberto desafio à Grã-Bretanha e aos Estados Unidos. Como de costume, Hitler colocou a alternativa entre um futuro para a Alemanha baseado em exportações ou uma extensão de seu espaço vital. A cega resistência das potências ocidentais instigadoras da guerra bloqueava o caminho da expansão alemã para o leste. Portanto, a Alemanha não tinha outra opção, no curto prazo, senão "exportar ou morrer".[153] Se as potências democráticas continuassem a obstruir o caminho da Alemanha, se os Estados Unidos levantassem obstáculos aos esforços para aumentar o comércio com a América Latina, nesse caso, a Alemanha se veria obrigada a uma luta de vida ou morte para a qual, agora, estava bem preparada, graças ao nacional-socialismo. Tudo isso, naturalmente, era completamente desnecessário, pois a Alemanha somente desejava viver em paz com seus grandes vizinhos europeus. Mas, se a "mídia judia" provocadora de guerras dos Estados Unidos e seus aliados nos meios políticos norte-americanos e britânicos realizassem seus desígnios, o nacional-socialismo estava pronto para a batalha. Foi esse contexto específico de frustração pós-Munique e pós *Kristallnacht* o que levou Hitler a fazer sua famosa "profecia": "Se a internacional judaico-financeira dentro e fora da Europa tiver êxito em mergulhar novamente as nações numa guerra mundial, o resultado não será a bolchevização da Terra e, portanto, a vitória judaica, e sim a aniquilação da raça judia na Europa!"

À medida que a agressão de Hitler enfrentava oposição cada vez mais concertada e a ameaça de uma guerra europeia se tornava real, Hitler e a liderança nazista mais se convenciam de que os judeus estavam pondo mãos à obra. Os Estados Unidos, país hegemônico global em formação, voltava, assim, ao centro da visão de mundo de Hitler, como fulcro de uma conspiração judaica que visava a ruína da Alemanha e do resto da Europa.

8

1939: nenhuma vantagem em esperar

Poucos dias depois do acordo de Munique, o departamento econômico do Reichsbank redigiu um memorando que, embora nunca tenha circulado fora dos escritórios do banco central, merece, mesmo assim, figurar como o marco final da carreira de Hjalmar Schacht no Terceiro Reich: "Com a incorporação da *Sudetenland* ao *reich*", declarava o Reichsbank, "o *führer* completou uma tarefa sem paralelo na história. Em apenas cinco anos de governo nacional-socialista, a Alemanha conseguiu liberdade militar, controle soberano de seu território e a incorporação do Sarre, da Áustria e dos Sudetos. Dessa forma, transformou-se de um *non-valeur* político na principal potência da Europa".[1] Hitler realizara o objetivo final do nacionalismo alemão, o estabelecimento da *Grossdeutschland*, coisa que nem mesmo Bismarck conseguira, e o fizera sem provocar guerra. Essa extraordinária ressurreição nacional se baseava, acima de tudo, num gigantesco esforço armamentista, levado a cabo de tal forma que proporcionou pleno emprego ao povo alemão, evitando, ao mesmo tempo, a maldição da inflação. Isso era também uma realização histórica única. Porém, no outono de 1938, no momento do maior triunfo de Hitler, os fundamentos econômicos do sucesso foram postos em dúvida. O Reichsbank foi obrigado a reconhecer que, apesar de seus melhores esforços, "já não havia... estabilidade completa da moeda alemã". Iniciara-se "uma inflação do *reichsmark*", embora isso não fosse "ainda inteiramente aparente". Uma confissão que Schacht repetiu poucas semanas depois, em um relatório à Comissão de Mercado de Capital (*Kapitalmarktauschuss*), a comissão do RFM, RWM e Reichsbank, que supervisionava o levantamento de recursos nos mercados financeiros da Alemanha.[2] Diante de seus colegas, Schacht afirmou abertamente: "Não se pode negar... que já estamos no limiar da inflação." A fim de elevar o *reichsmark* à situação digna de uma grande potência, a Alemanha necessitava restaurar a estabilidade monetária e fiscal. Desde a primavera de 1938, as finanças do *reich* avançavam para o desastre. Havia meses, o Ministério das Finanças vivia "em penúria" e o Reichsbank tinha sido obrigado a "uma criação inflacionária de dinheiro".[3] Assim como Krosigk, poucas semanas antes, o Reichsbank relacionou sua avaliação da situação fiscal do *reich* a um panorama estratégico mais amplo. "A história da Alemanha chegou, hoje, evidentemente a um ponto de mudança. Em termos de tarefas políticas ativas, resta apenas a retomada das colônias e a eliminação do bolchevismo. A primeira será melhor realizada por meio de negociação, e a segunda pela desintegração interna do atual regime soviético." Na Europa, a Alemanha já não tinha reivindicações territoriais a reclamar. Depois de Munique, Hitler declarara-se "satisfeito". Esse ponto de mudança político precisava, agora, ser seguido por uma transformação paralela na esfera monetária. Assim, disse o Reichsbank: "a moeda precisa agora sustentar, não uma política expansionista de poder, e sim uma política de construção pacífica. Historicamente, temos diante de nós a mesma tarefa de conversão de Frederico, o Grande, após a Guerra dos Sete Anos, a do primeiro ministro Peel, após as guerras napoleônicas, e Mussolini, após a guerra da Abissínia. A tarefa principal é gerir a transição da atual economia de guerra para uma economia de tempo de paz".

A transição não seria indolor nem isenta de risco. Mas não havia alternativa. Qualquer novo gasto governamental financiado pela expansão monetária, simplesmente, aumentaria a ameaça do excessivo poder de compra, que somente poderia ser contido por meio de um incremento novo do aparelho de supervisão e controle já atravancado e impossível de gerenciar. Isso, por sua vez, resultaria na deterioração crônica do padrão de vida, "cujas consequências sociais e políticas não é necessário debater". "Não se deve, portanto, reforçar os diques, e sim reduzir a pressão sobre eles." Para fazer isso, o Reichsbank sabia que deveria avançar cautelosamente. Embora o pico inflacionário ainda pudesse ser rompido, isso trazia riscos. Uma redução excessivamente abrupta do volume de crédito poderia, facilmente, transformar a difícil transição em uma desastrosa "crise deflacionária". Em vez disso, o Reichsbank propunha-se a enxugar o excesso de poder de compra por meio da emissão de bônus de longo prazo, permitindo ao Ministério das Finanças consolidar sua precária situação orçamentária. Mais importante, no entanto, era a necessidade urgente de assegurar rápido crescimento na produção de bens de consumo. Somente o abastecimento de mercadorias para absorver, pelo menos, parte do excesso de poder de compra poderia frear a ameaça inflacionária. O que o Reichsbank propunha, em suma, era uma mudança drástica de prioridades; uma forte redução da "produção não destinada ao mercado" para os objetivos do Estado, que, segundo estimativas contemporâneas, representava 30% da produção industrial, em 1938, em favor da produção de bens de consumo familiar.[4] No entanto, uma precondição para qualquer ação futura era o aumento das exportações. A ameaça mais grave para a economia da Alemanha era a possibilidade de uma crise aguda no balanço de pagamentos. Uma súbita interrupção na importação de matérias-primas e alimentos essenciais, como em 1934, seria fatal para a confiança do público e poderia comprometer o delicado processo de ajuste que o Reichsbank procurava gerir.

O projeto de memorando, de 3 de outubro de 1938, terminava com uma advertência dramática:

> Apesar das críticas dos tempos recentes, a liderança nacional-socialista do Estado conseguiu evitar uma guerra que teria comprometido os êxitos anteriores. Agora, após atingir o ponto de reviravolta, enfrenta a tarefa complementar de evitar uma inflação cujas consequências seriam igualmente perigosas. Essa tarefa é difícil, porque, apesar de terem sido feitos todos os esforços, a pressão inflacionária aumentou e porque há outras tarefas financeiras na agenda. No entanto, ela é possível, porque as precondições políticas são excelentes e porque ela será tanto mais fácil quanto mais rápida e decididamente o problema for enfrentado.

I

Mas, se os funcionários do Reichsbank acreditavam que a realização pacífica da *Grossdeutschland* era o objetivo de Hitler, suas esperanças eram vãs. Como previra o próprio Schacht, o *führer* mal pôde conter a frustração com o resultado da conferência de Munique.[5] Tinha obtido os Sudetos, mas essa não era a questão. Ainda era preciso liquidar a parte maior da Tchecoslováquia e as potências ocidentais, até o momento, não tinham mostrado decisão. Como Hitler e sua liderança militar tinham sido obrigados a compreender, a Alemanha teria de combater no oeste antes que pudesse se dedicar à qualquer campanha de conquista militar de larga escala no leste. Foi somente depois da crise tcheca, no entanto, que todas as implicações militar-industriais da guinada antiocidental da estratégia alemã tornaram-se aparentes. Em seu diário, no final de setembro, o general Thomas, do escritório militar-econômico do *Obeekommando Wehrmacht* (OKW), anotou: "Dia de Munique. Recebi instruções telefônicas: todos os preparativos agora para a guerra contra a Inglaterra, alvo 1942!"[6] Duas semanas mais tarde, em 14 de outubro de 1938, Göring anunciou o novo programa em um importante discurso no salão de conferências do Ministério da Aeronáutica. Dada a "situação mundial", o "*führer* expediu ordem... de levar a efeito um gigantesco programa comparado com o qual todas as realizações anteriores são insignificantes".[7] Em tempo muito curto, a Luftwaffe deveria quintuplicar. A Marinha deveria acelerar o esforço armamentista e o Exército teria de obter grande quantidade de armas ofensivas, especialmente peças de artilharia pesada e tanques grandes. Além disso, os combustíveis, borracha, pólvora e altos explosivos seriam "trazidos para o primeiro plano". Acima de tudo, Göring exigia também investimento acelerado em ferrovias, rodovias e canais, a fim de sanar as óbvias deficiências do sistema alemão de transportes.

Durante as semanas seguintes, as três forças da Wehrmacht reagiram ao novo desafio. Para o Exército, a primeira prioridade era simplesmente completar a enorme reserva de armamentos iniciada em 1936. Em 20 de outubro de 1938, o Exército anunciou que precisaria de nada menos do que 4,5 milhões de toneladas de aço, em 1939, quase um quarto da produção total da Alemanha, montante que somente foi alcançado no auge da Batalha de Stalingrado, em 1942.[8] A expansão da Luftwaffe em cinco vezes, anunciada por Göring, em 14 de outubro, tinha implicações ainda mais dramáticas.[9] Em quatro anos, a Força Aérea deveria atingir um poderio em tempo de paz de 21.750 aeroplanos. Era a extensão lógica da decisão, tomada cinco meses antes, de basear a frota alemã em torno de uma força de até 7 mil bombardeiros médios Ju 88. Além desses aviões, deveria agora haver 800 bombardeiros pesados quadrimotores (He 177) e enxames de caças de escolta de longo alcance e interceptadores Messerschmitt.[10] A Marinha, por sua vez, lançou um novo programa de ampliação da frota, destinado a colocar a Alemanha em posição de competir com a Marinha Real em seis anos.[11] Em dezembro de 1939, Hitler e o almirante Raeder concordaram em um programa que dava prioridade à construção de seis gigantescos encouraçados, seguidos por uma frota de 249 submarinos e oito cruzadores para operações de longo alcance. Em 1948, a Marinha alemã já teria 797 embarcações de guerra, a um custo total de 33 bilhões de *reichsmarks*, ao longo de nove anos. Como no caso do programa da Luftwaffe, os custos de infraestrutura dessa frota gigantesca eram enormes. Novas docas secas eram necessárias em Wilhelmshaven e Hamburgo. A ilha de Ruegen abrigaria uma imensa base naval. O Plano Z da Marinha, último dos principais programas de armamento de antes da guerra, foi assinado em 27 de janeiro de 1939, dando à *Reichsmarine* prioridade absoluta sobre todos os demais projetos industriais do Terceiro Reich.

Tendo em vista as preocupações já expressas pelo Reichsbank e pelo ministro das Finanças Krosigk, era evidente que um rearmamento dessas dimensões teria de ter implicações drásticas para o restante da política econômica. Como vimos, o general Friedrich Fromm já tinha chegado a essa conclusão no verão de 1936. As exigências da primavera e início do verão de 1938 tinham sido sem precedentes. Os planos formulados em outubro de 1938 eram de magnitude ainda maior. Se o Terceiro Reich tivesse realmente esperanças de realizá-los, o precário sistema de planejamento e controle teria de ser direcionado, coerentemente, para a repressão da atividade civil em favor da Wehrmacht. Já em agosto de 1938 o Reichsbank tinha chegado à conclusão de que, para gerenciar o pedido da Wehrmacht, "os meios de uma economia de tempo de paz não são mais suficientes e é preciso começar a buscar as medidas mais severas da economia de guerra".[12] E tudo sugere que essa transição foi acordada entre Göring, os militares e a administração da economia civil, no outono de 1938. Para proporcionar a necessária autoridade política, Göring nomeou um novo Conselho de Defesa (*Reichsverteidigungsrat*), apoiado pelo general George Thomas e seu gabinete econômico-militar no OKW recém-criado por Hitler.

Thomas é uma das figuras mais ambíguas do esforço de guerra.[13] Nascido em 1890, numa família de industriais, iniciou a carreira no Exército, em 1908, tanto em serviço na frente de batalha na Primeira Guerra Mundial, quando recebeu a Cruz de Ferro, quanto em uma temporada no Estado-Maior geral. Depois da guerra, ele permaneceu no Reichswehr e serviu no mesmo

Königsberg Wehrkreis, de Ludwig Beck, futuro chefe do Estado-Maior. Em 1928, Thomas passou para o centro político-militar de Berlim e em 1933 ascendera a chefe do Estado-Maior no escritório de suprimento do Exército (*Heereswaffenamt*). Em 1934, como vimos, estava colaborando ativamente com Schacht na promoção dos interesses do rearmamento no contexto da crise de divisas. Não por coincidência, em setembro de 1934, foi promovido ao posto de coronel a fim de se encarregar da *Dienststelle Wehrwirkschafts und Waffenwesen im Wehrmachtsamt des Reichswehrministeriums* (escritório para economia militar e armamentos no Ministério da Guerra do *reich*). Nesse posto, ele dirigiu a criação de uma organização de inspetorias econômico-militares e um complexo sistema de preparativos para a mobilização.[14] À medida que suas ambições burocráticas se ampliavam, no entanto, a coerência de sua visão da organização econômico-militar se reduzia.[15] Thomas era proponente feroz da absoluta prioridade do rearmamento acima de todas as demais preocupações nacionais. Ao mesmo tempo, entretanto, apoiava Schacht na insistência sobre a necessidade de promover exportações e assegurar a estabilidade financeira da Alemanha. O fato de que essas prioridades — armamentos, por um lado, estabilidade econômica convencional, por outro — eram contraditórias ficou bastante aparente, no máximo, em 1937. A fim de realizar, pelo menos em parte, a conciliação entre elas, Thomas transformou-se no principal advogado de um sistema draconiano de organização econômica, por meio do qual os interesses de todos os demais aspectos da economia civil ficariam subordinados à dupla prioridade de armas e exportações. Era essa drástica reorganização da economia o que parecia estar ao alcance, no outono de 1938.

Compilando estatísticas tanto da Wehrmacht quanto do Reichsbank, o escritório de Thomas foi responsável pela redação do pronunciamento feito por Göring na primeira reunião do Conselho de Defesa do *reich*, em 18 de novembro de 1938.[16] O discurso não escondeu a gravidade da situação da Alemanha, a necessidade de equilibrar as necessidades do rearmamento e as exportações, a ameaça da inflação e os danos causados às finanças públicas pela gastança do verão. Göring repetiu Krosigk e Schacht ao descrever o estado das finanças do *reich* como "muito crítico" e as reservas de divisas como "inexistentes". Mesmo assim, o *führer* dera as ordens. O volume total de armamentos da Alemanha deveria ser triplicado. A fim de alcançar esse total, Göring esboçou um programa de drástica mobilização e racionalização. A convulsiva aceleração da atividade de armamentos em 1938, foi o catalisador da união íntima desses dois conceitos-chave na política do regime de Hitler: mobilização e racionalização.[17] Homens como Koppenberg e Porsche tinham indicado o caminho com seus grandiosos esquemas para a produção em massa de bombardeiros e automóveis para as famílias. E a linguagem da produção em massa modernista continuou a servir a seus objetivos como mecanismo de legitimação do expansionismo empresarial, até o final do regime de Hitler. Porém, dada a disparidade mais geral que se abriu, a partir de 1938, entre os objetivos da liderança nazista e os meios proporcionados pela economia alemã, a racionalização assumiu também uma dimensão societária mais ampla. Göring anunciou ao Conselho de Defesa que toda a população deveria registrar-se, mediante um índice em um cartão nacional administrado pelo chefe da polícia da SS, general Kurt Daluege. Isso permitiria às agências trabalhistas destinar cada homem e mulher a sua localização mais produtiva na economia nacional.[18] A administração legal e fiscal do Estado seria simplificada a fim de liberar mão de obra. O serviço trabalhista civil, introduzido em 1933, seria reduzido. "Os grandes projetos de construção do *führer* serão executados devido a sua importância para a moral e a psicologia". Todos os demais projetos de construção seriam encerrados. Todas as fábricas de manufaturas estariam sujeitas a inspeção a fim de verificar se estavam utilizando eficientemente a mão de obra. A indústria automotora passaria a ser chefiada por um plenipotenciário especial, que deveria economizar centenas de milhões de *reichsmarks*. O sistema nacional de ferrovias, ressentindo-se da pressão da economia de pleno emprego da Alemanha, beneficiar-se-ia de um programa de investimentos de muitos bilhões de *reichsmarks*.[19] Numa economia tão tensionada quanto a da Alemanha, Göring reiterou que não haveria espaço para atos de destruição gratuita como os da *Kristallnacht*. Os judeus da Alemanha fariam sua contribuição por meio do novo imposto sobre a riqueza. Mas não somente os judeus seriam convocados. Göring levantou a possibilidade de que toda a população da Alemanha seria chamada a fazer um "sacrifício nacional de ação de graças" (*Dankesopfer der Nation*) em forma de uma única entrega de riqueza.[20] Seu objetivo seria "assegurar a produção de armamentos em larga escala". Diante do desafio de triplicar a produção de armamentos, Göring afirmou ao recém-nomeado Conselho de Defesa: "Pode-se até mesmo chegar à conclusão: *non possumus*. Essa atitude lhe tinha sido expressa muitas vezes", mas Göring "jamais desistira, e no fim das contas sempre tinha encontrado uma saída".[21]

As ações se seguiram às palavras de Göring. Em 24 de novembro, a orientação sobre os preços que tinha sido usada para controlar o custo dos fornecimentos militares, desde 1936, foi estendida a todos os contratos públicos. Um mês antes, o mundo dos negócios na Alemanha começara a introduzir informações padronizadas sobre custos, que, no futuro, formariam a base para o controle de preços. Em 15 de novembro, o coronel Adolf von Schell foi nomeado plenipotenciário geral para veículos motorizados (*Generalbevollmächtigter für das Kraftfahrzeugwesen*), com o encargo de concentrar toda a capacidade disponível na produção eficiente dos modelos de maior interesse para os militares.[22] Menos de um mês depois, Göring nomeou Fritz Todt, novo favorito de Hitler na construção da Muralha do Oeste, para assumir a responsabilidade geral sobre todo o setor de construção. Embora Todt dificilmente pudesse ser considerado perito em economia, pelo menos era possível confiar nele para assegurar a absoluta prioridade do esforço armamentista. Na primavera de 1939, Todt conseguiu relatar que, do volume total de construção de pouco mais de 12 bilhões de *reichsmarks* 50% ficaram reservados para a Wehrmacht, 20% foram entregues à indústria alemã e outros 10% reservados para os projetos de construção pública. Isso deixava somente 20% para satisfazer as necessidades de moradia da população, com prioridade para a acomodação dos trabalhadores do Plano Quadrienal.[23] Medidas drásticas semelhantes foram determinadas para o novo e gigantesco programa de construção naval. Imediatamente após a aprovação do Plano Z, os estaleiros privados foram informados de que a *Kriegsmarine* dispunha, agora, de poder de veto sobre qualquer atividade não naval militar.[24] Parecia, também, que a racionalização e priorização seriam aplicadas à própria Wehrmacht. Em 11 de novembro de 1938, Keitel, chefe da OKW, anotou: "Depois de haver sido informado dos programas de armamentos pelos comandantes em chefe, o *führer* pretende dar prioridade a todo o programa de armamentos da Wehrmacht, segundo critérios uniformes, e distribuí-lo organicamente ao longo de certo número de anos, para que seja coerente com a mão de obra, matérias-primas e recursos disponíveis".[25] Na prática, isso significava que o programa alemão de armamentos seria organizado em torno de um horizonte de tempo de quatro anos, em consonância com o calendário já comunicado ao coronel Thomas, no dia da conferência de Munique.

Parece, em suma, que depois da crise dos Sudetos foi feito um verdadeiro esforço para impor uma nova disciplina e coordenação na gestão da economia alemã.[26] Além disso, tanto Göring quanto o OKW tinham responsabilidades duplas na formulação de política econômica e exterior, sendo assim há boas razões para crer que o novo e mais organizado programa de armamentos pode haver sido coordenado, pelo menos teoricamente, com a nova orientação de política externa adotada após a conclusão de Munique.[27] Com o foco, agora, firmemente orientado para a confrontação com a França e a Grã-Bretanha, o OKW e o Ministério do Exterior de Ribbentrop embarcaram numa estratégia de construção de alianças. Sem falar na eliminação do restante da Tchecoslováquia, o primeiro elemento-chave dessa estratégia era a incorporação da Polônia, junto com a Itália, numa aliança ofensiva contra a Grã-Bretanha e a França. Ribbentrop entrou em contato com os poloneses em 24 de outubro, para sugerir uma aliança antissoviética que garantiria a fronteira Germano-polonesa durante 25 anos. Por sua vez, o OKW esboçou planos para uma ação coordenada da Alemanha e Itália contra a França.[28] Os japoneses seriam acrescentados à combinação, tanto como contrapeso para a Marinha Real quanto para dissuadir a União Soviética.

Dada a presunção comum sobre a política interna do Terceiro Reich, essa sugestão de preparações concertadas e de longo prazo pode parecer estranha a alguns leitores. No entanto, existem indícios desse proceder em outubro e novembro de 1938. E o melhor motivo para pensar que, nos meses finais de 1938, o regime de Hitler atingiu certo grau de coerência estratégica geral foi a terapia de choque proporcionada pela crise dos Sudetos. Em setembro de 1938, a liderança alemã havia encarado a possibilidade real de que, em breve, estaria envolvida em uma guerra europeia. Talvez, não seja surpreendente que, posteriormente, tendo obtido uma "segunda chance", Göring, Keitel, Thomas e Ribbentrop tenham conseguido chegar, pelo menos, a certa medida de unidade. Para evitar o desastre, era evidentemente necessário que a Alemanha chegasse a uma estratégia. Para que o Terceiro Reich estivesse realmente em condições de combater a Grã-Bretanha e a França, os preparativos teriam de ser em grande escala. Para que pudessem parecer mesmo moderadamente realistas, esses preparativos precisavam, portanto, estender-se em um horizonte de tempo que chegasse, pelo menos, ao início da década de 1940. Em tal guerra, a Alemanha, sem dúvida, necessitaria de todos os aliados que pudesse conseguir. Como uma aliança ofensiva com a

Grã-Bretanha estivesse fora de questão, a Itália e o Japão eram os parceiros óbvios da Alemanha. Até aí, era simplesmente uma questão de bom-senso. Até que ponto Göring, Ribbentrop e Keitel chegaram a uma verdadeira síntese estratégica permanece como questão em aberto. Mas, deixando por um momento o ceticismo de lado, se houve um período, na década de 1930, em que a Alemanha de Hitler possuiu os elementos para uma estratégia coerente de médio prazo, esse foi tal período — as poucas semanas de calma logo depois da crise dos Sudetos. Mas esse interregno não iria durar.

II

Se passarmos além dos esforços superficiais de coordenação organizativa ficará claro que os planos de armamento de outubro de 1938 nunca tiveram possibilidade de se realizar, e, certamente, não em tempo de paz. O objetivo de triplicar o esforço armamentista total, a partir do nível já elevado de 1938, era simplesmente irrealista. Para um país de renda média como era a Alemanha, na década de 1939, gastos militares da escala contemplada em novembro de 1938, eram incompatíveis sequer com a manutenção da aparência de um padrão de vida normal. Mais imediatamente, era incompatível tanto com a preservação da estabilidade de preços quanto com o equilíbrio do balanço de pagamentos.

De longe, o que tinha implicações mais excessivas era o programa da Luftwaffe. O caráter verdadeiramente absurdo estava não somente nas metas fixadas para a produção anual de aviões, mas no objetivo de iniciar a guerra com uma frota de 21 mil aviões. Durante a Segunda Guerra Mundial, o poderio máximo da Luftwaffe mal excedeu 5 mil aviões, em dezembro de 1944. A Grã-Bretanha, que dedicou uma parcela maior de seu esforço armamentista à guerra aérea, conseguiu acumular somente 8.300 aviões na fase final de sua ofensiva de bombardeio, em 1944. A União Soviética chegou ao máximo de 17 mil aviões na linha de frente, em abril de 1944, dos quais somente um pequeno número era de bombardeiros pesados. Até mesmo a poderosa Força Aérea dos Estados Unidos não contou com mais de 21 mil aviões de combate.[29] Para países europeus de tamanho médio, como a Grã-Bretanha ou a Alemanha, os custos de infraestrutura de uma frota aérea de 21 mil aviões era, simplesmente, estratosférico. Uma primeira estimativa do custo total de quintuplicar a Luftwaffe atingiu 60 bilhões de *reichsmarks*.[30] Isso teria significado gastar 50% a mais na Luftwaffe, entre 1938 e 1942, do que fora gasto na Wehrmacht como um todo entre 1933 e 1938. Ainda mais preocupantes eram as necessidades de combustível. A fim de manter no ar uma frota de 21 mil aviões, a Luftwaffe necessitaria iniciar a guerra com estoques de, pelo menos, 10,7 milhões de metros cúbicos de combustível. Para acumular essa reserva gigantesca, seria preciso comprar combustível, no início da década de 1940, à razão de 3 milhões de metros cúbicos por ano, o dobro do nível atual da produção mundial.[31] O escritório técnico da própria Luftwaffe considerou essas necessidades "sobre-humanas" (*übermenschlich*).[32] Problemas similares rondavam o Plano Z da Marinha. Com tempo, mão de obra e aço, os estaleiros alemães, provavelmente, teriam podido construir os encouraçados de Hitler. O obstáculo realmente proibitivo era assegurar o suprimento de combustível. Segundo o Plano Z, esperava-se que as necessidades de óleo da Marinha aumentassem de 1,4 milhão de toneladas por ano, originalmente contempladas em 1936, para 6 milhões de toneladas, entre 1947-8, e que as necessidades de óleo diesel crescessem de 400 mil para 2 milhões de toneladas. Mesmo nos cálculos mais otimistas, não se imaginava que a produção doméstica ultrapassasse 2 milhões de toneladas de óleo e 1,34 milhão de toneladas de diesel, até 1947-8. A Marinha alemã teria, portanto, de se apoiar nos estoques acumulados, que, em 1939, eram de menos de 1 milhão de toneladas de óleo combustível e diesel juntos. Para sustentar um mínimo de 12 meses de operações ilimitadas, calculou-se que a *Kriegsmarine* teria de construir uma capacidade de armazenamento protegida de não menos de 9,6 milhões de metros cúbicos.[33]

Tal como se desenrolaram os acontecimentos, os gigantescos planos de rearmamento do final de 1938 nunca tiveram possibilidade de chegar a seu inerente absurdo. Todo o esforço de construir uma estrutura coerente para o rearmamento alemão em curso foi interrompido em poucas semanas pelos efeitos retardados da emergência representada pelos Sudetos. No final do ano, o *reich* viu-se, ao mesmo tempo, diante de uma crise de fluxo de caixa e de um severo aperto em sua conta de divisas estrangeiras, o que bloqueou qualquer progresso substancial em direção à meta de Hitler de triplicar a produção de armamentos.

Como vimos, os mercados financeiros eram indicadores sensíveis do clima geral da economia alemã. Em agosto de 1938, apesar da extrema necessidade de liquidez, o Ministério das Finanças tinha sido obrigado a agir sem novo empréstimo, devido à incerteza provocada pela crise dos Sudetos. A mudança abrupta negativa na atitude do mercado tornou a emissão de novos bônus insegura para o governo. No início de outubro, os mercados estavam eufóricos, assim como o Reichsbank, pela esperança de que a Alemanha contemplasse, agora, uma era de prosperidade pacífica. Numa onda de otimismo, poupadores, fundos de seguros e outras instituições financeiras devoraram, não apenas um oferecimento de 1,5 bilhão de *reichsmarks* em títulos do governo, mas também um acréscimo de 350 milhões ajuntados em curto prazo pelo Ministério das Finanças, sedento por dinheiro líquido.[34] Assim, disse um perito: "Depois de Munique... a disposição da Alemanha para incorrer em dívida pública parecia infinita...".[35] Isso, porém, não duraria muito tempo. No fim de novembro, os esforços do Reichsbank em obter um quarto empréstimo de 1,5 bilhão de *reichsmarks* sofreu um fracasso espetacular. Quase um terço dos novos títulos ficou sem comprador.[36] O mercado estava em greve. Foi um fato crítico, porque reduziu drasticamente o espaço de manobra do *reich* para equilibrar as necessidades de gasto público e investimento privado em competição. Se o *reich* não conseguisse mais levantar fundos por meio de empréstimos firmes de longo prazo, nesse caso, não haveria alternativa senão lançar-se a uma inflação mais ou menos ostensiva ou fazer dolorosos cortes nos gastos governamentais, além de elevar ainda mais os impostos. Essa escolha emergiu com perfeita clareza num acerbo debate entre o RWM e o Reichsbank, em novembro de 1938.

Depois do desastroso fracasso da emissão de títulos do *reich*, o RWM, que desde a demissão de Schacht, em novembro de 1937, havia estado sob a influência do Plano Quadrienal, criticou fortemente a decisão do Reichsbank de lançar novo conjunto de títulos com pressa aparentemente desnecessária.[37] Somente três semanas depois da bem-sucedida emissão de outubro, o mercado, simplesmente, não estava pronto para absorver mais dívidas do governo. O efeito desse recurso em ampla escala no mercado de títulos tinha sido retirar dinheiro do mercado de ações. "A expectativa de que houvesse lançamentos de títulos do *reich* a cada quatro semanas paralisou a demanda no mercado de ações..." Isso, por sua vez, impossibilitou a diversas empresas industriais importantes emitir as ações e títulos de que necessitavam para financiar projetos de investimento exigidos pelo Plano Quadrienal. Em vez de lançar novo empréstimo, o RWM argumentou que o *reich* deveria ter mantido a situação estável até janeiro, por meio de créditos bancários de curto prazo, libertando o mercado de capitais para satisfazer as necessidades do Plano Quadrienal. Caracteristicamente, a solução proposta pelos funcionários do ministério era de cunho organizacional. Dali em diante, o RWM exigiria igualdade com o Ministério das Finanças e com o Reichsbank na tomada de decisões sobre a oportunidade de novas emissões. Isso asseguraria que os interesses mais amplos do Plano Quadrienal fossem levados em consideração. A reação negativa do Reichsbank veio poucos dias depois. Conforme explicaram os economistas do banco, o problema não era de organização e não podia ser resolvido com expedientes técnicos. O que o fracasso do empréstimo de novembro havia revelado era, simplesmente, o fato de que a economia alemã se encontrava sobrecarregada. O Reichsbank tinha perfeita consciência dos perigos, mas, devido às necessidades financeiras do *reich*, não havia alternativa. "A situação financeira apresentava-se... excepcionalmente difícil em meados de novembro deste ano; havia um déficit de caixa de 2 bilhões de *reichsmarks*; enfrentávamos a iminente possibilidade de que o *reich* fosse obrigado a cessar os pagamentos." Como todas as partes concordaram em rejeitar o recurso às máquinas impressoras, o *reich* consultara intensamente os bancos sobre a possibilidade de um empréstimo-ponte de curto prazo. Também isso teve de ser rejeitado, porque seria impossível mantê-lo completamente em segredo e "se o público, tanto doméstico quanto externo, tivesse conhecimento dessas medidas de emergência, teria com razão chegado à conclusão de que o financiamento dos projetos do Reich segundo as linhas atuais, já não era mais possível... isso parecia inaceitável... unicamente por motivos de prestígio". De qualquer forma, dado o fato de que o *reich* precisava tomar emprétimos de mais de 1 bilhão de *reichsmarks*, simplesmente, para pagar suas contas até o Natal, o efeito sobre o mercado, certamente, seria grave, qualquer que fosse a forma de levantar o dinheiro. Se o *reich* tomasse uma quantia maior, os bancos não teriam como descontar os papéis comerciais, reduzindo a liquidez industrial e forçando a venda de ações em massa. Além disso, com a proximidade da publicação dos balanços de fim de ano, seria altamente prejudicial à reputação internacional dos bancos alemães caso suas contas ficassem sobrecarregadas com vultosos empréstimos de curto prazo ao *reich*. Nessa situação, com o empréstimo de novembro tendo rendido somente 1,138 bilhão de *reichsmarks*, o *reich* se sustentou somente com a medida desesperada de vender a carteira de títulos de reserva e de utilizar as facilidades de *overdraft*, tanto do Serviço Postal quanto da Reichsbahn. O déficit restante, de 300-400 milhões de *reichsmarks*, foi financiado com emissão de moeda. Dada a situação do *reich* e o clima dos mercados financeiros, o ministério teria de aceitar que "a execução das tarefas pelas quais tem responsabilidade especial na área do rearmamento econômico geral e do Plano Quadrienal já não será possível na escala pretendida". Se houvesse uma tentativa de lançar mais empréstimos no mercado, o Reichsbank temia um efeito desastroso. Uma redução no preço dos títulos, que seria o resultado natural de qualquer medida desse tipo, suscitaria imediatamente o perigo de que todo o bloco da dívida do *reich* se ressentisse. "Esse acontecimento significaria o fim do financiamento ao *reich* por meio de empréstimos." Enquanto persistissem os volumosos déficits do *reich*, a falta de confiança dos mercados de capitais significaria uma constante ameaça de que o *reich* seria obrigado a "cessar os pagamentos". A única opção real era uma decisão de "cortar sem piedade as despesas no setor civil e militar..."

A diretoria do Reichsbank não se contentou em refutar o RWM. Em algum momento em dezembro, Schacht pediu um encontro com Hitler a fim de debater a situação financeira da Alemanha no início do novo ano.[38] Para essa reunião, a diretoria do Reichsbank preparou um novo documento sobre a situação econômica do país, apresentado ao gabinete de Hitler, em 7 de janeiro de 1939. À luz do colapso da confiança do mercado de títulos, o Reichsbank regressou com renovada urgência às exigências anteriormente formuladas, no início de outubro, imediatamente, após os acontecimentos de Munique. A Alemanha via-se agora diante do agudo risco de um surto de inflação resultante da "extraordinária tensão de gastos públicos e créditos de curto prazo".[39] O Reichsbank desempenhara de bom grado seu papel no programa de reconstrução nacional de Hitler. Ali, estavam incluídas as "duas grandes ações na Áustria e nos Sudetos". O banco, no entanto, preocupava-se profundamente com o fato de que, embora o programa de reintegração nacional tivesse chegado a uma conclusão triunfante, ainda não havia sinal de redução no ritmo dos gastos. Em vez disso, "todas as indicações" sugeriam que havia planos de nova "extensão das despesas". Enquanto a diretoria do Reichsbank havia "cooperado com satisfação para atingir o grande objetivo" do rearmamento nacional, havia chegado o momento de "colocar um ponto final". Os prejuízos causados à moeda durante os dez meses anteriores podiam ser remediados, porém, somente mediante a estrita manutenção de um orçamento equilibrado. Desde fevereiro de 1938, o estoque alemão de moeda havia aumentado "mais do que durante os cinco anos anteriores". Essa repentina explosão da expansão monetária, impelida, na verdade, por um programa desequilibrado de obras públicas e rearmamento, pusera em evidência profundas disparidades entre os salários de diferentes grupos de trabalhadores. Nas palavras do Reichsbank, a "estrutura de preços e salários" havia "desmoronado completamente". Repetindo as preocupações já apresentadas muitas vezes, nos últimos seis a nove meses, o Reichsbank assinalava as imensas divergências nos níveis de salários e preços em diferentes setores. Além disso, embora os preços médios tivessem se mantido em nível relativamente constante, tinha havido uma marcada deterioração na qualidade e quantidade das necessidades cotidianas. "As roupas infantis e de trabalho, que, anteriormente, duravam anos, agora, duram somente meses, mas custam o mesmo e até mais." A causa básica dessa desordem era clara. "Não existe 'receita' ou sistema de técnica financeira ou monetária, por mais engenhosamente imaginada, não há medidas de organização e controle, que sejam suficientemente eficazes para impedir que uma política de gastos ilimitados produza efeitos desastrosos sobre a moeda."

É importante compreender a natureza da advertência do Reichsbank. O banco acreditava ser possível conter o nível existente de pressão inflacionária, embora em detrimento da crescente burocracia e ineficiência. Caso, no entanto, o Reichsbank embarcasse nos gastos necessários para satisfazer a exigência de Hitler em triplicar a produção de armamentos, havia um risco real de desastre inflacionário. Segundo a previsão original de Fromm, em 1936, o Exército planejara gastar 49 bilhões de *reichsmarks* até o fim do ano orçamentário de 1942. O plano de quintuplicação da Luftwaffe de 1938 estava orçado em 60 bilhões de *reichsmarks*, ao longo de quatro anos. O plano de expansão naval, que chegou a um projeto final, em janeiro de 1939, custaria 33 bilhões de *reichsmarks* num horizonte de dez anos.[40] Tomando médias brutas anuais, esse planos implicavam em gastos totais da Wehrmacht de 30 bilhões de *reichsmarks* por ano, entre 1939 e 1942 — 30% da renda nacional alemã em 1938, sem contar o Plano Quadrienal e outros projetos estatais. Na verdade, a distribuição dos gastos previstos era mais desigual do que parece indicar essa média. Para 1939-40, a proposta orçamentária total da Wehrmacht chegava a "apenas" 24-25 bilhões de *reichsmarks*.[41] Porém, tendo observado os efeitos dos gastos militares ao nível de 18 bilhões, em 1938, o

Reichsbank tinha todos os motivos para temer as consequências de despesas dessa ordem.

As intervenções do Reichsbank, durante o inverno de 1938-9, representaram uma última tentativa por parte de Schacht e seus colegas de usar argumentos econômicos como alavanca para desviar Hitler do curso que escolhera. No entanto, como fizera em ocasiões anteriores, o *führer* não aceitou desviar-se. Dentro de duas semanas, após o recebimento da petição do Reichsbank, Schacht, o vice-presidente Friedrich Dreyse e o diretor Ernst Hülse já haviam sido demitidos de suas funções. Dois outros signatários da carta pediram demissão em solidariedade. Schacht foi substituído como presidente do Reichsbank pelo sempre obsequioso Walther Funk. Em junho de 1939, os estatutos do Reichsbank foram modificados, abolindo-se qualquer limitação formal de expansão do estoque de moeda. Embora o valor externo do *reichsmark* continuasse oficialmente atrelado ao ouro, o abandono do padrão ouro exigido pelos teóricos nazistas desde a década de 1920 finalmente, foi reconhecido como realidade. Na qualidade de *führer* do povo alemão, Hitler assumiu o poder de determinar o estoque de moeda à sua vontade. O caminho estava livre para as despesas militares sem restrições. A Wehrmacht não obteve tudo o que desejava, mas os enormes gastos de 1938 foram mantidos. O orçamento secreto do *reich* para 1939 atribuía um total de 20,86 bilhões de *reichsmarks* à Wehrmacht, dos quais 11,6 bilhões seriam dedicados às despesas correntes e 9,199 bilhões às medidas expansionistas.[42] A Marinha e a Luftwaffe foram bem aquinhoadas, com alocações de 2,744 e 7,018 bilhões, respectivamente. O Exército teve de se contentar com "apenas" 10,449 bilhões de *reichsmarks*, pouco menos do que gastara em 1938. Para aliviar os problemas de caixa, o *reich* adotou novo expediente em forma de um Novo Plano de Finanças (*Neuer Finanzplan*), em 20 de março de 1939.[43] Segundo seus dispositivos, os fornecedores de bens e serviços ao *reich* foram obrigados a aceitar pagamento de, pelo menos, 40% do valor do contrato, não em dinheiro, mas em forma de créditos para pagamento de impostos. Esses créditos poderiam ser liquidados em anos futuros para saldar impostos devidos e conferiam a seus titulares isenções fiscais significativas, porém, não geravam juros. Na verdade, constituíam um empréstimo compulsório a juros baixos ao *reich*, cujo total, em outubro de 1939, já chegava a 4,831 bilhões de *reichsmarks*.[44] A ideia por trás do Novo Plano de Finanças era que, se as necessidades de crédito do *reich* pudessem ser satisfeitas mediante o pagamento a seus contratistas em forma de certificados para futuro pagamento de impostos, nesse caso os mercados de capitais poderiam fornecer, pelo menos, 1 bilhão de *reichsmarks* em empréstimos para atender às necessidades do Plano Quadrienal. Desde o início, no entanto, essa medida de emergência pouco fez para ocultar as dificuldades financeiras do regime.[45] Os expedientes técnicos não eram capazes de remediar o problema subjacente do excesso de demanda.[46] Ao reduzir a parcela de pagamentos em dinheiro, o Novo Plano de Finanças simplesmente causou grave redução da liquidez dos contratistas do governo. Tampouco a medida conseguiu ser suficientemente substancial para preencher a lacuna de financiamento do Reich. O orçamento de 1938 encerrou-se com um excesso de despesas em relação à receita de impostos e empréstimos seguros de longo prazo, num total de 5,7 bilhões de *reichsmarks*.[47] O déficit adicional previsto no orçamento para 1939 montava a 6 bilhões de *reichsmarks*. Para esse déficit, a única fonte possível de "financiamento" eram créditos de curto prazo do Reichsbank, o que significava realmente impressão de moeda. Nos primeiros oito meses de 1939, a dívida flutuante do *reich* aumentou em nada menos de 80%. Na eclosão da guerra, o volume de dinheiro em circulação dobrara em relação ao nível prevalecente apenas dois anos antes.

Assim, o esforço de imposição de restrições financeiras aos gastos com armamentos fracassara. Tal como em 1934 e em 1936-7, os fatores que, em última análise, ditavam o ritmo do rearmamento, em 1939, eram o balanço de pagamentos e a escassez de divisas. Isso era inteiramente previsível. Como vimos, no início de 1938, nas semanas anteriores ao *Anschluss*, os peritos do Plano Quadrienal haviam anunciado um ano difícil. Ocorreu que os recursos da Áustria em divisas serviram para alívio temporário. No total, o Reichsbank desembolsou, em 1938, 546 milhões de *reichsmarks* em moeda estrangeira, adquirida ou na Áustria ou pela contínua liquidação de ativos estrangeiros de propriedade de particulares. Um terço das necessidades alemãs de "divisas estrangeiras em dinheiro" — em contraposição a importações que podiam ser financiadas pela compensação de créditos — foi financiado por fontes "não renováveis".[48] Conforme disse o próprio Göring ao Conselho do Plano Quadrienal, em 14 de outubro de 1938: "Nos últimos meses, para atingir nossos objetivos políticos, foi necessário adotar uma política *consciente* de confisco de ativos em moeda forte e negligenciar... as exportações".[49] À medida que as reservas alemãs de divisas se aproximavam, mais uma vez, da exaustão, as receitas de exportação desabavam. Em agosto de 1938, as entregas de exportações foram inferiores em 20% às do ano anterior, e o volume de novas encomendas foi ainda menor.[50] Em janeiro de 1939, a diretoria do Reichsbank afirmou, rudemente, em seu relatório a Hitler: "As reservas de ouro e divisas do Reichsbank não existem mais."[51] A balança comercial deteriorava-se rapidamente. "Os recibos de divisas, emitidos pelo escritório de controle, no momento da importação, não estão agora... cobertos por divisas em espécie e, portanto, correm o risco de algum dia não serem pagos... o último crédito externo para cobrir nossas importações de bens ficará, então, perdido".[52] Em novembro de 1938, dada a perspectiva de dizimação das reservas de divisas, já estava claro que a Alemanha teria de abandonar em breve, o esforço de rearmamento total em favor de uma nova concentração nas exportações.[53] De fato, Göring já apoiara um esforço de exportações em meados de outubro de 1938.[54] No início de novembro, a Wehrmacht foi informada de que as encomendas de exportação passariam a ter prioridade sobre todos os demais contratos, incluindo encomendas militares.[55] E, como vimos, a nova orientação recebeu o maior endosso público possível no discurso fatal de Hitler ao Reichstag, em 30 de janeiro de 1939.[56]

Esse discurso ficou famoso, acima de tudo, pelas ameaças de Hitler aos judeus da Europa, mas o que muitas vezes se ignora é que aquelas sombrias ameaças contra os "inimigos da Alemanha" foram feitas simultaneamente a um apelo à população do país para uma nova disciplina e decisão diante das persistentes dificuldades econômicas nacionais. Não seria permitido a nenhuma "camada social decadente" nem ao "preconceito social" obstaculizar a nova mobilização. Dada a recusa das potências ocidentais em aceitar a expansão do *Lebensraum* da Alemanha, a população do país enfrentava uma escolha simples: "exportar ou morrer".[57] A fim de fazer face a essa ameaça existencial, Hitler proclamou uma nova era na política econômica nacional-socialista. O Plano Quadrienal seria intensificado e a força de trabalho da Alemanha motivada da melhor maneira possível. Por meio da "racionalização" e do aperfeiçoamento técnico, a economia alemã seria levada a novos píncaros de desempenho, permitindo-lhe satisfazer as exigências de investimento doméstico, exportação e rearmamento, que competiam entre si. Os meios técnicos seriam fornecidos pelos mecanismos de mercado de capitais do Novo Plano de Finanças. Acima de tudo, porém, era necessária uma liderança nacional-socialista unificada e a cooperação entusiástica de cada alemão e cada alemã. Foi, portanto, nesse estado de emergência nacional que se tornou necessária a demissão de Schacht e a subordinação do Reichsbank à firme liderança nacional-socialista. E essa emergência nacional exigia a nova abordagem concertada de política econômica que vimos emergir desde outubro de 1938.

O dilema, no entanto, era inescapável. Algo tinha de ser feito para reviver as cambaleantes exportações da Alemanha e isso teria de ocorrer à custa dos programas de armamento. Já em 24 de novembro de 1938, as forças armadas receberam a notícia de que, no ano vindouro, a cota geral de aço seria reduzida de 530 mil para somente 300 mil toneladas.[58] Isso foi um completo choque tanto para o Exército como para a Força Aérea, que somente algumas semanas antes se regozijavam na sensação de possibilidades ilimitadas. O Exército, ramo das forças armadas mais dependente do aço, recebeu o aviso de que deveria esperar uma cota apenas superior à de 1937, com restrições especiais para os tipos de aço mais utilizados.[59] A prioridade maior dada à Marinha, em janeiro de 1939, aumentou as preocupações do Exército. As exigências de aço da Marinha não eram imensas, mas, dada a redução geral da cota da Wehrmacht, a mudança de prioridades foi dolorosa. Mesmo levando em conta o pessimismo profissional dos planejadores militares, a situação era visivelmente grave. Na primavera de 1939, os fornecimentos ao Exército estavam em pleno recuo. Como de costume, os cortes recaíram, principalmente, sobre os grandes utilizadores de aço. As encomendas para produção em massa de munição foram reduzidas, para consternação dos fornecedores industriais do Exército.[60] Conforme assinalou Brauchitsch, comandante em chefe do Exército, em uma carta de protesto ao alto-comando da Wehrmacht, o cancelamento abrupto e, aparentemente, arbitrário de encomendas "compromete gravemente a confiança da comunidade de negócios no planejamento estatal da economia. As frequentes indagações de empresários nos últimos dias... mostram isso claramente".[61] A produção de munição para a infantaria desabou. A manufatura de projéteis para morteiros cessou completamente na primavera de 1939. Os obuses de artilharia continuaram a ser produzidos, mas sem os anéis direcionais de cobre. E não foi somente a produção de munições que ficou prejudicada. A escassez de aço para construções foi de tal ordem que, no final de 1939, 300 batalhões de infantaria não tinham quartéis nem garagens adequadas. O Exército alemão crescera tanto que somente poderia ser abrigado em tendas de lona. Em julho de 1939, houve cortes até mesmo nos programas de armas para o Exército. Os planos originais para 1939-40 haviam previsto a produção de 61 mil metralhadoras modelo 34, a nova metralhadora leve que forneceria aos esquadrões de infantaria seu poder de fogo básico. Após a redução da cota de aço do Exército, essa meta foi reduzida para apenas 13 mil. Da mesma forma, as metas para o *howitzer* leve de batalha, de 10,5 centímetros, principal arma da artilharia alemã, foram cortadas de 840 para 460.[62] A produção da carabina padrão de infantaria 98k cessaria, completamente, a partir do outono de 1939. Talvez o mais dramático, à luz de acontecimentos posteriores, tenha sido o programa de tanques, que visava a produção de 1.200 veículos médios de batalha e de comando, entre outubro de 1939 e outubro de 1940, que teve de ser cortado pela metade.[63] No total, 34 dentre as 105 divisões da Alemanha de tempo de guerra ficariam gravemente subequipadas. Das unidades de substituição responsáveis pelo treinamento de novos recrutas, somente 10% poderiam ter qualquer arma. Além disso, os fabricantes de armamentos especializados seriam obrigados a dispensar mais de 100 mil operários qualificados.[64] Como estes seriam imediatamente absorvidos por outros empregadores, isso dificultaria muito o reinício da produção em massa quando a guerra começasse. Os administradores do Exército estimavam, agora, que seriam necessários seis meses após a eclosão da guerra para que as fábricas de munição atingissem o pico de produção. Os estoques de munição da Wehrmacht eram suficientes para cobrir somente 14 dias de batalha acirrada.

A Luftwaffe sofreu igualmente. Em contraste com as visões de expansão de 1938, o planejamento deu marcha à ré, em 1939.[65] Os totais de produção contemplados por sucessivos planos, entre o verão de 1938 e o de 1939, permaneceram em geral, dentro da estrutura fixada pelo Programa Ideal n° 9 de Göring, de dezembro de 1939, que previa 21 mil aviões até 1942. Mas essa estrutura foi mantida por meio do crescente desvio da produção para os anos finais do período do plano. As metas para 1939 e 1940 foram progressivamente reduzidas, assim como o alcance dos aviões incluídos nos planos. Os Planos 8 e 9, redigidos em agosto e dezembro de 1938, previam cada qual a produção de 10 mil ou mais aviões, em 1939. A partir de janeiro desse ano, o Plano 10 reduziu a meta a 8.299 aviões. O Plano 12, preparado em julho de 1939, diminuiu em mais 20% a produção de todos os aviões, com exceção do Ju 88. A fim de preservar esse modelo, o Plano 12 contemplava a cessação progressiva acelerada de aviões mais antigos, como o Ju 87 Stuka.[66] Embora esse bombardeiro de mergulho já tivesse provado seu valor na Espanha, foi preciso cessar sua produção para dar lugar a uma nova geração de modelos, a maior parte dos quais não tinha sido testada. Para suportar o fornecimento reduzido de matérias-primas, a Luftwaffe estava, assim, adotando uma estratégia cada vez mais arriscada de busca de armas. A partir de janeiro de 1939, a ração de alumínio da Luftwaffe, o principal material para construção do arcabouço dos aviões, passou a ser um terço menor do que o necessário para satisfazer as modestas exigências do Plano 11. Quanto ao cobre, a cota inicial foi fixada em 50% das necessidades, e, a partir de julho de 1939, foi reduzida a irrisórios 20%.[67]

O Gráfico 10 mostra o impacto nos fornecimentos para a Luftwaffe e para o Exército, primeiro da recessão de armamentos de 1937 e, em seguida, a queda ainda mais dramática da produção, causada pela escassez de matérias-primas de 1939. Em ambos os casos a consequência para a produção final de armamentos demorou alguns meses para se fazer sentir. Porém, dado o fato de que as matérias-primas levavam nove meses para atravessar completamente o metabolismo industrial, isso era, sem dúvida, de se esperar. O resultado geral de um surto de alta produção e queda pronunciada não poderia ser mais drástico. O único ramo da Wehrmacht isento dessa súbita contração foi a Marinha. As entregas de suas cotas relativamente pequenas de aço continuaram a crescer, após janeiro de 1939, e não há indicação de que os programas de construção tivessem sido, de forma alguma, prejudicados pela falta de material. Ironicamente, no entanto, isso não acarretou aumento do poderio bélico, porque o Plano Z da Marinha dava prioridade a uma nova geração de gigantescos encouraçados e de estaleiros necessários para construí-los, o que levaria anos.

III

O planejamento armamentista não foi o único elemento da estratégia antiocidental de Hitler que derrapou nos primeiros meses de 1939. A política externa da Alemanha também ficou desorganizada.[68] A ambição de Ribbentrop tinha sido juntar à liquidação do restante da Tchecoslováquia o esforço para listar a Polônia como aliada da Alemanha. Ao mesmo tempo, o Ministério do Exterior alemão esperava obter o apoio do Japão e da Itália contra a

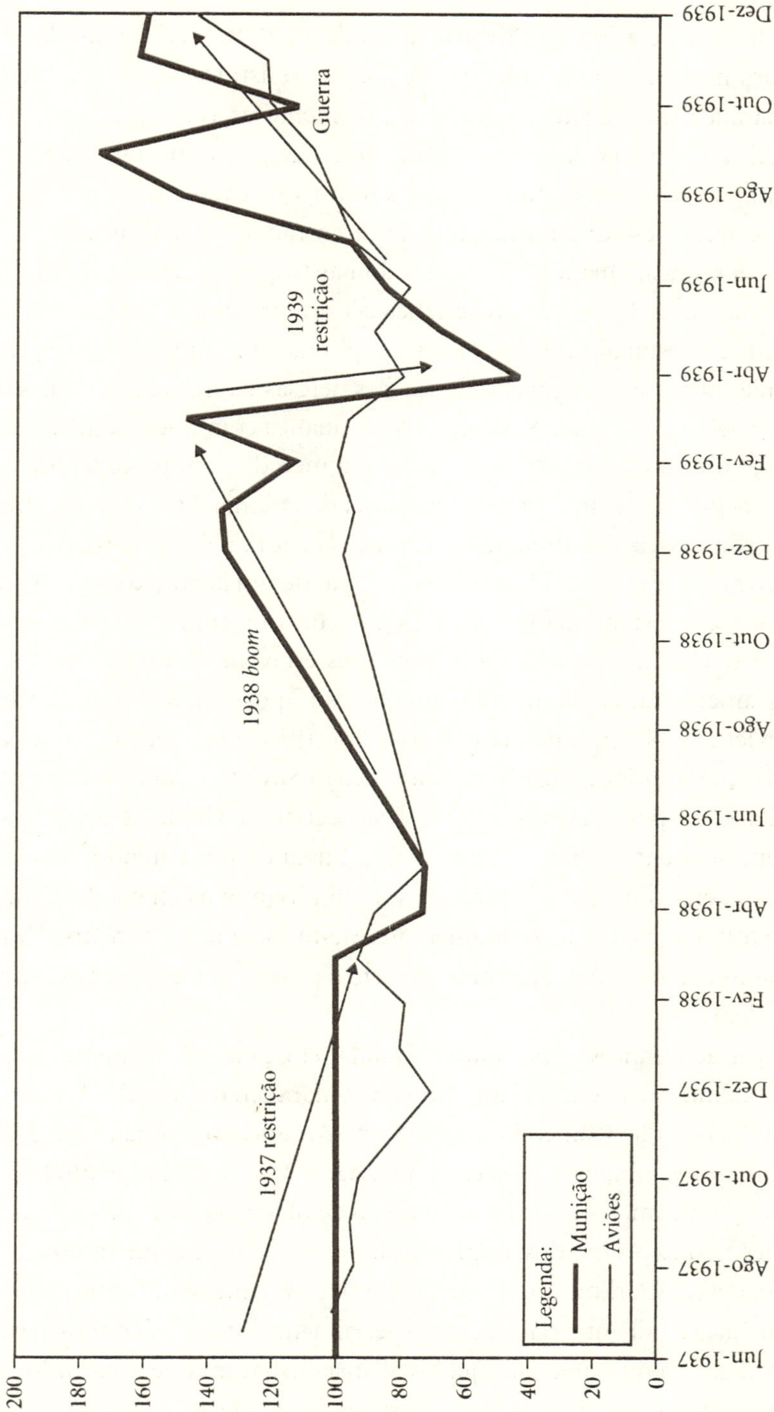

Gráfico 10. Produção de aviões e munição, 1937-1939 (junho de 1937 = 100)

Grã-Bretanha e a França. Na primavera de 1939, Ribbentrop ainda não alcançara nenhum desses objetivos. A Polônia resistiu aos avanços iniciais da Alemanha e chegou a ter a temeridade de melhorar as relações com a União Soviética. O Japão estava preocupado com sua guerra no norte da China e não tinha interesse em adquirir mais inimigos. A Itália dedicava-se a uma rota de agressões que a levou para o leste, entrando nos Bálcãs, e não a oeste, contra a França. Quando Hitler mandou as tropas alemãs contra Praga, em 15 de março de 1939, a fim de estabelecer um protetorado sobre a Tchecoslováquia, o resultado foi um desastre diplomático.[69] Embora a ocupação da Boêmia tornasse vulnerável o flanco das defesas da fronteira polonesa, Varsóvia rejeitava qualquer possibilidade de aliança com a Alemanha. Próximo ao final do mês, a Grã-Bretanha tomou a medida, sem precedentes, de dar garantia pública da integridade territorial da Polônia. Para conferir substância à promessa, a Grã-Bretanha e a França abriram negociações com a União Soviética sobre a possibilidade de conclusão de um acordo de segurança que protegesse o restante da Europa Oriental contra futura agressão alemã. Em retrospecto, é claro que essas negociações estavam destinadas ao fracasso. Ironicamente, uma garantia aos poloneses impossibilitava um acordo com os soviéticos. No entanto, na primavera de 1939, a formação de uma tríplice aliança da França, Grã-Bretanha e União Soviética contra Hitler parecia inevitável.[70] Apesar das reservas de Chamberlain, o Gabinete britânico estava genuinamente comprometido com a busca de um entendimento com a URSS. E, embora a substituição de Maxim Litvinov na chefia do Ministério do Exterior soviético fosse inquietante, Stalin e seu novo ministro, Vyacheslav Molotov, sem dúvida, levaram a sério a possibilidade de um acordo com o Ocidente.

A cartada francesa e britânica foi ainda reforçada pela aparente certeza de que as democracias europeias poderiam contar com o apoio dos Estados Unidos. O Acordo de Comércio Anglo-Norte-Americano, assinado em 2 de novembro de 1938, enviava uma clara mensagem a Berlim.[71] Enquanto Londres e Washington comemoravam a nova união de objetivos, Goebbels expediu instruções estritas proibindo a imprensa alemã de qualquer comentário que desse a entender que Berlim considerava o acordo como uma significativa "vitória da democracia".[72] Chamberlain ficou, especialmente, satisfeito com os relatórios de inteligência que sugeriam que os alemães achavam que do acordo faziam parte "cláusulas militares secretas."[73] Na verdade, o texto nada continha sobre esse tema. Mas, em outubro de 1938, a posição dos Estados Unidos em relação aos armamentos começou a mudar. Roosevelt embarcara em um "grande esforço burocrático e político" para afastar da estrita neutralidade a postura norte-americana, abrindo as portas tanto para o rearmamento dos Estados Unidos quando para a possibilidade de assistência militar a seus aliados na Europa.[74] No fim do ano, os franceses enviaram aos Estados Unidos uma missão com instruções de adquirir 1 mil aeronaves de combate norte-americanos e Roosevelt interviu, pessoalmente, junto às forças armadas de seu país para assegurar que os franceses tivessem acesso às melhores armas que a indústria norte-americana tinha a oferecer.[75] Roosevelt foi eloquente sobre os Estados Unidos fornecerem às democracias ocidentais até 20 mil aeronaves.[76] Ao mesmo tempo, a atitude do governo de Roosevelt para com a Alemanha era cada vez mais antagônica. Depois do horror da *Kristallnacht*, somente a intervenção de Cordell Hull impedira o secretário do Tesouro, Henry Morgenthau, de tomar medidas severas. Em seguida à ocupação da Tchecoslováquia em março de 1939, já não havia motivo para moderação. Roosevelt impôs uma tarifa punitiva de 25% sobre as importações da Alemanha, providência considerada, em Berlim, como equivalente a uma declaração de guerra econômica.[77]

Embora a ocupação de Praga fosse festejada em Berlim como um grande triunfo, havia provocado contra o Terceiro Reich o pesadelo da estratégia alemã, o cerco tanto a leste quanto a oeste, para o qual Hitler não tinha resposta real.[78] Não obstante, assim como em maio de 1938, sua reação imediata foi a agressão. Instruiu a Wehrmacht a iniciar preparativos para ação militar contra a Polônia, a ser executada caso ele conseguisse isolar diplomaticamente aquele país. Os novos planos do OKW foram apresentados a Hitler, em 1º de abril, em Wilhelmshaven, durante as cerimônias de lançamento do gigantesco novo encouraçado, o *Tirpitz*.[79] Era uma ocasião óbvia para um ataque contra a Grã-Bretanha e Hitler a aproveitou ao máximo. Num discurso no fim da tarde, ele entusiasmou a plateia com a lembrança do brutal bloqueio e atacou duramente a hipocrisia com que os britânicos assumiam, naturalmente, a posição moral altaneira, enquanto eles próprios dominavam pela força mais de um quarto do globo. Os recentes esforços britânicos para se aliar à União Soviética indicavam as verdadeiras forças que agiam nos bastidores. "Um a um, os Estados cairão sob o domínio da fera judaico-bolchevista, ou então ela se defenderá." Somente depois que a "cunha judaica" fosse, finalmente, removida dos assuntos internacionais é que a paz seria realmente possível. Durante as semanas seguintes, essa retórica antibritânica e antissemita mostrou ser um tema popular de propaganda, mas nada fez para aliviar a real ameaça de isolamento que a Alemanha agora enfrentava.

Nos escritórios do Plano Quadrienal, Carl Krauch registrou a verdadeira gravidade da situação em uma série de memorandos sobre o panorama das matérias-primas na Alemanha em caso de guerra. Seu ponto de partida foi a percepção de que a Alemanha ia gradativamente perdendo a capacidade em ditar o ritmo dos acontecimentos.

> Quando, em 30 de junho, o aumento das metas de produção... foi fixado pelo Marechal de Campo [o *Wehrwirtschaftlicher Neuer Erzeugungsplan*, de Göring], parecia que a liderança política [alemã] teria a possibilidade de determinar sozinha o horizonte de tempo e a escala da transformação política da Europa... evitando ao mesmo tempo, uma confrontação com o grupo de poder liderado pela Inglaterra. Desde março deste ano [1939], não pôde haver mais dúvida de que essa possibilidade já não existe. A guerra econômica contra as potências antiComintern, que já começou secretamente sob a liderança da Inglaterra, França e Estados Unidos, foi agora ostensivamente declarada e, com o tempo, tomará formas ainda mais duras.[80]

Seguindo a linha do discurso de Hitler, em Wilhelmshaven, Krauch afirmou que o Plano Quadrienal não devia permanecer passivo enquanto as potências ocidentais terminavam de montar o cerco. A aliança antiComintern da Alemanha com a Itália, a Hungria e a Espanha de Franco deveria ser consolidada em forma de um bloco econômico unificado capaz de combater em uma "guerra defensiva" prolongada (*Verteidigungskrieg*) contra as forças de "quase todo o resto do mundo" (*fast der ganzen übrigen Welt*). O que Krauch propunha era um gigantesco novo esforço para construir fábricas de combustível e borracha sintéticos e metais leves para cada um dos aliados da Alemanha. A liderança desse programa deveria caber à indústria, isto é, a IG Farben, e ele deveria, naturalmente, ser apoiado por novas e generosas cotas de aço. Porém, como Krauch claramente reconhecia, dada a escala da ameaça enfrentada pela Alemanha, a autarquia já não era suficiente. Para que o Terceiro Reich pudesse sobreviver a uma guerra verdadeiramente global, teria de estender sua influência sistematicamente até os campos petrolíferos da Romênia e do Irã. A Turquia assumia, assim, uma importância estratégica como porta de entrada para o Oriente Médio. Além disso, a Alemanha necessitava urgentemente cultivar as relações comerciais com a União Soviética. "Por meio de uma política ostensiva de cerco, levada a cabo por nossos inimigos, criou-se uma nova situação... Se essas ideias não forem imediatamente traduzidas em forma de ação, nesse caso, todo o sacrifício de sangue na próxima guerra não nos protegerá do amargo desfecho, ao qual a falta de previsão e de decisão nos condenou numa ocasião anterior."

Um passo na direção correta foi o tratado germano-romeno, de 23 de março de 1939.[81] Isso provocou grande alarme, em Londres e Paris, porque a Romênia era o único grande produtor de petróleo da Europa Oriental e porque o tratado tinha sido, claramente, resultado de coerção tanto quanto de suborno.[82] Em Berlim, o acordo foi saudado como uma grande realização, que asseguraria o suprimento de petróleo e trigo para a Alemanha durante o futuro previsível. Para os romenos, no entanto, parece ter sido pouco mais do que uma forma de afastar a pressão alemã e húngara. Poucas semanas depois da conclusão do tratado, a Romênia induziu os franceses a garantir sua segurança, junto com a da Polônia. Os britânicos foram compelidos a participar. Depois da ocupação de Praga, o equilíbrio de poder no sudeste da Europa ficou em delicada situação.[83] Enquanto a Alemanha tentava forçar a Romênia para sua órbita, a Turquia optou pelos poderes ocidentais, assegurando assim o flanco direito do Império Britânico no Oriente Médio.[84] A decisão da Turquia repousava sobre o entendimento comum, na primavera de 1939, de que em breve haveria o anúncio de uma tríplice aliança ligando as potências ocidentais à União Soviética. Impelidos pela mesma suposição, iugoslavos, gregos e, até mesmo, os búlgaros gravitavam na direção de Paris e Londres, no verão de 1939, e não na de Berlim. Até mesmo o pacto comercial com a Romênia decepcionou os alemães. Uma vez levantada a ameaça de ação militar húngara, a disposição romena de fornecer petróleo à Alemanha passou a depender da capacidade alemã de fornecer mercadorias, especialmente, armas.[85] Em junho, a Romênia interrompeu o fornecimento de petróleo, pela primeira vez, obrigando os negociadores comerciais alemães a concordar na entrega de Messerschmitts de última geração. Em 22 de julho, Hitler interveio pessoalmente, vetando o trato. Em sua opinião, era muito incerta a possibilidade de contar com os romenos ao lado da Alemanha em caso de guerra. Isso, no entanto, levou o escritório do Plano Quadrienal a se preocupar com a possibilidade de que Berlim em breve, tivesse de introduzir racionamento de gasolina em tempo de paz. Sem as importações de petróleo da Romênia, era evidente que a Alemanha não poderia sobreviver por muito tempo. Somente poucas semanas depois, portanto, Göring deu instruções contrárias às ordens de Hitler. A Romênia obteve os aviões. A conclusão, porém, era inescapável. Os esforços da Alemanha em estabelecer domínio econômico sobre o sudeste europeu por meios pacíficos estavam chegando ao limite. Na verdade, o escritório econômico-militar da Wehrmacht já havia concluído, em abril de 1939, que os suprimentos de petróleo da Romênia somente seriam suficientes para satisfazer as necessidades da Alemanha se o país fosse ocupado por tropas alemãs e se a indústria romena como um todo, cuja maior parte era dominada pela França e pela Grã-Bretanha, passasse a produzir em beneficio da Alemanha.[86]

Para Berlim, o problema fundamental era que depois da ocupação de Praga, com a Grã-Bretanha e a França unidas e, aparentemente, capazes de contar com o apoio dos Estados Unidos, qualquer análise estratégica convencional sugeria a inferioridade alemã. Somente no caso de os alemães obterem a concordância do Japão e da Itália para uma ação combinada, é que os Impérios Britânico e Francês poderiam ficar gravemente ameaçados. No entanto, era precisamente essa grande aliança o que vinha escapando à diplomacia de Ribbentrop, em 1939. Nem o Japão e nem a Itália desejavam ligar-se com demasiada firmeza ao perigoso rumo de Hitler. Tampouco havia falta de clareza em Berlim quanto ao tamanho do desafio econômico-militar enfrentado pela Alemanha. Em 24 de maio de 1939, o principal economista da Wehrmacht, o general Thomas, apresentou a membros do Ministério do Exterior uma análise lúcida e altamente pessimista do equilíbrio de forças.[87] Thomas mostrou a sua plateia as mais recentes comparações de gastos de defesa planejados pelas "três democracias", em 1939-40, com os planos de gastos da Itália e da Alemanha. A conclusão a que ele chegara foi que, descontando as diferenças de poder de compra, a Grã-Bretanha, a França e os Estados Unidos gastariam, pelo menos, mais 2 bilhões de *reichsmarks* durante o ano seguinte. Ainda mais contundente foi o prosseguimento da análise de Thomas, comparando a carga do rearmamento, em termos macroeconômicos, ao relacionar as despesas militares com a renda nacional. A esse respeito, a desvantagem do Eixo era ainda mais flagrante. Enquanto a Alemanha, em 1939, já planejava dedicar 23% de sua renda nacional à Wehrmacht, o mesmo dado para a França era de 17%, 12% para a Grã-Bretanha e apenas 2%

para os Estados Unidos. Esses dois últimos números eram cruciais. Dado o fato de que as economias britânica e alemã eram mais ou menos comparáveis, uma aliança franco-britânica sempre gozara de vantagem significativa numa corrida armamentista europeia. E, como Thomas bem compreendia, o planejamento estratégico britânico não se limitava à Europa. A Grã-Bretanha contava com "o império inteiro e os Estados Unidos como arsenal e reservatório de matérias-primas". Se a vasta capacidade industrial norte-americana se aliasse à Grã-Bretanha e à França, a desvantagem alemã seria esmagadora.

Ao fazer essas comparações, Thomas pode haver pretendido reiniciar o debate estratégico que Ludwig Beck abandonara no mês de agosto precedente. Sabemos que Thomas se opunha a uma guerra prematura contra a Grã-Bretanha e a França, e ele pode ter estado em busca de aliados entre os principais funcionários públicos do Ministério do Exterior. Por outro lado, para quem estivesse resolvido a fazer a guerra, como cada vez mais parecia ser o caso em relação a Hitler e Ribbentrop, os dados apresentados por Thomas também podiam ser usados para sustentar uma conclusão alternativa. Numa corrida armamentista total com as "democracias", o tempo, claramente, não estava do lado da Alemanha.[88] Se os números de Thomas fossem confiáveis, e se as democracias já estavam gastando mais 2 bilhões de *reichsmarks* do que a Alemanha em 1939, com os Estados Unidos fazendo uma contribuição mínima, qual seria a dimensão da vantagem dessas potências no prazo de poucos anos? O argumento aplicava-se com mais razão à Luftwaffe, porque o desenvolvimento extraordinariamente rápido da tecnologia aeronáutica, na década de 1930, produzira o efeito de igualar as possibilidades. Apesar das explosões de temperamento periódicas de Göring, era claro que os britânicos estavam concentrando os recursos disponíveis na Real Força Aérea, primeiro, com fins defensivos, porém, em última análise também como ameaça ofensiva. Não havia motivo para acreditar que a indústria aeronáutica alemã dispusesse de superioridade técnica significativa sobre a britânica. Embora a inteligência de ambos os lados fosse precária, na primavera de 1939 a produção britânica de aeronaves, por essa época, rivalizava com a do Terceiro Reich. No curto prazo, por outro lado, devido ao rápido ritmo de expansão, a partir de 1933, a Força Aérea alemã ainda possuía uma clara margem de superioridade, tanto em termos de número de aviões aptos para o combate quanto em termos da prontidão geral para a guerra.[89] Em suas conversações com o ministro do Exterior da Itália, Galeazzo Ciano, em 15 de abril de 1939,

Göring enfatizou o fato de que, em nove ou doze meses, a situação seria mais "favorável" ao Eixo do ponto de vista do equilíbrio aéreo.[90]

O que ninguém, que estivesse de alguma forma inteirado da situação econômica da Alemanha, poderia esperar era uma nova aceleração do esforço armamentista, e, certamente, não nas condições prevalecentes. Como vimos, os esforços do Exército para estocar munição e armas suficientes para equipar milhões de soldados estavam desordenados. Os programas da Luftwaffe se encontravam retraídos, e não em expansão. Sabemos, além disso, que Hitler estava plenamente informado da situação. Em fevereiro de 1939, quando as consequências dos cortes se fizeram sentir pela primeira vez, Brauchitsch tomou a iniciativa de escrever diretamente a Hitler.[91] Era uma atitude ousada porque desafiava uma ordem, recém-baixada, que proibia a membros do Estado-Maior do Exército tentar dissuadir Hitler por meio de relatórios pessimistas sobre a situação dos armamentos. Embora tivesse levado semanas para responder formalmente a Brauchitsch, o *führer* ficou claramente preocupado. Em fevereiro de 1939, um oficial graduado do *Heereswaffenamt* recebeu as seguintes instruções:

> Como fui confidencialmente informado pelo capitão Engel, ajudante de ordens do *führer*, este deseja conhecer os seguintes fatos, se possível até o fim da primeira semana de março:
>
> 1. quantidade de armas e munições disponíveis
> 2. dividida entre as que estão em poder dos soldados e as estocadas
> 3. que quantidades se espera sejam acrescentadas.[92]

Parece apenas razoável presumir que Hitler quisesse se informar sobre a situação do Exército alemão no momento em que planejava ocupar Praga. Um mês depois, em 15 de abril de 1939, Brauchitsch preparou um relatório para Hitler que descrevia em detalhes penosos o impacto não apenas dos cortes gerais no fornecimento de aço, porém, mais particularmente, da aguda escassez de barras de ferro. Com o apoio de 30 páginas de estatísticas e quadros, Brauchitsch desferiu o golpe principal:

> A situação criada, hoje em dia, pela escassez de barras de ferro corresponde, de certa forma, à situação anterior à Grande Guerra. Naquele tempo, a preparação dos três corpos do Exército que seriam necessários, no primeiro ano

> da guerra, para chegar a uma decisão rápida foi frustrada pela recusa dos recursos necessários pelo parlamento. Hoje, o Exército está sendo privado do ferro em barras necessário para seu equipamento com armas ofensivas modernas. As consequências podem ser as mesmas de 1914.[93]

Poucos meses depois, já não era mais o aço e sim os metais não ferrosos, especialmente cobre, o que obrigou Brauchitsch a apelar tanto a Hitler quanto a Keitel, como chefe do alto-comando da Wehrmacht. O cobre era o indicador mais sensível da situação das divisas estrangeiras, porque a Alemanha era inteiramente dependente de minerais externos. Seguindo na esteira de seis meses de cotas reduzidas de aço, Brauchitsch descreveu as novas alocações de metais não ferrosos como equivalente "em sua totalidade... à liquidação do esforço de rearmamento do Exército".[94] Apesar da proibição de tirar conclusões a partir de tais problemas, Brauchitsch insistiu com Keitel que, "em quaisquer circunstâncias, é preciso encontrar meios e modos para impedir essa interrupção abrupta do crescimento do Exército, especialmente, em época de tanta tensão política". À medida que se aproximava a guerra com a Polônia, o programa de armamentos do Exército alemão ameaçava chegar a uma paralisia virtual. Novamente, o gabinete de Hitler respondeu com uma nota aos burocratas dos armamentos: "O *führer* deseja conhecer as perspectivas do nível de armamentos para 1º de abril de 1940 e 1º de outubro de 1940, no mesmo formato dos documentos recentemente fornecidos em relação a 1939... Favor assegurar que esses prazos sejam respeitados".[95] Pareceria que Hitler acompanhava de perto o impacto da redução das cotas de matérias-primas sobre a produção de armas e procurava formar uma opinião quanto ao provável poderio militar à sua disposição nos 12 a 18 meses seguintes. Não é surpreendente que, à luz dos comentários de Brauchitsch, o escritório de suprimentos do Exército tenha respondido ao pedido de informações de Hitler com uma visão altamente pessimista. Em vez de um máximo "ideal" de 375 milhões de cargas de munição para infantaria por mês, a alocação de matérias-primas, a partir de julho de 1939, permitira a produção de menos de 37 milhões. Em vez de 650 mil cargas antitanque de 3,7 centímetros por mês, a indústria alemã produziria 39 mil. Em lugar de 450 mil obuses mensais para os grandes *howitzers*, a indústria produziria 56.300. O Gráfico 11 resume o futuro da produção alemã de munição tal como foi apresentado a Hitler pelo Estado-Maior do Exército no verão de 1939.

A requisição de informações por parte de Hitler era tão urgente que o chefe do serviço de suprimentos do Exército não teve tempo de verificar os dados compilados por seus subordinados.[96] Ficou visivelmente preocupado com a reação de Hitler. Se o *führer* achasse que o Exército estava buscando influir em sua decisão, apresentando estatísticas pessimistas, seria capaz de reagir mal. Por isso, depois que os dados foram enviados ao ajudante de ordens de Hitler, o oficial encarregado tratou de verificar as projeções extremamente baixas que haviam sido apresentadas em relação à munição para a infantaria. A equipe de suprimentos respondeu, imediatamente, com uma explicação completa dos cálculos. Para chegar àqueles números, o escritório de fornecimentos havia projetado para o futuro as cotas de aço esperadas para o terceiro trimestre de 1939. Ainda mais importante como fator limitante era a redução da alocação de cobre, esperada para apenas 415 toneladas por mês, a partir de julho de 1939. Além disso, tinham tido de levar em consideração a prioridade especial ordenada por Hitler para os canhões para tanques, morteiros, artilharia pesada para infantaria e minas terrestres. Presumindo que 60% do aço disponível fosse distribuído a essas armas de alta prioridade, as estimativas de produção de munição padrão de 7,92 milímetros para a infantaria eram, na verdade, elevadas.

As fontes não revelam a maneira exata pela qual Hitler reagiu a essas previsões. No entanto, podemos ter absoluta certeza de que, no outono de 1939, Hitler não tinha ilusões sobre a viabilidade dos programas de armamento de longo prazo estabelecidos após Munique. Dados os problemas de financiamento e matérias-primas encontrados, desde outubro de 1938, a realização daqueles grandes objetivos já não eram realistas. Hitler demitira Schacht, em janeiro de 1939, derrubando o último obstáculo político importante a um financiamento inflacionário ostensivo. A limitação representada pelo balanço de pagamentos, no entanto, não podia ser afastada com tanta facilidade. Embora a situação estratégica exigisse, sem dúvida, uma aceleração do rearmamento alemão e, embora essa aceleração tivesse sido claramente planejada, no outono de 1938, a escassez de matérias-primas importadas a impossibilitava. A economia armamentista da Alemanha chegara, mais uma vez, ao impasse que, desde 1934, impedira repetidamente sua expansão. Naturalmente, por meio de medidas extremas, seria possível elevar a parcela da renda nacional destinada aos militares acima do nível de 20% já conseguido em 1938, porém, somente à custa do abandono de qualquer noção de uma

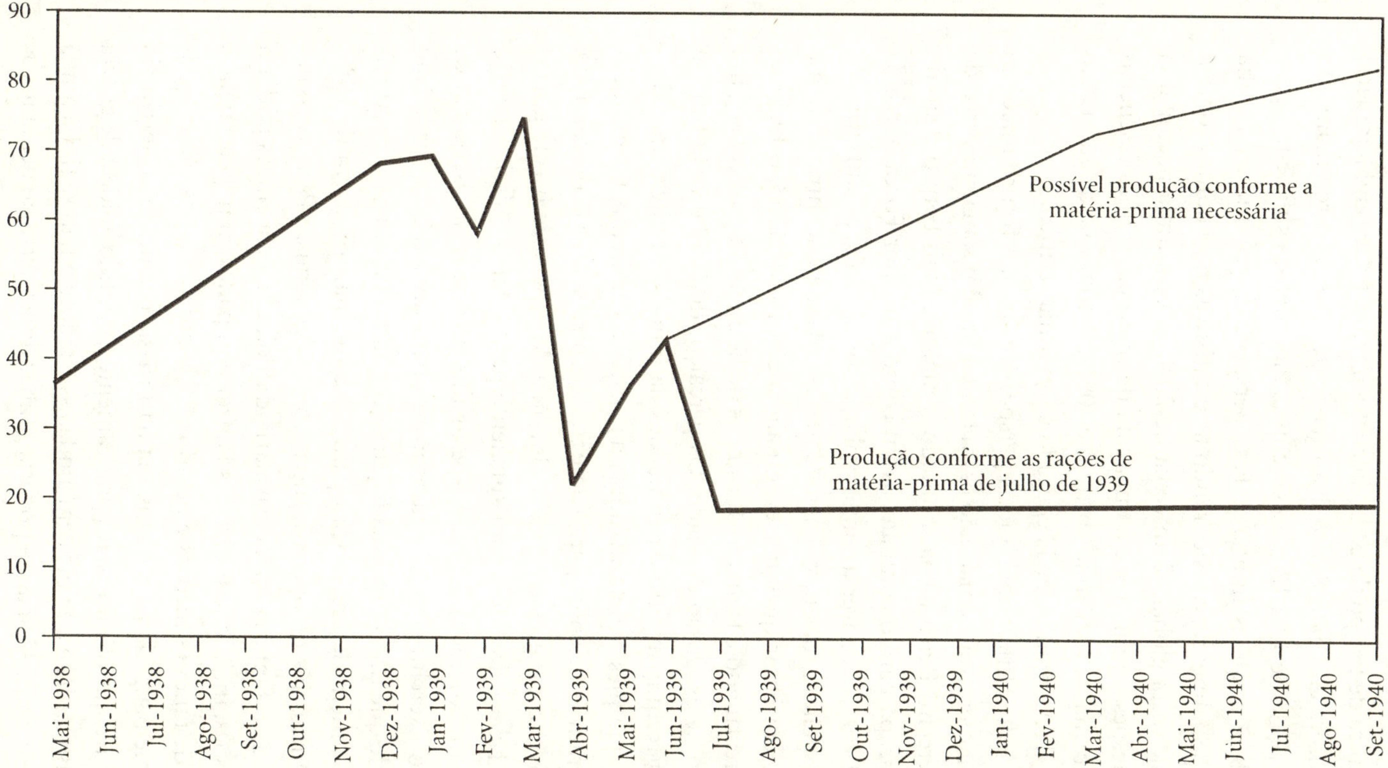

Gráfico 11. Futuro da produção alemã de armamentos, conforme apresentado a Hitler, julho de 1939 (janeiro-fevereiro de 1942 = 100)

Nota: O quadro é construído a partir de estatísticas da produção real até maio de 1939. Os dados além de maio de 1939 são os níveis previstos de produção transformados em um índice que utiliza ponderação adequada a cada tipo de munição. Os números "ideais" referem-se à capacidade manufatureira disponível para a produção de munição, deixando margem suficiente de capacidade para encomendas de exportação e necessidades civis, porém presumindo uma alocação ilimitada de matérias-primas.

política econômica de tempo de paz. Alternativamente, a Alemanha poderia fazer o que já fizera em 1936-8, isto é, abster-se de acelerar o rearmamento durante um período de 12 a 18 meses, acumulando divisas suficientes para um surto final de despesas militares. Essa perspectiva, porém, nada tinha de atraente, especialmente, considerando as estatísticas de Thomas sobre a corrida armamentista global. Com cerca de 20% da economia nacional já dedicados às despesas militares e com a cota de matérias-primas essenciais atribuída à Wehrmacht oscilando entre 20 e 30%, a "economia de guerra em tempo de paz" da Alemanha havia chegado a um limiar crítico.

Se, por um lado, Hitler sabia que as perspectivas para o futuro imediato do esforço armamentista alemão não eram boas, também sabia, no verão de 1939, que o Terceiro Reich havia montado o maior e mais bem preparado Exército da Europa para o combate, assim como a melhor Força Aérea. Já em março de 1939, em conversa com o embaixador da Itália, ele afirmou que "no que diz respeito a suas forças armadas, a Alemanha encontra-se agora, em posição de enfrentar qualquer eventualidade".[97] Desde 1933, o Exército alemão havia recrutado e treinado 4 milhões de homens. Jamais conseguira atingir o ritmo de expansão desejado. Os percalços de 1937 e 1939 tinham sido graves. O reequipamento das unidades da linha de frente com a última geração de tanques e metralhadoras não estava terminado. Os estoques de munição eram suficientes para somente algumas semanas de combate. Mas era inegável o progresso desde 1938, quando a perspectiva de guerra para tomar a Tchecoslováquia fora suficiente para levar o exército alemão quase ao motim. No verão de 1939, apesar dos protestos do escritório de suprimentos, o Exército alemão estava pronto para uma guerra curta. Não havia dúvida de que tinha capacidade para dominar a Polônia. Quando Hitler expediu a ordem de preparação para o ataque, na primavera de 1939, não houve murmúrios de oposição de parte dos generais.[98] Para avassalar as 30 divisões de infantaria e 7 de cavalaria da Polônia, os alemães podiam lançar 54 divisões, incluindo 6 divisões Panzer equipadas com, pelo menos, um punhado de tanques médios e pesados.[99] Além disso, a posição geográfica circundante ocupada pela Alemanha na Prússia oriental e no território tcheco significava que o êxito estava praticamente garantido. A ideia de guerra contra a Grã-Bretanha e a França era ainda assustadora e não se tinha ainda noção clara de como a Alemanha poderia ganhar uma guerra no ocidente. Se os franceses montassem uma decidida ofensiva contra o oeste da Alemanha enquanto o grosso da Wehrmacht e da Luftwaffe se encontrasse na Polônia, o resultado poderia ser catastrófico. No entanto, pelo menos, a Alemanha já não se encontrava indefesa. Mesmo concentrando o grosso das forças no leste, a Wehrmacht seria capaz de defender a fronteira ocidental com pelo menos, onze divisões de primeira linha, em vez das 5 de que dispunha em 1938. Além disso, graças aos esforços de Todt, a entrada da Renânia entre o Reno e o Mosela estava agora bem fortificada.[100] A Muralha do Oeste, que, em setembro de 1938, era pouco mais do que um canteiro de obras, fazia agora parte de um profundo sistema defensivo, com 11.283 casamatas e ninhos de peças de artilharia. O poderio aéreo aumentara para cerca de 4 mil aviões de ataque, e, como a Luftwaffe iniciara seu reequipamento, em 1936, todos os aparelhos eram modernos. Além disso, desde o verão de 1938, o *Schnellplan* de Krauch dera à Alemanha a capacidade para se dotar de explosivos, pólvora e gases venenosos mais do que suficientes, caso necessário.

Em suma, no outono de 1939, era possível construir uma *lógica* para a guerra, levando em conta apenas a dinâmica do esforço armamentista. Se o conflito era inevitável, como certamente acreditava Hitler, nesse caso, a Wehrmacht pouco tinha a ganhar com a espera.[101] Sem dúvida, Hitler adotou exatamente essa lógica em diversas ocasiões. Ao justificar sua decisão de atacar a Polônia, independentemente dos perigos, ele referiu-se explicitamente às pressões econômicas. A ocasião mais famosa ocorreu em 22 de agosto de 1939, num discurso à liderança militar, em Berchtesgaden, quando ele afirmou enfaticamente: "Nada temos a perder e tudo a ganhar. Devido a nossas limitações, nossa situação econômica é tal que somente podemos resistir poucos anos mais. Göring pode confirmar isso. Temos de agir..."

Segundo outra versão do mesmo discurso, Hitler foi menos elogioso em relação a Göring. "O Plano Quadrienal fracassou e estaremos perdidos se não conseguirmos a vitória na guerra que se aproxima".[102] Albert Speer, que acompanhava Hitler, diariamente, em 1939, recorda uma argumentação do *führer* em favor da guerra, baseada diretamente na dinâmica da corrida armamentista. A partir de 1940, Hitler aparentemente acreditava que a "superioridade proporcional" da Alemanha "se reduziria constantemente". "Por outro lado, possuímos agora armamento novo em todos os campos, e o dos adversários é de tipos obsoletos".[103] Conforme veremos, uma vez iniciada a guerra, Hitler foi até mesmo mais explícito sobre a pressão do tempo contra a qual acreditava estar agindo, apresentando sua decisão de entrar em ação como a escolha consciente de uma posição ofensiva contra uma coalizão inimiga em formação. Em março de 1940, ele escreveu a Mussolini em termos notavelmente claros: "Desde a introdução do recrutamento militar na Inglaterra [na primavera de 1939], ficou perfeitamente claro que os círculos competentes do governo britânico já haviam tomado a decisão de entrar em guerra contra os Estados totalitários." Os objetivos desses ocultos "círculos" eram abrangentes, "totais", nas palavras de Hitler. "Nada menos", na verdade, "do que a *eliminação* [*Beseitigung*] desses regimes", mais notavelmente os da Alemanha e Itália, "que, em sua essência, constituem uma ameaça às plutocracias feudais e reacionárias". Diante dessa ameaça de aniquilação, os horizontes de tempo de Hitler se encurtaram.

> À luz da intenção britânica de se armar, e também considerando a pretensão inglesa de mobilizar todos os auxiliares possíveis... parece-me, afinal, correto... começar imediatamente o contra-ataque [*Abwehr*], mesmo com o risco de precipitar, com isso, a guerra pretendida pelas potências ocidentais em dois ou três anos. Afinal, Duce, qual poderia ser o aperfeiçoamento de nossos armamentos em dois ou três anos? No que respeita à Wehrmacht, à luz do rearmamento acelerado da Inglaterra, uma mudança significativa do equilíbrio de forças em nosso favor dificilmente seria concebível. E para o leste a situação somente poderia deteriorar-se.[104]

À luz dos graves atrasos do esforço armamentista alemão, no verão de 1939, revelados plenamente, pela primeira vez, neste capítulo, essas justificativas feitas por Hitler para sua decisão de entrar em guerra merecem ser tomadas a sério e não ser descartadas como meras "meias verdades" e racionalizações *ex post facto.*[105] Hitler mantinha-se bem informado sobre o estado da produção alemã de armamentos e estava, essencialmente, correto em sua avaliação de que a Alemanha chegara ao ponto em que tinha muito pouco a ganhar com uma continuação da corrida armentista em tempo de paz. Isso fica evidente tanto pela análise geral, feita por Thomas, dos aspectos macroeconômicos da corrida armamentista e pela comparação das estatísticas de produção de aviões militares. Durante o ano de 1939, a Grã-Bretanha e a França finalmente estavam alcançando a Luftwaffe. Se a guerra era inevitável, como pensava Hitler, nesse caso, em termos de sua própria "lógica insana", ele tinha interesse efetivo em tomar a ofensiva na primeira oportunidade favorável. A oportunidade necessária ocorreu, no verão de 1939, com a extraordinária reversão da sorte diplomática da Alemanha.

IV

Com a situação na Europa central e ocidental cada vez mais polarizada, as potências periféricas passaram a ter importância estratégica decisiva. A Alemanha não conseguiu a Polônia como aliada, nem tampouco Hitler teve êxito em anular as garantias dadas pela Grã-Bretanha e França. Por outro lado, no final de 1939, Hitler e Ribbentrop haviam rompido a coalizão transcontinental, que parecera ameaçar o Terceiro Reich após a ocupação de Praga. Os Estados Unidos foram os primeiros a hesitar. Desde Munique, Roosevelt orientara-se cada vez com menos ambiguidade em direção contrária ao expansionismo de Hitler. A questão fundamental, no entanto, era saber se o presidente conseguiria organizar a necessária coalizão doméstica, no próprio país, em apoio a sua atitude cada vez mais belicosa. À medida que a Europa se aproximava da guerra, a altamente restritiva Lei de Neutralidade, de 1937, permanecia em vigor. Depois da ocupação de Praga, foram iniciados esforços no Congresso para reduzir as restrições a fim de permitir aos beligerantes comprar armamentos mediante pagamento e entrega à vista.[106] Mas, no início do verão, essas tentativas de revisão tinham sido combatidas e levadas à paralisia pela minoria isolacionista, tanto na Câmara quanto no Senado. Em 18 de julho, Roosevelt foi obrigado a abandonar a tentativa até a legislatura seguinte. Em Paris e Londres houve consternação. No campo fascista, os meios de comunicação exultaram. As promessas norte-americanas eram ocas.[107]

O jornal pró-fascista *L'Action Française* reagiu com profundo sarcasmo: "Os Estados Unidos estão ao nosso lado! Cento e vinte milhões de cidadãos livres estão ansiosos por ajudar nossos soldados!".[108] Do jeito em que estavam as coisas, no verão de 1939, os Estados Unidos não se encontravam em posição de fornecer armas e munição nem à Grã-Bretanha, nem à França em caso de guerra. É difícil imaginar que as opiniões ajuizadas em Roma ou em Berlim tivessem dúvidas sobre o que aconteceria caso a guerra realmente estourasse. Os isolacionistas não se opuseram aos esforços de Roosevelt para elevar o nível dos armamentos norte-americanos, mas o que ficara claro, no verão de 1939, era que, se houvesse guerra na Europa, passar-se-iam meses, senão anos, até que o poderio industrial e militar dos Estados Unidos pudessem ter pleno impacto.[109]

Enquanto o engajamento dos Estados Unidos ao lado da Grã-Bretanha e da França simplesmente vacilava, a posição da União Soviética mudou muito mais drasticamente. Depois da ocupação alemã de Praga, em 15 de março, presumia-se, como vimos, que uma tríplice aliança, em breve, uniria a França, a Grã-Bretanha e a União Soviética em um sistema defensivo contra a Alemanha. A ameaça das persistentes agressões, por parte da Alemanha, a esses três países era de tal gravidade que as objeções ideológicas, certamente, seriam deixadas de lado. Chamberlain, anticomunista absolutamente convicto, disse a mesma coisa ao Parlamento britânico no fim de maio.[110] Conversações diplomáticas e militares entre Paris, Londres e Moscou prosseguiram durante o verão.[111] Hitler, por sua vez, continuava a insistir em uma aliança global vinculante com a Itália e o Japão, única esperança da Alemanha de se contrapor à avassaladora superioridade naval da França e da Grã-Bretanha. Os britânicos bem o compreenderam. A "tripla ameaça" de uma coalizão do Eixo no Atlântico, Mediterrâneo e Pacífico era o verdadeiro pesadelo dos estrategistas da Marinha Real.[112] A busca por uma resposta global à Inglaterra obrigava a Alemanha a não procurar relações mais próximas com a União Soviética, pois o Japão e os soviéticos estavam envolvidos em um tenso impasse na Manchúria. Em Moscou, no entanto, os indícios de uma nova atitude em relação à segurança europeia estavam perfeitamente claros.[113] Ao mesmo tempo em que os japoneses, cada vez mais, se afastavam de um comprometimento militar firme com a Alemanha e a Itália, os soviéticos se aproximavam de Hitler.

Como os diplomatas alemães entenderam perfeitamente, a ênfase crescente de Stalin, a partir da primavera de 1939, sobre a doutrina clássica de Lenin da inevitabilidade da guerra entre os capitalistas, abria claras possibilidades para a Alemanha.[114] Afinal de contas, uma aliança com a Alemanha dava à União Soviética a melhor chance de se beneficiar de uma guerra entre as potências capitalistas. Por sua vez, caso os alemães encarassem com seriedade a guerra com a Polônia e ainda esperassem dissuadir a Grã-Bretanha e a França, necessitavam desesperadamente de uma aliança com algum país, se não com Tóquio, nesse caso com Moscou. Já em 26 de maio, Ribbentrop redigiu um conjunto completo de instruções para a embaixada alemã na capital russa, nas quais acentuou firmemente a ênfase antibritânica da política da Alemanha, tanto na Europa quanto em suas relações com o Japão.[115] Essas instruções, porém, nunca foram expedidas, porque as negociações com os japoneses haviam chegado a um ponto crítico.[116] Somente depois que a esperança de um pacto militar com o Japão foi finalmente frustrada, no início de julho, é que o corpo diplomático alemão se sentiu livre para superar a França e a Grã-Bretanha na corrida por um acordo com Moscou.[117] Incentivo adicional foi o fato de que, em 31 de maio, os italianos informaram Berlim de que, apesar da recente renovação de seu comprometimento com o Eixo, não estariam prontos para a guerra antes de 1943.[118] Göring e Hitler haviam conversado algumas vezes com interlocutores italianos sobre um calendário prolongado para a agressão.[119] Isso, porém, ocorrera na época em que pensavam em um ataque triplo contra os britânicos, em cooperação com os japoneses. Das três forças da Wehrmacht, apenas a Marinha alemã não estava preparada para nenhum tipo de guerra em 1939. No verão do mesmo ano, a aliança naval com o Japão estava fora de questão. O rearmamento aéreo britânico acelerava-se com rapidez e o Exército alemão chegara a um impasse. O calendário de Hitler encurtara-se e seu parceiro preferido para uma aliança mudara. Para uma guerra aérea e terrestre imediata contra a Polônia e seus aliados ocidentais, o aliado ideal não era o Japão, e sim a União Soviética.

Os contatos germano-soviéticos tornaram-se cada vez mais estreitos, em junho e progrediram rapidamente de temas econômicos específicos para preocupações estratégicas mais amplas. No início de julho, o embaixador alemão encontrou-se, pela primeira vez, com o ministro do Exterior Molotov.[120] Em agosto, as negociações prosseguiram celeremente. Em 19 de agosto, acordou-se a estrutura de um pacto sobre crédito e comércio. Nas primeiras horas de 24 de agosto de 1939, o ministro do Exterior de Hitler, Ribbentrop, assinou um tratado de não agressão com a União Soviética, que incluía dispositivos secretos sobre a divisão da Europa oriental em esferas de influência separadas. A Polônia seria repartida. Stalin e Hitler, inimigos ideológicos jurados, viam-se unidos em um pacto de não agressão e assistência mútua. O choque e desilusão no seio do movimento comunista, em seguida ao anúncio do pacto Hitler-Stalin, estão bem documentados. Do lado alemão também houve espanto, mas, principalmente, entre os que agora se consideravam inimigos do regime. O industrial fascista Fritz Thyssen ficou de tal forma desgostoso que se exilou na Suíça, o que permitiu a Göring confiscar sua grande participação da Vereinigte Stahlwerke.[121] Entre os adeptos ideológicos do nazismo, no entanto, o pacto não parece ter sido considerado mais do que um conveniente cessar-fogo. O anticomunismo de Hitler não estava em dúvida. O imperativo absoluto era evitar uma guerra em duas frentes. Hitler ainda esperava dissuadir a Grã-Bretanha de honrar seus compromissos com a Polônia.[122] Mas, se não fosse possível fazer com que esse último país compreendesse que todos os esforços da Alemanha eram dirigidos contra a ameaça judaico-bolchevista a leste, e se a Grã-Bretanha obrigasse a Alemanha a uma guerra no oeste, nesse caso um arranjo temporário com a Rússia se tornava uma necessidade estratégica.[123]

Na tarde de 23 de agosto, quando Ribbentrop preparava-se para formalizar o acordo, o sentimento de alívio em Berlim era palpável. Hitler mal podia esperar para anunciar a notícia sobre Moscou, fanfarreando a seus ansiosos generais que a Alemanha já nada tinha a temer de um bloqueio.[124] Começaram, imediatamente, as negociações para um gigantesco pacto comercial, cujos termos exatos finalmente foram acordados em fevereiro de 1940. O volume de intercâmbio comercial ficou fixado entre 600 e 700 milhões de *reichsmarks* durante o ano seguinte. Era menos do que os alemães esperavam, mas o aspecto crítico era a composição e não o volume absoluto do comércio soviético com a Alemanha.[125] A URSS tornou-se, rapidamente, a principal fonte de forragem animal importada para a Alemanha. Em 1940, forneceu também 74% das necessidades de fosfato, 67% das importações de asbestos, 65% do minério de cromo, 55% do manganês, 40% do níquel e 34% do petróleo.[126] Como disse o intendente-geral do Exército alemão, coronel Eduard Wagner, "a conclusão do tratado nos salvou".[127]

V

Hitler optou pela guerra, em setembro de 1939, e o fez ainda que soubesse que um ataque contra a Polônia, com toda a probabilidade, provocaria uma declaração de guerra por parte da Grã-Bretanha e da França.[128] Deu a primeira ordem para esse ataque tão logo teve conhecimento de que o pacto seria definitivamente assinado em Moscou. Estava pronto para a guerra em 26 de agosto, mas adiou-a porque a flexibilidade do calendário alemão de mobilização lhe permitia mais três dias de diplomacia, não com o intuito de evitar a guerra, e sim para separar a coalizão aliada e transferir a carga da "culpa pela guerra" para a Grã-Bretanha e a França. Já em 8 de agosto, ele caminhava para o conflito, perfeitamente consciente do provável envolvimento dos britânicos.

Tanto naquele momento quanto posteriormente, havia pessoas na liderança do Terceiro Reich ou à volta deles que se recusavam a acreditar que o *führer* pudesse estar, propositalmente, disposto a assumir aquele enorme risco.[129] Aqui, no entanto, não temos motivos para nos esquivarmos em relação a essa monstruosidade. Falar em "erro de cálculo" e "equívocos", em relação à eclosão da Segunda Guerra Mundial, é subestimar o caráter proposital da intenção de Hitler.[130]

Conforme argumentamos neste capítulo, o *führer* foi levado, por pressões combinadas de ordem econômica e estratégica a seguir esse caminho de agressões súbitas. Evitamos, propositalmente, aqui, qualquer menção a "crise". Em 1939, não havia crise no Terceiro Reich, nem política e nem econômica.[131] Os meios de coerção e controle desenvolvidos desde a quase-crise de 1934 eram eficazes o bastante para isso. Mas o que não pode ser ocultado, em maio de 1939, é a completa frustração da visão estratégica de médio prazo que se formara depois dos acontecimentos de Munique.[132] O esforço de construir uma aliança global para apoiar o imenso afã armametista alemão fracassara. A incapacidade de Ribbentrop para amarrar tanto italianos quanto japoneses em uma firme aliança militar contra a Grã-Bretanha tornou ociosos os horizontes de longo prazo do Plano Z da Marinha. E, por causa da recorrência dos graves problemas do balanço de pagamentos, a Alemanha corria agora o risco de perder essa vantagem inicial na corrida armamentista, muito antes do que Hitler imaginara, em novembro de 1937. O horizonte de tempo do *führer* ficara, portanto, mais curto. Se as perspectivas para o futuro eram sombrias, pelo menos, em 1939, a Alemanha se encontrava em posição de montar uma guerra ofensiva limitada com alguma possibilidade de êxito. Em terra e no ar, a Wehrmacht podia esperar pelo menos, uma vantagem temporária. Enquanto isso, durante o verão de 1939, a situação estratégica da Alemanha, repentinamente, melhorara. A ameaça da Tchecoslováquia foi eliminada. Roosevelt viu-se frustrado pelo ressurgimento do isolacionismo. E durante algumas semanas frenéticas de diplomacia, Ribbentrop rompeu o cerco que parecia poder se transformar em ameaça após a ocupação de Praga. Em vez de se voltar para a Grã-Bretanha e a França, a URSS comprometera-se a apoiar a agressão de Hitler. Isso, por sua vez, reforçou sobremaneira a posição do *führer* em relação aos pequenos Estados do sudeste europeu, que agora certamente seriam trazidos a laço para o curral do Eixo. Em última análise, parece não haver motivo para discutir a avaliação do próprio Hitler, ou seja, escolher a guerra, em setembro de 1939, por nada ter a ganhar com a procrastinação.[133]

Mas se havia assim certa "lógica insana" na decisão de Hitler em deflagrar uma guerra europeia geral, tampouco deixava de haver um enorme risco. O pacto Hitler-Stalin tinha sido um ato de oportunismo inspirado, mas era também revelador do desespero da Alemanha. Indicava o abandono não apenas do plano estratégico do *Mein Kampf*, mas também a revisão da estratégia antiocidental do período pós-Munique. O pacto nazi-soviético, ao mesmo tempo em que deslocava o equilíbrio de poder na Europa em favor da Alemanha, negava qualquer possibilidade de um acordo com o Japão. Imediatamente após o anúncio, o gabinete pró-Alemanha em Tóquio pediu demissão. O poder foi transferido ao Exército japonês, cuja preocupação era manter os soviéticos fora da Manchúria. Simultaneamente, Mussolini deixou clara a impossibilidade de se juntar à Alemanha numa guerra prematura contra as potências ocidentais.[134] Os britânicos, por sua vez, podiam soltar um forte suspiro de alívio, seguros na convicção de que, no futuro previsível, não teriam de lidar com a tripla ameaça das marinhas alemã, italiana e japonesa. Os soviéticos tampouco haviam aceitado o acordo por motivos de amizade para com o Terceiro Reich. Stalin estava ganhando tempo, presumindo que a Alemanha, em breve, se envolveria em uma guerra prolongada e sangrenta contra a Grã-Bretanha e a França.[135] Se não ocorresse uma derrota de proporções históricas, somente os Estados Unidos e a União Soviética poderiam beneficiar-se da exaustão das "velhas" potências da Europa ocidental. Essa, afinal, era a principal razão pela qual os políticos, tanto franceses quanto britânicos, tinham estado dispostos a ir mais longe no apaziguamento da Alemanha. A Grã-Bretanha e a França não procuraram apaziguar a Alemanha por temor a uma derrota contra a Wehrmacht, e sim porque, nas palavras do primeiro-ministro francês Daladier, de extrema direita, uma nova guerra na Europa significaria "a destruição completa da civilização europeia", criando um vácuo que somente poderia ser preenchido por "hordas de cossacos e mongóis" e a "cultura" de comunismo soviético.[136] Em linguagem menos apocalíptica, essa mesma lógica foi claramente expressa em Londres pelo representante diplomático das hordas mongóis. A forma convencional de registro, observou o diplomata soviético, colocava as baixas da RAF numa coluna de um lado e as da Luftwaffe em outra do lado oposto. A União Soviética "registrava os dois dados na mesma coluna e os somava".[137]

A verdade é que, no final do verão e no outono de 1939, ninguém na Europa, com a possível exceção de Hitler, podia prever os extraordinários acontecimentos militares que se desenrolariam nos meses seguintes. O clima em Paris e Londres era de resignado otimismo. Sem dúvida, ninguém imaginava uma vitória alemã imediata.[138] Embora o Exército e a Força Aérea da Alemanha estivessem prontos para a guerra em setembro de 1939, a Wehrmacht não possuía vantagem material avassaladora sobre os adversários. Para as mentalidades estratégicas convencionais, as perspectivas da Alemanha pareciam sombrias. A opção "racional" era, visivelmente, recuar da ideia de guerra contra a Polônia, pelo menos para dar tempo a que as consequências do pacto Hitler-Stalin se fizessem sentir plenamente nas Europas central e oriental. Por que motivo, então, Hitler insistiu em iniciar a guerra com intensidade tão furiosa? Por que motivo ele se arriscou?[139] As pressões da corrida armamentista e a necessidade de aproveitar a oportunidade diplomática somente proporcionam explicação parcial de seus atos. Uma argumentação em termos de "janelas de oportunidade", afinal, suscita a questão de saber por que motivo Hitler passara a considerar inevitável a guerra com as potências ocidentais, de tal forma que fazia sentido optar pela guerra "mais cedo" em vez de "mais tarde".

Nesse ponto de nossa argumentação, devemos voltar-nos para o papel da ideologia. Isso pode parecer estranho diante do fato de que Hitler foi à guerra, em 1939, em aliança com a União Soviética contra o Império Britânico, quando o *Mein Kampf* advogara exatamente o contrário. Mas é grosseiro confrontar, dessa forma, ideologia e realidade. O fundamento real da ideologia de Hitler não era o esquema estratégico do *Mein Kampf*. A verdadeira ideia central era a inevitabilidade de uma luta racial. Num sentido geral, isso sempre esteve presente na mente de Hitler. Porém, a partir de 1938, a intensidade dessa visão apocalíptica que motivava a liderança do Terceiro Reich aumentou dramaticamente. Especificamente, Hitler enxergava a emergente coalizão ocidental contra a Alemanha através da lente do antissemitismo. Após a *Kristallnacht*, o presidente Roosevelt foi quem cada vez mais se posicionou como adversário mais ostensivo do Terceiro Reich, e o fez em termos abertamente ideológicos. Como vimos, o Terceiro Reich respondeu na mesma moeda. Para mentalidades estratégicas convencionais, como as de Ludwig Beck e do general Thomas, a convergência entre a Grã-Bretanha, a França e os Estados Unidos nada tinha de surpreendente. À luz de sua experiência na Primeira Guerra Mundial, a aliança transatlântica parecia ser o contrapeso natural ao poderio alemão na Europa. Para Hitler, porém, ela era profundamente contrária a sua intuição. Em particular, opunha-se a sua arraigada convicção, claramente expressa no "Segundo Livro", de que os interesses britânicos e norte-americanos eram fundamentalmente antagônicos.[140] Portanto, o que explicava a aliança anglo-norte-americana emergente era a força malévola do judaísmo internacional personificada pelo "eleito" — o presidente Roosevelt.[141] Embora Hitler quase não mencionasse os Estados Unidos no contexto dos debates estratégicos com a liderança militar, em maio e agosto de 1939, houve, durante o mesmo período, uma drástica escalada da retórica e propaganda antissemitas dirigidas explicitamente contra os Estados Unidos. E o tema central desse antissemitismo era o suposto papel de Roosevelt e dos judeus norte-americanos na promoção da guerra, por meio das promessas de fornecimento de armas e assistência diplomática à Grã-Bretanha, França e Polônia. A caricatura de Bernard Baruch, com seu nariz adunco, arquiteto do esforço de guerra norte-americano na Primeira Guerra Mundial e arquirrepresentante da belicosa comunidade judaica de Wall Street, era a verdadeira força por trás do cerco que ameaçava a Alemanha. O presidente Roosevelt, porta-voz do judaísmo internacional, era quem induzia britânicos e poloneses a uma obstinada resistência e levantava o clamor em favor da guerra.[142] O governo de Roosevelt era quem se esforçava para excluir a Alemanha dos mercados vitais de exportação e a quantidade e oportunidade dos fornecimentos de armas à Grã-Bretanha e à França decidiriam o equilíbrio de forças na Europa.[143]

Essa agourenta constelação de forças não era o que Hitler previra e nem o que desejara. Mas, como os inimigos do Terceiro Reich estavam improvisando, a Alemanha teria de fazer o mesmo. O que o *führer* não podia fazer, à luz da "vontade de aniquilação" (*Vernichtungswillen*) que a teoria nazista da conspiração atribuía aos inimigos da Alemanha, era recuar ou hesitar.[144] A guerra com as potências ocidentais envolvia imensos riscos. Porém, dada a dinâmica cada vez mais incontrolável da corrida armamentista global e a ameaça existencial que supostamente pairava sobre a Alemanha, engendrada pelas forças da "conspiração judaica mundial" que se juntavam, Hitler não via outra opção a não ser partir para a ofensiva.

9

A caminho da bancarrota: o primeiro inverno da guerra

NOS ÚLTIMOS DIAS DE AGOSTO DE 1939, o general Thomas fez uma tentativa final para obrigar Hitler a enfrentar os fatos.[1] Aterrorizado com a perspectiva de que a agressão de Hitler contra a Polônia provocasse a guerra com a Grã-Bretanha e a França, Thomas bombardeou tanto o general Keitel, seu chefe imediato, quanto Hitler, com tabelas e quadros. A intenção era dramatizar a inferioridade dos recursos industriais da Alemanha em comparação com os da Grã-Bretanha e da França, presumindo o apoio dos Estados Unidos a esses dois países.[2] O diário de Thomas registra a resposta recebida:

> Sábado, 26 de agosto, antes da campanha da Polônia: novamente com o *Generaloberst* Keitel. Expliquei a situação com quadros e tabelas. Não fui bem recebido, mas K. concordou em falar novamente com o *führer*.
> Domingo, 27 de agosto, antes da guerra com a Polônia, quando veio o telegrama da Inglaterra: fazer novas representações! Assinalar que se pode esperar uma crise de munições, especialmente, em relação a pólvora e explosivos: outra reprimenda forte. Resposta: fui expulso de lá. *Führer*: pare de me aborrecer com o diabo da situação no oeste. [3]

Em agosto de 1914, o jovem Adolf Hitler fizera parte das multidões em êxtase que enchiam as ruas de Munique. Não podia deixar de estar chocado com a reação completamente diferente com que sua guerra, em setembro de 1939, foi recebida. Não havia grupos aplaudindo, nem guirlandas para os comboios de tropas, e com razão. Em termos militares, a Alemanha não estava preparada para uma confrontação com as potências ocidentais. Thomas, da Wehrmacht, não era o único militar que se sentia desesperado. O almirante Raeder, comandante em chefe da Marinha alemã, anotou, desesperançado, em 3 de setembro: "No que diz respeito à Marinha... ela não está de forma alguma adequadamente armada para a grande batalha..." A Marinha Real era tão mais numerosa do que a frota alemã que, "presumindo que esta se veja completamente comprometida em ações — somente poderá demonstrar que sabe afundar com dignidade...". Através de um gesto heroico de autossacrifício, a Marinha alemã poderá lançar as bases morais para uma "reconstrução posterior". Certamente, não se podia esperar que vencesse uma guerra contra a Grã-Bretanha.[4] A Força Aérea alemã estava em melhores condições. Era a maior e a mais moderna da Europa. No entanto, estudos conduzidos por equipes da Luftwaffe em 1938 tinham chegado à conclusão de que uma guerra aérea estratégica contra a Grã-Bretanha estava fora de cogitação a menos que a Alemanha pudesse de alguma forma, adquirir o controle de bases na costa do canal da Mancha.[5]

Dado o pessimismo do principal perito em economia da Wehrmacht, assim como dos comandantes, tanto da Marinha quanto da Luftwaffe, tudo dependia do Exército. Este tinha sido o fator decisivo no desenvolvimento do regime de Hitler desde o início. Ao contrário de 1938, não há indícios de que a escalada da tensão com a Polônia tenha gerado preocupações fundamentais entre os generais.[6] Em termos militares, o resultado era perfeitamente previsível. Politicamente, a Polônia ocupava um lugar superior ao da própria Grã-Bretanha na demonologia do nacionalismo alemão. A destruição do Estado polonês e a "libertação" da minoria germânica eram temas tão favoritos entre os generais quanto para o público em geral. Os acontecimentos confirmaram o otimismo do Exército. A campanha da Polônia foi um sucesso dramático. Em apenas três semanas, Varsóvia rendeu-se e o Exército polonês estava destruído. O fotogênico comandante em chefe do Exército alemão, general Werner von Brauchitsch, apareceu na capa da revista *Time* e a nuvem sombria que cobrira a declaração de guerra começou a se dissipar.[7] No regresso à pátria, as tropas vitoriosas foram recebidas com extraordinárias comemorações.[8] Depois da campanha na Polônia, grande parte da população esperava, agora, que a Grã-Bretanha e a França fossem esmagadas até o Natal, expectativa estimulada pelo sucesso, que recebeu grande publicidade, de Günther Prien e sua tripulação do U-47, que penetrou na base da frota britânica em Scapa Flow e afundou o encouraçado *Royal Oak*.[9] Nas semanas seguintes, informantes da SS ouviram crianças em todo o *reich* que recitavam uma nova versão do Padre Nosso em forma de blasfêmia, dirigida a "Nosso Pai Chamberlain que estais em Londres, que vosso nome seja apagado, vosso reino em breve desaparecerá..."[10] Os piedosos comentadores da SD ficaram chocados, mas Goebbels alegrou-se por capitalizar o novo e barulhento clima antibritânico.[11] Hitler exigiu também ação imediata na frente ocidental.

Se a lógica militar-industrial de aceleração estava apenas semiexplícita nos pronunciamentos anteriores a setembro de 1939, ela passou a se tornar absolutamente clara. Hitler observou, em 27 de setembro, a Brauchitsch e seu chefe do Estado-Maior, Franz Halder: "O 'fator tempo' não está em geral do nosso lado, a menos que o aproveitemos ao máximo. Os meios econômicos do adversário são mais poderosos. [Os inimigos] podem comprar à vista e receber imediatamente a mercadoria".[12] Esse último ponto se referia visivelmente à iminente revisão da legislação norte-americana sobre neutralidade e à abertura da vasta capacidade industrial norte-americana no suprimento aos britânicos e franceses. Hitler reiterou a mesma avaliação estratégica em 9 de outubro, quando deu o passo inusitado de redigir um memorando abrangente sobre a condução da guerra no oeste. Era necessário um ataque imediato a oeste, argumentava ele, porque em uma guerra procrastinada, os Estados Unidos teriam a possibilidade de intervir.[13] Poucas semanas depois, repetiu a mesma argumentação de maneira mais explícita: "Por causa de suas leis de neutralidade, os Estados Unidos *ainda não* são perigosos para nós. O fortalecimento de nossos inimigos pelos Estados Unidos *ainda não* é significativo. A postura do Japão *ainda não* é certa... Tudo aponta para o fato de que o momento agora é propício, mas em seis meses, talvez já não o seja mais".[14] Enquanto isso, Hitler estava longe de confiar em seu novo aliado no leste. Achava que a União Soviética não merecia confiança numa guerra longa. Exigiu, portanto, um ataque imediato a oeste, fixando o dia 12 de novembro para a ofensiva da Wehrmacht além da fronteira com a França.

A liderança do Exército, no entanto, tinha ideias muito diferentes. O que agitara o Exército até quase o motim, em 1938, não era a perspectiva de uma guerra contra a Tchecoslováquia, mas o fato de que se acreditava que aquela agressão deflagraria uma guerra com a Grã-Bretanha e a França. Era essa, exatamente, a situação enfrentada agora. Além disso, apesar da sensação internacional causada pela rápida vitória alemã sobre a Polônia, algumas semanas de luta acirrada haviam revelado graves deficiências na máquina de guerra apressadamente montada por Hitler. Os diversos episódios de escassez de matérias-primas que haviam limitado a produção de armamentos, em 1937 e 1939, significavam que a Alemanha tinha iniciado a guerra sem estoques adequados de equipamento. A previsão de Thomas de uma crise de munição se confirmou imediatamente.[15] Em poucas semanas de operações, a Luftwaffe dizimara drasticamente o estoque de bombas. O consumo mensal na Polônia fora sete vezes maior do que a produção em setembro de 1939.[16] Por falta de treinamento, a infantaria não havia ainda atingindo o desempenho superior esperado do Exército alemão.[17] Tinha havido incidentes de pânico entre os batalhões de reserva de terceira linha que constituíam grande parte do poderio para o tempo de guerra. E, até mesmo, a muito elogiada divisão Panzer demonstrara alarmantes debilidades. O índice de choques entre a coleção disparatada de veículos fora alta. Em menos de um mês de combate, um quarto da força inicial de tanques havia sido destruída ou sofrera panes.[18] Os antiquados tanques Mark I e Mark II, que ainda constituíam a maior parte do equipamento das divisões Panzer, eram visivelmente inadequados para um ataque a oeste. Na França, esperava-os o temível Char B, que, com 32 toneladas, era o mais pesado e mais poderoso veículo de combate do mundo. Pelo menos, no papel, os exércitos da França, Grã-Bretanha, Holanda e Bélgica rivalizavam com a Wehrmacht tanto em homens quanto em equipamento. Além disso, o plano para o ataque à França, apressadamente preparado pelo alto-comando do Exército no outono de 1939, não convencia ninguém.[19] Era uma versão pouco imaginativa do Plano Schlieffen, que determinava que o Exército alemão abrisse caminho até o litoral do canal da Mancha a fim de proporcionar à Luftwaffe e à Marinha bases para um ataque a queima-roupa contra a Grã-Bretanha. Ainda que a Wehrmacht conseguisse chegar ao canal, o plano não oferecia a perspectiva de aniquilar o Exército francês. A Alemanha se veria diante de uma guerra de desgaste prolongada contra dois inimigos poderosos, apoiados por recursos econômicos dos Estados Unidos.

O que Brauchitsch, comandante em chefe do Exército, e o general Franz Halder, seu chefe no Estado-Maior, desejavam era um espaço para respirar.[20] Estavam dispostos a combater numa guerra contra a França, mas precisavam de tempo para reequipar as unidades maltratadas e colocar mais 1 milhão de recrutas em treinamento intensivo. Também podem haver sucumbido ao esperançoso desejo de que, com a questão polonesa resolvida a favor da Alemanha, as potências ocidentais pudessem ser levadas de volta à mesa de negociação antes que os verdadeiros combates começassem. Hitler, no entanto, rechaçou qualquer atraso. Enquanto o Exército esforçava-se para reposicionar suas divisões a oeste, o *führer* permaneceu inflexível quanto ao lançamento da ofensiva no início de novembro. Diante dessa exigência extraordinária, o sentimento do alto-comando do Exército, em Zossen, rebelou-se.[21] Os conspiradores que tinham estado perto de lançar um *coup d'état* contra Hitler, em setembro de 1938, retomaram seus preparativos. O general Halder visitou os comandantes das três forças do Exército a fim de sondar as opiniões sobre um ataque imediato contra a França e sua atitude quanto a uma possível derrubada militar do regime nazista. Hitler, por sua vez, ia ficando em um estado de fúria cada vez maior. A antiga antipatia pela classe hereditária de oficiais transformou-se em aberto desprezo. À medida que os ponteiros do relógio se encaminhavam para a data fixada para o ataque a oeste, a tensão atingiu um clímax extraordinário. Em 5 de novembro, Brauchitsch obteve uma entrevista pessoal com Hitler, com o objetivo de convencê-lo da impossibilidade do sucesso de uma ofensiva. Para prová-lo, Brauchitsch levou consigo estatísticas fornecidas pelo Intendente Geral, general Eduard Wagner, que ressaltavam o estado inadequado do equipamento do Exército.[22] O resultado foi uma explosão. Após ouvir impacientemente, o relato de Brauchitsch, Hitler submeteu-o a um sermão devastador.[23] Em seguida, permaneceu durante horas em um estado de grande agitação, reverberando a "sabotagem do comando do Exército". Brauchitsch, por sua vez, saiu do encontro tremendo de surpresa. Embora não estivesse, pessoalmente, envolvido na conspiração, imediatamente, transmitiu a seu chefe do Estado-Maior as acusações de Hitler, inclusive a observação de que ele "conhecia o espírito de Zossen e estava decidido a esmagá-lo". Halder entrou em pânico. Temendo que a Gestapo tivesse se infiltrado em sua conspiração, destruiu todos os documentos incriminadores. Sem o apoio do chefe do Estado-Maior do Exército, os oficiais mais jovens perderam seu principal sustentáculo. O golpe malograra e os conspiradores militares ficaram perturbados. Por sua vez, Hitler, naturalmente, tinha consciência da extrema tensão provocada por sua decisão em favor da guerra, e não somente entre os militares. Falando a uma plateia de funcionários do partido, em 27 de agosto de 1939, ofereceu o direito de matá-lo com um tiro a qualquer pessoa que não acreditasse que sua decisão tinha sido motivada por amor à Alemanha.[24] Halder, mais tarde, confessou a um de seus colegas mais íntimos que havia comparecido a reuniões quase diárias com Hitler, no outono de 1939, com a firme intenção de "liquidar Emil com um tiro" (Emil era o codinome dos conspiradores para designar Hitler). Para isso, levava uma pistola carregada no bolso. O que salvou o *führer* foram os séculos de sangue militar que corriam nas veias de Halder. O general não conseguiu se obrigar a assassinar o homem a quem jurara lealdade.

Ocorreu que o mau tempo determinou o cancelamento do ataque planejado para 12 de novembro. Sem o apoio da Luftwaffe, até mesmo Hitler admitiu que a ofensiva teria pouca chance de êxito. Com isso, o *führer* quase certamente salvou o regime da catástrofe. Frequentemente, nosso conhecimento das extraordinárias vitórias obtidas pela Wehrmacht, no verão de 1940, mascara a precariedade da situação de Hitler durante o inverno de 1939-40. Naquele momento crucial, ele não contava nem com a lealdade inquestionável do Exército e nem com o apoio incondicional do povo alemão. A dinâmica da guerra total que logo iria unir a sociedade alemã no firme apoio ao regime apenas começava a se fazer sentir. A opinião pública estava apreensiva e, dificilmente, apoiaria uma guerra longa e árdua. Uma vez descartada a possibilidade de negociações de paz com as potências ocidentais, Hitler tinha uma única opção: a vitória militar, o mais rapidamente possível. Uma guerra contra a Grã-Bretanha e a França era o pior cenário para a estratégia alemã. Somente a visão retrospectiva nos leva a subestimar esse fato. A liderança do regime de Hitler somente havia encarado essa possibilidade na primavera de 1938, e, como vimos, não lhe foi possível traçar uma resposta estratégica coerente. Até a eclosão da guerra, o Exército sequer começara a planejar um ataque a oeste. Não admira, portanto, que no outono de 1939, existisse certo grau de caos e confusão em Berlim. Por outro lado, a opinião geral de que o primeiro ano da guerra fora caracterizado por complacência está longe de ser correta.[25] A eclosão do conflito, na verdade, teve o efeito de afastar muitas das limitações que haviam prejudicado o rearmamento alemão nos anos anteriores. E o regime de Hitler reagiu ao desafio existencial que enfrentava com uma mistura de oportunismo, radicalismo tecnocrata e violência de inspiração ideológica.

I

Do outro lado do Atlântico, a agressão de Hitler contra a Polônia repercutiu em ondas de choque na opinião pública dos Estados Unidos. Poucas semanas depois da eclosão da guerra, os isolacionistas foram derrotados no Congresso.[26] Em 3 de novembro de 1939, o presidente Roosevelt promulgou a lei chamada *cash and carry* ("pague e leve"), abolindo os dispositivos de neutralidade estrita que impediam a venda de armamento a países estrangeiros. Desde que britânicos e franceses pagassem em dinheiro e transportassem nos próprios navios a carga comprada nos Estados Unidos, poderiam escolher o que quisessem da imensa capacidade industrial do país. Tecnicamente, a Alemanha também poderia fazer o mesmo, mas, na prática, não possuía nem as divisas e nem os meios para proteger o transporte na longa travessia do Atlântico. Enquanto o escritório econômico da Wehrmacht estimava as reservas em dólares da Grã-Bretanha e da França em torno de 7,37 bilhões, o total da Alemanha, mesmo em cálculos otimistas, não chegaria a 700 milhões.[27] Göbbels fez o possível para minimizar o envolvimento norte-americano na guerra, mas no início de 1940, uma publicação militar informou que as encomendas britânicas e francesas de aviões aos Estados Unidos já seriam de entre 5 e 8 mil aparelhos.[28] Isso era, na verdade, um exagero no que diz respeito aos suprimentos dos Aliados nos primeiros meses da guerra. Havia, porém, importantes negociações em curso com representantes da poderosa indústria norte-americana automobilística para aumentar drasticamente a capacidade de produção de aeronaves e motores de aviação, e, a partir de março de 1940, a França e a Grã-Bretanha acordaram um programa conjunto de encomendas,[29] concebido propositalmente para permitir aos dois países europeus estender, por vários anos, a durabilidade de suas reservas, caso necessário. Mas, no verão de 1940, ambos já haviam encomendado mais de 10 mil aviões a serem entregues até o final do ano seguinte, o que equivalia a um ano inteiro da produção da Alemanha.

Enquanto os Estados Unidos franqueavam suas portas aos Aliados ocidentais, a Alemanha enfrentava o isolamento econômico. No início da Segunda Guerra Mundial, graças à guerra econômica movida pela Grã-Bretanha e França, aos problemas de transporte e a sua limitada capacidade de pagamento, a Alemanha se viu em grande parte afastada dos fornecedores externos de matérias-primas.[30] Os números mensais de volume de matérias-primas importadas, que eram circulados em relatórios confidenciais pelo Escritório de Estatísticas do Reich, evidenciaram um colapso extraordinário.[31]

Poucos meses depois do início da guerra, as importações alemãs ficaram reduzidas a uma fração do nível necessário para sustentar um esforço armamentista. Os suprimentos de minério de Narvik cessaram por completo.[32] As importações de cobre e petróleo caíram quase a zero. Nos primeiros meses da Segunda Guerra Mundial, a Alemanha se via mais isolada em termos econômicos do que em qualquer momento antes de 1944-5. O acordo comercial com a União Soviética prometia certo alívio, mas a importância da repentina exclusão da Alemanha dos mercados mundiais não pôde ser subestimada. O isolamento prejudicou todos os aspectos da estratégia militar e da política econômica da Alemanha nos primeiros meses da guerra.[33] À luz do tremendo choque no balanço de pagamentos, é simplesmente incrível sugerir que a economia alemã continuasse como "economia de guerra em tempo de paz". Uma economia como a alemã, que apesar dos melhores esforços do Plano Quadrienal continuava a depender fortemente de matérias-primas, não poderia funcionar "normalmente" diante de uma redução abrupta de 80% dos volumes importados. Seis meses após a eclosão da guerra, a Alemanha importava em termos reais menos de um terço das matérias-primas que consumira em 1932, no auge da Grande Depressão. Ao mesmo tempo, mais da metade da capacidade da indústria pesada alemã ficara ociosa e a maioria da mão de obra industrial se encontrava desempregada ou trabalhando em meio período. O fato de que depois do início da guerra o regime de Hitler tenha sido capaz, não apenas de evitar o desastre industrial, mas até mesmo aumentar a produção de armamentos não indica "negócios como de costume" e sim uma série de intervenções draconianas no funcionamento da economia.[34]

Desde, no máximo, a primavera de 1939, Hitler havia sido guiado pela ideia de que o decurso do tempo não era favorável à Alemanha. Uma vez declarada a guerra, o poderio crescente da coalizão ocidental, reforçada pelos Estados Unidos, contrastava com a vulnerabilidade econômica da Alemanha, e sua dependência em relação à União Soviética apenas realçava essa motivação. Hitler estava disposto a arriscar tudo na busca de uma vitória rápida e decisiva no oeste. E isso era verdade não somente em relação ao planejamento militar do ataque contra a França. O *führer* seguiu a mesma

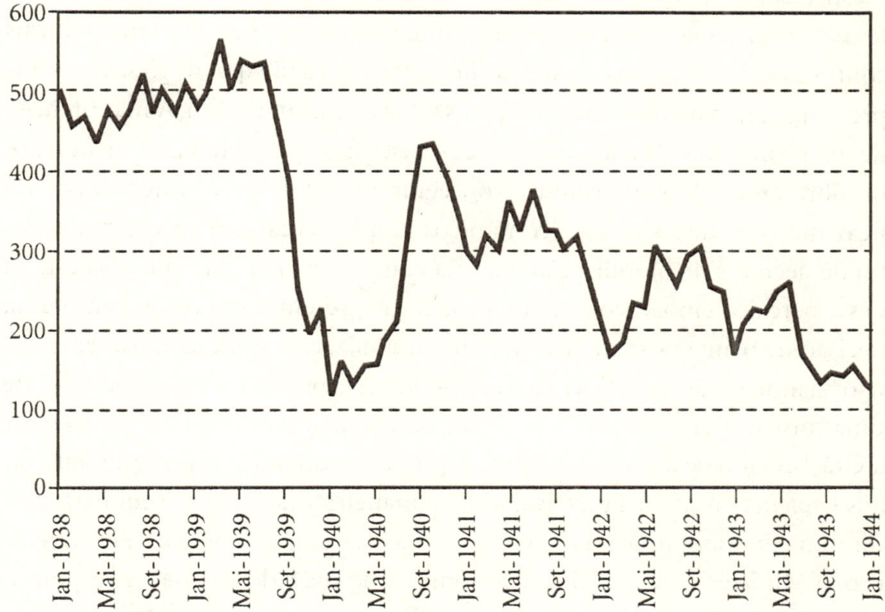

Gráfico 12. Volume de insumos industriais importados pela Alemanha (em milhões de *reichsmarks*, preços de 1928)

orientação no que diz respeito à economia de guerra. Por meio de seus confidentes mais próximos — Hermann Göring, Fritz Todt e o general Keitel, do alto-comando da Wehrmacht —, Hitler acentuou repetidas vezes seu desejo de um esforço total de produção, quaisquer que fossem as consequências para a população civil ou para a viabilidade do esforço de guerra alemão de longo prazo. Dada a constelação de 1939, mesmo com apoio do pacto de comércio com a URSS, Hitler não tinha interesse em combater em uma guerra prolongada. Tudo dependia de conseguir uma vitória decisiva no ocidente na primeira oportunidade possível.

Vale a pena acentuar a prioridade absoluta conferida ao esforço de guerra, entre 1939-40, porque muitas vezes tem sido sugerido que a preocupação de Hitler com a frente doméstica era fator limitante para o esforço nazista.[35] Alguns chegaram a dizer que o desejo de Hitler em obter vitória rápida no oeste era, principalmente, motivado por seu desejo de minimizar o impacto da guerra sobre a população alemã. Isso, no entanto, é um grave equívoco de interpretação dos cálculos estratégicos do *führer* em 1939. É verdade que havia vozes no movimento nazista que advogavam a proteção da frente doméstica contra tensões excessivas. Os *gauleiter* eram especialmente eloquentes nesse particular, defendendo zelosamente os interesses econômicos locais contra as exigências dos militares. Também é verdade que os *gauleiter* sempre contavam com ouvidos simpáticos a sua causa em Berlim. A manutenção de uma conexão viva entre o *führer* e as bases fazia parte de suas funções. Em outubro de 1939, esses protestos conseguiram evitar que Walther Funk, ineficaz ministro de Assuntos Econômicos, implementasse o pacote draconiano de decretos de mobilização que sua equipe havia preparado.[36] Na esteira desse percalço embaraçoso, Funk procurou apresentar seu recuo como uma decisão de princípios em favor de uma mobilização moderada. No entanto, não há indícios de que Hitler haja endossado essa posição. Para Hitler somente uma coisa importava: ganhar a guerra. Se a Wehrmacht conseguisse derrotar a Grã-Bretanha e a França, a opinião pública mudaria. Ansioso por agradar aos *gauleiter*, Walther Funk avaliara, de maneira radicalmente equivocada a direção em que sopravam os ventos políticos, e pagou o preço.[37] Em dezembro, o Ministério de Assuntos Econômicos do *reich* deixou de ter responsabilidade sobre a organização da economia civil em tempo de guerra.[38] Tendo sido a única figura de hierarquia elevada do governo alemão a apoiar a causa da moderação, Funk foi também a primeira vítima política da guerra. O motivo pelo qual Hitler jogou todas as fichas num ataque maciço em 1940, não foi a preocupação por estar exigindo demais à população alemã, mas simplesmente, a convicção de que era a única maneira de ganhar a guerra. Independentemente da intensidade da mobilização na frente doméstica, a Alemanha perderia uma guerra prolongada porque o poderio conjunto de seus inimigos era simplesmente avassalador. Portanto, tinha de concentrar todos os seus recursos para desferir um golpe único e decisivo na primeira oportunidade que se apresentasse. Se isso significasse sacrificar, temporariamente, as necessidades do consumo civil, assim o seria. Conforme comentou Hitler ao chefe de serviços de suprimento do Exército, general Karl Becker, no início de novembro de 1939: "Não é possível vencer a guerra contra a Inglaterra com fogões e máquinas de lavar roupa."[39]

Na busca da vitória, a questão que preocupava as principais figuras em Berlim não era como equilibrar as necessidades do esforço de guerra e os da economia civil. O problema era como organizar melhor a economia para a guerra total. As equipes econômico-miltares do OKW, do Ministério de Assuntos Econômicos e da *Reichsnährstand* (a organização nacional de agricultura) recordavam com horror os tempos de 1914-18. À luz daquela experiência, parecia impossível apostar tudo em um êxito decisivo nos campos de batalha no primeiro ano da guerra.[40] Na opinião deles, o único caminho seguro era que a Alemanha endurecesse sua política econômica a fim de sustentar uma luta prolongada. A máxima prioridade, naturalmente, tinha de ser conferida à produção de armamentos. Mas, numa guerra longa, as necessidades imediatas das tropas combatentes tinham de estar equilibradas com a necessidade de investir em infraestrutura a fim de permitir à Alemanha sobreviver ao bloqueio. Numa guerra longa, era também preciso dar prioridade à manutenção do nível de exportações, a fim de possibilitar a importação das matérias-primas essenciais vindas dos parceiros comerciais remanescentes da Alemanha. Era igualmente necessário priorizar a agricultura, porque sem alimentos a frente doméstica entraria em colapso, como ocorrera na Rússia, em 1917, e na Alemanha, em 1918. Essa estratégia podia parecer favorável à economia civil, mas isso era enganoso. Era uma estratégia motivada, antes de tudo, pela sustentabilidade de longo prazo do esforço de guerra. Em 1939, ninguém esperava que a Alemanha conseguisse durar tanto quanto na Primeira Guerra Mundial. As deficiências do Terceiro Reich em divisas estrangeiras e estoques de matérias-primas eram demasiadamente graves. Mas, sob a direção do secretário de Estado Backe, a *Reichsnährstand* preparava-se para uma guerra de três anos.[41] O general Thomas, do OKW, e seus colaboradores no Ministério dos Assuntos Econômicos, acreditavam que, com uma gerência cuidadosa, os estoques alemães de matérias-primas industriais poderiam ser "esticados" por um período correspondente.[42]

Pelo menos superficialmente, a estratégia dos peritos econômico-militares possuía uma lógica atraente. Se não se esperava uma decisão militar rápida, seria sem dúvida necessário direcionar todos os esforços para assegurar que a Alemanha sobrevivesse por mais tempo do que seus inimigos.[43] Porém, dada a situação do país em 1939, essa linha lógica ocultava algumas implicações drásticas para a condução da guerra. Para que os estoques alemães durassem três anos, a Wehrmacht teria de se abster de todas as ações ofensivas importantes.[44] Segundo o Plano Trienal de matérias-primas preparado pelo escritório de Thomas, no OKW, as cotas alocadas à produção de armamentos eram muito mais baixas do que as necessárias para um esforço armamentista total. A equipe econômico-militar do OKW propunha, portanto, que, após a rápida vitória na Polônia, a Wehrmacht combatesse em postura defensiva durante o restante da guerra. O Exército, em particular, deveria abster-se de operações ofensivas. Um grande esforço para obter vitória no campo de batalha acarretaria redução dos estoques de matérias-primas e combustível a níveis tão críticos que seria impossível recuperar uma postura defensiva sustentável. A implementação consistente da "estratégia da longa guerra", portanto, significava o abandono, desde o início, de qualquer possibilidade de obter uma vitória militar decisiva. O que começara como simples precaução sensata contra a possibilidade de que o êxito em batalha acabasse sendo inócuo transformou-se em estratégia que impedia a possibilidade de obter tal vitória. Isso, por sua vez, suscitava a questão de saber se a Alemanha, de fato, tinha alguma chance de vencer a "longa guerra" para a qual Thomas e Backe se preparavam com tanta urgência. Essa estratégia da "guerra longa" não seria exatamente o que quereriam a Grã-Bretanha e a França? Como os primeiros meses da guerra demonstraram amplamente, os dois aliados não tinham pressa em lançar um ataque contra a Alemanha, mesmo quando o grosso da Wehrmacht se encontrava em ação na Polônia. Preferiam ganhar tempo, confiantes na convicção de que, em uma guerra longa, as vantagens decorrentes do apoio norte-americano seriam decisivas. Enquanto isso, a Alemanha seria lentamente estrangulada mediante bloqueio naval. Se os alemães procurassem equilibrar a situação enviando submarinos contra as rotas marítimas do Atlântico, como fora feito em 1916, isso faria recair sobre a Wehrmacht todo o poderio norte-americano. O resultado militar não estaria mais em dúvida. Com efeito, se fosse seguida a "estratégia da longa guerra" preferida pelo general Thomas, a melhor esperança da Alemanha seria solucionar o conflito por meios diplomáticos antes que a superioridade material dos inimigos se fizesse sentir decisivamente. E, quanto mais cedo o fizesse, melhor. Prolongar os combates, simplesmente, tornaria a paz mais onerosa para a Alemanha. A racionalidade superficial da "estratégia da longa guerra" tornava-se assim autodestrutiva.

Hitler não quis saber desse tipo de lógica.[45] Ele havia lançado o ataque contra a Polônia, aceitando o risco do envolvimento britânico e francês. Agora que a Alemanha se encontrava em guerra com as potências ocidentais e estas não pareciam dispostas a negociar, não havia alternativa senão arriscar nova aposta, desta vez, lançando um ataque espetacular contra a França. Ele tinha plena consciência das consequências econômicas que se sucederiam. Precisava obrigar os peritos econômicos da Wehrmacht a abandonar a cautela e promover, imediatamente, o uso de todos os recursos disponíveis na preparação da ofensiva de 1940, quaisquer que fossem as consequências de longo prazo para a viabilidade do esforço de guerra alemão.[46] Os arquivos deixados pelo general Thomas registram uma série de intervenções nas quais Keitel, Göring e Todt atuaram como porta-vozes do *führer*, todas com a mesma mensagem. Uma troca de palavras reveladora ocorreu nos primeiros dias de dezembro de 1939, quando Thomas procurava convencer Keitel da necessidade de alocar matérias-primas para produtos de exportação.[47] Em conformidade com sua argumentação sobre a "longa guerra", Thomas pediu que a Wehrmacht permitisse um aumento da cota de aço alocada a exportações, porque "não poderemos durar numa guerra prolongada se já vivemos hoje à conta de períodos futuros". A resposta de Keitel foi imediata e categórica: "O próprio *führer* reconheceu que não podemos durar em uma guerra prolongada. A guerra tem de terminar rapidamente. Portanto, o grande ataque seria lançado, se possível, antes mesmo do Natal. Tudo tinha de ser apostado nessa cartada, inclusive o uso de estoques e de matérias-primas (*sic*). O que for necessário será retirado impiedosamente do setor de exportação." Keitel prosseguiu acrescentando outra consideração: "Tudo tinha de ser concentrado de forma a derrotar as potências ocidentais o mais rapidamente possível, pois não estava claro por quanto tempo os russos ficariam conosco". Exatamente a mesma argumentação foi reiterada durante os meses seguintes, primeiro por Göring, no fim de janeiro de 1940, e depois, no início de março, por Fritz Todt. Em 24 de março, o general Thomas anotou a seguinte conversa com Fritz Todt: "O *führer* novamente acentuou energicamente que tudo tem de ser feito para que a guerra termine, em 1940, com uma grande vitória militar. A partir de 1941, o tempo trabalhará contra nós (potencial dos Estados Unidos)."[48]

Havia, naturalmente, aspectos práticos a considerar. Apesar da necessidade de concentrar todos os esforços, no ano de 1940, a mobilização econômica não podia ser realizada de um dia para o outro. Para a maioria dos projetos industriais, um horizonte de tempo de doze meses era, simplesmente, demasiado curto. Para grande frustração de Thomas, os grandiosos planos de expansão de 1938 — os esquemas químicos de Krauch e os planos da Luftwaffe — continuavam a exercer influência formativa sobre o esforço armamentista alemão, mesmo depois da eclosão da guerra. Estavam programados para atingir o auge entre 1941-2. Colocados em forma prática, portanto, os programas alemães de armamentos continuavam a se estender por um período de dois anos. Afinal, mesmo que o Exército francês pudesse ser derrotado no primeiro ano da guerra, por meio de um grande golpe, as guerras aérea e naval contra a Grã-Bretanha, provavelmente, prosseguiriam por mais um ano, e, depois da guerra, a oeste, Hitler tinha outros objetivos para a expansão da Alemanha. Fundamentalmente, no entanto, não poderia haver um meio-termo entre as estratégias da "longa guerra" e as da "guerra curta". A questão não era orientar os planos para um horizonte de tempo de 12 ou 18 meses. O verdadeiro problema era o tipo de guerra a combater em 1940 — ofensiva ou defensiva. E, sobre esse ponto, Hitler nunca hesitou. Concordara, relutantemente, com o adiamento do ataque que ordenara para 12 de novembro de 1939. Porém, a abstenção completa de operações ofensivas, num esforço para prolongar a guerra, simplesmente, não era uma opção. A ofensiva ocidental de 1940 teria de ser um ataque total.

II

As prioridades básicas do esforço armamentista alemão foram ditadas por Hitler numa série de decisões tomadas entre setembro e novembro de 1939. Poucas horas depois do início da guerra, ele sacrificou o Plano Z da Marinha — o programa de construção de uma gigantesca frota de alto-mar capaz de enfrentar a Marinha Real —, ao qual tinha conferido absoluta prioridade tão recentemente quanto em janeiro de 1939.[49] As obras nos navios capitânias que não podiam ser completadas em 1940, foram paralisadas imediatamente. Os estaleiros de Hamburgo, Bremen e Kiel trataram de redirecionar a mão de obra para a produção de submarinos padrão da classe Mark VII.[50] Com essa decisão, Hitler abandonava sua ambição de transformar a Alemanha em uma grande potência naval. Tratava-se, porém, de uma precondição para restabelecer uma aparência de ordem no programa de armamentos da Wehrmacht. Dali em diante, a Marinha nunca mais desafiou a preeminência do Exército ou da Luftwaffe. Em nenhum momento da guerra, sua cota nas despesas para armamentos foi superior a 15%. O máximo que os planejadores navais podiam realisticamente esperar era uma guerra comercial intensa no Atlântico. O "programa de submarinos", que substituiu o Plano Z, previa a produção de 25 submersíveis por mês. Nominalmente, esse programa teria alta prioridade na distribuição de matérias-primas e mão de obra, mas a produção real de submarinos nos primeiros doze meses da guerra foi irrisória.[51]

A principal carga da guerra contra a Grã-Bretanha seria executada não pela Marinha, e sim pela Luftwaffe, e, especificamente, pela frota de bombardeiros Ju 88, que haviam formado o cerne do planejamento do Ministério da Aeronáutica desde a primavera de 1938. Como vimos, em julho de 1939, o planejamento desse ministério se encontrava em pleno recuo, sob o impacto da progressiva limitação na distribuição de matéria-prima. Durante o verão de 1939, tinha sido preciso contemplar o cancelamento de qualquer produção futura de bombardeiros de mergulho Stuka e aviões de reconhecimento, a fim de preservar o programa dos Ju 88. A fim de obter maiores cotas para a Luftwaffe, o Ministério da Aeronáutica, apoiado pelo diretor-executivo da Junkers, Heinrich Koppenberg, entregou-se a um frenético jogo de *lobby*.[52] Em 3 de julho de 1939, Hitler assistiu ao infame "espetáculo mágico" no aeródromo de provas de Rechlin, cuja principal atração era um impressionante desfile de maravilhosas armas aéreas, inclusive caças a jato, aviões-foguete e um grande canhão aéreo — cuja produção, supostamente, se iniciaria em poucos meses. Depois disso, na terceira semana de agosto, quando Hitler estava preocupado com a guerra iminente, Koppenberg e Ernst Udet, chefe do escritório técnico do RLM, convenceu-o a assinar uma "ordem do *führer*" restaurando a prioridade máxima do programa Ju 88. As consequências foram dramáticas. Durante o restante da guerra, a Luftwaffe participaria do esforço armamentista em pelo menos 40%.

O verdadeiro ponto focal da política de armamentos nos primeiros meses da guerra era a munição, antes de tudo, por motivos políticos. A crise de munição de 25 anos antes, no início da Primeira Guerra Mundial, permanecia viva na memória.[53] Como veterano de infantaria da Grande Guerra, Hitler tinha opiniões muito firmes sobre grandes canhões e obuses.[54] Além disso, a gestão da produção de munições, tanto para a Luftwaffe como para o Exército, cabia ao escritório de suprimento do Exército, imensa organização militar que servia de bode expiatório ideal para os ideólogos do partido nazista que desdenhavam todas as formas de burocracia estatal.[55] A ideia de que os burocratas do Exército pudessem estar a ponto de estrangular a ofensiva total que Hitler planejava para 1940 era suficiente para enraivecê-lo. Sua Wehrmacht receberia todo o poder de fogo necessário para conseguir a decisão que escapara tão cruelmente ao Exército do kaiser, em 1914. Mas não era apenas a política burocrática o que fez da munição a questão realmente divisória no primeiro ano do esforço de guerra nazista. A questão fundamental era de recursos. Depois da produção de aeronaves, o suprimento dos enormes volumes de munição exigidos pela guerra moderna era, de longe, o maior desafio industrial que a economia alemã enfrentava na Segunda Guerra Mundial. Não por acaso as imagens de fábricas de obuses faziam parte dos ícones de 1914-18. Embora menos preeminentes no repertório visual, 25 anos depois, em termos industriais, não eram menos significativas. A munição tinha um apetite voraz por matérias-primas. No último ano da Primeira Guerra Mundial, nada menos do que 400 mil toneladas de aço por mês foram consumidas pelas fábricas de munição. Isso equivalia a um quarto de toda a produção alemã de aço, no outono de 1939. Os cartuchos e as cápsulas dos obuses também consumiam quantidades críticas de cobre, cuja escassez era conhecida. Com Hitler insistindo em uma grande ofensiva no oeste na primeira oportunidade possível, era claramente necessária ação urgente a fim de melhorar os estoques insuficientes da Alemanha. Para complicar mais o assunto, na gestão da produção de munições, o escritório de suprimento do Exército não tratava com o tipo de produtores dependentes que gravitavam em torno do Ministério da Aeronáutica do *reich*. Os principais fornecedores de munição eram os gigantes da indústria pesada alemã, como a Vereinigte Stahlwerke, Krupp, Klöckner ou a Reichswerke Hermann Göring. No outono de 1939, após três anos de incerto racionamento de aço, essas firmas haviam acumulado alta pressão de frustrações que eram agora descarregadas sobre o escritório de suprimento do Exército.[56]

Hitler fez sua primeira intervenção na questão das munições em outubro, insistindo na prioridade da artilharia e respectiva munição.[57] Em meados de novembro, quando o enfrentamento com Brauchitsch e Halder se aproximava do clímax, ele exigiu uma produção de munições três vezes superior ao nível anteriormente contemplado pelo escritório de suprimento.[58] No fim do mês, o chamado *Führerforderung* (desafio do *führer*) começava a tomar forma mais concreta. Baseado em números que Hitler compilara da história da Grande Guerra, o desafio dava prioridade, acima de tudo, a *howitzers* e morteiros pesados — as armas decisivas da guerra de trincheiras.[59] Em 12 de dezembro de 1939, Hitler aprovou pessoalmente a versão final do *Führerforderung*, cujo tópico mais dramático era a exigência do aumento da produção mensal, até o outono de 1940, para 3 milhões de obuses leves para *howitzer*,

650 mil cargas de munição para *howitzers* pesado e nada menos do que 150 mil bombas de morteiro de 21 centímetros.[60] Para os obuses padrão de 10,5 centímetros da Wehrmacht, Hitler determinou um aumento de quase oito vezes na produção.[61] Em relação à produção real do outono de 1939, medida em termos de peso da munição, a *Führerforderung* implicava um aumento de 3 vezes e meia durante os doze meses seguintes e de cinco vezes até o outono de 1941. Esses números são importantes testemunhos do tipo de guerra em que Hitler esperava ter de combater nos anos vindouros. Em novembro e dezembro de 1939, ele parecia estar construindo em sua mente o programa de armamentos, não em torno de uma visão brilhante da *blitzkrieg*, e sim em relação à primeira versão do plano para invasão da França. Como vimos, esse plano não previa uma guerra rápida de manobras, e sim um avanço implacável em direção ao canal da Mancha, seguido por bombardeio aéreo da Grã-Bretanha. Se houvesse um golpe relâmpago, teria de ser desferido pela Luftwaffe contra a frente doméstica britânica, e não nos campos de batalha de Flandres.

Com suas duas decisões a favor do Ju 88 da Luftwaffe e do programa de munições, Hitler determinou a estrutura básica do esforço armamentista alemão. Na multiplicidade de comentários históricos sobre a influência da política na produção bélica da Alemanha, grande parte da qual utiliza, principalmente, as memórias do insatisfeito general Thomas, isso tem ficado em geral obscurecido.[62] Longe de uma ausência de prioridades claras, o esforço industrial bélico da Alemanha foi dominado por apenas dois elementos: aviões e munição. Conjuntamente, esses dois componentes utilizaram mais de dois terços dos recursos destinados à produção de armamentos, nos primeiros dez meses da guerra. Em junho de 1940, quando o programa de munições de Hitler chegou ao auge, os dois juntos atingiram mais de 70%. Pode-se dizer muita coisa sobre a organização da economia alemã de guerra, menos acusá-la de falta de um foco definido. Tanques, veículos, armas e todas as necessidades da Marinha tiveram de ser supridas com um terço dos recursos atribuídos ao esforço armamentista. O verdadeiro problema não era a falta de prioridades nítidas, mas a dificuldade de traduzir as ordens de Hitler em resultados produtivos. Entre setembro de 1939 e janeiro de 1940, após uma recuperação inicial do poço em que tinha caído no verão de 1939, a produção alemã de munição estagnou-se.[63] A situação nos setores da Luftwaffe, nos quais o efeito dos cortes do verão de 1939 foi sentido mais tarde, era ainda pior.[64] A luta para encontrar culpados por esses acontecimentos contraditórios definiu a parte política do esforço de armamento. Escudado na autossuficiência da Luftwaffe — o bloco industrial e o peso político de Göring —, o Ministério da Aeronáutica lavou a roupa suja em casa. O Exército não teve tanta sorte. A liderança do partido e o alto-comando da Wehrmacht, apoiados pelos principais interesses industriais, transformaram o escritório de suprimentos em bode expiatório para os problemas daquele início do esforço de guerra.[65]

Para um país que, desde 1933, se dedicara a programas de rápido rearmamento, o desempenho pouco brilhante das indústrias bélicas da Alemanha nos primeiros meses da Segunda Guerra Mundial, certamente, constituiu um anticlímax. Mas isso não é surpreendente quando recordamos o curso dos acontecimentos desde o princípio de 1939. Os efeitos dos drásticos cortes nas cotas de matérias-primas, a partir de janeiro de 1939, ainda estavam sendo sentidos, nove meses depois.[66] Enquanto no verão a guerra parecia cada vez mais próxima, a situação dos materiais bélicos para a Wehrmacht melhorara. A prioridade obtida pela Luftwaffe deu-lhe um impulso importante. A produção em massa do Ju 88, longamente aguardada, finalmente, começou, no outono de 1939. No entanto, foram necessários vários meses para reverter a desaceleração da primeira metade do ano. No caso da Luftwaffe, seis meses era o tempo mais curto em que o aumento das entregas de matérias-primas conseguiam percorrer o metabolismo industrial. Também levou tempo a identificação de novas fábricas de armamentos, distribuir os necessários equipamentos e projetos industriais e levar a produção à velocidade máxima. Essas demoras inevitáveis foram agravadas pela mobilização total das forças armadas, em agosto de 1939, semanas antes da expedição da ordem para a mobilização total da economia. Isso não afetou as firmas que trabalhavam sob supervisão direta das forças armadas, cujos operários estavam isentos do recrutamento militar,[67] mas a retirada de 4 milhões de homens das atividades econômicas, sem dúvida, causou dificuldades. Entre os prejudicados estavam muitos subcontratistas importantes e fornecedores de matérias-primas ao esforço de guerra. Em seguida, no outono de 1939, a economia alemã foi golpeada pelo retorno dos problemas de transporte que tinham surgido, inicialmente, no inverno de 1937-8.[68]

Em meados do século XX, a economia alemã, como a de todas as congêneres europeias, ainda dependia absolutamente do carvão. Noventa por cento das necessidades energéticas da Alemanha eram supridas, de uma forma ou de outra, tanto por carvão do tipo lignito (marrom) ou antracita (preto). Além disso, o carvão e seus derivados, como pó e gás de carvão, eram matérias-primas vitais na indústria de muitos produtos químicos. O carvão era a mais importante matéria-prima industrial, da qual a Alemanha possuía ricas jazidas. As minas do país, no entanto, estavam fortemente concentradas nos confins ocidentais e orientais do *reich*, respectivamente, no Ruhr e na Silésia. Portanto, centenas de milhares de toneladas de carvão tinham de ser transportadas, diariamente, desde as fronteiras até as concentrações industriais e urbanas do norte, sul e centro da Alemanha. Todos os dias do ano, pelo menos um terço da tonelagem transportada pelo sistema ferroviário consistia em carvão ou derivados.[69] O funcionamento da economia como um todo dependia da capacidade das ferrovias em manter as entregas. Entre 1929 e 1938, a Reichsbahn já sofrera quase uma década de negligência sistemática.[70] Enquanto recursos das ferrovias eram desviados para a construção de *autobahns* e o financiamento de investimentos na expansão do transporte por caminhões e ônibus, o material rodante da Reichsbahn se deteriorava. Entre 1933 e 1937, a empresa ferroviária comprou menos de 2 mil vagões de carga por ano, uma fração do que seria necessário para compensar o desgaste pelo uso. Em consequência, o número de vagões de carga em serviço útil decaiu de uma média de 670 mil unidades, no final da década de 1920, para menos de 575 mil, em 1937. A Reichsbahn fez o possível para compensar a perda por meio da utilização mais eficiente de sua frota em declínio, mas, a partir de 1937, o hiato entre o volume de tráfego e a capacidade do sistema ferroviário alargou-se inexoravelmente.

Em 1939, os problemas sazonais normais foram agravados pelos movimentos em massa de tropas. Primeiro, para as posições de ataque ao longo da fronteira oriental e, em seguida, para a ocidental. Gargalos e engarrafamentos se espalharam pelo sistema. Multiplicaram-se os desastres, com duas grandes tragédias logo antes do Natal, nas quais morreram 230 pessoas, abalando a confiança do público.[71] Durante o inverno de 1939-40, informantes da Gestapo colocados nas plataformas das estações em todo o país relataram indignação pública com os atrasos e cancelamentos arbitrários.[72] Os administradores da ferrovia esforçaram-se por aliviar os problemas do tráfego de carga mediante a redução dos serviços de passageiros em geral, mas mesmo as medidas drásticas não foram suficientes para evitar uma crise. No início de 1940, dezenas de milhares de vagões de carga se encontravam paralisados em muitos quilômetros de engarrafamentos. Em janeiro, o tempo de retorno dos vagões aumentara para mais de uma semana. A capacidade efetiva do material rodante de carga da Reichsbahn caiu rapidamente e o resultado imediato foi a interrupção do abastecimento de carvão. Em dezembro, as minas passaram a se queixar de uma iminente "calamidade de transporte". Na cidade de Berlim, que sofria com o frio intenso, o carvão ficou tão escasso que até mesmo uma das principais firmas produtoras de armamento, como a Rheinmetall, não conseguiu impedir que seus suprimentos fossem confiscados pelas autoridades municipais desesperadas.[73] Enquanto isso, na cabeceira das minas do Ruhr, as montanhas de carvão esperando transporte atingiram níveis perigosos, obrigando as minas a interromper a produção.

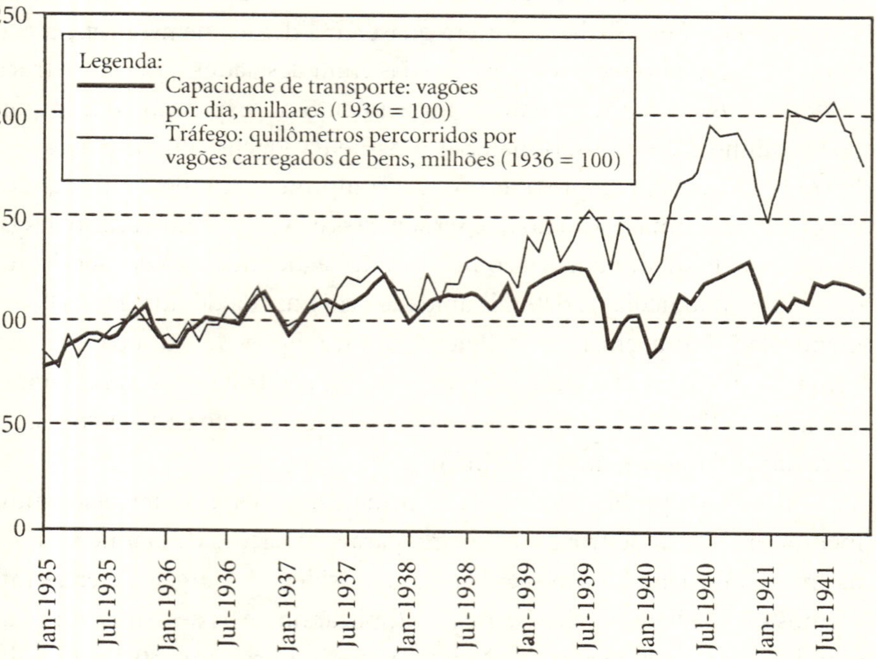

Gráfico 13. A Reichsbahn sob pressão

No total, nos primeiros meses de 1940, quase 10% das fábricas de armamento da Alemanha foram prejudicadas pela escassez de carvão.[74] No distrito industrial central em torno de Kassel, esse número atingiu 27%. Em janeiro de 1940, Göring considerou o transporte como *o* principal problema da economia de guerra da Alemanha.[75]

Foi nesse panorama de desapontamentos, decepções e crises que o escritório de suprimento do Exército enfrentou a exigência de Hitler de drástico aumento na produção de munições. Pode parecer estranho que o Exército fizesse objeções a uma ordem de Hitler. Afinal, seria o ramo das forças armadas mais beneficiado pelo programa. No entanto, o Exército tinha outras prioridades além da munição e era também o maior recebedor de aço e outros metais. A menos que houvesse amplo incremento na cota de aço, as principais vítimas da gigantesca *Führerforderung* seriam os programas de armas, tanques e veículos do próprio Exército. A quantidade de aço e outros metais necessários para o plano de munições de Hitler era assustadora. No primeiro trimestre de 1940, o Exército estimou que necessitaria de 566 mil toneladas de aço e mais de 8 mil de cobre, comparados com a cota da época de apenas 300 mil toneladas de aço e 3,8 mil de cobre.[76] Se a história se repetisse, se os planos de expansão não fossem apoiados por cotas adequadas de material, nesse caso a *Führerforderung* se tornaria mais uma bolha armamentista de uma longa série. Os burocratas do Exército tinham aprendido a lição. Temiam agora que, se os inspetores locais de armamentos conseguissem identificar e "isolar" suficiente capacidade metalúrgica, as fábricas que haviam reservado para uso militar se veriam privadas tanto de ferro ou de cobre quanto de qualquer outro material essencial. Após diversas decepções semelhantes, a reputação do Exército nos círculos industriais estava gravemente comprometida. Além disso, a julgar pelo desempenho anterior, o Exército tinha dúvidas de que Carl Krauch e a organização responsável pela indústria química no Plano Quadrienal pudessem conseguir o aumento de quatro vezes na produção da pólvora e explosivos necessários para suprir os obuses de Hitler. Afinal, para atingir essas metas, Krauch necessitaria tanto de maiores cotas de aço quanto de mão de obra, e onde poderia obtê-las? Se ele não chegasse ao objetivo, milhões de pentes de munição se acumulariam em estoques inúteis por falta de explosivos para enchê-los. Três milhões de toneladas de aço, 40,6 mil de alumínio e 10 mil de cobre seriam retiradas de circulação, enquanto o resto do esforço de guerra sofria a falta de metais essenciais.[77] No fim das contas, a culpa seria dos "incompetentes burocratas militares".

Nos primeiros meses de 1940, o problema da munição passou a ocupar o centro da batalha em curso entre Hitler e a liderança militar. Em 27 de janeiro, Brauchitsch informou Thomas, do OKW, de que, dada a atual cota de matérias-primas as exigências de munição do *führer* não poderiam ser cumpridas.[78] Além disso, o general Von Brauchitsch afirmou que o OKW não tinha o direito de ditar ao Exército os detalhes de seu planejamento bélico. No futuro, o alto-comando do Exército aceitaria somente as ordens da Wehrmacht, e por extensão as de Hitler, que estivessem apoiadas em cotas suficientes de matérias-primas. A resposta de Keitel a esse protesto foi inflexível, recusando-se terminantemente a reabrir a questão das prioridades. O *führer* havia tomado a decisão quanto ao seu programa de armamentos e suas exigências teriam de ser cumpridas, com ou sem a colaboração do escritório de suprimento do Exército. Conforme Thomas anotou em seu diário, "o programa tem de ser cumprido, e, se o escritório de suprimento [do Exército] não puder fazê-lo, nesse caso, o *führer* encarregará disso outra repartição". Claramente, não se tratava de uma ameaça vã. Desde o início da crise de matérias-primas, nos primeiros meses de 1939, Brauchitsch vinha se preocupando com a possibilidade de nomeação de um "plenipotenciário" não militar para organizar o setor de munições.[79]

A linguagem utilizada era muito forte e as consequências políticas potenciais muito importantes. O futuro do esforço de guerra alemão estava em jogo. Mas, em termos da gestão prática do esforço armamentista, a solução era evidente desde o início. O momento para um motim declarado havia passado meses antes. Em fevereiro de 1940, Franz Halder e seus planejadores operacionais estavam em meio ao processo de organizar um novo e ousado esquema para o ataque à França. Com o ataque previsto para dali a poucos meses, o Exército não poderia objetar à atribuição de prioridade imediata à munição. Mais abaixo na cadeia de comando, os registros das inspetorias regionais mostram, claramente, que os execrados burocratas militares estavam fazendo tudo ao seu alcance para cumprir o desafio de Hitler.[80] Chegaram a levar a sério a ideia de estocar obuses vazios, que seriam, então, carregados de explosivos, segundo as necessidades da situação militar e a disponibilidade dos ingredientes químicos. Tampouco Keitel e Hitler simplesmente desautorizaram a avaliação profissional das autoridades responsáveis pelo suprimento. Durante o transcurso do mês de fevereiro, Keitel concordou em permitir que o Exército decidisse as categorias de munição que deveriam ser produzidas, conforme as matérias-primas disponíveis. De qualquer forma, o que realmente importava era a munição produzida durante os nove meses seguintes. Devido à "névoa da guerra", o planejamento para dali a dois anos não poderia ser mais do que uma suposição. Conforme o general Thomas recordou repetidas vezes a seus superiores, se a produção de munição chegasse aos níveis exigidos por Hitler, a Alemanha, em breve, teria esgotado os estoques de cobre e outros metais não ferrosos. Depois disso, quem ditaria a composição do programa de armamentos não seria Hitler nem o Exército, e sim as pequenas quantidades de matérias-primas importadas. Enquanto isso, o objetivo era produzir o máximo de munição possível o mais rapidamente possível. Assim, disse Keitel a Thomas em janeiro de 1940: "O principal é que se tem a impressão de que o programa de munições agora foi iniciado em larga escala e no verão, será então necessário pensar, tendo em vista a situação de nossas matérias-primas, se devemos continuar na larga escala proposta pelo *führer*. Mas ele somente poderá tomar uma decisão no verão."[81]

Apesar das pequenas brigas políticas, as estatísticas mostram que, uma vez vencidos os problemas de transição e a crise dos transportes, Hitler conseguiu exatamente o que desejava: uma aceleração drástica na produção de armamentos, dominada por um grande aumento na produção de munições e aeronaves de combate, sincronizadamente com o ataque à França. Em apenas sete meses, entre janeiro e julho de 1940, a produção alemã de armamentos dobrou. Seria esse o incremento mais contínuo e mais dramático da produção de armamentos em toda a guerra. Em termos de ritmo de aumento, excedeu tudo o que fora conseguido em qualquer período equivalente, mesmo sob a famosa liderança de Albert Speer. O aumento somente se tornou possível mediante a implacável mobilização de recursos, sem atentar para as necessidades da população civil e nem para as perspectivas futuras da economia de guerra. Tanto em termos econômicos quanto militares, a Alemanha nazista seguia rumo à bancarrota.

Além disso, não pode haver dúvida de que cabe aos burocratas do escritório de suprimento do Exército e às inspetorias regionais da Wehrmacht o crédito por essa escalada na produção de armamentos.[82] O aumento da produção se iniciou em fevereiro, meses antes de qualquer modificação no sistema de suprimento da Wehrmacht. Politicamente, no entanto, a reviravolta na produção chegou tarde demais para salvar o escritório de suprimento do Exército. Quando a plena extensão da crise do inverno se tornou visível nas últimas estatísticas, em fevereiro de 1940, Hitler explodiu. Primeiro, Brauchitsch e Halder haviam sabotado seu plano para ataque imediato à França em novembro de 1939. Agora, a arrogância e incompetência do escritório de suprimento do Exército ameaçava todo o esforço de guerra. E era claro de onde teria de vir a solução. No fim de fevereiro, Hitler deixou de lado sua rotina normal de tempo de guerra devido às comemorações do vigésimo aniversário do manifesto do partido nazista. Para marcar a data, ele compareceu a uma reunião de gala dos "Velhos Combatentes", em Munique, e ofereceu uma recepção aos *gauleiters* em Berlim. Haver mergulhado naquela atmosfera ideológica, aparentemente, fortaleceu sua decisão. A "letargia burocrática" do Exército seria vencida pelo dinamismo do movimento nacional-socialista, "calejado na batalha". No fim do mês, Keitel recebeu instruções para escrever a Brauchitsch:

> O *führer* e comandante supremo da Wehrmacht, após tomar nota do último relatório de produção de armas e munições [isto é, janeiro de 1940] expressou-me sua insatisfação com o baixo nível do desempenho atingido desde o início da guerra... A modesta produção de munição em janeiro nos calibres mais importantes não permite esperanças de que o *führer* esteja satisfeito até abril de 1940. O *führer* declarou que é necessário reorganizar o sistema de suprimento.[83]

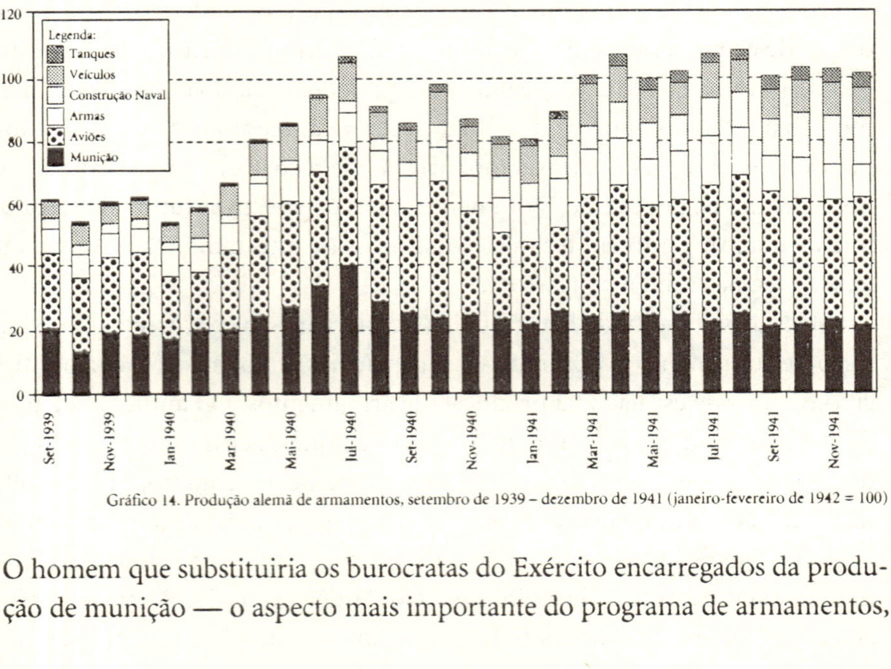

Gráfico 14. Produção alemã de armamentos, setembro de 1939 – dezembro de 1941 (janeiro-fevereiro de 1942 = 100)

O homem que substituiria os burocratas do Exército encarregados da produção de munição — o aspecto mais importante do programa de armamentos, com exceção dos aviões — foi o fazedor de milagres favorito de Hitler, Fritz Todt.[84] Ele havia transformado em realidade a visão de Hitler de um sistema nacional de *autobahns*. Em 1938, foi Todt quem, na Muralha do Oeste, demonstrara que a iniciativa de um engenheiro politicamente comprometido, convocando as energias da empresa privada, era capaz de realizar o que a lenta burocracia militar era, aparentemente, incapaz. E foi Todt o homem devidamente designado por Hitler, em 17 de março de 1940, para liderar o novo Ministério da Munição. Foi um ato de calculado desprezo pelos oficiais do escritório de suprimento do Exército, recebido com amargura. No início de abril de 1940, o general Becker, chefe do escritório de suprimento, fez uma última tentativa para aplacar Hitler ao oferecer a integração da equipe de suprimento em uma única repartição atendendo toda a Wehrmacht. O escritório também tentou satisfazer os interesses industriais ao cooptar Walter Borbet, líder da Bochumer Verein, para o cargo de conselheiro industrial para munição. Inicialmente, Hitler pareceu aprovar essa nova orientação, mas, no último momento, na noite de 8 de abril, os esforços de Becker para salvar a posição do Exército foram sabotados por Erich Müller, conhecido como "Müller Canhão" (*Kanonen-Müller*), principal projetista de armas da Krupp, que tinha feito carreira adulando as fantasias de Hitler sobre peças de artilharia de grandes dimensões. Aproveitando a oportunidade para uma entrevista improvisada com Hitler, em uma viagem no trem particular do *führer*, Müller convenceu-o de que a indústria alemã preferiria ver o novo Ministério da Munição dirigido não por um soldado, mas por Todt. Para reforçar sua argumentação, fez algumas insinuações sobre a vida particular do general Becker. Logo Becker foi informado de que seu plano para preservar o controle militar sobre os suprimentos não seria considerado. Horas depois, o principal perito alemão em balística suicidou-se com um tiro.

Tem-se sugerido, às vezes, que a nomeação de Todt foi resultado de intrigas diretas feitas por capitalistas alemães, e é inegável que as grandes firmas estavam entre os principais beneficiários.[85] No entanto, como sempre, não é fácil provar que os interesses do mundo dos negócios tenham sido realmente os principais impulsionadores. É verdade que os industriais se queixaram, durante o inverno de 1939-40, a respeito do que consideravam burocracia excessiva de parte do Exército. E isso talvez tenha sido motivado por uma afirmação especialmente canhestra do major-general Thomas, no sentido de que ele acreditava que a expecttiva de lucro não estivesse presente na organização do esforço de guerra alemão, palavras que, dificilmente, poderiam suscitar na indústria admiração pelos militares. A decepção com o cancelamento dos programas de munição, em 1937 e 1939, certamente, não tinha sido esquecida. Também é verdade que certo número de industriais, inclusive "Müller Canhão", mas também Walter Borbet, tinham acesso privilegiado a Hitler. No entanto, dada a tensão entre o *führer* e a liderança militar e o decepcionante desempenho da produção de armamentos nos primeiros meses da guerra, Hitler não precisava de estímulo para tomar decisões drásticas. E o homem que escolheu para a função não era industrial, e sim adepto leal do partido. Embora Todt não devesse sua nomeação a uma conspiração do mundo dos negócios, não se pode negar que, uma vez tendo assumido a função, ele buscou ativamente uma aliança com a indústria alemã e que o Grupo do *reich* responsável pela indústria reagiu entusiasticamente.[86] Nos dias seguintes a sua nomeação, Todt deixou o general Thomas, do OKW, esperando enquanto conferenciava com Albert Pietzsch, da RwK (a Câmara de Comércio do *reich*) e Wilhelm Zanger, do RgI (Grupo de Indústria do *reich*). Teve também encontros com Phillipp Kessler, da *Fachgemeinschaft Eisen und Metallindustrie*, Borbet, da Bochumer Verein, Karl Lange, do Grupo de Negócios de Engenharia, e Rudolf Bingel, da Siemens.[87] No fim da primeira semana em que esteve na função, Todt já prometera organizar um Conselho Industrial permanente e o RgI forneceu uma lista de suas prioridades principais.[88] Entre essas, figurava: modificação do rigoroso sistema de controle de preços "a fim de estimular o apetite dos homens de negócios; mais ampla autorregulação pelas principais corporações na distribuição dos contratos de fornecimento; e a reorganização do sistema de racionamento de matérias-primas, que não estava abastecendo as maiores firmas com aquilo a que elas consideravam ter direito. Todt aceitou todas essas sugestões e fez o possível para que fossem implementadas durante os meses seguintes. Mais importante, obrigou os escritórios de suprimento do Exército a aceitar um sistema modificado de preços para as encomendas de munição — aos produtores que apresentassem custos mais baixos seriam oferecidos preços padronizados, em vez de estarem sujeitos a repetidos controles de preços — e tratou de descentralizar a distribuição das encomendas de munição. Em cada uma das regiões definidas pelas inspetorias de armamentos da Wehrmacht, as organizações de negócios deveriam formar grupos de produtores interessados em cada calibre de munição.[89] Esses grupos de trabalho eram coordenados por uma comissão regional de munição. Dali em diante, os escritórios de suprimento do Exército expediriam suas encomendas a essas comissões. Os próprios industriais passariam, então, a ser os responsáveis pela distribuição dos contratos aos produtores mais adequados. Na mais importante das inspetorias de armamentos, a do Ruhr, Walter Borbet recebeu, sem surpresa para ninguém, o encargo de presidir a Comissão Regional de Munições.[90] A fim de garantir a coordenação entre as regiões, foi organizado um Conselho de Munições em Berlim, que fazia a ligação entre o ministério de Todt e as organizações nacionais empresariais das indústrias metalúrgicas. Ao longo do tempo, as funções das comissões de munições foram sendo ampliadas a fim de incluir, não apenas a distribuição das encomendas, mas também a supervisão da capacidade produtiva de todas as fábricas em sua área. As comissões receberam de Todt o poder de expedir todas as ordens necessárias para assegurar a execução das metas de produção e negar encomendas às firmas que não possuíssem as matérias-primas e mão de obra necessárias. Em maio de 1940, Todt passara de um sistema estritamente regional para a organização de subcomissões nacionais (*Fachausschüsse*), em Berlim, para todos os principais tipos de munição. No verão, acrescentou o anúncio da formação de uma comissão nacional para a produção de tanques, que começou a se reunir a partir do outono de 1940 sob a presidência de Walter Rohland, da Deutsche Edestahlwerke. Finalmente, em novembro de 1940, o ministério de Todt estabeleceu uma comissão nacional para supervisionar a produção de canhões e artilharia, presidida, previsivelmente, por "Müller Canhão", da Krupp.

Assim, a guerra começou com um convulsivo rearranjo do poder e da influência dentro do segmento da economia de armamentos do Exército. Os perdedores foram os militares. Após o suicídio de Becker, o escritório de suprimento do Exército jamais recuperou a autoridade que tivera. Além disso, a ambição da organização econômico-militar da Wehrmacht em exercer amplo controle sobre toda a economia de armamentos recebeu um golpe fatal com a emergência de Fritz Todt como força independente na política de armamentos. Os vencedores dessa luta pelo poder, além de Todt e do partido nazista, foram os líderes da indústria alemã que se congregaram em torno do novo ministro das Munições, em abril de 1940. Em termos políticos, sua vitória foi ainda mais decisiva porque coincidiu com o extraordinário surto na produção de armamentos da primeira metade de 1940 e o subsequente triunfo da Wehrmacht na França. A combinação da vitória militar com o crescimento das estatísticas de produção constituiu um coquetel intoxicante de propaganda, que Fritz Todt e os que o apoiavam no partido nazista aproveitaram ao máximo. Em seu discurso de vitória, no verão de 1940, Hitler deu inteiramente a Todt o crédito pelo esforço armamentista, ignorando, visivelmente, os oficiais de suprimento do Exército e o general Thomas, do OKW.[91] Essa retórica refletia com exatidão o resultado da batalha política, mas pouco tinha a ver com as realidades da produção.

O grande incremento na produção de munições pelo qual Todt e seus colaboradores receberam reconhecimento foi, na verdade, função dos insumos de matéria-prima. Foi o grande aumento das quantidades de aço e cobre alocadas ao Exército, depois de setembro de 1939, e não os esforços de última hora de Todt para racionalização, que impulsionaram o notável incremento na primeira metade de 1940. Conforme comentou, sarcasticamente, o general Fromm, chefe geral de suprimentos do Exército, "a cama de Todt já estava feita".[92] As estatísticas mensais de produção de munições mostram, claramente, que a decolagem ocorrera em fevereiro de 1940, pelo menos um mês e meio antes que o ministério de Todt sequer começasse a funcionar.[93] Tendo em vista os tempos de preparação para a produção de munições, as medidas tomadas por Todt, a partir de abril, não podem ter tido senão impacto marginal num surto de produção que atingiu o auge em julho. Se as medidas organicionais tiveram alguma participação na explicação desse dramático crescimento, a chave estava nos esforços das inspetorias regionais da Wehrmacht. Já em dezembro de 1939, num esforço para acelerar a identificação e reserva de fábricas adequadas para contratos de munição, o escritório central em Berlim havia delegado a responsabilidade pela alocação de contratos às inspetorias locais de armamentos a ele subordinadas.[94] E, ao contrário do mito de Todt, os soldados não estavam, de forma alguma, cegos quanto à importância de cultivar relacionamentos vigorosos com a indústria. Na primavera de 1940, haviam sido organizados arranjos consultivos por todas as inspetorias de armamentos. Com efeito, foi a inspetoria de armamentos do Ruhr que estabeleceu o modelo para o sistema de comissões nacionais de Todt, na forma do Acordo de Gelsenkirchen.[95] Segundo esse arranjo, uma comissão conjunta de industriais e oficiais de suprimento, presidida por Ernst Pönsgen. Chefe da poderosa Vereinigte Stahlwerke, foi encarregado de identificar as firmas que podiam ser trazidas para a produção de munição.

Não admira, dado esse poderoso apoio, que o Acordo de Gelsenkirchen fosse aprovado como modelo para cooperação de âmbito nacional por Wilhelm Zangen, presidente do Grupo de Indústrias do *reich*, somente algumas semanas antes da nomeação de Todt para ministro das Munições.[96] É sintomático, em relação a política da "crise da munição", que tanto Todt quanto os representantes da indústria preferiram ignorar essas experiências anteriores e anunciar as Comissões de Munições como um rompimento fundamental com todas as práticas anteriores. Os líderes do mundo alemão de negócios se beneficiaram ao ajudar Fritz Todt a misturar o feio coquetel de doutrina nazista de liderança (*Führertum*) e a retórica autoelogiosa do dinamismo empresarial (*Unternehmertum*) que, logo, se tornaria a ideologia orientadora da economia de guerra da Alemanha.

III

Por outro lado, se quisermos compreender o verdadeiro funcionamento do esforço de guerra alemão, temos de manter os olhos fixos nos insumos e na produção da máquina industrial. No primeiro ano da guerra, o regime nazista aumentou a parcela da renda nacional destinada aos militares de 20% para mais de um terço, isto é, um aumento de 60% a partir de um nível já elevado antes da guerra. Como era de se esperar, essa redistribuição de recursos foi acompanhada por brigas políticas. Algumas das medidas mais espetaculares que tinham sido originalmente planejadas para a declaração de guerra foram revistas em favor de uma mobilização "às escondidas". Mais notavelmente, o plano concebido pelo ministro Funk, da Economia, para financiar a guerra por meio de um abrupto aumento de impostos, foi descartado em favor de um programa amplo de racionamento e poupança nacional. E essa aparente hesitação deu origem à impressão de que a liderança política nazista estava fazendo todo o possível para sustentar o padrão de vida dos civis. Isso, porém, é um equívoco. Sem dúvida, é verdade, naturalmente, que um forte aumento das alíquotas de impostos nos primeiros meses da guerra teria dado um sinal mais claro sobre as intenções do regime. O financiamento da guerra por meio do aumento de impostos também teria reduzido o risco de inflação. Porém, no curto prazo, não faria diferença se o consumo civil fosse reduzido por meio de taxação ou por um severo racionamento que levasse a um aumento da poupança. Em qualquer dos dois casos, o consumo foi reduzido e os recursos — mão de obra, capacidade industrial e matérias-primas — foram "liberados" para a produção bélica. Vistas nesses termos, as medidas adotadas pela Alemanha nazista foram extremamente eficazes.[97]

Dentro do território do *reich* anterior à guerra, os níveis já limitados de consumo civil caíram em 11% (em base *per capita*) no primeiro ano da guerra. Em 1941, as despesas de consumo caíram 18% em relação a 1938. À medida que os gastos familiares secavam, o dinheiro não despendido era despejado nos cofres do sistema financeiro alemão. O rendimento mensal dos bancos alemães de poupança fornecem o indicador mais vívido dessa onda de poupança induzida pela guerra.[98] Ao contrário de instituições mais conhecidas, como o Deutsche Bank ou o Dresdner, cuja clientela era relativamente exclusiva, as *Sparkassen* eram os bancos do povo comum. No final da década de 1930, quase todas as famílias possuíam pelo menos uma "caderneta de poupança" (*Sparbuch*). As contas das *Sparkassen* fornecem portanto uma visão direta das atitudes financeiras cotidianas das famílias alemãs. Nos meses imediatamente anteriores à guerra, elas registraram retiradas líquidas anormalmente amplas, quando milhões de famílias trataram de estocar artigos necessários da melhor maneira possível. Depois, a partir dos primeiros meses de 1940, quando o racionamento começou a se fazer sentir, as prateleiras das lojas alemãs se esvaziaram e as contas dos bancos de poupança cresceram em volume de depósitos sem precedentes. Em 1941, as entradas eram de mais de 1 bilhão de *reichsmarks* por ano.

Em circunstâncias normais, esses recursos seriam postos a trabalhar em forma de empréstimos a governos locais ou hipotecas para pequenos negócios. Mas as restrições do tempo de guerra não apenas prejudicaram o consumo, como também limitaram o investimento civil. Enquanto a capacidade de construção de novos armamentos aumentava, após setembro de 1939, o investimento em habitação foi cortado até o osso. Em 1937, ano do auge da construção civil no Terceiro Reich, um total de 320.057 apartamentos foi acrescentado ao número de moradias. Em 1939, esses acréscimos líquidos anuais já tinham caído para pouco mais de 206 mil, sob a pressão das exigências da construção militar. No ano de 1940, somente 105.458 apartamentos foram adicionados ao total de moradias e, em 1942, o total anual chegou a menos de 40 mil, ou seja, uma redução de 85% em relação a 1937.[99] Com o investimento civil paralisado, os recursos que circulavam no sistema financeiro alemão ficaram livres para serem redirecionados para o "sistema silencioso" de financiamento da guerra pelo Reichsbank (*geräuschlose Kriegsfinanzierung*).[100] Após a embaraçosa experiência com ofertas públicas no final de 1938, o Reichsbank e o Ministério das Finanças do *reich* não estavam dispostos a confiar no apelo patriótico dos bônus de guerra. Em vez disso, tomaram empréstimos indiretamente, ao sugar o dinheiro acumulado nos cofres dos governos locais, nos fundos de seguros e nos bancos de poupança locais.[101] Em 1940, as *Sparkassen* por si sós canalizaram 8 bilhões de *reichsmarks* para o esforço de guerra. Em 1941, contribuíram com 12,8 bilhões de *reichsmarks*. Os investidores privados, cujos fundos estavam fora do alcance imediato do Reichsbank, foram levados aos títulos do governo mediante o simples expediente de restringir o uso de qualquer outra forma de ativos que rendessem juros e de impedir a especulação no mercado de ações.[102] Não era necessária a obrigatoriedade. Simplesmente, o único investimento possível era a dívida do governo.

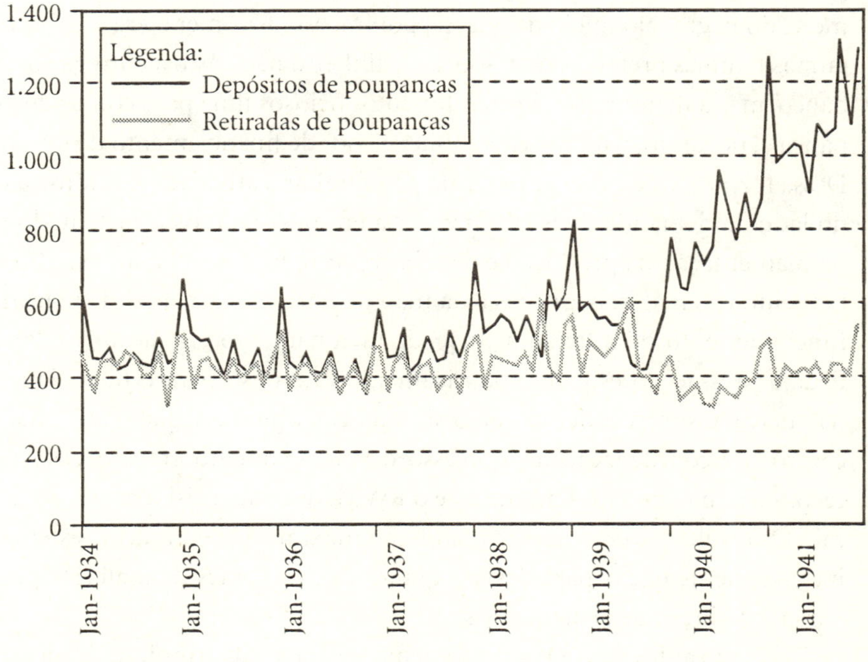

Gráfico 15. Financiamento silencioso em ação (em milhões de *reichsmarks*)

Durante os primeiros quatro anos da guerra, esse sistema pouco visível, porém, altamente eficaz, permitiu que a carga das despesas de guerra da Alemanha fosse distribuída com relativa segurança por todo o sistema financeiro. Isso tinha também vantagens políticas, porque não provocava um ataque direto sobre a renda das famílias e o lucro dos negócios. Embora grande parte da renda privada dos alemães não pudesse ser gasta, os salários e remunerações continuaram a subir durante toda a guerra, prometendo um padrão de vida mais elevado depois do conflito. Porém, da mesma forma, o sistema silencioso de financiamento da guerra não produzia pressão direta para a realocação dos recursos. O ônus recaía inteiramente no sistema de racionamento. Foi mediante a restrição direta do consumo e o redirecionamento do fluxo de matérias-primas e mão de obra que as autoridades alemãs garantiram que os rendimentos em ascensão não se traduzissem em consumo e investimento civis. O racionamento dos bens de consumo era a primeira linha de defesa. Passadas poucas semanas do início da guerra, foi instituído um racionamento abrangente para os dois principais artigos objeto de despesas domésticas: alimento e vestuário.[103] Parte do dinheiro que não podia ser gasto com as rações oficiais acabava, naturalmente, desviado para o mercado negro. No início da guerra, porém, esse fenômeno era mínimo. Algumas famílias preferiam entesourar o dinheiro não gasto a entregá-lo a um banco, mas a maior parte dos rendimentos ociosos fluía para contas de poupança e, portanto, para o "sistema silencioso" de financiamento da guerra.[104] Dessa forma, o racionamento servia para limitar a atividade econômica civil do lado da demanda. Mas isso não seria eficaz se não fosse sustentado pela regulamentação da produção e da oferta por meio do sistemático redirecionamento das matérias-primas e da mão de obra. Costuma-se afirmar que o funcionamento do sistema alemão de racionamento era aleatório. Porém, dada a pressão do esquema politicamente vantajoso para o financiamento da guerra, é surpreendente que o sistema conseguisse sequer funcionar. Os centros de coordenação do processo de racionamento eram o OKW, que recolhia as necessidades militares, e o RWM, que supervisionava as cotas gerais. Os resultados eram aproximados, no máximo. No entanto, o sistema era inegavelmente eficaz para desviar grandes quantidades de matérias-primas para a produção de armamentos.

Tal como antes da guerra, o problema central na distribuição de matérias-primas era o aço. No início da guerra, a situação piorou devido à repentina falta de minério de ferro importado e ao fechamento das siderúrgicas nas regiões mais vulneráveis do oeste, especialmente, o Sarre. No entanto, a fim de satisfazer as exigências da Wehrmacht, a produção de aço foi mantida no nível de 1,6 milhão de toneladas mensais, ainda que isso significasse utilizar as reservas alemãs estocadas de minério.[105] No primeiro trimestre de 1940, a Wehrmacht já estava recebendo uma parcela de 55% dessa produção mensal, equivalente a 885 mil toneladas. Isso contrastava com as apenas 620 mil toneladas disponíveis para produção de armamentos no auge da Primeira Guerra Mundial, e com uma quantidade semelhante durante a crise de Munique, em 1938.[106] Essa imensa parcela da produção destinada à Wehrmacht era "financiada" mediante dolorosos cortes em todas as demais formas de consumo de aço. Os projetos de prestígio do regime, inclusive os prédios do partido e as *autobahns*, foram quase completamente cortados, reduzindo-se a apenas 6% das cotas recebidas antes da guerra. O ferro para consumo caseiro foi reduzido a 25% do nível pré-guerra. Em consequência, havia já grave escassez de peças essenciais, como fogões e aquecedores, durante o primeiro inverno da guerra.[107] Da mesma forma, cortes extraordinários foram feitos na distribuição de aço a indústrias primárias essenciais, como a malha de transmissão de energia elétrica, mineração de carvão e a indústria siderúrgica. O setor de engenharia, que, entre outras coisas, produzia peças para as sobrecarregadas fábricas da Alemanha, viu a cota de aço para os projetos alheios à Wehrmacht cortada a 29% do nível anterior à guerra. O aço distribuído às indústrias de exportação foi igualmente reduzido, apesar dos protestos que defendiam uma guerra prolongada. Já em janeiro de 1940, portanto, o sistema de racionamento de aço dava prioridade às necessidades imediatas da Wehrmacht acima de todas as demais considerações, inclusive a sustentabilidade de longo prazo do esforço industrial de guerra.

As exigências de munição feitas pelo *führer,* em dezembro de 1939, causaram ainda maior pressão sobre o sistema. Como vimos, somente o Exército exigia agora pelo menos 560 mil toneladas mensais de aço. Inicialmente, o coronel Hermann von Hanneken, que desde 1937, era responsável pelo racionamento de aço no Ministério de Assuntos Econômicos do *reich*, resistiu aos pedidos de aumento da cota da Wehrmacht. Reduzir ainda mais a distribuição a outros usuários não era uma opção possível, dadas as cotas perigosamente baixas resultantes dos cortes já efetuados. Atribuir novas cotas acima da produção real, simplesmente, provocaria uma "inflação" de certificados de suprimento de aço e engarrafamentos de encomendas nas indústrias siderúrgicas. A única maneira de proporcionar à Wehrmacht um aumento real de aço era incrementar sua produção total de aço. Isso, porém, aceleraria o ritmo de exaustão dos estoques de minério de ferro da Alemanha. Devido à incerteza dos suprimentos oriundos da Escandinávia, essa decisão era potencialmente fatal, porém, necessária para cumprir a *Führerforderung*. Göring instruiu Hanneken a aumentar a cota de aço da Wehrmacht para 1,1 milhão de toneladas, a serem "pagas" mediante o aumento da produção total.[108] Göring tinha plena consciência das consequências dessa decisão, mas, conforme explicou a Thomas, em 30 de janeiro de 1940, as considerações de longo prazo eram irrelevantes.

> O *führer* está firmemente convencido de que o grande ataque no oeste nos dará uma vitória decisiva na guerra, em 1940. Ele acredita que conquistaremos a Bélgica, a Holanda e o norte da França e chegou, por si mesmo (*sic*) à conclusão de que as regiões industriais de Douai e Lens, e as de Luxemburgo, Longwy e Briey, poderão substituir os suprimentos de matéria-prima da Suécia. Em consequência, o *führer* resolveu utilizar plenamente nossas reservas de matérias-primas sem se preocupar com o futuro e à custa dos anos vindouros da guerra.[109]

IV

Além das matérias-primas, outro insumo indispensável para a produção era a mão de obra. Ao longo da guerra, esse fator surgiria como limitante crítico da economia alemã de guerra.[110] O choque inicial foi, sem dúvida, intenso. Em 31 de maio de 1939, segundo o escritório de Estatísticas do *reich*, a força de trabalho da Alemanha era constituída por 24,5 milhões de trabalhadores, 14,6 milhões de trabalhadoras e 300 mil pessoas rotuladas de "estrangeiros e judeus"; no total, 39,4 milhões. Um ano depois, o número de homens se reduzira a 20,5 milhões, isto é, 4 milhões a menos. O número de mulheres trabalhadoras também se reduzira ligeiramente, caindo a 14,4 milhões. Essas reduções foram compensadas, em certo grau, pela adição de 350 mil prisioneiros de guerra e por um aumento para 800 mil no número de estrangeiros que trabalhavam na Alemanha. Mas a força total de trabalho tinha caído a pouco mais de 36 milhões de pessoas. Essas proporções básicas prosseguiram durante o restante da guerra. O número de homens diminuiu e o de mulheres permaneceu estável. O contingente de prisioneiros de guerra e estrangeiros na força de trabalho aumentou ano a ano.

O fato de que um número maior de mulheres não tenha passado a ser mobilizado para a guerra é, às vezes, considerado mais um sintoma da incapacidade do regime nazista em exigir sacrifícios da população alemã. A esse respeito, o fenômeno tem sido comparado com o da Grã-Bretanha, onde o aumento da participação feminina na força de trabalho foi essencial para a sustentação da produção. Tais comparações, no entanto, são completamente enganosas, por ignorarem o fato de que a participação das mulheres no mercado de trabalho da Alemanha, em 1939, era mais elevada do que a atingida pelos Estados Unidos e Grã-Bretanha ao fim da guerra.[111] Em 1939, um terço de todas as mulheres casadas da Alemanha estavam economicamente ativas e mais da metade das que tinham entre 15 e 60 anos trabalhavam. Em consequência, as mulheres representavam mais de um terço da força de trabalho da Alemanha antes do início da guerra, comparadas com apenas um quarto na Grã-Bretanha. Um ano depois, a participação das mulheres alemãs na força de trabalho nativa era de 41%, comparada com menos de 30% na Grã-Bretanha. Não é de admirar que esta última tenha chegado ao mesmo patamar nos anos seguintes, mas, mesmo em 1944, a taxa de participação de mulheres britânicas entre as idades de 15 e 65 anos era de apenas 41%, contra um mínimo de 51% na Alemanha, já em 1939. Em grande parte, essa discrepância explicava as diferenças estruturais das economias britânica e alemã. Dos 14 milhões de mulheres trabalhadoras da Alemanha, em 1939, somente 2,7 milhões estavam ocupadas na indústria. De longe, o maior setor de atividade das mulheres era a agricultura camponesa, que, em 1939, empregava quase 6 milhões de mulheres. Em contraposição, dos 6 milhões de mulheres trabalhadoras, menos de 100 mil eram empregadas em fazendas. Como vimos, a carga de manter as pequenas fazendas camponesas, que eram preponderantes na agricultura alemã, recaía sobre os ombros femininos em forma desproporcional. E, como os camponeses do sexo masculino eram recrutados compulsoriamente para a guerra, essa carga se tornava ainda mais árdua. Em regiões, como o Württenberg e a Baviera, densamente povoadas com fazendas camponesas, as taxas de participação da mão de obra feminina já eram superiores a 60%, em 1939. Não é preciso acrescentar que, ao sustentar o fornecimento de alimentos, as mulheres camponesas asseguravam um serviço indispensável ao esforço de guerra nazista. Porém, mesmo levando em conta essa diferença de estrutura econômica, o nível de mobilização na Alemanha era maior do que o da Grã-Bretanha. Em Berlim, centro importante de emprego tanto no setor industrial quanto no de serviços, praticamente sem empregados no campo, 53% das mulheres trabalhavam, em 1939.[112] O mesmo era verdade no centro oriental da Saxônia. Mesmo nas cidades portuárias de Hamburgo e Bremen, ou nos centros de indústria onde a estrutura de emprego era especialmente desfavorável para o emprego feminino, 40% das mulheres em idade de trabalhar estavam empregadas, taxa idêntica à média nacional da Grã-Bretanha no fim da guerra.

Como a força de trabalho nativa já estava altamente mobilizada, em 1939, o esforço de guerra alemão, nos anos iniciais da guerra, foi sustentado principalmente mediante a realocação de operários. O regime nazista mostrou pouca hesitação em obrigar a essa redistribuição. Em 1939, 22% da força de trabalho industrial aparece como empregada em contratos da Wehrmacht. Um ano depois, esse número supostamente aumentara para 50,2%. Essas estatísticas, produzidas pelo Grupo de Indústria do *reich*, certamente, exageram o grau de "conversão" para o trabalho da guerra. No entanto, elas, sem dúvida, dão pelo menos alguma indicação da escala e direção da mudança. Centenas de milhares de operários, sobretudo os que acabavam de ingressar no mercado de trabalho, fluíam "naturalmente" para as indústrias de guerra, atraídos pelos elevados salários. Além disso, no final da década de 1930, o regime se havia munido de extenso poder de coerção que permitia às autoridades do mercado de trabalho recrutar à força homens e mulheres para trabalhos essenciais. No início de 1940, quase um milhão de operários alemães se encontravam ligados a seus lugares de trabalho por meio dos dispositivos de serviço compulsório (*Dienstverpflichtung*).

Durante os primeiros doze meses da guerra, houve, além disso, uma tentativa de fechar obrigatoriamente os pequenos negócios que fossem inadequados para os trabalhos relacionados com a guerra, de maneira a liberar a mão de obra e as máquinas para que fossem utilizadas alhures. Não admira que esse programa fosse altamente impopular e logo fosse abandonado como desperdício de esforço administrativo. O processo de conversão mais amplo foi, de longe, o atingido por meio da emissão de contratos da Wehrmacht para firmas anteriormente dedicadas a trabalhos civis ou pela realocação da mão de obra no interior de firmas que já tivessem experiência com a Wehrmacht. No primeiro ano da guerra, o número de homens que trabalhavam em "indústrias de consumo" ou em contratos civis declinou de 1,3 milhão, em maio de 1939, para pouco mais de 750 mil, no verão de 1940.

A prioridade do esforço de guerra era clara. O verdadeiro dilema não era escolher entre o esforço de guerra e o "setor civil". A escolha era entre recrutar homens para as forças armadas ou deixá-los nas fábricas produzindo o necessário para a guerra. Após aumentar seus efetivos de 1,131 milhão, no verão de 1939, para 4,548 milhões, em setembro de 1939, a Wehrmacht convocou mais 1 milhão de homens durante o Natal de 1939-40.[113] Ao todo, entre maio de 1939 e maio de 1940, a Wehrmacht convocou três quartos de milhão de camponeses e peões de fazenda, 1,3 milhão de operários de indústria, 930 mil homens do setor de ofícios, 220 mil operários em transportes, 600 mil empregados em lojas e 600 mil funcionários públicos e de escritório. A intenção dos planejadores alemães da mobilização sempre tinha sido gerenciar essa vasta retirada de mão de obra de outras ocupações mediante a identificação dos operários essenciais à produção em tempo de guerra, protegendo-os da convocação. O sistema funcionou bem em relação às firmas de armamento diretamente supervisionadas pelas inspetorias da Wehrmacht. Não é de admirar, talvez, que não se pudesse dizer o mesmo da vasta gama de empresas industriais que forneciam subcomponentes e materiais semiacabados para a produção final dos armamentos. Nesse campo, havia muitos metalúrgicos qualificados que tinham sido recrutados pela Wehrmacht. Em consequência, diversos importantes fornecedores do esforço de guerra ameaçaram paralisar completamente as atividades no outono de 1939. Sem dúvida, seria útil uma organização melhor, mas não havia como escapar ao dilema. A Wehrmacht não tinha intenção de usar metalúrgicos qualificados como carne de canhão. Os militares precisavam de mecânicos, torneiros e eletricistas pelos mesmos motivos da indústria. Serviam no corpo de engenharia, no corpo de reparos do Exército, para equipes de terra da Luftwaffe e nas salas de máquinas dos vasos de guerra.[114] Eram necessários em quantidades crescentes para a manutenção da sofisticada rede eletrônica da qual dependiam as comunicações militares. Para a Wehrmacht, o problema ficou pior porque o rearmamento acelerado da década de 1930 coincidira com a retomada do recrutamento obrigatório. Os mesmos jovens que tinham sido os primeiros a receber treinamento militar básico eram também os que foram desproporcionalmente atraídos pelas novas indústrias de armamentos da Alemanha.[115] Desde o início, portanto, a Alemanha enfrentava uma clara escolha entre guarnecer suas forças armadas com poderio total e depauperar a força de trabalho de suas indústrias de armamentos.

V

No entanto, o setor no qual o recrutamento para a Segunda Guerra Mundial produziu os problemas mais graves e imediatos foi a agricultura. Como vimos, o meio rural alemão vinha enfrentando um problema urgente de escassez de mão de obra, desde os últimos anos da década de 1930. Talvez, tendo isso em mente, a Wehrmacht não recorreu demasiadamente à agricultura na primeira rodada de convocações. O recrutamento de quase 800 mil homens na flor da idade para trabalhar foi, mesmo assim, suficiente para causar pânico no Ministério da Alimentação e Agricultura. O secretário de Estado, Herbert Backe, iniciou a guerra com humor sombrio. Não estava absolutamente claro de como a RNS reagiria ao desafio de uma guerra prolongada. As rações fixas, em 25 de setembro de 1939, eram adequadas: 2.570 calorias para civis "normais", chegando até 4 mil calorias para os soldados. Dada a desigualdade entre as classes sociais prevalecente na sociedade alemã, o racionamento, na verdade, melhorou a dieta de, pelo menos, 40% das famílias da classe trabalhadora, como acontecera na Grã-Bretanha.[116] Não obstante, as autoridades em Berlim se inquietaram. O oficial médico chefe, dr. Leonardo Conti, declarou, ainda, em outubro de 1939, que longas horas de trabalho e uma dieta restringida de tempo de guerra estavam levando a população ao limite. O objetivo de Backe era esticar os estoques de forma a cobrir, pelo menos, três anos de guerra. Mas a colheita de 1939 foi, sem dúvida, bastante pior do que o excelente resultado de 1938 e a repentina redução da força de trabalho ameaçou provocar uma desastrosa reação em cadeia. As fazendas tiveram de reduzir a produção de batatas e outras raízes, que exigiam muita mão de obra. Isso reduziu a quantidade de forragem animal. O abastecimento de carnes e leite desabaria. O que estava na lembrança de todos era a má experiência da Primeira Guerra Mundial.[117]

Diante dessa possibilidade, Backe exigiu que fossem feitos todos os esforços para recrutar mão de obra adicional de fora da Alemanha.[118] Em 1938, a aguda escassez de mão de obra no campo já obrigara Berlim a negociar um acordo com o governo polonês a fim de levar 60 mil ajudantes temporários para as colheitas. Depois, com a maior parte da Polônia sob controle alemão, Backe contemplava um programa muito mais amplo. O primeiro grupo a ser recrutado foram 300 mil prisioneiros de guerra poloneses. Isso, porém, não foi suficiente para satisfazer a fome de mão de obra da Alemanha. No início de 1940, Hans Frank, novo titular do Governo Geral — a parte da Polônia não anexada pela Alemanha — iniciou um programa para levar poloneses desempregados para o *reich* como trabalhadores temporários. E, em 25 de janeiro de 1940, Göring redigiu apressadamente um decreto fundamental que esclarecia as funções do Governo Geral em relação à economia alemã. Em vez de tratar esse governo como depósito de lixo, a ideia era mantê-lo de forma viável como reserva perene de mão de obra para o *reich*. Somente dessa área seriam recrutados 1 milhão de poloneses para trabalhar na Alemanha, sendo 750 mil para agricultura, dos quais a metade eram mulheres. Em relação à migração sazonal de poloneses para a Alemanha na década de 1920, esses números não eram extraordinários. Aplicavam-se, porém, a um território que continha apenas pouco mais do que um terço da população polonesa de antes da guerra, composto por regiões que não tinham tradição de mão de obra migrante. A demanda pelo suprimento de 1 milhão de "trabalhadores hóspedes" vindos da população não judaica do Governo Geral de apenas 11 milhões de pessoas era, portanto, extremamente elevada. E Backe queria a presença urgente dos trabalhadores. Nos primeiros meses de 1940, ele esperava receber dez trens por dia, cada qual com mil trabalhadores.

As tensões étnicas entre alemães e poloneses eram naturalmente, muito antigas. A discriminação mais ou menos forte na vida cotidiana era comum nas regiões de fronteira, especialmente desde a formação de um Estado-nação polonês após a Primeira Guerra Mundial.[119] No entanto, o sistema de discriminação coercitiva imposto aos trabalhadores poloneses na Alemanha nazista não tinha precedentes. Foi articulado, principalmente, por oficiais que agiam em nome de Heinrich Himmler, chefe da polícia alemã. Em relação à Polônia, a SS seguia uma ambiciosa agenda própria.[120] Pouco depois da eclosão da guerra, Himmler tinha sido designado Comissário do *reich* para Assegurar a Raça Alemã (RKF). Nessa função, sua missão era retirar todos os judeus e tantos poloneses quanto possível dos antigos territórios da Polônia agora anexados ao *reich*. Ao mesmo tempo, ele iniciara uma gigantesca redistribuição de populações por meio da repatriação de alemães dos Estados bálticos anexados por Stalin e da região setentrional do Tirol italiano, reassentando-os nas terras esvaziadas de judeus e poloneses. Em certo sentido, a exigência de Backe de um influxo importante de mão de obra estrangeira complementava esse programa, porque fornecia a Himmler um pretexto imediato para retirar centenas de milhares de poloneses dos territórios anexados pelo *reich*. Mais fundamentalmente, no entanto, a incorporação de poloneses à força de trabalho alemã era completamente incompatível com a visão de Himmler de um Estado racial. O fato de Himmler ter sido obrigado a aceitá-la indica, portanto, a atmosfera de emergência prevalecente, em Berlim, no início de 1940. Não apenas foi ele forçado a retardar o processo de deportação em massa de judeus e poloneses para o território do Governo Geral, mas teve também de preparar um conjunto de normas que especificavam as condições nas quais seria permitido a mais de 1 milhão de poloneses passar a residir, pelo menos temporariamente, no *reich*.

O resultado foi um sistema de *apartheid* penal. Os trabalhadores poloneses na Alemanha ficavam confinados nos locais de trabalho e aos alojamentos que lhes eram atribuídos. Tinham de usar, obrigatoriamente, uma placa de identificação com a letra P. Para assegurar que seu status fosse sempre inferior ao de seus colegas alemães, os salários foram arbitrariamente reduzidos a um máximo de 25 *reichsmarks* por mês. Os trabalhadores poloneses eram proibidos de utilizar qualquer tipo de transporte público e de todos os contatos sociais com alemães. O zelo exagerado da elite de Himmler se traduzia na proibição de visitas a cinemas, locais de dança, bares, teatros e igrejas frequentados por alemães. As relações sexuais com alemãs eram puníveis com a morte. Qualquer outra transgressão, inclusive a indolência no trabalho, acarretaria o envio para um campo de concentração. Em nenhuma circunstância, os recalcitrantes seriam mandados de volta à Polônia. Os alemães sabiam, perfeitamente, que essas medidas constituíam uma violação do direito internacional.[121] Era claro, em especial, que os códigos da SS não podiam ser aplicados às centenas de milhares de prisioneiros de guerra poloneses que estavam sob a proteção da Convenção de Genebra. A solução foi simples. Com a extinção do Estado polonês, os antigos membros do Exército do país foram "libertados" de seu status de prisioneiros de guerra. Como civis, podiam, então, ser "convertidos" ao status normal de trabalhadores poloneses na Alemanha nazista. Um tratamento especial era reservado aos

60 mil poloneses identificados como judeus. Estes foram submetidos a um regime homicida de fome e trabalhos forçados, que, na primavera de 1940, já matara 25 mil.

Dada a atitude cruel das autoridades alemãs, não admira que o esforço de recrutamento de trabalhadores poloneses por meios voluntários não tivesse êxito. Até a primavera de 1940, somente 200 mil civis poloneses haviam chegado à Alemanha, muito longe da meta de Backe. No Governo Geral, o governador Hans Frank interpretava a recusa dos poloneses em voluntariar-se para trabalhar na Alemanha como "má vontade". Recusar-se a ficar à "disposição" do *reich*, era considerado um ato proposital de sabotagem contra o esforço de guerra alemão.[122] Pelo menos, desde fevereiro de 1940, Frank percebeu um recrudescimento da resistência polonesa, que precisava ser esmagado urgentemente. Isso era uma precondição, não apenas para o recrutamento em massa de trabalhadores, mas também para a execução dos planos da SS para o deslocamento de populações, que, nas circunstâncias prevalecentes, constituía uma ameaça à ordem pública no Governo Geral. Backe, por sua vez, profetizava desastres a menos que as fazendas alemãs recebessem a força de trabalho de que necessitavam. No Conselho do Plano Quadrienal, ele evocou explicitamente o pesadelo do regime nazista, um colapso do abastecimento de alimentos semelhante ao que deflagrara a revolução em 1918. Para enfrentar essa perspectiva, Backe não recuou diante de nenhum obstáculo. Era necessário um mínimo de 400 mil trabalhadores o mais depressa possível a fim de garantir o abastecimento de trigo e batatas para o ano seguinte. Se os poloneses não quisessem se voluntariar, Backe exigiu que a Wehrmacht recebesse autorização "para fazer, pela força, com que a quantidade necessária de trabalhadores seja transportada para a Alemanha".[123] Em abril, os administradores do Governo Geral concordaram. Sobrelevando a objeção do Ministério do Exterior, Frank introduziu o recrutamento obrigatório para todos os habitantes do Governo Geral entre as idades de 14 a 25 anos. A juventude polonesa resolveria a escassez de mão de obra na agricultura alemã.[124]

Poucas horas depois do anúncio do novo decreto, tornou-se evidente que a deportação forçada produziria exatamente o tipo de rebelião da resistência polonesa que Frank previra. Começaram, imediatamente, a circular boatos de que jovens estavam sendo detidos nas ruas e arrebanhados em cinemas e cultos religiosos. Na verdade, a maneira encontrada pelos alemães para "quebrar a espinha" do povo polonês foi mais direcionada. Como bem sabiam Frank e seu chefe de polícia, o *Obergruppenführer* Friedrich Wilhelm Krüger, não tinha homens suficientes para recrutar centenas de milhares de poloneses pela força.[125] Em vez disso, os alemães apoiaram o esforço de recrutamento com um ataque cirúrgico contra o que acreditavam ser a liderança da incipiente resistência polonesa.[126] A necessária cobertura para essa bem planejada escalada de violência foi fornecida pelo ataque longamente esperado no oeste. Até aquele ponto, Frank, claramente, sentia-se constrangido pela atenção da imprensa internacional dirigida ao Governo Geral. As dramáticas batalhas no oeste forneceram exatamente o desvio de atenção necessário. Poucos dias depois do início da campanha ocidental, a polícia alemã no Governo Geral lançou um programa sistemático de assassinatos políticos, mal disfarçados de tribunais militares rotineiros em que 2 mil poloneses eminentes já detidos na Alemanha foram mortos, outros 2 mil apontados como sujeitos a prisão e liquidação imediata, além de mais 3mil considerados "criminosos profissinais".[127] Menos de um ano depois da eclosão das hostilidades, a violência homicida tornou-se assim, elemento oficialmente sancionado na gestão do esforço de guerra alemão. Com efeito, para manejar o fornecimento de alimentos pelo Governo Geral, Frank e seus colaboradores foram além de expurgos seletivos, passando a adotar uma política mais ampla de genocídio.

Tal como constituído em 1939, o Governo Geral era um território de grave déficit alimentar. As melhores regiões agrícolas da Polônia haviam sido anexadas ao *reich*. No início de 1940, a fim de impedir a fome nas principais cidades, o secretário de Estado, Backe, concordou em fornecer a Frank, pelo menos, 10 mil toneladas mensais de trigo para pão, o suficiente para proporcionar aos habitantes de Varsóvia cerca de 220 gramas de pão por dia.[128] Em abril, nos dias imediatamente seguintes à decisão de impor o recrutamento obrigatório de mão de obra, Backe visitou Frank a fim de debater a situação alimentar. Para ajudar Frank a garantir sua autoridade no Governo Geral e habilitá-lo a implementar eficazmente a política de recrutamento, da qual a agricultura alemã tanto precisava, Backe concordou em fornecer uma alocação adicional de 135 mil toneladas de trigo retiradas dos estoques alemães. Isso seria suficiente para que as principais cidades pudessem atravessar o período até a colheita seguinte. Depois disso, esperava-se que o Governo Geral atingisse a autossuficiência. Segundo o acordo entre Frank e Backe, o trigo disponível no Governo Geral seria distribuído estritamente em conformidade com as necessidades da ocupação alemã. No grau mais baixo dessa hierarquia racial e funcional, estavam os judeus. Em relação à população de, pelo menos, 2,5 milhões de judeus no território do Governo Geral, Frank comentou simplesmente:

> Não estou interessado nos judeus. Que eles consigam ou não forragem para comer (*Füttern*) é a última coisa que me preocupa...
> A segunda categoria é formada pelos poloneses [talvez, até 10 milhões de pessoas], desde que eu possa utilizá-los. Alimentarei esses poloneses com o que sobrar e o que pudermos poupar. Além disso, direi a eles que cuidem de si mesmos... somente estou interessado nos poloneses se forem uma reserva de mão de obra, mas não ao ponto em que acredite ser responsabilidade do governo garantir-lhes que terão uma quantidade específica para comer. Não estamos falando de rações para os poloneses, e sim apenas das possibilidades de alimentá-los.[129]

Acima dos poloneses, estava a minoria ucraniana no Governo Geral, mais bem tratada. Mais acima, Frank colocou algumas dezenas de milhares de poloneses privilegiados, que trabalhavam em serviços públicos importantes, como ferrovias ou fábricas que produziam para o esforço de guerra alemão. Finalmente, no topo da hierarquia estavam as próprias autoridades alemãs de ocupação, no total de alguns milhares, que receberiam rações idênticas às do *reich*. O que isso significava na prática era que, em comparação com a cota alemã de mais de 2.600 calorias, no início de 1940, a "ração" para os habitantes das principais cidades da Polônia era de apenas 609 calorias. Os judeus recebiam 503 calorias por dia. No final do ano, a ração dos poloneses melhorou, chegando a 938 calorias diárias, enquanto a dos judeus reduziu-se a 369. Em 1940, segundo a Liga das Nações, as rações no Governo Geral eram suficientes, em média, para cobrir 20% da dose diária recomendada de proteína e menos de 5% das gorduras necessárias para a população polonesa urbana. Na primavera de 1940, as inspetorias de armamentos da Wehrmacht que operavam nos territórios ocupados já relatavam incidentes de operários especializados que desmaiavam em seus postos nas fábricas por falta de alimentos. Nas reuniões regulares da equipe econômico-militar da Wehrmacht, em Berlim, presididas pelo general Thomas, a perspectiva de fome generalizada foi abertamente discutida.[130]

VI

A guerra que Hitler desatou, em setembro de 1939, não foi a que ele queria combater. Tampouco foi uma guerra para a qual a Alemanha estivesse preparada. Tão logo deixemos de lado os efeitos da visão retrospectiva, não pode haver dúvidas sérias de que a declaração de guerra pela Grã-Bretanha e pela França colocou diante de Hitler seu mais importante desafio desde a chegada ao poder. Em termos militares, está longe de ser evidente que a Alemanha dispusesse de uma margem substancial de superioridade, considerando a Marinha, o poderio aéreo e as forças terrestres. Em termos econômicos, todos concordavam em que a vantagem pertencia à Grã-Bretanha e à França. A aliança com Moscou trouxe ao Terceiro Reich certo alívio do efeito esmagador do bloqueio. No entanto, isso era mais do que compensado pela capacidade das potências ocidentais de aproveitar os recursos dos Estados Unidos. Em termos políticos domésticos, a posição de Hitler era altamente vulnerável. A guerra era consequência direta de sua política externa. A liderança da Wehrmacht o havia acompanhado, naturalmente, e Ribbentrop cumprira seu papel, mas quem precipitou a guerra foi Hitler. E, se a Alemanha sofresse algum percalço importante, seria Hitler quem levaria a culpa, se não pela população em geral, sem dúvida pela liderança do Exército. Era, portanto, uma guerra que Hitler precisava ganhar, e ganhar rapidamente. Após um breve momento de hesitação, no outono de 1939, seu regime respondeu, não com indolência e complacência, e sim com um esforço radical para mobilizar recursos, tanto da Alemanha quanto dos territórios recém-adquiridos na Polônia. Hitler apostava tudo na obtenção da vitória no ocidente e, em busca desse objetivo, estava disposto a não se deter em nenhum obstáculo. Porém, como fica claro em qualquer exame detalhado da política de armamentos, mesmo já na primavera de 1940, o *führer* não dispunha de uma estratégia coerente para atingir essa vitória. Os planos de armamento de Hitler, sem dúvida, se orientavam num sentido geral para a maximização do poder de fogo da Wehrmacht no curto prazo. Mas o objetivo operacional para o qual esses programas de armamentos parecem ter sido dirigidos não prometia uma decisão militar imediata. O programa de munições de Hitler pode ter sido concebido para permitir à Wehrmacht avançar combatendo até a costa, sustentada por amplo poder de fogo da artilharia, mas isso deixaria a Grã-Bretanha e a França ainda participando da guerra no final de 1940. O plano militar que acabaria por permitir a Hitler escapar do impasse estratégico emergiu tardiamente e, em grande parte, por acidente, durante os meses do inverno de 1939-40. Somente foi, finalmente, adotado em fevereiro de 1940, e, nessa época, o grande esforço de acumulação de munições já estava em pleno curso. Mesmo depois que a liderança do Exército alemão aprovou o ousado novo plano, muitos continuaram profundamente céticos. Hitler apostou tudo, em setembro de 1939, e, até as últimas semanas de maio de 1940, o resultado ainda era duvidoso.

10

Vitória no oeste — *Sieg im Westen*

ÀS 5:35 DA MANHÃ DE 10 DE maio de 1940, depois de meses de "falsa guerra", a frente ocidental entrou em erupção.[1] Milhares de canhões alemães começaram a martelar as posições francesas, holandesas e belgas nas fronteiras. Os comandantes das companhias fizeram soar os apitos para o ataque da infantaria. Tanques e caminhões esquentaram os motores. No céu, ondas de bombardeiros e caças seguiam para o oeste. A atividade mais dramática ocorreu no norte da linha de fogo. As famosas fortificações belgas no rio Maas foram tomadas num audacioso ataque de Comandos e Forças Especiais que desceram em planadores. Enquanto isso, pela primeira vez numa operação militar, paraquedistas alemães saltaram nos arredores de Haia, Roterdã e pontes no Dordrecht e Moerdijk. Essas ações espetaculares, combinadas com o decisivo ataque do Grupo B do Exército alemão na direção do rio Maas, surtiram o efeito desejado. O grosso do Exército francês, apoiado pela Força Expedicionária Britânica, marchou rapidamente para o norte. A manobra, bastante ensaiada, pretendia deter o Exército alemão antes de chegar ao litoral do canal da Mancha, numa linha que corria do norte para o sul desde Breda, na Holanda, a Dinant na Bélgica, ao longo do rio Dyle. Se os britânicos e franceses estivessem enfrentando o plano alemão original de outubro de 1939, ou mesmo o Exército imperial alemão de 1914, a reação teria sido altamente eficaz. Nesse caso, porém, a pronta resposta foi o prelúdio do desastre. O ataque alemão à Holanda e ao norte da Bélgica era uma distração. O principal alvo não era a Holanda, mas 100 quilômetros ao sul, através da floresta das Ardenas. Sem terem sido percebidas pela inteligência aliada, sete divisões de tanques dentre as nove que a Alemanha possuía, reunidas sob o comando do Grupo A do Exército, avançaram rapidamente pelas trilhas sinuosas da floresta que levavam a leste através da Bélgica e Luxemburgo em direção à fronteira da França. Seus objetivos eram as pontes sobre o Maas, entre Dinant e Sedan. Se o Grupo A do Exército conseguisse tomar esses pontos de travessia, estaria livre para prosseguir o rápido avanço para o oeste e penetrar no vácuo criado pelo deslocamento dos franceses e britânicos para o norte. Os dois exércitos invasores girariam sobre um eixo imaginário, como uma porta giratória, deixando as tropas aliadas cercadas entre o Grupo B do Exército alemão na Holanda e Bélgica e os tanques do Grupo A no norte da França.

Sob qualquer aspecto militar convencional, o plano alemão era extraordinariamente audacioso. Se os franceses e britânicos tivessem deixado tropas de reserva substanciais na retaguarda, o movimento em pinça do Grupo A seria vulnerável a um contra-ataque ou até mesmo a se ver, por sua vez, cercado. As pontes em Sedan e Dinant foram tomadas em 13 de maio, antes que franceses e britânicos percebessem o perigo. Os generais dos Panzer aproveitaram brilhantemente o avanço. Seguindo de perto as unidades da vanguarda em veículos especiais adaptados para o uso do rádio, avançaram para o oeste na retaguarda do Exército francês, desequilibrando completamente os Aliados e impedindo-os de estabelecerem uma linha coerente de defesa. O temido contra-ataque aos flancos expostos das Divisões Panzer nunca aconteceu. Num desastroso erro de cálculo, os franceses haviam disposto a totalidade de suas tropas de reserva na extremidade oriental do movimento Dyle-Breda, e os laboriosos procedimentos de comando e controle dos exércitos aliados foram sobrepujados pelo ritmo dos acontecimentos. O grosso das tropas anglo-francesas continuou a se movimentar em direção ao norte, mesmo estando cercadas pelos tanques do Grupo A ao sul. Às 8:30 da noite de 20 de maio, dez dias depois do início da campanha, a vanguarda da 2ª Divisão Panzer atingiu Abbeville, onde o rio Somme deságua no mar. A armadilha se fechara. Num gigantesco golpe em forma de foice, o Grupo A do Exército separara um bolsão de 200 quilômetros de comprimento por 140 de largura. Foi o maior cerco da história militar e o resultado foi extraordinário. Apanhados entre o malho e a bigorna do ataque alemão, havia nada menos do que 1,7 milhão de soldados aliados, inclusive todo o Exército holandês e belga, toda a Força Expedicionária Britânica e as melhores unidades do

Exército francês. Em 24 de maio, somente os portos de Dunquerque e Ostende estavam livres como rotas de escape. Aproveitando a primeira calmaria da ofensiva alemã em duas semanas, os britânicos conseguiram resgatar 370 mil soldados por mar. Outros 100 mil franceses escaparam do bolsão em direção ao sul, deixando, porém, toda a artilharia, tanques e caminhões. O triunfo foi completo. Os alemães fizeram 1,2 milhão de prisioneiros de guerra. Mesmo no leste, nenhum dos desastres do Exército Vermelho pode comparar-se com a debacle anglo-francesa de maio de 1940.[2] A luta encarniçada prosseguiu durante mais um mês no coração do território francês, mas a batalha terminara. Em 22 de junho, os franceses pediram paz e os alemães não pouparam humilhações. O Armistício foi assinado na floresta de Compiègne no mesmo vagão de trem no qual, 22 anos antes, os próprios alemães tinham sido obrigados a aceitar a derrota. A Wehrmacht completara sua maior vitória na Segunda Guerra Mundial com um prejuízo surpreendentemente baixo. A conquista da França custou aos alemães 49 mil mortos e desaparecidos. As baixas francesas indicam com mais veracidade a intensidade dos combates: em apenas seis semanas, a França teve 120 mil mortos.

I

Para muitos alemães, a extraordinária sequência de acontecimentos que começou de manhã cedo, em 10 de maio, representou em muitos aspectos uma defesa de Hitler e seu regime.[3] O *führer* advogara a guerra sem cessar. Quando o conflito começou, ele defendeu a ideia de uma ofensiva no prazo mais breve possível. Argumentara obstinadamente contra a possibilidade de permitir que a Alemanha fosse levada a uma guerra de desgaste. Hitler tinha ganho a aposta. Num único golpe, a Wehrmacht derrotara a França, a Bélgica e a Holanda. A Grã-Bretanha fora expulsa do Continente. Em termos econômicos, a Alemanha controlava agora os recursos e o potencial produtivo de todo o ocidente europeu. A Primeira Guerra Mundial tinha sido um lento e fútil combate, finalmente decidido pela capacidade dos Aliados ocidentais em despender mais mão de obra e mais material do que a Alemanha Imperial. No verão de 1940, a Alemanha de Hitler parecia haver encontrado uma forma de escapar dessa terrível lógica materialista. A Wehrmacht reconduzira o militarismo a seu lugar de honra como fator realmente decisivo nos assuntos internacionais. Com suficiente conhecimento e decisão, era possível conseguir extraordinários resultados com um dispêndio relativamente modesto de esforço. Se essa é uma interpretação correta dos acontecimentos de 1940, sem dúvida, representa um grande desafio a qualquer análise econômica da Segunda Guerra Mundial.[4] Precisamos, portanto, dedicar algum espaço à anatomia dos acontecimentos militares de maio e junho de 1940, antes de passarmos a uma avaliação das consequências econômicas.

Retrospectivamente, uma forma de racionalizar as vitórias alemãs, em 1940, é atribuir-lhes a uma estratégia econômico-militar deliberada de *blitzkrieg*.[5] Vimos como a perspectiva de uma guerra prolongada de desgaste preocupava a liderança militar alemã, na década de 1930. A conclusão inescapável parecia ser de que o Terceiro Reich procurava, propositalmente, criar um novo tipo de organização militar, com tanques barulhentos e Stukas mergulhadores, concebida para proporcionar vitória no campo de batalha com um simples golpe. Segundo essa opinião, os acontecimentos de 1940 foram extraordinários, mas eram explicáveis em termos do êxito do regime de Hitler em conceber uma "síntese estratégica": uma resposta coerente ao dilema estratégico da Alemanha, no qual a tecnologia de batalha, o planejamento militar, a diplomacia e a preparação econômico-militar se juntavam numa única unidade devastadoramente eficiente.[6] Essa interpretação é atraente, porque parece fornecer uma explicação racional para acontecimentos de outra forma inexplicáveis. Atribui papel importante à política econômica, como parte de uma síntese estratégica coerente, e ajusta- se à imagem cinematográfica da *blitzkrieg*, como uma batalha dominada pelas novas tecnologias dos tanques e dos bombardeiros de mergulho. Em apoio a essa opinião, pode-se assinalar o fato de que Hitler vinha argumentando, pelo menos desde 1936, que a demora não era favorável à Alemanha. Quando falava sobre a guerra no oeste, preferia referir-se a "ataques de surpresa". Também é verdade que, durante o inverno de 1939-40, ele interveio decisivamente para obrigar os militares alemães a concentrar-se exclusivamente na batalha a ser combatida no verão seguinte. Mas inferir disso que ele estivesse propondo consistentemente uma estratégia de *blitzkrieg* não se ajusta ao que já sabemos sobre o funcionamento interno do regime nazista e sobre as batalhas de 1940.

O Exército alemão que invadiu a França em maio de 1940 estava longe de constituir uma arma cuidadosamente calibrada de guerra blindada moderna.[7] Das 93 divisões alemãs prontas para o combate, em 10 de maio de 1940, somente nove eram Divisões Panzer, com um total de 2.439 tanques entre si. Essas unidades enfrentavam um Exército francês cuja parte motorizada era mais numerosa, com um total de 3.254 tanques. Juntas, as forças dotadas de tanques da Bélgica, Holanda, Grã-Bretanha e França contavam com não menos de 4.200 veículos, força muito mais numerosa do que a da Wehrmacht. A inferioridade quantitativa da Alemanha não era compensada em termos qualitativos. Tanto comparando o armamento quanto a blindagem, a maioria dos tanques alemães enviados à batalha, em 1940, eram inferiores a seus correspondentes franceses, britânicos e, até mesmo, belgas. Tampouco devemos aceitar sem questionamento a ideia popular de que a concentração de tanques alemães em divisões especiais tenha conferido uma vantagem decisiva. Muitos tanques franceses estavam espalhados entre as unidades de infantaria, mas, com o amplo estoque de veículos que possuíam, os franceses podiam dar-se a esse luxo. O grosso dos melhores tanques franceses estava concentrado em unidades blindadas, pelo menos teoricamente, perfeitamente à altura das Divisões Panzer. Da mesma forma, apesar de sua temível reputação, tampouco a Luftwaffe gozava de superioridade numérica. Acreditava-se que os alemães possuíam 3.578 aeronaves de combate, em maio de 1940, contra um poderio aliado total de 4.479 aeronaves. O poderio francês havia sido grandemente aumentado, em maio de 1940, pela entrega de mais de 500 aviões norte-americanos, incluindo caças de alta qualidade perfeitamente capazes de ter êxito contra intrusos menos eficientes da Luftwaffe.[8]

À luz desses números, é claro que o sucesso alemão não pode ser atribuído a uma superioridade esmagadora de equipamento industrial para a guerra moderna. Pode ainda ser verdade, naturalmente, que a Alemanha viesse executando uma estratégia articulada de *blitzkrieg*, mas que, simplesmente, não houve tempo para que britânicos e franceses aproveitassem a vantagem substancial de que dispunham, em 1933. Mas, se recordarmos o desenvolvimento aleatório do rearmamento alemão, examinado nos capítulos anteriores, parece difícil encontrar indícios da "síntese estratégica", afirmada pelos defensores da tese da *blitzkrieg*. Embora a aceleração e escala das despesas com armamentos, após 1933, fosse, sem dúvida impressionante, o que mais caracteriza o esforço armamentista de Hitler é a falta de aparente *lógica* estratégica, a ausência de uma visão realista da guerra que a Alemanha, efetivamente, esperava combater. Os gigantescos planos de rearmamento de 1936 e 1938, certamente, não se baseavam numa previsão clara da *blitzkrieg*. Esses planos davam prioridade a equipar e treinar um exército numeroso, porém apenas parcialmente mecanizado, além de uma Força Aérea e uma frota de alto-mar estratégicas. Como vimos, na primeira metade de 1939, esses programas entraram em estado de confusão devido aos agudos problemas de balanço de pagamentos da Alemanha. Em meio à crise de fornecimentos militares, do verão de 1939, é difícil discernir qualquer vestígio de estratégia. A eclosão da guerra serviu para concentrar as mentes e colocar a expansão militar novamente, no topo das preocupações. Porém, como mostrou o capítulo anterior, mesmo nesta data tardia, não há provas de um conceito coerente de *blitzkrieg* por trás do programa alemão de armamentos. No que diz respeito ao Exército, a principal prioridade passou a ser a munição, decisão que parece ter sido inspirada mais pelas lembranças de 1914 do que por uma antevisão do que ocorreu em 1940. O enorme investimento feito no bombardeiro médio Ju 88, sem dúvida, foi motivado pela convicção da época quanto à eficácia do bombardeio como forma de obter vitória rápida. Mas foi esse um aspecto da ideia de *blitzkrieg* que logo se revelou completamente ilusório.

A ausência de conexão entre os preparativos militar-industriais da Alemanha e a batalha efetivamente combatida pela Wehrmacht fica ainda mais visível se retraçarmos o sinuoso caminho da tomada de decisões militares.[9] Antes de setembro de 1939, o Exército alemão ainda não havia esboçado um plano de operações ofensivas na França. Dada a pujança do Exército francês e a de seus aliados, essa não era uma eventualidade que o Exército alemão contemplasse com satisfação. O primeiro plano, redigido apressadamente em outubro de 1939, não agradou a ninguém. Mas foi no sentido desse esquema, com sua curta investida para o norte no litoral do canal da Mancha, seguida por uma campanha aérea contra a Grã-Bretanha, que a produção alemã de armamentos parece ter sido dirigida a partir de dezembro de 1939. Os objetivos limitados do plano não se ajustavam à meta repetidamente afirmada por Hitler de terminar a guerra no ocidente com um único e decisivo golpe. Mas o plano permaneceu em vigor até meados de fevereiro de 1940, quando uma aeronave com dois oficiais pouco cuidadosos foi derrubada em pleno voo sobre a França, transportando uma pasta com mapas de campanha. Foi esse acidente que abriu as portas para a ousada visão alternativa de um avanço e cerco através da floresta das Ardenas, inicialmente desenvolvida pelo general Erich von Manstein, brilhante chefe do Estado-Maior do Grupo A do Exército. Em dezembro de 1939, Brauchitsch e Halder, no alto-comando do Exército, haviam rejeitado a sugestão de Manstein, considerando-a absurdamente arriscada. Somente na última semana de fevereiro, depois de muita insistência de Hitler, ambos finalmente concordaram em confiar ao grosso do Exército alemão o "corte de foice" de Manstein, operação que acabaria por trazer-lhes sucesso tão surpreendente. Naquela época, no entanto, já era tarde demais para nova modificação do programa de armamentos. A vitória-relâmpago na França surgiu, assim, não como o término lógico de uma síntese estratégica cuidadosamente concebida, e sim como improvisação inspirada e de alto risco, um "jeito militar rápido" para os dilemas estratégicos que Hitler e a liderança militar alemã *não tinham conseguido* resolver até fevereiro de 1940.[10]

Em retrospecto, não interessava nem aos Aliados e nem aos alemães revelar o curso extraordinariamente aleatório por meio do qual a Wehrmacht havia chegado a seu êxito militar mais brilhante. O mito da *blitzkrieg* servia aos britânicos e franceses porque fornecia uma explicação diferente da incompetência militar para sua penosa derrota. Mas, enquanto era conveniente aos Aliados exaltar a alegada superioridade do equipamento alemão, a própria propaganda germânica via a *blitzkrieg* em termos menos materialistas. O determinismo tecnológico, afinal de contas, teria sido fundamentalmente alheio aos axiomas voluntaristas e antimaterialistas da ideologia nazista. Isso estava, sem dúvida, na mente dos censores suíços, no verão de 1940, quando instruíram os jornais, uma das mais importantes fontes neutras de informação na Europa continental, a dar o devido crédito ao "estupendo desempenho *militar* do Exército alemão".[11] Somente seria possível preservar uma aparência de isenção e equilíbrio, caso o êxito alemão não fosse atribuído de maneira "humilhante" à "máquina" e à "demonstração de tecnologia". Para comemorar seu triunfo, o Exército alemão encomendou um filme intitulado *Sieg im Westen*.[12] Como é de se esperar, o filme apresenta uma colagem de trechos de documentários, no qual amplo espaço é dedicado ao dramático avanço das Divisões Panzer. A guerra é mostrada como uma guerra de movimentação, uma guerra de máquinas. Mas, a esse respeito, o filme não discrimina. Sempre que britânicos e franceses aparecem na tela, estão também representados, principalmente, pelas máquinas. Os tanques e aviões foram um denominador comum na guerra moderna. Em nenhum momento, o filme sugere que a superioridade técnica tenha sido a causa da vitória alemã. Tanto quanto a película oferece explicação, esta é exatamente o oposto. A mais dramática sequência em todo o filme mostra um maquinista alemão solitário que, por si só, arrasa um gigantesco *bunker* belga. Num momento-chave próximo ao fim, *Sieg im Westen* dá extensa cobertura à destruição da Linha Maginot pelos alemães. Numa série de cortes dramáticos, cenas do interior da Linha Maginot antes da guerra, cujo objetivo é acentuar a extraordinária modernidade industrial das fortificações, são entremeadas com a ação heroica de soldados alemães individuais em sua destruição. Por cima da ação, uma voz informa: "Jovens alemães, cheios de fervor ideológico, sobrepujam a tecnologia e o material." Para Hitler, e não apenas para ele, a vitória da Wehrmacht foi o reconhecimento da superioridade da raça alemã e do gênio de sua liderança pessoal. Essa era a vitória que o glorioso Exército alemão sempre deveria obter, a prova viva da conexão entre o Terceiro Reich e o momento mítico da criação nacional, em setembro de 1870, exatamente no mesmo campo de batalha, em Sedan.[13] Foi na esteira da rendição francesa que o marechal de campo Keitel, solenemente, exaltou Hitler como o Maior Líder Militar de Todos os Tempos (*Grösster Feldheer Aller Zeiten*, encurtado, na gíria da época, para Gröfaz). Em declarações oficiais, o *Oberkommando* da Wehrmacht atribuiu a vitória à "dinâmica revolucionária do Terceiro Reich e sua liderança nacional-socialista"[14] A vitória na França foi o que consolidou a opinião de que a Wehrmacht era invencível, que poderia arrostar todos os obstáculos, num complexo de superioridade que se tornaria uma premissa comum no planejamento militar alemão. Ironicamente, ao pretender desmontar a versão tecnológica do mito da *blitzkrieg*, a recente pesquisa histórica tem tendido a aceitar a explicação do próprio regime para sua vitória.[15] Uma das maiores vitórias da história militar fora obtida em condições adversas, por meio do gênio do general Manstein e o poderio superior de luta dos soldados alemães. A partir daí, basta um pequeno passo para afirmar que, naquela ocasião crucial, o equilíbrio de forças materiais fazia pouca ou nenhuma diferença para o resultado da guerra, o que, por sua vez, suscita perguntas sobre a importância do equilíbrio material em geral. Ficamos, então, imaginando por que motivo os Aliados, realmente, acabaram por vencer.[16]

Neste ponto, é preciso cautela. Se é verdade que a *blitzkrieg* não resultou de uma síntese estratégica cuidadosamente calculada, também há motivo para ceticismo quanto a uma interpretação demasiado voluntarista dos acontecimentos de 1940. O que é necessário apreciar são as condições exatas em que as qualidades e o treinamento dos soldados alemães foram capazes de conseguir resultados tão dramáticos.[17] Embora não houvesse uma grande síntese estratégica, o êxito do plano de Manstein decorreu sem dúvida, em grau significativo, da mobilização da economia alemã, em 1939, e mais ainda dependeu da configuração geográfica específica do campo de batalha na Europa ocidental. Para começar pelo ponto mais óbvio, embora seja verdade que os números gerais do poderio, em matéria de tanques em maio de 1940, mostrem, claramente, que a Alemanha não vinha construindo unicamente tanques, desde 1933, isso não deve nos levar a ignorar a importante contribuição da rápida mobilização da indústria alemã em 1939-40. Embora o poderio geral alemão em termos de tanques, em maio de 1940, não fosse absolutamente avassalador, as coisas teriam sido muito piores se não fosse o esforço de produção de tanques, iniciado no outono de 1939. Após o bem-sucedido término da campanha da Polônia, em outubro de 1939, as forças de tanques do Exército alemão se encontravam em um ponto muito baixo. A Wehrmacht possuía apenas 2.101 veículos capazes de entrar em serviço, dos quais a imensa maioria era de modelos obsoletos Mark I e Mark II.[18] Havia somente 541 tanques médios em condições de batalha, próprios para uso contra a França.[19] Se esse equipamento inadequado tivesse sido lançado contra as defesas aliadas na linha Breda-Dyle, como previa o plano alemão original de outubro de 1939, a Wehrmacht teria tido sorte em conseguir ao menos um impasse.[20] Durante o inverno de 1939-40, os tanques nunca receberam a atenção atribuída ao Ju 88 ou ao programa de munições, mas, nos sete meses entre o fim da campanha da Polônia e o início da batalha pela conquista da França, mesmo assim, houve uma melhoria radical na qualidade das forças blindadas alemãs. Em 10 de maio de 1940, o equipamento alemão em tanques de batalha médio-pesados quase triplicara em relação à situação do final da campanha da Polônia. A Alemanha passara a ter 785 Mark III, 290 Mark IV e 381 tanques médios tchecos, num total de 1.456 veículos. Nenhum desses rivalizava com os blindados franceses mais pesados. Tampouco possuíam os alemães canhões antitanque capazes de deter o Char B, como ficou evidente em diversos incidentes chocantes em que tanques franceses massacraram, individualmente, colunas inteiras da infantaria alemã.[21] Não obstante, com seus compartimentos de batalha bem projetados e excelente equipamento de rádio, os Panzers alemães, na primavera de 1940, tinham o que era necessário para se transformar em uma força blindada altamente eficiente. Tudo dependia da forma pela qual essa força fosse disposta. Se há uma explicação única para a surpreendente vitória alemã na França, essa explicação é a brilhante concepção do plano de ataque de Manstein. Porém, ao contrário do que diz a lenda, esse plano não surgiu nem de doutrinas novas e revolucionárias de guerra mecanizada e nem de uma confiança mística na superioridade do soldado alemão.[22] A pedra de toque de Manstein foi a clássica equação napoleônica: conseguir o êxito por meio da concentração de uma força maior do que a do inimigo em um único ponto. Era uma síntese, em outras palavras, de materialismo grosseiro e arte militar. Como a Alemanha não possuía superioridade material geral (tinha um total de 135 divisões contra 151 dos Aliados), a superioridade local somente poderia ser conseguida por meio da maior concentração e surpresa possíveis. A excepcional realização desses princípios clássicos de doutrina operacional, e não equipamento ou moral superiores, é o que explica o sucesso da *blitzkrieg*. A distração crucial foi criada pelo Grupo B do Exército com o ataque contra a Holanda e o norte da Bélgica. Dessa parte da operação participaram somente 29 divisões alemãs, mas isso atraiu a atenção de nada menos do que 57 divisões aliadas, entre elas a nata dos exércitos francês e britânico. Para o sul, ao longo do vale do Reno tornado vulnerável, os alemães dispuseram somente 19 unidades de segunda linha, enquanto a França conservava 36 divisões enterradas nas maciças defesas de concreto da Linha Maginot. Nos flancos, portanto, a desvantagem alemã era de quase 2 para 1. Nas Ardenas, isso lhes permitiu concentrar nada menos do que 54 divisões de primeira linha, contra uma barragem defensiva franco-belga de somente 18 unidades de segunda linha. Embora fossem inferiores no aspecto geral, o planejamento consistente permitiu aos alemães uma vantagem de quase 3 para 1 no ponto de ataque. Nesse sentido, a vitória alemã não desmente o princípio de que a quantidade é decisiva. Simplesmente, confirma a afirmação de que, numa situação de equilíbrio, a superioridade material necessária para conseguir uma vantagem decisiva somente pode ser atingida mediante a máxima concentração das forças. Além disso, como não se pode presumir a passividade do inimigo, essa vantagem somente pode ser mantida por meio de engodos estratégicos e máxima velocidade de manobra.

Isso, por sua vez, continha um elemento substancial de risco. Mais fundamentalmente, os alemães iniciaram o ataque contra a França sem ter nenhuma formação Panzer em reserva. Para a obtenção de superioridade numérica maciça no ponto crucial, todas as unidades estavam ocupadas no combate desde o primeiro dia. Se o ataque tivesse fracassado, a Alemanha não teria unidades móveis com as quais reagir a uma possível contraofensiva dos Aliados. No que diz respeito ao Exército alemão, essa estratégia funcionou brilhantemente. A luta foi intensa. A taxa diária de baixas foi elevada, mas, como toda a batalha terminou em poucas semanas, o custo total foi mais do que aceitável. Porém, o que muitas vezes se omite dos relatos da vitória alemã, em maio de 1940, foi o fato de que a equação para a Luftwaffe era bem menos favorável.[23] A Força Aérea alemã esteve engajada no ataque inicial ainda mais intensamente do que o Exército. Os Aliados, em contraposição, prevendo uma campanha longa e extensa, mantiveram em reserva uma grande parte de seu poderio aéreo. O resultado faria a balança pender decisivamente em favor dos alemães. Mas o preço pago pela Alemanha pelo domínio dos céus foi muito mais elevado do que o pago pela vitória no terreno. Somente no dia 10 de maio, a fim de estabelecer a superioridade aérea no primeiro dia da operação, a Luftwaffe sacrificou nada menos do que 347 aeronaves, incluindo, praticamente, todos os transportes usados na operação de invasão pelos ares da Holanda e da Bélgica.[24] No final de maio, 30% dos aviões com que a Luftwaffe havia iniciado a campanha estavam destruídos. Outros 13% tinham sido gravemente danificados.

Os alemães não apenas utilizaram todos os seus tanques e aviões. Em estrita conformidade com o princípio do *Schwerpunkt*, lançaram-nos em uma frente surpreendentemente estreita. No interior do setor do Grupo A do Exército, o grosso dos blindados foi reunido em uma única e gigantesca formação, o Grupo Panzer Kleist, composto de 1.222 tanques, 545 meias-lagartas e 39.373 caminhões e carros, assim como numerosas unidades auxiliares antiaéreas e de engenharia.[25] Se essa massa tivesse sido alinhada em uma única estrada, começando na fronteira de Luxemburgo, sua cauda se estenderia até Königsberg, 1.540 quilômetros a leste. A realidade era apenas um pouco menos fantástica. Nos primeiros dias da campanha, o Grupo Panzer Kleist avançou ao longo do alto curso do Maas por meio de quatro estradas estreitas. Cada uma das quatro colunas que se aproximava dos pontos vitais, onde era possível atravessar o rio, tinha quase 400 quilômetros de comprimento, e tiveram de combater para avançar, sob extrema pressão de tempo. Era essencial que a vanguarda atingisse a linha do rio Maas, com poderio suficiente para tomar as pontes, até a tarde de 13 de maio. De outra forma, os Aliados teriam tempo de regressar ao *Schwerpunkt* e restabelecer sua superioridade geral. Essa extraordinária concentração de forças envolvia enormes riscos. Se os bombardeiros aliados tivessem penetrado na barreira de caças alemães além das Ardenas poderiam ter dizimado as colunas em sua lenta progressão. Nunca tantos veículos motorizados se concentraram em um trecho tão pequeno da rede rodoviária da Europa, e a preocupação com o potencial de engarrafamentos era muito maior do lado alemão do que com a travessia das Ardenas, considerada problemática. Em 11 e 12 de maio de 1940, o avanço do Grupo Panzer de Kleist ameaçou descambar para o pior engarrafamento de tráfego do mundo. O desastre foi evitado somente pela enérgica gestão da movimentação feita pelos oficiais do Estado-Maior que iam e vinham em motocicletas e sobrevoavam as colunas em aeronaves leves. O êxito do avanço dependia também, de forma crítica, de um plano logístico calculado com precisão. Os estoques alemães de gasolina, que, em maio de 1940, eram suficientes para cobrir nada mais do que cinco meses de guerra móvel, foram inteiramente colocados à disposição a fim de assegurar o avanço da maneira mais ordenada possível. Caminhões-tanque altamente inflamáveis se misturavam aos carros de combate na própria cabeça das colunas blindadas alemãs. Ao longo da rota da marcha, havia depósitos planejados com antecedência, nos quais a tripulação dos tanques podia recolher recipientes cheios e depositar os vazios para serem reabastecidos. As equipes enchiam os blindados na própria estrada, sempre que havia uma parada no tráfego, e não eram somente os veículos que tinham de seguir avançando. O plano previa que as colunas blindadas alemãs seguissem adiante durante três dias e três noites, sem interrupção. Para que os motoristas pudessem ficar sem dormir, os intendentes das unidades avançadas estocaram dezenas de milhares de doses de Pervitin, a fórmula original de anfetamina hoje conhecida como "speed", porém, mais popular, na década de 1940, com o nome de "chocolate para tanques" (*Panzeschokolade*).[26]

O ataque do Grupo A do Exército foi uma manobra de extraordinária audácia, que continua a ser considerada modelar até mesmo para as operações militares de alta tecnologia do século XXI. Mas a impressão de modernidade e mobilidade que envolveu toda a operação foi, até certo ponto, ilusória. A gasolina e a anfetamina estavam reservadas para cerca de uma dúzia das divisões de ataque. A ampla maioria das tropas alemãs invadiu a França, a Bélgica e a Holanda a pé, com suprimentos transportados a partir do ponto final das ferrovias, da maneira clássica do século XIX: em carroças puxadas por cavalos. Apesar da qualidade do planejamento logístico e do desempenho realmente notável da marcha da infantaria alemã, o sucesso não teria sido possível se não fosse a natureza específica do campo de batalha. O litoral do canal da Mancha fornecia ao Exército alemão um obstáculo natural contra o qual podia cercar seus inimigos, capaz de ser atingido a partir da fronteira alemã, a poucas centenas de quilômetros. A essa distância, um sistema bem organizado de suprimento motorizado ainda poderia funcionar eficientemente e a diferença entre o avanço das unidades Panzer e o do restante do Exército alemão não era muito grande. Além disso, os alemães se beneficiavam de uma densa rede de boas estradas e dos amplos recursos da rica agricultura da Europa ocidental para se alimentar enquanto marchavam. Na Polônia, em setembro de 1939, a Wehrmacht tivera dificuldade em manter o ritmo das tropas motorizadas, diante de condições muito mais difíceis. No futuro, teriam de se esforçar novamente.

O êxito do ataque alemão contra a França, em maio de 1940, pode, portanto, desafiar a explicação em termos de uma simples lógica de "força bruta". Mas imaginar que o equilíbrio de forças materiais foi irrelevante para o resultado é deixar-se levar pelo voluntarismo. A Wehrmacht não desmentiu as regras básicas da guerra. A vitória de maio de 1940 não é um acontecimento misterioso, explicado apenas pelo extraordinário ânimo do Exército alemão e pela falta de disposição dos franceses para o combate. O risco para os alemães era grande, mas não tanto que não pudesse ser vencido por meio de planejamento e manobras de alta qualidade. Uma análise detida da mecânica da *blitzkrieg* revela o surpreendente grau de concentração conseguido, mas também a grande aposta de Hitler e da Wehrmacht, em 10 de maio. Justamente, por envolver o uso tão concentrado de força, o plano de Manstein era "questão de uma única bala na agulha".[27] Se o ataque inicial fracassasse, e poderia ter fracassado de várias maneiras, a Wehrmacht estaria esgotada como força ofensiva. A aposta deu certo, mas, ao contrário das aparências, os alemães não haviam descoberto uma receita infalível para milagres militares. O avassalador sucesso de maio de 1940, que resultou na derrota de uma grande potência europeia em questão de semanas, não foi um resultado que pudesse se repetir. Na verdade, ao examinarmos os grandes riscos inerentes ao plano de Manstein, o ataque contra a França parece mais semelhante à outra grande jogada da Wehrmacht, a ofensiva contra a União Soviética, em junho de 1941, do que normalmente se supõe. Em ambas as ocasiões, a

Wehrmacht não tinha forças significativas em reserva. Em ambas as campanhas, os alemães apostaram na consecução de sucesso decisivo na fase inicial do ataque. Qualquer coisa menos do que isso significaria desastre. Os resultados muito diferentes são perfeitamente explicáveis em termos de lógica militar convencional. Contra um adversário que possuísse margem maior de superioridade material, assim como melhor liderança e maior espaço de manobra, o critério napoleônico básico de êxito militar — força superior no ponto decisivo — seria de realização muito mais difícil, senão impossível. O valor militar inspirado tem suas limitações.

II

No verão de 1940, no entanto, diferentemente do período posterior à vitória sobre a Polônia, a Wehrmacht não deu muita atenção a análises críticas de seu desempenho após a batalha. A derrota da França modificou profundamente o equilíbrio europeu de poder.[28] A França, que, durante muito tempo, fora a nação-Estado preponderante na Europa continental, ficou reduzida, de um só golpe, à categoria de potência de segunda classe. A Holanda e a Bélgica, países europeus pequenos, porém, possuidores de grandes impérios coloniais, estavam sob ocupação alemã. Por toda a Europa, tanto os países ocupados quanto os neutros começaram a gravitar em torno do novo centro de poder. Durante um breve período, pelo menos, a hegemonia alemã tornou-se incontestável em toda a Europa, do mar do Norte ao mar Negro e do Báltico ao Estreito de Gibraltar.

Mesmo antes do ataque à França, a Alemanha desviara parte considerável de suas forças militares para defender o flanco norte.[29] O minério de ferro sueco era, simplesmente, demasiado importante para a economia de guerra da Alemanha e isso não permitia que a Escandinávia permanecesse confortavelmente neutra. Em 1940, mais da metade das necessidades alemãs desse minério tinham sido satisfeitas por meio de importações, e 83% destas vieram da Suécia. Se as entregas de minério sueco tivessem sido interrompidas em 1939, a produção alemã de armamentos ficaria drasticamente prejudicada, a partir do outono de 1940, no máximo. Não que o regime de Hitler tivesse algo a temer dos suecos.[30] A Alemanha tinha uma vantagem importante sobre a Suécia, assim como em relação à Suíça, porque ambos os países dependiam dela para importações de carvão. Já em abril de 1939, o governo social-democrata, em Estocolmo, havia assegurado Berlim de sua disposição em prosseguir com as entregas de minério em caso de guerra. O problema não era a Suécia, e sim a Noruega, com seu litoral vulnerável no mar do Norte e, especialmente, o porto de Narvik, de onde o minério sueco era exportado para a Alemanha nos meses de inverno. Se os britânicos assumissem o controle de Narvik, poderiam estrangular o Ruhr antes que a verdadeira guerra efetivamente começasse, e essa era, claramente, a intenção de Churchill. Em 1º de março, portanto, Hitler deu ordem para o chamado "Exercício Weser", a ocupação militar da Dinamarca, que seria combinada com desembarques na Noruega. Simultaneamente, os britânicos prepararam uma força expedicionária para reagir a qualquer intervenção alemã. Houve enfrentamentos nas proximidades de Narvik, em 9 de abril. Após três meses de combates confusos, os britânicos foram expulsos e o acesso alemão ao minério sueco ficou assegurado durante toda a guerra.

A Alemanha agiu com igual determinação no sudeste europeu a fim de assegurar o suprimento de petróleo da Romênia.[31] Nos primeiros meses da guerra, a Grã-Bretanha e a França haviam pressionado Bucareste a fim de reduzirem as exportações para a Alemanha.[32] Em fevereiro, começaram a surgir sinais de alarme, em Berlim. A menos que fossem tomadas medidas drásticas, os estoques de petróleo da Alemanha cairiam a níveis críticos até o fim do verão.[33] A partir do início de 1940, portanto, o Ministério do Exterior alemão e a *Abwehr*, do almirante Wilhelm Canaris, o serviço de inteligência da Wehrmacht, lançaram-se em uma importante contraofensiva. Aproveitando cinicamente o temor de Bucareste em relação à União Soviética, Hitler ofereceu ao rei Carol, da Romênia, proteção contra o principal aliado da Alemanha. Em março de 1940, o Ministério do Exterior alemão iniciou o processo de reduzir o domínio anglo-francês sobre o campo petrolífero de Ploesti, ao concluir um acordo de "petróleo por armamento", sem precedentes.[34] A Romênia garantia a Berlim um aumento no fornecimento de petróleo a preços preferenciais em troca da proteção e substancial entrega de armamentos da Alemanha, a maior parte tomada dos poloneses. Esse acordo, no entanto, era apenas provisório e expiraria em dois meses. Para os alemães, foi conveniente o início de negociações para um arranjo mais permanente, em maio. À medida que as notícias sobre o avanço das Divisões

Panzer, na França, repercutiam na mídia mundial, a atitude do governo romeno se tornou ainda mais amistosa. Finalmente, em 27 de maio, Bucareste concordou apressadamente com um tratado sobre petróleo (*Ölpakt*), o que significava o monopólio pela Alemanha sobre as reservas romenas. A partir de julho de 1940, as remessas de petróleo romeno para a Grã-Bretanha, que, até poucos meses antes, representavam quase 40% da produção de Ploesti, cessaram inteiramente. A Alemanha, por sua vez, podia agora contar com entregas constantes de 200 mil a 300 mil toneladas mensais de petróleo da Romênia, que, nos anos seguintes, se tornaram um dos sustentáculos do suprimento de combustível.

Os não combatentes e neutros do sudeste europeu se comportaram de maneira semelhante.[35] O mais espetacular foi a mudança de posição de Mussolini em relação à do outono de 1939, declarando guerra à França e à Grã-Bretanha, em 10 de junho de 1940. Com mais cautela, o general Franco mudou a posição da Espanha, de estrita neutralidade para a de "não combatente".[36] Como os submarinos, agora, tinham liberdade para operar a partir de bases navais no litoral atlântico da França, até mesmo, Portugal, o mais antigo aliado da Grã-Bretanha, sentiu necessidade de se distanciar de Londres. Outro sintoma revelador da alteração no equilíbrio de poder foi a mudança de atitude da Suíça.[37] Nos meses seguintes à capitulação da França, ergueram-se vozes em círculos empresariais e em um amplo espectro da direita política em favor de uma reavaliação da neutralidade do país. Numa reunião de homens de negócios, em Berna, em julho de 1940, um dos diretores-gerais do Schweizerischen Nationalbank explicou, claramente, o caso: "Os acontecimentos da semana passada desequilibraram completamente a ordem das coisas na Europa, e isso, ao que me parece, não será uma aberração transitória. O mundo, e, com ele, também nosso país, está diante de outras circunstâncias, com as quais será necessária uma reacomodação".[38] Se a Suíça continuasse passiva em relação à mudança de poder da Alemanha, arriscava-se a ficar marginalizada: "Nosso país terá de procurar conscienciosamente seu lugar nesse novo mundo e objetivar desempenhar papel ativo nele". No verão de 1940, a colaboração com a Alemanha de Hitler era, simplesmente, uma questão de bom-senso. A política comercial da Suíça foi bastante modificada a fim de conceder créditos de exportação mais generosos a Berlim, restringindo, ao mesmo tempo, as "exportações estratégicas" para a

Grã-Bretanha. Por pressão da Alemanha, a lista de mercadorias que as firmas suíças podiam exportar, sem necessidade de licenças oficiais, foi reduzida para somente 28 categorias inócuas, incluindo frutas frescas e em conserva, bordados e rendas, produtos de palha e todos os tipos de chapéus, aquecedores, fogões, máquinas de lavar e outros eletrodomésticos. As máquinas-ferramenta suíças de alta precisão e os canhões antiaéreos de 20 milímetros ficavam reservados para a Alemanha.[39]

Em conjunto, a Grande Alemanha, os territórios ocupados e os países neutros alinhados com Berlim constituíam um bloco poderoso. A França, a Bélgica, a Holanda e Luxemburgo possuíam importantes indústrias siderúrgicas. Eram fabricantes sofisticados de veículos a motor, armamentos, aviões, produtos eletrônicos e mercadorias de consumo de todos os tipos. A França e a Noruega também tinham participações significativas nas indústrias químicas de alumínio. Acrescentadas à formidável capacidade industrial da Alemanha, Áustria, Silésia polonesa, Protetorado Tcheco e Itália do norte tinham o potencial para constituir um bloco econômico vigoroso. Se tivesse sido possível preservar a atividade aos níveis anteriores à guerra, o bloco europeu alemão abarcaria uma economia cujo PIB conjunto era maior do que o dos Estados Unidos ou o do Império Britânico.[40] Era uma esfera de influência sobre uma população de 290 milhões de pessoas, com um território apenas ligeiramente menor do que o dos Estados Unidos. Se os impérios de ultramar da França, Bélgica, Holanda e Itália entrassem no cálculo, as proporções dos domínios da Alemanha seriam ainda mais impressionantes. Potencialmente, ao menos, a esfera de influência da Alemanha após a conquista da Europa ocidental se estendia a, aproximadamente, um quinto da população mundial, mais ou menos, a mesma proporção das terras habitadas do globo e 30% do PIB mundial. Em tamanho, seu único rival era o Império Britânico. Essas comparações não incluem a União Soviética e o Japão Imperial, ambos aliados em perspectiva da Alemanha nazista. No verão de 1940, naturalmente, esse bloco não era uma entidade consolidada. O futuro dos Impérios Francês, Belga e Holandês estava em xeque. Passariam para o lado alemão, seriam engolidos por outros predadores como o Japão, ou prefeririam ficar ao lado da Grã-Bretanha? Além disso, estava longe de ser evidente a possibilidade de que a atividade econômica do bloco alemão de poder se mantivesse ao nível de antes da guerra. No entanto, esses números dão uma ideia da forte mudança no equilíbrio de poder mundial que as vitórias da *blitzkrieg* alemã prenunciavam.

No verão de 1940, o lucro das conquistas da Alemanha era suficiente para fazer girar cabeças. O saque, mesmo quando feito por alemães, não é uma atividade que se preste a enumeração estatística exata. No entanto, o valor dos bens confiscados pela vitoriosa Wehrmacht foi, sem dúvida, enorme.[41] Uma lista francesa de bens levados pelos alemães, entre 1940 e 1944, atingiu nada menos do que 154 bilhões de francos ou 7,7 bilhões de *reichsmarks* a taxas oficiais de câmbio.[42] Desta vasta soma, um terço era constituído por equipamentos militares franceses. No tocante a armas do Exército, o total inclui 314.878 rifles, 5.017 peças de artilharia, 3,9 milhões de obuses e 2.170 tanques.[43] Dentre estes, centenas ainda estavam sendo usados pela Wehrmacht na França e nos Bálcãs, anos depois. A artilharia francesa capturada representou uma contribuição ainda maior à defesa do império nazista. Em março de 1944, do total de 17.589 canhões, pertencentes ao acervo de artilharia da Alemanha, nada menos de 47% eram de origem estrangeira, e dentre esses o maior número viera da França.[44] Outro terço do butim era constituído por equipamentos de comunicações e transporte e serviços proporcionados pelas ferrovias francesas. Os maiores itens eram milhares de locomotivas e dezenas de milhares de vagões de carga que a Reichsbahn "pedira emprestados". No total, as ferrovias francesas, holandesas e belgas forneceram à Alemanha 4.260 locomotivas e 140 mil vagões, números muitíssimo superiores aos investimentos alemães em material rodante, na década de 1930. Na lista francesa, vinham, em seguida, matérias-primas estimadas em 13 bilhões de francos, cuja importância estratégica para os alemães ultrapassava em muito o valor monetário para os proprietários franceses. Na França, Bélgica e Holanda, a Wehrmacht apoderou-se de 81 mil toneladas de cobre, suficientes para aumentar em 8 meses a duração de seus estoques. Os alemães encontraram, também, estanho e níquel bastantes para atender a suas necessidades durante um ano. Além disso, serviram-se de estoques substanciais de gasolina e petróleo, combustíveis cruciais. No final de 1940, graças às grandes entregas vindas da Romênia, ao butim conquistado na França e ao baixo nível de atividade militar na segunda parte do ano, o alarmante declínio dos estoques de combustível da Alemanha havia sido solucionado. A principal preocupação, no inverno de 1940-41, foi o problema de encontrar instalações de armazenamento suficientes.

Tabela 9. A nova ordem mundial?

	População (milhões)	Território (milhares de km²)	PIB 1938 (milhões de dólares PPP, preços de 1990)
Grã-Bretanha	48	245	284
Domínios britânicos	30	19.185	115
Colônias britânicas	454	14.994	285
Total do Império Britânico	531	34.424	683
Estados Unidos	131	7.856	800
Alemanha	69	470	351
Áustria	7	84	24
Tchecoslováquia	11	140	30
Polônia	35	389	77
França	42	551	186
Holanda	9	33	45
Bélgica	8	30	40
Dinamarca	4	43	21
Noruega	3	323	12
Finlândia	4	383	13
Hungria	9	117	24
Bulgária	7	103	11
Iugoslávia	16	248	22
Romênia	16	295	19
Suíça	4	41	26
Suécia	6	449	30
Itália	43	310	141
Grossraum europeu	292	4.009	1.071
Colônias italianas	9	3.488	3
Colônias francesas	71	12.099	49
Colônias holandesas	68	1.904	77
Colônias belgas	11	2.337	6
Possível império do Eixo	159	19.828	134
Japão	72	382	169
Colônias japonesas	60	1.602	63
URSS	167	21.176	359

Fontes: M. Harrison (org.), *The Economics of World War II* (Cambridge, 1998), 7-8; A. Maddison, *The World Economy: Historical Statistics* (Paris, 2003); SRA, *Statistisches Jahrbuch für das Deutsche Reich (1941-42)* (Berlim, 1942).

III

Mesmo antes que cessasse o fogo, o Ministério do Exterior da Alemanha, o Plano Quadrienal de Göring, o Ministério de Assuntos Econômicos e o Reichsbank iniciaram debates urgentes sobre a futura organização da economia europeia.[45] A rapidez com que se iniciaram essas conversações reflete o pensamento que existia na Alemanha desde a década de 1920.[46] A principal ideia orientadora dos debates era a necessidade de criar um espaço econômico amplo e unificado, comparável em dimensões, população e recursos ao Império Britânico e aos Estados Unidos. Na década de 1930, o foco da discussão se restringira a um "império econômico informal" alemão no sudeste europeu, que oferecia importantes matérias-primas e abundante provisão de produtos agrícolas. No entanto, do ponto de vista do mundo dos negócios, os Bálcãs eram, provavelmente, uma região secundária. O poder de compra desses países pobres era, simplesmente, demasiado limitado. Não admira, portanto, que, uma vez aberto o caminho pela Wehrmacht, os *think tanks* alemães rapidamente dirigissem as atenções para o panorama muito mais promissor da Europa ocidental. O rompimento das fortes ligações comerciais e financeiras com a França tinha sido um dos principais prejuízos causados à Alemanha por seu unilateralismo, desde 1931. A reconstituição das conexões econômicas entre os dois países e sua combinação com o potencial econômico da Itália, Benelux e Escandinávia ofereciam uma visão muito mais atraente do *Grossraum* econômico do que tudo o que parecera possível na década de 1930.

Em termos mais gerais, o debate febril, do verão de 1940, também indicava a extrema tensão que a política econômica alemã vinha sofrendo desde o início da década anterior.[47] Na esteira das estupendas vitórias da Wehrmacht, parecia agora possível que a Alemanha estivesse em posição de abolir grande parte da pesada regulamentação que vinha prejudicando os negócios no país desde a crise bancária e monetária de 1931. Havia acordo geral em Berlim de que a camisa de força do Novo Plano de Schacht não se coadunava com a futura hegemonia na Europa.[48] As reparações impostas as potências derrotadas aliviariam a aguda escassez de divisas da Alemanha. À custa de outros bancos centrais da Europa, o Reichsbank obteria uma reserva estratégica de moeda de, pelo menos, 10 bilhões de *reichsmarks*. A

Grã-Bretanha seria obrigada a suportar a responsabilidade pelas odiosas "dívidas políticas", da década de 1920. O *reich* estaria, até mesmo, em posição de reabrir negociações para o pagamento dos empréstimos norte-americanos, congeladas seis anos antes. Uma vez demonstrada sua capacidade de conviver com os Estados Unidos, a Alemanha poderia negociar de uma posição forte. Talvez, o mais notável seja que o Ministério das Finanças do *reich*, preocupado com o custo crescente do sistema de subsídios às exportações, chegou a sugerir que a Alemanha aproveitasse aquele momento de máximo poderio e prestígio para desvalorizar o *reichsmark*, retificando assim sua antiga falta de alinhamento com o restante das moedas do mundo.[49] Não admira que essa sugestão não tenha progredido. A hora da vitória não era o momento de um ajuste para baixo no valor externo da moeda alemã. Dali em diante, o *reichsmark* é que deveria ser o padrão. Certo grau de supervalorização em relação às economias satélites da Europa era até mesmo bem-vinda, porque facilitaria o baixo custo das importações.[50] Se fosse necessário um realinhamento entre o *reichsmark* e o dólar, seria este último o que teria de fazer o ajuste.

O Ministério do Exterior da Alemanha era o mais ambicioso quanto aos objetivos. Desejava aproveitar o momento especial oferecido pela vitória militar a fim de avançar rapidamente, no sentido de uma união aduaneira e monetária com o maior número possível de países europeus. Mas a Dinamarca, primeiro país com o qual essa orientação foi ensaiada, tergiversou, e o Reichsbank, o RWN e o Plano Quadrienal não apoiavam uma extensão apressada das fronteiras econômicas do *reich*. Preferiam uma abordagem gradual cujo primeiro passo seria a incorporação de toda a Europa ocidental em um sistema de compensação centralizado, que permitiria o pagamento multilateral de dívidas sempre que isso fosse do interesse da Alemanha. Esse sistema foi imposto em agosto de 1940 e se tornou a base de uma incorporação mais intensa das economias europeias na esfera de influência de Berlim. Embora houvesse quem visse no sistema centralizado de compensação uma visão do futuro econômico, o objetivo prático imediato era proporcionar à Alemanha um déficit comercial praticamente ilimitado. A lógica brutal do sistema de compensação em tempo de guerra foi explicada com notável clareza pelo dr. Gustav Schlotterer, jovem funcionário público nacional-socialista, seu principal arquiteto.[51]

Falando, em julho de 1940, a uma plateia de empresários alemães, Schlotterer explicou:

> É fato que temos diversos países tão firmemente dependentes de nós que podemos confrontá-los com um problema muito sério em relação à solução [da compensação de déficits]. Na Dinamarca e Noruega, adotamos a posição de que os saldos do comércio de compensações [isto é, o déficits alemães] já não constituem problema... Nossa tendência é usar truques, astúcia e, possivelmente, violência a fim de fazer com que os países europeus vendam seus produtos à Alemanha mas deixem seus créditos se acumularem em Berlim... Não sabemos até onde podemos prosseguir com essas ideias. Mas acredito que possam funcionar no caso de países ocupados.[52]

A melhor medida do êxito desse esquema cínico de Schlotterer era o gigantesco déficit que a Alemanha conseguiu acumular até o fim da guerra. Normalmente, é claro, fornecedores privados na França, Bélgica ou Holanda não estariam dispostos a continuar remetendo mercadorias a um cliente estrangeiro com dezenas de bilhões de *reichsmarks* em contas não pagas. Mas, desde a década de 1930, os sistemas de compensação do Reichsbank haviam sido preparados para remover tais obstáculos. Os exportadores em cada país estrangeiro não eram pagos por seus clientes na Alemanha, e sim por seus próprios bancos centrais, em sua própria moeda. O banco central estrangeiro cobrava o déficit à conta de compensação alemã, em Berlim. Os alemães recebiam a mercadoria, os fornecedores estrangeiros eram imediatamente pagos, mas a conta nunca era regularizada. No fim de 1944, o Reichsbank registrara quase 30 bilhões de *reichsmarks* devidos aos membros do sistema de compensação. A França, maior credor da Alemanha, tinha 8,5 bilhões de *reichsmarks* a receber. Quase 6 bilhões eram devidos aos holandeses. Cinco bilhões era a dívida para com a Bélgica e Luxemburgo, e 4,7 bilhões permaneciam sem pagamento na conta com a Polônia.[53]

Embora esse sistema produzisse um grande déficit comercial para a Alemanha — em outras palavras, um fluxo de bens e serviços não compensado por exportações da Alemanha —, seria enganoso sugerir que o comércio no interior do império nazista fluía apenas em uma única direção. Na verdade, as exportações alemãs continuaram em nível desconfortavelmente elevado durante a guerra. A esse respeito, a experiência alemã foi muito diferente da britânica. Durante todo o período da guerra, a contribuição líquida estrangeira para as economias de guerra da Grã-Bretanha e da Alemanha foi comparável, mas, nesse período, a Alemanha manteve um volume de exportações muito mais elevado do que o da Grã-Bretanha. Em relação ao nível de 1938, as exportações alemãs, em 1942, representaram o dobro das britânicas. Em 1943, foram três vezes maiores.[54] Para os homens de negócios alemães, isso não era problema; pelo contrário, os exportadores alemães faziam questão de manter os clientes europeus e aproveitavam as excelentes margens de lucro proporcionadas pelo comércio exterior. Mas, para o esforço de guerra alemão, cada tonelada de mercadoria exportada significava uma perda líquida. As exportações foram mantidas porque eram funcional e politicamente necessárias. A Alemanha exportava para seus aliados a fim de sustentar suas economias e seus padrões de vida. Com aliados como a Romênia, a Itália, a Finlândia e a Croácia, e importantes países neutros como a Suécia e a Turquia, Berlim manteve uma balança comercial equilibrada.[55] Enquanto, na década de 1930, os déficits alemães haviam sido desproporcionalmente maiores com seus satélites do sudeste europeu, agora, a lealdade militar era premiada com exportações proporcionalmente maiores. Os principais déficits alemães de compensação eram com os territórios ocidentais recém-ocupados. A Noruega e o Governo Geral foram casos excepcionais de territórios ocupados com os quais a Alemanha tinha um superávit comercial líquido, indicativo da extrema vulnerabilidade daquelas pequenas economias aos efeitos do bloqueio e da ocupação. Mas, mesmo nos casos em que acumulou amplos déficits líquidos, a Alemanha continuou a retribuir, pelo menos, até certo ponto, com exportações, especialmente na relação com a França. Não o fez por motivos políticos, e sim porque a economia francesa, tendo perdido sua conexão com a Grã-Bretanha, simplesmente, não era capaz de funcionar sem um fluxo de importações da Alemanha, argumentação à qual voltaremos.[56]

Além da reorganização do comércio europeu por meio do sistema de compensação, o outro elemento-chave do programa alemão de subordinação da economia europeia foi a penetração de capital alemão nas empresas da Europa ocidental. Não é de admirar que a IG Farben, como maior empresa alemã e importante ator na indústria química mundial, fosse participante ativa. A IG usou antigos contatos no cartel internacional dos corantes para assumir o controle da indústria francesa por meio do truste francês Francolor.[57] Não menos significativa foi a ampla retomada da indústria pesada da Alsácia e Lorena por empresas alemãs. As firmas que haviam perdido fábricas na Lorena, quando o território foi transferido para a França por força do Tratado de Versalhes, reclamaram o controle de seus interesses históricos.[58] O que estava em jogo não eram apenas empresas siderúrgicas e minas anteriormente pertencentes à Alemanha. Após 1940, não seria mais permitido a nenhuma firma francesa possuir uma quantidade de ações suficiente para o controle de qualquer parte da indústria alemã, incluindo empresas em áreas recentemente anexadas ao *reich*. Embora a decisão judicial final fosse postergada até depois da guerra, a porta foi aberta para a tomada de substanciais interesses franceses em Lothringen.[59] Não é de admirar que a Reichswerke Hermann Göring tenha obtido o prêmio mais cobiçado, o conglomerado mineiro e siderúrgico de Wendel, enquanto Flick foi recompensado por seus serviços a Göring ao receber a Rombacher Huette. Outros pretendentes a ativos franceses, especialmente Röchling, baluarte do germanismo no Sarre, ficaram desapontados. Além de Lothringen, os alemães não se entregaram a uma expropriação ampla de ativos privados, com a única exceção das propriedades de judeus, que foram rapidamente arianizadas em todos os territórios ocupados. Na Holanda, especialmente, isso provocou a transferência de uma grande parte do setor bancário e de vendas a varejo para as mãos dos alemães.[60] Em nenhum dos territórios, porém, os judeus possuíam parcelas importantes do capital industrial. As principais firmas industriais que os alemães conseguiram confiscar foram as que tinham passado a ser controladas pelo Estado antes da ocupação ou que, anteriormente, pertenciam a estrangeiros, como a empresa de engenharia elétrica Thomson, na França.[61] Por meio da "tutela" de interesses estrangeiros, a Alemanha conseguiu dominar as indústrias norueguesas de alumínio e de geração de eletricidade.[62] Na Holanda, a Rheinmetall conseguiu abocanhar as duas maiores firmas de engenharia, a NV Werkspoor e a Staatlichen Artileerie Inrichtingen, apoderando-se de propriedades do Estado. A Algemeene Kunztzide Unie (AKU), empresa holandesa de fibras sintéticas, também caiu sob influência alemã.[63] Em contraposição, as grandes multinacionais holandesas — a Philips, a Unilever e a Shell — conseguiram escapar da penetração alemã, transferindo a propriedade para escritórios no exterior. Nem na Bélgica e nem na França não ocupada, o capital alemão conseguiu avanços significativos. O exemplo mais notável, talvez, seja o da imensa empresa siderúrgica dos dois lados da fronteira, a Arbed, somente menor do que a Vereinigte Stahlwerke e a Reichswerke, entre os gigantes da indústria pesada europeia, que conseguiu escapar de um enxame de pretendentes alemães.[64] A firma dominava a economia do Luxemburgo, mas era controlada por interesses belgas liderados pela poderosa Société Générale de Bruxelas. No fim, a Reichswerke, a Vereinigte Stahlwerke, a Mannesmann e os bancos Dresdner e Deutsche foram vencidos por Alexandre Galopin, o extremamente autoconfiante chefe da Société Générale. Após 1941, a Arbed passou a funcionar sob estreita supervisão alemã, mas continuou a ser uma força independente na política da indústria pesada europeia.

Essa frustração da penetração do capital alemão foi resultado de obstrução local e da relutância da Alemanha em impor expropriação de "estilo colonial" a seus vizinhos da Europa ocidental. Mas é preciso levar em conta, também, o contexto macroeconômico. Como recordou Josef Abs, um dos principais diretores do Deutsche Bank, a uma reunião de banqueiros alemães, em outubro de 1940, a compra de grandes fatias de ativos estrangeiros significa exportação de capital.[65] Em circunstâncias normais, somente é possível a um país manter exportações líquidas significativas de capital quando possui superávits na conta-corrente. Para que pudesse se candidatar a uma parcela importante da economia da Europa ocidental, a Alemanha precisaria montar uma ofensiva de exportações. No outono de 1940, Abs enxergava essa possibilidade, porém, somente no caso de haver significativa redução nas exigências do esforço de guerra. Em outras palavras, a precondição financeira para uma ofensiva de capital verdadeiramente séria era uma paz vitoriosa. No outono de 1940, no entanto, as despesas com a Wehrmacht com projetos econômico-militares estava em aceleração, e a conta-corrente alemã era levada propositalmente para o vermelho. A Alemanha não adquiria parcelas das economias da Europa ocidental, e sim os países europeus ocidentais se tornavam, cada vez mais, credores da Alemanha. O único motivo pelo qual esse déficit de muitos bilhões de *reichsmarks* não se manifestou em dívidas privadas e transferência de ativos alemães para mãos estrangeiras, como acontecera durante a República de Weimar, foi a estrutura peculiar do sistema de compensação. As dívidas alemãs objeto de compensação não pertenciam a firmas alemãs, e sim ao *reich*. Não obstante, as dívidas se acumulavam, e, nos estágios posteriores da guerra, o Reichsbank estava de tal forma preocupado com a montanha de passivos externos que chegou a considerar seriamente a proposta de que a Alemanha pagasse, pelo menos, parte das dívidas de compensação, oferecendo a seus parceiros comerciais da Europa ocidental grandes pacotes de ações alemãs.[66] Em outras palavras, os territórios conquistados adquiririam investimentos nas empresas alemãs, e não o oposto. Não admira que essa ideia tenha sido rejeitada. Ela indica, porém, a futilidade em tentar organizar a tomada da economia europeia e, ao mesmo tempo, possuir um imenso déficit em conta-corrente.

Naturalmente, a Alemanha tinha uma maneira de operar a quadratura do círculo. A fim de obter os necessários recursos para, ao mesmo tempo, manter um grande déficit comercial e comprar ações estrangeiras, era preciso impor "reparações" aos territórios ocupados. No fim das contas, foram as "reparações", e não a compensação de débitos, o que dominou as transferências de recursos dos territórios ocupados pela Alemanha. Como as reparações tinham má fama depois de Versalhes, e como a Alemanha não estava interessada em concluir tratados formais de paz até que obtivesse a vitória total, os pagamentos à Alemanha tomaram a forma de "custos de ocupação", creditados a Berlim de forma constante, a partir do verão de 1940, pela Polônia e todos os Estados europeus ocidentais.[67] Certamente, a Alemanha incorria em custos substanciais para manter centenas de milhares de soldados em guarnições estacionadas em todo o seu novo império. Esses custos cresceram rapidamente quando a Luftwaffe começou a construir bases aéreas e a Marinha tratou de estabelecer gigantescos ancoradouros para seus submarinos ao longo da costa do Atlântico e do mar do Norte. Em 1943 e 1944, a construção da monstruosa Muralha do Atlântico contra uma invasão aliada aumentou ainda mais as despesas.[68] No entanto, ficou claro, desde o início, que as importâncias exigidas pela Alemanha eram muito mais vultosas do que as quantias que podiam ser imediatamente consumidas pelos militares. Os franceses estimaram que os 20 milhões de *reichsmarks* por dia que lhes eram exigidos teriam sido suficientes para sustentar um exército de 18 milhões de homens. Mesmo levando em conta o fato de que os homens da Wehrmacht viviam como "reis na França", havia, sem dúvida, dinheiro sobrando. A utilização exata desse gigantesco fluxo de recursos era obscura, até mesmo para a Wehrmacht.[69] Mas é evidente que grande parte do dinheiro foi usado para mais importações da Alemanha e que mais de 1 bilhão de *reichsmarks* foi usado para pagar matérias-primas e bens de consumo no mercado negro.[70] De qualquer forma, os totais pagos a título de custos de ocupação foram tão elevados que, sem dúvida, ultrapassaram os grandes déficits que se acumulavam nas contas de compensação.

Como a exigência de custos de ocupação eram imensas, os alemães sugeriram gentilmente, à França, sua vítima mais importante, que se dispusessem a receber o pagamento em forma de ações de empresas francesas, a uma taxa um tanto reduzida. Se levado até o limite máximo, isso, sem dúvida, forneceria um mecanismo para uma transferência maciça de capital, mas os franceses resistiram ao convite, pelo menos em relação às firmas do país. O que concordaram, com relutância, em fazer foi vender ações francesas em firmas localizadas no leste e sudeste da Europa.[71] Desde o século XIX, o capital francês havia financiado o desenvolvimento industrial de boa parte da Europa oriental. Sabe-se que uma grande parcela desse investimento se perdera com a Revolução Russa. Mas, nos anos do entreguerras, os banqueiros franceses conservaram interesses importantes, embora acarretando prejuízos, na indústria pesada polonesa e na Iugoslávia e Romênia. No final de 1941, essas ações foram transferidas para a Alemanha a título de reparações. Mais importante, do ponto de vista alemão, foi a parcela substancial da propriedade francesa na indústria petrolífera romena que formou a base para a recém-fundada "multinacional do petróleo", a Kontinentale Öl AG.[72] Também de significação estratégica vital eram os interesses franceses nas minas de Bor, na Iugoslávia, a maior mina de cobre da Europa. Desde 1939, esses interesses vinham sendo usados para restringir, artificialmente, os fornecimentos de cobre iugoslavo à Alemanha. Agora, a mina estava completamente transferida para o controle alemão. Em todos os três casos, no entanto, os principais beneficiários não foram os interesses privados alemães. A verdadeira força impulsionadora do imperialismo empresarial alemão, na década de 1940, foram entidades como a Reichswerke Hermann Göring ou a Kontinentale Öl, empresas híbridas em que havia interesses privados, mas dominadas por gente do partido que operava sob a proteção de Hermann Göring.[73]

Tabela 10. Como "reis na França"

Milhões de RM (por trimestre)	Imposto de ocupação cobrado à França	Acréscimo ao superávit francês de compensação
III/1940	249	
IV/1940	1.510	43
I/1941	1.208	76
II/1941	1.295	146
III/1941	1.331	262
IV/1941	1.253	327
I/1942	1.657	409
II/1942	1.812	336
III/1942	2.209	408
IV/1942	2.194	555
I/1943	2.645	769
II/1943	2.240	908
III/1943	2.418	845
IV/1943	2.495	793
Total geral	24.516	5.877

Fonte: A. S. Milward, *The New Order and the French Economy* (Oxford, 1984), 279

IV

A vitória da Alemanha sobre a França conferiu à primeira uma notável posição de poder no continente europeu. No entanto, era claro que planos de longo prazo dependiam do resultado final da guerra. Em pleno fulgor da vitória, nos dias finais de maio de 1940, a Wilhelmstrasse projetou o futuro *Grossraum* na suposição de que o Império Britânico, em breve, proporia uma negociação. Nas semanas seguintes ao ocaso da França, Hitler, claramente, esperava que a Grã-Bretanha reagisse à perda de seu principal aliado continental aceitando a oferta alemã de uma parceria imperial. A Grã-Bretanha conservaria seu império em troca da aceitação do domínio alemão sobre o continente europeu, permitindo que Hitler, finalmente, transformasse em realidade os projetos do *Mein Kampf*. No entanto, mesmo sem a decisiva liderança de Churchill, havia pouca perspectiva de que o Gabinete britânico concordasse com tal acordo. Na esperança do apoio norte-americano, no final de maio de 1940, Londres já havia resolvido rejeitar a oferta de uma paz negociada.[74] A Grã-Bretanha continuaria a resistir à dominação da Europa pela Alemanha e a atuar como ponto de reunião das forças antinazistas do Continente. E os sinais de Washington, vistos por olhos alemães, eram, sem dúvida, ameaçadores. Roosevelt lançara um programa norte-americano de rearmamento total e em 19 de julho, ao anunciar sua candidatura a um terceiro mandato, acentuou novamente sua implacável hostilidade em relação à Alemanha. Para a preocupada embaixada alemã, em Washington, a situação era clara: "Um expoente do judaísmo... Roosevelt quer que a Inglaterra continue a combater e prolongar a guerra... até que o esforço armamentista dos Estados Unidos esteja totalmente em marcha... Nunca antes a responsabilidade de Roosevelt pela eclosão e prolongamento da guerra foi mais evidente".[75] Os mais recentes pronunciamentos de Roosevelt simplesmente confirmavam seu papel de agente da conspiração judaica mundial anti-Alemanha.[76]

Diante desse obstáculo, Hitler preferiu, mais uma vez, tomar a ofensiva. Em 12 de julho, ele ordenou uma completa reorientação do esforço armamentista alemão em direção à Marinha e à Luftwaffe, armas necessárias para submeter a Grã-Bretanha.[77] Foi comunicado a Walther Funk, o inquieto chefe da administração econômica civil, que qualquer menção a um fim iminente da guerra e rápido retorno às condições de tempos de paz seria prematura. No mês de agosto, essa posição foi reforçada pela instrução à Wehrmacht de se preparar para um ataque à União Soviética. Junto com a expansão da Marinha e da Força Aérea, o Exército seria, agora, também reforçado. E foi sob a pressão a intensificação do rearmamento que Göring expediu seu decreto de 26 de agosto de 1940, exigindo uma exploração maior dos territórios ocupados. "É uma necessidade política, a fim de satisfazer ordens para o prosseguimento da condução da guerra, que a capacidade e matérias-primas dos territórios ocidentais ocupados sejam empregadas de forma planejada a fim de fazer todo o possível para sustentar a produção alemã de armamentos e aumentar o potencial de guerra".[78]

À medida que os meses eufóricos do verão se transformavam em outono, os dois mais sofisticados barômetros da opinião pública, a organização de pesquisas Gallup nos Estados Unidos, e a Gestapo, na Alemanha, registraram movimentos inversos no ânimo popular. Em setembro, a Gestapo relatava crescente impaciência do povo alemão, cuja grande esperança era de que a vitória no continente se transformasse num fim próximo da guerra com a Grã-Bretanha. Em outubro, a impaciência otimista dava lugar, em toda a Alemanha, à incerteza, resignação e crescente indiferença.[79] Ao contrário, nos Estados Unidos, os entrevistadores do Gallup registraram um drástico aumento, entre junho e agosto de 1940, da confiança do público em uma vitória final britânica.[80] Enquanto, logo após a derrota francesa, os norte-americanos se mostravam divididos em partes iguais quanto ao provável resultado da guerra, no outono, os que esperavam uma vitória final da Grã-Bretanha superavam, por uma margem de 3 para 1, aqueles que pensavam em um êxito alemão. Apesar do triunfo da Wehrmacht na França, a recalcitrância britânica revelava o problema fundamental da estratégia da Alemanha. Hitler deflagrara uma guerra contra a Inglaterra sem ter um plano coerente para derrotá-la.[81] A superioridade do Exército alemão era inquestionável, mas poderia prevalecer? Essa foi a questão que preocupou a estratégia alemã durante os doze meses seguintes.

11

Grã-Bretanha e Estados Unidos: o dilema estratégico de Hitler

EM JULHO DE 1940, NUMA TENTATIVA DESESPERADA para retirar a União Soviética do pacto com a Alemanha, Churchill despachou Stafford Cripps, seu novo embaixador em Moscou, para uma reunião com o ditador soviético. Stalin explicou a Cripps, com estarrecedora clareza, a lógica que motivara seu acordo com Hitler, onze meses antes. O objetivo da URSS era mudar o equilíbrio de poder na Europa, e, nisso, o pacto Hitler-Stalin havia tido brilhante êxito. Cripps replicou que a aliança soviética com Hitler, na verdade, destruíra o equilíbrio na Europa e, agora, o continente inteiro se via ameaçado pela hegemonia alemã, ao que Stalin redarguiu: "Não sou tão ingênuo a ponto de acreditar nas afirmações alemãs de que eles não desejam a hegemonia, mas estou convencido da impossibilidade de tal hegemonia, porque a Alemanha não possui o necessário poderio marítimo".[1] Stalin, sem dúvida, tinha razão.[2] As vitórias no oeste haviam abalado os fundamentos do poder europeu, mas falar em hegemonia alemã era prematuro. Por mais desesperada que fosse a situação da Grã-Bretanha, no verão de 1940, o Terceiro Reich não havia terminado a guerra e nem a tinha vencido.

Observadores de todos os lados que enxergavam mais longe haviam procurado evitar uma grande guerra, na década de 1930, exatamente, por não acreditarem que nenhuma das potências europeias poderia beneficiar-se de tal conflito. O resultado mais provável seria um sangrento impasse, que somente poderia provocar a ruína de todos. Esses observadores estavam equivocados quanto à natureza dos combates em terra. A derrota da França em poucas semanas causou devastadora surpresa, mas, mesmo assim, no outo-

1. Gustav Stresemann, à esquerda, e o embaixador alemão em Haia, conde Zech, durante as negociações do Plano Young, agosto de 1929. ULLSTEIN BILD, BERLIM

2. A pobreza alemã: apartamento de um cômodo de um mineiro desempregado, abril de 1931. ULLSTEIN BILD, BERLIM

3. Propaganda: Hitler inicia com entusiasmo os trabalhos na primeira *autobahn*, setembro de 1933. Na verdade, o programa pouco contribuiu para a criação de empregos.

4. O novo Reichsbank: Hitler e Hjalmar Schacht, maio de 1934. AKG Images, Londres

5. A elite agrária: Walter Darre, ao centro, e Herbert Backe, que o sucedeu em 1942, à extrema esquerda. Note os uniformes negros da SS. Ullstein Bild, Berlim

6. A primeira apresentação dos novos tanques alemães no comício de Nuremberg, setembro de 1935. Quatro anos mais tarde, muitas unidades Panzer ainda contaram com estes pequenos veículos de treinamento. Ullstein Bild, Berlim

7. Göring apreciando o aroma do combustível sintético, agosto de 1939. ULLSTEIN BILD, BERLIM

8. Escassez de trabalho rural: mulheres e integrantes da Juventude Hitlerista colhendo batatas, outubro de 1938. ULLSTEIN BILD, BERLIM

9. "Um terrível desperdício de divisa": vitrines quebradas depois da Kristallnacht, 9 de novembro de 1938. EMPICS/AP

10. Janeiro de 1939, antissemita e antiamericano: Bernard Baruch serve de ventríloquo para o discurso sobre o estado da União de Roosevelt.

11. Hitler desafia os Estados Unidos e o mundo judaico: discurso ao Reichstag, 30 de janeiro de 1939. ULLSTEIN BILD, BERLIM

12. Entregas de petróleo soviético à Alemanha, sob o pacto Hitler-Stalin, agosto de 1940.
ULLSTEIN BILD, BERLIM

13. Soldados alemães com um dos temidos tanques pesados franceses, maio-junho de 1940.
ULLSTEIN BILD, BERLIM

14 e 15. Acima, um Junkers 88 sendo carregado para um ataque à Inglaterra, outubro de 1940. Compare essa pequena aeronave com o bombardeiro pesado Avro Lancaster (abaixo), uma verdadeira arma de estratégia aérea usada pela RAF a partir de 1943.
ULLSTEIN BILD, BERLIM

16. Saque no oeste: requisição de carne na França pela Wehrmacht, 1940. ULLSTEIN BILD, BERLIM

17. Fome no leste: mercado de carne no gueto de Lublin, novembro de 1940. ULLSTEIN BILD, BERLIM

18. Reconstrução e planejamento no leste, março de 1941: uma exposição da qual participaram Heinrich Himmler (apontando), Hess (próximo a Himmler), Fritz Todt (de terno) e Reinhard Heydrich (segundo à direita, parcialmente encoberto).
ULLSTEIN BILD, BERLIM

19. Condenados a morrer de fome: prisioneiros soviéticos, julho-agosto de 1941.
AKG-IMAGES, LONDRES

20. O caminho para Moscou: a Operação Typhoon chega ao fim, outubro de 1941. Ullstein Bild, Berlim

21. A reviravolta da guerra: alguns dos primeiros alemães feitos prisioneiros em Moscou, 7 de dezembro de 1941. Ullstein Bild, Berlim

22. Reanimando o front alemão com propaganda armamentista: "produção em massa" de tanques conforme mostrada nos jornais cinematográficos alemães, maio de 1942. AKG-IMAGES, LONDRES

23. Estabilização do front de casa: festival da colheita no *reich*, outubro de 1942, Herbert Backe (à esquerda), Göring (ao centro) e Goebbels (à direita). Göring está prestes a anunciar o aumento da ração paga pelos territórios ocupados. ULLSTEIN BILD, BERLIM

24. Os recrutas de Saukel: mulheres ucranianas antes da partida para a Alemanha, agosto de 1942. Ullstein Bild, Berlim

25. Speer e sua equipe durante a "crise dos subcomponentes", junho de 1943: Karl Otto Saur (à extrema esquerda), Wilhelm Zangen (de costas), Walther Schieber (falando) e Albert Speer. Ullstein Bild, Berlim

26. Speer e seus colegas durante um raro momento de descontração, dezembro de 1943: (a partir da esquerda) Walther "Panzer" Rohland, Speer, Erhard Milch com o charuto (Luftwaffe) e Wilhelm Werner (engenharia aérea). Ullstein Bild, Berlim

27. Inspeção no canteiro de obras da IG Farben em Auschwitz: Heinrich Himmler (segundo à esquerda), o capataz, Max Faust (administrador da obra) e Rudolf Hoess (à extrema direita), julho de 1942. AKG-Images, Londres

28. Prova da acusação no julgamento da IG Farben em 1946, que mostra o tamanho relativo da fábrica de borracha sintética da IG Farben (à direita) e o campo da morte (à esquerda). Ullstein Bild, Berlim

29. Mantendo a fé: após sua covalescença, Albert Speer reúne os operários do setor de armamentos, maio de 1944. Ullstein Bild, Berlim

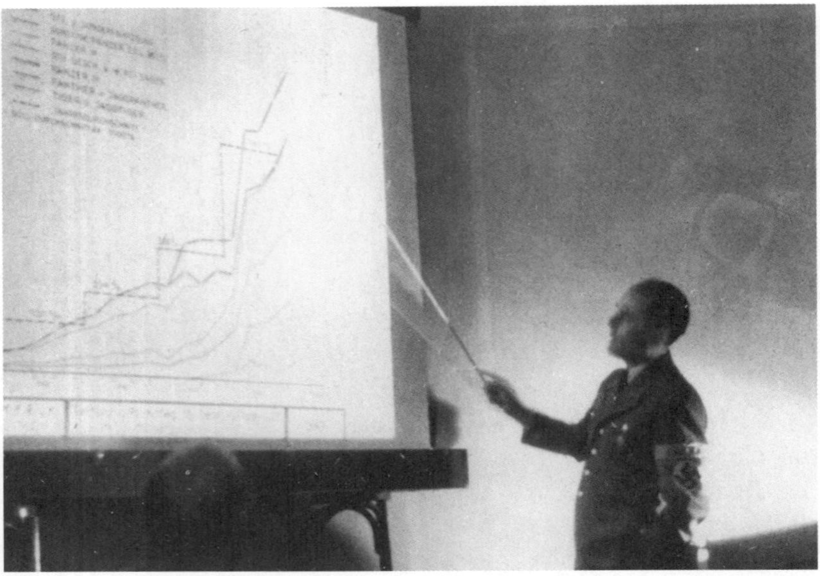

30. Speer explica o "milagre armamentista", junho de 1944. ULLSTEIN BILD, BERLIM

31. Um salto para o futuro? Produção em massa de mísseis balísticos V2 em Mittelbau.
ULLSTEIN BILD, BERLIM

no de 1940, a guerra havia chegado a um ponto de impasse. A Grã-Bretanha e a Alemanha se enfrentavam, mas nenhum dos dois lados possuía o poderio necessário para forçar uma decisão. Para a Grã-Bretanha, a situação era claramente prejudicial. Para sobreviver como grande potência, não havia alternativa senão continuar combatendo. Isso, no entanto, exigia que a Grã-Bretanha se colocasse à mercê dos Estados Unidos.[3] A situação da Alemanha era bem mais confortável. Porém, logo que Roosevelt foi devidamente reeleito, em novembro de 1940, e a aliança anglo-norte-americana começou a tomar forma concreta, o Terceiro Reich também passou a enfrentar um agudo dilema estratégico.[4] No curto prazo, nem a Grã-Bretanha e nem os Estados Unidos constituíam uma ameaça militar direta, mas, a médio prazo, o enorme potencial econômico de ambos transformava-os em inimigos que era preciso levar muito a sério.

I

Para poder lançar uma invasão da Grã-Bretanha, a Alemanha precisava controlar o canal da Mancha no ar e no mar. Apesar da euforia seguinte aos desfiles da vitória, em julho de 1940, aquelas duas precondições básicas para a derrota britânica nunca chegaram a existir.[5] Em nenhum ponto da guerra, a Alemanha conseguiu reunir as forças navais ou aéreas necessárias para dominar as Ilhas Britânicas, embora não por falta de esforços para isso. A tarefa estava, simplesmente, além dos recursos industriais alemães. A deficiência era mais extrema em relação à Marinha. Em setembro de 1939, a diferença de poderio naval entre a Grã-Bretanha e a Alemanha tinha sido suficiente para induzir ânimo suicida no almirante Raeder. Depois das perdas na campanha da Noruega, a situação ficou ainda pior. A Marinha alemã pagara um preço exorbitante para assegurar o minério de ferro da Suécia.[6] No primeiro dia da operação, Weser-Übung, a guarnição de Oslo, destruiu ignominiosamente o mais novo cruzador pesado alemão, o *Blücher*, usando uma velha bateria costeira comprada em segunda mão da Krupp. Em seguida, a Marinha Real afundou toda a frota de dez destróieres modernos que haviam transportado a força alemã de desembarque aos fiordes de Narvik. Finalmente, Raeder mandou mais dois cruzadores pesados às águas norueguesas, o *Gneisenau* e o *Scharnhorst*, que foram danificados por torpedos britânicos. Ainda depois do afundamento do *Graf Spee*, essas perdas eram danosas. Em junho de 1940, enquanto o Exército alemão avançava triunfantemente pela França, a Marinha alemã de superfície havia sido eliminada como fator significativo no conflito. Quando chegou o momento de pensar em uma invasão, por meio da travessia do Canal, o almirante Raeder nada mais tinha a oferecer como proteção senão um cruzador pesado, dois cruzadores leves e quatro destróieres modernos. Em comparação, a frota doméstica britânica, por si só, contava com cinco encouraçados, onze cruzadores e uma força de reação rápida de 30 destróieres, baseados ao alcance das praias adequadas para uma possível invasão, e isso representava apenas uma fração do poderio naval britânico.[7] Mesmo durante os meses de maior ansiedade, no verão de 1940, o Almirantado manteve, pelo menos, metade da frota em Gibraltar, pronta para operações ofensivas contra os italianos, e não como defesa para a improvável eventualidade de uma invasão alemã.

No verão de 1940, o almirante Raeder e a Kriegsmarine aceleraram o planejamento para a construção de uma nova geração de gigantescos encouraçados.[8] Isso, porém, levaria anos até poder produzir resultados e, tendo em vista a avassaladora vantagem inicial da Grã-Bretanha, tais navios constituiriam apenas uma pequena parte da verdadeira competição. Conforme deveria ter sido óbvio desde o início, a única esperança para a Alemanha de oferecer um desafio direto à supremacia da Marinha Real seria dedicar-se sistematicamente ao projeto e construção do que os estrategistas navais britânicos chamavam uma frota "deformada".[9] Além de submarinos, um componente essencial de tal força nada convencional seria um número significativo de cruzadores ligeiros, destinados especificamente a desviar e dispersar os lentos grupos de combate da Marinha Real. Como a tecnologia de submersíveis pouco havia progredido, desde a Primeira Guerra Mundial, o êxito apenas com submarinos nunca foi considerado provável. Em 1940, a possibilidade de se concentrar na construção de cruzadores de combate fora desperdiçada. Ao mesmo tempo, no entanto, a conquista do mar do Norte e da costa do Atlântico representava uma transformação nas possibilidades operacionais da Marinha alemã. É, portanto, necessário indagar: por que motivo, no verão de 1940, a Alemanha não se dedicou a uma campanha total com o uso de submarinos?[10] Churchill, sem dúvida, considerava os ataques das "alcateias" contra as rotas atlânticas de suprimento como a mais grave ameaça à sobrevivência da Grã-Bretanha. Em Berlim, o almirante Karl Dönitz, comandante da frota de submarinos e nazista fanático, pressionou constantemente em favor de submersíveis.

No início da guerra, a Grã-Bretanha dispunha, nada menos, de um total de 18 milhões de toneladas em navios de propriedade doméstica. Tinha a possibilidade de arrendar ou comissionar muitos milhões mais. Os estaleiros britânicos tinham capacidade para produzir mais de 1 milhão de toneladas adicionais por ano. Era também possível encomendar mais navios nos Estados Unidos. A fim de conseguir um sucesso decisivo contra esse enorme volume de transporte marítimo, Dönitz calculou que suas tripulações precisariam afundar, pelo menos, 600 mil toneladas a cada mês durante, no mínimo, um ano. A fim de "obrigar a Inglaterra a se ajoelhar" a Alemanha precisaria de, pelo menos, 300 submarinos, o suficiente para que 100 deles estivessem em operação no Atlântico norte em qualquer momento dado. Como qualquer outra opção estratégica, no entanto, esta dependia de recursos e oportunidade. A Marinha alemã iniciara a guerra com apenas 57 submarinos, dos quais 32 eram capazes de operar no Atlântico. Depois do cancelamento do Plano Z, no início de setembro, a Marinha fez o que pôde para se adaptar às novas realidades. Em 10 de outubro de 1939, Raeder apresentou a Hitler um plano de construção de 658 submersíveis, o que permitiria a Dönitz, considerando as perdas, atingir sua meta no final de 1942. O custo de um submersível era muito pequeno comparado com o de um único encouraçado — cerca de 2 a 4 milhões de *reichsmarks* por unidade, em contraposição aos mais de 200 milhões para um encouraçado da classe *Bismarck*.[11] A construção de centenas de submarinos, no entanto, não era tarefa simples. Além da despesa inicial de bilhões de *reichsmarks*, os submersíveis exigiam uma enorme quantidade de matérias-primas, especialmente, cobre e borracha, ambos extremamente escassos no primeiro inverno da guerra.[12] Além disso, a infraestrutura concreta necessária para uma frota tão numerosa era uma proposição altamente ambiciosa. Tendo em vista a preparação para o ataque à França, o *reich* não tinha condições de se lançar a um programa de longo prazo dessa natureza. Era preciso dar prioridade às necessidades imediatas do Exército e da Luftwaffe. Por falta de mão de obra e matérias-primas, apenas 20 submarinos foram produzidos, entre setembro de 1939 e junho de 1940. Dada a constante perda de unidades, o número efetivamente disponível no Atlântico reduziu-se a somente 25 no verão de 1940. Em março do mesmo ano, essa pequena frota havia conseguido afundar quase

680 mil toneladas de navios britânicos,[13] mas isso representava somente uma mínima parcela da disponibilidade britânica.

Em julho de 1940, Hitler efetivamente atribuiu a mais alta prioridade ao programa de submarinos dentro do esforço armamentista alemão.[14] Dezenas de milhares de toneladas de aço foram transferidas do programa de produção de munições do Exército para a construção de submarinos, mas a bonança naval não durou. Já no outono de 1940, a prioridade voltara a ser atribuída ao Exército e somente foram entregues 72 submarinos, entre junho de 1940 e março de 1941, dos quais a maioria era necessária para treinamento. O número de unidades em operação no Atlântico continuou a declinar, chegando a um mínimo de apenas 22, em fevereiro de 1941.[15] Com o aumento da experiência e contando com a sorte, essa frota causou enormes danos, afundando mais de 2 milhões de toneladas de navios britânicos, entre junho de 1940 e março de 1941. Na primavera deste último ano, antes que os Estados Unidos interviessem decididamente na guerra naval, houve a sensação, embora breve, de que as rotas britânicas de suprimento pudessem ser cortadas. No entanto, graças à decifração do sistema Enigma, novas táticas agressivas de comboios e crescente participação norte-americana, a balança pendeu para desvantagem dos submarinos. No verão de 1941, as perdas mercantes britânicas caíram a um nível tolerável de menos de 100 mil toneladas mensais, o que estava longe de ser suficiente para que a Alemanha conseguisse resultados rápidos. No final das contas, o fator tempo foi o que mais pesou contra a estratégia de guerra submarina.[16] Nos meses otimistas do verão de 1940, Dönitz estimava ser capaz de terminar, até o outono de 1941, a tarefa de isolar a Grã-Bretanha, contando com uma frota completa de submersíveis.[17] Seriam, então, necessários mais alguns meses para derrotar os britânicos pela fome. Não era isso o que Hitler necessitava: ele desejava resolver a guerra em tempo muito mais curto. O dilema estratégico da Alemanha, no verão de 1940, não era somente derrotar a Grã-Bretanha. O problema era neutralizá-la antes que os norte-americanos interviessem, decisivamente, em seu favor. Lançar os submarinos contra o cordão umbilical anglo-norte-americano era, sem dúvida, a maneira mais direta de atacar o problema, mas isso não seria feito com rapidez e era uma estratégia que continha o risco de provocar os Estados Unidos a despejar sobre a Alemanha todo o peso de seu poderio.

A fim de conseguir uma rápida vitória contra a Grã-Bretanha sem exacerbar ainda mais a tensão com os Estados Unidos, Hitler lançou mão da Luftwaffe. Na florida retórica de Churchill, o choque entre a Luftwaffe e a Real Força Aérea, em agosto e setembro de 1940, foi apresentado como o ponto decisivo na reviravolta da guerra.[18] Em retrospecto, no entanto, parece ter sido um confronto extremamente desequilibrado. Mesmo antes do *Adlertag*, de 13 de agosto, que marcou o início oficial da ofensiva aérea alemã, a Luftwaffe sofrera grave desgaste.[19] Como vimos, as operações na França haviam custado quase 30% do poderio inicial. As perdas de aviões de caça prosseguiram em ritmo elevado durante todo o verão. Era possível substituir as aeronaves, mas não os pilotos. O impacto inicial dos ataques aéreos alemães contra a Grã-Bretanha foi severo. Nos últimos dias de agosto, o comando de caças da RAF se encontrava perigosamente depauperado. A Luftwaffe, porém, não possuía o equipamento com o qual desfechar um golpe fatal. Isso, tampouco, pode ser atribuído a alguma falha específica do planejamento ou dos preparativos da Alemanha. Para cumprir a tarefa, a Luftwaffe necessitaria de uma frota de bombardeiros muito maior e mais poderosa, e numerosa escolta de caças de longo alcance. Como ficou provado pelas grandes batalhas diurnas de 15 de agosto e 15 de setembro de 1940, os caças de apoio de que dispunha a Força Aérea alemã eram absolutamente inadequados para o objetivo. A Luftwaffe perdera 20% da força despachada para a Noruega, em 15 de agosto. Para um bombardeio noturno eficaz, a julgar pela experiência do comando de bombardeiros da RAF, Göring precisaria de uma enorme frota de aeronaves pesadas. Em 1938, o Ministério da Aeronáutica do *reich* solicitara uma frota de 500 He 177, que deveria estar pronta até 1941-42.[20] O projeto técnico da Heinkel, no entanto, apresentou problemas, e mesmo que estes fossem resolvidos, o horizonte de tempo de 1941-42 era insuficiente e demasiadamente longínquo. Muito tem-se comentado a disparidade entre a produção aeronáutica alemã e a britânica durante os meses críticos da Batalha da Grã-Bretanha. Na segunda metade de 1940, esforços desesperados de parte dos britânicos permitiram que produzissem o dobro do número de caças da Alemanha, o que, sem dúvida, trouxe à RAF uma margem extra de segurança.[21] Isso, no entanto, teve pouco efeito decisivo para o resultado da batalha. O ponto essencial é simples: em 1940, nem a Grã-Bretanha e nem a Alemanha haviam desenvolvido a tecnologia e mobilizado os recursos necessários para obter o tipo de superioridade esmagadora que tornaria uma invasão através do canal uma proposição viável.

Hitler, portanto, enfrentava um verdadeiro dilema estratégico, em setembro de 1940. O Exército alemão mostrara-se devastadoramente eficiente, mas tanto a Marinha quanto a Luftwaffe haviam fracassado. Contra a Grã-Bretanha, a única arma decisiva da Alemanha não podia ser utilizada. Os britânicos, naturalmente, viam-se em posição muito mais séria. O Exército não possuía armamento. A Marinha Real e a RAF restringiam-se a operações defensivas. Mesmo assim, a Grã-Bretanha continuava a constituir uma ameaça para o Terceiro Reich. O bloqueio imposto pela Marinha Real causava dolorosas restrições ao *Grossraum* continental alemão.[22] A fim de atacar a própria Alemanha, os britânicos iniciaram, no outono de 1940, um grande esforço de construção de uma frota aérea de bombardeiros pesados, com a qual Churchill esperava "pulverizar toda a estrutura industrial e científica da qual depende o esforço de guerra e a vida econômica do inimigo....".[23] Para obter esse resultado, a RAF estimou que seria necessária uma força de ataque de, pelos menos, 4 mil bombardeiros médios e pesados, ou seja, quatro vezes o número de aviões que a Alemanha conseguiu utilizar contra a Inglaterra, em 1940.[24] Em 1940, não se pensava num retorno iminente dos britânicos ao continente europeu. Ao contrário do que se transformou, mais tarde, em lenda, o Dia D não estava nas cogitações de Churchill. Mas a declaração de guerra por parte da Itália, em junho de 1940, pelo menos, permitiu às forças terrestres do Império Britânico atuar contra a parte menos "dura" do Eixo. No final de janeiro de 1941, essas forças já haviam derrotado o Exército colonial italiano no norte da África e se preparavam para assumir o controle de todo o litoral meridional do Mediterrâneo.[25] Um mês depois, ficou terminada a destruição do Império Ialiano na África oriental. A Etiópia foi libertada do regime genocida imposto pela conquista fascista de 1936-8. Em abril de 1941, uma decisiva intervenção alemã deslocou novamente a balança em favor do Eixo, quando Erwin Rommel assumiu o comando de uma força conjunta germano-italiana, baseada em Trípoli. Além disso, a Wehrmacht expulsou os britânicos da Grécia e tomou Creta com dramáticos assaltos de paraquedistas. Mas, em termos estratégicos, esses triunfos do Eixo foram menos importantes do que o sucesso da Grã-Bretanha em suprimir a insurreição no Iraque, patrocinada pelos alemães, e em tomar a Síria das forças de Vichy. Em termos militares, esses acontecimentos podem ter sido relativamente pequenos, mas impediram que as possessões italianas, francesas e belgas na África fossem englobadas em um único império do Eixo e consolidaram o domínio britânico sobre o canal de Suez, vital para as comunicações marítimas. Com a Grã-Bretanha firmemente colocada de ambos os lados do

Oceano Índico, ficou estabelecida uma posição de bloqueio entre o Império Alemão na Europa e o Japão no oriente. Isso, por sua vez, permitiu ao presidente Roosevelt declarar que os acessos ao canal de Suez não eram mais considerados zonas de guerra, removendo, assim, os obstáculos jurídicos que impediam os navios mercantes norte-americanos de fazerem entregas diretas às forças do Império Britânico no Egito.

Ninguém imaginava, naturalmente, que esses ganhos prometessem uma vitória iminente. A Grã-Bretanha, porém, havia afirmado decisivamente sua disposição em prosseguir a luta. Para Hitler, isso representava um problema estratégico fundamental. Isso porque, enquanto a Grã-Bretanha permanecesse em guerra, os Estados Unidos disporiam de um meio de projetar seu imenso poderio industrial contra a Alemanha nazista.

II

No verão de 1940, essa perspectiva parecia distante. O desfile dos exércitos alemães na avenida Champs Elysées ocupava a ribalta. No entanto, vistos com olhos dos primeiros anos do século XXI, os triunfos alemães de 1940 parecem menos importantes do que as decisões que provocaram em Washington. Alarmado pela tentativa alemã de alterar o equilíbrio de poder na Europa, o governo de Roosevelt, apoiado por uma maioria de ambos os partidos no Congresso, tomou medidas urgentes para transformar os Estados Unidos na principal superpotência militar que até hoje continua a ser. A sequência de acontecimentos foi rápida. Em 16 de maio de 1940, três dias depois que o Grupo Panzer A de Kleist ultrapassou o rio Maas, o presidente Roosevelt enviou ao Congresso a proposta de erguer o maior complexo industrial-militar do mundo, uma base manufatureira capaz de fornecer ao país nada menos do que 50 mil aviões por ano.[26] Roosevelt escolheu essa quantidade ao acaso e não se sabia de que maneira poderia ser atingida na prática. No entanto, ele marcara sua posição. Mesmo nos momentos de maior delírio, a Luftwaffe e a RAF nunca haviam imaginado uma produção aeronáutica dessas dimensões. "Cinquenta mil por ano", era menos uma meta de planejamento do que uma afirmação da supremacia industrial norte-americana. Apenas poucas semanas depois, o Congresso aprovou a Lei de expansão naval Dois Oceanos, que lançava as bases para a grande frota de porta-aviões, com a qual os

Estados Unidos ainda projeta sua força em todos os cantos do globo. A isso seguiu-se, durante o verão, a inédita introdução de um recrutamento militar de tempo de paz cujo objetivo era produzir uma força treinada de 1,4 milhão de homens.[27] Em 1941, os Estados Unidos, ainda sem terem entrado em guerra, estavam produzindo quase tanto armamento quanto a Alemanha e a Grã-Bretanha, simultaneamente, com o primeiro incremento sustentado de consumo civil desde o final dos anos 1920.[28]

Do ponto de vista alemão, o que inquietava era que esse enorme acúmulo de forças era, em última análise, dirigido para o outro lado do Atlântico, em apoio à Grã-Bretanha e sua guerra contra Hitler.[29] A disposição britânica em continuar resistindo à Alemanha dependia criticamente da suposição de que os Estados Unidos forneceriam assistência material maciça. Inicialmente, é claro, a Grã-Bretanha teria de pagar, pois, ao contrário da Alemanha, não estava falida. Em 1939, ainda era um grande credor internacional, com ativos no exterior estimados em, aproximadamente, 5 bilhões de dólares (15-20 bilhões de *reichsmarks*), suficientes para atender, em compras do exterior, a um ano inteiro de produção alemã de armamento. Porém, a Grã-Bretanha, sem dúvida, precisaria de muito mais do que isso para poder derrotar a Alemanha.[30] A premissa da estratégia britânica era, portanto, como disse Churchill a Roosevelt, que seu país pagaria tudo o que pudesse, "mas, quando não pudermos mais pagar, vocês nos darão o material do mesmo jeito". Talvez, não seja de admirar que Roosevelt não tenha respondido a essa ousada afirmação da dependência britânica. Os tortuosos aspectos políticos das dívidas de guerra do conflito de 1914 ainda estavam frescos na memória.[31] A Grã-Bretanha seria levada ao ponto da exaustão financeira antes que o Congresso abrisse as comportas do programa de empréstimo-arrendamento, na primavera de 1941. Londres, portanto, tinha todos os motivos para apreensão. Mas a aposta de Churchill baseava-se claramente, em uma avaliação estratégica fundamentalmente correta. Roosevelt tinha decidido fazer uma grande contribuição norte-americana ao esforço de guerra contra a Alemanha, pelo menos, desde novembro de 1938.[32] No outono de 1940, não foi difícil convencer uma grande maioria de norte-americanos de que a sobrevivência da Grã-Bretanha era de seu interesse. Após a triunfante reeleição, em novembro, Roosevelt comprometeu abertamente os Estados Unidos a fornecer à Grã-Bretanha "todo o apoio, sem entrar na guerra". Os britânicos combateriam mas os norte-americanos lhes forneceriam "os meios para levar a cabo a tarefa".

Quaisquer que fossem as dificuldades políticas da aliança anglo-norte-americana, o volume total de recursos em moeda estrangeira que a Grã-Bretanha conseguiu reunir, durante a emergência de 1940 e 1941, foi extraordinário, fato muitas vezes ignorado nas comparações entre os ritmos relativos de mobilização alemã e britânica, nas fases iniciais da Segunda Guerra Mundial.[33] Apesar de toda a retórica de "sangue, suor e lágrimas" de Churchill, a Grã-Bretanha jamais rivalizou com a Alemanha na mobilização de seus recursos domésticos.[34] O que permitiu à Grã-Bretanha cobrir de forma drástica a diferença com a produção alemã de armamentos, nos primeiros anos da guerra, foi a facilidade com que foi capaz de utilizar seu império e os Estados Unidos. Em 1940, as importações, tanto pagas em dinheiro quanto por meio de empréstimos, representavam nada menos de um terço do esforço de guerra britânico. Em contraposição, embora a Alemanha agora controlasse a maior parte da Europa ocidental, enfrentava dificuldades consideráveis para mobilizar os territórios conquistados para as finalidades da guerra. Os agregados macroeconômicos não ajudam muito para explicar a capacidade alemã em derrotar a França em maio de 1940.[35] Mas, certamente, ajudam-nos a compreender por que motivo a Grã-Bretanha continuou a combater, negando a Hitler a possibilidade de transformar a surpreendente vitória na *blitzkrieg* em um triunfo conclusivo que encerrasse a guerra.[36]

No desesperado verão de 1940, o despojado Exército britânico foi reequipado com um carregamento de rifles, metralhadoras e canhões ligeiros do tempo de 1918, vindo dos Estados Unidos. Em agosto, o poderio dos comboios britânicos foi aumentado por meio da negociação do famoso acordo "destróieres contra bases".[37] Os Estados Unidos forneceram 50 destróieres da Primeira Guerra Mundial em troca de bases navais na Terra Nova, no Caribe e nas ilhas britânicas do Atlântico. O que costuma ser menos apreciado é a extensão em que o planejamento conjunto anglo-norte-americano já ultrapassara as medidas de emergência. Já no verão de 1940, britânicos e norte-americanos caminhavam em direção a uma estratégia concertada para derrotar a Alemanha na guerra aérea, por meio de uma expansão absolutamente sem precedentes na produção de aviões e motores de aviação.[38] Dadas as incertezas mais amplas que circundavam o relacionamento entre os dois países naquele estágio inicial, as conversações foram envoltas em sigilo e limitadas aos assuntos técnicos. Deram, no entanto, frutos abundantes. Os indícios dos registros da produção de aviões são inescapáveis. O dramático aumento na produção aeronáutica norte-americana a partir do último trimestre de 1941, que fez a balança pender decisivamente contra a Luftwaffe, não pode ser explicado senão devido a uma expansão da capacidade fabril que deve ter começado, no máximo, no outono de 1940, bem antes do anúncio do acordo de empréstimo-arrendamento, sem falar em Pearl Harbor.[39] E essa ênfase na guerra aérea não foi acidental. Como vimos, a indústria aeronáutica estava no próprio cerne do complexo militar-industrial moderno. Tampouco foi por coincidência que, na Europa dominada pelos nazistas, a Luftwaffe foi quem assumiu a liderança na busca por meios de mobilizar as economias da Europa ocupada.[40] Embora a lógica que impulsionava ambos os lados fosse a mesma, o contraste na escala das possibilidades de ambos era notável.

A França era fundamental para os dois. Como terceira economia industrial da Europa, a França possuía uma indústria de aviões e motores potencialmente capaz de produzir milhares de aparelhos. Mas, em 1939, a estratégia francesa, como a da Grã-Bretanha, tinha dependido da multiplicação da própria capacidade mediante a obtenção de uma grande quantidade de aviões nos Estados Unidos. Quando a França se rendeu em junho de 1940, a Alemanha herdou suas fábricas de aviões. A Grã-Bretanha herdou as encomendas feitas pela França aos Estados Unidos. Junto com os contratos concluídos pela própria Grã-Bretanha, desde o início da guerra, Londres esperava receber, até junho de 1940, nada menos de 10,8 mil aviões e 13 mil motores aéreos vindos dos Estados Unidos, durante os 18 meses seguintes.[41] Isso se acrescentava à produção britânica de 15 mil aeronaves militares. Ao mesmo tempo, o Ministério Britânico de Produção Aeronáutica negociava com os norte-americanos a encomenda de muitos milhares mais. A título comparativo, a produção total alemã, em 1940, chegou a somente 10.826 aeronaves e, em 1941, aumentou para apenas 12 mil, acréscimo decepcionante que examinaremos mais à frente em maior detalhe. Além disso, houve também um gigantesco programa de rearmamento nos Estados Unidos, que deslocou a balança ainda mais em desfavor da Alemanha. Na verdade, as exigências dos programas britânico e norte-americano somadas eram de tais proporções que, até mesmo, os recursos industriais dos Estados Unidos sentiram a pressão. Mas Washington não reagiu procurando limitar as compras britânicas; muito pelo contrário. Em 23 de julho de 1940, os agentes de compras britânicos em Washington foram convidados a uma reunião clandestina com planejadores industriais norte-americanos, da qual emergiu um plano

Tabela 11. Amigos, quando necessário: mobilização doméstica e externa de recursos na Grã-Bretanha e na Alemanha

	Grã-Bretanha				Alemanha			
		da qual:				da qual:		
	% de produção nacional líquida mobilizada para a guerra	Fornecida externamente	Doméstica	% da contribuição externa para o esforço de guerra	% da produção líquida nacional mobilizada para a guerra	Fornecida externamente	Doméstica	% da contribuiçao externa para o esforço de guerra
1938	7	5	2	71	17	– 1	18	– 6
1939	16	8	8	50	25	1	24	4
1940	48	17	31	35	44	8	36	18
1941	55	14	41	25	56	12	44	21
1942	54	11	43	20	69	17	52	25
1943	57	10	47	18	76	16	60	21
1944	56	9	47	16				
1945	47	11	36	23				

Fonte: M. Harrison, “Resource Mobilization for World War II”, *Economic History Review* (1988), 184.

para a expansão da capacidade da indústria aeronáutica dos Estados Unidos, de forma a poder entregar não menos de 72 mil aeronaves anuais, garantindo aos britânicos um fornecimento de 3 mil aviões por mês, o triplo da produção alemã da época.[42] Da forma em que correram as coisas, a Grã-Bretanha jamais recebeu aviões a esse ritmo e nunca teve de enfrentar o problema de pagá-los. Mas a expansão da indústria norte-americana, iniciada em 1940, era real. Em 1940, os Estados Unidos produziram 6.019 aeronaves militares, das quais a Grã-Bretanha recebeu 2.006 e a França 557.[43] Em 1941, a produção norte-americana foi de 19.433 aviões militares, mais do que a Grã-Bretanha e a Alemanha juntas, da qual a parcela entregue aos ingleses foi de 5.012 unidades.[44] Em 1942, o número de aeronaves produzidas pelos Estados Unidos subiu vertiginosamente a 48 mil, pouco menos do que a meta de Roosevelt. A Grã-Bretanha recebeu apenas 7.775. Isso não tinha importância, pois os norte-americanos já tinham entrado na guerra. Em 1943, os EUA superaram a meta "utópica" de 72 mil aviões, com uma espantosa produção de 85.898 aeronaves. Ainda viriam mais em 1944. Pode parecer anacrônico referir-se a essas quantidades num relato sobre o verão de 1940, mas esse é precisamente o argumento. Embora a mobilização da economia norte-americana, após Pearl Harbor, seja lendária, ela não começou em dezembro de 1941. A base da esmagadora superioridade aérea dos Aliados foi lançada já no verão de 1940, em reação direta à vitória alemã sobre a França. Ainda seria decidido se os bombardeiros seriam pilotados por britânicos ou norte-americanos, e o mesmo se aplicava à embaraçosa questão financeira, mas, de qualquer forma, os aviões seriam entregues.

III

As opiniões negativas de Hitler sobre a degeneração da sociedade norte-americana estão bem documentadas, assim como a clara percepção em Berlim do perigo representado pelo potencial industrial dos Estados Unidos e a necessidade de afastá-lo por meio de ações decisivas.[45] Além disso, não se tratava apenas de uma ameaça material. Roosevelt, como vimos, vinha sendo pintado, desde janeiro de 1939, como o arqui-inimigo, o mais perigoso expoente da conspiração judaica mundial. O antissemitismo perpassava em todos os aspectos da avaliação estratégica alemã. O primeiro parágrafo do relatório da embaixada em Washington ao Ministério do Exterior, ao alto-comando da Wehrmacht e ao Exército e Força Aérea, a respeito do acordo de empréstimo-arrendamento, afirmava sem rebuços: "A Lei de Empréstimo-arrendamento atualmente em debate no Congresso [...] é produto da pena dos principais confidentes judeus do Presidente. A intenção é dar a ele a possibilidade de levar adiante, sem limitações, a política de influenciar a guerra por todos os meios, 'menos entrar em guerra'. Com a aprovação da lei, portanto, a visão judaica do mundo ficará firmemente estabelecida nos Estados Unidos." A comunicação apresentava, em seguida, o elenco dos grandes fornecimentos que poderiam ser esperados dali em diante pela "Inglaterra, China e outros vassalos".[46]

Como vimos, a assistência industrial norte-americana à França e à Grã-Bretanha tinha sido objeto de cogitação para Hitler nos primeiros meses da guerra. Em março de 1940, Fritz Todt assinalara a preocupação do *führer* a respeito do "potencial dos Estados Unidos". Isso foi reiterado 15 meses mais tarde pelo general Thomas em uma avaliação retrospectiva: "Era preciso conseguir a conclusão vitoriosa da guerra a todo custo, em 1940, sobretudo para impedir a assistência norte-americana às potências ocidentais, cuja aceleração... já fazia parte de nossos cálculos".[47] A contínua resistência da Grã-Bretanha tornava o tema mais agudo. Em 21 de julho, na esteira das decisões norte-americanas sobre rearmamento, Hitler instruiu o alto-comando da Wehrmacht a "considerar com seriedade a questão da Rússia e dos Estados Unidos".[48] Em discursos públicos, Hitler fazia pouco dos Estados Unidos, o que não é de admirar à luz dos temores populares sobre o poderio industrial norte-americano. A euforia após a vitória sobre a França, em grande parte, se devia ao fato de que isso parecia haver impossibilitado uma intervenção dos Estados Unidos na guerra.[49] Os escritórios locais da Gestapo relatavam uma preocupação do povo com tudo o que dizia respeito aos Estados Unidos: a assistência à Grã-Bretanha, as perspectivas de reeleição de Roosevelt e a probabilidade de entrada dos Estados Unidos na guerra.[50] A fim de controlar essa ansiedade Goebbels adotou estratégia cautelosa na gestão das notícias.[51] Foi imposto um completo blecaute sobre o noticiário a respeito do acordo dos destróieres, que, a portas fechadas, em Berlim, foi considerado uma decisiva ruptura da neutralidade norte-americana.[52] Tampouco deveria haver veiculação de notícias sobre o esforço norte-americano de rearmamento. O público precisava ser tranquilizado, assim como os diplomatas estrangeiros que visitaram Berlim, no outono de 1940.[53] Hitler não negou que os Estados Unidos estivessem, agora, apoiando o esforço de guerra britânico, mas achava que a Alemanha ainda dispunha de algum tempo. Depois da reeleição de Roosevelt, ele observou ao primeiro ministro húngaro que os fornecimentos dos Estados Unidos à Grã-Bretanha não estariam em condições de serem remetidos de maneira completa antes do inverno de 1941-42, e essa era também a opinião da Marinha alemã.[54] Isso se mostrou uma avaliação bastante exata e tinha implicações óbvias para a estratégia alemã. No dia 17 de dezembro de 1940, quando Roosevelt revelou à imprensa mundial o esquema empréstimo-arrendamento, Hitler formulou sua visão estratégica em reação direta à ameaça norte-americana. Expressou aos líderes do OKW a opinião de que "todos os problemas da Europa continental" tinham de estar resolvidos no correr do ano seguinte, porque, em 1942, os Estados Unidos estariam em posição de intervir decisivamente na guerra.[55]

Por motivos óbvios, os alemães seguiam com muita atenção o programa aeronáutico anglo-norte-americano. No outono, a Wehrmacht calculou que as entregas de aeronaves à Grã-Bretanha estavam ocorrendo provavelmente à razão de, aproximadamente, 300 unidades por mês.[56] Ainda não eram números avassaladores, mas, como a produção da Alemanha mal podia ultrapassar mil aeronaves mensais, aquelas quantidades já eram importantes para deslocar o fiel da balança em favor dos britânicos. A verdadeira ameaça, como bem compreendiam os alemães, era que o fluxo transatlântico, logo, aumentasse em quantidade e qualidade. O potencial de longo prazo da indústria norte-americana foi levado à atenção do Ministério da Aeronáutica por diversos empresários,[57] e todos os indícios mostram que os subordinados de Göring reagiram. Com efeito, há sinais de que, durante o inverno de 1940-41, a liderança da Luftwaffe focalizava as atenções tanto nos pré-requisitos industriais para a guerra aérea com a Grã-Bretanha e os Estados Unidos que se avizinhava, quanto na iminente invasão da União Soviética. Como veremos no próximo capítulo, a partir do outono de 1940 em diante, começaram a ser feitos vultosos investimentos na expansão da capacidade. O que motivava o Ministério da Aeronáutica do *reich* a empreender esforços árduos para transformar os territórios conquistados da Europa ocidental em bases manufatureiras era, acima de tudo, a ameaça dos fornecimentos norte-americanos.[58] Mas, enquanto a Grã-Bretanha era estimulada pelos Estados Unidos a considerar encomendas de muitas dezenas de milhares de aeronaves, as possibilidades à disposição da Alemanha na Europa ocidental ocupada eram muito mais modestas. O contrato inicial feito com a França foi de entre 2.500 e 3 mil aviões, com entregas que, no máximo, chegariam a 60 unidades por mês, ou seja, 2% do que estava sendo montado em Washington.[59] Mesmo essa proposta modesta ficou paralisada, durante meses, devido à hesitação francesa e à insistência alemã em obter o controle das fábricas estatais de aviões da França. No fim de janeiro de 1941, a paciência de Göring, finalmente, se esgotou e ele reprovou a equipe negociadora alemã em termos altamente reveladores: "Os senhores devem compreender que, para nós, essa questão [o programa de produção da Luftwaffe na França] é de necessidade vital e nos seria absolutamente impossível esperar. A Inglaterra está fazendo todo o possível para ter à sua disposição um continente inteiro... Precisamos fazer a mesma coisa tanto quanto nos permitam nossos meios."[60]

Em 12 de fevereiro de 1941, a Luftwaffe, finalmente, fechou negócio. A França concordou em produzir 3 mil aviões sob licença, assim como 13,5 mil motores aeronáuticos. O Ministério da Aeronáutica do *reich* estava tão ansioso para ver se iniciar a produção que abandonou sua exigência de se tornar proprietário das fábricas francesas. Permaneceu, porém, um ponto altamente controvertido. Para fabricar as aeronaves, a França precisava de alumínio e, embora o país possuísse bauxita e capacidade de fundição, não tinha o carvão necessário para gerar eletricidade. Os franceses calcularam que, para atender à demanda alemã, necessitariam de um fornecimento de 120 mil toneladas mensais de carvão. A Alemanha não podia prometer mais do que 4 mil.[61] Poucas semanas mais tarde, do outro lado do Atlântico, a lei de empréstimo-arrendamento, longamente aguardada, passou pelos estágios finais. Em 11 de março de 1941, o Congresso aprovou uma verba inicial de 8,3 bilhões de dólares para fornecimentos de guerra à Grã-Bretanha. Com um valor de 25 a 33 bilhões de *reichsmarks*, dependendo das taxas de câmbio, isso equivalia a dois anos da produção alemã de armamentos. Dois bilhões de dólares já estavam destinados a uma encomenda imediata de 11.800 aeronaves militares, duplicando a quantidade de aviões já contratados pelos britânicos. No mesmo momento, o total geral de todas as encomendas da Wehrmacht na Europa ocupada chegava a 3 bilhões de *reichsmarks*, aproximadamente, 750 milhões de dólares.[62] No final de 1941, enquanto a Grã-Bretanha já havia recebido um total geral de 5.012 aeronaves completas dos Estados Unidos, a Alemanha recebera um total de 78, da França e da Holanda.[63] Em 1942, com o grosso da produção norte-americana reservada para o próprio país e as entregas à Grã-Bretanha limitadas a 7.775 unidades, a Luftwaffe recebeu 743 aeronaves dos territórios ocidentais ocupados. No total, durante toda a guerra, a Luftwaffe, o mais ousado dentre os subcontratistas da Wehrmacht, recebeu somente 2.517 aviões da França e 947 da Holanda. Logo, a Luftwaffe desistiu de contratar toda a produção de aviões nos territórios ocupados. A produtividade nas fábricas francesas era tão baixa que eram necessários quatro vezes mais operários para produzir um avião alemão na França do que para a mesma tarefa na Alemanha. À luz desses números, não admira que a principal contribuição direta dos territórios ocupados na produção de armamentos para o *reich* tenha sido o recrutamento obrigatório de milhões de operários estrangeiros para trabalhar na Alemanha.

IV

Embora fornecessem rico butim e fonte importante de mão de obra, os territórios conquistados pela Alemanha, em 1940, não podiam, de forma alguma comparar-se com a abundância que os Estados Unidos proporcionavam à Grã-Bretanha.[64] A corrida armamentista aérea foi o que caracterizou a contribuição anglo-norte-americana para a guerra e estava diretamente ligada à predominância industrial dos Estados Unidos. Mas, embora a disparidade no fornecimento de aeronaves fosse extrema, ela nada tinha de atípica. Um hiato igualmente vasto era também evidente em relação ao suprimento de fontes de energia, a mais básica força impulsionadora das sociedades industriais e urbanas modernas. Enquanto a aliança anglo-norte-americana era rica em energia, a Alemanha e seu *Grossraum* europeu ocidental se viam em extrema penúria de alimentos, carvão e petróleo.

No caso do petróleo, a disparidade era mais grave. Entre 1940 e 1943, a mobilidade do Exército, Marinha e Força Aérea da Alemanha, para não falar da economia doméstica, dependiam de importações anuais de 1,5 milhão de toneladas de petróleo, principalmente da Romênia.[65] Além disso, as fábricas alemãs de combustíveis sintéticos produziam, a custos muito elevados, um fluxo de gasolina que cresceu de 4 milhões de toneladas, em 1940, a um máximo de 6,5 milhões, em 1943. A tomada dos estoques franceses de combustível não resolveu de forma alguma essa dependência fundamental.

Na verdade, as vitórias de 1940 tiveram um efeito oposto, acrescentando diversas fontes de consumidores de petróleo ao déficit da própria Alemanha. Utilizando sua disponibilidades de combustíveis de, no máximo, 8 milhões de toneladas, a Alemanha agora tinha de atender, não somente as próprias necessidades, mas também às do restante da Europa ocidental. Antes da guerra, a economia francesa consumia, pelo menos, 5,4 milhões de toneladas anuais, a uma taxa *per capita* 60% mais elevada do que a da Alemanha.[66] O efeito da ocupação alemã foi lançar a França de volta a uma época anterior à motorização. A partir do verão de 1940, o país ficou reduzido a meros 8% do abastecimento de gasolina de antes da guerra. Numa economia ajustada para um elevado nível de consumo de petróleo, os efeitos foram dramáticos. Para dar apenas um exemplo, milhares de litros de leite eram jogados diariamente no lixo nas zonas rurais francesas, simplesmente, porque não havia gasolina disponível para a coleta regular. Uma das preocupações mais imediatas dos planejadores militares, em Berlim, eram as forças armadas italianas, que dependiam integralmente de combustível romeno desviado da Alemanha. Em fevereiro de 1941, a Marinha italiana ameaçava interromper completamente suas operações no Mediterrâneo a menos que a Alemanha fornecesse, pelo menos, 250 mil toneladas de combustível.[67] O problema não se limitava de maneira alguma aos satélites do *reich*. A própria Alemanha somente conseguia gerir o consumo mediante extrema economia. No final de maio de 1941, o general Adolf von Schell, responsável pela indústria de veículos a motor, sugeriu com toda seriedade que, diante da crônica escassez de petróleo seria aconselhável executar uma "desmotorização" parcial da Wehrmacht.[68] Costuma-se observar que a Luftwaffe se ressentiu posteriormente na guerra do treinamento inadequado de seus pilotos, em grande parte, devido à falta de combustível aeronáutico.[69] Em 1941, no entanto, a escassez de gasolina já era tão grave que a Wehrmacht autorizava seus soldados a manejar caminhões pesados com menos de 15 quilômetros de experiência de tráfego, medida à qual foi atribuído o espantoso índice de colisões de veículos durante a campanha da Rússia.[70] A escassez fazia-se sentir em todos os aspectos da economia alemã. As cotas de combustível eram de tal forma exíguas que, em novembro de 1942, a Opel foi obrigada a encerrar a produção na fábrica de Brandemburgo, a maior produtora de caminhões da Alemanha, porque faltava a gasolina necessária para testar as bombas de combustível das unidades que saíam da linha de montagem. O escritório econômico da Wehrmacht teve de conseguir uma alocação especial de 104 metros cúbicos de combustível para assegurar que não haveria novas interrupções.[71]

O contraste com a associação entre Estados Unidos e Grã-Bretanha não poderia ser mais agudo. A Grã-Bretanha produzia, no máximo, 1 milhão de toneladas anuais de combustível sintético, mas compensava essa falta importando petróleo em quantidades fenomenais. Em 1942, apesar das ferozes batalhas navais que incendiavam o Atlântico, os britânicos conseguiram importar 10,2 milhões de toneladas, cinco vezes a quantidade recebida da Romênia pela Alemanha, num momento em que a Wehrmacht tinha um exército de mais de 3 milhões de homens empenhados em intenso combate na frente oriental. Em 1944, durante a preparação para a invasão da Normandia, os fornecimentos de petróleo à Grã-Bretanha chegaram ao máximo de mais de 20 milhões de toneladas, nove vezes o pico das importações alemãs durante a guerra.[72] Em janeiro de 1941, época em que, às vezes, se diz que a Alemanha estava "entupida" de petróleo, os estoques mal superavam 2 milhões de toneladas. A disparidade era tão grande que o Ministério Britânico da Economia da Guerra, encarregado de avaliar a situação da Alemanha, teve dificuldade em crer nas próprias estimativas, altamente precisas, dos estoques alemães de petróleo. Parecia implausível aos britânicos que Hitler tivesse embarcado na guerra com margem tão pequena de segurança em combustíveis, incredulidade compartilhada tanto por soviéticos quanto norte-americanos, que concordaram em superestimar os estoques alemães em, pelo menos, 100%.[73]

Quanto ao petróleo, o problema era de absoluta escassez. No caso do carvão, do qual dependia 80% da produção de energia nas economias da Europa ocidental, o problema era de escassez relativa. Antes da guerra, muitos países da Europa importavam quantidades substanciais da Grã-Bretanha. Entre os que dependiam inteiramente de energia importada estavam Suécia, Noruega, Dinamarca, Suíça e Itália, todos parceiros comerciais importantes da Alemanha nazista. A parte maior, e a mais importante, eram as 30 milhões de toneladas de carvão que a França precisava importar para suprir 40% de suas necessidades anuais. A fim de compensar esses déficits, a Alemanha controlava enormes jazidas de carvão na Silésia, no Ruhr, na Bélgica e no norte da França.[74] No confronto da demanda total com a oferta total, o déficit líquido dos principais países do *Grossraum* alemão chegava a apenas 11 milhões de toneladas, percentagem reduzida em relação ao consumo total. Teoricamente, portanto, era possível chegar a uma distribuição viável do carvão europeu.[75] No entanto, atingir um equilíbrio exigiria um esforço heroico de produção, organização e logística. Seria necessário reorientar dezenas de milhões de toneladas de material na rede ferroviária da Europa. A França precisaria aumentar substancialmente a produção de suas jazidas de carvão ou reduzir notavelmente o consumo nacional. Conforme disse o principal historiador da indústria carbonífera europeia: "Com extrema cautela, organização excepcional e cooperação técnica isenta, o déficit de carvão na Europa ocidental *poderia* ser vencido".[76] Não admira que isso não tenha acontecido.

Na verdade, a Europa ocidental controlada pela Alemanha, em 1940 e 1941, enfrentava um problema crescente tanto de produção quanto de transporte de carvão. As dificuldades eram maiores nos territórios ocupados. Como vimos, a fim de impedir a repetição da desastrosa crise ferroviária do inverno de 1939-40, as forças alemãs de ocupação se apoderaram de parte do material rodante das ferrovias da França, Bélgica e Holanda. No outono de 1940, isso aumentara o número de vagões disponíveis na economia alemã, sem incluir as necessidades da Wehrmacht, para 800 mil unidades, comparadas com apenas 650 mil, em 1938.[77] Nos territórios ocupados, no entanto, os efeitos foram desastrosos, especialmente, no norte da França, onde a movimentação do carvão das minas para as cidades era constantemente interrompida. A escassez de carvão somente poderia ter sido mitigada caso a Alemanha tivesse conseguido elevar a produção das principais jazidas francesas, belgas e holandesas. A França não era apenas a maior importadora europeia de carvão; depois da Alemanha e da Grã-Bretanha, era também a terceira produtora. Mas a produção na França não aumentava; muito pelo contrário. A produção caiu 18%, em 1940, e nunca se recuperou.

A produtividade, por mineiro, nas minas francesas reduziu-se inexoravelmente. Além disso, no verão de 1941, as autoridades alemãs de ocupação tiveram de tratar com uma grande onda de greves nas minas de carvão da Bélgica e do norte da França. A causa nada tinha de misteriosa. No primeiro inverno da ocupação, as mulheres dos mineiros se colocaram diante das prefeituras na Valônia agitando sacos vazios de batata em silencioso protesto.[78] Fontes alemãs bem-informadas estimaram que, se fosse possível aumentar a ração de alimentos, a produção da Bélgica cresceria de 10 a 15%.[79] Isso, porém, esbarrava em outra limitação fundamental da economia europeia. Como veremos, a Europa não sofria apenas da falta de carvão e petróleo, mas também de alimentos. Por sua vez, a escassez desse produto exercia um efeito negativo sobre a indústria pesada. À medida que a quantidade total de carvão disponível para a indústria francesa se reduzia a apenas metade de seu nível de antes da guerra, a produção do mineral, na Lorena e no norte da França, desabava.[80]

Tabela 12. O precário equilíbrio carbonífero no *Grossraum*

	Produção (milhares de t. 1937)	Importações (–)/ exportações (+)	% exportada (-)/ exportada (+)
Importadores líquidos:			
França	44.657	– 29.263	– 40
Itália	1.229	– 12.933	– 91
Suécia	460	– 9.719	– 95
Dinamarca	0	– 6.278	– 100
Bélgica-Luxemburgo	29.859	– 4.234	– 12
Suíça	0	– 3.509	– 100
Áustria	1.851	– 3.450	– 65
Noruega	780	– 2.735	– 78
Totais	78.836	– 72.121	– 48
Exportadores líquidos:			
Alemanha	230.690	45.733	20
Polônia	36.222	11.291	31
Tchecoslováquia	27.564	2.734	10
Holanda	14.368	1.268	9
Totais	308.844	61.026	20
Saldo geral	387.680	– 11.095	– 3

Fonte: C. Lewis, *Nazi Europe and World Trade* (Washington, 1941), 116

No início, a própria Alemanha ficou protegida dos piores efeitos da falta de carvão. As autoridades do *reich* conseguiram evitar a repetição da espetacular crise de abastecimento do inverno anterior. No entanto, no início de 1941, não havia dúvida de que também as minas da Alemanha estavam em dificuldades. Num primeiro momento, os problemas eram políticos. No início de 1941, desenvolvera-se um inflamado impasse entre os poderosos sindicatos regionais dos produtores de carvão e a Comissão do *reich* para o carvão, representada por Paul Walter, nomeado, em 1939, por Göring para levar liderança à indústria.[81] Walter era um antigo funcionário do partido vindo da Frente Trabalhista Alemã, de Robert Ley, a qual não tinha a confiança da indústria. Em 1940, ele conseguiu fazer crescer o antagonismo ao propor uma grande reorganização do comércio de carvão, que retiraria dos produtores o controle sobre a distribuição.[82] Em janeiro de 1941, circularam boatos de que Walter planejava impor à indústria do carvão um sistema de organização de mercado (*Marktordnung*) como o que existia na agricultura. Também dedicou-se a uma importuna onda de retórica anticapitalista, atacando os lucros injustificados auferidos pelos comerciantes de carvão à custa dos mineiros, os novos favoritos da comunidade trabalhista nazista. O erro de cálculo de Walter, no entanto, foi a dramática mudança política na indústria do carvão ocasionada pela ascensão da Reichswerke Hermann Göring, chefiada por Paul Pleiger. Este, naturalmente, era homem do partido com credenciais impecáveis. Mas, por meio de uma combinação de medidas de arianização na Tchecoslováquia e anexação na antiga Silésia polonesa, ele se firmou, também, como um dos principais produtores de carvão do *reich*.[83] Não tinha apreço pelo inoportuno anticapitalismo de Walter. Em fevereiro de 1941, liderada por Pleiger, a indústria estava em franca rebelião contra o comissário. Walter foi afastado e os sindicatos foram rapidamente incorporados na estrutura de cartéis preexistentes, que os vinculava diretamente ao Ministério de Assuntos Econômicos do *reich*, no qual o amigo íntimo de Pleiger, Hans Kehrl, era agora o ditador da política industrial. Após haver montado uma equipe de brilhantes estatísticos industriais oriundos do prestigioso Instituto Alemão de Pesquisa Econômica, a associação carbonífera de Pleiger estabeleceu um sistema de gerenciamento da produção que se tornaria o modelo da reorganização da indústria pesada, em 1942.[84]

Mas, por maior que fosse a reorganização, os problemas de produção da indústria não podiam ser ocultados. No final de 1940, a indústria alemã de aço encarregou o conhecido engenheiro Herman Winkhaus de preparar um relatório sobre a produção máxima possível de aço nas regiões controladas pela Alemanha. Todos sabiam que essa era uma variável crítica na determinação do futuro econômico do império de Hitler, que condicionaria todos os projetos industriais, tanto na paz quanto na guerra. O relatório Winkhaus concluiu que a máxima capacidade existente na zona controlada pela Alemanha era da ordem de 46 milhões de toneladas por ano, das quais 17,5 milhões viriam do Ruhr. A capacidade alemã em se aproximar desses números dependia do fornecimento de minérios. Mas a abertura das jazidas alemãs de minério e a conquista das pertencentes à França já não significava que esse fosse o fator limitante do crescimento. O verdadeiro problema era o carvão de coque. A Alemanha não poderia chegar ao potencial máximo de produção de aço a menos que a produção de carvão na própria Alemanha, na Bélgica e na Holanda aumentasse em 15 milhões de toneladas.[85] Porém, desde 1939, a produção de carvão na Alemanha se estagnara, em vez de crescer. A produção na região fronteiriça do Sarre tinha sido grandemente prejudicada pela guerra no oeste. A Silésia superior, única jazida alemã que demonstrava dinamismo, foi afetada, em 1941, pela volta da Wehrmacht à fronteira oriental. O Ruhr, que representava pouco menos de 70% da produção alemã anual de carvão e, praticamente toda a produção de coque, havia atingido o auge em 1939 com cerca de 130 milhões de toneladas anuais. Em 1941, a produção do Ruhr estava em declínio, reduzindo-se em 2 milhões de toneladas por mês, entre março e agosto.[86] A causa desse problema era evidente.[87] Embora desde a década de 1920 a Alemanha tivesse sido a líder europeia em mecanização, a mineração de carvão ainda era altamente intensiva em mão de obra, sofrendo dificuldades crônicas de recrutamento. Assim como a agricultura, a mineração de carvão, trabalho reconhecidamente sujo, perigoso e mal pago, tinha grandes desvantagens na competição por trabalhadores masculinos jovens. Mas, ao contrário da agricultura, o regime nazista estava disposto a reparar esse desequilíbrio. No outono de 1940, Robert Ley anunciou um novo e radical programa da Frente Trabalhista Alemã para reorganizar todo o sistema de salários de operários, de forma que os mineiros qualificados passassem a receber remuneração privilegiada.[88] A indústria do carvão, no entanto, tinha problemas mais imediatos. Embora as autoridades alemãs do mercado de trabalho tivessem zelado para que a indústria mineira não sofresse perdas líquidas no início da guerra, o recrutamento da Wehrmacht arrebanhara os melhores jovens. O resultado foi um constante declínio da produtividade *per capita*. Com o tempo, a indústria conseguiu compensar essa situação mediante mais investimentos. No curto prazo, no entanto, Pleiger teve de lançar mão de medidas de emergência. A partir da primavera de 1941, os turnos dominicais de trabalho se tornaram normais na vida do Ruhr, o que não permitia aos operários um dia de descanso para se recuperar da árdua semana de trabalho.

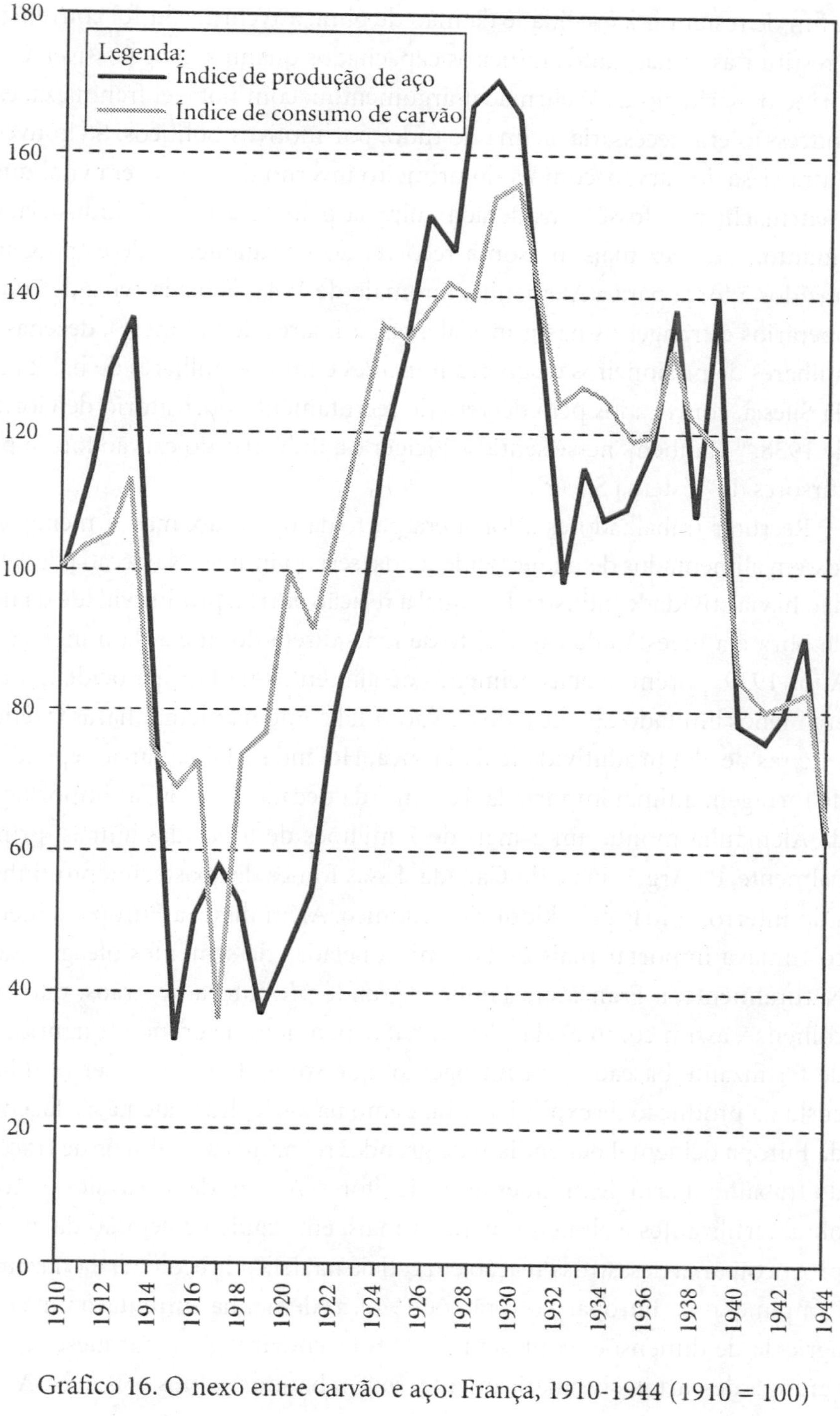

Gráfico 16. O nexo entre carvão e aço: França, 1910-1944 (1910 = 100)

A fim de restaurar a qualidade da mão de obra, a Wehrmacht foi convencida a restituir às minas tantos mineiros capacitados quantos fosse possível. Conforme o escritório da Wehrmacht argumentou, com notável franqueza, essa concessão era necessária, acima de tudo, por motivos políticos. Se houvesse outra crise do carvão, como a do primeiro inverno da guerra, era vital que a Wehrmacht não fosse considerada culpada pelo desastre.[89] A indústria, no entanto, cada vez mais, passou a recorrer ao recrutamento de estrangeiros trazidos à força para a Alemanha. Em maio de 1941, já havia cerca de 70 mil operários estrangeiros nas minas alemãs, milhares de poloneses, dezenas de milhares de prisioneiros de guerra franceses e muitos milhares de habitantes da Silésia, convocados pelo decreto de recrutamento obrigatório de Göring, de 1938.[90] Também, nesse sentido, Pleiger e a indústria do carvão foram precursores do "sistema Speer".

Recrutar trabalhadores à força era parte da operação, mas, a menos que fossem alimentados de maneira adequada, seriam inúteis. Na década de 1940, não havia atividade industrial na qual a relação entre a produtividade da mão de obra e a ingestão de calorias fosse mais direta do que a da mineração.[91] Após 1939, porém, o abastecimento de alimentos na Europa ocidental não era menos limitado do que o do carvão.[92] Tal como na Alemanha, as fazendas leiteiras de alta produtividade da França, Holanda e Dinamarca dependiam de forragem animal importada. No final da década de 1930, as importações da Alemanha montavam a mais de 7 milhões de toneladas anuais, principalmente, da Argentina e do Canadá. Essas fontes de abastecimento tinham sido interrompidas pelo bloqueio britânico. Além disso, a Europa ocidental costumava importar mais de 700 mil toneladas de sementes oleaginosas.[93] Naturalmente, a França era também grande produtora de grãos, mas suas colheitas, assim como as da Alemanha, dependiam de grandes quantidades de fertilizante baseadas em nitrogênio, que somente podiam ser obtidas à custa da produção de explosivos. Tal como na agricultura alemã, as fazendas da Europa ocidental dependiam de grandes rebanhos de animais de tração e do trabalho diário de milhões de agricultores. A retirada de cavalos, mão de obra, fertilizantes e alimento para animais, em seguida à eclosão da guerra, provocou uma desastrosa reação em cadeia na delicada ecologia das fazendas camponesas da Europa. No verão de 1940, a Alemanha enfrentava uma crise agrícola de dimensões continentais.[94] Os fazendeiros dinamarqueses começaram a descartar, sistematicamente, seus rebanhos suínos e as aves. As colheitas holandesas foram se reduzindo aos poucos, acompanhando a queda do fornecimento de fertilizantes. A situação mais dramática foi a da França, onde a colheita de grãos de 1940 representou a metade da de 1938.[95] Na própria Alemanha, o ano de 1940 trouxe uma visível queda nas colheitas de cereais, e isso foi agravado pelos maus resultados na Iugoslávia e Hungria, que estavam entre os principais fornecedores do *reich*.[96] Em 1940, as importações alemãs de trigo desses dois países caiu quase 3 milhões de toneladas, redução compensada somente por um grande aumento das exportações da Romênia.

As rações fixadas para a população alemã no momento da eclosão da guerra eram relativamente generosas. Para mantê-las, em 1940-41, no entanto, era necessário utilizar amplamente estoques acumulados desde 1936. A *Reichsnährstand* iniciou a guerra com uma reserva de 8,8 milhões de toneladas de trigo, quase o bastante para fornecer pão à população durante um ano in teiro.[97] No primeiro ano da guerra, os estoques ficaram reduzidos a somente 1,3 milhão de toneladas, mas o déficit na colheita de 1940-41 confirmou os piores temores de Herbert Backe. A menos que a Alemanha encontrasse fornecedores adicionais de milhões de toneladas de trigo, seria obrigada logo a efetuar profundos cortes nas rações de alimentos, a começar por uma matança em massa dos rebanhos de animais domésticos, o que, por sua vez, reduziria o abastecimento corrente de proteína e gorduras. Nos centros urbanos dos territórios ocupados, naturalmente, a situação era muito mais grave do que na Alemanha. Em 1941, já havia sinais de crescente descontentamento devido ao fornecimento inadequado de alimentos. Na Bélgica e na França, a ração oficial atribuída aos "consumidores normais" de somente 1.300 calorias diárias era um convite ostensivo a recorrer ao mercado negro. As cotas diárias na Noruega e no Protetorado Tcheco variavam em torno de 1.600 calorias.[98]

Em 1938, os países da Europa ocidental agora dominados pela Alemanha tinham constituído uma imensa força econômica, com um PIB conjunto maior do que o da Grã-Bretanha. O efeito combinado do bloqueio britânico e da ocupação alemã os reduziu a uma sombra do que tinham sido.[99] Enquanto a produção, tanto na Alemanha quanto na Grã-Bretanha, crescia substancialmente durante a guerra, e a dos Estados Unidos disparava, o Império Alemão na Europa era um caso perdido. Apesar da voraz demanda do esforço de guerra alemão, nenhum país da Europa Ocidental ocupado, em 1940, registrou crescimento econômico durante os cinco anos seguintes. Nos dois menores territórios, a Dinamarca e a Noruega, a produção se manteve constante, mas de maneira precária. Isso, porém, pouco significava em comparação com as economias maiores da Bélgica, Holanda e, acima de tudo, da França, cuja atividade econômica entrou em colapso, em 1940, e jamais se recuperou.

V

Apesar da extraordinária amplitude das vitórias da Wehrmacht, o espaço sob controle alemão, no outono de 1940, não era, portanto, o *Lebensraum* suficiente com o qual sonhara Hitler. Tampouco a Europa Ocidental constituía uma plataforma promissora a partir da qual seria possível combater na longa guerra de desgaste que a Grã-Bretanha e os Estados Unidos estavam, claramente, dispostos a infligir à Alemanha. Em termos econômicos, as vitórias da Wehrmacht, em 1940, não libertaram a Alemanha da dependência em relação à União Soviética, na qual se colocara um ano antes.[100] Com efeito, no curto prazo, a única maneira de manter o *Grossraum* europeu ocidental da Alemanha em um nível de atividade econômica semelhante ao de antes da guerra era assegurar um grande aumento das entregas de combustíveis e matérias-primas da União Soviética.[101] Somente a Ucrânia produzia os superávits agrícolas líquidos necessários para sustentar os rebanhos animais altamente densos da Europa Ocidental. Somente na União Soviética existiam o carvão e os minérios de ferro e outros metais que poderiam alimentar o complexo industrial-militar. Apenas no Cáucaso havia o petróleo indispensável para tornar a Europa independente dos fornecimentos de ultramar. Somente mediante acesso a esses recursos, a Alemanha seria capaz de enfrentar, confiantemente, uma longa guerra contra a Grã-Bretanha e os Estados Unidos. No verão de 1940-41, Roosevelt já havia fixado as condições nas quais seu país forneceria à Grã-Bretanha o "material" necessário para o prosseguimento da guerra. Para Hitler e Stalin, a questão continuava sem solução.[102]

Hitler tinha, sem dúvida, a opção de continuar a guerra tendo Stalin como aliado e não como inimigo mortal.[103] O pacto nazista-soviético ainda estava em vigor no verão de 1940, e, após a extraordinária vitória alemã contra a França, a União Soviética não tinha intenção de cancelar o acordo. Durante um breve período, entre julho e outubro de 1940, isso fez surgir, principalmente, no Ministério do Exterior alemão, a esperança de que Berlim pudesse contrapor-se à emergente coalizão anglo-norte-americana, por meio da formação de seu próprio "bloco continental", com uma expansão para o leste do *Grossraum* ocidental, debatida entusiasticamente durante o verão de 1940.[104] O Pacto Tripartite assinado entre o Japão, a Itália e a Alemanha, em 27 de setembro de 1940, parecia constituir um passo nessa direção. Em primeira instância, isso pretendia ressuscitar o pesadelo da estratégia britânica ao obrigar a Marinha Real a escolher entre o Mediterrâneo e Cingapura. Mas o Pacto Tripartite também obrigava as partes à prestação de assistência mútua em caso de ataque por uma das potências na época envolvidas na guerra. Como as relações com a União Soviética estavam explicitamente excluídas dos termos do acordo, isso, claramente, se dirigia contra os Estados Unidos. Mas, se o Pacto Tripartite pretendia ter efeito dissuasório, o resultado foi o oposto. Em Washington, o acordo foi considerado uma confirmação das intenções agressivas das potências do Eixo e somente serviu para reforçar o crescente comprometimento de Roosevelt com a Grã-Bretanha, como principal baluarte tanto contra a Alemanha na Europa quanto contra o Japão na Ásia.[105] Conforme percebeu, claramente, o ministro Ribbentrop, o único fator que, realmente, transformaria o panorama de maneira negativa para a aliança anglo-norte-americana seria uma extensão do Pacto Tripartite, que incluísse a União Soviética, criando uma aliança euro-asiática verdadeiramente temível, que se estenderia do Atlântico ao Pacífico. Isso, no entanto, teria exigido a reconciliação do antagonismo russo-japonês, que, no verão de 1939, provocara amplos combates na Manchúria. A liderança japonesa se via permanentemente dividida quanto a esse tema. Mas a possibilidade de um rápido avanço em direção ao sul para tomar o controle das possessões coloniais holandesas, francesas e britânicas, adicionada à atitude cada vez mais agressiva dos Estados Unidos para com o Japão, reforçaram os argumentos para uma aproximação com a União Soviética.[106] Esta, por sua vez, diante do inesperado triunfo alemão no ocidente, estava ansiosa por pacificar sua fronteira oriental. Portanto, em abril de 1941, o ministro do Exterior do Japão, Matusoka Yosuke, foi recebido em Moscou com o objetivo de assinar com a União Soviética um tratado de neutralidade com duração de cinco anos. Em Berlim, enquanto isso, os advogados da estratégia do bloco continental abrigavam amplas fantasias imperiais. O eixo euro-asiático da aliança antibritânica seria complementado por um novo império na África, baseado nas gigantescas possessões belgas do Congo, rico em minerais. No outono de

1940, houve intensa competição em Berlim por futuros cargos no governo colonial alemão. A visão africana do Ministério do Exterior da Alemanha continha ainda a grotesca proposta de "evacuar" toda a população judia da Polônia, assim como da Europa Oriental ocupada, levando-a para a colônia francesa de Madagascar.[107] Dessa forma, os judeus ficariam eliminados de maneira segura como uma influência "contaminadora" nos assuntos europeus. Centenas de milhares, sem dúvida, morreriam no trajeto. Os sobreviventes serviriam de reféns caso os judeus de Wall Street tentassem convencer Roosevelt a declarar abertamente a guerra.

Mas, embora o bloco continental, sem dúvida, pudesse atender tanto a critérios "ideológicos" quanto "pragmáticos", os defensores de uma aliança de longo prazo com a União Soviética nunca foram a maioria em Berlim, e isso também respondia a motivos pragmáticos e ideológicos. No longo prazo, uma verdadeira aliança envolveria um grau inaceitável de dependência da Alemanha em relação à União Soviética. Conforme notou o general Halder, em seu diário, em dezembro de 1940: "Qualquer enfraquecimento da posição do Eixo provoca um avanço para os russos. Eles não podem prescrever as regras para as transações, mas utilizam todas as oportunidades para debilitar a posição do Eixo".[108] Num bloco continental euro-asiático, seria a potência central, a União Soviética, e não o Japão ou a Alemanha, quem, em última análise, ocuparia a posição dominante. O Terceiro Reich não tinha intenção em passar ao tipo de humilhante dependência que a Grã-Bretanha, agora, ocupava em relação aos Estados Unidos, hipotecando seus ativos e vendendo seus segredos, simplesmente, para manter o esforço de guerra. Já na primavera de 1940, ficara evidente que a Alemanha poderia encaminhar-se na mesma direção. Pouco antes da ofensiva alemã no ocidente, Moscou exigiu, como pagamento parcial pelas entregas de matérias-primas, a construção de duas fábricas de produtos químicos na União Soviética, uma para hidrogenação de carvão (combustível sintético) e outra que incorporaria processo revolucionário da IG Farben denominado *buna* (borracha sintética).[109] A União Soviética teria acesso total tanto aos projetos quanto aos complexos instrumentos necessários para monitorar as reações de alta pressão. Não admira que a IG Farben tivesse hesitado e o arranjo foi bloqueado, com o apoio dos militares alemães. Mas o fato de que os soviéticos tivessem feito tal exigência indicava a gravidade do dilema alemão. O volume de comércio imensamente aumentado necessário para manter o *Grossraum* alemão, submetido ao bloqueio, significava que a influência da União Soviética seria cada vez maior.

No outono de 1940, a dependência alemã em relação à União Soviética para as entregas de matérias-primas, combustível e alimentos estava criando uma situação positivamente esquizofrênica. Nas negociações comerciais, as máquinas-ferramenta alemãs eram um dos fornecimentos compensatórios mais cobiçados pelos soviéticos. Essas exportações, no entanto, conflitavam diretamente com os preparativos das forças armadas alemãs para a invasão da União Soviética. Surpreendentemente, em vez de interromper as remessas a fim de dar prioridade à Luftwaffe, Göring ordenou, no início de outubro de 1940, que, pelo menos, até 11 de maio do ano seguinte, os fornecimentos à União Soviética, e, portanto, ao Exército Vermelho, teriam prioridade igual à das necessidades da Wehrmacht.[110] Mesmo no prelúdio imediato da Operação Barbarossa, a Alemanha não podia dispensar os fornecimentos soviéticos de petróleo, trigo e metais para ligas.

A disposição para entrar nesses arranjos bizarros refletia a crescente preocupação em Berlim com a precária situação dos fornecimentos de matérias-primas à Alemanha.[111] Conforme concluiu o escritório econômico-militar da Wehrmacht, no final de outubro de 1940: "A situação atual favorável das matérias-primas (melhorada por estoques capturados em território inimigo) reaparecerá em forma de gargalo em caso de guerra prolongada, após o consumo dos estoques existentes. A partir do verão de 1941, pode-se esperar que isso ocorra em relação ao óleo combustível e também aos óleos e gorduras industriais."[112] A dependência da Alemanha se tornou ainda mais aguda com a má colheita de 1940. Na visita de três dias à Alemanha feita pelo ministro do Exterior soviético, Molotov, em novembro de 1940, um dos primeiros pontos da agenda alemã era um pedido urgente para dobrar a importação de trigo da União Soviética, a partir do nível corrente de 1 milhão de toneladas anuais.[113] No final de 1940, os estoques de cereais preocupavam, até mesmo, a liderança militar. Em relação à situação alimentar, o general Halder anotou com ansiedade em seu diário: "Usaremos fraudes para atravessar o ano de 1941."[114] Dali em diante, a situação seria imprevisível. Aconteceu, no entanto, que a inesperada salvação surgiu, no início de janeiro de 1941, quando os soviéticos mais do que dobraram as entregas, concordando, até mesmo, em usar as próprias reservas nacionais de trigo para atender às exigências alemãs.[115] Ironicamente, no entanto, esse esforço soviético para "ajudar" os alemães teve o efeito oposto. A disposição dos russos em fazer tais concessões substanciais com tanta rapidez parece haver apenas estimulado Hitler em sua convicção de que a conquista da Ucrânia era o passo óbvio seguinte em sua campanha de agressões.

De fato, mesmo antes do resultado negativo da Batalha da Grã-Bretanha, Hitler parece ter-se convencido de que a conquista militar da União Soviética, em 1941, era a chave para a vitória final na guerra como um todo. Em 31 de julho de 1940, em conferência com a liderança militar, no Berghof, Hitler enfatizou a necessidade de derrotar a União Soviética na guerra para que a Grã-Bretanha pudesse ser dominada e o apoio norte-americano acabasse neutralizado.[116] "As esperanças da Grã-Bretanha repousam na Rússia e nos Estados Unidos. Se a Rússia desaparecer do cenário, também a América estará perdida para os ingleses, porque a eliminação da União Soviética aumentaria enormemente o poderio japonês no oriente." Para Hitler, a Rússia era "a espada oriental da Grã-Bretanha e dos Estados Unidos", uma lança apontada contra o Japão.[117] Atacar e derrotar decisivamente a União Soviética, em 1941, privaria a Grã-Bretanha de sua "adaga no continente" e estimularia os japoneses a agir. Caso Londres preferisse continuar a guerra e se a agressão japonesa provocasse a entrada dos Estados Unidos no conflito, o controle completo da massa continental europeia, pelo menos, asseguraria à Alemanha os recursos necessários a uma verdadeira confrontação transatlântica. Como disse Hitler, em 9 de janeiro de 1941, após a conquista de *Lebensraum* no leste, a Alemanha estaria pronta para uma "guerra contra continentes".[118] Com efeito, o *führer* parece haver considerado o potencial econômico de tal império mais significativo do que os da Grã-Bretanha e Estados Unidos juntos. Seis meses mais tarde, ele voltou a essa visão de uma guerra conjunta nipo-alemã contra a Grã-Bretanha e os Estados Unidos, durante as eufóricas primeiras semanas de julho de 1941, ao propor ao embaixador japonês uma aliança ofensiva contra os norte-americanos.[119]

Enquanto isso, Hitler precisava que os Estados Unidos não entrassem na guerra até que a União Soviética fosse derrotada. Sem dúvida, não foi por coincidência que, em 30 de janeiro de 1941, dois anos depois de haver lançado a primeira ameaça pública sobre o destino dos judeus da Europa, Hitler decidiu repetir a façanha.[120] Como vimos, durante o inverno de 1940-41, Berlim se preocupava cada vez mais com o ritmo ameaçador do rearmamento norte-americano e, em 30 de janeiro de 1941, ao contrário do que fizera em ocasião semelhante, em janeiro de 1939, o *führer* dirigiu a ameaça diretamente contra os Estados Unidos, advertindo Washington a se abster de qualquer intervenção na Europa. É significativo que tenha mudado a data de seu pronunciamento anterior de 30 de janeiro de para 1º de setembro de 1939, dia do ataque alemão contra a Polônia. Na mente de Hitler, a ameaça de guerra mundial, os norte-americanos e os judeus se encontravam inextrincavelmente entrelaçados. As pressões reais da corrida armamentista global e os horrores imaginários da visão hitleriana do mundo se juntaram na Operação Barbarossa, numa extraordinária síntese de ambição e violência.[121]

Retrospectivamente, é difícil evitar a conclusão de que, após a derrota da França, teria sido melhor para a Alemanha adotar uma postura defensiva, consolidar sua posição na Europa Ocidental, atacar posições britânicas no Mediterrâneo e obrigar britânicos e norte-americanos a procurar penetrar no continente mediante bombardeios. Como o Exército Vermelho acabou por se mostrar o carrasco da Wehrmacht, é difícil negar essa afirmação. Porém, o que muitas vezes se ignora em tais argumentações por meio da contraposição de fatos é a crescente percepção em Berlim de que, mesmo depois da ocupação da Europa ocidental, a Alemanha não possuía a vantagem numa guerra longa contra a Grã-Bretanha e os Estados Unidos. A crônica escassez de petróleo, a debilidade das minas de carvão europeias e a fragilidade da cadeia alimentar faziam parecer improvável que a Alemanha pudesse, de fato, "consolidar" suas conquistas de 1940 sem cair em excessiva dependência da União Soviética. Ainda que isso tivesse sido possível, a capacidade manufatureira conjunta da Grã-Bretanha e dos Estados Unidos excedia em muito a capacidade industrial na época controlada pela Alemanha, e isso, por sua vez, prenunciava desastre numa guerra aérea prolongada. O Exército alemão, por outro lado, provara sua capacidade em obter vitória decisiva contra as forças armadas consideradas as mais poderosas da Europa. Tendo em mente esse conjunto de fatores, é fácil avaliar por que motivo uma postura estratégica defensiva dava a impressão de ser uma escolha menos útil, no outono de 1940. Após a derrota da França, o sonho de um império terrestre gigantesco parecia ao alcance da mão, e dado o poderio industrial que se avolumava do outro lado do Atlântico, não havia tempo a perder.

PARTE III

Guerra Mundial

12

Preparativos para duas guerras simultâneas

EM 31 DE JULHO DE 1940, POUCAS semanas depois da vitória contra a França. Hitler mandou que a Wehrmacht se preparasse para uma campanha a fim de destruir a União Soviética. No início de 1941, essa decisão se tornara irrevogável. Por causa da complexidade da ação militar e da constante dificuldade de acesso a arquivos na antiga União Soviética, nosso conhecimento sobre a luta na frente oriental está ainda longe de ser completo. Inquestionável é o fato de que na frente oriental, o Terceiro Reich sangrou até secar e que o Exército Vermelho foi o principal responsável pela destruição da Wehrmacht. Ao dar a ordem de atacar a União Soviética, Hitler provocou sua própria ruína.

Seria inevitável esse resultado? Para alguns, a questão continua em aberto.[1] John Kenneth Galbraith, célebre economista que foi também o condutor da avaliação pós-guerra para a Força Aérea norte-americana, apresentou o caso de maneira rude num artigo publicado pela revista *Fortune* em 1945: "O fato, simplesmente, é que a Alemanha jamais deveria ter perdido a guerra...".[2] Segundo Galbraith, a invasão da União Soviética pela Wehrmacht somente terminou em desastre porque a ditadura nazista não mobilizou, suficientemente, a economia alemã para fornecer ao seu Exército o equipamento necessário para a vitória. Na opinião dele, essa submobilização se deveu a uma mistura de superconfiança e incompetência, agravada por uma crônica falta de vontade política. Em consequência, nunca foram pedidos à frente doméstica alemã os sacrifícios que seus inimigos consideravam normais. Para Galbraith, as implicações foram amplas. A derrota da Alemanha foi "testemunho conclusivo das deficiências inerentes à ditadura e das limitações inerentes à liberdade".[3] Essa avaliação não era original. Galbraith a desenvolveu a partir do interrogatório de Albert Speer e sua equipe, que muito reforçaram sua interpretação voluntarista. Antes de 1942, segundo o principal estatístico de Speer, o regime de Hitler tomou a decisão de levar adiante uma "economia de paz em tempo de guerra".[4] Speer, geralmente considerado responsável por haver reerguido a economia de guerra da Alemanha de seu marasmo, chegou a sugerir que, se tivesse sido encarregado do assunto dois anos antes, a Wehrmacht poderia haver invadido a União Soviética com o dobro do armamento.[5] Hans Kehrl, nazista entusiástico que, em 1941, se tornara chefe do gabinete de Speer, exprimiu a mesma opinião crítica. A Alemanha foi derrotada devido à indolência e desorganização do esforço de guerra, em 1940 e 1941.[6] Esse tipo de argumentação continua a influenciar as principais obras históricas sobre o Terceiro Reich.[7]

O objetivo deste capítulo é apresentar uma interpretação alternativa. Se quisermos compreender o que os alemães estavam fazendo antes da Operação Barbarossa, é preciso concentrarmo-nos na situação estratégica do país. Conforme argumentamos em capítulos anteriores, apesar de espetacular, a vitória sobre a França não foi fácil. A derrota da França não dera à Alemanha a vitória na guerra. A Grã-Bretanha não tinha sido derrotada. A partir da primavera de 1941, esta última passou a contar com o apoio maciço dos Estados Unidos, e, dada a vulnerabilidade econômica do novo Império Alemão, as perspectivas estratégicas do Terceiro Reich iriam deteriorar-se de 1942 em diante. Nessa situação, a conquista da União Soviética, ainda que fosse um empreendimento imenso e embora atendesse a profundos imperativos da ideologia nazista, não pode ser vista isoladamente. Era um meio para realizar o objetivo de consolidar a posição da Alemanha para a confrontação final com as potências ocidentais. Isso, por sua vez, explica por que motivo o esforço de guerra alemão não podia ser direcionado, exclusivamente, para a derrota do Exército Vermelho e, até mesmo, para a produção imediata de armamentos. Em consonância com a confiante expectativa de uma vitória rápida e decisiva, o Terceiro Reich calibrou seu ataque contra a União Soviética de forma que a maior quantidade possível de recursos pudesse ser liberada, na primeira oportunidade, para a continuação da luta contra a Grã-Bretanha e os que a apoiavam nos Estados Unidos.[8] Nesse sentido, foi antevendo Barbarossa que a Alemanha nazista realmente adotou uma estratégia de completa *blitzkrieg*, uma síntese de plano de campanha de tecnologia militar e programa industrial de armamentos, tudo baseado na presunção de sucesso relâmpago no campo de batalha. Antes da campanha da França, não se havia concebido síntese semelhante, porque os efeitos que podiam ser atingidos mediante a combinação da tecnologia moderna com as máximas clássicas das operações de guerra foram surpresa, até mesmo, para a liderança alemã. Somente após a derrota da França é que a possibilidade de êxito decisivo no campo de batalha, em poucos meses, começou a ser considerada parte integrante da estratégia de guerra de Hitler. Somente, então, a política de armamentos passou a poder ser sistematicamente organizada com base nessa premissa.

Para evitar mal-entendidos, é importante acentuar que o propósito de adotar essa estratégia de *blitzkrieg*, no outono de 1940, não foi poupar a frente doméstica. Como vimos, a ideia de que a frente doméstica alemã se encontrava "submobilizada" nos primeiros meses da guerra, é nada mais do que um mito. A força de trabalho nativa estava empregada ao máximo, de tal maneira que o regime foi obrigado a importar centenas de milhares de poloneses racialmente indesejáveis a fim de sustentar a produção agrícola. A manufatura de bens industriais de consumo — roupas, mobília e equipamento doméstico de todos os tipos — já tinha sido severamente restringida, e, apesar da euforia do verão de 1940, essa decisão nunca foi revertida. Não que a liderança alemã não se interessasse pelo estado do moral civil. No outono de 1940, Hitler fez diversos anúncios sobre os benefícios decorrentes da vitória final da Alemanha. Mais notavelmente, entre esses projetos estava um programa habitacional orçado, de modo otimista, em 63 bilhões de *reichsmarks*, e outro de dimensões semelhantes para a modernização da agricultura alemã.[9] Tratava-se, no entanto, de projetos para depois da guerra e isso significava, mesmo com previsões otimistas sobre Barbarossa, que poderiam ser iniciados, na melhor das hipóteses, em 1942. Enquanto isso, as prioridades de Hitler no que se refere à população alemã eram bastante específicas: assegurar o abastecimento de alimentos e proteger a Alemanha contra ataques aéreos. Da forma como a guerra era concebida por Hitler e pelos militares, não havia contradição entre esses objetivos e a necessidade de expandir ainda mais o prosseguimento do conflito. Ao contrário, os argumentos mais poderosos para adiantar a conquista da União Soviética eram, justamente, a crescente escassez de trigo e a necessidade de derrotar decisivamente a Grã-

Bretanha antes que ela pudesse oferecer uma ameaça aérea grave. A importância da estratégia de *blitzkrieg*, adotada em 1940-41, não era o fato de que o nível de mobilização poderia ser mantido no mínimo, mas o de permitir que o esforço de guerra alemão fosse dividido em duas partes. As fábricas que produziam para o Exército dirigiam seus esforços para o fornecimento de equipamento para uma *blitzkrieg* rápida e motorizada contra a União Soviética. Enquanto isso, o restante do complexo industrial-militar alemão começou a se preparar para a confrontação aérea com a Grã-Bretanha e os Estados Unidos.

Como essa estratégia envolvia o equilíbrio de uma variedade de objetivos em competição, ela necessariamente provocaria conflitos de distribuição entre as diversas partes interessadas no Estado nazista. É, portanto, possível relatar a história do segundo ano da guerra como uma intrincada narrativa de lutas burocráticas intestinas.[10] Uma vez terminada a crise das munições de 1940, a tentativa de Fritz Todt de assumir controle total do esforço de armamentos perdeu energia. Formou-se um instável impasse entre Todt, o escritório econômico-militar do OKW, chefiado pelo general Thomas, e os escritórios de suprimentos das forças armadas. Essa luta pelo poder foi ainda mais complicada pela posição dupla de Göring como chefe da Força Aérea e do Plano Quadrienal, e pelas intervenções esporádicas de Walther Funk, chefe da administração econômica civil. Todos os lados dessa multifacetada batalha burocrática lançavam-se, mutuamente, alegações de incompetência e ineficiência. A pista de documentos de arquivo parece, assim, confirmar os indicadores estatísticos produzidos mais tarde durante a guerra pelo ministro Speer, que, aparentemente, demonstram a ineficiência e submobilização da economia de guerra alemã, em 1940 e 1941. Porém, se estivermos interessados nos verdadeiros resultados do esforço armamentista, as batalhas burocráticas, em Berlim, constituem uma distração. Os aspectos políticos do esforço de guerra alemão podem ter sido atrapalhados, mas o recorde de produção industrial, entre junho de 1940 e junho de 1941, na verdade, tem a marca inconfundível do desígnio estratégico. A produção de armamentos e a política econômica estavam ligadas a um plano estratégico de guerra; a análise cuidadosa dos dados revela indícios de que essa estratégia teve êxito em produzir uma nova mobilização muito substancial da economia alemã. Que isso não tenha sido suficiente para derrotar a União Soviética é outra questão.

I

As necessidades do Exército alemão para a Operação Barbarossa — *Rüstungsprogramm B* — foram objeto de acordo dentro de duas semanas após a ordem de Hitler de iniciar os preparativos para um ataque contra a URSS. A partir de agosto de 1940, esse programa ditaria a produção da economia de armamentos da Alemanha para os oito meses seguintes.[11] Os historiadores têm se mostrado tão ansiosos por demonstrar a incompetência e indolência do regime nazista nesse período decisivo que corremos o risco de perder de vista o considerável esforço que *foi* feito na preparação para Barbarossa. O ataque lançado pela Wehrmacht, em 22 de junho de 1941, foi a maior operação militar singular no registro histórico.[12] Uma força composta de nada menos do que 3,05 milhões de homens esteve envolvida no ataque, organizada em três gigantescos grupamentos de exército que operavam simultaneamente em três frentes, numa linha de frente de mais de mil quilômetros. Pode-se dizer que Barbarossa foi o ponto final de uma tradição europeia de operações de guerra que vinha, pelo menos, desde o século XVIII. Na preparação dessa imensa campanha, o Terceiro Reich não se deixou ficar indolente. Entre maio de 1940 e junho de 1941, o Exército expandiu-se de 143 para 180 divisões.[13] Naturalmente, nem todas podiam ser utilizadas na Rússia. Era preciso dedicar forças significativas para a defesa do novo Império Alemão no oeste. A ocupação da Iugoslávia e da Grécia, na primavera de 1941, e as campanhas do norte da África acrescentaram novos desvios. Por outro lado, o butim militar de 1940 foi mais do que suficiente para equipar as divisões da Wehrmacht estacionadas nas zonas mais tranquilas do império de Hitler.

O que o *Rüstungsprogramm B* objetivava fornecer era um aumento significativo do poder de fogo ofensivo alemão. E, em contraste com os preparativos para o ataque à França, as prioridades de produção para o Exército alemão se concentraram diretamente nas exigências da guerra com veículos blindados. Após o surpreendente êxito na França, os tanques jamais estiveram longe das cogitações de Hitler. Mesmo durante as primeiras semanas de julho de 1940, quando contemplou seriamente uma redução de ampla escala no poderio do Exército, Hitler excluiu as *schnellen Truppen* (forças rápidas) desses cortes.[14] Em vez disso, o número de Divisões Panzer dobrou, entre o verão de 1940 e o de 1941, passando de 10 para 20. É possível reduzir a importância dessa expansão apontando o fato de que o número de tanques não aumentou em proporção ao numero de divisões. Porém, como já deixamos claro, a quantidade total de veículos é irrelevante como indicação do poderio bélico efetivo das Divisões Panzer. O que importava não era o número de tanques, mas o de tanques médios em condições de combate — Mark III e IV, além dos tanques de 36 e 38 toneladas de fabricação tcheca. Se focalizarmos esse grupo de veículos, a força de tanques alemã dobrou, entre maio de 1940 e junho de 1941, exatamente em proporção ao número de divisões equipadas com tanques.[15] Houve também aumento proporcional de veículos com meia-lagarta, que asseguravam a mobilidade de 10 divisões de Infantaria Motorizada, cujo desempenho era a chave do êxito da *blitzkrieg*. Os tanques eram capazes de disparar e mover-se, mas não podiam manter o domínio do terreno sem serem apoiados por uma infantaria de mobilidade rápida.

O esforço de produção de tanques de 1940-41 é também importante por haver criado uma das estruturas organizacionais mais duráveis da economia de guerra da Alemanha. Com visão clara de oportunidade, Fritz Todt tomou a iniciativa na batalha burocrática no verão de 1940, agregando a seu Ministério de Munições e Armamento uma Comissão Principal para Tanques.[16] Os ingredientes básicos para o sucesso dessa Comissão eram visíveis. O programa de tanques recebeu matérias-primas, mão de obra e capacidade industrial adequadas. O sistema de Todt para alistar os fabricantes na distribuição de contratos de produção já tinha demonstrado sua eficácia como instrumento de mobilização. Entre 1940 e 1943, a Comissão Principal foi presidida pelo dr. Walter Rohland, ativo chefe da Deutsche Edelstahlwerke Krefeld, um dos principais fornecedores de chapas blindadas. A autoridade de Rohland repousava, por sua vez, em seu status de membro da diretoria da gigantesca Vereinigte Stahlwerke e favorito de Albert Vögler, indiscutivelmente o indivíduo mais poderoso da indústria pesada alemã. Com a bênção de Vögler, Rohland substituiu Ernst Pönsgen, em 1943, como chefe de todo o complexo da Vereinigte Stahlwerke. Rohland era membro do partido desde 1933, mas a verdadeira força política na Comissão Principal era Karl Otto Saur, combativo subchefe de Fritz Todt. Saur, que supervisionou sem interrupção a produção de tanques, desde o verão de 1940 até o fim do conflito, conquistou justificada reputação como um dos feitores de escravos mais fanáticos da economia de guerra. A combinação de autoridade industrial e política proporcionada por Rohland e Saur transmitiu energia aos membros existentes do cartel de tanques e também atraiu novas capacidades. Em 1941, o tanque médio Mark III, que estava agora substituindo o Mark II como sustentáculo das Divisões Panzer, estava sendo produzido por nada menos do que quatro fábricas diferentes: a MAN, em Nuremberg, a MIAG, em Brunswick, e as instalações da Alkett e da Daimler-Benz, em Berlim.[17] A distribuição da produção por tantas fábricas não era calculada para a obtenção da escala ótima de economia e sim constituía uma forma rápida de expandir a capacidade. Isso reduzia as disputas entre produtores e, ao dispersar a produção, tornaria a indústria alemã de tanques notavelmente pouco sensível aos bombardeios aéreos.

Mas os preparativos para Barbarossa não estavam, de forma alguma, limitados à expansão da força de tanques. O programa também previa um aumento substancial do poder de fogo das divisões de infantaria com expansão do número de *howitzers* leves de campo e a substituição completa das metralhadoras antigas da safra da Primeira Guerra Mundial, ainda amplamente utilizadas, em maio de 1940, pelas modernas MG 34.[18] Significativamente, o programa especificava também aperfeiçoamentos em larga escala nas defesas antiaéreas da Alemanha, com metas elevadas para os canhões de calibre de 8,8 e 10,5 centímetros, armas que competiam diretamente com as exigências de artilharia do Exército. Como se pode ver na Tabela A4 do Apêndice, as metas do *Rüstungsprogramm B* foram, em grande parte, atingidas. Em comparação com maio de 1940, no verão de 1941, a Wehrmacht crescera, não apenas em termos de homens, mas também em termos de poder de fogo.

Durante o período de funcionamento do *Rüstungsprogramm B,* entre outubro de 1940 e abril de 1941, o aumento ano a ano da produção de armas e veículos militares foi de 54%, o de aeronaves 40% e o de submarinos mais do que o triplo.[19] O que tendeu a obscurecer esse considerável crescimento na produção de armamentos foi o simultâneo declínio de munição, que, como vimos, tinha sido a primeira prioridade de Hitler, nos primeiros nove meses da guerra. Essa mudança de ênfase é a característica distintiva do esforço armamentista alemão, entre o verão de 1940 e a primavera de 1942. Podemos avaliar melhor sua importância se nos recordarmos de que, em julho de 1940, a munição representava nada menos do que 36% do total da produção de armamentos. No verão de 1941, sua participação caíra para menos de 20%. Inevitavelmente, esse súbito rebaixamento da munição na lista de prioridades deve ter causado certa confusão e algum grau de desperdício, especialmente, no setor de engenharia pesada, onde eram fabricados os obuses de artilharia. Pela terceira vez, depois de 1937 e 1939, a indústria alemã equipou-se com maquinaria para um esforço de produção de munição e vira as encomendas, repentinamente, canceladas. No entanto, dados os enormes estoques de munição acumulados até o verão de 1940, seria absurdo prosseguir a produção ao ritmo ordenado por Hitler seis meses antes. Em setembro de 1940, o Exército alemão tinha em estoque nada menos do que 21,9 milhões de cartuchos de 10,5 centímetros para *howitzer*, cada qual com mais de 30 quilos de aço e 3 de precioso cobre.[20] Para a maioria dos calibres, havia disponibilidade suficiente para atender a mais de doze meses de luta pesada. Embora não causasse boa impressão nas estatísticas de armamentos, a interrupção da superprodução de munições era, sem dúvida, uma primeira prioridade em uma estratégia armamentista racional.[21]

Dados os grandes estoques de munição acumulados até o verão de 1940, o aço podia ser redistribuído em detrimento da produção imediata de armamentos, sem reduzir o poderio efetivo de ataque do Exército alemão. Entre o segundo trimestre de 1940 e igual período de 1941, a cota de aço do Exército foi reduzida em mais de um terço, enquanto o poder de ataque aumentava, aproximadamente, na mesma proporção.[22] O aço liberado pelo Exército não foi redistribuído para consumo civil. Na segunda metade de 1940, a redução do fornecimento de aço ao Exército ficou quase igual à alocação acrescida para exportações (ver Apêndice, Tabela A3). Mesmo depois da eclosão da guerra, portanto, as exigências do balanço de pagamentos continuaram a competir com a produção de armamentos como uma das principais preocupações econômicas do regime nazista. Como vimos, em 1940 a Alemanha estava fazendo o possível para administrar um vultoso déficit comercial. No entanto, nos doze meses posteriores a outubro daquele ano, suas exportações aumentaram em 25% a partir do ponto mais baixo que haviam alcançado no primeiro verão da guerra. Esse fluxo de mercadorias foi fundamental para manter as relações da Alemanha com seus aliados, inclusive a União Soviética, a Hungria e a Romênia, mas também com importantes países neutros como a Espanha e a Suécia. Com efeito, como vimos, um dos principais propugnadores das exportações em tempo de guerra tinha sido o escritório econômico-militar da Wehrmacht, não porque desejasse favorecer a "economia civil", e sim porque considerava a manutenção do comércio indispensável para a sobrevivência da Alemanha numa guerra longa.

Outra chave para interpretar a estratégia econômico-milılitar alemã na peparação da Operação Barbarossa pode ser encontrada na gestão da força de trabalho.[23] Como no caso do aço, isso foi feito de maneira a permitir que o Exército completasse seu programa, liberando ao mesmo tempo, recursos para outros usos. O que, sem dúvida, não aconteceu foi qualquer redução do nível geral de mobilização. Logo depois da derrota da França, a indústria alemã tinha recebido a promessa de um "dividendo de vitória", em forma de uma ampla redução do poderio do Exército na linha de frente. Essa decisão, no entanto, foi revertida em poucas semanas, depois das ordens de Hitler para preparação de um ataque contra a União Soviética. Após reduzir-se, brevemente, de uma força total de 5,767 milhões de homens em junho de 1940, a Wehrmacht começou a crescer, novamente, no outono do mesmo ano, chegando a um total de 7,3 milhões de soldados no verão seguinte. Hostes de rapazes de até 19 anos forneciam, aproximadamente, 660 mil homens, anualmente. Mas uma grande parte desse aumento é atribuído a uma nova extensão do recrutamento a homens anteriormente isentados devido a sua importância para a economia de guerra. Em comparação com maio de 1940, o censo da força de trabalho de maio de 1941 registrava 1,4 milhão de trabalhadores adicionais como tendo sido convocados para o serviço militar. Na altura do verão de 1941, a população masculina da Alemanha, entre as idades de 16 e 56 anos, havia sido dividida em três grupos desiguais: 7.388 milhões possuíam armas e mais 2,12 milhões de rapazes até 19 anos passavam por treinamento militar; 3,6 milhões de homens, de todas as idades, haviam sido considerados inaptos para o serviço militar, principalmente, por motivos de saúde; o restante, num total de 5,516 milhões, era constituído dos isentados por serem indispensáveis à economia de guerra (*Unabkömmlich*).[24] No verão de 1941, a Wehrmacht já estava raspando o tacho da mão de obra. Devido ao pequeno número de crianças nascidas durante a Primeira Guerra Mundial, a Alemanha não tinha outra opção a não ser mandar para o combate praticamente toda a sua juventude.[25] Dentre os que tinham entre 20 e 30 anos, fisicamente aptos para o serviço militar, 85% já estavam na Wehrmacht, no verão de 1941. Somente 640 mil homens nesse grupo de idade mais válida obtiveram isenções por motivo de sua importância para a economia de guerra. A grande maioria dos isentados por motivos econômicos estava acima dos 30 anos de idade. Mas qualquer futuro recrutamento teria de recorrer a essa população de pais de família de meia-idade, espinha dorsal da indústria de armamentos.[26] Barbarossa foi uma campanha de *blitzkrieg* também nesse sentido. O melhor da força humana disponível foi usado no ataque inicial. Pouco ou nada existia na reserva.

Para realizar a quadratura do círculo, no inverno de 1940-41, foi cogitado um sistema complicado para liberar soldados experientes mandando-os de volta à indústria alemã, enquanto a Wehrmacht treinava o maior número possível de novos recrutas. Segundo o chamado "esquema de férias para armamentos", os veteranos já testados em batalha fabricariam as armas que eles próprios e seus camaradas utilizariam contra a União Soviética no verão seguinte. Por implicação, no entanto, os esforços industriais para terminar o *Rüstungsprogramm B*, até abril de 1941, tinham um limite de tempo.[27] Tão logo o *Ostheer* (o Exército alemão do leste) começou a aprontar sua força máxima para a invasão da União Soviética, a indústria alemã perderia alguns de seus mais valiosos operários e a produção industrial, certamente, se ressentiria. Depois das "férias de armamentos" do inverno, a economia alemã teria "férias de guerra". Essa, ao menos, na presunção de que a campanha Barbarossa seria curta. Hitler prometeu aos soldados que estariam de volta a seus postos de trabalho na indústria até o fim de agosto.[28] Já nas últimas semanas de outubro de 1941, a Wehrmacht ainda planejava a iminente dispensa de um terço do exército e o redirecionamento de centenas de milhares de soldados para a produção de armas destinadas à guerra contra a Grã-Bretanha e os Estados Unidos.[29]

O que gostaríamos de saber, naturalmente, é a eficiência com que a indústria alemã utilizou a pequena quantidade de mão de obra que tinha à disposição, em 1940 e 1941. Tendo em vista as ousadas afirmações que têm sido feitas sobre o caráter do esforço industrial de guerra da Alemanha, talvez, valha a pena recordarmos que, antes da guerra, aceitava-se que a capacidade manufatureira alemã rivalizava com a da Grã-Bretanha e ficava apenas atrás da dos Estados Unidos em termos de eficiência produtiva. Não obstante, construiu-se toda uma narrativa de ineficiência, egoismo e incompetência" com base em um conjunto de dados bastante aproximados que parecem demonstrar um colapso da produtividade da mão de obra nos primeiros anos da guerra.[30] Obtém-se esse resultado mediante a comparação de estatísticas sobre o número de pessoas que trabalhavam para a Wehrmacht, entre 1939 e 1941, com o indicador de produção de armamentos mais amplamente citado. Segundo essas fontes, enquanto a força de trabalho da Wehrmacht dobrava, a produção de armamentos aumentou em apenas 70%, entre 1939 e 1941. Com efeito, no caso da Luftwaffe, tem-se afirmado que um aumento de 50% da força de trabalho, entre 1939 e 1941, incrementou a produção em apenas 15%.[31] Se fossem verdadeiras, ambas as comparações indicariam uma desastrosa queda na produção por operário. Na verdade, no entanto, essas afirmações padecem de sérias deficiências. As estatísticas nas quais se baseiam são extremamente deficientes e não resistem a uma inspeção mais cuidadosa.

O Gráfico 17 mostra um novo cálculo do índice mensal da produção de armamentos comparado com uma estimativa revista da força de trabalho no setor de armamentos.[32] Apesar das flutuações mensais, o movimento geral da série é paralelo, sugerindo a inexistência de colapso de produtividade. Pode ter havido desempenho insuficiente nos meses finais de 1941, mas isso não é de admirar devido aos problemas causados pela mobilização para Barbarossa. O sistema de transporte se encontrava, novamente, em desorganização, e, enquanto o número total de trabalhadores da Wehrmacht crescia, a produção foi prejudicada pelo recrutamento de pessoal-chave. Ir além desse tipo de afirmação em linhas gerais causa graves problemas por causa da dificuldade em obter medidas realmente comparáveis tanto para a produção quanto para a força de trabalho no setor de armamentos. No caso do Exército e da Marinha, certamente, não houve deterioração na produtividade da mão de obra, porque, como vimos, a produção de equipamento para o Exército e de vasos de guerra aumentou drasticamente entre 1940 e 1941, enquanto que a força de trabalho nas fábricas do Exército se expandia em apenas 20%, e, no caso da Marinha, em somente 7%.[33] Qualquer escassez devida à redução da produção de armamentos tem de ser considerada resultado de política deliberada e não de ineficiência. O culpado mais provável por um declínio de produtividade no período imediatamente anterior à Operação Barbarossa é a Luftwaffe, na qual a maior parte do aumento na força de trabalho oficial da "Wehrmacht" foi registrada, entre 1940 e 1941. As estatísticas oficiais de emprego na Luftwaffe, infladas em proporção incerta, indicam um aumento de 40%, em 1941.[34] Em comparação com os números da produção de aeronaves, isso daria a impressão de estagnação da produtividade em 1941, porém, certamente, não de colapso. Como debateremos adiante, houve fatores técnicos específicos que prejudicaram a produção de aviões na Alemanha,

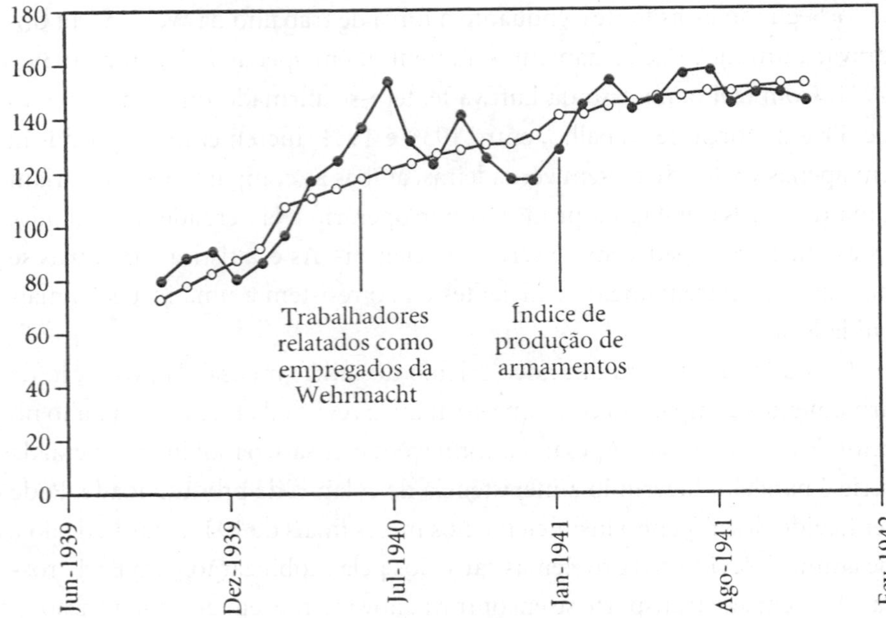

Gráfico 17. Insumo de mão de obra e produção de armamentos (1º trimestre de 1940 = 100)

em 1940-41. Também esse setor sofreu com a perturbação resultante de Barbarossa. No entanto, mais importante é que as comparações apressadas entre produção e emprego, em 1941, não levam em conta o fato de que a produção de aeronaves exige tempo — pelo menos, seis meses da matéria-prima à aeronave terminada. Não admira, portanto, que o grande aumento da mão de obra da Luftwaffe, em 1941, não tenha resultado, imediatamente, em um aumento de produção. Não seria de esperar que a produção de um número adicional de operários aparecesse nas estatísticas da Luftwaffe muito antes da primavera de 1942. Isso, na verdade, foi exatamente o que aconteceu. Um grande aumento da força de trabalho da Luftwaffe, em 1941, foi seguido, seis a nove meses depois por um aumento expressivo da produção. Normalmente, isso é atribuído ao "milagre armamentista" de Albert Speer, que iniciou uma grande reorganização do esforço de guerra, na primavera de 1942. Na verdade, os indícios sugerem que devemos considerar que os preparativos começaram um ano antes.[35]

II

De qualquer forma, por mais surpreendente que pareça, a chave para a compreensão da estratégia armamentista alemã, em 1941, é reconhecer que, ao contrário dos primeiros meses da guerra, ela não se dirigia, primordialmente, para a maximização da produção imediata.[36] A partir do início de 1941, a Luftwaffe, especialmente, concentrava tanta atenção na continuação da guerra contra a Grã-Bretanha e os Estados Unidos quanto na Operação Barbarossa. O próprio Hitler deu a tônica em seu discurso aos comandantes em chefe em Berchtesgaden, em 9 de janeiro de 1941. Tratando a derrota da União Soviética como um resultado certo, Hitler esboçou um futuro de infinitas possibilidades, no qual a Alemanha combateria em uma "batalha de continentes", o que, para ele, claramente, significava uma guerra com os Estados Unidos.[37] A fim de assegurar esse futuro de poder global, a estratégia armamentista alemã tinha de se orientar tanto para o investimento em capacidade futura quanto para a produção corrente. No prelúdio de Barbarossa, portanto, o Exército, o Plano Quadrienal e a Luftwaffe se empenharam em esforços substanciais de investimento. Vindo, em seguida aos programas de expansão iniciados, em 1938, e ao investimento mais direcionado decorrente do programa de munições do *führer*, nos primeiros meses de 1940, o resultado foi uma enorme expansão nos investimentos, nunca antes vista na indústria alemã.[38]

No que diz respeito ao Exército, as principais prioridades foram os tanques e os explosivos. Apesar da imensa escala da Operação Barbarossa, o Exército alemão compartilhava da opinião de que, em última análise, os inimigos militares do Terceiro Reich eram a Grã-Bretanha e os Estados Unidos. Além disso, o Exército acreditava que após a vitória no leste, seria preciso lutar para assegurar sua posição diante das exigências rivais da Luftwaffe e da Marinha. Como alternativa para a guerra aérea e naval, portanto, o Estado-Maior do Exército planejou uma série de operações por meio das quais poderia atacar o Império Britânico na Ásia ocidental. Uma vez derrotada a União Soviética, poderosas colunas blindadas seriam lançadas sobre o Oriente Médio e a Índia, a partir de bases na Líbia, Anatólia e Cáucaso. Para desfechar esse golpe mortal, os generais sonhavam com uma grande força de 36 Divisões Panzer, com 15 mil soldados.[39] Um documento interno de planejamento redigido pelo Exército, em maio de 1941, falava na produção de quase 40 mil tanques e 130 mil meias-lagartas durante os três anos seguintes.[40] Tais planos para uma guerra euro-asiática em escala nunca vista, desde Alexandre o Grande, têm sido em geral descartados como pouco mais do que ideias experimentais. Na verdade, entretanto, a produção de tanques até o fim da guerra excedeu em muito as quantidades especificadas na fantasia do Exército sobre a Mesopotâmia.[41] E esse aumento de produção somente foi possível porque o plano pré-Barbarossa do Exército não ficou só no papel.[42] Em 1941, centenas de milhões de *reichsmarks* foram investidos na indústria de tanques. Em Kassel, a firma Henschel & Sohn aumentou a fábrica em quase 100 mil metros quadrados. Uma gigantesca fábrica nova, a Nibelungen, foi inaugurada em Sankt Valentin, na Áustria, e duas novas instalações industriais — a Vomag, em Plauen, e a Maschinenfabrik, em Niedersachsen — foram convertidas para a produção de tanques.[43] O ano de 1941 testemunhou, também, uma importante mudança em termos tecnológicos. A Alemanha, finalmente, abandonou a produção em larga escala de tanques leves obsoletos e concentrou as energias disponíveis nos projetos de unidades médias que levariam a Wehrmacht adiante até o verão de 1943. Além disso, tomou-se a decisão de acelerar o desenvolvimento de dois novos tanques pesados, especificamente projetados para enfrentar os notáveis veículos T-34 e KV-1, que causaram tantos problemas às forças alemãs na Rússia. Assim como o futuro da Luftwaffe, os rumos da força de tanques da Alemanha foram decididos, não em 1942 ou 1943, e sim no verão e outono de 1941.

O programa de tanques foi apenas um entre diversos programas importantes de investimento empreendidos pelo Exército. Os recursos vieram da MONTAN GmbH, a *holding* de investimento do Exército.[44] O balanço da MONTAN fornece uma visão extraordinária da expansão do complexo industrial-militar da Alemanha, nos primeiros anos da guerra. Mostra com clareza as imensas necessidades de capital, especialmente, na parte química do complexo armamentista. Levados a um lugar de destaque pelo Schnellplan, de 1938, e pelas exigências de Hitler, do início de 1940, os explosivos absorveram 70-80% do investimento do Exército em capacidade industrial durante a guerra.

A química foi o denominador comum de grande parte da expansão do investimento alemão em tempo de guerra. Como vimos, no inverno de 1940-41, havia uma preocupação crescente com a situação das matérias-primas no longo prazo. O principal problema da Alemanha era o abastecimento

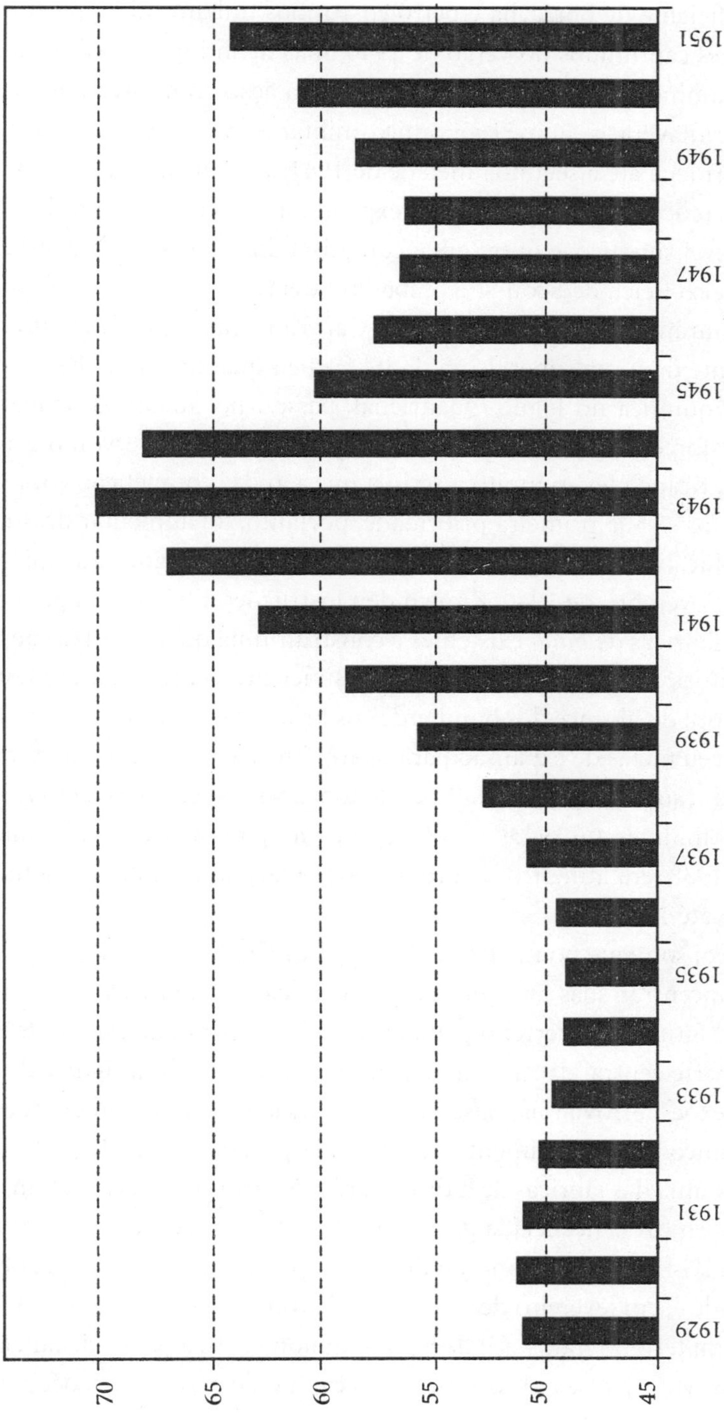

Gráfico 18. Expansão do investimento em tempo de guerra: estoque alemão de capital industrial (em bilhões de *reichsmarks*)

insuficiente de borracha e petróleo. Ambos tinham sido aliviados pelos estoques capturados no verão de 1940, mas nenhum dos dois fora resolvido. Presumindo que a Wehrmacht estaria em ação com força máxima, a partir da primavera, a equipe econômico-militar previa grave escassez de petróleo e borracha até a segunda metade de 1941. Uma forma possível de remediar era a renovação do esforço para expandir a capacidade de produção de combustível sintético, e outra era a conquista do Cáucaso. Entre 1941 e 1942, o Terceiro Reich dedicou-se a ambas as tarefas.

Durante o inverno de 1940-41, Carl Krauch, já atuando tanto como presidente da junta supervisora da IG Farben quanto como chefe supremo da área química no Plano Quadrienal, passou novamente a ocupar o centro do esforço de guerra alemão.[45] Como, mais tarde, observou o general Thomas, Krauch levou muito a sério a questão da "competição com os Estados Unidos".[46] Sua primeira prioridade, portanto, foi aumentar drasticamente a produção de combustível aeronáutico. A segunda prioridade foi a borracha. Em novembro de 1940, Krauch deu instruções à IG Farben para ampliar as três fábricas de *buna* existentes e construir uma quarta instalação nos novos territórios conquistados na Polônia, suficientemente distante a leste para estar fora do alcance dos bombardeiros britânicos. Em fevereiro de 1941, estabeleceu metas de expansão para os combustíveis, cuja finalidade era elevar a produção alemã de 4,3 milhões de toneladas esperadas, em 1941, para mais de 6 milhões até 1943.[47] O objetivo de longo prazo, cogitado, inicialmente, em 1938, era atingir uma produção de mais de 10 milhões de toneladas de óleo até 1945.

Foi somente no final de 1940 que Carl Krauch e a IG Farben começaram a concentrar suas atenções na pequena cidade de Auschwitz, na Alta Silésia.[48] Situada em terreno plano, próximo às jazidas de carvão de Cracóvia e da parte central da Alta Silésia, amplamente servida de água e de excelentes conexões ferroviárias, Auschwitz era o local ideal para um grande complexo químico. Foi, inicialmente, identificada pela equipe de Krauch como local para uma das fábricas de hidrogenação de nova geração, a ser construída por uma empresa licenciada pela IG Farben. Mas, em dezembro de 1940, a própria IG Farben selecionou o local para sua fábrica de borracha de alta prioridade e, em fevereiro de 1941, já havia combinado com a SS, a transferência de um terreno industrial de 8 por 3 quilômetros, a pouca distância a leste de Auschwitz. Nesse ponto, o pequeno campo de prisioneiros ocupado pela SS,

Tabela 13. Balanço da MONTAN GmbH, 1938-1943: investimento industrial do Exército alemão

Milhões de RM	Ativos em 31 de março de 1938	Ativos acrescentados no ano terminado em 1938/9	1939/40	1940/41	1941/42	1942/3	Ativos em 31 de março de 1943
Ferramentas	3,9	1,9	0,6	0,5	1,7	0,3	8,9
Armas, veículos, tanques	61,3	48,7	72,6	106,8	124,8	81,0	495,2
Cartuchos	77,3	9,9	9,8	9,1	4,9	7,9	118,9
Obuses	13,5	1,6	1,8	3,1	– 17,5	74,2	76,7
Rifles	18,3	2,2	– 0,5	0,2	– 0,1	4,2	24,3
Explosivos e prod. químicos	139,0	237,9	387,4	852,1	911,3	347,1	2.874,8
Habitação	2,5	12,3	30,3	75,9	68,0	78,7	267,7
Somente ativos p/ manufatura	313,3	302,2	471,7	971,8	1.025,1	514,7	3.598,8
Todos os ativos	315,8	314,5	502,0	1.047,7	1.093,1	593,4	3.866,5

Fonte: B. Hopmann. *Von der MONTAN zur Industrieverwaltungsgesellschaft* (IVG) 1916-1951 (Stuttgart, 1996), 120

em Auschwitz, não figurava com destaque no planejamento de Hitler, mas tanto Krauch quanto a IG e a SS, em breve, iriam expandir dramaticamente suas ambições. Em termos industriais, Auschwitz acabou por não ser concebida, simplesmente, como uma fábrica de *buna*, e sim como um complexo de instalações químicas de topo de linha, adequado à produção de *buna*, metanol, carburo e iso-octana, aditivo crucial para o combustível aeronáutico da Luftwaffe. O orçamento final da fábrica de Auschwitz foi de 776 milhões de *reichsmarks*, o que a tornava o maior investimento individual em toda a carteira do Plano Quadrienal. Pelo menos, 610 milhões de *reichsmarks* chegaram a ser gastos até o fim da guerra.[49] Em termos de escala de grandeza, a fábrica de produtos químicos era imensamente maior do que o centro de extermínio que já se encontrava em expansão, construído pela SS a 1,5 quilômetro a oeste. Auschwitz não era um investimento isolado. A decisão da IG Farben de construir a quarta fábrica de borracha em Auschwitz-Monowitz (Dwory) continha um triângulo de enormes projetos químicos no leste da Alta Silésia. Os outros módulos eram Heydebreck, também construída pela IG Farben para a produção de combustível aeronáutico de iso-octana, e uma segunda fábrica de combustível sintético, erguida em Blechhammer pela firma à qual originalmente seria atribuído o local de Auschwitz. No total, o complexo químico da Alta Silésia deve haver consumido cerca de 1,3 bilhão de *reichsmarks*, ou cerca de 13 bilhões de euros em moeda de hoje.

Costuma-se descartar esses projetos como se nada mais fossem do que “ruínas de investimentos” (*Investitionsruinen*), exercícios de futilidade homicida sem relação prática com o esforço de guerra alemão.[50] Como todas as três instalações químicas na Silésia foram construídas, em parte, por mão de obra dos campos de concentração, essa tendência é mais do que compreensível. A construção da fábrica da IG Farben, em Monowitz, consumiu as vidas de, pelo menos, 30 mil prisioneiros.[51] À luz de tanto horror, é fácil pensar em Auschwitz como um lugar de pura negatividade, de destruição pura e simples.[52] Infelizmente, no entanto, a realidade é mais complexa e inquietante. É verdade, como costumeiramente observa-se, que a IG em Auschwitz nunca produziu borracha, mas, na altura de 1942, já não era, simplesmente, uma fábrica de *buna*. Sob forte pressão das autoridades de Berlim para justificar o enorme investimento, os dirigentes da IG em Auschwitz resolveram, no verão de 1942, iniciar a produção de metanol na primeira oportunidade possível.[53] O metanol era ingrediente vital na produção de guerra, tanto para o combustível aeronáutico quanto como um dos elementos básicos na manufatura de explosivos.[54] Quando o primeiro carro-tanque carregado com metanol partiu de Auschwitz-Monowitz, em outubro de 1943, houve grandes comemorações, para as quais não admira que a IG Farben tenha convidado o comandante do campo, Rudolf Hoess. Em 1944, o Ministério do Armamento de Speer esperava de Auschwitz uma produção de um décimo do abastecimento total de metanol. Heydebreck deveria produzir o dobro dessa quantidade. Quando os bombardeiros britânicos e norte-americanos começaram a provocar graves danos à fábrica da IG Farben, em Leuna, em 1944, o complexo da Silésia estava pronto. Segundo a Supervisão Estratégica de Bombardeio dos Estados Unidos, Auschwitz e Heydebreck "vieram socorrer" o esforço de guerra alemão em 1944.[55] No final de 1944, Auschwitz respondia por 15% da produção alemã de metanol e, em reconhecimento ao êxito da fábrica, o dr. Johann Giesen, responsável pelo programa de combustíveis de Auschwitz, foi nomeado pelo Ministério do Armamento de Speer para se encarregar do setor de metanol em todo o *reich*. Embora, sem dúvida, seja verdade que o dispêndio de recursos na Silésia tenha sido desproporcional aos benefícios líquidos auferidos, essa era uma questão de oportunidade e não de lógica inerente. Os principais beneficiários do programa de investimento de Krauch acabaram sendo os soviéticos, que desmantelaram grande parte do aparelhamento de alta pressão, e os poloneses, que herdaram os prédios e os geradores de eletricidade. Já na década de 1950, com outro nome, as instalações em Auschwitz-Oswiecim tornaram-se o ponto central da produção química na região da Silésia. A fábrica também sobreviveu ao fim do comunismo, e, hoje em dia, é a terceira maior produtora de borracha sintética da Europa, com uma capacidade de cerca de 5% do consumo global. A partir de 2003, pelo menos, dois dos principais fabricantes de pneumáticos do mundo passaram a obter borracha na fábrica de Oswiecim, cujos alicerces foram iniciados, em 1941, quando Carl Krauch recebeu a maior cota de aço. Segundo os registros do Plano Quadrienal, nada menos do que 2,5 bilhões de *reichsmarks* foram canalizados para os projetos químicos de Krauch, em 1940 e 1941.[56]

Os únicos rivais da indústria química em termos de recebimento de investimentos no tempo de guerra foram as indústrias da Luftwaffe. Em 1940-41, a Luftwaffe, e não o Exército, ocupava a posição central no dilema estratégico da Alemanha. O Exército iria combater contra a União Soviética. A Marinha lutaria contra os britânicos. A Luftwaffe era o único ramo das forças armadas que enfrentaria todas as exigências de uma guerra em duas frentes. Também cabia à Luftwaffe ser a primeira a fazer face ao temível poderio industrial dos Estados Unidos. Era na guerra aérea que os alemães, realmente, temiam a contribuição norte-americana ao esforço de guerra aliado. O anúncio de Roosevelt, em maio de 1940, de que pretendia ver a indústria norte-americana produzindo, pelo menos, 3 mil aeronaves por mês e alcançando um nível final de produção de 50 mil, provocou ondas de choque no Ministério da Aeronáutica do *reich*. A mitologia que circundava a produção em massa norte-americana, especialmente, o sucesso fenomenal na produção em massa de motores de combustão interna, era assustadora, para dizer o mínimo. Embora William S. Knudsen, da General Motors, tenha sido o líder nas conversações com os britânicos, a pergunta em Berlim era: "Que fará a Ford?" (*Was macht Ford?*). Dadas as tendências isolacionistas de Henry Ford, a companhia, na verdade, hesitou, mas, em setembro de 1940, iniciou-se a construção de uma fábrica moderna de motores aeronáuticos em River Rouge, onde Ford erguia sua famosa fábrica para a produção em massa dos bombardeiros B-25.[57] Willow Run somente entrou em fase de produção muito mais tarde na guerra, mas as notícias que vinham da América preocuparam o industrial Fritz Siebel, amigo de Hermann Göring, o bastante para que ele fizesse um apelo em favor de um aumento urgente da produção alemã de aviões.[58] Em 1940 e 1941, no entanto, o problema fundamental era menos de quantidade do que de qualidade. Se havia uma coisa que a Batalha da Grã-Bretanha deixara clara, eram as deficiências do programa de desenvolvimento da Luftwaffe. Os aviões que já se encontravam em produção tinham se mostrado incapazes de conseguir vitória decisiva contra a Força Aérea Real. O bombardeiro médio Junker 88 estava longe de ser a aeronave universal de combate capaz de ganhar a guerra, conforme havia sido prometido a Göring, em 1938. Um relatório de combate, encomendado às esquadrilhas estacionadas no litoral do canal da Mancha, registrou que "as tripulações não temem o inimigo, mas têm medo do Junker 88".[59] Era um avião lento, destituído de armamento defensivo eficaz e sua capacidade de carga para o bombardeio estratégico ficava muito aquém do necessário. Com motores aperfeiçoados, os dois bombardeiros médios da geração mais antiga, o He 111 e o Do 17, se revelaram capazes de desempenho melhor do que o Ju 88, o sucessor designado. Não se tratava de questão técnica de menor importância. Todo o plano industrial da Luftwaffe, desde 1938, tinha sido organizado em torno da primazia do Ju 88, da empresa Junkers e de seu diretor executivo, Heinrich Koppenberg. Questionar as qualidades do Ju 88 equivalia a questionar toda a base do desenvolvimento da Luftwaffe durante os anos anteriores, assim como centenas de milhões de *reichsmarks* em investimentos.

A outra aeronave principal da Luftwaffe, o Messerschmitt Bf 109, era um excelente interceptador de curto alcance, mas estava em operação desde a Guerra Civil espanhola e somente se mantinha competitivo mediante sucessivos aperfeiçoamentos. Durante o inverno de 1940-41, as dificuldades de encetar a produção do Bf 109E, ou "Emil", explicam em grande parte a drástica redução da produção de aviões, que causou grande embaraço à Luft waffe. Era evidente a necessidade de sua substituição no futuro. O Focke Wulf 190, que, no início de 1941, se aproximava da capacidade de combate, oferecia desempenho substancialmente avançado. Mas a direção da Focke Wulf não tinha a ascendência política de Willy Messerschmitt, e o motor radial BMW para o qual o avião fora projetado se mostrou extremamente problemático. O outro sustentáculo da Messerschmitt, o caça pesado Me 110, foi uma das grandes vítimas da Batalha da Grã-Bretanha. Projetado para escolta dos bombardeiros alemães, tinha sido absolutamente sobrepujado pelos caças da RAF. Segundo os planos de Ernst Udet, o Me 110 seria logo substituído pelo Me 210, consideravelmente aperfeiçoado. No entanto, essa aeronave ia se transformando em um dos grandes desastres de desenvolvimento da guerra.[60] Podia-se, também, dizer o mesmo do bombardeiro estratégico de longo alcance da Heinkel, o quadrimotor He 177. O futuro da Luftwaffe como arma estratégica e o futuro da Heinkel como grande projetista de aeronaves dependiam do desempenho desse avião. Um anexo industrial específico tinha sido construído com recursos estatais junto à fábrica da Heinkel, em Oranienburg, a fim de permitir o emprego em larga escala de mão de obra dos campos de concentração, o que representava uma experiência nova nas indústrias de armamento.[61] No entanto, devido a suas especificações absurdas que exigiam capacidade de bombardeio de mergulho, o He 177 foi um desastre. As asas tendiam a se soltar e os motores caracteristicamente voltados para diante e para a ré, frequentemente, entravam em combustão.[62]

Em vista dessas dificuldades técnicas, não admira que, no início de 1941, o Ministério da Aeronáutica do *reich* tivesse dificuldade em produzir um plano coerente de produção no longo prazo. A Luftwaffe necessitava urgentamente de uma nova geração de aeronaves, e isso parecia ainda mais importante devido às preocupantes notícias sobre os planos norte-americanos de produção em massa. A única esperança da Alemanha, aparentemente, era opor qualidade à quantidade. Conforme disse o chefe do Estado-Maior da Luftwaffe, em tom longe de ser otimista, em setembro de 1941: "Se há uma maneira para que a Força Aérea alemã possa obter uma vitória contra o inimigo aéreo anglo-norte-americano, essa somente pode ser a superioridade qualitativa de seu armamento."[63] Como os novos modelos já marcados para entrar em produção em série se mostravam problemáticos, as principais firmas projetistas, a Junkers, a Heinkel e a Messerschmitt, trataram de lançar nova onda de projetos; o Ju 288 substituiria o Ju 88 e o Me 209 substituiria o Me 109, na esperança de conseguir vantagem decisiva na rodada seguinte de produção. Enquanto isso, as indústrias de segunda linha que produziam aeronaves sob licença tinham todos os incentivos para reservar suas posições evitando comprometer-se, demasiadamente, com qualquer projeto ou componente. O resultado desse processo competitivo foi uma profusão de protótipos e inovações, mas não a utilização ótima de economias de escala. O que isso não deve ocultar, no entanto, é o processo de aceleração que já começava a dominar o planejamento da Força Aérea, nos últimos meses de 1940, em reação direta à ameaça aérea anglo-norte-americana. No centro dessa aceleração, estavam os amplos novos planos de Carl Krauch para a produção de borracha e combustível aeronáutico sintético. Mas, em 1940 e 1941, a capacidade empresarial de Krauch foi multiplicada pela atividade não menos enérgica de Heinrich Koppenberg, da Junkers. Para enfrentar a ameaça da produção em massa norte-americana, Koppenberg lançou uma imensa expansão, tanto na produção de alumínio quanto na de motores aeronáuticos, com investimentos não menos significativos. A esse respeito, igualmente, as bases de um aumento da produção de aeronaves foram lançadas muito antes que seus resultados começassem a se fazer sentir, em 1942.

Em 1940, graças à enorme expansão feita pela Wehrmacht, a Alemanha se tornou líder mundial na produção de alumínio, com um total anual de 300 mil toneladas. No outono do mesmo ano, no entanto, os funcionários do Ministério da Aeronáutica do *reich* se alarmaram com a notícia de que os Estados Unidos planejavam aumentar sua produção para 450 mil toneladas até 1942.[64] Para enfrentar essa ameaça, o *reich* se entregou a um plano europeu gigantesco, centrado na Noruega. Devido a sua dotação natural em riquezas minerais e hidroeletricidade abundante, a Noruega se tornara no período do entreguerras um dos centros europeus de mineração e fundição de metais. A indústria era, em grande parte, de propriedade estrangeira e, portanto, suscetível de interferência alemã imediata. Para Heinrich Koppenberg, foi a oportunidade de realizar sua visão "fordista" de um conglomerado de fabricação de aviões completamente integrado, que produzisse desde a matéria-prima até o produto acabado.[65] Ansioso por prevenir qualquer ação dos produtores alemães tradicionais de alumínio, Koppenberg viajou à Noruega antes mesmo do fim dos combates. No final do ano, já havia estabelecido um sindicato de alumínio de propriedade alemã, cujo objetivo era quadruplicar a produção da Noruega, de 45,9 mil para, pelo menos, 200 mil toneladas até 1944. Esse gigantesco programa foi orçado inicialmente em 300 a 400 milhões de *reichsmarks* e deveria ser um verdadeiro negócio pan-europeu. A bauxita e outras matérias-primas seriam transportadas à Noruega da França, Croácia e Grécia. A Noruega realizaria a fundição. Em seguida, o alumínio bruto seria despachado para o sul, a fim de ser processado nas fábricas da Junkers, no centro da Alemanha. No verão de 1941, à medida que a Luftwaffe ampliava os planos de produção de aeronaves, Koppenberg ajustou a escala de seu programa de alumínio a esse planejamento. Em junho, já debatia com Göring um plano de elevar a produção dentro do *Grossraum* alemão para nada menos de 1 milhão de toneladas a um custo de 1,5 bilhão de *reichsmarks*.

Koppenberg foi, também, o impulsionador da proposta de construir uma nova e gigantesca fábrica de motores para aviões.[66] A ideia de uma fábrica em "estilo norte-americano" para a produção em massa de motores aeronáuticos já vinha sendo debatida em Berlim, pelo menos, desde 1938. No outono de 1940, no entanto, assumiu nova urgência. Em novembro de 1940, Koppenberg relatou a um representante de Ernst Heinkel, em Berlim, que os norte-americanos planejavam construir novas instalações para fabricar motores à razão de mil por mês.[67] Segundo Koppenberg, a "única maneira" de enfrentar esse desafio era que a Alemanha também construísse uma nova fábrica de dimensões semelhantes, capaz de aproveitar integralmente as vantagens da produção em massa. Em novembro de 1940, ele encomendou ao escritório de engenharia da Junkers o projeto de uma fábrica com capacidade para mil motores, a fim de atender às necessidades do Ju 88. Em maio de 1941, a Junkers estava em busca de uma verba de nada menos do que 685 milhões de *reichsmarks* para construir a Flugmotorenwerk Ost (FMO), em local seguro, além do alcance dos bombardeiros aliados, na Áustria. Na prática, a FMO se tornaria um dos investimentos verdadeiramente desastrosos do Terceiro Reich.[68] Após duas mudanças na diretoria, a "fábrica de mil motores" chegou a sua capacidade máxima, em 1944, com a produção extremamente modesta de 198 unidades por mês.

As atribulações da FMO, no entanto, não devem nos deixar perder de vista a verdadeira expansão da capacidade em matéria de motores aeronáuticos que se iniciou no outono de 1940.[69] A maior parte do investimento se orientou, não para locais afastados no campo, e sim para fábricas de motores e arcabouços de aeronaves já existentes, como a da Daimler-Benz, em Genshagen, que forneceu uma perfeita compensação para a debacle da FMO. Em setembro de 1940, enquanto Koppenberg concebia seu grandioso elefante branco, a Daimler-Benz concordou em elevar a capacidade de sua principal instalação de produção de motores de avião de 350 para 800 unidades por mês, ao custo do capital, comparativamente, modesto de somente 50 milhões de *reichsmarks*. No verão de 1941, a meta foi elevada para 1,2 mil motores por mês, exigindo, agora, um investimento de 170 milhões de *reichsmarks*. Na prática, a taxa de retorno de Genshagen mostrou-se ainda melhor. Com um investimento de apenas 98 milhões de *reichsmarks*, a Daimler atingiu, no segundo trimestre de 1944, uma produção de nada menos de 1,2 mil motores mensais.[70] A expansão da Daimler foi completada por investimentos nas demais fábricas que produziam seu motor DB 605 sob licença. Sem esse investimento, iniciado em 1940-41, o enorme aumento da produção de caças Me 109 em momento posterior da guerra, simplesmente, não teria sido possível. No total, afirma-se que as indústrias da Luftwaffe despejaram 5,18 bilhões de *reichsmarks* em esquemas de expansão, entre setembro e 1939 e janeiro de 1942, montante tão elevado que não parece plausível.[71] Podemos afirmar com mais certeza que, entre dezembro e 1940 e março de 1941, o Ministério da Aeronáutica do *reich* autorizou investimentos num total de 762,8 milhões de *reichsmarks*, dos quais 533,4 milhões foram canalizados para a indústria de motores de avião.

As comportas do sistema de planejamento da Luftwaffe, finalmente, se abriram, no verão de 1941, uma vez terminado o programa Barbarossa do Exército e tomada a decisão longamente aguardada, de deslocar a prioridade para a guerra aérea. Em junho de 1941, o Ministério da Aeronáutica propôs dobrar a produção de aeronaves para 20 mil unidades anuais, durante os três anos seguintes.[72] A fim de implementar essa expansão, a equipe de Göring chegou a um acordo com Fritz Todt para levar adiante uma redistribuição de recursos do Exército para a Força Aérea "de forma consensual". O próprio Todt encarregou-se de supervisionar a identificação de capacidade ociosa e assegurar a continuidade de utilização dos contratistas do Exército.[73] Dias depois da invasão da União Soviética, a Luftwaffe revelou a extensão total e as ambições dos novos planos. Numa reunião com representantes do OKW, o secretário de Estado Milch anunciou que, a partir de 1º de maio de 1941, o serviço alemão de inteligência se convencera de que a produção conjunta britânica e norte-americana excedera a da Alemanha e da Itália. Somente os Estados Unidos produziam 2,8 mil motores aeronáuticos de alto desempenho por mês. No ritmo atual, a produção anglo-norte-americana alcançaria o dobro da do Eixo até o fim de 1942. "Não temos um minuto a perder..." declarou Milch. Até o verão de 1942, a Alemanha precisava aumentar em 150% sua produção de aviões, chegando a, aproximadamente, 3 mil unidades mensais.[74] A meta exata fixada por Milch era nova, mas não sua argumentação básica. Como vimos, a expansão da capacidade produtiva já fora iniciada no outono de 1940. A nova meta de Milch, de 3 mil aeronaves por mês, no entanto, exigia medidas complementares. Desde o início do ano, Krauch contemplava um aumento, em médio prazo, na produção de combustível aeronáutico, de 1 para 1,5 milhão de toneladas. Agora, ele elevava a meta para não menos de 3 milhões. Dado o custo do processo de hidrogenação, era irrealista imaginar que isso pudesse ser feito com carvão alemão. A hidrogenação era, simplesmente, demasiado dispendiosa. O programa de Krauch, portanto, baseava-se na presunção de que a Wehrmacht conquistaria o Cáucaso durante os poucos meses seguintes e de que, até 1942, a Alemanha estaria importando petróleo russo à razão de, pelo menos, 1 milhão de toneladas anuais.[75] Essa era, em resumo, a lógica perversa da Operação Barbarossa. A conquista dos campos petrolíferos do Cáucaso, 2 mil quilômetros no interior das fronteiras da União Soviética, não foi tratada como o tremendo empreendimento industrial-militar que realmente era, e sim inserida como precondição para a realização de outro gigantesco plano industrial, destinado a permitir à Luftwaffe combater numa guerra aérea, não contra a União Soviética, mas contra a frota de aeronaves da Grã-Bretanha e dos Estados Unidos que se encontrava em formação.

III

Por mais otimista que tenha sido a Wehrmacht em avaliar as próprias capacidades, não era possível negar a simples dimensão da missão que tinha de enfrentar na União Soviética. Mais especificamente, os alemães se viam em grande inferioridade numérica. Mesmo descontando a inexatidão das estatísticas de Stalin, a população da União Soviética não poderia ser menor do que 170 milhões, em 1941. A população da Alemanha era de menos da metade: 83,76 milhões de pessoas em 1939.[76] Embora o Exército alemão que invadiu a União Soviética, provavelmente, fosse mais numeroso do que as tropas do Exército Vermelho estacionadas nos setores ocidentais, os alemães já haviam recrutado, praticamente, todos os homens válidos. Em contraposição, o Exército Vermelho tinha condições de convocar milhões de reservistas. Desde o início, portanto, era evidente que a Wehrmacht não podia permitir ser atraída a uma guerra de desgaste. Esse desequilíbrio em poderio humano era agravado pela enorme extensão do território soviético e pelas dificuldades físicas do terreno. Se fosse possível ao Exército Vermelho efetuar uma retirada organizada, a Alemanha se veria confrontada com problemas insuperáveis. Caso, por outro lado, a coesão das forças soviéticas pudesse ser rompida, a dificuldade em manter as comunicações prejudicaria os esforços de restabelecê-la tanto quanto a rapidez do avanço alemão.[77] Tudo dependia da capacidade de decidir a batalha nas primeiras semanas da campanha, como ocorrera na França. Essa era a premissa na qual se apoiava Barbarossa.[78] Um avanço maciço pela região central em direção a Moscou, acompanhado por cercos pelos flancos às tropas soviéticas ilhadas no norte e no sul, permitiria dividir o Exército Vermelho na linha dos rios Dnieper-Dvina, a 500 quilômetros da fronteira entre a Alemanha e a Polônia. A linha Dnieper-Dvina era crítica porque, além daquele ponto, as limitações logísticas sobre o Exército alemão passavam a ser fundamentais.[79] Tais constrangimentos ao novo estilo alemão de *blitzkrieg* não foram previstos, em 1940, porque a profundidade das operações necessárias ao ataque e cerco em forma de foice de Manstein (*Sichelschnitt*), em nenhum momento, excedia poucas centenas de quilômetros. Toda a operação podia, portanto, ser abastecida de suprimentos por meio de caminhões que se revezavam, constantemente, a partir da fronteira alemã. Com base na experiência adquirida na França, a equipe de intendência da Wehrmacht calculou que o alcance eficiente dos caminhões era de 600 quilômetros, o que permitiria uma profundidade operacional de 300 quilômetros. Além daquele ponto, a quantidade de combustível consumida pelos próprios caminhões que o transportavam tornava-os ineficientes como meio de abastecimento. Dadas as vastas distâncias no interior da União Soviética, um alcance operacional de tal magnitude era absurdamente limitante. Por isso, a fim de estender o alcance do sistema logístico, a Wehrmacht dividiu o contingente de veículos em dois segmentos. Um grupo de caminhões avançaria com as unidades Panzer e transportaria combustível e munição de depósitos intermediários a serem reabastecidos pelo grupo motorizado principal, que operaria a partir da fronteira do Governo Geral. Com esse expediente, esperava-se que o alcance logístico inicial fosse aumentado para 500 quilômetros. Por sorte, isso coincidia, exatamente, com a linha Dnieper-Dvina. Halder, chefe do Estado-Maior do Exército, tinha perfeita consciência da importância fundamental dessa limitação. Em seu diário, ele anotou, no final de 1941, que o êxito da Operação Barbarossa dependia da rapidez. "Rapidez! Não parar! Não esperar pelas ferrovias! Fazer tudo com veículos a motor." Não deve haver "retenções", "somente isso poderá garantir a vitória".[80]

Caso os combates mais duros se estendessem além dessa fase inicial de ataque, era evidente desde o início que os problemas da Wehrmacht se avolumariam progressivamente. Se o Exército Vermelho escapasse da destruição na linha Dnieper-Dvina, a Wehrmacht não teria como persegui-lo, porque seria necessário, antes de mais nada, reabastecer-se de suprimentos em bases próximas à linha de frente. Depois disso, todas as operações dependeriam, em última análise, da capacidade do sistema ferroviário soviético e da rapidez com que a Wehrmacht fosse capaz de estabelecer bases avançadas de reabastecimento para apoiar um segundo avanço de 500 quilômetros. Os problemas encontrados pelos alemães para adaptar as linhas ferroviárias russas de bitola estreita são bem conhecidos. Para piorar a situação, em sua retirada, o Exército Vermelho tornou-se extremamente eficiente em evacuar o material rodante e sabotar pontes, trilhos e outras instalações ferroviárias. No entanto, os problemas eram mais fundamentais do que esses e eram já evidentes durante as fases de planejamento. Ainda que tivesse sido capturada intacta, a infraestrutura das ferrovias existentes na Rússia era insuficiente para o Exército alemão. Em termos gerais, os peritos alemães em logística costumavam atribuir, pelo menos, uma linha férrea de alta capacidade a cada unidade de dimensões de um exército. Mas, para os dez exércitos com os quais a Wehrmacht invadiu a União Soviética, somente foi possível atribuir três linhas ferroviárias principais, uma para cada grupamento.[81] E a situação para o Grupamento do Centro, no qual se concentraria o grosso das tropas alemãs, foi especialmente negativa. Desde o início, portanto, o Exército alemão teve de partir do pressuposto que nem todas as unidades seriam igualmente bem abastecidas. Os suprimentos críticos seriam reservados, sobretudo, para a principal força de ataque de 33 divisões de infantaria motorizada equipadas com tanques. Se a guerra se estendesse muito além dos primeiros meses a partir do ataque inicial, o poderio do restante do Exército alemão se reduziria rapidamente.

O Exército alemão era fundamentalmente, um "Exército pobre".[82] Seu elemento motorizado de ataque rápido, em 1941, consistia em somente 33 divisões de um total de 130. Três quartos do Exército continuavam a depender de métodos mais tradicionais de tração: a pé e a cavalo. Na invasão da União Soviética, em 1941, foram utilizados entre 600 e 750 mil cavalos.[83] Os animais não serviam para montaria, mas para movimentar canhões, munição e suprimentos. Algumas semanas antes da invasão, 15 mil carroças Panje foram distribuídas às unidades de infantaria que seguiriam atrás dos rápidos Panzers. A imensa maioria dos soldados alemães entrou na União Soviética marchando a pé, como acontecera na França. Naturalmente, tudo teria sido melhor se a Alemanha tivesse três vezes a quantidade de tanques e caminhões. Porém, a ideia de uma Wehrmacht plenamente motorizada e preparada para um ataque à União Soviética é uma fantasia da Guerra Fria e não uma visão realista das possibilidades, em 1941. Mais especificamente, é uma fantasia norte-americana. A força anglo-norte-americana de invasão, em 1944, foi o único contingente militar da Segunda Guerra Mundial que se ajustava integralmente ao modelo moderno de um Exército motorizado. A pobreza do Exército alemão não resultava de negligência na preparação adequada, e sim do desenvolvimento econômico e industrial incompleto da própria Alemanha. A maior parte do transporte de carga na Alemanha, na década de 1940, era feito por via ferroviária. Para distâncias curtas, os cavalos ainda eram essenciais, tanto no meio urbano quanto no rural. Naturalmente, seria possível convencer a indústria alemã de produzir maior número de caminhões, mas a principal limitação para o uso de veículos a motor na Europa no tempo da guerra não era a quantidade de unidades, mas a escassez crônica de combustível e borracha. Como vimos, esperava-se que, até o fim de

1941, a falta de combustíveis se tornasse tão grave que a Wehrmacht levasse a sério a ideia de desmotorização como forma de reduzir a dependência do petróleo escasso.[84]

Portanto, tudo dependia da premissa de que o Exército Vermelho não resistiria ao impacto do primeiro e decisivo golpe. Esperava-se que as forças soviéticas se desintegrassem, como acontecera com as francesas, e acabassem dizimadas em uma série de batalhas em forma de cerco. Na segunda fase da operação, o Exército alemão avançaria sobre Moscou, enfrentando oposição desorganizada, o que precipitaria o colapso do regime de Stalin. Na Primeira Guerra Mundial, tinham sido necessários quase quatro anos para que as forças conjuntas da Áustria e da Alemanha imperial conseguissem provocar a desintegração final do Exército czarista. A clara presunção era a de que o regime comunista era mais débil e que o golpe inicial a ser desferido pela Wehrmacht seria muito mais drástico. As suposições racistas que completavam esse axioma do planejamento alemão são óbvias, embora não inteiramente destituídas de racionalidade. Havia uma grande diferença de desenvolvimento entre a Alemanha e a União Soviética, expressa da forma mais resumida em termos do PIB *per capita*. Segundo as melhores estimativas modernas, em 1940, o PIB *per capita* alemão era 2,5 vezes maior do que o da União Soviética. Sobre essas bases, havia bons motivos para acreditar que a imensa vantagem numérica do Exército Vermelho acabaria por se revelar ilusória. A capacidade de organização muito superior da Wehrmacht, a melhor qualidade do equipamento e o treinamento mais adequado de seus soldados acabariam por prevalecer. Afinal, esse era o Exército que derrotara o poderio conjunto da França, da Força Expedicionária Britânica, da Bélgica e da Holanda em seis semanas. Ao lançar o Exército contra a União Soviética, em vez de preferir um ataque marítimo e aéreo direto contra a Grã-Bretanha e seus sustentáculos nos Estados Unidos, o Terceiro Reich não estaria fazendo uma escolha estratégica irracional,[85] e sim usando sua arma mais eficaz contra o que ainda parecia ser "o elo mais frágil da cadeia".

Não se pode dizer que os alemães não levassem em conta a modernização da União Soviética desde a Primeira Guerra Mundial. Como bem sabia a equipe econômica da própria Wehrmacht, o Plano Quinquenal de Stalin transformara substancialmente a geografia da economia soviética. Segundo estimativas ocidentais dignas de crédito, hoje, acreditamos que o regime de Stalin elevou a produção industrial total em 2,6 vezes, entre 1928 e 1940, e a de armamentos cresceu muito mais.[86] Na pressa de realizar a industrialização, os planejadores soviéticos haviam localizado grande parte de seu investimento em regiões econômicas ocidentais do país, vulneráveis a um ataque alemão.[87] Mas, como bem compreendiam os planejadores em Berlim, o Primeiro Plano Quinquenal de 1928-32 havia estabelecido uma nova base industrial soviética, em segurança, a leste dos Urais, com capacidade para sustentar uma população autossuficiente de, pelo menos, 40 milhões de pessoas.[88] Mesmo que um invasor conseguisse avassalar boa parte da região ocidental da União Soviética, a produção bélica continuaria nos novos centros industriais, tais como as gigantescas instalações de engenharia em Sverdlovsk. Em geral, a capacidade industrial soviética era, certamente, muito substancial. Em 1939, a associação alemã do aço considerava a União Soviética muito mais adiantada do que a Grã-Bretanha, colocando-a em terceiro lugar atrás dos Estados Unidos e da Alemanha, com uma produção anual de 18 milhões de toneladas, comparadas com 23,3 milhões da Alemanha.[89] Pelo menos, em teoria, o Exército Vermelho era uma força temível. Durante toda a primavera de 1941, Franz Halder registrou as cogitações de Hitler sobre os imensos estoques soviéticos de tanques e aviões.[90] Hitler sabia que a União Soviética possuía aeronaves modernas e tanques "gigantescos", com canhões enormes, mas consolava-se com o fato de que a maior parte do equipamento do Exército Vermelho era obsoleta. Baseado na premissa de que a Wehrmacht seria capaz de executar uma concentração maciça em pontos estratégicos, ele previa, com satisfação, que os soviéticos "serão esmagados pelo impacto maciço de nossos tanques e aviões".

Ninguém, no entanto, negaria a imensa vastidão da União Soviética, e esse elemento, por si só, fazia da Operação Barbarossa um empreendimento assustador. Sob a espessa capa de arrogância e otimismo em torno do planejamento dessa operação, desde o início houve em Berlim quem expressasse graves dúvidas. É interessante notar que os questionadores eram de dois tipos. Pelo menos, alguns oficiais duvidavam da factibilidade da própria operação. Significativamente, entre esses, estavam o marechal de campo Fedor von Bock, comandante do Grupamento do Exército do Centro, ao qual cabia a imensa tarefa de esmagar o corpo principal do Exército Vermelho no avanço para Moscou. No final de janeiro de 1941, Bock estava tão preocupado com a escalada da missão atribuída ao seu grupamento que obrigou Halder, chefe do Estado-Maior do Exército, a concordar em que havia uma clara possibilidade de que o Exército Vermelho se retirasse para além da linha Dnieper-Dvina.[91] A questão principal era saber o que aconteceria nessa eventualidade. Um dos primeiros jogos de guerra feitos para testar a Operação Barbarossa concluiu que, a menos que tanto a destruição do Exército Vermelho quanto a tomada de Moscou pudessem ser realizadas em uma questão de meses, a Alemanha enfrentaria "uma longa guerra estendida no tempo, além da capacidade de combate das forças armadas alemãs".[92] O general Marcks, oficial encarregado de redigir a primeira minuta do plano de ataque, preparou também uma ampla avaliação estratégica da campanha, na qual considerava a possibilidade de que o Exército Vermelho pudesse prolongar os combates além do outono de 1941. Nesse caso, reconhecia Marcks, a Alemanha teria de se preparar para uma guerra em duas frentes contra uma coalizão entre o Império Britânico e a União Soviética, apoiada pelo potencial econômico dos Estados Unidos. Diante dessa perspectiva pouco atraente, Marcks se consolava com a convicção de que, se a Alemanha conseguisse apoderar-se dos campos de cultivo de trigo da Ucrânia e assegurar o controle completo do Báltico, pouco teria a temer do avassalador poderio econômico de seus inimigos.[93]

Nesse ponto fundamental, no entanto, é que se torna aparente a fragilidade do plano Barbarossa. Seguindo a mesma lógica de Marcks, Hitler deu constante prioridade à necessidade de tomar os recursos industriais e econômicos do oeste da União Soviética na primeira oportunidade possível.[94] Para esse fim, ele contemplava a possibilidade de que uma parcela numerosa do Grupamento Central do Exército, de Bock, fosse desviada tanto para o norte, a fim de controlar o litoral do Báltico, quanto para o sul, penetrando na Ucrânia. Somente depois que esses objetivos essenciais fossem realizados é que o corpo principal do Exército alemão se dirigiria para o leste a caminho de Moscou. Essa foi a prioridade traçada por Hitler na *Weisung* Nr. 21, cuja redação final ficou pronta, em 17 de dezembro de 1940. A priorização dos objetivos econômicos, no entanto, contrariava fortemente o plano de campanha contemplado por Halder. Para este, a prioridade da tomada de Moscou era absoluta. Somente por meio da concentração de todas as forças na busca desse objetivo, acreditava ele, seria possível atrair o Exército Vermelho para o combate e derrotá-lo decisivamente. Esse ponto era tão fundamental para Halder que a decisão de Hitler de enfraquecer a prioridade de Moscou o fez questionar a *lógica* da campanha como um todo. Em 28 de janeiro de 1941, Halder anotou em seu diário: "Objetivo da Barbarossa não está claro.

Não causaremos dano aos ingleses. Nossa base econômica não melhorará substancialmente. O risco a oeste não deve ser subestimado. É possível que a Itália entre em colapso após a perda das colônias e tenhamos de cuidar de uma frente ao sul, com a Espanha, Itália e Grécia. Se ficarmos ocupados na Rússia, uma situação ruim se tornará pior".[95] Assim como ocorrera no outono de 1939, portanto, Hitler e Halder se viam, fundamentalmente, em discordância. Tal como em 1939-40, o futuro da Alemanha como um todo estava em jogo, mas, ao contrário daquele momento, o general não levou o assunto ao ponto de quase motim. Depois do sucesso espetacular da campanha na França, o alto-comando do Exército já não tinha capacidade de afirmar autoridade absoluta em assuntos militares. Hitler podia reivindicar, pelo menos, igual parcela de crédito pela vitória na França, e Halder bem o sabia. Também pode haver achado que, uma vez engajado em combate com o Exército Vermelho, sua versão da campanha prevaleceria. Acima de tudo, no entanto, todos concordavam na esperança de que a principal tarefa de destruição ocorreria na linha fluvial Dnieper-Dvina.

O comentário de Halder de que a conquista da União Soviética "não melhorará substancialmente" a "base econômica" da Alemanha revela outro desacordo latente. Isso é digno de nota porque desafia a premissa fundamental de Hitler quanto às vantagens a serem obtidas com a conquista, especialmente, da Ucrânia. Até meados de fevereiro de 1941, no entanto, a avaliação pessimista do general era a que refletia a opinião das principais figuras em Berlim. O estudo geográfico-militar da União Soviética, finalizado pelo Exército em 10 de agosto de 1940, mostrava grandes esperanças decorrentes da conquista da Ucrânia, mas descartava qualquer consideração dos campos petrolíferos do Cáucaso por se encontrarem além do alcance imediato, até mesmo, das Divisões Panzer. Também acentuava o considerável potencial industrial soviético localizado nos Urais, fora do alcance da Alemanha.[96] Em outubro, um funcionário da embaixada alemã em Moscou, Gebhardt von Walther, despachou para Halder uma avaliação ainda mais pessimista, alertando contra a expectativa de colapso imediato da União Soviética após uma invasão de parte da Alemanha, e não se referia com entusiasmo aos benefícios que adviriam da Ucrânia. O território era ainda mais superpovoado e empobrecido do que na ocasião em que caíra nas mãos da Alemanha, em 1917, e, na época, constituíra uma decepção.[97] Em janeiro de 1941, tanto o escritório econômico-militar da Wehrmacht quanto o do Plano Quadrienal trabalhavam duramente fazendo avaliações negativas. Em 22 de janeiro de 1941, a equipe do general Thomas acentuou que uma invasão interromperia as entregas de metais para ligas tais como manganês, do qual a União Soviética era, na época, a única fonte de suprimento para a Alemanha.[98] Além disso, qualquer ofensiva de maior porte aceleraria o desgaste dos estoques alemães já insuficientes de combustíveis e borracha.[99] Os escritórios do Plano Quadrienal tinham chegado a conclusões semelhantes. A única exceção significativa foi o secretário de Estado Backe, do Ministério da Agricultura, que há muito era entusiasta da expansão para o leste. Exatamente o que Backe disse a Hitler não ficou claro nem para participantes do círculo mais íntimo, como o general Thomas. Conforme aparece em um memorando do OKW, "afirma-se que Backe informou o *führer* de que a posse da Ucrânia nos libertaria de todas as preocupações econômicas. Na verdade, o que se acredita ter sido dito por Backe é que, se existe algum território que possa ser-nos útil, esse território é o da Ucrânia. Somente essa região tem superávits [de trigo], o que não é o caso da Rússia europeia como um todo".[100] Como veremos, essa distinção logo tomaria um sentido assustador. De qualquer forma, à luz dos relatórios que vinha recebendo sobre a maneira pela qual Hitler encarava a campanha, o general Thomas organizou uma abrupta reviravolta na opinião de sua equipe.[101]

Em 22 de janeiro de 1941, Thomas tinha informado a seu superior, Keitel, que pretendia enviar um relatório instando à cautela quanto aos benefícios econômico-militares da invasão,[102] mas mudara de direção. À medida que ficava claro que Hitler justificava a Operação Barbarossa, primordialmente, como uma campanha de conquista econômica, Thomas começou a trabalhar sistematicamente para se aproximar da opinião do *führer*. Deu instruções à sua equipe para colaborar, estreitamente, com Backe na formulação de planos para a exploração agrícola da União Soviética, decisão confirmada na segunda semana de fevereiro por meio da reação inicial de Hitler a documentos de Estado-Maior sobre possível falta de combustível e borracha. O *führer* fez saber que não deixaria que preocupações de curto prazo como aquelas influenciassem seu julgamento estratégico. Também, em 1940, ele havia sido advertido da iminente exaustão dos estoques alemães e sua estratégia de alto risco tinha sido tirunfantemente confirmada. O ataque contra a União Soviética, com a Ucrânia como objetivo imediato, seria lançado quaisquer que fossem as circunstâncias. Reagindo a essa orientação, Thomas mandou a Hitler, em 20 de fevereiro, um relatório de inédito otimismo. O OKW agora afirmava que, em sua penetração inicial na União Soviética, a Wehrmacht teria possibilidade de assumir o controle de, pelo menos, 70% do potencial industrial do país. Isso tornaria inútil a resistência do Exército Vermelho no longo prazo. Os benefícios da ocupação seriam imensos. Junto com Backe, a equipe de Thomas havia redigido um plano para "liberar", pelo menos, 4 milhões de toneladas de trigo da Ucrânia. Thomas foi mais adiante do que qualquer analista anterior ao insistir na ocupação da Ucrânia. Na verdade, sem a conquista do Cáucaso, a Ucrânia seria de pouco valor, porque a Alemanha necessitaria de uma grande frota de caminhões e tratores para transportar a colheita, e o combustível para isso somente poderia vir da própria União Soviética. Surpreendentemente, Thomas não comentou as considerações logísticas e operacionais decorrentes de alongar a invasão alemã a 2 mil quilômetros adicionais na direção leste.[103]

O exame dessa notável coletânea de racionalizações mostra, claramente, três coisas. Antes de tudo, a autoridade de Hitler se tornara demasiadamente grande, depois do sucesso na França, para que qualquer pessoa pudesse montar uma oposição significativa contra sua decisão de invadir a União Soviética. Halder recuou da perspectiva de um confronto aberto. O general Thomas fez meia-volta a fim de se alinhar com o ponto de vista de Hitler. Por trás do verniz do consenso, no entanto, é claro que havia profundas divisões tanto quanto aos riscos da operação quanto a respeito de sua *lógica* estratégica. Ainda na primavera de 1941, o Ministério do Exterior se opunha à guerra iminente, preferindo a continuação da aliança com a União Soviética contra o Império Britânico.[104] Porém, ainda mais poderosa do que o mito do *führer* para silenciar o debate, era a confiança geral na Wehrmacht. Se fosse realmente possível destruir o Exército Vermelho nas primeiras semanas da campanha, a oeste da linha Dnieper-Dvina, nesse caso, como ocorrera em 1940, as preocupações que precediam o ataque logo estariam esquecidas. Não haveria necessidade de discutir as prioridades relativas dos objetivos econômicos diante dos objetivos puramente militares. Os recursos da parte ocidental da União Soviética estariam atados ao esforço de guerra alemão e o Terceiro Reich seria, finalmente, capaz de impor sua vontade a todo o continente europeu. Essa presunção de êxito militar imediato era também a debilidade central de todo o planejamento da Wehrmacht. Se o choque do primeiro assalto não destruísse o regime de Stalin, já era evidente, em fevereiro de 1941, que o Terceiro Reich se veria diante de um desastre estratégico.

13

A estratégia maior da guerra racial

Os QUATRO CAPÍTULOS ANTERIORES trataram de desemaranhar as complexas considerações econômico-militares que motivaram Hitler e seu regime, entre 1939 e 1941. Tão logo possamos apreciar a amplitude da escalada internacional que o *führer* iniciara em 1938, e que chegou ao clímax no verão de 1940 com as dramáticas decisões norte-americanas de rearmamento, será possível reconstruir uma lógica estratégica coerente por trás das ações de Hitler. Embora, no final da década de 1930, a Alemanha nazista fosse, de longe, a sociedade mais altamente mobilizada da Europa Ocidental, tratava-se de uma economia europeia de recursos modestos. No verão de 1939, os limites da capacidade alemã de mobilização em tempo de paz se tornaram plenamente visíveis. O potencial econômico conjunto das potências ocidentais unidas contra a Alemanha era suficientemente temível. Acrescentando os Estados Unidos à equação, a disparidade ficava completamente avassaladora. A partir de 1938, o alinhamento dos Estados Unidos com as potências ocidentais era tomado como certo em Berlim. A partir de 1939, presumia-se que Washington, em breve faria uma contribuição decisiva ao esforço armamentista organizado contra a Alemanha. Para realizar o sonho de modificar, fundamentalmente, o equilíbrio global de poder, era preciso atacar depressa e contundentemente, e a todo custo manter a iniciativa. Era essa a lógica coerente, embora, talvez, "insana", que provocou a decisão inicial de se arriscar a uma guerra geral por causa da Polônia em setembro de 1939, em seguida, a decisão de pressionar para um ataque contra a França, sem atentar para os riscos e, pouco depois, preparar-se para uma guerra contra a União Soviética. À luz da ameaça representada pelo esforço armamentista britânico e norte-americano, à luz da fragilidade da economia europeia bloqueada e da aparente invencibilidade do Exército alemão, havia todos os motivos para tratar de avançar o mais depressa possível.

A insistência nessa lógica estratégica, no entanto, não pretende, de forma alguma, ocultar a ideologia racial maniqueísta que fornecia a força impulsionadora do governo de Hitler. Para ele, a "estratégia convencional" estava, inseparavelmente, ligada à ideologia racial. Na mente do *führer*, estratégia significava a estratégia mais ampla da luta racial. É verdade que a decisão em avançar contra a União Soviética, já em 1941, fora motivada por um cálculo estratégico baseado na guerra no ocidente, mas isso não torna o ataque à União Soviética menos "ideológico". Como vimos, na visão de Hitler e da liderança nazista, o ano de 1938 marcara uma mudança fundamental. Tal como se entendia em Berlim, a Alemanha havia sido obrigada a ir à guerra no oeste pela conspiração judaica mundial que dava as cartas em Londres e Washington.[1] A partir da crise dos Sudetos, essa perversa ligação oculta passou a se personificar em Roosevelt, por um lado, e em Churchill, arquioponente do apaziguamento, por outro. E, como vimos, essa interpretação conspiratória foi constantemente mantida durante 1940 e 1941. Documentos capturados nos Ministérios do Exterior, em Varsóvia e Paris, servem para confirmar a opinião de que a decisão de Hitler de declarar guerra, em 1939, impedira um plano malévolo britânico e norte-americano para cercar e asfixiar a Alemanha. A identificação de Roosevelt com a "conspiração judaica mundial" foi constante. Vista sob essa luz, a questão de saber se a motivação de Hitler para atacar a União Soviética decorria, primordialmente, da necessidade de aniquilar a Grã-Bretanha, prevenindo, assim, a intervenção norte-americana, ou do prosseguimento de sua arraigada visão de luta racial, baseia-se em uma falsa alternativa. Naturalmente, a conquista da *Lebensraum* no leste sempre fora o objetivo estratégico central de Hitler. A ameaça representada pela aliança anglo-norte-americana, dirigida pelo judaísmo mundial, simplesmente, tornava-a mais urgente e necessária do que nunca.

Não pode haver dúvida, no entanto, de que, em sua execução, se não em sua *lógica*, a Operação Barbarossa marcou um desvio fundamental. Em 22 de junho de 1941, o Terceiro Reich lançou, não apenas a campanha mais maciça da história militar, mas também uma atividade igualmente sem precedentes de violência genocida. O foco concentrado na destruição da população judia passou a ser visto como o aspecto verdadeiramente definidor dessa campanha. No entanto, na Europa Oriental, epicentro do Holocausto, o *judeucídio* não constituiu um ato isolado de assassinato. A invasão da União Soviética pela Alemanha é muito mais bem compreendida como a última conquista de território na longa e sangrenta história do colonialismo europeu.[2] Destruir a população judaica era o primeiro passo para a erradicação do Estado bolchevique. Seguir-se-ia uma gigantesca campanha de reorganização e colonização do território, que envolvia também a "limpeza" da vasta maioria da população eslava e o assentamento de colonos alemães em milhões de hectares do *Lebensraum* oriental. Complementando esse programa de longo prazo de engenharia demográfica, haveria uma estratégia de exploração de curto prazo, motivada pela necessidade "prática" de assegurar o equilíbrio alimentar do *Grossraum* alemão. A consecução desse objetivo "pragmático" exigia nada menos do que o assassinato, mediante fome organizada, de toda a população urbana da União Soviética.

Conforme Hans Frank e Herbert Backe já haviam demonstrado no Governo Geral, na primavera de 1940, Hitler e seu regime tinham resolvido que, nessa guerra mundial, não seriam os alemães que morreriam de fome.

I

Desde o momento em que a Alemanha invadiu a Polônia, em setembro de 1939, os impulsos genocidas da ideologia nazista, tanto em relação a judeus quanto aos eslavos, já tomara forma concreta num programa extraordinário de deslocamento de populações e assentamento colonial.[3] Os arquitetos desse programa foram Heinrich Himmler e suas equipes técnicas do *Reichssicherheitshauptamt* (RSHA) e os escritórios do *Reichskommissar für die Festigung deutschen Volkstums* (RKF). O êxito prático desse programa inicial foi limitado, mas crucial para estabelecer a estreita ligação, no pensamento da SS, entre a remoção dos judeus e o projeto mais amplo de reorganização racial e assentamento germânico.

Como vimos, a ideia de assentamento colonial no leste há muito era parte central do nacionalismo radical alemão. Em 1939, isso era complementado por dois impulsos mais imediatos. A incorporação de uma grande parte do território polonês no *reich* colocava diante da Alemanha a questão de saber o que fazer com milhões de novos habitantes que não eram alemães. Por outro lado, acordos feitos com a União Soviética e a Itália, em setembro e outubro de 1939, obrigavam a Alemanha a organizar o "retorno" de centenas de milhares de pessoas de etnia germânica vindas do Báltico e do sul do Tirol. Para dar espaço a esse influxo, a SS se preparou tanto para remover a totalidade das populações judaicas quanto a grande maioria dos habitantes da Polônia do território, antes polonês, e agora anexado ao *reich*.[4] Uma versão inicial do *Generalplan* especificava o objetivo de deportar 1 milhão de judeus e 3,4 milhões de poloneses.[5] Os únicos habitantes nativos que deveriam permanecer era a pequena minoria considerada apta a ser incorporada na comunidade racial alemã, além de um vasto contingente de mão de obra para trabalhos forçados. Isso mostrou ser uma ambição delirante. No início de 1940, Himmler e Heydrich esperavam expulsar 600 mil pessoas dos territórios recém-anexados, enviando-as para o Governo Geral. Isso, no entanto, produziria caos. Em abril de 1940, "somente" 261.517 habitantes, todos camponeses, haviam sido deslocados, uma metade de judeus e a outra de poloneses. No fim de 1940, o total aumentara para 305 mil. Em vez de remover os judeus, os administradores alemães recorreram à concentração em grandes guetos urbanos, o maior deles em Lódz. Enquanto isso, milhões de poloneses foram recrutados à força para trabalhar na Alemanha ou para trabalhos forçados em solo anteriormente polonês. Na altura do final de 1940, 180 pessoas de etnia alemã haviam sido assentadas em fazendas na Polônia, processo acompanhado por expulsões brutais e muita publicidade. Mesmo assim, o desequilíbrio numérico continuava a ser frustrante. Em janeiro de 1941, mais de 530 mil alemães étnicos já tinham sido repatriados para o *reich*, tendo deixado em suas terras natais originais fazendas e outras propriedades avaliadas em nada menos do que 3,315 bilhões de *reichsmarks*.[6] Mas, em vez de se apropriar de assentamentos agrícolas de boa qualidade, a maioria dos retornados se viu retida em campos de trânsito administrados pela SS.

Essa falha prática, no entanto, não diminuiu o entusiasmo de Heydrich e da SS. A partir de setembro de 1940, o processo de transmigração racial foi iniciado com afinco, mediante a introdução da *Volksliste*. Dentre os 8,53 milhões de poloneses que existiam dentro das fronteiras da Alemanha, somente 1 milhão foram considerados dignos de figurar na lista. Eram classificados em quatro categorias, segundo a rapidez com que os "cientistas raciais" da SS acreditavam que pudessem ser assimilados no seio alemão. O destino dos outros 7 milhões ficou incerto. Seu status legal ficou reduzido ao de "dependentes do *reich* com direitos domésticos limitados" (*Schutzangehörige des deutschen Reiches mit beschränkten Inländerrechten*). No final de 1940, o Ministério da Agricultura do *reich* relatou que a maioria dos camponeses poloneses nos novos territórios alemães se recusavam a plantar em seus campos na mudança de estação, porque não acreditavam que na época da colheita ainda tivessem direitos sobre suas fazendas.[7] Tendo em vista as intenções de Heydrich, era uma suposição realista. Em janeiro de 1941, Heydrich iniciara uma nova rodada de planejamento, tanto em busca de uma "solução final" para o problema dos judeus, que, em 1941, ainda era predominantemente um problema dos judeus poloneses, e para um deslocamento maciço de cidadãos poloneses. O objetivo mais imediato era encontrar lugares de fixação dos repatriados de etnia alemã mediante o deslocamento de 770 mil poloneses do Governo Geral na primeira oportunidade possível. Isso, no entanto, era difícil por causa das condições existentes no Governo Geral e pelas necessidades de transporte do Exército alemão na preparação para a Operação Barbarossa. Em vez das 250 mil pessoas que Heydrich esperava transportar, até maio de 1941, a SS, na verdade, somente conseguiu retirar 25 mil.

Essas dificuldades, no entanto, nada mais eram do que de curto prazo. A notícia do iminente ataque alemão contra a União Soviética provocou euforia entre os membros da SS. A União Soviética oferecia a possibilidade de resolver os problemas de território e população em uma escala inimaginável nas dimensões físicas da Polônia. Os indesejáveis seriam tragados pelas extensões ermas do leste e imensas áreas deveriam ser reservadas para o assentamento de alemães. Finalmente, chegara a fase em que os problemas de população e espaço poderiam ser resolvidos de maneira verdadeiramente radical. Em 30 de janeiro de 1941, Hitler repetiu às multidões em êxtase no *Sportspalast* a ameaça que fizera dois anos antes.[8] Num discurso que tratava, principalmente, de afirmar a futilidade da continuação da guerra britânica contra a Alemanha, o *führer* terminou reiterando sua "profecia" de que "se os judeus querem mergulhar o mundo na guerra, seu papel estará terminado na Europa". Ao contrário de 1939, a ameaça já não era condicional, e sim uma intenção firme. A agitação dos Estados Unidos contra a Alemanha era, afinal de contas, um fato real. Estivesse ou não envolvida em uma guerra mundial ostensiva, a Alemanha enfrentava uma coalizão global e logo sentiria o pleno impacto do empréstimo-arrendamento. Hitler podia, portanto, afirmar com certa confiança: "os próximos meses e o próximo ano provarão que minha profecia também está correta neste caso". Poucas semanas antes, Heydrich havia recebido sua primeira ordem de se preparar para uma solução verdadeiramente abrangente para o problema dos judeus na Europa.[9] Judeus de todo o continente, do *reich* e da Polônia, seriam enviados para a morte em prédios erguidos nos alagadiços territórios isolados do leste, tornados ermos pelas forças de ocupação alemãs. Em março, a Wehrmacht e a SS redigiram a orientação que pedia a liquidação de todos os elementos potencialmente perigosos para a autoridade alemã nos territórios recém-conquistados, categoria que Göring definiu para Heydrich como abrangendo "a organização GPU, os comissários políticos, os judeus, etc.".[10] Em 6 de junho, isso já estava formalizado pelo alto-comando do Exército em forma da notória "Ordem dos Comissários", que dispunha a execução imediata e indiscriminada de todos os representantes políticos do Estado soviético. Os que fossem poupados pela Wehrmacht seriam objeto dos cuidados dos *Einsatzgruppen* — 3 mil homens da polícia e da SS que, desde a segunda metade de maio, vinham recebendo treinamento ideológico na Escola de Polícia de Fronteira, em Pretzsch, perto de Leipzig. Embora o alvo na primeira instância fossem os órgãos do Estado soviético, em suas frequentes reuniões com os *Einsatzgruppen,* Heydrich reiterava o papel dos judeus na instigação do bolchevismo e exigia com ameaçadora redundância a liquidação de todos os judeus que servissem ao partido ou ao Estado.[11] Poucos dias depois da invasão, o equilíbrio entre aquelas três categorias se modificaria drasticamente.

Enquanto isso, o iminente ataque à União Soviética também deu novas energias ao programa mais amplo de reorganização racial iniciado na Polônia. Em meados de junho de 1941, os escritórios alemães de planejamento começaram a considerar a possibilidade de não apenas remover a população polonesa dos territórios alemães anexados, mas também a do Governo Geral.[12] Em outras palavras, começaram a pensar em um genocídio contra toda a população polonesa. Em 21 de junho de 1941, Himmler instruiu a equipe da RKF para que esboçasse um plano para a reorganização demográfica de todo o território oriental que, esperava-se, viesse a ficar sob controle alemão.[13] Poucas semanas antes, Himmler solicitara recursos adicionais para organizar a administração de construções por parte da SS. Durante os doze meses seguintes, a evolução da política em relação aos judeus e o desenvolvimento de planejamento de longo prazo para a colonização da Europa

Oriental foram impulsionados em constante intercâmbio entre os escritórios da RSHA, a RKF e a administração econômica da SS.[14] O primeiro esboço do chamado *Generalplan Ost* foi terminado em poucas semanas pelo perito em assentamentos da RKF, professor Konrad Meyer, e apresentado a Himmler já em 15 de julho de 1941. No outono, foi dada a ordem de construir diversos campos de base na Polônia, a partir dos quais colunas de trabalhadores-escravos iniciariam o imenso programa de construções exigido pelo *Generalplan* de Meyer. Enquanto isso, a RHSA, de Reinhard Heydrich, trabalhava tanto no esboço do plano para a Solução Final quanto numa segunda minuta do *Generalplan*. Em dezembro de 1941,[15] já estava pronta uma declaração geral dos contornos da Solução Final, que abarcaria não apenas os milhões de judeus que viviam na Polônia e na União Soviética, mas também as comunidades muito menos numerosas da Europa Ocidental. A reunião teve de ser adiada até janeiro, mas, quando os secretários de Estado se encontraram em Wannsee, em janeiro de 1942, a proposta de Heydrich não foi criticada. Em contraposição, a segunda minuta do *Generalplan Ost*, que se dirigia não somente à minoria judaica mas também às populações muito mais numerosas da Polônia e da União Soviética, foi objeto de ataques tão violentos vindos do interior do governo do *reich* que a tarefa de preparar o plano foi devolvida pela RSHA ao professor Meyer, da RKF.[16] Meyer finalizou sua minuta, em maio de 1942, aprovada por Himmler em julho de 1942 após consulta com Hitler como guia para a futura atividade de assentamento no leste.[17] O projeto contém o que, na verdade, constitui um planejamento do tipo de ordem social que a liderança da SS esperava criar na Europa oriental.

A primeira e fundamental premissa de todo o planejamento territorial da SS era a suposição de que a integração do território da Europa do leste como *Lebensraum* alemão exigia a remoção da maior parte da população nativa. O *Generalplan* de Meyer não mencionava especificamente os judeus, mas sua remoção era, claramente, considerada natural. A Polônia e a Ucrânia eram os únicos países em que os judeus constituíam uma minoria suficientemente grande para que sua remoção pudesse alterar significativamente o equilíbrio demográfico. Meyer tratava principalmente da população eslava majoritária. Em relação à Polônia, ele previa a remoção de 80 a 85% dos habitantes, seguida pela expulsão de 64% dos ucranianos e 75% da população da Bielorrússia.[18] O território russo em torno de Leningrado seria completamente despovoado. As diversas minutas do *Generalplan* diferiam quanto às estimativas das verdadeiras quantidades envolvidas, mas o número mais baixo é de 31 milhões de pessoas deslocadas, sem incluir a minoria judaica. Em outras estimativas mais realistas, que levavam em conta a taxa natural de aumento da população durante o período de implementação do programa, o número previsto de vítimas chegava a 45 milhões.[19] Ainda não havia clareza absoluta quanto ao destino final da população deslocada, mas, certamente, não havia dúvida de que o processo de "evacuação" significaria morte em escala épica. Somente as pessoas válidas para o trabalho interessavam aos alemães. No final de 1942, falava-se na possível "aniquilação física" de populações inteiras, e não apenas da minoria judaica, mas também de poloneses e ucranianos.[20] As considerações morais haviam sido, há muito, descartadas. A questão se resumia aos aspectos práticos.

As implicações genocidas do *Generalplan Ost* ficaram, claramente, reveladas em um "ensaio" realizado no verão de 1942. Nos dias 18 e 19 de julho daquele ano, ao mesmo tempo em que comunicava a ordem definitiva para a matança de judeus no território do Governo Geral, Himmler mandou instruções a Odilo Globocnic para executar uma "evacuação" experimental de toda a população polonesa da região de Zamosc.[21] A intenção era dar o primeiro passo no sentido da ampliação do processo de germanização além das fronteiras do *reich*. Após o término da "evacuação" de toda a população judaica, Odilo Globocnic iniciou uma segunda etapa de *Selektionen*, dividindo a população polonesa em quatro grupos, por idade, sexo e periculosidade política. Os homens e mulheres aptos para o trabalho foram igualmente divididos em dois grupos separados, exatamente como Heydrich havia exigido para os judeus, na reunião de Wannsee. As crianças polonesas foram separadas de suas famílias e entregues, aleatoriamente, a homens e mulheres acima de 60 anos. Esses "grupos familiares" díspares foram, então, transportados para as chamadas "vilas de retiro", que, na verdade, eram os assentamentos despovoados pelo assassinato de seus habitantes judeus nas câmaras de gás. O quarto grupo de poloneses, considerado mais perigoso pelas autoridades alemãs, foi despachado diretamente para Auschwitz e Majdanek, onde os integrantes foram executados ou postos para trabalhar até morrerem.[22] Na prática, a evacuação de Zamosc não teve êxito. Os esforços da SS para reunir os habitantes foram recebidos com intensa resistência armada e exigiram a mobilização de milhares de policiais, soldados e auxiliares alemães. Dezenas de milhares de poloneses fugiram para as florestas.[23] No verão de 1943, Globocnic foi obrigado a abandonar a experiência. Comparada com a matança geral da população judaica no Governo Geral, a experiência de Zamosc foi de pequena escala. Foi, no entanto, altamente significativa para revelar a verdadeira extensão da disposição genocida do Terceiro Reich. O *Generalplan Ost* estabeleceu um calendário para a extinção de toda a população da Europa Oriental e deve ser tomado com a mesma seriedade do programa esboçado por Heydrich na conferência de Wannsee.

Dadas as dimensões do horror que a SS preparava, pode parecer grotesco considerar "construtivo" o plano imaginado para o território a ser esvaziado das dezenas de milhões de pessoas cuja morte e expulsão estavam sendo tramadas. No entanto, é preciso fazê-lo para que possamos compreender de que forma os excutantes racionalizavam seu programa de assassinato e o sentido que emprestavam ao conceito de *Lebensraum*. No interior do enorme espaço vazio criado pelo *Generalplan Ost*, Himmler e sua equipe contemplavam o assentamento de, pelo menos, 10 milhões de alemães ao longo de um período de 20 a 30 anos. A fronteira étnica da raça germânica seria deslocada a mil quilômetros no sentido leste.[24] Os planejadores da SS que participavam desses debates sabiam perfeitamente que ao evocar imagens dos cavaleiros teutônicos, corriam o risco de parecer estranhamente arcaicos. Mas, da maneira pela qual se viam a si próprios, isso era exatamente o que acreditavam ser. Konrad Meyer e sua equipe, certamente, não se afastaram da tradição de assentamentos alemães no leste. Conforme explicou um funcionário do Governo Geral de Frank, o Terceiro Reich estava retomando uma missão histórica de modernização. "Na verdade, os Mestres da Ordem Germânica e, acima de tudo, os líderes dos assentamentos [*Lokatoren*], que construíram e povoaram as aldeias e fazendas em bases comerciais [...] nada tinham de românticos. Eram frios e calculistas e provinham, em grande parte, das classes de comerciantes".[25] O projeto tampouco carecia de bases práticas e nem tinha intenções "meramente ideológicas". O leste ofereceria um futuro próspero para os atribulados camponeses alemães. Para Konrad Meyer, arquiteto do *Generalplan Ost*, era a oportunidade de um novo começo mais além dos confins superpopulosos do *reich*. Assim, disse ele, num artigo programático:

> O povo do campo, no futuro, será diferente do de hoje... Para nossa população rural, a aurora dessa nova era significa uma mudança fundamental de caráter... A escolha entre a tradição e o progresso, o primitivo e o moderno,

> somente pode ser resolvida em favor de uma ideia saudável, coletivamente consciente, de progresso e realização. Isso implica uma decisão clara em favor da luta em contraposição aos que... veem a salvação dos camponeses em uma espécie de preservação da reserva natural. Não pode haver regresso aos "bons tempos antigos". Portanto, é melhor deixar de nos queixarmos do fato de que os "velhos camponeses" já não existem, afirmarmos os novos camponeses do Terceiro Reich, e lutarmos por eles".[26]

A visão que inspirou o projeto colonial alemão no leste tinha mais em comum com a ideologia norte-americana da fronteira do que com a Idade Média. No outono de 1941, Hitler voltou diversas vezes ao exemplo norte-americano ao falar do futuro da Alemanha no leste. O Volga, declarou ele, seria o Mississippi alemão. E a sangrenta conquista do oeste dos Estados Unidos forneceria à Alemanha a justificativa histórica necessária para explicar a aniquiliação da população eslava. "Aqui, no leste, ocorrerá pela segunda vez um processo semelhante ao da conquista da América". Uma população "superior" de colonos deslocaria uma população nativa "inferior", abrindo caminho para uma nova era de possibilidades econômicas. "A Europa — e não a América — será a terra de infinitas possibilidades".[27]

O *Generalplan Ost* não contemplava um retorno ao passado, mas uma fase nova e expansiva do desenvolvimento econômico da Alemanha. Sua afinidade é com o imenso programa habitacional da Frente Trabalhista Alemã, anunciado no outono de 1940, e com o esquema do Volkswagen, anterior à guerra. No leste, uma nova abundância de recursos naturais seria acrescentada ao *know-how* e ao capital alemães a fim de permitir uma espetacular melhoria do padrão de vida. A expressão mais sucinta dessa ambição era a densidade demográfica. No planejamento inicial para a Polônia, a taxa era de 100 pessoas por quilômetro quadrado. Com a incorporação do território da União Soviética ao *Generalplan Ost*, a proporção foi reduzida para 80 pessoas por quilômetro quadrado. Era uma meta significativamente menor do que a densidade populacional da Alemanha em 1939, de 133 pessoas na mesma área, porém, mais elevada do que a da França na mesma época.[28] Os agrônomos que trabalhavam para a SS também não tinham ilusões quanto ao padrão de vida que se poderia esperar em uma sociedade composta integralmente por camponeses. Em vez disso, o ideal de Meyer era a estrutura demográfica da Baviera ou de Hanover, que, na década de 1930, sustentava um equilíbrio homogêno de agricultura, indústria e serviços.[29] O *Generalplan Ost* projetava uma parcela de não mais de um terço de mão de obra agrícola e participação semelhante de pessoas empregadas na indústria, artesanato, comércio e serviços públicos. Em comparação com o desenvolvimento de longo prazo da estrutura ocupacional da Alemanha, a visão da SS envolvia atrasar o relógio dos tempos, não até a Idade Média, e sim a 1900.

Diante dos problemas do *reich*, fazer uma distribuição adequada de terra era, sem dúvida questão importante para a colonização alemã no leste. A maioria dos colonos alemães receberia lotes autossuficientes (conhecidos como *Hufen*) de, pelo menos, 20 hectares. Como vimos, as fazendas de 20 a 30 hectares eram o sustentáculo dos *Erbhöfe* no *reich*. Nas regiões em que a qualidade das terras demandava fazendas de mais de 30 hectares, a família não constituía uma unidade viável. Um terço das terras seria entregue a 12 mil grandes *Wehrbauernhöfe*, reservado a oficiais da SS. O objetivo da germanização completa, no entanto, jamais seria realizado se os assentados alemães tivessem de usar eslavos para o trabalho nas fazendas. Por isso, foi também prevista a reserva de terras para uma população numerosa de peões alemães de fazenda.

Tabela 14. Proposta de distribuição da população do *Generalplan Ost*

% da população dependente de	O ideal da SS (Hanover ou Baviera)	Média do *reich* 1933
Agricultura	35	21
Ofícios	35	39
Indústria e comércio	15	17
Serviços públicos	7	8
Outros	8	15

Fonte: C. Madajczyk (org.) *Vom Generalplan Ost zum Generalsiedlungsplan* (Munique, 1944), 3-14, doc. 1

O assentamento no leste era diretamente ligado aos esforços da RNS de finalizar a racionalização da agricultura em grande escala dentro da Alemanha, anunciados por Darré no final de 1940.[30] Nos termos de um antigo documento de planejamento, presumia-se que "o esforço construtivo no leste... permitirá a reorganização final de áreas de partilha em heranças no antigo *reich*. Somente em Württemberg e Baden, 100 mil famílias de camponeses e artesãos estarão disponíveis".[31] A partir do verão de 1940, equipes de peritos do *Reichsnährstand*, sob a direção do incansável professor Meyer, empreenderam um inventário abrangente da Alemanha rural.[32] Mediante laboriosa pesquisa *in loco*, a equipe avaliou uma amostra de 4,5 mil aldeias alemãs com população conjunta de 5 milhões de habitantes. Em cada aldeia, cada fazenda recebeu uma nota segundo sua viabilidade. No futuro, não seriam aceitáveis na Alemanha as que não gerassem uma renda em dinheiro de, pelo menos, mil *reichsmarks* anuais, o que colocaria a família confortavelmente acima do ponto mediano da distribuição nacional de renda. Na prática, isso significava que as fazendas deveriam ter um tamanho mínimo de 18 hectares e, em algumas regiões, mais próximo de 30. Em regiões de herança, mediante partilha, como a Renânia, mais de 30% de todas as propriedades agrícolas foram consideradas destinadas a consolidação ou liquidação. Se tivesse sido possível ignorar completamente as sensibilidades locais, a taxa de consolidação teria sido de quase 50%. As equipes de Meyer classificaram não só as fazendas, mas também a população rural. Camponeses trabalhadores que não possuíssem terras seriam objeto de assistência por meio da consolidação de propriedades menores confiscadas de camponeses em tempo parcial ou cultivadores menos eficientes. Famílias jovens de boa estirpe alemã seriam estimuladas a aproveitar as oportunidades de assentamento no leste. A versão final do *Generalplan*, terminada por Meyer, em 1942, previa que nada menos do que 220 mil famílias fossem retiradas das zonas rurais superpopulosas do *reich*. Além disso, a SS esperava atrair outros 220 mil jovens casais que iniciassem a vida na agricultura e, pelo menos, 2 milhões de colonos das regiões urbanas da Alemanha.[33]

Os planejadores agrícolas, no entanto, não pretendiam apenas confiscar terras e redistribuir populações. A ideia de criar um *Lebensraum* de "alta intensidade" (*hochintensiven*) somente poderia tornar-se realidade mediante investimentos substanciais.[34] Seria preciso que um enorme fluxo de capital alemão acompanhasse os colonos em direção ao leste. As fazendas teriam de ser bem equipadas com animais e maquinaria. Mais importante, porém, era a necessidade de aperfeiçoar a infraestrutura de transporte. A agricultura moderna não poderia prosperar sem vínculos com pequenas e grandes cidades. O orçamento inicial de Meyer para o *Generalplan Ost* ascendia a 40 bilhões de *reichsmarks*, importância, em breve, inflada para 67 bilhões, por insistência de Himmler.[35] Era uma quantia idêntica à que a Alemanha despendera em rearmamento entre 1930 e 1939. Era mais do que o total conjunto de todo o investimento na economia alemã entre 1933 e 1938, e equivalia a, aproximadamente, dois terços do PIB do país, em 1941.[36] Meio milhão de *reichsmarks* seriam gastos para cada quilômetro quadrado do novo e vasto Império Oriental Alemão. Presumindo que a densidade demográfica do território fosse de 80 pessoas por quilômetro quadrado, isso implicava um investimento de 6.250 *reichsmarks* por habitante. Nesse aspecto, também não há indícios de nostalgia saudosista. Nos planos endossados por Himmler e Hitler, o beneficiamento das terras e a agricultura consumiriam apenas 36% do investimento alemão no leste. O restante era destinado a investimentos em infraestrutura de transportes, indústria e assentamento urbano.[37] E isso era apenas o elemento a cargo do Estado no desenvolvimento econômico do leste. Esperavam-se grandes somas vindas da indústria privada. O *reich*, ao que se acreditava, contribuiria com cerca de pelo menos, 15,67 bilhões de *reichsmarks* provenientes do orçamento nacional; 4,29 bilhões viriam de um fundo especial à disposição de Heinrich Himmler na qualidade de RKF; os governos locais alemães deveriam fornecer 3,04 bilhões. Estes recursos públicos se concentrariam, sobretudo, em florestas, infraestrutura, construção de estradas e melhoramento agrícola. Esperava-se da Reichsbahn uma contribuição de, pelo menos, 1,5 bilhão para a expansão da infraestrutura ferroviária. Finalmente, mais de 20 bilhões teriam de ser levantados em termos, mais ou menos, comerciais para desenvolvimento industrial e urbano. Se o *Generalplan* tivesse chegado a ser executado, representaria uma transferência maciça de capital alemão para o leste.[38]

Em virtude da questão do custo e da consequente decisão de utilizar, em grande parte, trabalhos forçados, o *Generalplan* ficou diretamente ligado à Solução Final.[39] Assim, dirigiu-se Himmler a uma reunião de líderes graduados da SS no verão de 1942:

> Se não enchermos nossos campos com escravos — nesta sala pretendo dizer certas coisas com muita firmeza e clareza —, com trabalhadores escravos, que construirão nossas cidades, nossas aldeias e nossas fazendas sem preocupação com perdas, nesse caso, mesmo depois de anos de guerra, não teremos dinheiro suficiente para equipar os assentamentos de forma que o verdadeiro povo alemão possa viver naquela região e enraizar-se na primeira geração[40]

Planejadores como Konrad Meyer e o chefe de construções da SS, Hans Kammler, exprimiam-se em linguagem menos drástica, mas a intenção era igualmente clara.[41] A demanda total de mão de obra para o *Generalplan Ost* era estimada entre 400 mil a 800 mil pessoas na primeira fase. A quantidade de trabalhadores forçados foi fixada, no mínimo, em 175 mil — "judeus, poloneses e prisioneiros de guerra soviéticos".[42] Em média, segundo estimou Meyer, o emprego de trabalho escravo reduziria em 40% o custo de construção em termos de dinheiro líquido. Metade dessa economia, no entanto, seria compensada pelo custo de manutenção da força de trabalho com vestimenta e alimentação, débito que Meyer anotou quase como se tivesse inicialmente esquecido.

Esses números tinham importância para o futuro do sistema dos campos de concentração da SS.[43] Na primeira metade de 1941, não havia mais do que 60 mil pessoas nos campos. Evidentemente, seria necessária uma expansão drástica. A fim de atender às necessidas do *Generalplan*, a equipe de construção da SS deu ordem, em 27 de setembro de 1941, para que fossem preparados dois novos campos, cada qual com capacidade para 50 mil internos. Um seria localizado em Lublin-Majdanek. O outro deveria ser construído em Birkenau, povoado adjacente ao campo existente em Auschwitz.[44] No fim do ano, a SS já elevara suas metas, contemplando populações de 125 mil pessoas, em Majdanek, e 150 mil, em Auschwitz. Ambas as instalações eram, originalmente, previstas para abrigar prisioneiros de guerra soviéticos, mas, por motivos que logo ficarão claros, a grande maioria dos beliches de Auschwitz acabaram sendo ocupados por judeus. De qualquer forma, a instrumentalização dos campos de concentração como fonte de trabalhos forçados já estava bem adiantada na última semana de janeiro de 1942, quando Himmler escreveu ao escritório encarregado da administração dos campos a fim de informá-lo:

> Como não se pode esperar prisioneiros de guerra russos no futuro próximo, pretendo mandar para os campos grande quantidade de judeus dos sexos masculino e feminino, que estão sendo emigrados [sic] para fora da Alemanha. Favor preparar-se para receber nos campos de concentração, durante as próximas quatro semanas, 100 mil judeus homens e até 50 mil mulheres. Tarefas econômicas importantes serão atribuídas aos campos de concentração no curso das próximas semanas.[45]

Tabela 15. Proposta de prioridades de investimento do *Generalplan Ost* (versão da primavera de 1942)

	Bilhões de *reichsmarks* investidos	dos quais	% do total	Objetivo:
Paisagismo:	3,3		7	
Florestas		0,6		11.000 km² a serem reflorestados
Reestruturação da paisagem		0,6		Proteção e reflorestamento de áreas agrícolas
Melhoria técnica da terra		2,2		20.000 km² de terras agrícolas necessitam drenagem adequada
Agricultura:	13,5		30	
Reconstrução agrícola		8,6		Reconstrução completa da agricultura na maior parte da Polônia
Ofícios rurais		0,8		População necessita de 40 mil ofícios e outros pequenos negócios
Indústrias rurais		0,4		Processamento de alimentos e larga escala, madeiras, etc.
Instalações culturais rurais		1,0		Centros comunitários, escolas, centros da Juventude Hitlerista, centros de bem-estar, jardins de infância, instalações esportivas
Outras moradias rurais		0,9		Para a população agrícola, professores, médicos, funcionários públicos, trabalhadores
Infraestrutura das aldeias		1,8		Infraestrutura local: estradas, trilhos, eletricidade e telefone
Transporte e infraestrutura:	7,8		17	
Construção de estradas		1,2		Objetivo: atingir densidade viária da Prússia oriental

	Bilhões de *reichsmarks* investidos	dos quais	% do total	Objetivo:
Construção de *autobahns*		1,0		Duas rotas norte-sul e duas leste-oeste
Construção de ferrovias		1,5		Sistema de bitola estreita para ligar a agricultura às linhas-tronco
Vias fluviais		2,6		Regulação da navegação e enchentes no Weichesel e Warthe
Fornecimento de eletricidade		1,5		Melhoria da eletrificação ao nível da Prússia oriental
Industriais:	5,2		11	650 mil empregos na indústria com aproximadamente 8 mil *reichsmarks* investidos por posto
Urbanas:	15,4			
Moradias urbanas		9,0		1 milhão de amplos apartamentos para a população de 4.3 milhões
Instalações culturais urbanas		2,0		Fornecimento mínimo de instalações educativas e culturais, e hospitais, restante a ser construído com recursos próprios
Ofícios urbanos		0,8		45 mil ofícios e outros negócios para as necessidades da população
Serviços públicos urbanos		3,6		Infratestrutura local, mais gás, esgoto e transporte local
Equipamento p/construção	0,5		1	
Total	45,7		100	

Fonte: C. Madajczyk (org.), *Vom Generalplan Ost zum Generalsiedlungsplan* (Munique, 1994), 91-123, doc. 23.

Uma semana antes, Heydrich havia sido o anfitrião da reunião no centro de conferências de Wannsee, onde um grupo de funcionários públicos tomou conhecimento da visão da SS sobre a Solução Final. Na reunião de Wannsee, Heydrich não se referiu nem às câmaras de gás e nem aos fuzilamentos como forma de aniquilar as populações judaicas da Polônia ou da Europa Ocidental. Em vez disso, propôs que fossem evacuados para o leste em grandes grupos de construção: "Sob comando adequado, os judeus serão agora mandados para trabalhos no leste, como parte da Solução Final. Em grandes colunas de trabalhadores, separados segundo o sexo, os judeus aptos para trabalhar serão levados para o interior do território, construindo estradas pelo caminho, num processo em que, sem dúvida, uma grande parte desaparecerá por perda natural."[46] Como vimos, o *Generalplan Ost* de Meyer havia especificado novas estradas como necessidade inicial; 1,2 bilhão de *reichsmarks* haviam sido reservados para sua construção.

II

A plena amplitude da ambição genocida da SS é assustadora e, por motivos óbvios, ocupou as atenções principais. O que é menos notado, no entanto, é que a Wehrmacht invadiu a União Soviética tendo em mente não apenas um, e sim dois programas de assassinato em massa.[47] Enquanto a Solução Final e o *Generalplan Ost* eram segredos ciosamente guardados pela SS, por temor, entre outros motivos, de antagonizar a população local, o segundo programa, que contemplava abertamente a matança de milhões de pessoas dentro dos doze primeiros meses da ocupação alemã, foi objeto de acordo entre a Wehrmacht, todos os principais ministérios civis e a liderança política nazista, já na primavera de 1941. Tampouco o chamado "Plano de Fome" pode ser considerado secreto. Havia referências a ele em instruções oficiais enviadas a milhares de subordinados. Talvez, o mais importante, seja que não foi feito nenhum esforço para ocultar a *lógica* mais ampla dos atos individuais de brutalidade que o programa exigia. Pelo contrário, foi solicitado a todos os soldados alemães e administradores da ocupação em território soviético que compreendessem o plano e se comprometessem com sua lógica estratégica. Esse planejamento genocida recebeu apoio tão amplo porque tratava de um tema prático, cuja importância, depois da experiência alemã na Primeira

Guerra Mundial, era evidente para todos: a necessidade de assegurar o abastecimento de alimentos para a população da Alemanha, se necessário à custa da população da União Soviética.

Conforme expusemos, o "celeiro da Ucrânia" teve papel importante em todas as diversas avaliações econômicas da campanha Barbarossa, preparada durante o inverno de 1940-41. Para Hitler, essa era a principal prioridade, a ser realizada antes de qualquer outra consideração militar e cuja relevância ficou reforçada pelo alarmante declínio dos estoques alemães de cereais. Em dezembro de 1940, toda a liderança militar e política do Terceiro Reich estava convencida de que aquele seria o último ano em que poderiam tratar confiantemente da questão alimentar. Não era, simplesmente, um problema alemão. Todos os territórios da Europa Ocidental que tinham caído sob o domínio da Alemanha, em 1940, enfrentavam déficits substanciais de cereais.

A menos que fosse possível encontrar novas fontes de cereais alimentares, a única solução seria a matança em massa dos rebanhos de animais da Europa, o que faria lembrar o famoso "massacre de porcos", de 1916. Dado o isolamento imposto ao continente europeu pelo bloqueio britânico, somente a Ucrânia seria capaz de fornecer à Europa ocidental os milhões de toneladas de cereais necessários para alimentar as populações de animais. Não admira, portanto, que, quando Hitler deu a ordem definitiva para o início dos preparativos do ataque contra a União Soviética, o secretário de Estado, Herbert Backe, reagisse com alegria no Ministério da Agricultura.

Para Backe, esse momento teve grande significação pessoal. Desde a década de 1920, ele se convencera de que a conquista do território russo seria a solução para o problema do "povo sem espaço" (*Volk ohne Raum*).[48] Agora, a primeira necessidade era que o Exército alemão do leste — que contava 3 milhões de homens e 600 mil cavalos — fosse alimentado a partir do território da União Soviética. Como Backe bem compreendia, no entanto, a Ucrânia não era o celeiro ilimitado pintado pelo clichê imperialista. Na verdade, essa república produzia apenas um pequeno superávit de cereais para exportação, além das fronteiras da União Soviética. Isso se devia, por um lado, ao atraso da agronomia russa e, por outro, à extraordinária rapidez do crescimento da população urbana soviética. Desde 1928, Stalin havia formado uma civilização urbana de 30 milhões de habitantes. Os alimentos para esse novo e vasto proletariado urbano vinham da Ucrânia. Para os analistas econômicos convencionais em Berlim, isso significava que, mesmo que a Ucrânia pudesse ser conquistada com êxito, a Alemanha não poderia esperar grandes benefícios imediatos.[49] Afinal, anos se passariam antes que a produtividade pudesse ser substancialmente elevada. As conclusões de Herbert Backe, no entanto, eram radicalmente diferentes. A fim de permitir que o superávit de grãos da Ucrânia fosse, imediatamente, canalizado para as necessidades da Alemanha, bastava excluir da cadeia alimentar as cidades soviéticas. Após dez anos de urbanização stalinista, a população urbana do oeste da União Soviética iria, então, morrer de fome.

Não é surpresa que tal plano possa ter vindo da pena de Herbert Backe. Era um ideólogo racial doutrinário, que, há muito tempo, acompanhava Walther Darré e era amigo pessoal de Reinhard Heydrich. Como vimos, ele já havia demonstrado disposição para utilizar os alimentos como meio de genocídio na Polônia, no primeiro ano da guerra. Talvez, fosse mais estranho o entusiasmo com que a surpreendente sugestão de Backe foi adotada pelo restante da burocracia ministerial em Berlim, especialmente, pelo principal perito econômico do Oberkommando Wehrmacht (OKW), general Thomas. Por vezes, como vimos, Thomas havia procurado demonstrar oposição à guerra de Hitler, mas no fundo o general era impiedosamente pragmático. O futuro da Alemanha como grande potência era sua única preocupação. A *raison d'être* de sua função no OKW era impedir uma crise doméstica do tipo da que prejudicara o esforço de guerra da Alemanha, na Primeira Guerra Mundial. Thomas conhecia bem a precariedade da situação alimentar da Alemanha e não via motivo para discutir os cálculos de Backe. Além disso, Hitler tinha opiniões firmes sobre o assunto. Estava decidido a conquistar a Ucrânia. E, para encerrar a discussão, Thomas também tinha motivos especificamente militares para apoiar a proposta de Backe. No início de 1941, o Exército alemão estava cada vez mais ocupado com os preparativos logísticos para a Operação Barbarossa. Os exercícios cartográficos realizados pela equipe de intendência revelavam uma gritante discrepância entre as necessidades de suprimento da Alemanha e a limitada capacidade ferroviária de penetração na União Soviética. Mesmo com o máximo otimismo, era difícil compreender de que maneira poderiam ser enviados alimentos, combustível e munição suficientes por aquele gargalo. Caso, por outro lado, a Wehrmacht pudesse satisfazer as necessidades de alimentos e forragem animal por meio de abastecimento local, permitiria concentrar toda a capacidade de transporte disponível nas prioridades da Wehrmacht — combustível e munição.

Em maio de 1941, os secretários de Estado de todos os principais ministérios compareceram a uma conferência com o general Thomas a fim de traçar planos para a ocupação. O resultado é um dos registros burocráticos mais extraordinários da história do regime nazista. Em linguagem bem menos comedida do que a usada em relação à questão dos judeus, todas as principais agências do Estado alemão concordaram em um programa de assassinato em massa, muito mais amplo do que o que seria proposto por Heydrich na conferência de Wannsee, nove meses mais tarde. Segundo o secretariado do general Thomas, a reunião terminou com as seguintes conclusões:

1. A guerra somente pode prosseguir caso a Wehrmacht inteira possa ser alimentada a partir da Rússia no terceiro ano da guerra.
2. Se tirarmos do país aquilo de que necessitamos, não há dúvida de que muitos milhões de pessoas morrerão de fome.
3. O mais importante é a recuperação e retirada de sementes oleaginosas [...] e, somente depois, a retirada de cereais.[50]

A ata não especificava quantos milhões de pessoas os alemães pretendiam matar de fome. No entanto, é inconfundível a marca de Backe no debate.[51] Ele próprio estimara a "população excedente" da União Soviética entre 20 e 30 milhões de pessoas, e, durante os meses seguintes, esses números ficaram estabelecidos como ponto de referência comum. Em meados de junho, uma semana antes da invasão da União Soviética, Himmler falou aos *Gruppenführer* da SS sobre a iminente "guerra racial" (*Volkstumskampf*). Em sua opinião seria uma luta até a morte, durante a qual "devido a ações militares e problemas de alimentos, entre 20 e 30 milhões de eslavos e judeus morrerão".[52] Em novembro, Göring se vangloriou com o conde Ciano, ministro do Exterior da Itália, afirmando que a morte pela fome de 20 a 30 milhões de cidadãos soviéticos era elemento essencial da política alemã de ocupação. Seguindo à risca o pensamento de Backe, a orientação publicada pelo OKW para a gestão da agricultura nos territórios orientais ocupados — o chamado "Livro Verde" — previa que todos os centros urbanos e industriais do oeste da Rússia, inclusive a região de bosques entre Moscou e Leningrado, fossem isolados das fontes de fornecimento de alimentos.[53] Em consequência, as autoridades alemãs de ocupação eram instruídas a se preparar para uma catástrofe humana de escala inédita. "Muitas dezenas de milhões de pessoas nesta região se tornarão supérfluas e morrerão, ou serão obrigadas a emigrar para a Sibéria".[54] Caso as autoridades de ocupação sentissem vontade de aliviar a situação, a orientação reafirmava o vínculo essencial entre a morte em massa pela fome e o prosseguimento do esforço de guerra da Alemanha:

> Os esforços para salvar a população da morte pela fome, por meio da utilização dos excedentes vindos das terras férteis, somente poderão ser feitos à custa do abastecimento de alimentos para a Europa. Reduzirão a capacidade da Alemanha em permanecer na guerra e a resistência da Alemanha e da Europa ao bloqueio. Deve haver absoluta clareza a esse respeito... Os pedidos da população [local] às autoridades alemãs... ficam liminarmente rejeitados.

III

Após meses de conversas, a invasão da União Soviética começou em 22 de junho de 1941. Nunca, nem antes nem depois, houve batalhas combatidas com tanta ferocidade por tantos homens numa frente tão extensa. À medida que as pontas de lança alemãs penetravam cada vez mais profundamente no território da União Soviética, os *Einsatzgruppen*, que seguiam a linha do avanço da Wehrmacht, entregavam-se a sua tarefa assassina. No total, os quatro *Einsatzgruppen* (A — Báltico, B — Bielorrússia e Rússia central, C — Ucrânia e D — Romênia e Crimeia) contavam com somente de 3 mil a 3,2 mil homens. Rapidamente, no entanto, a SS acrescentou dezenas de milhares de milicianos locais.[55] Além disso, a partir do outono de 1941, esses grupos foram reforçados com novos contingentes de alemães — *Waffen* SS e numerosos batalhões de policiais alemães armados. O ritmo da matança executada pelos *Einsatzgruppen* dependia da rapidez com que "seu" grupamento do Exército avançasse e da densidade da população judaica que encontrassem. O *Einsatzgruppe* A foi sem dúvida, o mais devastador. Foi responsável pela destruição das grande comunidades de judeus da Lituânia e Letônia, começando em 25-26 de junho com um horrendo *pogrom* em Kaunas. Na primavera de 1942, o *Einsatzgruppe* A já contava com mais de 270 mil vítimas, a maioria judeus, mais do que o total liquidado pelos quatro grupos. Assim como as demais equipes da SS, o *Einsatzgruppe* A matava manualmente, usando rifles, pistolas e metralhadoras. Os auxiliares locais, às vezes, recorriam a porretes ou picaretas. Isso era suficiente para causar pânico em uma população indefesa e, em geral, dócil. Dessa forma, o "judeucídio" em breve, se tornou uma realidade terrível e concreta. Com efeito, a experiência foi tão intensa que provocou um processo de aprendizagem que, já no final de 1941, levava às primeiras tentativas de uso de gás em furgões, método considerado mais adequado às preocupações humanitárias de seus perpetradores. No entanto, os furgões nunca chegaram a ser amplamente utilizados. Eram engenhocas lentas e improvisadas, sujeitas ao mesmo tipo de limitações encontradas pelo restante do transporte motorizado da Wehrmacht. Como forma de matar, a asfixia por meio de monóxido de carbono era, simplesmente, demasiado lenta. Enquanto começava a experimentação na Polônia com instalações de gás mais estacionárias, a execução manual continuou a ser a prática preferida na União Soviética, mesmo na segunda onda de matança, em 1942, que ceifou as vidas de 360 mil judeus na Ucrânia e Bielorrússia. Na Galícia, onde cerca de 500 mil judeus foram mortos durante a ocupação alemã, foram usados fuzilamentos e gás, junto com a "aniquilação por meio do trabalho forçado", como sugerira Heydrich (*Vernichtung durch Arbeit*).[56] A oportunidade para esse último método foi a construção de uma importante estrada necessária para assegurar as linhas de suprimento para o Grupo Sul do Exército.

Ao contrário da atividade imediata dos *Einsatzgruppen*, o Plano de Fome de Backe tinha uma qualidade mais abstrata. As autoridades alemãs parecem haver imaginado que, para matar de fome 1 milhão de pessoas, bastava simplesmente requisitar todos os cereais disponíveis e "isolar" as cidades. Na prática, essa ideia de morte pela fome em massa como resultado da inanição sistemática se mostrou ingênua.[57] A população soviética não ficou esperando morrer de fome. Os únicos grupos numerosos que foi possível liquidar simplesmente não os alimentando eram minorias fáceis de reconhecer no seio da população urbana e as pessoas confinadas em cativeiro; em outras palavras, a população judaica urbana e os prisioneiros de guerra soviéticos. Imediatamente depois da chegada das tropas alemãs, os judeus que não tivessem sido mortos pelos *Einsatzgruppen* eram proibidos de frequentar os mercados de alimentos e de tratar diretamente com camponeses. Também não lhes era permitido comprar alimentos mais escassos como ovos, manteiga, leite, carne ou frutas. Na Bielorrússia, no setor do Exército do Centro, a "ração" fixada para os habitantes judeus de Minsk e outras cidades era de apenas 420 calorias diárias.[58] Em outros lugares, a disponibilidade era ainda menor. Durante o inverno de 1941-42, dezenas de milhares de homens, mulheres e crianças judias sucumbiram à fome ou a doenças relacionadas com a inanição.

Os prisioneiros de guerra soviéticos, no entanto, foram os que mais sofreram com o Plano de Fome.[59] Na primeira fase da Operação Barbarossa, nada menos do que 3,3 milhões de soldados do Exército Vermelho foram aprisionados pelos alemães. A Wehrmacht não podia dizer que não tivesse experiência em lidar com prisioneiros de guerra. Na frente ocidental, havia conseguido cuidar de maneira adequada de 2 milhões de homens capturados em apenas dois meses. Mas, durante o prosseguimento da campanha Barbarossa, houve ordem de não dar aos prisioneiros soviéticos o tratamento normalmente aceito pela Convenção de Genebra. As tropas receberam orientação especial para isolar e executar os que fossem considerados politicamente perigosos. Os prisioneiros deveriam ser separados em categorias étnicas distintas. Não foi feita preparação adequada para abrigá-los nos meses de inverno. Se houve alguma preocupação nesse campo, aparentemente, presumiu-se que eles próprios cavariam abrigos na terra. Foram fixadas rações especiais que forneciam muito menos nutrição do que para outras categorias de prisioneiros. Mesmo quando bem administrados, os campos de prisioneiros de guerra não costumam ser lugares saudáveis. Muitos soldados do Exército Vermelho já estavam em más condições físicas no momento da captura, feridos ou sofrendo de choque e exaustão. Muitos haviam passado dias sem se alimentar. Para aumentar o sofrimento, eram obrigados a caminhar para fora da zona de combate por distâncias de centenas de quilômetros. Com as taxas normais de mortalidade, era de se esperar dezenas de milhares de baixas, mas as estatísticas não deixam dúvida de que, além dessa "adversidade normal", a Wehrmacht sistematicamente matava de fome seus prisioneiros. No final de dezembro de 1941, segundo os registros da própria Wehrmacht, o número de cativos chegava a 3,35 milhões.[60] Desses, somente 1,1 milhão ainda estavam vivos e apenas 400 mil se encontravam em estado físico suficientemente adequado para trabalhar. Dos 2,25 milhões que haviam morrido, pelo menos, 600 mil foram fuzilados ao caírem vítimas da *Kommissarbefehl*, que dava ao Exército alemão e aos *Einsatzgruppen* da SS licença para executar qualquer cidadão soviético considerado politicamente perigoso. O restante morreu de causas "naturais". Somente, entre dezembro de 1941 e fevereiro de 1942, o número de mortos foi de 600 mil. Se o tempo tivesse parado no início de 1942, esse programa de matança em massa teria sido o maior crime cometido pelo regime de Hitler.

A destruição da população urbana da Rússia ocupada revelou-se tarefa muito mais difícil. O isolamento de Minsk, Kiev ou Kharkov das regiões agrícolas vizinhas teria exigido uma operação de segurança de proporções muito substanciais.[61] Com o prosseguimento de lutas encarniçadas em todas as frentes, os recursos humanos da Wehrmacht eram escassos. Além disso, os atribulados funcionários da ocupação não consideravam lógico antagonizar a população civil com a implementação de um programa imediato de genocídio. Era necessário, pelo menos, dar a impressão de estar alimentando a população. Embora os alemães evitassem falar em rações oficiais, temendo que isso implicasse em reconhecimento de algum direito, começaram de fato a distribuir alimentos. O resultado foi um confuso meio-termo, registrado com surpreendente sangue-frio por um administrador local da Wehrmacht:

> Nos últimos meses, pela primeira vez, e, em seguida, com frequência cada vez maior, tem-se mencionado o abastecimento de alimentos para civis durante o dia de trabalho. Nunca, realmente, consideramos o fato de que aqui também há russos. Bem, isso não é exatamente verdade. Seguindo as instruções oficiais, nós... não estávamos autorizados a levá-los em conta. Mas a guerra tomou um sentido diferente... Nessas circunstâncias, não podemos deixar de pensar na população em termos de alimentos. Mas de onde poderíamos conseguir alguma coisa?[62]

Essa pergunta nunca foi respondida satisfatoriamente. A população urbana da Rússia ocidental sobreviveu recorrendo ao mercado negro e, cada vez mais, abandonando as cidades e voltando a morar com familiares que ainda viviam no interior. Por sua parte, a Wehrmacht fez o possível para se alimentar com produtos da terra. Poucas semanas depois da invasão, a principal missão de grandes parcelas do Exército alemão era a requisição de alimentos.[63] Os soldados saquearam grande quantidade de trigo, animais domésticos e laticínios. Não obstante, os exércitos alemães não conseguiram se sustentar nos níveis esperados. Especialmente, na Bielorrússia, onde se concentrava o grosso das forças, as fontes locais se revelaram inadequadas em todos os aspectos. Grandes quantidades extraordinárias de alimentos tiveram de ser enviadas para o leste pela Alemanha.[64] Dadas as deficiências da infraestrutura de transporte, no entanto, mesmo isso não foi o bastante. O Grupamento do Centro do Exército nunca sofreu fome comparável à que atormentou as forças soviéticas com as quais lutava. Mas, durante o inverno de 1941-42, com o sistema de transporte em confusão, muitos soldados alemães passaram dias, e, às vezes, semanas inteiras, privados de rações.[65]

Fundamentalmente, no entanto, o Plano de Fome jamais foi implementado em todo o seu horror, porque a zona alemã de ocupação não chegou a se estender a Moscou e Leningrado, as duas maiores concentrações urbanas da União Soviética. Embora fossem alvos-chave no planejamento da Operação Barbarossa, a Wehrmacht nunca capturou nenhuma dessas cidades. Indiretamente, no entanto, isso cumpriu os objetivos do Plano de Fome. A linha de frente cortou as comunicações entre milhões de cidadãos soviéticos e as principais fontes de alimentos, libertando, assim, a colheita ucraniana para uso dos alemães. Os soviéticos foram obrigados a alimentar o esforço nacional de guerra com o pouco que restava da própria agricultura. O resultado, na retaguarda das linhas soviéticas, foi a fome constante e, em muitos casos, a completa inanição, situação exemplificada com mais dramaticidade no cerco da cidade de Leningrado.[66] As pinças que vinham da Alemanha e da Finlândia se fecharam em torno de Leningrado no início de outubro de 1941. Dois milhões e meio de civis e soldados ficaram cercados numa gigantesca armadilha. Sem ter certeza quanto à situação dos defensores soviéticos, o 18º Exército alemão, responsável pelo sítio, começou a procurar possibilidades de lidar com a população.[67] O Estado-Maior propôs três opções: cercar a cidade e "matar todos de fome" (*alles verhungert*); evacuar os civis em direção oeste até a zona alemã de ocupação; ou organizar a ocupação para trás das linhas soviéticas. O memorando não indicava uma decisão, mas trazia as vantagens e desvantagens de cada opção. Matar de fome a população de Leningrado eliminaria grande número de comunistas e aliviaria os alemães da tarefa de alimentar milhões de pessoas. A única desvantagem real era propagandística. A imprensa estrangeira aproveitaria a oportunidade. Além disso, o 18º Exército temia o impacto psicológico sobre os soldados ao observarem de perto enquanto 4 milhões de civis pereciam de inanição. A evacuação da população civil para o oeste, até as zonas de retaguarda controladas pelos alemães, privaria os Aliados de sua "história de horror", mas obrigaria os alemães a providenciar alimento para 4 milhões de pessoas a mais e não poderia haver ilusões quanto a isso: "Grande parte dos que forem evacuados de São Petersburgo morrerão de qualquer maneira." Isso também causaria problemas para os soldados. Finalmente, havia a possibilidade de combinar com os soviéticos para que aceitassem os evacuados. Isso teria vantagens de propaganda, mas a Wehrmacht se preocupava com a eventualidade de que o êxodo de Leningrado degenerasse em um desastre de relações públicas. Dezenas de milhares de civis, sem dúvida, morreriam a caminho das linhas soviéticas. A única opção que jamais foi considerada era a possibilidade de alimentar a população soviética com os estoques alemães. Em dezembro de 1941, Leningrado via-se assolada por severa falta de alimentos. Durante o período do Natal e no mês de janeiro de 1942, homens, mulheres e crianças morriam à razão de quase 4 mil por dia.[68] Segundo os indícios mais confiáveis disponíveis, 653 mil habitantes de Leningrado morreram nos primeiros onze meses do sítio.[69] Até 1944, a fome e as doenças correlatas podem ter ceifado praticamente 700 mil vidas.

14

Dezembro de 1941: a reviravolta

NOS SEIS MESES ENTRE JUNHO E DEZEMBRO de 1941, a história do Terceiro Reich atingiu o ponto que marcou o clímax e o início da reviravolta. Nesse momento, Hitler e seu regime pareciam ter ao seu alcance a plena realização de sua visão ideológica. Mas com o inverno chegou a estratégica catástrofe. No ataque à União Soviética, em 1941, a aposta de Hitler era de que a Wehrmacht seria capaz de combater em duas frentes, desde que fosse possível destruir o Exército Vermelho antes do fim do ano. Assim, disse ele, a Mussolini, numa comunicação na manhã de 22 de junho: "Seja o que for que aconteça agora, Duce, nossa situação não poderá piorar a partir deste passo; só poderá melhorar".[1] Já em novembro de 1941, ficou claro que se tratava de uma esperança vã. O programa alemão de despovoamento e colonização mal começara e já a contraofensiva do Exército Vermelho nos arredores de Moscou deixava claros os escassos recursos militares dos quais dependia a ambição imperial de Hitler. Nas primeiras duas semanas de 1941, exatamente no momento em que Reinhard Heydrich planejara apresentar aos ministérios do *reich* os planos para a Solução Final do "problema europeu dos judeus", as condições para a plena realização desse horrendo objetivo foram arrancadas do Terceiro Reich. Por causa da frustração da Operação Barbarossa como projeto militar, o numero de vítimas do Holocausto foi de quase 6 milhões e não os 11,3 milhões calculados por Heydrich. Antes mesmo que tivesse podido desenvolver integralmente seu aspecto assassino, desmoronava o esforço do Terceiro Reich para destruir a União Soviética, criar um império duradouro no leste e modificar completamente o equilíbrio global de poder.

I

Como vimos, o êxito da Barbarossa dependia da capacidade da Wehrmacht em paralisar e destruir o Exército Vermelho na linha Dnieper-Dvina, a 500 quilômetros da fronteira. Considerar otimista essa ideia é temerário. Também, nesse aspecto, Barbarossa se enquadra como o último grande exemplo de uma guerra colonial de conquista territorial: uma tentativa extremamente presunçosa de parte de um país europeu de tamanho médio em impor sua vontade homicida a um povo, supostamente, menos desenvolvido e muito mais numeroso. Fundamentalmente, os alemães partiram do pressuposto de que a liderança soviética era tão débil e incompetente que não seria capaz de utilizar sua vantagem numérica e considerável equipamento militar para atraí-los a uma guerra de desgaste. Os grandes ganhos obtidos nas primeiras semanas da campanha pareceram confirmar inicialmente essa arrogância. Em 3 de julho, o chefe do Estado-Maior do Exército, Franz Halder, fez a famosa declaração de que a guerra estava ganha.[2] O grosso do Exército Vermelho tinha sido eliminado "deste lado do Dvina e Dnieper". Para terminar de vez a campanha no leste, a Wehrmacht teria de se dedicar a uma operação de limpeza, mas era hora de a liderança alemã voltar-se para as operações futuras contra o umbigo do Império Britânico, a rota terrestre entre o Nilo e o Eufrates.

Nem bem decorridas poucas semanas, essa bolha estourou. No final de julho de 1941, os três grupamentos do Exército alemão haviam atingido o limite da capacidade de seu sistema de reabastecimento e detiveram o avanço. Embora tendo sofrido perdas devastadoras, o Exército Vermelho não fora destruído.[3] Ainda combatia e infligia pesadas baixas. A situação era mais crítica no segmento central da linha de frente, em torno de Smolensk.[4] Nos últimos dias de julho, levando seus tanques ao limite de sua resistência, Heinz Guderian fechou mais um cerco gigantesco e tomou o controle da "ponte terrestre" entre os cursos superiores dos rios Dvina e Dnieper. Moscou estava agora a menos de 400 quilômetros de distância. Mas, ao realizar aquele golpe espetacular, Guderian ultrapassara suas linhas de reabastecimento, deixando o corpo principal do Grupamento Central do Exército a centenas de quilômetros a oeste. Diante dos severos contra-ataques soviéticos, as unidades sobrecarregadas de Guderian foram obrigadas a resistir e defender o perímetro externo do cerco que haviam realizado.[5] Sentindo que havia chegado um momento crítico, o Exército Vermelho lançou nada menos do que 17 Corpos de Exército contra o Grupamento Central alemão, seis deles concentrados no ataque a Guderian.[6] Embora a um terrível preço de sangue, os incessantes contra-ataques soviéticos obtiveram o resultado desejado. O marechal de campo Bock, comandante em chefe do Grupamento Central, anotou em seu diário: "Ainda não sei bem de que maneira iniciar uma nova operação a partir desta posição, com a capacidade decrescente de combate dos soldados, que estão sendo atacados sem cessar".[7] Poucos dias depois, em nova anotação: "Se os russos não entrarem, brevemente, em colapso, será difícil golpeá-los antes do inverno com força suficiente para eliminá-los".[8]

O Grupamento Central do Exército não teria condições de retomar o ataque na direção de Moscou antes de setembro, no mínimo.[9] Era, exatamente, o tipo de paralisia contra o qual Halder advertira com tanta veemência em sua avaliação inicial do plano da campanha Barbarossa. No início de 1941, ele deixara escrito que o êxito somente estaria garantido com velocidade ininterrupta que impedisse o reagrupamento do Exército Vermelho. Mas, com o avanço do inimigo ao longo de toda a linha de frente, Halder se via obrigado a concluir que a invasão alemã da União Soviética se baseara em um erro fundamental de avaliação. Com data do início de agosto, seu diário contém a seguinte confissão:

> Nas frentes não envolvidas no movimento ofensivo, reina a calma da exaustão. O que estamos fazendo, agora, é a última tentativa desesperada de impedir que nossa linha de frente fique paralisada em uma posição de combate... nossas últimas reservas já foram utilizadas. Qualquer reagrupamento, agora, será apenas uma troca de posições na linha de base entre setores distintos do grupo do Exército... Em toda a situação, vai ficando evidente que nós subestimamos o colosso russo, que se preparara para a guerra com toda a desinibição característica dos Estados totalitários. Isso é verdadeiro tanto em relação às forças econômicas quanto à organização e ao sistema de transporte, mas, acima de tudo, em relação à pura capacidade militar. No início da guerra, acreditávamos que o inimigo dispusesse de cerca de 200 Divisões. Agora, já contamos 360. Essas divisões, sem dúvida, não possuem o armamento e equipamento que nós temos, e, em muitos casos, a liderança tática é inadequada. Mas lá estão elas. E, quando esmagamos uma dúzia, os russos trazem outra dúzia.[10]

Na verdade, Halder continuava a subestimar a escala do desafio que a Wehrmacht enfrentava na Rússia. No final de 1941, o Exército Vermelho não havia levado ao campo de batalha 360 divisões, e sim um total de 600.[11]

O general alemão reconhecia agora que, se existia alguma potência nas décadas de 1930 e 1940 que justificasse o *slogan* fascista do "triunfo da vontade" sobre as circunstâncias materiais, essa potência não era a Alemanha nazista, nem a Itália fascista, e sim a ditadura marxista de Stalin. Não apenas o regime soviético deixou de entrar em colapso como seu antecessor czarista, mas também se mostrou capaz de absorver baixas muito mais numerosas do que as sofridas por qualquer outro combatente. E, apesar do relativo atraso econômico, mostrou-se capaz, durante a emergência de 1941-42, de mobilizar uma parcela maior dos recursos econômicos nacionais.[12] Em vez de sucumbir à suposta falta de sofisticação, a União Soviética aplicou golpes muito acima de sua categoria. Em grande parte, isso resultou da coerção terrorista, mas o poder político de Stalin estava inextricavelmente ligado à realização eficaz da industrialização soviética, da qual o excelente armamento do Exército Vermelho era a expressão mais dramática.[13] Em 1940, na França, a Wehrmacht encontrara formas de derrotar os pesados Char B franceses, mas os alemães não tinham uma resposta à altura dos milhares de ágeis e fortemente blindados tanques T-34 que começavam a ser despejados pelas linhas de produção da União Soviética.

Hitler sucumbiu à dúvida, até mesmo, diante de seus generais. Já no fim de julho ele começou a contemplar a possibilidade de que o Exército Vermelho não viesse a ser destruído em 1941. Por instruções suas, o alto-comando da Wehrmacht expediu uma ordem estratégica admitindo abertamente essa eventualidade.[14] Com efeito, o momento de realismo estratégico de Hitler parece ter sido mais amplo do que isso. Quando Goebbels visitou o *Hauptquartier* em Rastenburg, em 18 de agosto de 1941, ficou abismado ao ouvir seu *führer* falar de uma paz negociada com Stalin.[15] Além disso, para Hitler, a possibilidade de um impasse no leste tinha implicações operacionais imediatas. Desde os primeiros estudos do Estado-Maior para a Operação Barbarossa, tanto ele quanto o alto-comando da Wehrmacht presumiam que, caso o ataque inicial não conseguisse destruir o Exército Vermelho, as considerações econômicas estratégicas teriam prioridade. Para que a Alemanha pudesse enfrentar uma guerra prolongada em duas frentes, era essencial assegurar o controle absoluto dos cereais e matérias-primas da Ucrânia, assim como o completo domínio sobre o Báltico, sem o qual a Alemanha não poderia garantir as entregas de minério vindas da Escandinávia.

Sem dúvida, havia motivos para preocupações estratégicas no fim do verão de 1941.[16] Depois do anúncio do empréstimo-arrendamento, a aliança anglo-norte-americana demonstrava todos os indícios de maior fortalecimento. Em julho, os Estados Unidos ocuparam a Islândia a fim de aumentar a cobertura das rotas mercantes do Atlântico.[17] Escaramuças com troca de tiros entre as marinhas norte-americana e alemã vinham ocorrendo a cada mês. Assim como a Luftwaffe, a marinha alemã observava com crescente apreensão a drástica expansão da produção norte-americana. A menos que fosse possível, em breve prazo, iniciar um ataque total contra as rotas mercantes e dar partida ao processo de asfixiar a Grã-Bretanha pela fome, a imensa capacidade dos estaleiros norte-americanos estaria em posição de compensar quaisquer perdas que os submarinos pudessem provocar.[18] Em 14 de agosto de 1941, os Estados Unidos selaram seu comprometimento irrevogável com o esforço de guerra britânico por meio da Carta do Atlântico. Churchill esperava uma declaração de guerra de parte de Washington, mas Roosevelt não podia ir tão longe. Em Berlim, no entanto, a eclosão de uma guerra aberta com os Estados Unidos passou a ser considerada apenas questão de tempo. Hitler já não raciocinava em termos de longo prazo.[19] A partir do verão de 1941, ele começou a falar da guerra com os Estados Unidos como se isso fosse ocorrer dali a poucos meses, de preferência, após a conclusão das operações no leste. Tudo, no entanto, dependia dos japoneses.[20] Os submarinos poderiam afundar navios norte-americanos no Atlântico, mas o Japão, com sua poderosa e moderna Marinha, era a única esperança alemã de enfrentar o poderio da frota dos Estados Unidos. Pelo mesmo motivo, o Japão era também a esperança alemã de golpear diretamente o Império Britânico. Em 1941, Hitler oferecera ao Japão uma aliança ofensiva contra os norte-americanos, caso Tóquio concordasse em entrar em guerra contra a Grã-Bretanha. Os japoneses hesitaram. Essas considerações estratégicas, no entanto, tornavam ainda mais essencial assegurar os objetivos econômicos principais na União Soviética.

Em agosto de 1941, o frágil consenso que sustentara os preparativos para a Barbarossa se rompeu. Como vimos, Halder sempre considerara que a invasão meridional nas terras produtoras de trigo da Ucrânia era um desvio em relação ao verdadeiro objetivo, a destruição do Exército Vermelho diante de Moscou. Apesar do combate ainda encarniçado em Smolensk, Halder ainda pretendia concentrar todas as forças disponíveis no setor central para um ataque contra a capital soviética o mais rapidamente possível.[21] Durante as semanas cruciais de agosto de 1941, no entanto, ele não conseguiu mobilizar o apoio do Grupamento Central do Exército, e nem de Brauchitsch, comandante em chefe do Exército. Após uma série de enfrentamentos um tanto desanimadores, Hitler fez o que desejava. Em vez de se preparar para uma ofensiva na direção de Moscou, que poderia pelo menos ter sido lançada em meados de setembro, o *führer* mandou que a principal força Panzer do Grupamento Central do Exército se deslocasse para o sul numa espécie de gigantesco gancho voltado para a direita. Essa manobra produziria o que pode ser considerado como a maior vitória individual alemã na guerra do leste. Em três semanas de luta encarniçada, Kiev foi cercada, 600 mil homens foram prisioneiros e o caminho ficou desimpedido para a conquista completa da zona da indústria pesada de Donetz. Com o sítio de Leningrado igualmente completo no início de setembro, o entusiasmo da vitória relegou a plano secundário os desentendimentos de agosto.[22] Parecia que afinal seria possível completar os objetivos da Barbarossa dentro de um único ano. Em 6 de setembro, o Grupamento Central do Exército recebeu ordem de iniciar o avanço direto planejado para a capital soviética, defendida pelo que se supunha serem os últimos remanescentes do Exército Vermelho.[23]

As semanas que antecederam o lançamento dessa operação, com o codinome de Typhoon, constituíram um momento-chave na progressiva radicalização do regime nazista. Hitler disse a Goebbels que a Wehrmacht logo estaria avançando em direção a Stalingrado e ao rio Don. A Grã-Bretanha, finalmente, não teria opção a não ser negociar. O primeiro ministro Churchill seria retirado do poder. O Império Britânico permaneceria intacto, mas "a Inglaterra... não tem mais futuro na Europa".[24] O território da Eurásia ficaria reservado para a Alemanha, fornecendo-lhe os recursos de que necessitava para se tornar uma potência verdadeiramente mundial. Em seu discurso aos soldados do Grupo Central do Exército, em 2 de outubro, Hitler não fez segredo sobre o que estava em jogo. Fez um vínculo direto entre a batalha pela conquista de Moscou e a luta racial. A Alemanha estava, então, em guerra tanto contra a Grã-Bretanha capitalista quanto contra a Rússia bolchevista. Superficialmente diferentes, na verdade, os dois sistemas eram fundamentalmente semelhantes. O bolchevismo não era melhor do que o pior tipo de capitalismo. Era criador de pobreza e indigência e "os promotores desse sistema", "em ambos os casos", eram os mesmos: "Judeus, e somente judeus!" O ataque a Moscou deveria desferir um "golpe mortal" contra esse arqui-inimigo do povo alemão.[25]

Não há certeza de que Hitler tenha tomado, em outubro de 1941, a decisão definitiva para o imediato assassinato de toda a população judaica da Europa.[26] O que está além de qualquer dúvida é que a euforia da vitória alemã na Ucrânia e o êxito das primeiras semanas da operação Typhoon coincidiram com uma abrupta escalada da política e da retórica antissemitas. Em 15 de outubro, finalmente, iniciou-se a evacuação das populações judaicas da Áustria e da Alemanha, longamente aguardada. Nos bosques dos arredores de Lódz, Eichmann inspecionou o que logo se transformaria em uma instalação experimental de câmaras de gás. Em 17 de outubro, diante do ministro do Armamento, Fritz Todt, e do *gauleiter* Fritz Sauckel, Hitler apresentou um verdadeiro panorama do futuro do leste conquistado. Os habitantes eslavos seriam tratados como "peles vermelhas" (*Indianer*). Os que fossem úteis seriam mantidos. A população das cidades morreria de inanição. Todos os elementos judeus destrutivos seriam imediatamente exterminados. Nessa ocasião, Hitler não mencionou o gás e limitou suas ameaças imediatas aos "judeus destrutivos". Porém, à luz da matança já levada a cabo pelos *Einsatzgruppen*, da morte por inanição de milhões de prisioneiros de guerra soviéticos e das projeções de vítimas do Plano de Fome, é difícil ver qual seria a importância dessas distinções. Tivesse ou não Heydrich já imaginado um plano concreto e específico para a destruição da população judaica relativamente reduzida da Europa, o Terceiro Reich já estava comprometido com um programa de assassinato de milhões de pessoas, cujo objetivo era nada menos do que a reconstrução demográfica da Europa

Inicialmente, a Operação Typhoon satisfez todas as expectativas. A Wehrmacht infligiu terríveis prejuízos. Seis exércitos soviéticos foram envolvidos no duplo cerco em Vyazma e Bryansk, 600 mil prisioneiros de guerra foram levados para o oeste a fim de morrer atrás das linhas alemãs.[27] Na segunda semana de outubro de 1941, o regime de Stalin chegou próximo ao ponto de colapso.[28] Ao ouvir boatos de que a liderança comunista estava fugindo da cidade, a população de Moscou experimentou breve momento de pânico. No entanto, a ordem foi rapidamente restaurada. Stalin permaneceu na capital e o general Georgi Zhukov conseguiu recuperar mais uma linha de defesa.

Em 7 de novembro, o Exército Vermelho comemorou o aniversário da Revolução Bolchevista com uma desafiadora parada na Praça Vermelha. Enquanto isso, reapareceram as limitações logísticas que amarravam a Wehrmacht. Mesmo durante a preparação para a Operação Typhoon, a concentração de todo o poderio ofensivo alemão em um único grupamento de exército havia criado enormes engarrafamentos nos transportes. Em setembro e outubro, os depósitos de suprimentos em Gomel, Roslawl, Smolensk e Witebsk se consideravam afortunados quando recebiam em qualquer dia dois terços do material necessário para manter o pleno poderio da Operação Typhoon.[29] E, embora o Exército Vermelho sofresse terrivelmente, a Wehrmacht também pagou preço elevado. Em meados de outubro, a 4ª Divisão Panzer tinha sido reduzida a apenas 38 veículos após um devastador encontro com os T-34 do 1º Corpo de Rifles da Guarda.[30] Os Panzer já não eram invencíveis. A sorte da Wehrmacht estava acabando. Duas semanas depois do início da Operação Typhoon, a 10ª Divisão Panzer perdera 140 de seus 200 tanques. O tenente Walter Rubarth, orgulho da divisão, que, junto com apenas um esquadrão de homens forçara a travessia do rio Maas, em 13 de maio de 1940, foi morto em 16 de outubro de 1941 em encarniçada batalha pela conquista da estrada Minsk-Moscou. O tenente Heinrich Hanbauer, que seguira Rubarth naquela jornada heroica no Maas, morrera quatro meses antes na ponte Beresina.[31] Como se quisessem demonstrar o contraste com a sensação de heroísmo de maio de 1940, as chuvas de outono começaram a cair em 8 de outubro. Em poucos dias, todo o setor central do Exército alemão se transformou num atoleiro intransponível. No final de outubro, o Grupamento Central ficou retido a 100 quilômetros de Moscou.

II

Durante o outono, a escala das vitórias da Wehrmacht foi suficiente para disfarçar as crescentes dissonâncias da posição estratégica da Alemanha. Na terceira semana de agosto de 1941, Keitel, na qualidade de chefe do OKW, presidiu uma reunião para coordenar o plano de armamentos das três forças da Wehrmacht, sob a premissa explícita de que a guerra terrestre estava efetivamente terminada. Os recursos poderiam, dali em diante, ser desviados para a Luftwaffe a fim de enfrentar a crescente ameaça da frota aérea anglo-norte-americana.[32] Ironicamente, a decisão do Exército alemão de terminar a guerra até o fim de 1941 somente ajudou a reforçar essa ilusão. Apesar da continuação dos combates, o escritório de suprimentos do Exército, praticamente, não protestou a respeito da iminente mudança nas prioridades. Em outubro, no entanto, quando a Typhoon chegou ao seu primeiro e lamacento clímax, a economia de guerra da Alemanha começou a se desmontar.

A situação dos combustíveis, há muito prevista pelo escritório econômico-militar da Wehrmacht, aproximava-se rapidamente de um ponto crítico. No início de 1942, não seria a lama da Rússia e sim a exaustão dos depósitos de gasolina da Alemanha o que ensejaria a "completa paralisia do Exército".[33] Mesmo assim, utilizando a reserva operacional de combustível da Wehrmacht e reduzindo o consumo, o Exército manteve a mobilidade.[34] A Marinha não teve tanta sorte. Em novembro de 1941, a situação de combustível das marinhas italiana e alemã foi considerada "catastrófica" pela Wehrmacht.[35] Em maio de 1941, a Marinha Real Britânia afundara o encouraçado *Bismarck*, que tentava inutilmente escapar para as rotas mercantes do Atlântico. No outono, o restante da frota alemã de superfície ficou confinada ao porto, não apenas pelos britânicos, mas também pela crônica escassez de combustível.[36] Para enfrentar as necessidades mínimas de combustível da Marinha e da frota mercante, de, aproximadamente, 90 mil toneladas de óleo pesado por mês, a Alemanha dispunha de uma produção de apenas 52 mil toneladas, além de estoques de somente 220 mil toneladas.[37] Se os navios principais da Alemanha passassem a operar no Atlântico, o consumo dobraria e ameaçaria de iminente paralisia toda a navegação mercante do Eixo. A conclusão do escritório econômico-militar da Wehrmacht foi que "a consequência disso é que, simplesmente, não podemos combater simultaneamente com as três forças da Wehrmacht.[38]

A preocupação não era apenas dos militares. As pressões impostas pelo programa de armamentos para a Operação Barbarossa e os imensos planos novos da Luftwaffe ameaçavam desestabilizar o precário equilíbrio fiscal e monetário da economia alemã como um todo. Em 17 de setembro de 1941, o departamento econômico do Reichsbank concluiu que a situação da moeda alemã podia ser resumida em duas afirmações sucintas: O suprimento de bens de consumo caíra à metade e o volume de moeda em circulação dobrara.[39] O resultado foi uma grave disparidade entre a demanda e a oferta, além de crescente pressão inflacionária.[40] O que preocupava, especialmente, o Reichsbank era a drástica aceleração da taxa de expansão monetária que ocorrera desde abril de 1941. Entre abril e agosto, a massa de moeda em circulação aumentara 10,9%, 3,5 vezes mais rapidamente do que em igual período em 1940. Ao mesmo tempo, a venda de dívidas governamentais aos bancos diminuíra em termos relativos. Embora o Reichsbank não duvidasse da disposição da população em aceitar uma severa redução do padrão civil de vida, havia sinais de que esta recorria cada vez maior ao mercado negro. Entre os que tinham acesso aos produtos escassos, como camponeses, artesãos e pequenos lojistas, o comércio de escambo ia se tornando a norma.[41] À taxa corrente de expansão monetária, os controles de preços e salários em vigor, desde meados da década de 1930 logo seriam ultrapassados; a Alemanha sofreria, nesse caso, uma desastrosa queda para a inflação, com o colapso da produtividade e agitação civil, assim como acontecera no início da década de 1920.[42] "Se fosse possível enfrentar apenas uma guerra curta", prosseguia o Reichsbank, "seria possível *in extremis* aceitar até mesmo, que isso acontecesse". Mas uma guerra curta parecia agora "improvável", porque ainda havia "três grandes tarefas militares [a Rússia Soviética, o Mediterrâneo e a Inglaterra] que precisarão de muito tempo para serem resolvidas". À luz da situação estratégica da Alemanha, o Reichsbank não podia se dar ao luxo da indolência. Eram necessárias "contramedidas" (*Gegenmassnahmen*) urgentes, inclusive o vigoroso combate ao mercado negro e uma nova campanha de propaganda a fim de estimular a poupança popular.[43] O Reichsbank propôs, também, um plano compulsório de poupança de guerra e um aumento amplo de impostos para "raspar" o poder de compra excessivo. A fim de minimizar as despesas militares, o banco exigiu "uma redução drástica dos preços pagos pelos armamentos".

Durante os meses seguintes, as autoridades do *reich* fizeram um esforço decidido para restaurar o equilíbrio fiscal da Alemanha. Conforme tem sido muitas vezes observado,[44] o Terceiro Reich não recorreu a um grande aumento do imposto de renda das pessoas físicas a fim de financiar a guerra. Porém, dados o modesto padrão de vida e a alta carga dos impostos *per capita* de antes da guerra, isso não surpreende. Em vez disso, o *reich* procurou estimular a poupança e aumentar os impostos sobre lucros e rendimentos mais elevados.[45] Em meados de 1941, a taxa média sobre as empresas subiu de 40 para 50% e em seguida, a partir de janeiro de 1942, para 55%. A receita dessa fonte cresceu em 1,5 bilhão de *reichsmarks,* em 1941-42, e mais 1,8 bilhão, em 1942-43.[46] Mais importante, foi a hipoteca das receitas futuras da *Hauszinsteuer*, medida inicialmente proposta pelo Ministério das Finanças do *reich*, em dezembro de 1941. Como vimos, esse imposto havia sido instituído pela República de Weimar, na década de 1920, a fim de financiar a construção de moradias populares. Em geral, produzia cerca de 850 milhões de *reichsmarks* por ano. A fim de atender à emergência fiscal da guerra, o Ministério das Finanças propôs, originalmente, um adiantamento de quatro anos do valor do imposto, mas, por insistência do Ministério de Finanças da Prússia e outros, essa medida foi elevada para um adiantamento de dez anos do imposto, pagos de uma só vez.[47] Pelo menos, 4,5 bilhões de *reichsmarks* vieram de contas bancárias líquidas e reservas em dinheiro de proprietários de imóveis; o restante foi levantado em forma de novas hipotecas. No total, em 1942, essa medida extraordinária rendeu 8 bilhões de *reichsmarks*. Junto com um aumento da contribuição feita pelos territórios ocupados, foi o suficiente para elevar a parcela das despesas do *reich* cobertas por receitas fiscais, em 1942, a mais de 54%, apesar do drástico aumento dos gastos. A espiral inflacionária estava detida, pelo menos, por algum tempo.

Não admira, no entanto, que a sugestão de um corte significativo nas despesas com armamentos tenha causado a maior controvérsia. Desde a campanha de racionalização, após a crise dos Sudetos, no outono de 1938, os preços dos contratos públicos vinham sendo regulados pelo sistema denominado LSOe. Embora isso estivesse longe de ser o ideal, não constituía, como, às vezes, tem-se argumentado, uma licença para grosseira ineficiência.[48] Segundo o LSOe, os preços eram fixados com base no custo estimado, mais uma taxa de lucro, normalmente, de 5%, calculada não como percentagem desses custos, e sim sobre o capital utilizado. Uma vez acordados, os preços ficavam fixos e, caso os custos por unidade caíssem abaixo do estimado, o lucro, pelo menos, inicialmente, cabia aos produtores. Havia, portanto, um claro incentivo para a redução de custos e eficiência. Os indícios sugerem que os contratistas de armamentos aproveitaram a oportunidade. Apesar do fato de as agências de controle de preços da Wehrmacht se orgulharem de haver reduzido os preços dos armamentos a uma média de 18%, nos primeiros dois anos da guerra, também, em geral, tem-se concordado que o sistema permitia a lucratividade empresarial.[49] Com efeito, no final de 1940, os lucros obtidos com os contratos LSOe tornaram-se de tal forma, excessivos que o comissário de preços do *reich*, o *gauleiter* Josef Wagner, começou a exigir ação drástica.[50] Wilhelm Zangen, chefe do Grupo do *reich* para a indústria, conseguiu desviar esse ataque inicial.[51] Mas no outono de 1941, com a crescente apreensão quanto à perspectiva de uma crise inflacionária, o comissário de preços adotou, abruptamente, uma postura mais agressiva. À luz da crescente dívida do *reich* e das despesas militares em disparada, o sistema acordado de reversão dos lucros era insuficiente, assim como as reduções *ad hoc* de preços concedidas pela indústria. A fim de combater a emergência fiscal, o *gauleiter* Wagner propôs reduzir, retroativamente, em 20%, as taxas de lucro permissíveis para 1940-1941, enquanto as regras sobre lucros excessivos deveriam ser aplicadas, retroativamente, a todo o exercício fiscal 1939-40. Além disso, todos os descontos por depreciação nas fábricas, que não pudessem ser contabilizados durante a guerra, seriam transferidos ao *reich*. No futuro, em vez de fixar preços individualizados para cada contratista do governo, como ocorria com a LSOe, as firmas seriam obrigadas a cobrar um preço padronizado, fixado ao nível dos custos obtidos por uma "boa firma", menos 10%.[52] No total, o comissário de preços esperava que esse pacote de medidas rendesse pelo menos 2 bilhões de *reichsmarks*.[53] Não admira que as indústrias tenham reagido de forma indignada. Zangen e seu subchefe Stahl ameaçaram demitir-se. Os clientes industriais não poderiam mais confiar neles caso a questão do retorno dos lucros "fosse tratada de maneira 100% diferente da que havia sido acordada durante muitos meses de reuniões com o comissário de preços". As novas e drásticas propostas minariam as bases sobre as quais "a indústria tem trabalhado e gerido seus negócios", durante o ano anterior.[54] Por fim, nem Zangen nem Stahl pediram demissão, e sim o comissário de preços Wagner, aparentemente em consequência de uma intriga feita pela SS, sem relação com a questão dos lucros.[55] O incidente, não obstante, revela as tensões que vinham se avolumando no seio da economia de guerra da Alemanha. No outono de 1941, até mesmo, o relacionamento relativamente harmonioso entre a indústria alemã e as autoridades do setor de armamentos — a base política do esforço de guerra desde a nomeação de Todt, na primavera de 1940 — via-se ameaçado.

Um desafio ainda mais urgente, no entanto, era a condição cada vez mais enfraquecida da indústria pesada alemã. Como de costume, os problemas giravam em torno do carvão e do aço. No final da primavera de 1941, praticamente, não existiam estoques de carvão na Alemanha e a produção estava muito abaixo do necessário. Numa reunião do Plano Quadrienal, no final de junho, o general Hanneken relatou que o *Grossraum* alemão enfrentava um déficit de carvão de, aproximadamente, 40 milhões de toneladas. Isso refletia tanto a redução da produção nas minas quanto as exigências cada vez maiores da indústria.[56] Em consequência, os territórios ocupados vinham sendo abastecidos a uma taxa de apenas 60% das necessidades.[57] Dentro da Alemanha, o consumo de carvão de parte da indústria do aço reduzira-se em 15%, e havia a ameaça de que logo essa taxa subisse a 25%.[58] Nem mesmo os produtores de eletricidade e gás estavam imunes. Cortar o carvão alocado às famílias não era uma opção viável, porque, para assegurar a continuidade dos suprimentos à indústria na primeira metade de 1941, haviam sido feitos preparativos inadequados para o abastecimento dos estoques familiares para o inverno seguinte.[59] A menos que fosse feito um esforço decidido durante os meses seguintes, para assegurar estoques adequados, haveria um desastre de relações públicas na frente doméstica. A fim de abrir espaço para esses transportes essenciais, falava-se, até mesmo, em um corte drástico de 40% no fornecimento a todos os clientes industriais não essenciais. Assim, disse Hanneken a Thomas, do OKW: "Chegou o momento em que o próprio *führer* terá de decidir o que deve ser feito no campo das matérias-primas durante o inverno."[60] Os episódios de escassez foram tantos que tornaram absurdos os gigantescos planos de expansão da indústria química, que Krauch havia projetado apenas poucas semanas antes. A fim de proporcionar as matérias-primas e energia para as metas de Krauch sobre hidrogenação de combustível e *buna*, a produção de carvão da Alemanha teria de ser elevada em 30 milhões de toneladas adicionais, acima do déficit existente de 35-40 milhões de toneladas.[61]

No fim das contas, quem acabou intervindo não foi Hitler, e sim Keitel, do alto-comando da Wehrmacht. Em uma série de reuniões, entre 14 e 16 de agosto de 1941, ele procurou obrigar as três forças da Wehrmacht a adaptar os programas de armamentos às restrições impostas pela escassez de carvão. Em vez de uma produção mensal de 2 milhões de toneladas de aço, a Alemanha teria de se conformar com apenas 1,65 milhões.[62] Junto com as evidentes limitações da capacidade metalúrgica alemã, isso significava que a cota total da Wehrmacht teria de ser drasticamente reduzida a fim de evitar qualquer nova aceleração da já grave "inflação do aço". A contrapartida física do excesso monetário que tanto preocupava o Reichsbank era um total acumulado de 12 milhões de toneladas de encomendas confirmadas de aço, equivalentes a, aproximadamente, seis meses de produção, sem correspondente físico. Poucas semanas depois de anunciar o gigantesco programa de Göring, a Luftwaffe foi obrigada por Keitel a aceitar o objetivo extraordinariamente modesto de, simplesmente, substituir os aviões destruídos na frente oriental durante os dois meses anteriores. No futuro previsível, não haveria nem o aço e nem a mão de obra necessários para terminar a construção das enormes fábricas de combustível e borracha sintética que deveriam abastecer a gigantesca frota aérea, contemplada poucos meses antes. E, enquanto a Luftwaffe, simplesmente, via frustrados seus programas de expansão, o Exército enfrentava cortes verdadeiramente devastadores. Em 25 de outubro de 1941, a cota de aço para o Exército foi fixada em míseras 173 mil toneladas mensais, nível jamais igualado desde a crise de maio de 1938.[63] Essa mudança drástica estava plenamente alinhada com a estratégia alemã de armamentos para o Exército desde o outono de 1940 — deslocar os recursos para a Luftwaffe e para a Marinha tão logo ocorresse a vitória no leste. Encontrava-se, porém, claramente, em desacordo com a realidade diante da Wehrmacht na Rússia. Enquanto a Operação Typhoon se estiolava na estrada de Smolensk, os generais alemães finalmente começaram a se ajustar à compreensão de que o Exército Vermelho não seria derrotado em 1941. Confrontado com os drásticos cortes de sua cota de aço, o escritório de suprimentos do Exército entrou em pânico.[64] Sem uma cota extra de aço, a intendência não via possibilidade de reabastecer o *Ostheer* para continuar a guerra em 1942. Não se tratava de blefe. Como vimos, a produção de munições tinha sido propositalmente reduzida, em 1940 e 1941. Após meses de luta intensa, os estoques de obuses e balas tinham caído a níveis perigosamente baixos.[65] Para que a Wehrmacht pudesse prosseguir em suas operações ativas, em 1942, precisava desesperadamente refazer os estoques. Não apenas isso: dada a surpreendente superioridade de boa parte do armamento do Exército Vermelho, a Wehrmacht necessitava de toda uma nova geração de tanques e armas de infantaria.

O que o Terceiro Reich enfrentou, em outubro de 1941, não foi outro episódio de rivalidade entre as diferentes armas, e sim a falência de toda a sua estratégia de combate. Não obstante, Keitel preferiu culpar o Exército pelo descarrilhamento. Denunciou as novas exigências de aço do Exército como "chantagem fora de propósito" (*unerhörte Erpressung*) e, imediatamente, tratou de envolver Hitler. Este, por sua vez, não estava disposto a entrar em discussões sobre matérias-primas. O escritório de Thomas observou: "Ele se recusa a acreditar que não haja matéria-prima suficiente. Afinal, foi ele o conquistador da Europa. As forças armadas têm de receber o que exigem."[66] Apenas dois dias depois de o OKW anunciar a redução da cota de aço do Exército, Hitler decretou que a Wehrmacht deveria ignorar por completo o sistema de racionamento de material.[67] Em vez de seguir à risca a decisão de deslocar as prioridades para a Lutwaffe, cada uma das forças armadas passou a ter liberdade, até o fim do ano, para encomendar a quantidade de material que desejasse. Como tudo dependia do angustioso avanço do Grupamento Central do Exército em direção a Moscou, simplesmente, deixou de existir qualquer coerência estratégica na organização do esforço armamentista alemão.[68] De fato, à luz da exaustão tanto da força de trabalho quanto do abastecimento de carvão, o escritório econômico-militar da Wehrmacht aguardava o iminente período de festas sem esconder o alívio. No final de novembro, o general Thomas recomendou que a economia de armamentos da Alemanha encerrasse as atividades durante um feriado prolongado, entre 24 de dezembro de 1941 e 1º de janeiro de 1942, permitindo economizar o carvão e a mão de obra.[69]

Com a economia de guerra da Alemanha tendo chegado, dessa forma, a um impasse total, os andrajosos remanescentes das Divisões Panzer combateram para abrir caminho até avistar Moscou.[70] Estavam, porém, demasiado debilitados para poder forçar uma decisão, tal como haviam previsto os cálculos logísticos do início de novembro. O *Ostheer,* mais uma vez, chegara ao limite de sua capacidade de transporte. Era impossível sustentar uma grande ofensiva diante da feroz resistência soviética a uma distância de quase 500 quilômetros dos depósitos avançados de suprimentos em torno de Smolensk. O *Ostheer* via-se agora, em grave perigo. Não haviam sido feitos preparativos para operações ativas no inverno. O material para baixas temperaturas tinha sido previsto somente para uma força de ocupação reduzida, e mesmo esse material não tinha sido levado para a frente de combate devido à necessidade de dar prioridade ao transporte de combustível e munição. O Grupamento Central do Exército, no qual se concentrava o grosso das tropas alemãs, estava completamente vulnerável. No avanço para Moscou, não tinha havido tempo para preparar abrigo e posições defensivas adequadas para os soldados. As unidades da linha de frente estavam exaustas devido aos muitos meses de combates incessantes e mais de mil quilômetros avançados. Com as temperaturas mínimas chegando, no início de dezembro de 1941, a -31ºC, o congelamento e a gangrena causavam dezenas de milhares de baixas.

Perfeitamente consciente da iminente exaustão da Wehrmacht como um todo, o Exército Vermelho vinha concentrando todos os recursos possíveis para um contragolpe maciço. Informados por suas excelentes fontes de inteligência de que os japoneses estavam decididos a honrar o Pacto de Neutralidade de abril de 1941, os soviéticos deslocaram grande quantidade de soldados de primeira linha das fronteiras da Sibéria e da Manchúria para Moscou a fim de formar o 1º Exército de Choque e o 10º e o 20º Exércitos.[71] No total, no início de dezembro de 1941, a frente ocidental de Zhukov controlava uma força ofensiva de 1,1 milhão de homens, 7.652 canhões e morteiros, 774 tanques e 1.370 aviões. Devido às grandes perdas sofridas desde junho, isso não proporcionava uma margem de superioridade numérica, mas o Exército Vermelho dispunha da iniciativa e conseguiu surpresa completa.[72] Pela primeira vez na guerra, a situação se revertera contra o Exército alemão. A ofensiva começou ao norte de Moscou em 5 de dezembro. Em poucos dias, o Grupamento Central do Exército teve de se curvar. O diário de guerra do Grupo Panzer 3 registra um estado dramático de colapso: "A disciplina está se rompendo. Cada vez mais, soldados se retiram a pé para o oeste, sem armas, puxando uma vitela por uma corda ou um trenó com um saco de batatas. A rodovia está sob constante ataque aéreo. Os que morrem com o bombardeio já não são mais enterrados. Todos os meios auxiliares (pessoal de carga, a Luftwaffe, o trem de suprimentos) correm para a retaguarda em franca fuga".[73] O marechal de campo, Fedor von Bock, ficou de tal forma perturbado que teve de ser retirado do comando. No final de 1941, o mesmo aconteceu ao comandante em chefe do Exército, Brauchitsch, ao general Guderian e aos comandantes em chefe dos Grupamentos Norte e Sul do Exército.

Do Báltico ao mar Negro, a Wehrmacht perdeu 380 mil soldados em dois meses de intensos combates, sendo 150 mil mortos, feridos ou desaparecidos em ação e o restante por doenças ou pelo frio.[74] Nos primeiros dias de janeiro de 1942, na avaliação de competentes analistas militares, a situação do Grupamento Central do Exército era insustentável.[75] O 4º Exército alemão, cujos Panzers tinham constituído a ponta de lança no avanço em direção a Moscou, corria o risco de se ver cercado nos flancos sul e norte. Se o Grupo Central fosse vencido, todo o *Ostheer* seria forçado, no mínimo, a uma ampla retirada. Moscou, em 1941, poderia perfeitamente ter-se convertido em um desastre para a Wehrmacht ainda maior do que o que iria sofrer em Stalingrado, doze meses depois. Tragicamente, no entanto, foi justamente essa sensação de vitória iminente o que levou Stalin ao exagero. Acreditando-se em posição de ganhar a guerra, ele ordenou ao Exército Vermelho, em 7 de janeiro de 1942, que iniciasse a ofensiva ao longo de toda a linha de frente de 1,5 mil quilômetros.[76] As baixas provocadas pela campanha de inverno tinham sido graves. Em fevereiro e março de 1942, os alemães sofreram mais 190 mil baixas no campo de batalha, além de perderem mais 150 mil homens por doenças ou congelamento. No total, a crise do inverno custou as vidas de mais de 700 mil combatentes. Somente em abril de 1942, os reforços mandados ao *Ostheer* excederam as perdas mensais, permitindo à Wehrmacht se recuperar.[77] Porém, em retrospecto, o fato de Stalin preferir não concentrar todas as suas forças contra o ponto mais débil da linha de frente alemã foi um terrível erro, permitindo ao Grupamento Central do Exército alemão estabilizar sua posição de 100 a 150 quilômetros de Moscou. Em março de 1942, com os alemães ainda profundamente entrincheirados na União Soviética, a frente ocidental entrou em calma relativa.

III

Costuma-se dizer que a Wehrmacht "fracassou" na conquista de Moscou, mas isso não faz justiça ao tamanho do golpe desfechado pelo Exército Vermelho no inverno de 1941-42. O Grupamento Central, orgulho do Exército alemão, sofrera uma devastadora derrota em combate. A reviravolta na posição estratégica da Alemanha foi ainda mais catastrófica. Ao preferir ampliar a guerra em 1941, Hitler havia apostado na capacidade da Wehrmacht em conquistar a União Soviética antes que os Estados Unidos entrassem no conflito, esperando, assim, colocar a Grã-Bretanha em uma posição impossível. Mas quando a Wehrmacht pareceu mostrar-se prestes a derrotar a União Soviética, o efeito imediato foi impelir Roosevelt e Churchill ainda para mais próximo um do outro. A Carta do Atlântico, de agosto de 1941, consolidou os Estados Unidos como peça central da coalizão antinazista. Em Berlim, a Carta foi interpretada como equivalente a uma declaração de guerra. A Marinha norte-americana passou a se empenhar ativamente em caçar submarinos alemães no Atlântico, e tanto os britânicos quanto os norte-americanos intensificavam os esforços conjuntos de rearmamento. Em outubro, uma comissão mista de planejamento tinha começado a trabalhar na preparação de um programa intitulado simplesmente "necessidades para a vitória". Ao ser feito o cálculo total, na primeira semana de dezembro de 1941, o programa previa um dispêndio de não menos de 150 bilhões de dólares (mais de 500 bilhões de *reichsmarks*), somente durante os dois anos seguintes.[78] Isso era mais do que o Terceiro Reich despenderia em armamentos na guerra inteira, e os Estados Unidos nem haviam entrado ativamente no conflito.

Hitler, naturalmente, assim como seu círculo íntimo, continuava a encontrar consolo em tiradas sobre a inferioridade dos degenerados norte-americanos. Muito mais poderosa em Berlim, no entanto, era a sensação fatalista de que as hostilidades entre a Alemanha e os Estados Unidos eram inevitáveis.[79] Acreditava-se que as considerações eleitorais e o delicado equilíbrio de opiniões no Congresso ainda agiam como fatores de moderação da hostilidade de Roosevelt. E os britânicos, cuja estratégia de combate dependia inteiramente dos Estados Unidos, sentiam-se, cada vez mais, frustrados na esperança de uma declaração de guerra de parte dos norte-americanos.[80] No entanto, dada a progressão aparentemente inexorável, a partir do verão de 1940, quando os Estados Unidos iniciaram o fornecimento de assistência militar à Grã-Bretanha, por meio do anúncio do empréstimo-arrendamento em dezembro de 1940, passando, em seguida, ao engajamento mais ou menos ostensivo de sua marinha na batalha do Atlântico, tudo parecia apontar no sentido da guerra. O evidente interesse britânico em engajar os Estados Unidos, o óbvio interesse do mundo dos negócios na lucrativa economia armamentista e a hostilidade aberta de Roosevelt para com a Alemanha eram elementos racionais nessa avaliação. Porém, como vimos, pelo menos desde 1938, acrescentou-se uma poderosa corrente de teoria da conspiração antissemita. A ideia de que Roosevelt funcionava como agente do "judaísmo internacional" ao fomentar uma ampla coalizão antinazista tinha sido constante no pensamento de Hitler desde a violenta reação norte-americana à *Kristallnacht*. Na segunda metade de 1941, Hitler retornou ao seu discurso de janeiro de 1939, com sua profecia de desgraça. Em agosto de 1941, ele explicitou a conexão, e o fez, novamente, no final de outubro, depois do início da deportação dos judeus alemães.[81] Em 12 de agosto, quando Roosevelt e Churchill se reuniram na baía Placentia, na Terra Nova, Hitler dificilmente poderia ter sido mais explícito, ao declarar ao embaixador da Espanha: "Os principais culpados desta guerra... são os norte-americanos, Roosevelt com seus maçons, os judeus e o bolchevismo judaico como um todo. O resultado desta guerra contra o bolchevismo tem de ser a maior unidade da Europa. Os norte-americanos são os grandes canalhas... a América pagará um preço amargo".[82] O mesmo tema foi novamente evocado, duas semanas depois, durante a visita de Mussolini ao quartel-general de Hitler, na Ucrânia, quando o *führer* deliciou sua plateia cativa com "uma análise detalhada da quadrilha de judeus que rodeia Roosevelt e explora o povo norte-americano".[83]

Com essas forças sinistras operando nos bastidores, a questão já não era mais saber se a Alemanha teria de enfrentar o temível poderio industrial dos Estados Unidos, e sim em quanto tempo e em que condições. Nesse cálculo, conforme já ficara claro pelo menos desde o outono de 1940, o elemento crucial era o Japão. Ribbentrop, por sua vez, era favorável a uma aliança com o Japão contra a Rússia. Para Hitler, porém, esse ponto era secundário. Mesmo depois do fracasso da Operação Typhoon, ele continuava a acreditar que a Wehrmacht tinha capacidade para vencer sozinha a batalha contra o Exército Vermelho. Embora a plena extensão do desastre de Moscou não ficasse evidente, senão no final de dezembro, Hitler manteve a confiança mesmo em 1942. O fracasso do *Ostheer*, no inverno de 1941, tinha sido principalmente por falha de liderança, que Hitler agora consertaria pessoalmente. De fato, o *führer* parece haver considerado a batalha na frente oriental como um teste para toda a nação alemã. Assim, disse ele, em janeiro de 1942: "Se o povo alemão não estiver preparado para se empenhar integralmente na luta por sua sobrevivência, muito bem; nesse caso, deverá desaparecer!".[84] O problema em relação ao Japão, como era o caso desde 1938, era saber se os japoneses estariam dispostos a executar operações ofensivas contra posições britânicas e norte-americanas na Ásia e no Pacífico. A lógica da prevenção que identificamos nas ações de Hitler, desde o verão de 1939, continuava a prevalecer, mesmo após a frustrante Operação Barbarossa. Se o Japão estivesse disposto a lançar seu peso considerável na balança contra a Grã-Bretanha e os Estados Unidos, isso serviria para ganhar tempo suficiente para que a Wehrmacht destruísse o Exército Vermelho, consolidando a hegemonia de Hitler no continente europeu. Dada a premissa do *führer* de que a guerra contra os Estados Unidos era inevitável de qualquer maneira, o essencial era, simplesmente, terminar a guerra no leste, em 1942.

O verdadeiro pesadelo da estratégia alemã era a possibilidade de que o Japão se entendesse com os Estados Unidos, deixando a Alemanha sozinha na luta contra a Grã-Bretanha e a América do Norte. Para afastar essa possibilidade, Hitler já havia oferecido declarar guerra aos Estados Unidos junto com o Japão, na primavera de 1941.[85] Naquela época, porém, os japoneses tinham se recusado a se comprometer, e, em vez disso, iniciaram uma rodada final de negociações com os Estados Unidos, que culminaram na sugestão de uma reunião de cúpula entre Roosevelt e o primeiro-ministro Fumimaro Konoe. Somente em outubro, após a queda do governo Konoe, Berlim, finalmente, pôde sentir-se segura de que as conversações entre japoneses e norte-americanos não teriam resultado.[86] Quando Tóquio começou a dar sinais de que o Japão estava prestes a se comprometer na luta contra o ocidente, houve alívio e quase euforia em Berlim.[87] Finalmente, Hitler e Ribbentrop tinham a possibilidade de fechar a aliança estratégica global que esperavam, desde 1938, e não hesitaram. Sem ter tido aviso prévio do calendário japonês para um ataque de surpresa a Pearl Harbor, Hitler declarou-se disposto a acompanhar o Japão numa declaração de guerra aos Estados Unidos. A versão do Pacto Tripartite, adequadamente revista, ficou pronta em 11 de dezembro, a tempo para a declaração de guerra da Alemanha contra os Estados Unidos.

As implicações políticas e ideológicas dessa dramática sequência de acontecimentos foram descritas por Hitler ao *Reichsleiter* e *gauleiters* do partido nazista em uma audiência em seu apartamento privado em Berlim, em 12 de dezembro. Segundo Goebbels, o sentido central de suas palavras foi o seguinte: "Quanto à questão judaica, o *führer* está decidido a fazer uma limpeza completa. Ele havia feito aos judeus a profecia de que, se viessem a provocar novamente uma guerra mundial, isso significaria a própria destruição. A guerra está em curso, e a destruição dos judeus deve ser a consequência inevitável".[88] Os *Einsatzgruppen*, naturalmente, nessa altura, já estavam plenamente engajados e, na última semana de novembro, fizeram suas primeiras vítimas entre os judeus alemães. Em 25 e 29 de novembro, em Kaunas, unidades do *Einsatzgruppe* A fuzilaram 5 mil homens, mulheres e crianças recentemente chegadas de Berlim, Breslau, Munique, Frankfurt e Viena. Heydrich percebeu que era tempo de explicar a plena extensão do projeto ao restante do funcionalismo público e estabelecer firmemente o papel de liderança da SS na execução da Solução Final. Foi marcada para 9 de dezembro uma reunião com representantes dos ministérios do *reich*, que, no entanto, teve de ser cancelada no último momento por causa da reviravolta drástica dos acontecimentos militares. A intenção de destruir toda a população judaica da Europa estava, nessa altura, firmemente estabelecida. O que não estava claro era a maneira de fazê-lo. Assim, explicou Hans Frank a seus subordinados, em 16 de dezembro: "Não podemos fuzilar 3,5 milhões de judeus [no Governo Geral]. Não podemos envenená-los. Mas faremos intervenções que, de alguma forma, nos levarão ao êxito no extermínio, especialmente, com relação a medidas mais amplas a serem debatidas no nível do *reich*. O Governo Geral deve ficar livre de judeus, assim como o *reich*".[89] Não se sabe bem o que seriam essas "medidas amplas", mas ao falar aos funcionários públicos, em Wannsee, em 20 de janeiro de 1942, ele sugeriu que fossem postos a trabalhar até morrerem, construindo a infraestrutura de transporte do *Generalplan Ost*.[90]

Dada a firmeza de sua estrutura ideológica e disposição fatalista em arriscar, Hitler não se impressionou com a constelação global de dezembro de 1941. Uma aliança da Grã-Bretanha e União Soviética, apoiada pelos Estados Unidos, constituía o pesadelo estratégico com o qual o general Ludwig Beck tentara assustá-lo em 1937. Dali em diante, porém, tinha havido uma sucessão de triunfos. A Wehrmacht eliminara a França e expulsara a Grã-Bretanha do continente. O Exército Vermelho estava consideravelmente enfraquecido, se não destruído. A Alemanha agora enfrentava os Estados Unidos como combatente, mas, ao contrário do kaiser, em 1917, Hitler tinha o Japão como aliado militar firme.[91] Mesmo que os japoneses finalmente sucumbissem aos Estados Unidos, pelo menos haviam se comprometido, pelo tratado de 11 de dezembro, a não propor paz em separado. Como vimos, Hitler acentuara repetidas vezes e com veemência o fator tempo. Sua decisão de declarar guerra aos Estados Unidos, em dezembro de 1941, foi mais uma aposta calculada contra o tempo.[92] Na liderança nazista, havia quem compartilhasse a visão otimista do *führer*.[93]

O evidente alívio da Wehrmacht e do alto-comando da Marinha alemã na esteira de Pearl Harbor confirma, retrospectivamente, as preocupações estratégicas que assinalamos como força motora da decisão de Hitler em lançar o ataque contra a União Soviética, doze meses antes. Como vimos, em dezembro de 1940, Hitler justificara a urgência da Operação Barbarossa precisamente demonstrando o risco de que a iniciativa estratégica passasse para a Grã-Bretanha e os Estados Unidos, em 1942, a menos que a Alemanha agisse com rapidez. A Operação Barbarossa tinha fracassado, mas, numa avaliação estratégica, em 14 de dezembro de 1941, a Wehrmacht considerava que a dramática ofensiva japonesa retirara essa oportunidade aos Aliados ocidentais. Numa avaliação da pior hipótese, a Wehrmacht ainda poderia ter de enfrentar a possibilidade de que a Grã-Bretanha e os Estados Unidos lançassem mão de uma estratégia de "primeiro a Alemanha". Nesse caso, Berlim teria de se haver com uma invasão de ampla escala, em 1943. Porém, como acentuavam os peritos da Marinha alemã, um foco exclusivo no teatro europeu era muito improvável. A queda de Hong Kong e Cingapura, no inverno de 1941-42, demonstrava que britânicos e norte-americanos não poderiam negligenciar a guerra na Ásia. Em poucas semanas, o Japão desferira um golpe devastador contra o Império Britânico. Durante o futuro previsível, as potências ocidentais se espalhariam pelo mundo inteiro. Para Hitler, enquanto isso, a principal prioridade era ainda a União Soviética. Como fizera, desde o verão de 1940, ele continuou a considerar o êxito na eliminação da União Soviética como a precondição essencial para uma guerra global contra a Grã-Bretanha e os Estados Unidos. Já bem entrado o início do verão de 1942, o *führer* especulou que os prejuízos infligidos pelos japoneses, combinados com novos êxitos alemães contra o Exército Vermelho, seriam suficientes para romper a aliança espúria entre a Grã-Bretanha e os Estados Unidos. Como os acontecimentos na Ásia demonstravam, claramente, a Inglaterra estava em perigo iminente de perder seu império. Somente os Estados Unidos tinham condições de lucrar com a continuação da guerra. Tão logo o Exército Vermelho fosse derrotado, por meio da segunda investida dos alemães, o povo britânico, sem dúvida, perceberia a insensatez de seu governo. Churchill perderia o poder e a Grã-Bretanha se aliaria à Alemanha. Essa constante esperança de um iminente colapso britânico fazia Hitler surdo a quaisquer sinais de uma negociação de paz com Moscou. Por outro lado, caso a Grã-Bretanha continuasse na guerra, a conquista do Cáucaso, pelo menos, ofereceria à Alemanha a esperança de passar da defensiva estratégica para uma posição de força.

O sentido de urgência de Hitler intensificou-se com a análise uniformemente pessimista fornecida pelos responsáveis pela economia de guerra da Alemanha. À medida que o fracasso da Operação Barbarossa era mais profundamente percebido, o sentimento entre os conhecedores mais íntimos dos parâmetros econômicos da guerra era sombrio. Ernst Udet, chefe da organização de suprimentos da Luftwaffe, já tinha cometido suicídio em 17 de novembro de 1941.[94] Em parte, isso pode ser atribuído a uma intriga feita pelo secretário de Estado, Erhard Milch, que estava decidido a afastar Udet do controle de suprimentos para os aviões. Mas o que fez Udet se matar não foram intrigas oficiais. Desde o outono anterior, ele procurara repetidas vezes alertar Hitler e Göring sobre o perigo do programa aeronáutico anglo-norte-americano. Em 1942, o Ministério da Aeronáutica já sabia que a Luftwaffe estaria combatendo em situação altamente adversa e, até mesmo, ignorando a frente oriental. Ernst Udet, sem dúvida, tinha motivos para buscar uma saída desesperada. Tampouco ele seria o último membro da liderança da Luftwaffe a fazê-lo. O general Thomas, do OKW, que vacilara a respeito da *lógica* da Operação Barbarossa desde o início, já no verão de 1941, redigira um memorando desanimado sobre a futilidade da posição alemã.[95] No final de dezembro, ele organizou uma reunião com oficiais de intendência, que fizeram um *tour d'horizon* sobre a situação do *Ostheer*. O resumo feito por Thomas foi caracteristicamente autojustificado: "Os percalços decorreram de problemas de suprimento. O Estado-Maior geral tinha-os previsto e apontou-os diversas vezes. Suas advertências, no entanto, não foram levadas a sério pela liderança".[96] No Ano-Novo, o humor de Thomas ficou ainda mais sombrio. Em 2 de janeiro de 1942, ele teve uma conversa com o marechal de campo Keitel sobre a situação das fontes de suprimento alemãs de combustível e as implicações para as operações no ano que se iniciava. Até mesmo Keitel preocupou-se com a possibilidade "de que o *Ostheer* não tenha voltado até o verão e, nesse caso, não haverá gasolina".[97] Thomas se preocupava mais com seu lugar na história: "Precisamos, agora, apresentar um quadro completamente claro, porque algum dia alguém será responsabilizado".[98]

Nem mesmo um nazista ardoroso como Fritz Todt, ministro do Armamento do *reich*, tinha ilusões sobre a situação da Alemanha. Segundo Walter Rohland, chefe da comissão principal de produção de tanques, e Hans Kehrl, desde muito cedo, Todt tinha graves reservas quanto à campanha na Rússia.[99] Em novembro de 1941, enquanto o Grupamento Central do Exército combatia a caminho de Moscou, Todt despachou Rohland e uma equipe de industriais de armamentos à frente de batalha do avanço alemão a fim de visitar o general Guderian em seu quartel-general, em Orel. Ambos voltaram profundamente deprimidos. Em contraste com as forças soviéticas, cujos soldados e equipamento eram visivelmente bem adaptados ao combate em condições extremas, a Wehrmacht estava morrendo congelada. Para os principais representantes da indústria alemã, o quadro apresentado pelo *Ostheer*, em novembro de 1941, foi profundamente chocante. Rohland relatou: "Nossos soldados estavam vestidos de maneira leve demais e, em alguns casos, enrolados em cobertores! Havia diversos veículos congelados e abandonados na margem da estrada, com carroças Panje puxadas por pôneis russos que faziam o possível para fornecer suprimentos insuficientes. Os tanques não podiam ser utilizados; quando os motores e caixas de câmbio ainda funcionavam, as armas falhavam devido ao congelamento".[100] Ao regressar, Rohland, imediatamente, convocou uma reunião no Ruhr com Albert Vögler, presidente da junta supervisora da Vestag, e Borbet, da Bochumer Verein. Em 28 de novembro, eles enfrentaram Todt numa conferência que terminou, segundo Rohland, com a conclusão de que "não é possível ganhar a guerra contra a Rússia!". No dia seguinte, Todt e Rohland encontraram-se com Hitler no quartel-general deste, na presença de Brauchitsch, Supremo Comandante do Exército. Rohland narrou o que vira na Rússia e acrescentou seu conhecimento íntimo das indústrias britânica e norte-americana para pintar um quadro apocalíptico. Uma vez que os Estados Unidos entrassem no conflito, não haveria forma de ganhar a guerra. Todt marcou esse ponto, ao insistir: "Essa guerra não pode mais ser ganha por meios militares". Hitler ouviu calmamente e, em seguida, perguntou: "Então, como poderei terminar a guerra?" Todt respondeu com a conclusão óbvia: "Ela somente pode terminar politicamente." Como vimos, Hitler já havia debatido essa possibilidade com Goebbels, em agosto de 1941. Mas, a essa altura, com as negociações com o Japão já em curso, ele tinha outras ideias.

A reunião entre Hitler, Todt e Rohland não foi o único debate sobre uma possível paz ocorrido no quartel-general do *führer*, em novembro de 1941. Em 24 de novembro, com o avanço em direção a Moscou chegando ao fim, Halder notou o desânimo do general Friedrich Fromm, comandante do Exército de reserva e diretor do esforço armamentista: "Fromm fez um relato geral sobre nossa produção de armamentos. A produção está em declínio! Ele está pensando na necessidade de fazer a paz!."[101] Seis semanas mais tarde, quando parecia que a contra-ofensiva soviética iria romper o coração da linha alemã, Fromm considerou seriamente a possibilidade de retirar os instrutores das unidades do Exército em treinamento na Alemanha a fim de executar um recrutamento final de 15 Divisões de Infantaria de primeira classe.[102] Isso ajudaria a restaurar a situação do Grupamento Central do

Exército, mas também paralisaria o treinamento de novos recrutas. Fromm resolveu, portanto, esperar até "o momento final de perigo" para a Alemanha (*Deutschlands letzte Not*). Mas o fato de que ele pensasse em tais situações extremas é revelador. Em 20 de janeiro de 1942, Hitler e Goebbels conferenciaram ansiosamente sobre o derrotismo que se espalhava pelo alto-comando, pelo Exército e pela administração econômica. Muito recentemente, o ministro de Assuntos Econômicos Walther Funk deixara-se abater na festa de aniversário de Göring ao falar desalentadoramente sobre a "desgraça que se abateu sobre a nação".[103] Para Borbet, da Bochumer Verein, um dos primeiros a quem Rohland havia feito seu relato, a calamidade foi demasiada. Em janeiro de 1942, ele seguiu o exemplo de Udet e matou-se com um tiro.[104] Para ocultar o mal-estar, organizou-se, apressadamente, um enterro oficial, ao qual compareceram todos os dignitários da indústria alemã.

Obviamente, nem Todt nem Fromm tinham ilusões sobre a situação da Alemanha. Mas, tanto a fim de continuar a guerra ou de negociar, o país precisava fazê-lo de uma posição forte. E isso dependia da reconstrução do poderio de combate da Wehrmacht para um segundo grande esforço no leste, em 1942. No auge da primeira crise militar do Terceiro Reich, Todt fez o possível para reunir os principais industriais da Alemanha em torno do esforço de guerra. O sistema existente de comissões regionais e nacionais de armamento foi reorganizado em forma de uma estrutura de cinco Comissões Principais: as três comissões existentes para munições, armas e carros de combate, e duas novas, uma para a engenharia e outra para o equipamento geral da Wehrmacht. Todt formou também um novo Comitê Consultivo Ministerial, com representantes tanto de "suas" indústrias quanto da Luftwaffe.[105] Em 7 de fevereiro de 1942, após a primeira sessão plenária das novas Comissões, ele saiu de Berlim para mais uma rodada de reuniões com Hitler, em Rastenburg.[106] Não há registro sobrevivente da conversa final entre Todt e seu *führer*. O testemunho dos que estavam presentes em Rastenburg sugerem que não foi bem-sucedida. É possível que Todt tenha recordado a Hitler a conversa entre os dois, no mês de novembro anterior, e que isso tenha provocado uma explosão de Hitler, mas não há confirmação. De qualquer forma, depois de passar a noite, Todt tomou o avião cedo de volta a Berlim. Quando o aparelho levantou voo, deu uma guinada para a esquerda, como se fosse fazer uma aterrissagem forçada. Segundos depois, explodiu em pleno ar. Quando Rohland soube da notícia, convenceu-se imediatamente de que Todt havia sido assassinado pela SS e continuou a acreditar nessa versão dos acontecimentos até muito depois de 1945. Os indícios não sustentam essa opinião. Porém, quaisquer que tenham sido as verdadeiras circunstâncias de sua morte, o fato de que um homem tão ponderado quanto Rohland abrigasse tais suspeitas mostra a aguda crise que perpassava pela liderança do Terceiro Reich. Não é menos revelador que, para substituir Todt, Hitler tenha escolhido não uma pessoa com conhecimento íntimo do esforço de guerra, e sim um homem de lealdade pessoal inquestionável, Albert Speer.

Enquanto Speer se instalava na nova função, o general Fromm, que conservara a responsabilidade pelos recursos humanos e armamentos do Exército, desejava desesperadamente que Hitler enfrentasse as realidades militares.[107] Dadas as terríveis perdas sofridas pela Wehrmacht, em 1941, e a ausência de soldados de reserva, Fromm via somente duas opções. Hitler poderia dispor seus soldados por todas as unidades do *Ostheer*. Isso reforçaria as linhas alemãs, mas não seria suficiente para restaurar a capacidade ofensiva de nenhum dos grupamentos do exército. O *Ostheer* teria de se conformar em esperar a ofensiva soviética de verão. Alternativamente, Fromm propunha que os Grupamentos do Norte e do Centro permanecessem em sua condição "queimada" (*ausgebrannt*) e que todas as reservas disponíveis fossem concentradas no Grupamento do Sul, em preparação para o avanço em direção ao petróleo do Cáucaso.[108] Já não se discutia que as considerações econômicas teriam prioridade. O petróleo era absolutamente importante. Tampouco Hitler precisava ser convencido. Nem ele nem Fromm, no entanto, mantinham a esperança de ganhar a guerra com um único golpe. O máximo que a Alemanha poderia esperar seria eliminar a ameaça do Exército Vermelho e consolidar a base de matérias-primas necessária para uma longa guerra contra a Grã-Bretanha e os Estados Unidos. Segundo Albert Speer, Fromm, na verdade, estava já convencido de que somente uma arma milagrosa poderia salvar a Alemanha da derrota.[109] O que ele tinha em mente era a obra extraordinária de um grupo de físicos, cuja teoria era de que a energia contida nas partículas elementares da matéria poderia proporcionar uma fonte de poder sem limites e um artefato explosivo capaz de ganhar a guerra. Como chefe do escritório de armamentos do Exército alemão, conhecia perfeitamente o potencial do projeto, mas achava que seria de longo prazo.[110] Os horizontes de tempo do Exército tinham se tornado mais curtos e, por isso, Fromm pretendia transferir o projeto ao setor civil. Após meses de debates de organização, no verão de

1942, os físicos fizeram uma apresentação a uma plateia em que estava Albert Speer. Todos os presentes se impressionaram com o potencial do plano, mas quando questionados, Werner Heisenberg e seus colegas confirmaram a opinião de Fromm de que a bomba atômica era uma proposta de longo prazo. O projeto poderia dar frutos, no mínimo, em um prazo de dois ou três anos e exigiria um enorme investimento. Dada a situação da Alemanha, em 1941, isso tornava-o irrelevante. O que a liderança do Terceiro Reich buscava era um êxito decisivo na frente oriental já no verão seguinte.

Em retrospecto, é claro que a decisão tomada por Speer e seus colegas estava essencialmente correta. Mesmo trabalhando com recursos praticamente sem limites, os norte-americanos não conseguiram terminar uma bomba atômica viável para ser usada contra a Alemanha. Mas o entusiasmo com que os Aliados ocidentais trataram da bomba no exato momento em que ela deixava de ser prioridade na Alemanha evidencia ainda mais o hiato que separava os recursos industriais e técnicos de ambos os lados.[111] Informado por seu principal conselheiro científico, em setembro de 1941, de que o programa atômico tinha possibilidade de êxito, entre um para dez ou um para dois, Churchill não hesitou em instruir os cientistas britânicos a prosseguir no projeto a toda velocidade. Trazer a destruição à frente doméstica alemã era a essência da estratégia britânica e a bomba atômica era, sem dúvida, a arma ideal para essa tarefa. Em 7 de maio de 1942, o Gabinete britânico concordou, formalmente, que o Comando de Bombardeiros da RAF deveria destruir 58 dentre as maiores cidades da Alemanha, "privando de suas casas", pelo menos, 22 milhões de pessoas.[112] Em consonância com os objetivos de expansão do Programa da Vitória, os norte-americanos tomaram a decisão de acelerar o que se transformou no Projeto Manhattan, antes mesmo do ataque japonês a Pearl Harbor. Na pior das hipóteses, a possibilidade de que a Alemanha estivesse trabalhando em um artefato semelhante tornava necessário contar com uma apólice de seguro, uma espécie de cálculo estratégico que o Terceiro Reich nunca teve capacidade para fazer.

IV

O fio da narrativa neste capítulo e nos anteriores — partindo do imperialismo genocida alemão, passando pela derrota do Grupamento Central do Exército e chegando à bomba atômica — pode, inicialmente, parecer desconcertante, mas reflete a "contemporaneidade do não contemporâneo" (*Gleichzeitigkeit des Ungleichzeitigen*), que caracteriza essa reviravolta crucial da história do mundo. O argumento não é que o imperialismo alemão na Europa oriental representasse uma regressão ao barbarismo atávico. O programa nazista de genocídio era, sem dúvida, bárbaro, mas, como vimos, estava ligado a um projeto ambicioso de assentamento colonial e modernização violenta. Tampouco argumenta-se que o racismo nazista fosse atávico. O que se quer dizer é que era anacrônico. As manifestações concretas do imperialismo alemão, em 1941 — os pequenos blindados que pareciam anões diante de seus opositores soviéticos, o maltrapilho exército de cavalos e carroças Panje, a brutalidade primitiva dos *Einsatzgruppen*, as tentativas desajeitadas de construir câmaras de asfixia —, tudo isso parece grotescamente grosseiro em comparação com a física de primeira linha e a engenharia de alta tecnologia que estavam abrindo as portas da era nuclear nos desertos do Novo México. A Operação Barbarossa foi uma excrescência tardia e perversa de uma tradição europeia de conquista e colonização que ainda não havia percebido inteiramente a própria obsolescência. Indício disso é a condescendência ignorante demonstrada por todos os atores, e não apenas pelos alemães, mas também por britânicos e norte-americanos, em relação ao poderio de combate do Exército Vermelho. Porém, como descobriu a Wehrmacht à própria custa, a União Soviética não era algo que pudesse ser manipulado à maneira do imperialismo da época eduardiana. O que a Alemanha enfrentou na Rússia soviética em 1941 não foi o "primitivismo eslavo", e sim o primeiro e mais dramático exemplo de êxito de uma ditadura desenvolvimentista, e o que ficou patente no dificultoso avanço da Wehrmacht em direção a Moscou não foi o atraso da Rússia, e sim a modernização apenas parcial da própria Alemanha.

Na década de 1940, já não mais existia o mapa do poder econômico e militar do século XIX, centrado nos Estados já estabelecidos da Europa Ocidental. Sem dúvida, essa era a falácia fundamental que sustentou o esforço do Terceiro Reich para a criação de um império no leste. A emergência dos Estados Unidos como superpotência econômica, por um lado, e o explosivo desenvolvimento da União Soviética, por outro, alteraram fundamentalmente o equilíbrio global de poder. Hitler não deixou de perceber essa mudança. Tanto em *Mein Kampf* quanto no "Segundo Livro", é visível a percepção do que estava em jogo. O mesmo tema foi reiterado em suas avaliações estratégicas das décadas de 1930 e 1940. A conquista de *Lebensraum* no leste não era, no fim das contas, o ponto final da trajetória histórica em que Hitler se engajara. A conquista de recursos naturais e de território que rivalizassem com os da América do Norte era a precondição para um verdadeiro programa de "modernização", tanto para a sociedade quanto para os militares alemães. Por meio da obtenção de um *Lebensraum* de escala norte-americana, o Terceiro Reich esperava atingir o nível de prosperidade e o alcance abrangente de poder mundial a que a Grã-Bretanha e os Estados Unidos já tinham chegado. Conforme os acontecimentos, entre junho e dezembro de 1941, deixaram claro, a Alemanha nazista não dispunha nem de recursos e nem de tempo para dar aquele primeiro passo.

15

Mão de obra, alimentos e genocídio

Depois da crise militar de 1941-42, a principal preocupação da economia de guerra da Alemanha passou a ser a mão de obra. Em seus inúteis esforços para rivalizar com o Exército Vermelho, sustentada por uma população que era o dobro da alemã, o Terceiro Reich se envolveu em uma guerra de desgaste diversa de qualquer outra na experiência das potências ocidentais. O Gráfico 19 mostra o índice mais concentrado dessa hemorragia. Nos três anos entre junho de 1941 e maio de 1944, a taxa média de baixas da Wehrmacht foi de quase 60 mil homens mortos, mensalmente, na frente oriental. Nos últimos meses da guerra, o derramamento de sangue atingiu proporções verdadeiramente extraordinárias.[1]

A maneira pela qual o Terceiro Reich reagiu a essa catastrófica drenagem de recursos humanos se tornaria uma das características definidoras do regime de Hitler. Como vimos, a Wehrmacht já chegara ao fundo do tacho na época da Operação Barbarossa. No outono de 1941, praticamente, não havia nenhum varão na quadra dos 20 anos que não tivesse sido convocado. Novas hostes de rapazes de 19 anos, ou menos, proporcionaram à Wehrmacht menos de 1 milhão de recrutas, em 1942, suficientes somente para repor as perdas infligidas pelo Exército Vermelho. A fim de atingir certo grau de aumento, os recrutadores tiveram de convocar alemães de meia-idade que anteriormente tinham sido isentados do recrutamento, inclusive grande número de operários do setor de armamentos. Na primeira metade de 1942, a Wehrmacht incluiu no recrutamento, pelo menos, 200 mil homens retirados das fábricas de armamento.[2] Num momento em que a Alemanha precisava, desesperadamente, elevar a produção de armas, isso representou um desastre.[3]

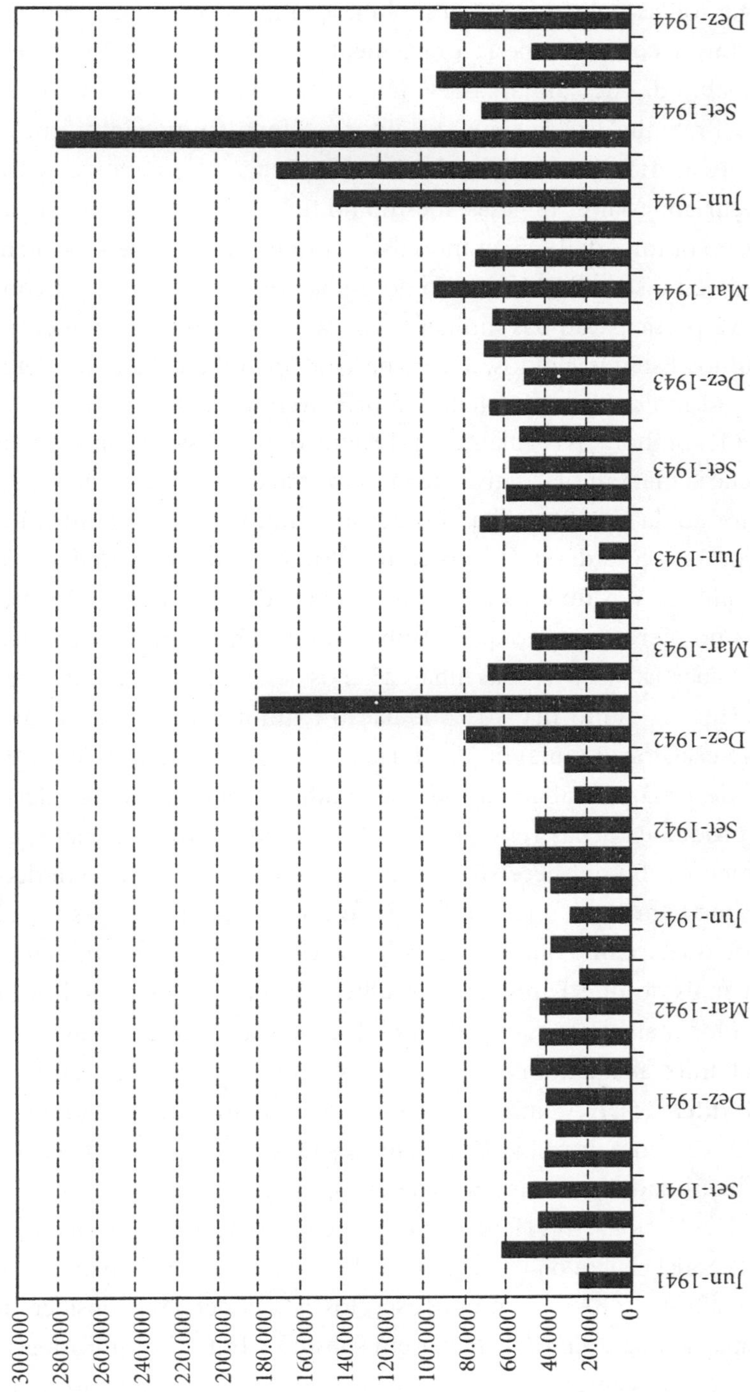

Gráfico 19. Baixas fatais mensais da Wehrmacht na frente oriental, junho de 1941 – dezembro de 1944

Uma solução óbvia era uma mobilização mais ampla de mulheres. Tem sido comum comparar, desfavoravelmente, a mobilização da força feminina de trabalho da Alemanha na Segunda Guerra Mundial com a que ocorreu na Grã-Bretanha. Isso, no entanto, ignora o óbvio. Como vimos, em 1939, as mulheres alemãs já estavam mais ativamente engajadas na força de trabalho do que iriam estar as inglesas, mesmo no fim da guerra. Ao investigar o assunto, no outono de 1943, usando dados muito desfavoráveis aos alemães, o chefe de estatística do Ministério do Trabalho do *reich* chegou à conclusão de que a participação das mulheres no esforço trabalhista de guerra era de 25,4% nos Estados Unidos, 33,1% na Grã-Bretanha e 34% na Alemanha.[4] Outro estudo comparativo feito, na primavera de 1944, chegou ao mesmo resultado. Embora os regulamentos britânicos parecessem convocar em uma faixa etária mais ampla, o nível de mobilização da Alemanha, na verdade, foi superior ao da Grã-Bretanha.[5] Os peritos administradores também rejeitaram comparações desfavoráveis com a Primeira Guerra Mundial. No auge da batalha de Verdun e na do Somme, a taxa de participação das mulheres alemãs no mercado de trabalho tinha sido de 45,3%, um pouco menos do que a da participação de suas filhas, 25 anos depois. Naturalmente, seria possível arrancar muito mais da população feminina da Alemanha, mas não se deve exagerar o tamanho da "folga". A campanha de inscrições "Guerra Total" de 1943, que abarcou todas as mulheres, entre as idades de 16 e 45 anos, produziu apenas 1,5 milhão de trabalhadoras em potencial, das quais, pelo menos, 700 mil necessitavam de horários parciais.[6] Isso era decepcionante, mas, em 1944, o plenipotenciário do *reich* para questões trabalhistas afirmou que, mesmo que tivesse os "poderes de Stalin" não conseguiria mobilizar mais do que 1 milhão de mulheres a mais.[7] E Hans Kehrl, um dos advogados mais draconianos da mobilização total, nunca esperou mais do que 700 mil trabalhadoras adicionais.[8] Esses números não poderiam ter feito grande diferença. A Alemanha precisava de milhões de trabalhadoras a mais, e não de centenas de milhares, e os únicos lugares onde era possível recrutar essas quantidades eram os países da Europa ocupada.

No Dia Nacional dos Heróis, 21 de março de 1942, Hitler nomeou o *gauleiter* Fritz Sauckel para o novo cargo de plenipotenciário geral para a mobilização trabalhista (GBA). Em muitos aspectos, isso poderia ser considerado uma contrapartida da decisão de Hitler em substituir Fritz Todt por Albert Speer, poucas semanas antes. Enquanto o novo ministro do Armamento era um tecnocrata bem-educado e de boa aparência, o *gauleiter* Sauckel era atarracado e bigodudo, representante da ala populista, "socialista" do partido nazista, o próprio arquétipo do pequeno burguês desenraizado.[9] Nas gravações sonoras do julgamento de Nuremberg, é possível ainda discernir os traços característicos das origens plebeias de Sauckel em seu forte sotaque da Francônia e maneira canhestra de falar. Não se tratava de uma afetação populista. Nascido em 1894, filho de um funcionário dos correios com uma costureira, não teve condições econômicas na família para completar a instrução secundária. Após um período de aventuras como marinheiro mercante na rota da Escandinávia, voltou à Alemanha tendo sido feito prisioneiro dos franceses e resolvido a terminar os estudos. Para custeá-los, obteve um emprego temporário de torneiro mecânico em uma das grandes fábricas de rolamentos em Schweinfurth. Em 1923, havia finalmente, abandonado a esperança de um diploma universitário. Casou-se com a filha de um capataz, entrou para o partido nazista e dedicou-se, pelo resto da vida, ao ativismo político populista. Sauckel, sem dúvida, era um *Alter Kämpfer*.* Em Nuremberg, recebeu a recompensa em forma de um número relativamente baixo de inscrição no partido, 1.395, o que o colocou no círculo mais íntimo do movimento de Hitler. A partir de 1927, exerceu a chefia do partido na Turíngia, transformando seu *gau* em um dos verdadeiros baluartes do nacional-socialismo. Após 1933, conservou-se fiel a suas origens como vigoroso defensor da linha esquerdista da ideologia nazista, misturando forte antissemitismo com profunda suspeita em relação ao capitalismo liberal e um ardoroso comprometimento com o bem-estar dos alemães e alemãs "comuns". O *gauleiter* conservou, também, uma visão oportunista para golpes publicitários, embarcando como clandestino em um dos primeiros submarinos enviados contra a Marinha Real.

Essas bufonarias, no entanto, não devem nos levar a subestimar Sauckel. O próprio contraste entre ele, plebeu radical, e Speer, frio tecnocrata, é duplamente enganoso. Conforme argumentaremos no próximo capítulo, isso diminui profundamente o papel político desempenhado por Albert Speer, e também subestima gravemente Sauckel. Ele foi mais do que um seguidor leal de Hitler. Como *gauleiter* da Turíngia, dirigiu um dos principais centros regionais do complexo industrial-militar alemão.[10] Situada no coração da Alemanha, a Turíngia ficava na extremidade do alcance dos bombardeiros

* "Trabalhadores do leste". (*N. do T.*)

aliados. A cidade de Jena era a terra natal de Carl Zeiss, um dos fornecedores mais indispensáveis da Wehrmacht. Suhl e Zella Mehlis estavam entre os mais antigos centros de fabricação de armamentos da Alemanha. A Rheinmetall, principal produtora de blindagens depois da Krupp, possuía uma grande fábrica em Soemmerda. O próprio Sauckel foi o executor de uma das primeiras "arianizações", a da Simsons & Co., um dos principais fabricantes alemães de pistolas, rifles e metralhadoras. Em 1936, a Simsons foi incorporada à Wilhelm Gusthoff Stiftung, *holding* pessoal de Sauckel no setor de armamentos, que, no início da década de 1940, tinha uma produção anual avaliada em várias centenas de milhões de *reichsmarks*. Demonstrando aguda percepção do potencial econômico do complexo carcerário de Himmler, Sauckel tratou de assegurar que o maior de todos os campos de concentração de segunda geração fosse localizado em Buchenwald, nos arredores da capital Weimar. Afinal, não por coincidência, as instalações subterrâneas, tanto para fabricar os primeiros aviões de caça a jato quanto o primeiro míssil balístico do mundo, ficavam na Turíngia. Não se pode dizer que Fritz Sauckel fosse novato na política industrial do Terceiro Reich.

Encarregado por Hitler, em março de 1942, de responsabilidades especiais no recrutamento de força de trabalho estrangeira, o *gauleiter* Sauckel lançou um dos mais amplos programas coercitivos de mão de obra jamais visto.[11] Na primavera de 1941, a Alemanha já empregava 1,2 milhão de prisioneiros de guerra, principalmente franceses, e 1,3 milhão de trabalhadores "civis", principalmente, poloneses, que representavam cerca de 8,4% da força de trabalho. Durante o ano de 1941, o número de operários civis estrangeiros aumentou em mais 1 milhão, quase todos da Polônia. Como vimos, o programa foi iniciado devido às necessidades do Ministério de Alimentos e Agricultura do *reich*. Foi somente após o desastre de Moscou que a importação de trabalhadores estrangeiros pela Alemanha passou a ser impulsionada pelas exigências da indústria. Sauckel reagiu mobilizando, literalmente, milhões de trabalhadores de toda a Europa. Os que foram levados para a Alemanha eram, principalmente, homens e mulheres jovens. Mais da metade das mulheres recrutadas na Europa oriental eram jovens entre 12 e 22 anos de idade,[12] levadas do território ocupado da União Soviética — as Repúblicas Bálticas, a Bielorrússia, a Ucrânia e, em menor grau, a própria Rússia. A Polônia foi a região de mais intenso recrutamento por parte de Sauckel, mas ele também exerceu sua tarefa brutal no Protetorado Tcheco, França,

Bélgica, Holanda e Itália. Entre janeiro de 1942 e o final de junho de 1943, a GBA entregou 2,8 milhões de trabalhadores estrangeiros à Alemanha, o equivalente à mão de obra de uma grande fábrica — 34 mil operários — por semana, durante 78 semanas. No verão de 1943 o total da força de trabalho estrangeira aumentara para 6,5 milhões, dos quais 4,95 milhões eram civis, e não prisioneiros de guerra. Após o verão de 1943, o ritmo se reduziu um pouco, mas Sauckel continuou a levar trabalhadores para a Alemanha. Em fevereiro de 1944, o total de civis estrangeiros e prisioneiros de guerra aumentara para 7,356 milhões. No outono de 1944, atingiu o auge de 7,907 milhões. Nesse ponto, os operários estrangeiros representavam mais de 20% da força de trabalho da Alemanha. Dentre os trabalhadores em armamentos no Terceiro Reich, mais de um terço era constituído de estrangeiros. Nas fábricas da Reichswerke Hermann Göring e na Luftwaffe, a participação de estrangeiros costumava exceder 40%.[13] Nas linhas individuais de produção, a percentagem podia ser ainda maior. Conforme vangloriou-se o secretário de Estado Milch, em junho de 1943, o Stuka Ju 87 estava sendo "80% construído por russos".[14]

Desde que o tribunal de Nuremberg introduziu o termo "trabalho escravo" no debate, Sauckel e seu programa têm sido chamados por várias fontes de "fantasioso" e "faraônico".[15] Esses termos, sem dúvida, levam em conta os meios cada vez mais brutais que Sauckel utilizava para recrutar "seus" trabalhadores. Mas essa linguagem anacrônica tende a ocultar o fato de que o programa alemão de trabalho estrangeiro estava de acordo com os princípios mais elementares da economia clássica. A mão de obra tinha sido altamente escassa na Alemanha, desde 1939. A produtividade *per capita* era muito mais alta na Alemanha do que em qualquer outro país da Europa continental. Fazia sentido, portanto, que um "ditador econômico racional" reorientasse os operários da Europa a fim de concentrá-los nas fábricas do *reich*. O fato de que Sauckel, com sua retórica absolutamente nacional-socialista, não se ajustasse ao tipo ideal de tecnocrata, não deve obscurecer a realidade básica que estava por trás de seus esforços. Claro que o recrutamento coercitivo tivera "efeitos colaterais" dolorosos nos territórios ocupados pela Alemanha. Posteriormente, durante a guerra, esse fato convenceria Albert Speer a favorecer o aumento do comércio com a França, em vez de fazer um esforço final para arrancar milhões de trabalhadores adicionais.[16] No entanto, a lógica dessa "estratégia europeia" era política e não econômica. Speer queria estabilizar as relações com o vizinho ocidental da Alemanha e também conseguir a demissão de Sauckel.[17] Em termos econômicos, dada a extrema escassez de mão de obra na Alemanha e o hiato de produtividade cada vez maior entre a Alemanha e a economia da França, que já entrava em colapso, a argumentação para concentrar no *reich* tantos operários quantos fosse possível continuava a ser robusta. Significativamente, ninguém em Berlim, mesmo em 1944, jamais questionou a necessidade de continuar a trazer à força magotes de trabalhadores poloneses ou soviéticos. Enquanto na Europa Ocidental os novos recrutamentos cessaram, na segunda metade de 1943, no leste, eles prosseguiram com a mesma brutalidade.[18] Entre outubro de 1943 e o verão de 1944, os exércitos alemães, em retirada no leste da Europa, evacuaram mais de 400 mil pessoas das zonas de combate para irem trabalhar na Alemanha.[19]

Portanto, no sentido mais básico, a reação imediata do Terceiro Reich à crise do inverno de 1941-42 foi "racional". Faltavam trabalhadores na Alemanha. Não havia forma de aumentar a mobilização da força de trabalho, segundo os padrões ocidentais. Por isso o *gauleiter* Sauckel e sua equipe surgiram e levaram, literalmente, milhões de trabalhadores adicionais para a Alemanha. O resultado foi que, nos estágios finais da guerra, o Terceiro Reich transformou-se em uma sociedade que abrigava tantos estrangeiros quanto a Alemanha "multicultural" de hoje em dia. Por causa da ênfase avassaladora no recrutamento de jovens, o contingente de trabalhadores exercendo seus ofícios — tanto na indústria quanto na agricultura — era muito maior do que jamais chegou a ser, antes ou depois. Antes de 1942, os trabalhadores estrangeiros eram mais visíveis no campo, mas, após as gigantescas campanhas de recrutamento de Sauckel, imensas multidões de homens e mulheres trazidos de todas as partes do império nazista povoaram Berlim, Hamburgo, Colônia, Munique e todas as demais cidades industriais do país. Cidades pequenas e grandes estavam cheias de acampamentos e hospedarias para operários estrangeiros. Para dar apenas um exemplo, Munique, capital da Baviera, tinha, pelo menos, 120 campos de concentração de prisioneiros de guerra, 286 acampamentos em quartéis e pensões para estrangeiros civis, sete instalações subsidiárias de campos de concentração e duas de reeducação de trabalhadores, assim como um bordel frequentado por operários estrangeiros.[20] A capacidade total dos alojamentos era de 80 mil beliches. De longe, o maior empregador de operários estrangeiros, em Munique, era a BMW, um dos principais fornecedores de motores aeronáuticos à Luftwaffe.

Em setembro de 1944, somente em suas fábricas localizadas em Munique, a BMW empregava mais de 16,6 mil trabalhadores estrangeiros, alojados em instalações especialmente preparadas, inclusive um campo de prisioneiros de guerra e uma subsidiária particularmente famosa do campo de concentração de Dachau, na cidade suburbana de Allach.[21]

I

Ao tratar desse imenso fenômeno de migração forçada, não se deve esquecer que, durante o último século e meio, sociedades supostamente liberais, frequentemente, reagiram de forma paradoxal aos fluxos migratórios deflagrados por rápidas mudanças econômicas. Até hoje, quase todos os países ricos do mundo adotam regimes imigratórios profundamente contraditórios e seus políticos têm dificuldade em proporcionar liderança racional, ainda que mínima, em questões de migração, asilo e relações raciais. O Terceiro Reich foi a própria antítese de uma sociedade liberal. Como vimos, apenas meses antes que Sauckel iniciasse seu programa de mão de obra estrangeira, a Alemanha nazista havia fomentado diversos programas de assassinato em massa de escala e ferocidade sem precedentes. Além disso, sabemos que, desde o início, na primavera de 1940, o programa de mão de obra estrangeira assumiu aspectos selvagens de discriminação racial. Isso prosseguiu depois de 1942, mesmo quando a obtenção de trabalhadores estrangeiros tornou-se prioritária. O resultado foi uma série de macabras contradições. Por um lado, o *gauleiter* Sauckel fazia grande esforço para mobilizar milhões de trabalhadores para emprego no *reich*. Ao mesmo tempo, a SS e a Wehrmacht assassinavam milhões de pessoas, que poderiam, perfeitamente, estar trabalhando como operários na economia de guerra da Alemanha. Em relação ao problema central da mão de obra, é difícil evitar a impressão de que o Terceiro Reich enfrentava uma contradição sem solução entre sua ideologia racial genocida e os imperativos práticos da produção.

Essa contradição fez-se sentir de forma evidente e drástica, pela primeira vez, em relação aos milhões de prisioneiros soviéticos capturados, durante os meses iniciais da campanha Barbarossa. Como vimos, a Wehrmacht começou matando de inanição exércitos inteiros de mão de obra jovem. Mesmo assim, devido ao impasse na frente oriental, ainda em novembro de 1941,

Hitler tomara a decisão de que os prisioneiros de guerra soviéticos deveriam ser utilizados para trabalhar, não apenas em regiões periféricas, mas na própria Alemanha.[22] Durante os meses seguintes. centenas de milhares de homens foram enviados à Alemanha, mas os maus-tratos prosseguiram, resultando em mortes em massa nos campos de prisioneiros de guerra na própria Alemanha e num contínuo desperdício de força de trabalho.[23] Mesmo antes da nomeação de Sauckel, o escritório econômico-militar do OKW e o Grupo do *reich* para a indústria haviam se queixado ao Ministério da Alimentação de que, simplesmente, não fazia sentido importar centenas de milhares de trabalhadores e, em seguida, deixá-los sucumbir à desnutrição.[24] No início de março, a Mitteldeutsche Motorenwerke, contratista do Ministério da Aeronáutica, viu-se obrigada a explicitar a diferença entre empregar trabalhadores do leste como operários em construção e utilizá-los na fabricação de motores para aviões: "Se, no caso da construção de estradas no leste, empregarmos 2 mil russos, e, em consequência de alimentação deficiente, perdemos algumas centenas deles a cada trimestre, os trabalhadores faltantes podem, simplesmente, ser substituídos por outros russos." Ao contrário, "nos processos de manufatura numa fábrica de armamentos, não é possível, repentinamente, substituir por outro homem alguém que tenha estado operando certo tipo de máquina".[25]

De uma forma um tanto menos extrema, o mesmo tratamento paradoxal também foi adotado em relação aos *ostarbeiter* (trabalhadores do leste) civis recrutados para envio à Alemanha em quantidades crescentes, em 1942. Em parte, isso pode ser atribuído, simplesmente, ao êxito da campanha de recrutamento de Sauckel, que criava problemas para as autoridades alemãs locais. No verão de 1942, literalmente, milhares de novos operários chegavam diariamente aos grandes centros industriais. Era impossível organizar alojamento e rações adequadas. As condições variavam segundo as cidades e os empregadores, mas, em muitos casos, especialmente, nas zonas industriais mais concentradas, a situação era terrível. Em dezembro de 1942, uma comissão de sindicância do *Ostministerium* e *Wistab Ost* visitou *Ostarbaiterlager**, na região do Ruhr, e fez um relatório em termos chocantes. Para dar apenas um exemplo, o relatório menciona, especificamente, o acampamento de trabalhadores administrado pela Bochumer Verein, empresa do conglomerado Vestag, onde foi verificado um "quadro

* Alojamentos de trabalhadores do leste. (*N. do T.*)

de desolação e miséria" que "jamais seria extinto".[26] Vindas de burocratas "não sentimentais" com ampla experiência do leste, eram palavras incisivas, confirmadas pelo comportamento dos próprios *ostarbeiter*. Várias gerações de anglo-americanos têm apreciado relatos de ousadas fugas de aviadores e soldados britânicos e norte-americanos capturados. No entanto, a partir de 1942, o número desses fugitivos passou a ser muito menor do que o de prisioneiros soviéticos de guerra e *ostarbeiter* que escapavam do cativeiro. Entre abril e julho, o número de fugitivos soviéticos passou de 2.059 para 22.603. Em agosto de 1942 a Gestapo estimou que teria de se haver com mais 30 mil fugitivos nos meses seguintes. Dos 42.714 trabalhadores estrangeiros, considerados como havendo escapado entre abril e julho de 1942, a Gestapo afirma haver recapturado 34.457.[27] Em vista desses números, porém, não era, obviamente, prático prosseguir utilizando métodos policiais convencionais. Em setembro de 1942, o próprio chefe da Gestapo, SS *Gruppenführer* Heinrich Müller, assumiu pessoalmente o esforço de controlar a população de trabalhadores do leste. Em vez de tratar individualmente de dezenas de milhares de casos, instituiu um novo sistema abrangente de barreiras policiais em todas as principais vias de comunicação, estações ferroviárias e centros habitados em todo o país.[28]

No outono de 1942, dadas as condições nos acampamentos, dezenas de milhares de *ostarbeiter* semimortos tiveram de ser enviados de volta ao leste em condições assustadoras. Em setembro, uma operação de transporte foi descrita em termos apocalípticos: "Havia passageiros mortos no trem do regresso. Durante o trajeto, mulheres davam à luz crianças que eram lançadas pela janela do trem em movimento, enquanto doentes de tuberculose e moléstias venéreas ocupavam o mesmo vagão. Os moribundos jaziam em vagões de carga, sem palha onde se deitar, e um dos mortos... foi atirado na margem da ferrovia".[29] Evidentemente, por essa descrição perpassa uma sensação de exagero bíblico. No entanto, diversos relatos confirmam a afirmação de que corpos de *ostarbeiter* sem vida eram atirados ao longo das vias férreas alemãs,[30] sem falar no fato de que comboios cheios de operários orientais costumavam ser abandonados em pátios de manobra durante horas intermináveis, diante dos passageiros alemães comuns, sem nenhuma forma de higiene. No boca a boca ou por cartas enviadas às terras natais, logo começaram a circular boatos sobre o tratamento que esperava os *ostarbeiter* na Alemanha. Não admira que, em setembro de 1942, os administradores dos acampamentos de mão de obra estrangeira na Ucrânia começassem a relatar "*Transportangstpsychosen*".* No final do verão, o fluxo de recrutas voluntários cessara completamente, o que, por sua vez, deflagrou uma extrema escalada de violência por parte dos agentes de recrutamento de Sauckel.[31]

Embora tudo isso seja horripilante, chega a empalidecer diante de outra contradição ainda mais chocante engendrada pela expansão da campanha alemã de matança de judeus. A crise de mão de obra provocada pela derrota em Moscou foi seguida, em poucos meses, pelo auge homicida do Holocausto, na segunda metade de 1942. Como vimos, as execuções por meio de *Einsatzgruppen* em território soviético já haviam começado, em junho de 1941, e assassinatos em massa por fuzilamento continuaram a ocorrer no território ocupado da União Soviética até a evacuação final dos alemães, em 1944. Mas o "judeucídio" atingiu o ápice, em 1942, com a decisão de liquidar a população judaica da Polônia de antes da guerra, que chegava a mais de 2 milhões de pessoas. Centenas de milhares foram fuziladas ou trabalharam até morrer, ou morreram de inanição e doenças nos guetos. O principal método para acabar com a maior parte da população judaica da Polônia constituiu-se nos três centros especificamente dedicados à matança, Treblinka, Sobibor e Chelmno, assim como o complexo de câmaras de gás no campo de concentração de Auschwitz. Enquanto os três primeiros foram fechados, em 1943, Auschwitz continuou em funcionamento e tornou-se o destino final de centenas de milhares de judeus de toda a Europa Ocidental, em 1942 e 1943, e da Hungria, em 1944.

Mesmo presumindo que os judeus devem ter sido usados apenas para as ocupações mais grosseiras, o Holocausto provocou uma catastrófica destruição da força de trabalho. Aplicando os mesmos padrões conservadores dos alemães, o Holocausto deve ter terminado as vidas de, pelo menos, 2,4 milhões de trabalhadores em potencial. Acrescentando a isso outros atos de assassinato em massa pelos nazistas, depois de janeiro de 1942, chega-se a um total estarrecedor. Dos 1,65 milhão de pessoas internadas em campos de concentração utilizados em algum momento, na economia da Alemanha — não incluídos, aqui, os campos que funcionaram na fase de extermínio da Solução Final — não mais de 475 mil sobreviveram à guerra.[32] Isso significa a morte de pelo menos 1,1 milhão de trabalhadores, dos quais um mínimo de 800 mil,

* Psicose de medo do transporte. (*N. do T.*)

tampouco, contam-se entre as vítimas do Holocausto. Dentre o 1,95 milhão de prisioneiros de guerra soviéticos, que se acredita tenham sido empregados como operários na Alemanha, depois de novembro de 1941, menos da metade sobreviveu à guerra. Portanto, é provável que, pelo menos, 1 milhão de prisioneiros soviéticos tenha morrido após haverem sido considerados contribuintes potenciais para o esforço de guerra alemão. Isso se soma aos 2 milhões que morreram de fome durante o inverno de 1941-42. Dos 2,775 milhões de civis soviéticos registrados como estando trabalhando na Alemanha entre 1941 e 1945, estima-se que, pelo menos, 170 mil tenham morrido durante a estada no *reich*. Isso é, certamente, uma subestimativa, porque não leva em consideração o número de trabalhadores "gastos", repatriados para um destino incerto nos territórios do leste. O que é mais assustador, não leva em conta o hiato existente nas estatísticas alemãs entre os que foram deportados dos territórios orientais e os que foram registrados como trabalhadores no *reich*. A diferença é de centenas de milhares. Há indagações semelhantes quanto às estatísticas relativas aos trabalhadores poloneses, dos quais pelo menos 130 mil morreram durante o tempo passado na Alemanha. Entre os "trabalhadores ocidentais", o grupo que mais sofreu foram os soldados italianos confinados na Alemanha depois da rendição da Itália, no outono de 1943. Desses infelizes, pelo menos, 32 mil morreram de fome ou trabalharam até a morte, durante o inverno 1943-44. Somando essas mortes entre as várias categorias de trabalhos forçados, após janeiro de 1942, chegamos a um total de, talvez 2,4 milhões de trabalhadores não judeus vítimas do regime nazista. Juntando-os ao número de 2,4 milhões de trabalhadores judeus em potencial, chegamos a um total geral de, pelo menos, 4,8 milhões de trabalhadores assassinados pelo Terceiro Reich, em seguida à crise militar de 1941-42, e de cerca de 7 milhões, se incluirmos os prisioneiros de guerra soviéticos mortos em 1941.

II

À vista desses números, poder-se-ia concluir que o Terceiro Reich foi, simplesmente, um regime para o qual as considerações econômicas tinham importância secundária. Em última análise, a primazia dos aspectos políticos era absoluta. O assassinato de milhões de inimigos raciais, sem atenção a sua utilidade para a economia de guerra alemã, é prova indiscutível disso.

Seria, claramente, absurdo negar inteiramente a força desse argumento. No entanto, durante as últimas três décadas, os historiadores reuniram muitos indícios que sugerem um panorama muito mais complexo. Um dos modelos para examinar esse problema é o de uma acomodação entre os elementos mais ou menos ideológicos do regime nazista.[33] Se aceitarmos a noção de que o "judeucídio" era um fim em si mesmo, na verdade uma fixação obsessiva da liderança nazista, será até mesmo possível considerar o programa de trabalhos forçados e o genocídio menos como contraditórios do que como complementares. O êxito do *gauleiter* Sauckel em recrutar milhões de trabalhadores na Europa, tanto a leste quanto a oeste, fez com que os judeus parecessem dispensáveis.[34] Somente na Polônia e na Ucrânia, o elemento judaico representava mais do que uma pequena minoria da população. Em todas as demais regiões, era possível assassiná-los sem reduzir, significativamente, a força de trabalho total à disposição da Alemanha.[35] Além disso, esse processo de extermínio tinha uma lógica burocrática autônoma porque era executado por iniciativa independente e sob a autoridade da SS, sobretudo, a RSHA, com apoio de Hitler e de Himmler no nível mais elevado. Essa interpretação é reforçada ainda pelas provas documentais provenientes dos níveis médios da burocracia da ocupação na Europa Oriental, que mostram funcionários locais da SS argumentando em favor do assassinato de trabalhadores especializados judeus, contra os interesses da Wehrmacht e de outras agências que os utilizavam em funções relacionadas com a guerra, entre os quais, o exemplo mais famoso, é o de Oskar Schindler, no Governo Geral.[36] Nesses documentos, a SS aparece como uma minoria devotada que empurrava o "judeucídio" pela goela de uma incrédula administração militar.[37] Como veremos, o próprio Hitler gostava de se dedicar a esse tipo de retórica em relação à liquidação dos guetos poloneses, em 1942 e 1943. Visto dessa forma, pode-se considerar o Holocausto como uma concessão arrancada da corrente geral da administração do Estado alemão pela liderança ideologicamente comprometida da SS. Foi uma concessão à ideologia, que se tornou possível por causa do êxito de Sauckel em recrutar trabalhadores não judeus em toda a Europa. Os trabalhadores judeus podiam ser descartados, porque sempre parecia haver outros que os substituíam.

Na verdade, no entanto, apesar da retórica preferida por Himmler, a SS não ignorava as preocupações econômicas na matança da população judaica. A prática da *Selektion* era um passo inicial que ocorria, por toda parte, em virtualmente todos os massacres.[38] A população era dividida entre os aptos e os inaptos para o trabalho. Isso significa que uma vez vencidas as inibições iniciais, as mulheres, crianças e pessoas idosas eram os primeiros a serem mortos, especialmente, em 1942, no auge do "judeucídio". Ao tratar com as grandes comunidades judaicas da Ucrânia ou da Galícia, a SS regressava diversas vezes à mesma localidade ou povoado, reduzindo progressivamente a população judaica a um "cerne indispensável". Em muitos casos, esse remanescente produtivo era, em geral, levado a um gueto central para ser ainda mais explorado, antes que, finalmente, o próprio gueto fosse liquidado, em 1943, ou até mesmo em 1944. Na Polônia, a prática foi aplicada, pela primeira vez, em 1941, na chamada Warthegau, uma das províncias recém-anexadas à Alemanha. Os que eram considerados inaptos para o trabalho, em Warthegau, estavam entre os primeiros a serem mortos nas câmaras de gás da instalação experimental em Chelmno. Os que ainda tinham condições de serem explorados foram concentrados no gueto de Lodz (Litzmannstadt), que continuou funcionando como centro de produção para a guerra até o início de 1944. Isso estabeleceu um modelo que foi aplicado para a "limpeza" da população judaica no Governo Geral, cujo total estimado, na conferência de Wannsee, compunha-se de não menos de 2,28 milhões de pessoas. Ali, também, a *Selektion* era o primeiro princípio da operação. No distrito de Lublin, governado por Odilo Globocnic, o conselho para os judeus recebeu, no início de 1942, a instrução de expedir carteiras de identidade e elaborar listas de todos os judeus "que não trabalhem produtivamente".[39] Segundo uma anotação da primavera de 1942 no diário de Goebbels, presumia-se que "60% terão de ser liquidados, enquanto 40% poderão ser ainda empregados como mão de obra".[40]

O destino inicialmente previsto para o grupo selecionado para o trabalho parece ter sido esboçado por Heydrich na conferência de Wannsee. Seriam separados conforme o sexo e trabalhariam até morrerem nos distantes canteiros de obras do *Generalplan Ost*. Pelo menos, até o outono de 1942, o *Generalplan* era uma proposta muito ativa. Em 16 de julho de 1942, Himmler visitou seu massagista e confidente, Felix Kersten, bastante entusiasmado. A euforia devia-se a uma reunião realizada poucos dias antes, quando havia sido apresentada a Hitler a versão final do *Generalplan*, incluindo mapas e planos arquitetônicos para as aldeias de camponeses alemães. Com seus exércitos rugindo na direção do Cáucaso, na última grande ofensiva de verão da Wehrmacht, Hitler se mostrava novamente convencido da breve vitória na guerra do leste. Assim, registrou Himmler: "O *führer* não apenas me ouviu, como se absteve de interrupções constantes, como é seu hábito... hoje ele chegou até a aprovar minhas propostas, fazendo perguntas e chamando minha atenção para detalhes importantes..." "Este foi o dia mais feliz de minha vida", proclamou Himmler. "Tudo o que estive imaginando e planejando em pequena escala pode agora ser executado. Iniciarei imediatamente em grande escala...".[41]

O ponto principal, aqui, é que a concepção de Himmler sobre o trabalho de judeus era sempre muito específica. Estava sempre intimamente ligada aos planos faraônicos de construção constante do *Generalplan Ost* e previa grande quantidade de trabalhadores escravos sob estreita vigilância da SS, a centenas, e mesmo milhares, de quilômetros a leste do *reich*. Em contraposição, Himmler sempre opunha-se ao emprego de judeus em manufaturas, especialmente, as indústrias de guerra. Esse tipo de trabalho deveria, tão pronto quanto possível, ser executado por outras formas de mão de obra estrangeira. Somente depois de Stalingrado, quando a perspectiva de assentamento alemão imediato no leste, finalmente, deixou de ser visível, foi que Himmler se desinteressou da manutenção de mão de obra judia. Nessa altura, no entanto, os únicos judeus que ainda permaneciam vivos na Polônia eram os que estavam empregados em fábricas, trabalhando para os alemães e concentrados em grandes acampamentos de operários ou em guetos. A insistência de Himmler em liquidá-los, durante o ano de 1943, não representa uma mudança de posição de sua parte.[42]

O transporte de judeus do ocidente e do sudeste da Europa com destino principalmente a Auschwitz obedecia ao mesmo procedimento básico.[43] Frequentemente os transportes eram "pré-selecionados" na origem, entre um grupo destinado ao trabalho e outro a extermínio imediato. Alternativamente, a SS realizava a *Selektion* no momento da chegada, no pátio da estação de Auschwitz. Numa estimativa conservadora, 1,1 milhão de judeus foram deportados para Auschwitz, entre 1941 e 1945. Desses, 900 mil foram mortos imediatamente, e 200 mil foram poupados para trabalhos forçados. Naturalmente, a *Selektion* para o trabalho significava somente um retardamento da execução. Para aqueles que escapavam da morte imediata nas câmaras de gás, o processo de matança era em alguns casos, prolongado durante vários meses, ou mesmo anos. E apesar de sua importância central como instalação de extermínio, Auschwitz nunca perdeu a característica original de acampamento de trabalho. Além dos 200 mil judeus selecionados para trabalhar, a *Cam Kommandatur* também administrava um fluxo constante de internos não judeus, incluindo um total de 140 mil poloneses, aproximadamente, 20 mil ciganos procedentes de vários países, mais de 10 mil prisioneiros de guerra soviéticos e mais de 10 mil de outras nacionalidades. No total, 400 mil pessoas estão registradas, em diversos momentos, como internos da Auschwitz *Stammlager*, metade dos quais eram judias. As condições eram aterradoras, especialmente para os judeus, e a maioria dos internos morria em poucos meses. Além disso, dezenas de milhares deles eram distribuídos, alternadamente, no sistema de campos de concentração, conforme as necessidades. A população máxima de Auschwitz foi de 90 mil internos em todo o complexo do campo, no outono de 1943. Em qualquer momento, entre 50 e 60% eram considerados aptos para o trabalho. Essa mão de obra nunca foi utilizada nos distantes locais de construção do *Generalplan*, como tinha sido a intenção na época da expansão do campo de concentração, em 1941. Não obstante, a maior parte do trabalho realizado pelos internos era ligado de alguma forma ao programa de germanização do leste, a começar pela própria Auschwitz. Os internos do campo de concentração ajudaram a construir a prestigiosa fábrica de produtos químicos da IG Farben em Auschwitz-Monowitz, assim como muitas outras instalações industriais em toda a Silésia oriental.[44] Estavam, dessa forma, lançando as bases de um complexo industrial da Silésia que rivalizaria com o Ruhr. A maioria dos internos, no entanto, trabalhava no próprio acampamento, que não era menos importante para a colonização alemã do oriente do que as instalações industriais muito maiores que surgiram a sua volta. Em 1942, arquitetos da SS finalizaram o projeto de um complexo permanente de trabalho escravo em Auschwitz-Birkenau, que contava com mais de 600 prédios. Mais de 300 deles já estavam prontos no fim da guerra. Além disso, milhares de internos trabalharam na propriedade de 4 mil hectares que Himmler havia reservado nas terras agrícolas polonesas dos arredores, com a intenção de transformá-la no principal centro de pesquisa agronômica do oriente alemão.[45] Para sustentar a economia do campo de concentração, a SS possuía diversas instalações industriais de pequena escala, incluindo uma fábrica de cimento Portland, uma pedreira, um matadouro, um laticínio e uma padaria. Somente nos estágios finais da guerra, é que esses diversos projetos da SS passaram a um plano secundário em favor de uma produção mais diretamente ligada à guerra. Nessa última fase, a mescla de trabalho e extermínio atingiu o auge, no verão de 1944, quando os judeus da Hungria se tornaram a derradeira população numerosa a ser engolida pela vertigem de destruição.[46] Enquanto as câmaras de gás trabalhavam a todo vapor para exterminar centenas de milhares de judeus húngaros considerados inaptos para o trabalho, outras dezenas de milhares de homens e mulheres jovens eram selecionados para envio à Alemanha a fim de trabalharem nas fábricas de armamentos de alta prioridade do *reich*.

No caso do Holocausto, os imperativos ideológicos eram claramente dominantes, porém sujeitos a ajustes pragmáticos quando as circunstâncias os tornavam necessários. Da mesma forma, pode-se considerar o programa de trabalhos forçados de Sauckel como uma composição entre ideologia e necessidade pragmática com os sinais invertidos. As exigências da economia de guerra eram dominantes, mas tinham de ser conciliadas com os reclames da ideologia. Como vimos, quando a Alemanha invadira a Polônia, em 1939, a intenção não tinha sido a de dotar as fazendas alemãs de um exército de trabalhadores poloneses. Como chefe de polícia, Himmler concordou, relutantemente, com os pedidos de Backe, porém, somente mediante condições estritas. Estava claro para todos os envolvidos que tais condições eram contraproducentes no sentido de que tornavam praticamente impossível o recrutamento voluntário e reduziam a produtividade dos operários, uma vez chegados à Alemanha. No entanto, o regime de Hitler havia feito um investimento demasiado vultoso no projeto de criação de uma sociedade racialmente pura e não poderia simplesmente abandoná-lo. Tendo isso em mente, é possível atribuir os desastres iniciais do programa de *Ostarbeiter*, em 1942, ao lento surgimento dessa contradição entre ideologia e necessidade pragmática.[47] Sauckel, por sua vez, parece ter pretendido que "seus" operários, uma vez chegados à Alemanha, fossem tratados suficientemente bem para que pudessem dar uma contribuição produtiva ao esforço de guerra.[48] Além disso, o programa de recrutamento de trabalhadores estrangeiros deveria servir a um objetivo ideológico, ao espalhar pela Europa as vantagens recebidas pelo povo comum, proporcionadas por uma revolução nacional-socialista. Mas os hábitos antigos custam a desaparecer. A administração dos acampamentos de trabalho estrangeiro eram frequentemente negligentes e arbitrárias na distribuição de alimentos. As rações fixadas pelo Ministério da

Alimentação do *reich* raramente eram distribuídas nos níveis corretos. Há vários casos bem-documentados de corrupção nos quais alimentos destinados aos trabalhadores de Sauckel acabaram desviados para o mercado negro. A rotina e o racismo prevalecentes nas camadas mais baixas da população alemã se expressavam em persistentes boatos de favoritismo para com os estrangeiros civis. Os italianos, cujas rações continham grande proporção de frutas e legumes, em conformidade com a dieta a que estavam acostumados, eram alvo de críticas específicas. Os postulados do dogmatismo racial, tanto vindo de cima quanto de baixo, tornavam difícil a organização de um programa nacional de mão de obra estrangeira. Não obstante, é claro que, no outono de 1942, a indústria alemã começava a buscar sistematicamente soluções para esses novos problemas de gestão trabalhista. Como tratar as diversas categorias de trabalhadores estrangeiros? Quais seriam as penalidades permissíveis para assegurar o bom desempenho? Até onde os capatazes e gerentes poderiam ir a fim de extrair a melhor execução das tarefas exigidas de seus operários estrangeiros?

A questão do castigo físico foi examinada pelos dirigentes alemães. Seria permitido às empresas autorizar o espancamento de operários recalcitrantes? Na qualidade de GBA, Sauckel afirmava que a punição física era idêntica à agressão e devia ser assim considerado pelos tribunais.[49] Os trabalhadores estrangeiros deveriam ser sujeitos a uma disciplina estrita, mas a responsabilidade devia caber à polícia, aos tribunais e à SS, que tinham a possibilidade de utilizar campos de reeducação de operários e de concentração como elementos poderosos de dissuasão.[50] Tais procedimentos, no entanto, eram lentos e causavam muitas vezes a "perda" do trabalhador em apreço.[51] Em muitos casos, parecia óbvio ser mais eficiente resolver o assunto ali mesmo no local de trabalho. Afinal, a violência física ocasional não era de forma alguma desconhecida na indústria alemã, especialmente, na mineração de carvão, na qual os problemas relativos ao uso de *ostarbeiter* eram mais sentidos. Como vimos, a escassez de carvão e de trabalhadores nas minas foi uma preocupação central do esforço de guerra alemão, desde a primavera de 1941. Uma das principais prioridades de Sauckel era o fornecimento de operários para as atribuladas minas de Paul Pleiger.[52] A menos que esses trabalhadores pudessem ser alimentados e disciplinados, pouca utilidade teriam para o esforço de guerra. Por isso, Pleiger apoiou os apelos de Sauckel em prol do aumento das cotas de alimentos. Sem calorias, proteínas e gorduras extra, Pleiger, simplesmente, não conseguiria extrair o carvão de que a indústria pesada alemã necessitava tão desesperadamente.[53] Ao mesmo tempo, no entanto, Pleiger defendia também o uso sistemático de força coercitiva. No início de outubro de 1942, ele presidiu, em companhia de Robert Ley, da DAF, uma reunião de trabalho de gerentes de minas do Ruhr no luxuoso ambiente do hotel Kaiserhof, em Essen. Como chefe da DAF, Ley era responsável, conjuntamente com Sauckel, pela supervisão da força de trabalho estrangeira. O principal ponto da agenda da reunião no Kaiserhof foi a questão de "como tratar os russos".[54] Um notável relato *ipsis literis* da reunião, feito por um gerente da Krupp, permite uma surpreendente visão, não apenas das práticas brutais do programa de trabalhadores estrangeiros, mas revela também os receios aterradores de que sofriam os líderes da indústria alemã quando paravam para considerar a situação geral do Terceiro Reich. Robert Ley estava bêbado, como de costume, e, quando se via nesse estado, tinha a tendência a dizer o que pensava: "É preciso extrair o carvão, seja como for. Se não for com vocês, meus senhores, será contra vocês." Se o vale do Ruhr fracassasse, fracassaria também todo o esforço armamentista, e, no outono de Stalingrado, isso significaria o desastre. "Depois de nós, não há nada, tudo estará terminado... a Alemanha será destruída. Todos serão trucidados, assassinados, queimados e destruídos. Afinal de contas, dinamitamos, propositalmente, todas as pontes atrás de nós, foi isso o que fizemos. Praticamente resolvemos a questão dos judeus na Alemanha. Isso, em si mesmo, já é algo extraordinário." Com tanta coisa em jogo, não havia espaço para compaixão ou civilidade. Nenhum grau de coerção seria demasiado e Ley esperava que os gerentes apoiassem os capatazes na aplicação das medidas disciplinares necessárias. Assim, expressou-se Ley: "Quando um porco russo tiver de levar uma surra", quem tinha de fazer isso eram os operários alemães comuns. "Não são vocês, e nem eu". Para ter certeza de que os gerentes das minas haviam entendido o recado, Pleiger acrescentou, com cinismo característico: "Lá no fundo da mina, é escuro e Berlim fica muito, muito longe." Claramente, Ley e Pleiger esperavam que os operários alemães das minas não dessem ouvidos às caridosas prescrições de Sauckel. Se os *ostarbeiter* não trabalhassem, apanhariam. Caso os empregadores preferissem meios mais formais de disciplina, sempre poderiam contar com a polícia de Heinrich Himmler. Pleiger referiu-se, entusiasticamente, aos resultados obtidos com o "pequeno, porém, perfeitamente organizado, campo de concentração" que ele próprio utilizava para castigar seus operários na Reichswerke.[55]

Exatamente na mesma época em que ocorreu a reunião no Kaiserhof, a indústria mineira da Alta Silésia começou a experimentar um novo sistema, que transformou a própria comida na principal forma de disciplina. Os empregadores alemães fizeram amplo uso de várias formas de bonificações, mas Günther Falkenhahn, diretor-geral da Plesspchen Werke, mina fornecedora do complexo químico da IG Farben, na Silésia, levou as bonificações a um novo nível existencial. Segundo um sistema a que denominou *Leistungsernährung* (alimentação conforme o desempenho), ele dividiu seus *ostarbeiter* em três categorias. Somente os que tivessem um desempenho adequado médio receberiam as rações normais. Os que tivessem desempenho insatisfatório sofreriam reduções em suas rações. As reduções, por sua vez, serviriam para dar bonificações aos que apresentassem rendimento acima da média.[56] O objetivo do sistema era administrar a escassez. Não implicava em aumento do total das rações de alimentos; simplesmente, recompensava os mais fortes à custa do mais fracos. A ideia central era concentrar a alimentação disponível nos trabalhadores que apresentassem o melhor retorno em troca de cada unidade de caloria. Para os *ostarbeiter*, significava uma forma de triagem. Os que caíssem abaixo da norma viam-se ameaçados por uma espiral fatal de desnutrição e mau desempenho. Falkenhahn era também presidente da organização carbonífera do *reich* na Alta Silésia e, com seu estímulo, o sistema de alimentação por desempenho foi logo adotado como a melhor prática em toda a região. Em 1943, já era nacionalmente reconhecido. Na mensagem de fim de ano, Albert Speer recomendou pessoalmente o sistema.[57] No final de 1944, a "alimentação conforme o desempenho" ficou estabelecida como prática padrão no emprego de *ostarbeiter*, por ordem do Ministério do Armamento.[58]

A versão mais extraordinária dessa nascente mescla entre ideologia e pragmatismo foi a prática do "aniquilamento por meio do trabalho" (*Vernichtung durch Arbeit*). Os campos de concentraçao da SS, ao contrário das instalações de extermínio construídas em 1942, possuíam populações de internos dentre os quais alguns haviam sido utilizados em projetos da SS, desde o final da década de 1930.[59] Em 1942, devido à crise de mão de obra enfrentada pelo *reich*, Himmler advogou entusiasticamente a expansão do uso de internos dos campos de concentração para o trabalho. Ao mesmo tempo, no entanto, a população total dos campos era demasiadamente reduzida para que sua utilização representasse uma contribuição significativa ao esforço de guerra. A partir de 1942, portanto, a SS embarcou em uma política deliberada para expandir a população dos campos de concentração e legitimar essas instituições em termos dos serviços que proporcionavam ao esforço de guerra. A repartição responsável era o escritório de administração econômica da SS, dirigido por Oswald Pohl, supervisor dos campos de concentração que não estivessem exclusivamente vinculados à Solução Final, especialmente, Dachau, Mauthausen, Sachenhausen, Buchenwald, Majdanek, Stutthof e Auschwitz.[60] Sob a chefia de Pohl, a população dos campos de concentração aumentou vertiginosamente. Uma parcela significativa dos internos era de judeus, homens e mulheres que, por alguma razão, haviam sido separados para outro destino que não a execução imediata. A maioria dos internos desses campos, porém, era de presos políticos alemães, prisioneiros soviéticos que haviam escapado ou que, por algum motivo, haviam atraído a atenção da Gestapo, ou *ostarbeiter* que estivessem sendo castigados pela SS. Outros desses infelizes tinham sido, simplesmente, recrutados como trabalhadores estrangeiros e entregues à SS para aumentar a força de trabalho.

O primeiro campo a enviar seus internos, em grande escala, foi Auschwitz, que além de mão de obra para a construção das instalações da IG, em Monowitz, forneceu também operários para projetos de indústria pesada em toda a Silésia. O seguinte foi Oranienburg, que se comprometeu a fornecer 800 internos à Heinkel, em setembro de 1942, e depois Ravensbruck, que enviou mulheres operárias à Siemens. Logo Mauthausen iniciou relacionamento com a Steyr Daimler Puch, Sachsenhausen mandou operários para a fábrica da Daimler-Benz, em Genshagen, e Dachau fez acordos com a BMW. Outros sócios notáveis da SS foram a Reichswerke Hermann Göring, a fábrica da VW, em Fallersleben, a Accumulatoren Fabrik AG, em Hanover, e a subsidiária da Henschel Rax, em Viena.[61] Até o final de 1943, a indústria aeronáutica foi, sem dúvida, a maior empregadora de mão de obra de internos de campos de concentração, principalmente, a Heinkel, a Messerschmitt e a BMW.[62] Nos estágios ulteriores da guerra, porém, é difícil imaginar alguma nova grande fábrica de armamentos que não tenha sido construída com o pressuposto de que nela seria utilizada mão de obra vinda dos campos de concentração. Em 23 fevereiro de 1944, Albert

Speer escreveu, pessoalmente, a seu "querido camarada de partido, Himmler", solicitando que fossem feitos todos os esforços para fornecer mão de obra de prisioneiros às fábricas de armamentos.[63] Himmler não se fez de rogado. Estima-se que, no final de 1944 seus campos de concentração tenham proporcionado ao esforço de guerra alemão pelo menos 500 mil trabalhadores, ou, aproximadamente, 5% da força de trabalho industrial; 140 mil foram empregados na construção de gigantescas instalações subterrâneas sob controle da SS; 130 mil trabalhavam para a organização Todt, responsável pelas construções nos territórios ocupados; e 230 mil foram trabalhar na indústria privada.[64]

Em todos os campos de concentração, o trabalho produtivo era combinado com um regime de maus-tratos, excesso de trabalho e fome que provocava mortes em massa. Isso ocorria sob as vistas dos gerentes e outros operários alemães, para não falar da população civil em geral, que, frequentemente, morava nas vizinhanças de alguns dos campos, como o Allech, da BMW. De maneira geral, fazer os internos trabalharem até morrer era apenas marginalmente menos irracional do que assassiná-los de uma vez. Nesse ponto, porém, é crucial a distinção entre as lógicas que funcionavam nos níveis micro e macro e levavam em conta, também, o fator tempo. Embora o encarceramento de um número crescente de operários em potencial em campos de concentração de consequências fatais, certamente, fosse irracional, do ponto de vista do esforço de guerra geral, vistos da perspectiva dos empregadores individuais, o sistema dos campos era uma oportunidade de ouro. Mesmo em 1944, Himmler ainda era capaz de fornecer novos trabalhadores. Embora as pessoas, em pouco tempo, se tornassem inúteis, a vantagem proporcionada pela SS era justamente a de poder fornecer a seus clientes industriais um fluxo, aparentemente, ilimitado de novos internos. Também aí a *Selektion* era o termo crucial.[65] Enquanto os supervisores da SS executassem, regularmente, suas inspeções, afastassem os trabalhadores cujo desempenho caísse abaixo dos níveis aceitáveis, e os substituíssem por novos internos, o empregador praticamente não tinha do que se queixar. Esse processo contínuo de seleção e substituição constituía a essência do sistema de campos de concentração de mão de obra. A força de trabalho existente nesses campos não era um estoque, e sim um fluxo. O papel da SS não era suprir indivíduos específicos às empresas, e sim unidades específicas de mão de obra. A SS, e não o empregador, era responsável pela continuidade do fluxo. Em certos casos, no entanto, sem dúvida, parecia racional que os empregadores fizessem algum esforço para estabilizar a mão de obra proveniente dos campos, com a qual já contavam. Em Auschwitz, a IG Farben negociou com a SS o fornecimento de alimentação suplementar em forma de prêmios.[66] Por outro lado, quando havia necessidade de punições, a gerência local da IG Farben esclarecia ser preferível que os espancamentos ocorressem atrás das cercas de arame farpado dos campos de concentração.[67] Não questionava o direito da SS de tratar os internos da maneira que quisesse, mas achava que "as cenas extremamente desagradáveis que ocorrem no canteiro de obras", por causa das surras de chicote estavam "começando a ter efeito desmoralizante sobre os trabalhadores livres [poloneses] e também sobre os alemães". No interior dos próprios campos, ocorreu um processo paralelo de adaptação à nova prioridade da mão de obra em tempo de guerra. A essência do funcionamento dos campos, da forma como vinha se desenvolvendo, desde 1933, era levar a cabo um regime de tratamento punitivo e de subnutrição com o objetivo de quebrar a resistência dos internos e, na maioria dos casos, resultar em morte lenta e dolorosa. Em 1942, a mortalidade nos campos era de tal forma elevada que a administração econômica da SS se viu incapaz de preencher as metas de população escrava fixadas por Himmler. Para que os campos de concentração, efetivamente, servissem como importante reservatório de mão de obra, o nível de severidade, certamente, teria de ser reduzido. Para isso, a administração econômica da SS tomou algumas medidas práticas.[68] Os integrantes do setor médico dos campos receberam instruções para levar a sério sua responsabilidade na manutenção da produtividade dos internos. Mais importante, a partir do inverno de 1942-43, a administração econômica da SS determinou o aumento das rações de alimento dos prisioneiros. Seguindo o exemplo da IG Farben, as punições brutais foram cada vez mais mescladas com bonificações de alimentos ou cigarros, de forma calculada para estimular a produtividade. Em consequência, em 1943, a mortalidade declinou significativamente em todo o sistema.

Há divergências sobre quais tenham sido exatamente os maiores beneficiários do uso de mão de obra dos campos de concentração, que constituem o aspecto mais bárbaro do programa alemão de trabalho estrangeiro.[69] É claro que nas manufaturas industriais o saldo entre o custo do trabalho de prisioneiros, conforme fixado pelas "taxas" pagas à SS, e a produtividade média desses trabalhadores era muito favorável ao empregador. Nas obras de construção, onde a maior parte do esforço dos presos era utilizado, o saldo era menos favorável. Nesse caso, tudo dependia do ritmo de substituição da força de trabalho por novos internos. Perversamente, nas ocupações de baixa qualificação, os empregadores de fato tinham um incentivo para acelerar a rapidez da *Selektion*. A proporção em que esses arranjos podiam ser mais ou menos vantajosos do que empregar operários alemães dependia da exata relação entre a produtividade relativa dos prisioneiros, das taxas pagas à SS, dos custos adicionais do emprego de mão de obra dos presos e do preço que a agência oficial de suprimento pagaria ao industrial pela produção. Essa última variável era a verdadeira incógnita na economia do trabalho forçado, tanto para os internos dos campos de concentração quanto para outras categorias de operários.[70] O *reich* não era apenas o único fornecedor de mão de obra para a grande maioria das firmas que recebiam trabalhadores estrangeiros e, especialmente, prisioneiros dos campos de concentração, mas também era o maior cliente. Os funcionários das agências públicas de suprimento não tinham interesse em deixar que seus contratistas recebessem lucros "desnecessários" obtidos mediante o emprego de mão de obra barata fornecida à custa do *reich*. O complexo conjunto de inter-relacionamentos entre custos de mão de obra, produtividade e preços somente está documentado em um pequeno número de casos, um dos quais foi o túnel Loibl, que liga a Caríntia, na Áustria, com a Eslovênia.[71] Os relatórios detalhados de custos compilados pela Universale Hoch und Tiefbau AG, um dos principais contratistas, que empregava uma força de trabalho de 800 prisioneiros do campo de concentração de Mathausen, mostram que a produtividade deles era, em média, 40% mais baixa do que a dos operários alemães. Não obstante, mesmo descontando o custo total da remuneração paga à SS e às equipes extraordinárias de segurança, a substituição dos operários demasiadamente débeis e o fornecimento de bonificações, resultava ainda mais lucrativo empregar prisioneiros dos campos de concentração do que mão de obra livre. No entanto, não era permitido ao contratista conservar todo esse lucro extra. Para compensar os serviços executados pelos prisioneiros da SS, o *reich* exigia uma redução automática do preço dos contratos, calculada, com precisão, em 3,515%.

Tabela 16. A economia do trabalho escravo

	Taxa cobrada pela SS pela mão de obra qualificada adequada de prisioneiros *reichsmarks*	Salário normal pago aos alemães *reichsmarks*	Produtividade na qual a mão de obra dos campos de concentracão, como % da produtividade alemã normal, presumindo preços contratuais sem ajuste	Produtividade real da mão de obra dos campos de concentracão, como % da protividade alemã normal	Mão de obra dos campos de concentração mais ou menos lucrativa comparada à dos trabalhadores alemães comuns, presumindo preços contratuais sem ajuste?
Indústria metalúrgica:					
Qualificados	0,545	1,21	45	40–60	Sim
Semiqualificados	0,364	1,011	36	40–60	Sim
Serventes	0,364	0,795	46	30–50	?
Operárias femininas	0,364	0,582	63	60 +	Sim
Engenharia elétrica:					
Operárias femininas	0,364	0,629	58	60 +	Sim
Construção:					
Carpinteiro, Especialista em concreto	0,545	0,969	56	28–38	Não
Pedreiro	0,545	0,929	59	28–38	Não
Trabalhador em estradas	0,364	0,684	53	28–38	Não

Fonte: M. Spörer, "Profitieren Unternehmen von KZ-Arbeit?" *HZ* 268 (1999)

Naturalmente, foram encontradas formas de reconciliar os impulsos ideológicos assassinos do regime com um sistema racional de exploração que era funcional do ponto de vista do empregador individual, senão da economia de guerra como um todo. Esse "processo de aprendizado" começou em 1940, intensificou-se após o choque da crise do inverno de 1941-42 e terminou em meio às ruínas da frente doméstica alemã, no outono e inverno de 1944. As contradições mais graves surgiram porque a invasão da União Soviética, em junho de 1941, libertara a ideologia nazista como força predadora, até que a crise militar em Moscou obrigou a uma mudança abrupta e completamente imprevista das prioridades. Durante os três anos seguintes, as contradições resultantes foram sendo progressivamente resolvidas em favor da prioridade do esforço de guerra. O Holocausto começou em junho de 1941, acelerou-se em 1942, e consumou-se, com exceção dos judeus húngaros, nos últimos meses de 1943. Em 1942, a simultânea intensificação do recrutamento de mão de obra estrangeira e as tensões não resolvidas entre ideologia e pragmatismo desembocaram em caos e confusão homicida nos campos de prisioneiros de guerra e de *ostarbeiter*. Mas, em 1943, o tratamento mais contraproducente dos *ostarbeiter* já tinha chegado ao final. Os que sobreviveram foram postos a trabalhar com maior eficácia. A mortalidade continuou elevada, especialmente, entre os prisioneiros soviéticos. No entanto, para os *ostarbeiter* civis, as estatísticas sugerem que, no outono de 1943, a situação estava, em linhas gerais, "sob controle". Em julho e agosto de 1943, dois meses para os quais dispomos de estatísticas precisas, houve "somente" 2,3 mil mortes em uma população total de 1,6 milhão de *ostarbeiter* civis na Alemanha.[72] Era o dobro da taxa de mortalidade da população alemã e um terço mais elevada do que se poderia esperar em um grupo semelhante na União Soviética, na década de 1930. Essa categoria de trabalhadores estrangeiros, sem dúvida, já não sofria mais do "desgaste em massa". Sauckel, assim como a GBA, os empregadores e a SS haviam chegado a um acordo que satisfazia às exigências essenciais de todos os lados.

Em última análise, a produtividade é o que deve servir para avaliar o programa de trabalhos forçados. Nesse aspecto, os indícios, certamente, confirmam o relato de ajuste e acordos que acabamos de narrar. As condições insatisfatórias que prevaleciam na primeira e caótica fase do programa de *ostarbeiter* foram bem ilustradas pela situação na fábrica da sede da Krupp, a Gusstahlfabrik, em Essen, no outono de 1942.[73] Num período de somente poucos meses, no verão daquele ano, a Krupp se tornou gigantesco empregador de mão de obra estrangeira. O contingente estrangeiro da Gusstahlfabrik, que, em janeiro de 1942, era de apenas 2.861 operários, aumentou mais de nove vezes em doze meses. No fim do ano, as instalações metalúrgicas de Essen empregavam mais de 25 mil trabalhadores vindos do exterior. Não é de admirar que a gerência tivesse dificuldade em lidar com essa extraordinária transformação em sua força de trabalho. O impacto imediato sobre a produtividade foi forte. Uma visão instantânea da situação, em novembro de 1942, sugere que o maior grupo de trabalhadores estrangeiros, os civis franceses, eram 15 a 30% menos eficientes do que seus correspondentes alemães. Os prisioneiros de guerra franceses e as mulheres da Europa Oriental tinham desempenho semelhante.[74] No entanto, a produtividade média dos operários do leste europeu do sexo masculino era de apenas 57% da de seus correspondentes alemães; para os prisioneiros soviéticos, a média era ainda mais baixa, de somente 42%. Considerando os impostos especiais cobrados dos empregadores de mão de obra estrangeira, o pagamento aos operários e o custo de alojá-los e alimentá-los, era óbvio que os trabalhadores vindos do exterior saíam, consideravelmente, mais caros ao empregador do que os operários alemães da Krupp. Trata-se de uma afirmação relativa e não significa que empregar trabalhadores estrangeiros não fosse lucrativo. No entanto, realmente, sugere que a Krupp teria bons motivos para preferir empregar alemães, caso tivesse a oportunidade de fazê-lo. A Krupp (e isso é, sem dúvida, verdadeiro para a maioria das demais empresas alemãs) empregava estrangeiros porque não havia alternativa. Não o fazia porque fossem especialmente lucrativos, e sim porque eram a única mão de obra disponível e porque empregá-los era precondição para o prosseguimento da produção. Depois de 1942, empregar mão de obra estrangeira significava o bilhete de entrada para a economia de guerra.

Todas as pesquisas subsequentes sobre o desempenho dos trabalhadores estrangeiros na Alemanha sugerem uma considerável melhora de produtividade em comparação com 1942.[75] Oito meses depois do estudo da Krupp, reconhecia-se aos trabalhadores franceses um desempenho de 80-90% em relação às normas alemãs. As mulheres orientais se mostravam próximas de suas correspondentes alemãs. Todos os estudos sobre a produtividade dos *ostarbeiter* revelavam, igualmente, aumentos de produtividade. As diferenças de desempenho eram amplas, entre 60 e 80% em um estudo, entre 80 e

100%, em outro, mas em nenhum caso eram inferiores a 60% do nível alemão. Somente o desempenho dos prisioneiros em campos de concentração e dos prisioneiros russos utilizados em obras de construção permaneceu em 50% do nível alemão, ou com valores inferiores. Portanto, não há motivo para duvidar de que, à medida que aumentava a população de trabalhadores estrangeiros, o nível médio de seu desempenho melhorava, principalmente quando comparado com os valores desastrosos de 1942. Os gerentes alemães estavam começando a encontrar meios de tornar lucrativo o sistema de mão de obra estrangeira.

III

Dado o vigor das provas acumuladas para sustentar a interpretação de "acomodação", existem poucas dúvidas de que isso capture as características essenciais da política nazista. Obviamente, a ideologia era decisiva em última instância, especialmente, em relação ao "judeucídio". Não pode haver outra explicação para a matança de um grupo de pessoas com tanto horrendo descaso. A presunção de uma luta racial era um dado inalterável na visão nazista de mundo. Por outro lado, também fica claro que, à medida que a guerra se arrastava, a sustentação do esforço de guerra acabou por sobrepujar todas as demais preocupações do regime de Hitler. O resultado foi uma certa segmentação da política, na qual a SS recebeu permissão de prosseguir no imperativo ideológico de extermínio da população judaica. Ao mesmo tempo, o tratamento dispensado à força de trabalho estrangeira, à população dos campos de concentração e, pelo menos, a um pequeno remanescente do grupo judeu foi sendo progressivamente adaptado aos aspectos econômicos a fim de levar em conta as necessidades da economia de guerra. Até onde podemos levá-la, essa interpretação constitui uma poderosa estrutura. A principal fraqueza, no entanto, é o fato de que ela considera somente dois imperativos contraditórios: a decisão ideológica de assassinato em massa e a exigência produtiva de mais mão de obra. Ao reduzir o "imperativo econômico" à questão da mão de obra, a questão não menos importante da alimentação fica obscurecida. Somos, assim, levados a ignorar algo que, em 1941, tinha sido um independente e poderoso imperativo "econômico" para a matança em massa.[76]

Recordemos: nas primeiras semanas de 1941, o Ministério da Alimentação do *reich* e a equipe econômico-militar da Wehrmacht haviam acordado o Plano de Fome, que previa a morte por inanição de nada menos do que 30 milhões de habitantes da União Soviética. Essa explícita decisão em executar um assassinato em massa foi transformada em política oficial meses antes de a SS começar a formular um plano concreto e específico para o extermínio da população judaica da Europa. A questão da alimentação penetrava em ambos os lados das contradições entre economia e ideologia, entre a necessidade de mão de obra e o imperativo do genocídio. Fornecia ao Terceiro Reich um incentivo claramente econômico para o assassinato em escala ainda maior do que a do Holocausto. Além disso, o problema do abastecimento de alimentos estava no cerne de toda a crise do programa de mão de obra estrangeira, em 1942. Era por falta de comida que os prisioneiros de guerra soviéticos, os internos dos campos de concentração e os *ostarbeiter* morriam em quantidades tão tremendas, mesmo depois de serem utilizados para os objetivos do esforço de guerra. A melhoria do fornecimento de alimentos a esses operários, depois do outono de 1942, foi, em grande parte, responsável pela estabilização da situação e pelo aumento de produtividade.[77] Devemos, portanto, retornar ao Plano de Fome, que ocupou grande parte dos capítulos anteriores, por outras razões além da coerência narrativa. Ao colocá-lo ao lado do impulso ideológico para o assassinato em massa e das necessidades pragmáticas da economia de guerra, muitas das contradições que parecem caracterizar a política nazista, sobretudo, em 1942, resolvem-se num macabro modelo de coerência.

A crise militar do inverno de 1941-42 frustrou o objetivo imediato de Herbert Backe de realizar uma reorganização maciça do equilíbrio alimentar nos territórios do leste. Ao mesmo tempo, porém, confirmou sua preocupação mais profunda. Em 1941, ele não estava blefando: à luz do prosseguimento da guerra em um futuro indefinido, a Alemanha enfrentava um grave problema de alimentos.[78] A colheita alemã de cereais, tanto em 1940 quanto em 1941, tinha sido muito abaixo da média e as importações vindas dos territórios ocupados não preencheram o déficit.[79] Por falta de comida, o rebanho suíno tinha sido reduzido em 25%, desde o início da guerra, provocando um corte nas rações de carne, a partir de junho de 1941.[80] Somente fora possível manter as cotas de pão por meio de profundas incursões nas reservas de trigo, que, no final de 1941, se encontravam próximas da exaustão. Quando Göring deu a primeira ordem para que grandes quantidades de operários do leste fossem enviados à Alemanha para trabalhar, em novembro de 1941, Backe protestou vigorosamente.[81] Os 400 mil prisioneiros de guerra soviéticos que estavam na Alemanha já eram mais do que ele conseguia alimentar. Göring referira-se de passagem, à possibilidade de alimentar os trabalhadores do leste com carne de gatos e cavalos.[82] Backe consultou as estatísticas e replicou, em tom rabugento, que não havia gatos em número suficiente para proporcionar rações aos operários do leste e que a carne de cavalo já estava sendo usada para suplementar as cotas da população alemã.[83] Para dar carne aos russos, seria preciso sacrificar a população alemã. A ração oficial fixada para os prisioneiros soviéticos e *ostarbeiter*, em dezembro de 1941, era visivelmente inadequada para homens que deveriam executar trabalhos pesados. Consistia em uma cota semanal de 16,5 quilos de nabos, 2,6 quilos de "pão" (feito com 65% de centeio vermelho, 25% de resíduo de açúcar de beterraba e 10% de palha ou folhas), 3 quilos de batata, 250 gramas de carne de cavalo ou sobras de carne, 130 gramas de gordura e 150 gramas de *nahrmittel* (fermento), 70 gramas de açúcar e 2,5 litros de leite desnatado. A péssima qualidade do pão causava grandes danos ao sistema digestivo e resultava em desnutrição crônica. Os legumes tinham de ser cozidos durante horas, até que pudessem ser ingeridos, o que lhes retirava a maior parte do conteúdo nutritivo. Embora, em termos relativos, fosse uma dieta de alto teor de carboidratos, que fornecia nominalmente um total diário de 2.500 calorias, era absurdamente deficiente quanto às gorduras e proteínas necessárias para sustentar trabalhos árduos que exigiam grande atividade física. Sem dúvida, não era suficiente para restabelecer a saúde dos prisioneiros soviéticos semifamintos. Para piorar a situação, na grande maioria dos campos, as rações distribuídas aos internos em nada se pareciam com isso.

A Wehrmacht, coautora do Plano de Fome, em colaboração com Backe, tirou conclusões radicais. Poucos dias depois da nomeação de Sauckel, na época em que a GBA ainda estava formulando os planos de recrutamento em massa, o escritório econômico-militar da Wehrmacht explicitou, para ele, a equação básica entre calorias e força de trabalho:

> Os conceitos de trabalho normal, trabalho pesado e trabalho ultrapesado têm de ser tomados em termos objetivos, independente de considerações raciais, como resultado da ingestão de calorias e produção de esforço muscular.

> É uma ilusão acreditar que 200 pessoas inadequadamente alimentadas possam ter o mesmo desempenho de 100 operários corretamente alimentados. Pelo contrário, os 100 operários que comam bem produzem muito mais e seu emprego é muito mais racional. Em contraposição, como as rações mínimas fornecidas, simplesmente, para manter vivas as pessoas não produzem desempenho equivalente, elas têm de ser consideradas como puro desperdício, do ponto de vista da economia nacional de guerra, ainda sem levar em conta os custos de transporte e de administração [decorrentes do recrutamento].[84]

Não se tratava da lógica "antieconômica" do antissemitismo, e sim da implacável lógica materialista do Plano de Fome, contrastada com o programa de recrutamento forçado de Sauckel. O Plano de Fome tinha chegado à conclusão de que era necessário matar milhões de pessoas a partir, não dos princípios da luta racial, e sim do equilíbrio alimentar. A Wehrmacht explicitava, agora, a mesma lógica em relação à força de trabalho. O problema era obter o equilíbrio mais eficiente entre calorias e esforço muscular. Se não pudessem ser adequadamente alimentados, os milhões de operários estrangeiros que estavam sendo importados pouco contribuiriam para a força efetiva de trabalho da Alemanha. Com efeito, ao manter um grande número de trabalhadores estrangeiros em estado vegetativo, a Alemanha assumia a carga de toda uma nova população de "comedores inúteis" (*unnütze Esser*). Seria muito melhor regressar à lógica radical do Plano de Fome. Se não havia comida suficiente para manter a todos em nível ótimo de eficiência, seria muito melhor concentrar as rações disponíveis em um grupo menor de operários produtivos. A "economia nacional de guerra", sem dúvida, não poderia se dar ao luxo de distribuir alimentos a trabalhadores estrangeiros, simplesmente, para mantê-los vivos.

Backe, por suas vez, não ignorava tais argumentos. Em seus comentários, o OKW simplesmente ampliava a lógica do Plano de Fome que o próprio Backe havia imaginado. Backe, no entanto, via-se em uma posição impossível. O *führer* queria mais trabalhadores. O *gauleiter* Sauckel tratava de providenciá-los. Hitler e Sauckel passaram a exigir que os trabalhadores fossem alimentados, o que era evidentemente necessário para que fossem produtivos. Porém, dado o nível dos estoques de grãos, Backe não tinha como satisfazer essa exigência. Era necessária uma redução do consumo, e não fornecimentos adicionais a milhões de novos trabalhadores. A gravidade da situação ficou evidente para o público, em geral, na primavera de 1942, quando o Ministério da Alimentação anunciou cortes das rações de alimentos da população alemã. Dado o temor mortal do regime em prejudicar o moral popular, os cortes de rações realizados, em abril de 1942, dão prova incontornável de que a crise alimentar era um fato. Reduzir as rações era uma medida política importante, que Backe jamais teria sugerido se a situação não o exigisse.[85] A Wehrmacht preparara o caminho, em 1942, decretando cortes nas rações dos soldados combatentes. Ao ser anunciada, a redução das cotas para a população civil provocou uma reação que justificava todas as preocupações da liderança nazista. Em 23 de março de 1942 a SD informou que a notícia dos cortes iminentes estava causando extrema inquietação entre os civis alemães. Segundo o relatório da SD, era um fato "devastador", como "praticamente nenhum outro acontecimento ocorrido durante a guerra".[86] Estudos feitos por peritos nutricionistas aumentaram a preocupação da liderança. As rações reduzidas, em vigor desde o início da guerra, tinham causado grave impacto nas reservas de gordura corporal da população. A tendência dos trabalhadores industriais que executavam tarefas manuais pesadas era engordar quando atingiam a meia-idade, e isso tinha sido completamente anulado. Isso causava alarme, porque as reservas de gordura da força de trabalho tinham atuado como uma proteção durante os primeiros anos da guerra. Podia-se, agora, esperar que qualquer redução posterior das rações resultaria em rápido declínio do desempenho, especialmente em atividades como a de mineração.[87]

Contra esse pano de fundo, não havia possibilidade de fazer aprovar qualquer melhoria nas rações dos *ostarbeiter* de Sauckel recém-chegados. É verdade, naturalmente, que a quantidade total de *ostarbeiter* e prisioneiros soviéticos menos favorecidos era de pouco mais de 1 milhão, na primavera de 1942, e que uma melhoria substancial de suas rações provocaria apenas um modesto corte dos alimentos fornecidos à população alemã. Porém, dado o ambiente que prevalecia, tanto no Ministério da Alimentação quanto na população em geral, tal redistribuição estava fora de cogitações. Caso as cotas para os alemães tivessem de ser reduzidas, o público exigia que as condições dos trabalhadores estrangeiros fossem ainda piores. Backe reagiu a essas exigências conflitantes da melhor maneira possível. Por um lado, introduziu uma categoria de rações mais substanciais para os *ostarbeiter* que executavam trabalhos mais pesados[88] e, ao mesmo tempo, cortou as rações da categoria mais baixa de *ostarbeiter* "normais", fixando-as muito abaixo do padrão geral dos alemães. Além disso, os *ostarbeiter* foram inteiramente excluídos do acesso aos artigos mais procurados, como os ovos. De qualquer forma, nenhuma das rações fixadas, em abril de 1942, era suficiente para assegurar a plena força de trabalho dos operários vindos do leste. Enquanto o gabinete de Sauckel expedia, em vão, memorandos pedindo tratamento adequado aos *ostarbeiter*, centenas de milhares de trabalhadores mal-alimentados e mal vestidos chegavam dos territórios orientais, encerrados em acampamentos cercados de arame farpado e submetidos a uma dieta de lenta inanição. Uma firma de armamentos relatou, na primavera de 1942, que ocorriam quase diariamente casos de "ucranianos dispostos a trabalhar que desmaiam diante de suas máquinas".[89] É característico da mentalidade prevalecente na Alemanha, na época, o fato de que a firma achou necessário acentuar que sua queixa nada tinha a ver com humanitarismo sentimental. Solicitou mais alimentos para os operários, "somente com o objetivo de obter melhor desempenho de parte dos trabalhadores ucranianos que sejam, sem dúvida, diligentes e utilizáveis". No verão de 1942, a fábrica da Daimler-Benz, em Untertürkheim, relatou em tom semelhante a seu setor regional de alimentos. O contingente de russos em suas instalações estava se recusando a trabalhar por falta de comida. Os líderes do motim tinham sido mandados a um campo de concentração, mas, para complementar as punições, era necessário um aumento das rações, a fim de manter tanto a força física quanto moral da força de trabalho. A gerência pedia, especificamente, quantidades maiores de carboidratos, ainda que à custa de nova redução da qualidade.[90] No final do verão, o próprio Sauckel sentia-se profundamente frustrado. Tinha atendido ao desafio de recrutar centenas de milhares de operários para a Alemanha, mas seu potencial produtivo estava sendo desperdiçado devido à dieta inadequada atribuída a eles pelo Ministério da Alimentação do *reich*. Numa reunião com funcionários da DAF, no início de setembro, Sauckel bateu o pé. O próprio *führer* tinha deixado claro que era completamente inaceitável que alguém morresse de fome no território da Alemanha, já que a Wehrmacht controlava completamente a Ucrânia. Se as rações dos alemães e dos *ostarbeiter* não fossem imediatamente aumentadas, haveria "um escândalo de enormes proporções". Sauckel não se deteria diante de nenhum obstáculo: "Ele encontraria meios e maneiras de utilizar o trigo e o gado da Ucrânia, ainda que tivesse de organizar uma fileira humana de todos os judeus da Europa a fim de transportar de mão em mão os fardos de alimentos da Ucrânia".[91]

A ameaça do campo de concentração, a intimidação física e a "alimentação conforme o desempenho" eram microssoluções para a crise do programa de trabalhadores estrangeiros, em 1942. Porém, para que os recrutas de Sauckel fossem utilizados de maneira eficiente, era claramente necessária uma melhora da situação geral de abastecimento de alimentos. Se os cortes de rações da primavera de 1942 fossem mantidos, ou mesmo retomados no outono, como alguns temiam, haveria um declínio crônico e irreversível na produtividade, tanto dos operários alemães quanto dos estrangeiros, e um problema cada vez mais grave de ordem pública. Tudo dependia de reverter o declínio dos estoques de alimentos da Alemanha, e a liderança política do regime nazista tinha perfeita consciência desse imperativo. A crise alimentar de 1942 provocou uma reestruturação na cúpula do Terceiro Reich, crucial para a compreensão da história da economia de guerra nazista. Como já observamos, é comum contrastar a nomeação do "tecnocrata" Albert Speer com a escolha do *gauleiter* Sauckel para GBA. O que esse falso contraste oculta é a mudança não menos significativa no Ministério da Alimentação e da Agricultura.[92] Depois do desastroso corte de rações de abril de 1942, Hitler tomou a medida muito pouco comum de aposentar Walther Darré, um dos ministros com maior permanência no cargo, e promover Herbert Backe da função de secretário de Estado à de ministro em exercício. Desde 1936, Backe servira como representante da agricultura no Plano Quadrienal e, portanto, tinha boas conexões com Göring e sua equipe. Como membro graduado da SS e amigo íntimo de Reinhard Heydrich, tinha também excelente ligação com Himmler. Os indícios sugerem que, a partir de abril de 1942, Backe liderou uma coalizão de alguns dos elementos mais radicais do regime nazista com o objetivo de assegurar, a qualquer custo, o abastecimento de alimentos à Alemanha. Nessa coalizão, Herbert Backe e Heinrich Himmler forneciam a energia executiva, mas gozavam do pleno apoio de Göring e do próprio Hitler.

A essência da estratégia de Backe era um retorno aos princípios do Plano de Fome. Ao contrário de 1941, no entanto, o Plano passava, agora, a estar diretamente ligado ao programa de genocídio racial e, acima de tudo, à sua peça central, o assassinato dos judeus da Polônia. No fim de maio, Backe estivera tanto com Hitler quanto com o governador geral Frank e concordara com uma redistribuição de alimentos em escala maciça. A partir de

1942, cessariam todas as entregas de alimentos à Wehrmacht no campo de batalha. Os Exércitos alemães teriam de se alimentar mediante o uso dos territórios que ocupassem, sem se importar com as consequências para as populações locais.[93] Grupos inteiros seriam excluídos do abastecimento de alimentos, principalmente os judeus. Conforme anotou Goebbels, em seu diário, o novo regime se basearia no princípio de que, antes que a Alemanha morresse de fome, "muitos outros povos morreriam primeiro". Esse *slogan*, comumente atribuído a Hitler, seria repetido quase *ipsis literis* durante o ano de 1942. As principais fontes de abastecimento adicional de alimentos, depois da colheita de 1942, seriam a Ucrânia e a França. No entanto, a ligação entre a política alimentar e o genocídio foi mais evidente no Governo Geral.

Como vimos, após a ocupação do outono de 1939, as regiões mais férteis da Polônia foram anexadas à Alemanha, deixando o Governo Geral na situação de território em déficit agrícola. No primeiro ano da ocupação alemã, Backe e o governador geral Frank concordaram em importar alimentos da Alemanha em quantidade suficiente para sustentar os poloneses que trabalhassem para os alemães. A maioria da população polonesa foi entregue à própria sorte. O resultado foi uma epidemia de desnutrição e plena inanição, especialmente, entre a população confinada nos guetos. Diante da escassez de alimentos, em 1942, Backe foi muito além, exigindo que o governador-geral revertesse o sentido do fluxo. Em vez de receber alimentos suplementares da Alemanha, o Governo Geral teria de fazer entregas substanciais de víveres. Nas semanas críticas entre maio e agosto de 1942, quando a matança de judeus na Polônia chegou a sua mais terrível intensidade, Backe e Himmler juntaram forças para exercer ampla pressão sobre os administradores do Governo Geral para que reduzissem o consumo de alimentos em seu território. Nessas negociações, Backe sustentava suas reivindicações, especificamente, na eliminação dos judeus poloneses da cadeia alimentar. Em junho de 1942, dois meses antes da colheita, Backe colocou, pela primeira vez, os administradores do Governo Geral diante das novas exigências do *reich*. Quando os funcionários locais protestaram, dizendo que as rações em vigor para os poloneses eram demasiadamente baixas e que seria impossível obter os suprimentos necessários, Backe replicou: "Existem ainda 3,5 milhões de judeus no Governo Geral. A Polônia deve ser saneada dentro do próximo ano".[94] A eliminação dos judeus não apenas reduziria o número de pessoas que necessitavam de alimentos, mas também removeria grande parte do mercado negro, que era essencial para a sobrevivência dos guetos. Somente mediante o controle de todas as etapas do mercado de cereais seria possível aos alemães assegurar para si a parcela grandemente aumentada do abastecimento de trigo que Backe exigia. Após uma rodada inicial de reuniões na Polônia, Backe confirmou os novos planos com Hitler e Göring em 4 e 5 de julho de 1942. Poucos dias depois, Hitler e Himmler conversaram; essa reunião provocou em Himmler um estado de euforia e dela resultou sua viagem fatal à Silésia e ao Governo Geral. Após visitar Auschwitz e designá-la como centro da matança de judeus da Europa Ocidental, Himmler expediu em 18-19 de julho não uma, mas três ordens a Globocnic e Krüger, em Lublin. Todos os judeus da Polônia que não fossem necessários para o trabalho deveriam ser mortos até o fim do ano. O programa de assentamento no Governo Geral seria precedido pela limpeza da região Lublin-Zamosc. Finalmente, Himmler comunicou um conjunto draconiano de instruções relativas à colheita, que começaria dali a poucas semanas. No Governo Geral, a busca por trigo seria feita de maneira implacável. Durante todo o mês de agosto, a cidade de Varsóvia ficaria hermeticamente isolada dos arredores agrícolas. Os camponeses que não preenchessem as cotas fixadas para suas entregas seriam sumariamente fuzilados.[95] Cópias dessa última ordem, que foi tratada como altamente sensível pela administração do Governo Geral, foram enviadas a Backe, Göring e ao *gauleiter* Sauckel. Himmler e Backe estavam sinalizando a seus colegas, em Berlim, que haveria um esforço decidido para resolver os problemas conjuntos da alimentação e da mão de obra.

Isso foi explicitamente confirmado no final de julho de 1942, inicialmente, na 11ª sessão do *Zentrale Planung*, de 22 de julho, na qual os problemas de Backe e Sauckel foram tratados sob um único ponto da agenda, e, em seguida, em reuniões separadas de que participaram, primeiro, Speer e Backe e, depois, Backe, Göring e Sauckel, e nas quais este último recebeu a promessa de que as rações tanto dos operários alemães quanto a dos estrangeiros seriam logo aumentadas.[96] Backe e Göring haviam elevado suas exigências a serem feitas ao Governo Geral, passando de 100 mil a 150 mil toneladas, o total debatido em junho, para a extraordinária quantidade de 500 mil toneladas. A atração política dessa nova agenda era de tal forma irresistível que Göring tratou novamente de entrar em ação. Em 5 de agosto de 1942, na presença de Speer, ele presidiu uma tensa reunião com o *gauleiter*, na qual ambos desafogaram o ressentimento que grassava entre a população alemã.[97] No dia seguinte, Göring anunciou o pleno alcance do novo programa alimentar de Backe a representantes de todos os territórios ocupados, comunicando que haveria uma reorganização fundamental do abastecimento de alimentos na Europa: o Terceiro Reich controlava

> regiões... como nunca antes durante a última guerra mundial, e ainda assim sou obrigado a dar ao povo alemão uma ração de pão que não tem mais justificativa. Mandei trazer trabalhadores estrangeiros de todas as regiões para a Alemanha, e esses estrangeiros, independentemente de sua origem, declararam que em suas terras comiam melhor do que aqui na Alemanha... O *Führer* reiterou muitas vezes, e eu repito suas palavras: se alguém tem de ficar com fome, não serão os alemães e sim outros povos... Em cada um dos territórios ocupados, vejo pessoas estourando de tanta comida e, entre nosso próprio povo, há inanição.

Era tempo de voltar ao espírito do Plano de Fome, do qual Göring tinha sido defensor entusiasta. No primeiro inverno difícil na União Soviética, tinha sido necessário fazer concessões à ordem pública. Agora, com o andamento favorável da ofensiva de verão, Göring queria uma reafirmação das prioridades básicas. "Deus sabe que vocês não foram mandados para lá [para os territórios ocupados] a fim de trabalhar pelo bem-estar dos povos sob sua guarda, e sim para obter deles o máximo para que o povo alemão possa sobreviver." Em seguida, Göring comunicou as cotas de entregas que debatera com Backe no dia anterior.

> Tenho diante de mim relatórios sobre o que esperamos que vocês entreguem... nesse particular, para mim, não importa se me disserem que seus povos vão morrer de fome. Que morram, desde que a Alemanha não entre em colapso por falta de alimentos. Se estivessem presentes quando o *Gauleiter* falou aqui, teriam compreendido minha raiva ilimitada pelo fato de que conquistamos tantos vastos territórios com o valor de nossos soldados, e, ainda assim, nosso povo tem sido obrigado a viver com as miseráveis rações da Primeira Guerra Mundial... Somente estou interessado pelas pessoas dos territórios ocupados que trabalham em armamento e produção de alimentos. É preciso que recebam apenas o suficiente para permitir que continuem a trabalhar.[98]

Alimentá-los mais do que isso, simplesmente, estimularia a resistência. Nas atas manuscritas da reunião de Göring, em 6 de agosto, falta uma página crucial, na qual ele se refere claramente ao destino dos judeus, ligando-o diretamente à questão do abastecimento de alimentos. Essa página desapareceu. Não está preservada nem no exemplar original do documento, descoberto nos arquivos especiais de Moscou, no início da década de 1990. Pode-se inferir que tenha sido eliminada até mesmo antes de cair em mãos dos soviéticos. Somente resta a seguinte frase reveladora, proferida pelo Comissário do *reich* de Ostland, Heinrich Lohse, aparentemente em resposta a uma pergunta de Göring: "Posso responder a isso também. Somente uma pequena parcela dos judeus continua viva; muitos milhares já desapareceram."

As exigências formuladas por Backe e Göring para resolver a crise alimentar de 1942 eram inteiramente inéditas e, inicialmente, provocaram acirrado debate entre os administradores nos territórios ocupados. Segundo Paul Körner, secretário de Göring, o comandante militar alemão na França considerou tão absurdas as cotas pedidas por Göring que se recusou a comunicá-las às autoridades em Paris.[99] No entanto, Backe não quis recuar, sem dúvida, em relação ao Governo Geral. Para a Polônia ocupada, as consequências eram drásticas. Dados a colheita esperada e o novo nível das exigências alemãs, Frank acreditava que, pelo menos, 3 milhões de poloneses que viviam em cidades, mas não trabalhavam diretamente para os alemães, teriam de ser excluídos das rações de pão, a partir de 1º de março de 1943. A fome em massa resultante, certamente, teria graves implicações para a ordem pública, mas Frank respondeu reiterando o *slogan* de Hitler: "É preciso aceitar essas conseqüências, porque, antes que a população da Alemanha passe fome em qualquer forma, outros terão de... pagar".[100] O primeiro grupo a fazê-lo seriam os judeus. Enquanto que o fornecimento da ração para os poloneses cessaria em março de 1943, a alimentação de 1,2 milhão de judeus seria imediatamente cortada. A partir do outono de 1942, somente 300 mil judeus classificados como trabalhadores receberiam alimentos oficialmente distribuídos. Se alguns dentre o 1,2 milhão "condenados à morrer de fome" conseguisse obter alimentos por meio do mercado negro, nesse caso, a administração do Governo Geral "esperava" que isso levasse a uma "aceleração das medidas antijudaicas". Não seria preciso que Frank e seus colegas se preocupassem. No outono de 1942, Treblinka, Chelmno e Belzec estavam funcionando a todo vapor. No final do mesmo ano, o número de judeus poloneses que permaneciam vivos era de 300 mil.

Nos últimos dias de agosto de 1942, essa extraordinária série de medidas espalhou em Berlim uma palpável sensação de alívio. Backe, Himmler e Göring haviam evitado uma desastrosa espiral descendente no abastecimento de alimentos. Com os trabalhos de colheita em pleno desenvolvimento, Backe manteve conversações finais com Hitler, Himmler e Göring, em 24-6 de agosto. Em 6 de setembro, Himmler relatou a Göring o progresso da colheita no Governo Geral. Dois dias depois, Backe agradeceu a assistência proporcionada pela SS na obtenção de trigo tanto no Governo Geral quanto na Ucrânia. Na segunda metade de agosto, com Varsóvia "fechada" e a população do gueto sendo enviada a Treblinka, Joseph Goebbels, em sua qualidade de *gauleiter* de Berlim, fez uma visita pessoal ao Governo Geral, a fim de obter um aumento do fornecimento de legumes para a população da capital alemã. Em seu discurso de abertura da campanha de caridade do inverno, no fim de setembro de 1942, Hitler acentuou, especialmente, a importância da Ucrânia para o fornecimento de alimentos à Alemanha.[101] Por sua vez, Goebbels cunhou uma nova linha de propaganda. A Alemanha, declarou ele, estava "digerindo" os "territórios ocupados". Poucos dias depois, no festival anual da colheita, Göring anunciou triunfantemente a iminente restauração das rações na Alemanha.[102] A partir de 19 de outubro, as cotas de alimentos, tanto para alemães quanto para operários estrangeiros que trabalhassem na Alemanha, seriam substancialmente aumentadas, melhoria "paga" pelo excelente resultado da colheita alemã e pelo grande incremento dos fornecimentos de alimentos de parte dos territórios ocupados pelo Terceiro Reich. O total das entregas europeias de cereais passaram de 2 milhões de toneladas por ano a mais de 5 milhões no ano-colheita de 1942-43. Houve, também, substancial aumento na entrega de batatas e gorduras. Comparando 1940-41 com 1942-43, as entregas totais de trigo, carne e gordura provenientes da França e do território ocupado da União Soviética cresceram de 3,5 para 8,78 milhões de toneladas (medidas equivalentes em grãos).[103] Em 1942-43, a Europa ocupada forneceu à Alemanha mais de um quinto do trigo consumido, um quarto das gorduras e quase 30% da carne.[104] A maior parte desses fornecimentos nunca passou as fronteiras da Alemanha, seguindo diretamente para a Wehrmacht. Dentre as entregas que chegaram ao *reich*, o Governo Geral forneceu a surpreendente parcela de 51% das importações alemãs de centeio, 66% das de aveia e 52% das de batata, diretamente em detrimento da população local. Graças a uma colheita excepcionalmente abundante no

Governo geral, as rações não foram completamente cortadas, como Frank havia anunciado, em agosto de 1942, mas permaneceram em níveis miseráveis até depois da colheira de 1943. Naquela altura, a população judaica já estava toda morta, com exceção de uma pequena quantidade remanescente.

A conclusão dessa argumentação é que a grande contradição entre economia e ideologia com a qual iniciamos este capítulo precisa ser revista em diversos aspectos. Não apenas a contradição entre as exigências de mão de obra da economia de guerra, de um lado, e os impulsos genocidas do regime, de outro, foram "suavizadas" por um processo de concessões mútuas e especialização funcional, mas também a necessidade absoluta de melhorar a situação alimentar criou uma perversa conexão funcional entre o extermínio da população de judeus do Governo Geral e a melhoria das rações de alimentos, tornada necessária para sustentar a força de trabalho que labutava nas minas e fábricas do *reich*. A lógica subjacente do Plano de Fome modificado ainda estava cega para com os aspectos raciais, como fica evidente pelo comentário do OKW, no início de 1942. Tratava-se somente de uma questão de calorias e força muscular. Também é claro que, se a colheita no Governo Geral não tivesse sido tão boa como foi em 1942, milhões de poloneses não judeus teriam sido condenados a morrer de fome na primavera seguinte. No entanto, no verão de 1942, o extermínio organizado dos judeus poloneses foi o que forneceu o meio mais imediato e seguro de liberar alimentos para que fossem entregues à Alemanha.

IV

Em resposta à crise da frente oriental, a organização do esforço de guerra alemão, na primavera de 1942, sofreu três mudanças cruciais. Duas delas foram examinadas neste capítulo: a emergência do eixo Backe-Himmler-Göring quanto ao problema dos alimentos, e a nomeação do *gauleiter* Sauckel para a função de GBA, na primavera de 1942.[105] A terceira, a nomeação do favorito pessoal de Hitler, Albert Speer, para substituir Fritz Todt como ministro de Armamento do *reich*, constituirá matéria do próximo capítulo. Essas três mudanças ocorreram, entre fevereiro e abril de 1942, e constituíram uma decisiva consolidação do domínio exercido pelo círculo íntimo da liderança nazista sobre o esforço de guerra da Alemanha. Isso, por sua vez, confere ao período posterior à crise de Moscou uma feição diferente daquela com que costuma ser mostrado. Não apenas Albert Speer passou a ser o chefe da nova campanha armamentista, ator político proeminente por si mesmo, como mostraremos nas páginas seguintes, mas as precondições para seu "milagre armamentista" foram criadas por alguns dos mais implacáveis expoentes da ideologia nazista: o *gauleiter* Sauckel, como empresário do programa de mão de obra, e Herbert Backe e Heinrich Himmler, como solucionadores da crise de alimentos. A politização do esforço de guerra do Terceiro Reich não é surpreendente se levarmos em conta os golpes devastadores sofridos pelas perspectivas militares da Alemanha, nas primeiras semanas de dezembro de 1941. Mas é importante enfatizá-la, porque desmente a justaposição do comprometimento ideológico e da eficiência prática que continua a ser a base de muito do que se tem escrito sobre a história do Terceiro Reich. Os estereótipos sobre incompetência, obsessão ideológica e lutas burocráticas civis continuam a assolar a literatura em grau tão elevado que, às vezes, é difícil compreender de que maneira o Terceiro Reich conseguiu prolongar a guerra por tanto tempo, a menos, naturalmente, se argumentarmos que a economia de guerra, depois da crise em Moscou, foi separada do restante do regime e colocada sob a liderança de homens de negócios e burocratas "apolíticos". Na verdade, o oposto é verdadeiro. Em seguida à frustração da estratégia de *blitzkrieg*, a liderança do Terceiro Reich mostrou-se capaz de um novo ato de improvisação estratégica inovadora. A partir da primavera de 1942, os novos líderes da economia de guerra da Alemanha mesclaram um esforço de expansão da mobilização industrial com alguns dos elementos mais destrutivos da ideologia do nazismo, formando uma nova síntese radical de guerra total. Não era uma estratégia que prometesse à Alemanha Nazista possibilidades reais de vitória. Nesse sentido, a reviravolta de dezembro de 1941 foi final e decisiva. No entanto, permitiu ao regime sobreviver durante o notável período de três anos e meio, apesar da avassaladora superioridade material de seus inimigos. Permitiu à SS completar grande parte da missão que Heydrich esboçara em Wannsee, e também assegurou ao Terceiro Reich, ao contrário do império do kaiser Wilhelm, da Itália fascista e do Japão imperial, cair lutando e levar consigo milhões de seus inimigos. A chave para essa terrível resistência do Terceiro Reich estava precisamente na aliança formada, no período imediatamente posterior ao desastre de Moscou, entre alguns dos expoentes mais brutais da ideologia nazista e os principais detentores do poder na economia alemã. O árbitro essencial desse concordato entre influência política e poderio industrial foi Albert Speer.

16

Albert Speer: o "homem do milagre"

Albert Speer, ministro do Armamento do Terceiro Reich de 1942 a 1945, salvou a própria pele em Nuremberg com uma mistura calculada de confissão, contrição e negação, coroada em sua alocução final ao tribunal com uma bizarra explosão de pseudofilosofia a respeito dos perigos da tecnologia na vida moderna.[1] Depois de ser libertado da prisão de Spandau, em 1966, esse mesmo coquetel foi utilizado em suas memórias e em seu diário no cativeiro, que se tornaram best sellers globais. Com efeito, o interesse do público por Speer continua até os dias de hoje, fazendo dele tema de biografias, documentários para TV e peças de teatro.[2] Há duas linhas principais na mitologia sobre Albert Speer. A primeira é a ideia de que ele fosse "apolítico". Em uma versão do mito, Speer é apresentado como uma alma artística, um arquiteto, que foi relutantemente impelido a aceitar responsabilidades mais amplas. Essa era uma autoimagem que ele compartilhava com Hitler.[3] Uma imagem menos romântica o transforma em "técnico apolítico", a quem foi confiada a tarefa de ressuscitar o esforço de guerra da Alemanha e que realizou sua tarefa sem fazer perguntas sobre o objetivo mais amplo de seu trabalho ou sobre as atividades gerais do regime ao qual servia. Essa versão do "Speer apolítico" baseava-se na segunda coluna mestra do mito de Speer, o mito do chamado "milagre dos armamentos". Isso se refere ao notável aumento da produção de armamentos, aparentemente, sob sua direção após fevereiro de 1942, geralmente considerado como tendo mantido a Alemanha na guerra (ver Apêndice, Tabela A6). Segundo a premissa de que a ideologia nazista e a eficência tecnocrática fossem mutuamente excludentes, o triunfante recorde de produção de Speer foi suficiente para distanciá-lo dos demais réus menos atraentes que estavam sendo julgados em Nuremberg. Ele era demasiado inteligente, demasiado competente em sua tarefa para que pudesse ser comparado a antissemitas primitivos, como Julius Streicher ou ogros egoístas e desumanos como Hermann Göring.

No entanto, a afirmação de Speer de que fora um ator apolítico sempre foi absurda por si mesma. Albert Speer (1905-1981) solicitou inscrição no partido nazista no início de 1931, na primeira onda de êxito eleitoral de Hitler, mas numa época em que o partido ainda estava longe da corrente central da vida política da Alemanha. A partir das primeiras comemorações do 1º de maio, ele passou a ser, pessoalmente, responsável pela formação da dramática imagem pública do regime. Os comícios anuais em Nuremberg, os gigantescos festivais das colheitas da RNS e a Olimpíada de 1936 foram criações suas. Speer construiu toda a sua carreira à base dos contatos com o partido nazista e, sobretudo, do relacionamento pessoal com Hitler, trunfo que ele utilizou ao máximo. Manobrou de maneira hábil e implacável sua ascensão pelos caminhos da política burocrática do Terceiro Reich.[4] Foi aliado íntimo tanto de Fritz Todt quanto do Ministério da Aeronáutica de Göring, por intermédio de Erhard Milch. A partir do final da década de 1930, também teve um relacionamento de cooperação com Heinrich Himmler e a SS. Após a eclosão da guerra, ele tratou de uma vasta variedade de projetos, inclusive toda a preparação do programa da Luftwaffe e diversas obras nos territórios orientais ocupados. Quando Fritz Todt morreu em um misterioso acidente, talvez Speer não fosse seu sucessor mais óbvio, mas tampouco era um forasteiro graduado. Era uma das poucas pessoas em quem Hitler realmente confiava, e sua enorme influência depois de 1942 dependia, acima de tudo, desse fato.

Para nossos objetivos, no entanto, o ponto mais fundamental tem a ver com o segundo elemento do mito de Speer: seu papel na economia armamentista. Em vez de considerar o desempenho da economia de guerra como prova de seu status de técnico apolítico, o que se deve acentuar aqui é a função política que o "milagre armamentista" de Speer representou para o regime de Hitler. De todas as suas contribuições para a propaganda nazista, o "milagre armamentista" foi de longe a mais importante. A partir de seus primeiros dias no cargo, ele demonstrou uma clara consciência da importância simbólica do esforço armamentista. Não produziu, simplesmente, mais armas, e sim as fez narrar uma história. A intenção das dramáticas estatísticas de produção era demonstrar ao povo alemão que ainda era possível ganhar a guerra mediante o esforço dos operários alemães unido ao heroísmo dos soldados na linha de frente. A retórica solipsista dos recordes de produção servia para silenciar as perguntas mais amplas que se acumulavam sobre a liderança alemã, durante a crise do inverno de 1941-42. Conforme vimos, naquele ponto, todas as pessoas ligadas mais de perto à organização do esforço de guerra alemão haviam chegado à conclusão de que não era mais possível ganhar a guerra. O general Fromm, o general Thomas e Fritz Todt estavam de acordo em que a atitude racional da liderança alemã, à luz do desastre de Moscou, seria buscar uma solução "política". Esse é o sentido vital em que Speer era "apolítico". Ele cortou o seguimento do raciocínio que passara de uma avaliação racional da capacidade bélica da Alemanha, por via de uma comparação com o potencial militar de seus inimigos, a sugestões "políticas" sobre a necessidade de dar fim à guerra. Ao elevar a produção alemã de armamentos e ao assegurar que tal fato fosse narrado como uma história miraculosa de renascimento, permitiu que o regime nazista continuasse a guerra, não apenas em termos práticos, fornecendo mais equipamento à Wehrmacht, mas também em termos políticos, ao narrar uma história propagandística de possibilidades ilimitadas. O milagre armamentista era mais um exemplo do Triunfo da Vontade. O gênio da liderança nazista, junto com a férrea decisão do povo alemão, sobrepujaria qualquer adversidade.

Poucos meses depois de assumir o cargo, Speer deu feição nova e otimista ao esforço armamentista.[5] Em debates com Hitler, ele formulou uma exibição orquestrada de propaganda que acentuava o novo dinamismo da economia de guerra e sua ligação íntima com a Wehrmacht, imagem que seria transmitida a toda a nação em uma série de noticiários cinematográficos.[6] Conforme ele próprio disse a jornalistas, em 1943, estava decidido a não repetir o erro de 1917, quando o regime do kaiser permitiu que o público alemão descambasse para um ânimo derrotista ao deixar de mantê-lo adequadamente informado sobre o notável desempenho da indústria do país.[7] Pela primeira vez, em abril de 1942, o noticiário de cinema começou a dar atenção constante à frente doméstica, incluindo uma tomada mostrando a construção de tanques em uma grande oficina de montagem, que despertou muitos comentários públicos. A plateia impressionou-se com o fato de que "os tanques alemães parecem mais poderosos e compactos" do que os modelos soviéticos mostrados no final do filme. "A 'magnífica produção em massa' era reconfortante e despertava esperanças de êxito decisivo nas batalhas vindouras".[8] Poucas semanas depois, a frente doméstica foi surpreendida por uma dramática cerimônia pública, em Berlim, em homenagem ao "mais produtivo trabalhador da indústria de armamentos da Alemanha" — o capataz Franz Hahne da fábrica de tanques Alkett (Rheinmetall), em Berlim — que, em 20 de maio de 1942, recebeu a cobiçada *Ritterkreuz zum Kriegsverdienstkreuz* (Cruz do Mérito de Guerra).[9] A medalha foi posta no peito de Hahne pelo cabo Krohn, conhecido herói de guerra[10]. Presentes à cerimônia, estavam Göring, Speer, Erhard Milch do Ministério da Aeronáutica, Keitel, da Wehrmacht, os generais Fromm e Leeb, do Exército, e o secretário de Estado Backe. Foi uma demonstração impressionante da nova feição da economia de guerra alemã. Simultaneamente com a cerimônia, em Berlim, mil *Kriegsverdienstkreuze* de segunda classe, foram entregues em fábricas em toda a Alemanha. Os noticiários cinematográficos mostraram o capataz Hahne desfilando diante de uma guarda de honra de soldados, marinheiros, homens da Força Aérea e Waffen SS, enquanto o locutor narrava: "Os melhores soldados, com as melhores armas, derrotarão o inimigo." Mais tarde, na mesma semana, a população assistiu ao primeiro noticiário semanal de cinema inteiramente dedicado à produção de armamentos, com uma sequência de imagens anteriormente secretas das fábricas de armamentos, que Goebbels considerou "extraordinariamente poderosas", "reconfortantes" para a frente doméstica e amedrontadora para os inimigos da Alemanha.[11]

No outono de 1942, Speer já havia estabelecido uma comissão permanente de ligação com o ministério de Goebbels, dedicada, especialmente, à propaganda de armamentos.[12] O *slogan* era simples: "As melhores armas trazem a vitória." Entre as armas que receberiam tratamento propagandístico integral, estava a nova metralhadora alemã MG 42, sobre a qual se dizia ser capaz de atingir a fenomenal carga de fogo de 3 mil tiros por minuto.[13] Em 1943, Speer procurou sustentar o ímpeto de relações públicas, primeiro com a retórica bombástica do Programa Panzer Adolf Hitler, lançado imediatamente depois do percalço de Stalingrado, e, em seguida, em 13 de maio, com um "relatório geral", apresentado a Hitler sobre os triunfos na produção de armamentos, ocasião coroada pela entrega do "Dr. Todt Ring"[14] ao novo ministro. Logo depois, em 5 de junho de 1943, Speer falou em um comício para 10 mil operários em armamentos no Sportpalast, em Berlim, no qual, pela primeira vez, todos os principais industriais e gerentes do esforço de guerra foram condecorados por serviços à nação alemã.[15] Despejou estatísticas espetaculares sobre a plateia, afirmando ter havido um aumento de seis vezes na produção de munições e de quatro vezes na de artilharia, desde 1941. A produção de canhões antitanque tinha quadruplicado e a entrega de tanques, em maio de 1943, fora 12,5 vezes maior do que a média de 1941, segundo Speer. Os que conheciam melhor o assunto notaram que o ministro não fornecera números absolutos.[16] Não mencionou o fato de que os índices tinham sido calculados com referência a períodos escolhidos, em 1941, quando a produção foi especialmente baixa, e ignorou inteiramente o fato de que os recordes alemães de produção foram completamente sobrepujados pela avassaladora quantidade de material bélico lançado contra a Alemanha pelos inimigos.

Ressaltar a função ideológica do "milagre armamentista" de Speer não significa dar a entender que se tratava de "mera" ilusão. Pelo menos, até o verão de 1944, a retórica estatística não era fraudulenta. A produção de armamentos efetivamente aumentara. Com efeito, a importância especial da narrativa de Speer à maquina de propaganda repousava no fato de que esse era um aspecto do noticiário que o regime ainda podia controlar. Enquanto Goebbels começava a perceber, dolorosamente, a dificuldade em gerenciar as más notícias militares, o esforço armamentista alemão, pelo menos, até a primavera de 1943, desenvolveu-se, em grande parte, sem interferência dos Aliados. Era uma arena na qual ainda se podia contar com as técnicas bem ensaiadas de direção teatral. Era possível quebrar recordes e apresentar, prontamente, novas armas no dia do aniversário do *führer*. Cada tanque, cada avião que saía das fábricas reiterava o mesmo argumento solipsista: enquanto a Alemanha pudesse continuar a produzir armamentos de tão elevada qualidade em ritmo crescente, seu destino, certamente, não estaria selado.

O aumento da produção de armamentos era de fato verdadeiro. No entanto, dada a função altamente política do "milagre armamentista", o registro histórico do ministério de Speer deve ser examinado com olhar muito atento. Grande número de historiadores têm sido pouco críticos na aceitação da retórica de racionalização, eficiência e produtivismo de Speer.[17] Um exame frio das estatísticas sugere que o aumento obtido, depois de 1943, foi muito menos excepcional do que comumente se acredita. O repentino incremento da produção alemã de armamentos estava longe de ser miraculoso. Devia-se a causas perfeitamente naturais: reorganização e racionalização iniciados muito antes da chegada de Speer ao poder; implacável mobilização de fatores de produção; início dos efeitos de investimentos feitos em etapa anterior da guerra; e um sacrifício proposital da qualidade em prol de um aumento imediato da quantidade. Essa crítica é mais do que simples escolha seletiva. Atinge o próprio cerne da visão ideológica de Speer quanto à economia de guerra: um fluxo ilimitado de produção como fruto de liderança ativa e gênio tecnológico. O argumento básico é simples. O milagre de Speer não estava livre de entraves. A economia de guerra da Alemanha, depois de 1942, estava limitada pelas mesmas trocas relativas que a haviam restringido desde os primeiros anos da guerra. No verão de 1943, essas limitações, junto com o ataque sistemático dos bombardeiros aliados contra instalações industriais alemãs, levaram o "milagre" a uma completa paralisia. A abrupta interrupção do *boom* da produção de armamentos, no verão de 1943, e suas consequências políticas cruciais têm sido, até agora, negligenciadas.[18] Não apenas a produção de armamentos entrou em estagnação, mas também ficou patente que a premissa fundamental de Speer era uma ilusão. Apesar de todos os esforços, ele e seus colaboradores não tinham possibilidade de alterar a aflitiva situação estratégica da Alemanha. Em julho de 1943, a bolha solipsista da propaganda armamentista de Speer estourou devido a uma série de desastres militares tão dramáticos que a perspectiva de derrota já não podia mais ser ocultada à população alemã. Foi nesse momento de crise que ele se mostrou como realmente era. Inflexível em sua lealdade ao *führer*, não se furtou a recorrer aos mais extremos métodos de coerção, quando se tornaram necessários, para mais uma onda de mobilização com sacrifício.

I

Na medida em que existiu uma *lógica* estratégica no esforço armamentista alemão, após dezembro de 1941 — mais além da luta pela simples sobrevivência — esta se concentrou no primeiro ano de Speer no cargo, entre fevereiro de 1942 até a primeira parte de 1943. É importante realçar a estreiteza dessa janela de oportunidade, porque contradiz o tratamento que em geral é dispensado à "era Speer" como unidade cronológica integral, uma expansão não diferenciada de êxito e crescimento na produção de armamentos.[19] A ênfase nessa etapa inicial do ministério de Speer, no entanto, deriva diretamente da aposta desesperada de Hitler, em novembro e dezembro de 1941. Como vimos, o objetivo central, após a declaração de guerra contra os Estados Unidos, em dezembro de 1941, era terminar a derrota completa do Exército Vermelho até o inverno de 1942-43, por meio de um avanço decidido em direção ao Cáucaso. Isso subjugaria a União Soviética e inclinaria dramaticamente o equilíbrio de poder em todo o ocidente asiático. De posse tanto da Ucrânia quanto do Cáucaso, a Alemanha teria os alimentos, as matérias-primas e o petróleo necessários para o prosseguimento da guerra contra a Grã-Bretanha e os Estados Unidos. Junto com uma ofensiva bem-sucedida por parte do Afrika Korps, isso significaria uma ameaça mortal à posição britânica no Oriente Médio. A prioridade absoluta, portanto, era a reconstrução da capacidade de ataque do *Ostheer* para essa segunda grande ofensiva, com todos os recursos concentrados no Grupamento Sul do Exército.[20]

Nesse cálculo estratégico, o fator tempo era de suma importância. A entrada dos Estados Unidos na guerra poderia não ser fatal, desde que a Alemanha conseguisse terminar a guerra no leste no ano seguinte. Conforme o próprio Speer explicou aos colegas mais próximos, era de vital importância que a Wehrmacht dispusesse da margem extra de poderio ofensivo de que precisava para decidir a guerra no leste, durante o inverno de 1942-43. De outra forma, o conflito degeneraria em uma "guerra de longa duração", que permitiria à coalizão anglo-americana exercer todo o peso de seu poderio. Se não em 1943, então, certamente, até 1944, a Alemanha se veria diante do que Speer somente descrevia como uma "situação diferente".[21] Mesmo entre os que conservavam a fé, era claro que a Alemanha somente poderia manter a iniciativa caso a Wehrmacht desferisse um golpe devastador contra a União Soviética nos doze meses seguintes. A temporada de campanha de 1942, portanto, foi o derradeiro período na história do Terceiro Reich em que o esforço armamentista foi impulsionado por uma lógica estratégica que possuía certo grau de plausibilidade. E, apesar da crise de confiança, após a derrota em Moscou, em dezembro de 1941, foi esse elemento plausível o que assegurou que o esforço de guerra em 1942 continuasse apoiado em um consenso amplo, que abarcava tanto a elite econômica quanto a maior parte da força de trabalho.[22] Speer, sem dúvida, precisava de todo o apoio que pudesse obter.

Ao ser nomeado ministro do Armamento, em fevereiro de 1942, sua área de atuação não era mais extensa do que a de Fritz Todt. Speer não controlava a totalidade da economia armamentista, sem falar no restante da economia industrial. Sua autoridade imediata abarcava apenas as necessidades de equipamento do Exército. Somente no campo das munições, tinha ele responsabilidade geral pelas Forças Armadas. Até o verão de 1943, sua jurisdição cobria cerca de 45% do esforço armamentista, consumindo, talvez, um sexto da produção industrial.[23] Como vimos, os burocratas dos serviços de fornecimento do Exército já tinham sofrido redução substancial de sua esfera de responsabilidades com a nomeação de Todt, em 1940. A principal vítima da ascensão de Speer ao poder foi o escritório econômico-militar da Wehrmacht, chefiado pelo general Thomas, que foi subdividido e privado de qualquer possibilidade de liderança ampla na economia de guerra.[24] Tanto a Marinha quanto a Luftwaffe, no entanto, mantiveram suas respectivas autoridades no tocante aos suprimentos. A Marinha somente foi incorporada à esfera de controle de Speer, em junho de 1943. A Luftwaffe, que, por si só, representava 35-40% de todo o esforço armamentista, conservou sua organização industrial autônoma, até a primavera de 1944, e, nessa área, quem dava as cartas era Erhard Milch e não Albert Speer. Dada essa distribuição de responsabilidades, o esforço de guerra alemão, após fevereiro de 1942, somente pode ser corretamente entendido como uma parceria entre ambos.[25] Do incremento na produção de armamentos conseguido, entre fevereiro de 1942 e o verão de 1943, somente a metade pode ser atribuída aos "setores de Speer". Quarenta por cento decorria do aumento da produção da Luftwaffe e o restante decorria da organização do Plano Quadrienal para a Marinha e da indústria de produtos químicos.

O foco prático e político daquela aliança era a *Zentrale Planung*, a comissão central de planejamento, sem dúvida, a mais significativa inovação no campo da organização, após a nomeação de Speer.[26] A *Zentrale Planung* não fazia parte do Ministério do Armamento, e sim constituía um órgão mais amplo, copresidido por Speer, Milch (representante da Luftwaffe) e Paul Körner, secretário de Hermann Göring. Às reuniões compareciam também, frequentemente, Hans Kehrl, do Ministério de Assuntos Econômicos do *reich*, o *gauleiter* Sauckel, na qualidade de plenipotenciário especial para assuntos trabalhistas e Herbert Backe, do Ministério da Alimentação. Além disso, as atividades da *Zentrale Planung* exigiam também a presença frequente de

Pleiger, como chefe da indústria do carvão, e de representantes importantes da indústria siderúrgica. Por exercer a presidência da *Zentrale*, Speer podia pretender auferir ampla autoridade. Na prática, no entanto, o que transparecia na comissão era um esforço coletivo dominado por ele e Milch, que, entre si, controlavam 90% da economia armamentista. Milch compareceu a praticamente todas as sessões e falava com absoluta autoridade em seu setor.[27] A diferença significativa entre os dois era política e não funcional. O acesso ímpar de Speer a Hitler fazia dele o principal fio condutor por meio do qual as prioridades do *führer* eram transmitidas para o restante da cadeia de comando.

Desde 1936, tinha havido numerosas tentativas de criação de uma autoridade governante central do esforço armamentista alemão, todas centradas, de diversas formas, na figura de Göring. Mesmo em 1942, o título oficial de Speer era plenipotenciário especial de Göring para armamentos, e a *Zentrale Planung* reunia-se formalmente, com a bênção deste último. Dado esse histórico, a verdadeira importância da *Zentrale* era o fato de que ela se reunia regularmente, estabelecendo, assim, uma verdadeira legitimidade institucional, assim como procedimentos cada vez mais formalizados e uma organização adequada de suas tarefas. No total, entre 27 de abril de 1942 e o fim da guerra, a *Zentrale Planung* celebrou 62 reuniões, das quais 52 ocorreram nos primeiros 20 meses de sua existência, entre abril de 1942 e o final de 1943, aproximadamente, uma reunião a cada dez dias, o que a consolidou como o verdadeiro Gabinete da economia de guerra.

Enquanto que a *Zentrale Planung* era responsável pela organização do suprimento de materiais, a produção de armamentos no setor de Speer era supervisionada, antes e depois de fevereiro de 1942, pelo sistema de comissões organizado por Fritz Todt, em consequência da "crise de munição" da década de 1940.[28] A responsabilidade pelas comissões no seio do Ministério do Armamento cabia ao chamado Technisches Amt. O chefe do Amt era Karl Otto Saur. Qualquer ideia de que o ministério de Speer fosse um refúgio de "eficiência a-ideológica" se torna absurda pela posição central ocupada nele por Saur. Este (1902-1966) era a encarnação viva do "engenheiro político." Antigo funcionário da empresa siderúrgica Thyssen, filiara-se ao partido, na década de 1920. No final dos anos 1930, já ascendera a imediato de Fritz Todt na equipe de técnicos alemães nacional-socialistas. Após a morte de Todt, Saur, rapidamente, desenvolveu um relacionamento profissional íntimo com Speer e continuou em seu papel de cão de guarda do Ministério do Armamento até os derradeiros dias da guerra. Nessa altura, já era conhecido em toda a indústria alemã como brutamontes rude e mal-humorado, de forma alguma avesso à violência física. Pelo menos, em uma ocasião, durante visita a uma fábrica, agrediu pessoalmente um grupo de operários recalcitrantes.[29] Por sua vez, Speer não fazia segredo de sua admiração e mesmo de sua afeição por Saur. Sem dúvida, fazia sentido que, em seu testamento, após ter-se decepcionado com Speer, em abril de 1945, Hitler tivesse nomeado Saur como sucessor deste último no Ministério do Armamento.

As comissões de Saur eram, ao mesmo tempo, importantes instrumentos de organização para a produção de armamentos e pontos focais de conexão política entre as autoridades do *reich* e a indústria alemã. Com os relatos de Walter Rohland, após sua apolcalíptica turnê pela frente leste, no final de novembro de 1941, o clima nas salas de reunião do Ruhr era sombrio. Não pode haver dúvida de que a crise abalara a confiança até mesmo dos mais fiéis líderes industriais da Alemanha nazista. Para alguns, como Walter Borbet, da Bochumer Verein, o choque da primeira derrota alemã foi demasiado. Borbet, que havia sido um dos advogados mais entusiastas do rearmamento, foi encontrado morto em seu gabinete, em janeiro de 1942. A maioria dos líderes industriais da Alemanha, no entanto, cerraram fileiras em torno do regime como nunca antes. Em 1939, a elite alemã estivera dividida, mas os espetaculares êxitos iniciais da Wehrmacht tinham, em grande parte, curado essas divergências. O clima de euforia e possibilidades ilimitadas, em consequência da derrota da França, criara uma identificação com Hitler e seu regime mais completa do que em qualquer momento anterior ou posterior.[30] À diferença do ataque contra a França, em maio de 1940, aguardado com temerosa ansiedade, a invasão da União Soviética foi esperada com entusiasmo. A partir do outono de 1940, o iminente ataque deixou de ser segredo em Berlim. O gabinete do general Thomas, na Wehrmacht, mantinha reuniões constantes com as principais empresas alemãs que possuíam experiência na União Soviética. A IG Farben, a Siemens e a AEG contribuíram com seus conhecimentos. Os debates chegaram, até mesmo, à distribuição de fábricas soviéticas entre firmas alemãs específicas.[31] E uma vez iniciada a invasão, o envolvimento do mundo dos negócios da Alemanha com as autoridades de ocupação somente se intensificou.

A bonança dos primeiros anos da guerra se acrescentava a essa euforia imperialista. O *boom* industrial sobre o qual reinava o regime nazista, desde 1933, não diminuiu na década de 1940. As indústrias relacionadas com a guerra foram inundadas com encomendas, o investimento em maquinaria e instalações se acelerou a níveis recorde e, a partir do verão de 1940, houve uma significativa recuperação das lucrativas encomendas para exportação. Claro que o mundo dos negócios não tinha apreço pela burocracia da economia de guerra, controles de preços, discussões sobre matérias-primas e dificuldade em obter mão de obra especializada. Em 1940, porém, com a demanda doméstica crescente, os lucros dispararam a níveis sem precedentes.[32] Certamente, uma indicação importante sobre o equilíbrio de influências no regime de Hitler foi o fato de que os dois elementos do partido que ousaram desafiar mais diretamente os interesses empresariais — Paul Walter, no setor de carvão, e Josef Wagner, na função de comissário de controle de preços — foram ambos demitidos sem-cerimônia durante o ano de 1941. Além disso, embora a crise do inverno 1941-42 tivesse constituído, sem dúvida, um profundo choque para a sociedade alemã, a inesperada recuperação do Exército Vermelho significava, também, que a guerra se transformara em questão de vida ou morte. A derrota não representaria apenas uma humilhação nacional e a destruição do regime de Hitler. O temível espectro do stalinismo pairava, agora, sobre a Alemanha e nenhum grupo tinha mais a recear de uma vitória soviética do que os líderes do mundo dos negócios do país.

A expressão organizacional dessa intensificação da aliança entre o regime e o mundo empresarial foi a extensão do sistema de Todt de organizações industriais, que ocorreu entre dezembro de 1941 e maio de 1942. Já no início de dezembro, Todt anunciara a reorganização da estrutura de suas comissões. Ao lado das já existentes para Munição, Armas, Tanques e Equipamento Eletrônico, ele estabeleceu uma Comissão Principal para Equipamento Geral da Wehrmacht (*Allgemeines Wehrmachtsgerät*). Esta tinha a importante função de reunir os milhares de fornecedores da Wehrmacht não diretamente envolvidos com a produção de armamentos. Para presidir essa comissão "geral", a pessoa óbvia era Wilhelm Zangen (1891-1971). Presidente do Grupo do *reich* para a indústria desde 1938, Zangen era implacável carreirista, que, como diretor-presidente da Mannesmann, construíra um considerável império industrial por meio de várias transações oportunistas de arianização. Certo de contar com o apoio total de Zangen, Todt dirigiu-se ao restante da liderança industrial alemã, no Conselho do Grupo do *reich* para a indústria, em 13 de janeiro de 1942, e, entre 4 e 6 de fevereiro do mesmo ano, presidiu uma conferência de três dias com todos os principais produtores de armamentos.[33] Nas semanas seguintes à morte de Todt, Speer manteve esse impulso organizacional acrescentando mais duas comissões principais, uma para locomotivas, a fim de atender à escassez que manietava a Reichsbahn, e outra para construção naval. Quanto à Luftwaffe, Erhard Milch já havia iniciado uma reorganização paralela de sua esfera de atividade, no outono de 1941.[34]

No campo da montagem final, Speer pouco acrescentou à estrutura básica das organizações industriais estabelecida por Todt e Milch. Sua iniciativa original, talvez, sugerida a ele por Albert Vögler, da Vereinigte Stahlwerke, foi criar um novo conjunto de organizações para gerenciar o fornecimento de matérias-primas, produtos semiacabados e subcomponentes, conhecidas como "Rings".[35] Os Rings principais eram cinco — para produção e processamento de ferro e aço, metais não ferrosos, componentes de engenharia e equipamento eletrotécnico. Os presidentes do Rings, previsivelmente, eram escolhidos dentre os maiores fornecedores industriais, inclusive a Siemens e a Reichswerke Hermann Göring. Mas a pessoa designada por Speer para supervisionar toda a estrutura era um animal político, como Saur. Walther Schieber (1896-1960) era veterano da política industrial nazista que tinha mostrado seu valor na indústria privada.[36] Na década de 1930, tinha sido gerente de fábrica bem-sucedido na IG Farben e ativista no partido nazista da Turíngia, com ligação íntima com o *gauleiter* Sauckel. Em 1935, Schieber saiu da IG Farben para assumir o controle da fábrica de fibras sintéticas que acabava de ser fundada por Hans Kehrl. Por meio dessa associação, tornou-se estreitamente ligado a Kehrl, que, a partir de 1938, passou a ser o principal instrumento de aplicação do nazismo no Ministério de Assuntos Econômicos. Em 1939, Schieber foi nomeado conselheiro do *gau* na Turíngia e, no ano seguinte, mudou-se para Berlim a fim de trabalhar com Fritz Todt como principal assessor para assuntos químicos. Cultivou também estreita ligação com a SS, e possuía o grau honorário de *Brigadeführer*, participando regularmente das reuniões do *Freundeskreis* Heinrich Himmler, um grupo de homens de negócios especialmente ligados ao regime. Após a morte de Todt, era, simplesmente, lógico que Schieber, assim como Saur, passasse a desempenhar papel de destaque no ministério de Speer, como chefe do *Rüstungslieferungsamt* (escritório de suprimento de armamentos). A fim de consolidar ainda mais as relações entre o ministério e a comunidade empresarial, Schieber foi nomeado para atuar como imediato de Zanger no Grupo do *reich* para a indústria.[37]

No total, ao final de 1942, a lista telefônica do ministério de Speer continha 249 Comissões e Subcomissões, Rings e sub-Rings.[38] Obviamente, uma organização de tal forma ramificada não permite uma categorização simples. O *slogan* particular de Speer era *Selbstverantwortung*, a "autorresponsabilidade" da indústria. O Ministério do Armamento do *reich* fixaria as metas, deixando à indústria alemã a responsabilidade de preenchê-las. Vistos mais de perto, os presidentes das Comissões e Rings de Speer parecem ter sido representantes de uma amostra cuidadosamente ponderada do *establishment* industrial da Alemanha. Da lista das 100 principais indústrias, em 1938, não há nenhuma que não exercesse a presidência de, pelo menos, uma das subcomissões ou Rings de Speer, e o número de presidências distribuídas a cada empresa correspondia, previsivelmente, à hierarquia de tamanho e importância política. A Vestag, maior congromerado alemão da indústria pesada, possuía, pelo menos, 12 presidências, tanto diretamente quanto por meio de suas subsidiárias. Isso a colocava no mesmo nível da Reichswerke de Paul Pleiger. A Siemens estava bem representada, com o dr. Friedrich Lüschen ocupando posição-chave na presidência simultânea da Comissão Principal para Equipamento de Comunicações e do Ring Principal para Subcomponentes Elétricos. No total, a Siemens tinha oito presidências. A Krupp, a AEG, a Mannesmann, a Rheinmetall, a Flick e a GHH também participavam. A IG Farben possuía somente quatro presidências, mas isso não era de admirar, devido aos produtos cobertos pelo sistema de comissões e ao papel representado por Carl Krauch no Plano Quadrienal. Como o presidente da junta supervisora era quem verificava o planejamento de todo o esforço de guerra no setor químico, havia pouca necessidade que a IG se ocupasse de outros trabalhos nas Comissões. A Zeiss e a Zeiss Ikon supervisionavam três Subcomissões para instrumentos óticos de precisão. A Bosch era responsável por injetores de combustível e sua subsidiária Blaupunkt supervisionava o equipamento eletroacústico. A Vereinigte Deutsche Metallwerke (controlada pela Metall gesellschaft) era responsável pelos componentes não ferrosos para a indústria aeronáutica. Mas, além de congregar as maiores corporações industriais alemãs, uma importante característica do sistema de Speer era a inclusão de dezenas de pequenos fornecedores de subcomponentes e peças de reposição

Além das que faziam parte das 100 principais, havia 70 outras firmas que presidiam uma ou mais Subcomissões ou Rings: a Bauer & Schaurte, para parafusos e presilhas, a Mahle, para pistons, a Kugelfischer, para rolamentos, a Koch & Sterzel, para transformadores elétricos, a Klein, Schanzlin & Becker, para válvulas, a Karl Schmidt de Neckarsulm, para componentes de veículos, a Behr, para radiadores, a Warnecke & Boehm, para tintas especiais de aviões, a Röhm & Haas, para toldos de *plexiglas*. Sessenta anos depois, essas mesmas firmas, fartamente conhecidas nos círculos de engenharia, ainda formam a espinha dorsal da indústria alemã de alta qualidade.[39]

Havia, naturalmente, muitos pontos de conflito e divergência no interior dessa complexa estrutura de cooperação entre o regime de Hitler e os principais setores da indústria alemã, sobre alguns dos quais falaremos adiante. No entanto, se havia um tema com potencial de azedar as relações de maneira mais geral, esse era a questão de preços, lucros e impostos. Como vimos, isso vinha sendo objeto de debates desde o final de 1940. Em novembro de 1941, no contexto de crescente preocupação com a inflação, parece ter surgido um grave conflito entre o comissário de preços, o *gauleiter* Wagner, e o Grupo Para a Indústria do *reich*, que, em certo momento, levou Wilhelm Zanger a falar em renúncia. Durante os meses seguintes, essas diferenças foram resolvidas, num arranjo altamente característico da era Speer.[40] Embora a iniciativa fosse anterior, em muitos meses, à sua chegada ao cenário central, Speer apresentou a reforma do sistema de preços públicos dela resultante como elemento-chave do milagre armamentista. Segundo seu relato, o sistema de suprimentos públicos, que funcionara até novembro de 1941, era um prolongamento aberrante da burocracia estatal que, na verdade, estimulava a ineficiência ao conceder às firmas um aumento de lucros proporcional à sua base de custos. Quanto maiores os custos de uma empresa, maiores eram seus lucros.[41] A partir de 1942, afirmava Speer, o sistema foi descartado e substituído pelo que, geralmente, se denomina "sistema de preços fixos". Solicitou-se a todos os produtores que cobrassem um único preço padrão. Se conseguissem reduzir seus custos abaixo desse preço padrão, teriam direito a ficar com o lucro resultante. Com uma penada, um grande estímulo à ineficiência foi assim abolido e a indústria alemã entrou em uma trajetória de eficiência e racionalização.

Embora essa narrativa seja retoricamente sedutora e continue a atrair os historiadores, ela é, na verdade, uma falsificação do curso real dos acontecimentos.[42] Como vimos, os lucros autorizados segundo a orientação existente não eram, de fato, calculados como percentagem dos custos, e sim como percentagem do capital empregado.[43] Sem dúvida as regras de contabilidade de custos eram estritas.[44] Do ponto de vista da nova agenda de racionalização, o defeito essencial do sistema pré-Speer não era permitir aos produtores inflar custos e lucros à vontade, e nem tampouco era destituído de incentivos para a eficiência. Uma vez acordado, o preço se tornava fixo e, portanto, os contratistas tinham todos os incentivos para reduzir seus custos.[45] Nos primeiros anos da guerra, a questão de como recuperar os "lucros excessivos" resultantes era a fonte de controvérsias entre o Grupo Para a Indústria do *reich*, o comissário de preços do *reich* e as autoridades fiscais. A verdadeira falha do sistema, do ponto de vista da agenda de racionalização, era que ele não fixava um preço único tabelado que todos os produtores deveriam procurar adotar. Isso, tampouco, ocorria por incompetência das autoridades. O sistema destinava-se a assegurar que o Estado pudesse emitir contratos para a mais ampla gama possível de novos produtores de armamentos, ainda que não conseguissem preencher os padrões de desempenho dos fornecedores já estabelecidos e experientes. Nesse sentido, era um sistema perfeitamente adequado às etapas iniciais da mobilização em tempo de guerra, quando era preciso alistar em massa novos produtores em linhas de produção que lhes eram pouco conhecidas e, ao mesmo tempo, controlar os lucros das firmas fornecedoras mais experientes. O sistema sacrificava eficiência ao deixar de exigir que os produtores menos eficientes adotassem o "melhor preço praticado" prevalecente. Além disso, os contratos feitos sob medida exigiam frequentes e intrusivas investigações por parte de auditores militares, não surpreendentemente preferindo concentrar a atenção nas firmas maiores, o que tornava o sistema pouco apreciado pelos membros mais influentes do Grupo Para a Indústria do *reich*.

Em novembro de 1941, como parte do debate sobre consolidação fiscal, foi tomada a decisão de adotar novo sistema de preços tabelados. Estes deveriam basear-se nos custos de um produto entre "médio e bom", calculados segundo as regras existentes. Inicialmente, a medida foi proposta como parte de um pacote de consolidação fiscal destinado a conter os lucros das empresas e reduzir os gastos estatais, ajudando assim a romper a bolha inflacionária. Em nome da racionalização, os preços tabelados foram sujeitos a uma dedução de 10%. Além disso, ameaçou-se com uma restituição de lucros obtidos em 1940 e 1941, mas após a partida do *gauleiter* Wagner e sua substituição pelo banqueiro austríaco Hans Fischböck, o tom foi bastante suavizado.[46] É certo que não houve mais ameaças de renúncia por parte de Zangen e seus colegas. O novo sistema de preços foi acompanhado de uma promessa firme de Speer no sentido de que aqueles que respeitassem o preço estariam isentos de novas inspeções oficiais e teriam liberdade para reter grande parte dos lucros que obtivessem ao conseguir custos abaixo do padrão. A responsabilidade para tratar dos lucros excessivos passou do comissário de preços para o Ministério das Finanças, e a orientação expedida, no final de março de 1942, sem dúvida, pouco ajudou na contenção do entusiasmo da indústria. Somente os lucros que fossem superiores em 50% aos obtidos, em 1938, ficariam sujeitos ao imposto sobre excesso de lucros, conferindo uma vantagem assegurada às firmas que já tivessem lucrado com o rearmamento antes da guerra.[47] Albert Speer deixou claro que não aceitaria interferência em sua esfera de atividade por parte dos "burocratas" intrometidos do Ministério das Finanças e do comissário de preços. O parágrafo 14 da orientação sobre excesso de lucros permitia às firmas que concordassem em aceitar os novos preços tabelados fixados pelo Ministério do Armamento, recuperar uma parcela substancial dos pagamentos por excesso de lucros.[48] Para Speer, as preocupações mais amplas sobre a espiral de gastos estatais e a inflação eram irrelevantes. Tudo o que importava era a cooperação entusiástica do mundo dos negócios da Alemanha em sua campanha para maximizar a produção.

II

Essas medidas de reorganização foram acompanhadas por uma retórica de reforma e racionalização que prometia resolver os problemas do esforço de guerra da Alemanha mediante o aumento da produção a custos mais baixos. Essa figura de linguagem de cunho ideológico, no entanto, sempre competia, no vocabulário do esforço de guerra do país, com uma ênfase não menos decidida sobre a mobilização radical. Nesse aspecto, Speer foi, em grande parte, beneficiário de esforços mais amplos para unir e estabilizar o regime.

Embora Speer tivesse, propositalmente, impedido que as autoridades fiscais do *reich* fizessem incursões maiores nos lucros empresariais em 1942, o êxito de seu ministério se deveu, em não pequena medida, à constante estabilidade do *reichsmark*. Isso, por sua vez, dependeu em grande parte das obrigações fiscais impostas principalmente aos proprietários de imóveis, em 1942. Naturalmente, os territórios ocupados também proporcionaram grande contribuição à receita do *reich*. Juntos, os aumentos da receita interna e externa foram suficientes para frear a ameaça de inflação durante, pelo menos, mais 18 meses. Os incrementos dos suprimentos de alimentos e mão de obra vindos dos territórios ocupados em 1942-43, foram ainda mais vitais para sustentar o esforço de guerra da Alemanha. A sangria de 280 mil trabalhadores retirados das fábricas de armamentos após a crise de Moscou foi mais do que compensada pelo influxo dos 970 mil operários obtidos por Sauckel, cujas principais beneficiários eram empresas da jurisdição de Speer.[49] Enquanto o aumento geral da força de trabalho no setor de armamentos, em 1942, foi de apenas 15%, na área de produção de armamentos entregue a ele o aumento foi superior a 30%. Do incremento de 513 mil trabalhadores que podiam ser atribuídos, especificamente, a uma das três forças da Wehrmacht, a área de sua responsabilidade recebeu nada menos do que 420 mil.[50] Os programas de alta prioridade de Speer foram altamente beneficiados. A força de trabalho no setor de tanques aumentou quase 60%, em 1942, e numa percentagem ainda maior, em 1943. No caso da construção de locomotivas, uma das histórias de sucesso mais amplamente divulgadas, o dramático aumento da produção, de 1.918 locomotivas em 1941 para 5.343 em 1943, foi sustentado por um aumento da força de trabalho da ordem de 90% somente no ano de 1942.[51] Tudo isso era, exatamente, o reverso da situação em 1941, quando os principais beneficiários da mobilização de mão de obra tinham sido a Luftwaffe e a Marinha.[52]

Para obter fundos, alimentos e mão de obra, Speer podia contar com outras pessoas. Sua contribuição específica à mobilização de recursos foi na esfera de matérias-primas. Embora a *Zentrale Planung* fosse, sem dúvida, uma importante inovação organizacional, o tema de suas reuniões era dolorosamente conhecido. A preocupação máxima era o aço. Dentre 62 reuniões, 30 trataram diretamente desse assunto.[53] Além disso, 11 sessões foram dedicadas ao carvão, que era importante, sobretudo, porque o suprimento desse mineral determinava a quantidade de aço que podia ser produzida. Outras oito reuniões se ocuparam de temas ligados ao fornecimento de mão de obra, no qual as minas de carvão tinham a maior prioridade. Mesmo em campos aparentemente não relacionados, como o programa de produtos químicos, o assunto em pauta era o aço. Os produtos químicos eram tema incontornável para a *Zentrale Planung* porque toda a máquina de guerra emperraria sem combustível. Além disso, o nitrogênio era o principal ingrediente tanto para explosivos quanto para fertilizantes. No entanto, a *Zentrale Planung* tinha capacidade de controle sobre Carl Krauch e seus produtos químicos, já que as gigantescas fábricas de Krauch precisavam de cotas substanciais de aço. A conclusão é inescapável: quem quer que estivesse encarregado da economia de armamentos, e qualquer que fosse a forma de organização de sua autoridade, a siderurgia permanecia no cerne da política armamentista alemã, antes e depois de fevereiro de 1942.

O aço era indispensável para toda a produção de armamentos, sem contar a Luftwaffe, mas mesmo esta precisava do produto para bombas, canhões antiaéreos e instalações nos aeródromos. Porém, como vimos várias vezes, desde 1937, dentro do orçamento de aço da Wehrmacht, a maior variável independente era a quantidade distribuída para a produção de munições. A maneira mais fácil de aliviar a pressão sobre a indústria pesada alemã era reduzir a produção de munições, liberando aço para outros usos. Isso tinha sido feito em 1937, no verão de 1939, e, novamente, no verão de 1940. Em 1942, diante da possibilidade de uma guerra prolongada e sangrenta na Rússia, essa opção já não se colocava. Nos meses seguintes à crise de Moscou, Hitler voltou à obsessão que o dominara nos primeiros meses da guerra.[54] O "programa de armamentos 1942", anunciado em 10 de janeiro, um mês antes que Speer assumisse a função, previa a formação de novos estoques de munições suficientes para cobrir seis meses, considerando as elevadas taxas de consumo ocorridas em 1941. As metas foram especificadas tendo em vista a ofensiva de verão, mas Hitler agora precisava também preparar-se para a perspectiva de uma longa guerra em duas frentes. No fim de março, segundo observou o OKW, "o *führer* determinou a Speer que aumente a produção de munições em escala realmente elevada, para que seja possível combater em duas frentes numa guerra de trincheiras durante anos".[55] Ninguém poderia considerar equivocada a lógica de se concentrar, inicialmente, na questão das munições. Devido a suas dimensões, o programa de munições condicionava todas as demais opções seguintes. Na propaganda de Speer, as munições não tiveram o mesmo tratamento de ítens mais glamourosos, como os tanques.[56] Estes faziam parte do repertório visual da Primeira Guerra Mundial mais do que as campanhas de *blitzkrieg* da guerra de Hitler. Mas os obuses, bombas e projéteis, na verdade, representaram 50% do aumento total da produção de armamentos nos primeiros oito meses do mandato de Speer.[57] Mesmo em meados de 1943, no fim da primeira fase do milagre armamentista, as munições representaram metade do incremento obtido na esfera pessoal de responsabilidade de Speer. Pode-se perceber adequadamente as proporções levando-se em conta o âmbito relativo das três Comissões Principais de Armamentos supervisionadas pelo ministério de Speer. No outono de 1943, havia 450 mil trabalhadores empregados no setor de produção de munições, comparados com 160 mil na construção de tanques e 210 mil na de armas.[58] Em termos de aço, a preponderância das munições era ainda mais pronunciada. No último trimestre de 1942, esse setor abocanhou mais da metade da cota total de aço do Exército, em comparação com os 15% destinados a tanques e outros 15% para armas.[59] As ramificações políticas que geriam as munições não eram menos significativas. Assim como ocorrera em 1939-40, a satisfação das elevadas novas exigências de Hitler em matéria de munições significava uma imediata e drástica redistribuição de matérias-primas, cujo impacto somente poderia ser atenuado em prazo médio por meio de um aumento substancial na produção de aço.

A escala da mudança foi enorme. No último trimestre de 1941, em conformidade com as prioridades do planejamento de armamentos fixado para Operação Barbarossa, o Exército alemão propusera destinar somente 25 mil toneladas de aço às munições dentre sua magra ração de 185 mil toneladas. Hitler passou a exigir o estabelecimento de um programa de munições aquinhoado com uma cota mensal regular de nada menos do que 350 mil toneladas de aço, o que representava um aumento de 14 vezes.[60] Mesmo antes que Speer assumisse o cargo, a cota geral de aço do Exército tinha sido dobrada para mais de 350 mil toneladas mensais, no primeiro trimestre de 1942. Isso era "pago" em parte por cortes nos planos de expansão da Luftwaffe e drásticas reduções na produção de bombas e projéteis antiaéreos. A ração da Marinha também foi reduzida. Isso, no entanto, não era o bastante para abrir espaço às novas necessidades do Exército. Em 1942, grandes quantidades de aço ainda estavam sendo distribuídas aos programas de investimento, iniciados em 1940 e 1941, e parcelas significativas atendiam a encomendas para exportação. O efeito imediato da crise na frente oriental e a repentina necessidade de conferir prioridade máxima ao Exército foi, portanto, a exacerbação da "inflação do aço", que já vinha causando extrema preocupação no outono de 1941. Significativamente, foram expedidas mais autorizações de fornecimento de aço do que permitiam as quantidades disponíveis. A discrepância chegou a ser tão grande que ameaçava desorganizar todo o esforço de guerra. Os produtores de aço, sobrecarregados de pedidos, todos apoiados em autorizações oficiais, tinham liberdade para escolher os tipos de aços que forneceriam. Programas de alta prioridade eram obrigados a esperar, durante meses, até que suas especificações fossem atendidas. Enquanto isso, centenas de milhares de toneladas de aço se perdiam porque eram entregues depois do cancelamento dos programas de armamento a que se destinavam originalmente.

A primeira tarefa da nova administração de Speer foi tratar dessa "inflação de rações". Como vimos, a crise do setor de carvão, em 1941, tinha levado à formação, em março de 1941, da organização carbonífera do *reich* (RVK) sob a chefia de Paul Pleiger, que dirigia tanto a produção quanto a distribuição de carvão. Na primavera de 1942, o Ministério para Assuntos Econômicos do *reich* começou a pressionar para que fosse formada uma organização semelhante para a indústria siderúrgica. Isso, finalmente, ocorreu em 1º de junho de 1942, na forma da Reichsvereinigung Eisen (RVE).[61] O que o ministério do *reich* parece ter visualizado, inicialmente, era uma ditadura chefiada por um único indivíduo, um "czar do aço". Na verdade, o que surgiu foi um clássico compromisso entre os principais grupos de interesse da indústria alemã do aço, negociado entre Speer e Albert Vögler, o qual, como presidente da junta supervisora da Vestag, era ainda a figura dominante dessa indústria na Alemanha.[62] Em vez da ideia de um ditador do aço, que não daria certo e que, certamente, atrairia a hostilidade de uma ou mais regiões produtoras, a RVE era dirigida por um presidente assistido por um poderoso *presidium*, no qual todos os grandes interesses siderúrgicos estavam representados. Inicialmente, Speer sugeriu a Hitler que o próprio Vögler presidisse a RVE, mas, conforme obervou Speer, "Ele [Hitler] considera aceitável minha sugestão de Vögler, mas acha que Röchling executaria ainda melhor a função. Deixou a decisão a nós".[63] Naturalmente, Speer entendeu o recado. Hermann Röchling era, sem dúvida, um dos principais colaboradores industriais do regime, mas não era partidário de uma ditadura do Estado sobre a indústria. Entre os industriais ativos na Segunda Guerra Mundial, Röchling era um dos mais antigos expoentes, cujo histórico recuava até os debates de anexação da Primeira Guerra Mundial. Ao longo de sua extensa carreira, a preocupação máxima fora a expansão do controle alemão sobre a Lorena e regiões circunjacentes.[64] No entanto, apesar de importantes e excelentes conexões com o partido nazista, ele não tinha sido favorecido na distribuição dos ativos franceses em janeiro de 1941, ficando em desvantagem em relação a Flick e Hermann Göring. Em 1942, Röchling tinha tanta antipatia ao Reichswerke que cooperou de bom grado com interesses do Ruhr para adiar, indefinidamente, qualquer extensão adicional dos interesses de Pleiger.[65] Este, por sua vez, desconfiava de tal forma do *establishment* da indústria pesada que se recusou, até mesmo, a integrar o *presidium* da RVE.

Dez dias depois da nomeação, Röchling explicou a uma plateia formada pelos principais industriais exatamente o que estava em jogo.[66] "A indústria do aço precisava atingir um novo nível de desempenho. De seu êxito, dependia tanto o futuro do esforço de guerra alemão quanto o futuro da economia privada". Os combates em curso na frente oriental não deixavam dúvidas quanto à gravidade da situação. O desempenho da indústria soviética, conforme Röchling admitiu, com franqueza, tinha sido simplesmente miraculoso. Até mesmo na Leningrado cercada, novos tanques continuavam a sair das linhas de produção. Apesar da destruição de nada menos do que 20 mil aeronaves soviéticas de combate, a Força Aérea Vermelha continuava a lançar novos aviões na batalha. Como teria sido possível à União Soviética organizar e manter a capacidade de engenharia de quantidade e qualidade tão robusta? A batalha na frente oriental era realmente uma guerra de sistemas. Não cabia a Röchling especular sobre o resultado militar da guerra, mas, no que tocava à economia, a questão era clara. "A fim de justificar a existência da economia privada, temos de conseguir desempenho extraordinário... Se nós... não tivermos êxito, provavelmente, outros métodos serão tentados". Röchling continuou: "No final das contas, trata-se de saber se a economia privada é ou não capaz de produzir os resultados necessários... ou se será preciso adotar outras formas de organização". Isso, certamente, é a melhor caracterização do sistema de Speer, sem dúvida, nos primeiros 18 meses. O que emergiu após a crise do inverno de 1941 foi uma aliança entre o regime de Hitler e os principais setores do capitalismo industrial alemão, a fim de assegurar a sobrevivência de ambos na luta de vida ou morte contra o stalinismo.[67]

A indústria do aço enfrentava dois desafios básicos: aumentar a produção e reorganizar o sistema de racionamento. A tarefa de reorganização foi encomendada a uma comissão de industriais do aço, presidida pelo ubíquo Vögler.[68] Este, por sua vez, confiou os detalhes técnicos a Hans Kehrl, do RWM. Kehrl não era perito em aço, mas havia consolidado sua reputação como um dos mais severos praticantes da política econômica nazista mediante a imposição de um sistema rigorosamente disciplinado de racionamento no setor têxtil. Substituindo a moeda corrente por cupons, ele conseguiu reduzir drasticamente a demanda familiar de roupas. Também tinha sido útil, em cooperação com seu amigo Paul Pleiger, na reorganização da indústria do carvão. Kehrl aplicava agora os mesmos princípios à gerência da economia do aço, com um sistema apresentado à *Zentrale Planung* em 15 de maio de 1942.[69] O imenso acúmulo de encomendas atrasadas seria cancelado. Para assegurar que não haveria mais inflação, as rações seriam no futuro autorizadas somente até o teto de 90% da produção total de aço, deixando uma reserva de 10% para contratos de alta prioridade. As usinas, por sua vez, não poderiam aceitar encomendas maiores do que seriam capazes de atender em um período razoável de tempo.[70] Em seguida, no terceiro trimestre de 1942, a quantidade total de rações de aço foi reduzida de maneira a ajustá-la à produção real. A alocação militar total foi cortada em 7%, sendo a Marinha a mais prejudicada. A cota do Exército continuou a aumentar. Por sua vez, a distribuição total para finalidades não militares foi reduzida em quase um quarto, ficando o principal prejuízo com o setor exportador. Isso provocou protestos, não apenas da administração econômica civil mas também do alto-comando da Wehrmacht, gravemente preocupado com o impacto sobre os aliados da Alemanha, especialmente, a Itália. No entanto, como a batalha de Stalingrado ia se aproximando de seu terrível final, Speer não teve grande dificuldade em insistir na prioridade absoluta do Exército.

Isso resolvia a questão da distribuição de aço, porém, claramente o problema fundamental era a produção siderúrgica insuficiente. Como vimos, no fim do verão e no outono de 1941, o esforço de guerra alemão viu-se atormentado pelo temor de uma grave debacle na produção de aço devido às dificuldades de abastecimento de carvão. Mediante a variação dos tipos de aço e a suplementação com sucata e minério estrangeiro de alta qualidade, as firmas siderúrgicas de fato conseguiram manter a produção em nível relativamente elevado, pelo menos, até o último trimestre de 1941.[71] Mas, depois disso, a produção começou a cair drasticamente, chegando ao mínimo, no início de 1942, quando o fornecimento de carvão ficou gravemente prejudicado por nova crise no sistema ferroviário da Alemanha, desta vez, causado pela necessidade de percorrer milhares de quilômetros a mais nas linhas da União Soviética. Havendo reorganizado o sistema de distribuição de aço e ajustado as cotas a fim de compatibilizá-las com a produção real, a prioridade principal de Röchling passou a ser a elevação da produção de aço. Já no final de junho de 1942, Speer e Hitler haviam chegado à conclusão de que a Alemanha precisaria aumentar a produção mensal em, pelo menos, 600 mil toneladas até o fim daquele ano.[72] Conforme apresentado por Röchling à indústria do aço, no verão de 1942, o objetivo imediato era atender às exigências de Hitler e Speer mediante a elevação da produção do nível corrente de aproximadamente 31 milhões de toneladas por ano a, pelo menos, 36 milhões.[73] No longo prazo, Röchling praticamente não via limites para a demanda dessa *commodity* básica. Vislumbrava uma produção europeia superior a 85 milhões de toneladas, nos anos seguintes, maior do que a dos Estados Unidos em seu nível máximo. O problema, no entanto, era o carvão. Para atingir a meta de Hitler e Speer, os industriais do aço afirmavam necessitar de pelo menos 400 mil toneladas a mais de carvão de coque por mês, assim como mais mão de obra especializada e grande quantidade de sucata para fundição. Nesse ponto, porém, não parecia haver possibilidade de reconciliar as exigências de Röchling e seus colegas com as previsões de produção fornecidas por Paul Pleiger e a associação carbonífera do *reich*.

Nesse terreno pedregoso da política da indústria pesada, todo o "sistema Speer" quase soçobrou no outono de 1942. O tema era tão crítico que foi levado a uma longa reunião com Hitler, em 11 de agosto de 1942. Além de Speer, estavam presentes Hans Kehrl (RWM), Sauckel, na qualidade de plenipotenciário para mão de obra, Pleiger representando o carvão, e a liderança tríplice da indústria siderúrgica, Röchling, Rohland e Alfred Krupp, herdeiro do trono dos Krupp. Inicialmente, Pleiger, manteve-se irredutível, afirmando ser incapaz de fornecer o coque necessário. Como vimos, o carvão era absolutamente escasso em todo o Império Alemão. Pleiger esforçava-se por aumentar a produção das minas já antigas da Alemanha. A produtividade na Bélgica e no norte da França vinha caindo rapidamente. A Noruega e a Suécia precisavam, desesperadamente, refazer seus estoques para poder evitar o desastre nos meses do inverno seguinte, e, além disso, Pleiger ainda tinha de pensar na malha energética alemã e nas fábricas de produtos químicos sintéticos de Krauch. O moral da população civil já apresentava problemas devido à falta de carvão para uso doméstico. A observação de Speer de que o racionamento de carvão na Grã-Bretanha era ainda mais rigoroso do que na Alemanha foi imediatamente refutada pelas estatísticas da RVK. Pleiger não via maneira de atender à demanda da indústria do aço, a menos que Sauckel pudesse fornecer mais dezenas de milhares de mineiros experientes da Ucrânia e da Polônia. Nesse ponto, o *gauleiter* Sauckel interveio para assegurar a Hitler que era perfeitamente capaz de fornecer a mão de obra exigida por Pleiger. Hitler concordou. "Se essa questão não puder ser resolvida em bases voluntárias, ele estaria de acordo em usar quaisquer medidas coercitivas, e isso se aplicaria também aos territórios ocupados no oeste, e não somente no leste".[74] No entanto, dada sua experiência com os operários desnutridos e desmoralizados do leste, Pleiger não ficou satisfeito. Como vimos, a produtividade nas minas vinha declinando desde a eclosão da guerra e os trabalhadores orientais semifamintos não eram substitutos adequados para a força de trabalho de primeira ordem da Alemanha.

Nesse momento, no entanto, o *führer*, repentinamente, calou qualquer debate adicional ao anunciar: "Herr Pleiger, se por causa da escassez de carvão a produção da indústria de aço não puder aumentar conforme planejado, nesse caso, a guerra estará perdida." Como vimos, Hitler não tinha ilusões sobre a estreiteza da janela de oportunidade estratégica da Alemanha, porém, raramente, explicitara as agruras da Alemanha de maneira tão brutalmente clara. Após um instante de atônito silêncio, Pleiger não teve outra opção a não ser responder: "Meu *führer*, farei tudo o que seja humanamente possível para atingir o objetivo".[75] Fosse como fosse, a férrea decisão da liderança nacional-socialista triunfaria sobre as limitações naturais dos veios carboníferos da Europa. Já vimos de que maneira as consequências brutais desse imperativo foram explicitadas por Pleiger e Ley para o restante da comunidade do carvão, na reunião etílica do Kaiserhof, em Essen, em outubro de 1942. Caso necessário, a mão de obra estrangeira trabalharia até morrer. Conforme dissera Ley, "depois de nós, não há mais nada, tudo terminará... A Alemanha será destruída. Todos serão massacrados, assassinados, queimados e destruídos".[76] Não obstante, em agosto de 1942, no ambiente mais sóbrio do *Führerhauptquartier*, Pleiger insistiu em deixar registradas suas "profundas reservas" sobre a factibilidade do plano do aço.[77]

Inevitavelmente, o acordo feito em 11 de agosto não significou o fim da saga do aço. Em outubro de 1942, tornou-se claro que Pleiger não seria capaz de atingir as metas que fora forçado a aceitar na reunião de agosto. Quando tal fato ficou sendo conhecido na reunião da *Zentrale Planung*, de 23 de outubro, Speer viu-se diante de uma crise de todo o seu "sistema".[78] Para atender a suas metas de expansão, a indústria siderúrgica afirmava necessitar de 2,12 milhões de toneladas de carvão por mês. Em outubro de 1942, recebera somente 1,4 milhão, e Pleiger propunha, agora, reduzir o total a 925 mil toneladas. Isso significaria um corte de 40% na produção de ferro, com desastrosas consequências para todo o programa de armamentos. Sem operários adequados, Pleiger não podia extrair carvão. Sauckel não entregara os 120 mil homens prometidos. Havia um déficit de 107.417 mineiros. Mais 9 mil seriam necessários para o sistema ferroviário que atendia às minas. Para piorar a situação, o Ruhr sofria uma epidemia de absenteísmo, com alguns turnos chegando a 60% de ausências por doença.[79] O que, agora, ameaçava a economia alemã era uma reação em cadeia como as que haviam causado tantos problemas durante os invernos de 1939-40 e 1941-42.[80] O suprimento insuficiente de carvão acarretaria cortes de fornecimento de energia e gargalos que se irradiariam por toda a economia. Para Speer, a falta de solução para os problemas do carvão e do aço seria um desastre político. Conforme declarou ele à *Zentrale Planung*, seria "uma conclusão que traria grave prejuízo à teoria que eu, em geral, defendo, isto é, a de que avançaremos mais se confiarmos na autorresponsabilidade da indústria".[81] A ameaça implícita era evidente. A incapacidade de Pleiger em atender às metas fixadas "acarreta consequências tão graves que torna impossível a qualquer membro da *Zentrale Planung* aceitar a responsabilidade: tais questões somente podem ser tratadas pelo *Reichsmarshall* [Göring] e pelo *führer*". Conforme previra Röchling, o não atendimento das exigências do esforço de guerra comprometeria o relacionamento cooperativo entre o Ministério do Armamento e a indústria, que tinha sido a base da economia de guerra da Alemanha desde 1940.

Num esforço desesperado para evitar uma calamidade, os últimos dias de outubro de 1942 foram cheios de intensas reuniões entre Schieber, Kehrl e representantes das associações do carvão e do aço. Os encontros foram mesclados com sessões plenárias periódicas da *Zentrale Planung*, nas quais Speer fez arengas a Pleiger e Rohland, recordando-lhes o não cumprimento da promessa que tinham feito ao *führer*. Na verdade, todas as partes haviam investido demasiadamente no "sistema Speer" para permitir que fracassasse. O carvão necessário foi "arrancado" mediante a imposição de um corte de 10% no consumo doméstico, o que significava que a cota *per capita* na Alemanha se tornou 15% mais baixa do que a da Grã-Bretanha.[82] Além disso, Pleiger introduziu novos regulamentos mais severos, segundo os quais as minas de carvão que pertenciam às maiores firmas siderúrgicas foram obrigadas a juntar sua produção ao estoque existente para a distribuição geral. Os produtores de aço que economizassem no uso do carvão seriam recompensados mediante a permissão de conservar o "próprio" carvão. Em vez de entrar em colapso, como a RVE temia, a produção de aço cresceu no primeiro trimestre de 1943, em um recorde de tempo de guerra de 2,1 milhões de toneladas por mês no território da Alemanha de antes da guerra. No *Grossraum* alemão como um todo, a média mensal, no início de 1943, foi de 2,7 milhões de toneladas. Na crista desse vigoroso *boom* industrial, Speer realizou seu "milagre armamentista". Na altura de fevereiro de 1943, o índice geral de armamentos foi duas vezes maior do que o nível existente no momento em que Speer assumira o cargo. A força motriz desse aumento espetacular, no entanto, nada tinha de miraculosa. Repetindo: tanto quanto Speer foi responsável, o fator mais importante foi a munição, cujo aumento de produção não foi primordialmente resultado de racionalização ou reorganização, e sim consequência direta de uma distribuição de aço enormemente aumentada.[83] A partir de setembro de 1939 e até o fim de 1943, houve uma correlação quase perfeita entre a distribuição de aço para produção de munição e a quantidade de munição produzida.[84] Quando a cota de aço era abundante, a produção de munição aumentava muito. Quando o suprimento de aço era restringido, o mesmo ocorria com a munição, e essa relação continuou a prevalecer antes e depois de fevereiro de 1942. Na medida em que houve grande aumento da produtividade do trabalho na jurisdição do ministério de Speer, que é o indicador geralmente utilizado para medir o êxito da racionalização, isso, na verdade, confirma o papel limitador do aço. Sem matéria-prima suficiente, nem a mão de obra e nem as instalações industriais disponíveis podiam ser usadas eficientemente.

III

Num exame detido, portanto, é claro que a maior mobilização de recursos financeiros, mão de obra e matérias-primas teve importância fundamental

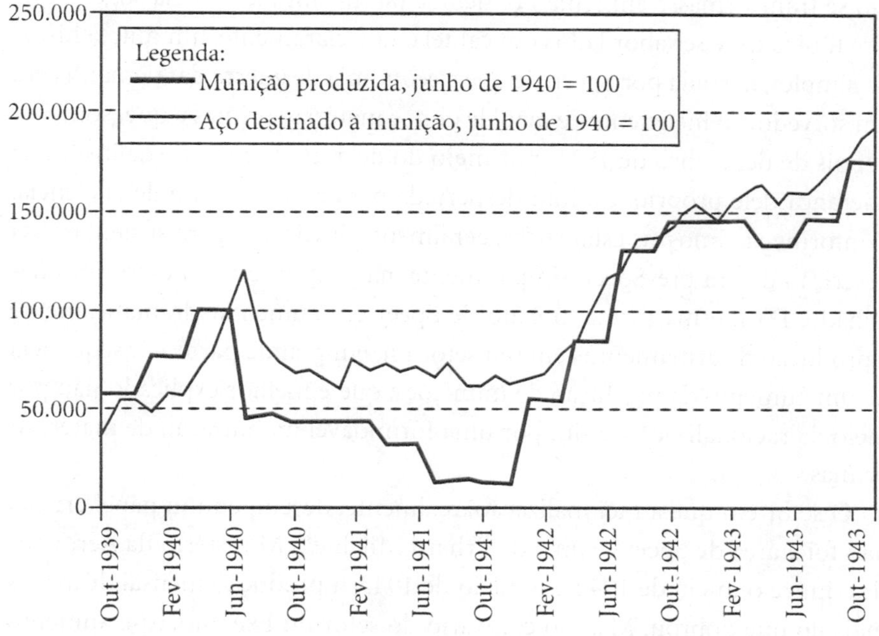

Gráfico 20. Produção de munição e aço destinado à munição

para permitir a Speer aumentar dramaticamente a produção. Ao mesmo tempo, no entanto, é inegável que isso foi complementado pelos efeitos benéficos da racionalização. Além disso, "racionalização" foi, sem dúvida, uma palavra-chave no autoentendimento dos responsáveis pela economia de guerra da Alemanha, após a crise do inverno de 1941-42. Nenhum outro conceito resume de forma tão clara o tema central da propaganda armamentista de Speer: a possibilidade de conseguir um grande aumento de produção sem qualquer acréscimo de mão de obra ou de matéria-prima. Dada a avassaladora coalizão industrial já organizada contra o Terceiro Reich, o futuro do esforço de guerra alemão dependia, agora, do poder dessa ideia voluntarista. O momento não poderia ser mais revelador. A racionalização, como *slogan* de política governamental, ganhou a ribalta em meio à crise da frente oriental, no outono de 1941. Naquele momento, quando a guerra de Hitler empacou nos nevados arredores de Moscou, não havia nada de que a Alemanha nazista mais precisasse do que de mágica. Em 3 de dezembro de 1941, Hitler chegou a expedir um decreto que dava à racionalização a mais alta prioridade para o esforço de guerra alemão.[85] O fato de que a atividade normal dos engenheiros de produção se transformasse em tema político de tal magnitude deveria sugerir que esse tópico deve ser abordado com cautela. Era, claramente, um mito a história simples, narrada por Speer, de que a economia de guerra da Alemanha era um sorvedouro ineficiente de mão de obra e matérias-primas e que, somente depois de dezembro de 1941, por meio do decreto do *führer* e da inspirada liderança dele próprio, ela fora despertada para a necessidade de eficiência. Conforme já vimos, as estatísticas, geralmente, invocadas para sustentar essa descrição da era pré-Speer, simplesmente, não suportam um escrutínio detalhado. Da mesma forma, o êxito de Speer em aumentar dramaticamente a produção de armamentos em seu setor foi, em grande parte, consequência de um aumento da produção de munições, que é melhor explicado não por meio da racionalização, e sim por uma formidável mobilização de matérias-primas.

O setor em que a racionalização, realmente, desempenhou papel crucial não foi a área de Speer e sim a de Erhard Milch e o Ministério da Aeronáutica. Entre o início de 1942 e o início de 1943, a produção mensal de aviões mais do que dobrou. Mas, ao contrário do setor do Exército, esse aumento ocorreu com um incremento muito menor de mão de obra e nenhum acréscimo na cota de alumínio bruto, o que, sem dúvida, sugere consideráveis ganhos de eficiência. Ao mesmo tempo, um exame detido dos registros de produção da Luftwaffe revela a ambígua complexidade do conceito de racionalização na política industrial nazista.[86]

Como principal nova indústria metalúrgica na década de 1930, o complexo industrial aeronáutico do Terceiro Reich sempre estivera atormentado, desde o início, por visões "norte-americanas" de racionalização e produção em massa. Como vimos, o mais vigoroso expoente dessa ideologia de produção em massa era Heinrich Koppenberg, que se tornara diretor-presidente da Junkers, em 1933. O esforço de Koppenberg para construir uma firma "fordista" de aeronáutica tinha foco na busca de escala máxima de produção e máxima integração vertical. O argumento que convenceu o Ministério da Aeronáutica a produzir o Ju 88 foi o de que se tratava de uma aeronave, especialmente, concebida para a produção em massa. Em 1940, em reação direta contra a ameaça norte-americana, Koppenberg acrescentou a esses planos um grandioso esquema de construção de uma fábrica de motores aeronáuticos com capacidade para mil unidades e um enorme complexo de alumínio que teria seu centro na Noruega. Dados os números titânicos apresentados por britânicos e norte-americanos e a sedução geral que o fordismo causara na Europa no período do entreguerras, tais visões despertavam atração irresistível e recorrente. Eram o prosseguimento natural das gigantescas pegadas deixadas pelo complexo siderúrgico Salzgitter, de Pleiger, e pela fábrica não menos gigantesca da VW, de Porsche.

Embora os riscos de fracasso fossem igualmente elevados, como exemplificam os elefantes brancos como a fracassada "fábrica de mil motores" na Áustria, a busca de maior escala de produção não era simples ilusão. Como vimos, a fábrica de motores aeronáuticos da Daimler-Benz, em Genshagen, havia sido ampliada com êxito, atingindo capacidade superior a mil motores anuais a um custo muito razoável. Havia outras histórias de sucesso, como o complexo de tanques próximo a Linz.[87] Era, realmente, vantajoso concentrar a produção em um pequeno número de fábricas gigantescas. A capacidade tanto dos Estados Unidos quanto da União Soviética em fazer funcionar instalações de produção verdadeiramente imensas, fora do alcance dos bombardeiros inimigos, sem dúvida, contribuía para a superioridade de que dispunham sobre a Alemanha e a Grã-Bretanha.[88] Embora em escala menor, os recordes de produção tanto do Ministério da Aeronáutica de Milch quanto do Ministério do Armamento de Speer não teriam sido possíveis sem os programas de investimento, iniciados no verão de 1940, e que prosseguiram até boa parte do ano de 1943.

Da mesma forma, no entanto, a aglomeração de recursos em busca de "eficiência" e "escala" foi também um dos principais motores da competição industrial intestina, inteiramente incompatível com a gestão eficiente do esforço de guerra geral. Após quase uma década de experiência com o implacável egoísmo dos produtores alemães de aviões, Erhard Milch e o Ministério da Aeronáutica já conheciam bem o problema. Por isso, antes do grande programa de expansão da Luftwaffe, no verão de 1941, Milch iniciou uma série de mudanças na direção da indústria de aeronaves que se mostrariam cruciais para seus esforços posteriores de racionalização.[89] Em maio de 1941, dez meses antes de Speer assumir o cargo, Milch estabeleceu o Conselho Industrial do Ministério da Aeronáutica (*Industrierat*), que examinava os planos para fornecer aviões em bases de igualdade hierárquica. Como órgão quase parlamentar, o conselho funcionava como poderosa forma de controle dos esforços de firmas individuais para exercer influência indevida sobre o ministério. Em seguida, com uma série espetacular de golpes empresariais, ele estabeleceu ascendência sobre os grandes produtores. A Junkers e a BMW foram os primeiros a ficarem sujeitos ao novo regime. Após uma série de desastres no desenvolvimento de motores radiais, a BMW foi colocada sob a supervisão de William Werner, perito em eficiência recrutado da produtora de automóveis Auto Union.[90] Na Junkers, Koppenberg foi aposentado sem maior contemplação. A própria Junkers ficou sujeita a um novo e rigoroso regime de supervisão financeira. Na Messerschmitt, Milch aproveitou o embaraço de Willy Messerschmitt com o fracasso do Me 210 (sobre o qual falaremos mais adiante) a fim de retirá-lo do controle gerencial. Para restringir ainda mais a autonomia dos empresários, Milch aboliu os arranjos financeiros facilitados, sob cuja aplicação os fabricantes recebiam pagamento adiantado pelas entregas ao Ministério da Aeronáutica. Isso produziu uma crise financeira na Heinkel, aproveitada por Milch para reestruturar a equipe gerencial e empurrar a Ernst Heinkel uma função de mero desenvolvimento. Assim, as três grandes empresas de desenvolvimento de aeronaves — a Junkers, a Messerschmitt e a Heinkel — passaram a ser controladas diretamente pelo ministério.

Somente depois de haver estabelecido decisivamente a autoridade do ministério, foi que Milch iniciou a promoção de uma agenda de racionalização, no sentido de otimizar a eficiência manufatureira. Para os arcabouços, motores aeronáuticos e equipamento de aeronaves, ele organizou um sistema de Rings, mais tarde, rebatizados a fim de se reajustarem às Comissões Principais de Todt e Speer. Karl Frydag, engenheiro-chefe da empresa Heinkel, dirigia o Ring dos arcabouços; William Werner chefiava o dos motores e Hans Heyne, da AEG-Telefunken, supervisionava a indústria de equipamentos aeronáuticos.[91] Todos eram também partidários da produção em massa de estilo "norte-americano". Werner tinha trabalhado na Chrysler e Heyne era protegido da General Electric. Porém, ao contrário dos construtores de impérios da década de 1930, o lema deles era "mais por menos". Werner, principalmente, surgira, em 1941, com uma série de relatórios devastadores sobre as práticas metalúrgicas antediluvianas comuns na produção de motores para aviões.[92] Indignava-se, particularmente, com o desperdício de matérias-primas resultante da aplicação de métodos tradicionais de corte de metais. Conforme escreveu ele, em um relatório muito citado, a indústria alemã de motores aeronáuticos estava produzindo, em termos de peso, mais sucata do que motores.[93]

Não resta dúvida de que Werner tinha razão, mas sua agressiva retórica de reforma e aperfeiçoamento deve ser vista dentro do contexto adequado. Werner era o porta-voz de críticas feitas, desde a década de 1930, por propugnadores das novas tecnologias de ponta, que substituíam as máquinas-ferramenta tradicionais da metalurgia, como os tornos mecânicos, por abrasivos, moldes, estamparia e prensas, todos esses equipamentos mais econômicos tanto em termos de mão de obra quanto de material. Frydag era líder mundial nesse campo na Henschel.[94] Seria, porém, ingênuo aceitar, literalmente, a retórica racionalizante de homens como Werner e Frydag e, daí, inferir que, antes de novembro de 1941, as indústrias da Luftwaffe sofressem de algum grau peculiar de ineficiência. Nas décadas de 1920 e 1930, um elevado nível de desperdício na metalurgia era completamente normal, tanto na Alemanha quanto nos Estados Unidos.[95] Além disso seria enganoso contrapor, como racionalização "racional", a agenda de Werner, Frydag e outros, aos esquemas "fantásticos", anteriormente, propalados por gente como Koppenberg e Ernst Heinkel. Na política do regime nazista, assolada por crises, no outono de 1941, uma retórica de racionalização, na verdade, substituía outra. A crítica de Werner sobre as práticas de produção existentes poderiam ser feitas com idêntico vigor em relação a, quase qualquer fábrica da Alemanha — e, até mesmo, em qualquer outra parte do mundo — a qualquer momento, desde o início da década de 1930. Com efeito, Werner vinha apresentando argumentos ao Ministério da Aeronáutica havia pelo menos dois anos, antes de ser finalmente elevado a uma função de âmbito nacional por Fritz Todt.[96] Somente em outubro de 1941, suas críticas foram levadas a um primeiro plano, exatamente no momento em que se tornou patente a inexistência tanto de mão de obra quanto de materiais com os quais realizar os enormes planos de expansão em que Milch e Göring haviam embarcado tão confiantemente, apenas alguns meses antes. Nesse sentido, foi a Luftwaffe a responsável pelo surgimento do "conserto retórico", generalizado pelo decreto de racionalização de Hitler de 3 de dezembro, dirigido a toda a economia de armamentos: a atenção detalhada ao processo produtivo libertaria a produção, tornando-a ilimitada e permitiria à Alemanha sobrepujar todas as peias impostas pela escassez de recursos. O obstinado Werner, naturalmente, prometera coisa muito mais modesta: mencionara a possibilidade de elevar a produção, talvez, em 40%.

Além disso, como era evidente a todos os envolvidos, a produção em massa de um aparelho complexo como uma aeronave tinha um custo.[97] A produção deveria limitar-se a um pequeno número de modelos e estes precisavam permanecer "congelados" durante um prazo suficientemente longo para que as fábricas pudessem obter economias de escala significativas. Era, portanto, necessário uma inescapável transação entre qualidade e quantidade. Como a Alemanha não podia pretender competir, diretamente, com o volume de produção dos Estados Unidos, não era fácil conseguir esse equilíbrio. Conforme vimos, em 1941, Udet abstivera-se de comprometer recursos adicionais para a produção em massa de modelos existentes, exatamente porque esperava que novas aeronaves, em estágio de desenvolvimento, como o Me 210 e o He 177, trariam avanço tecnológico significativo. No final do ano, com Udet já falecido, Milch viu-se diante de dois desastres humilhantes no setor de desenvolvimento. É preciso cautela para não conferir importância exagerada a esses problemas. É inteiramente equivocado concluir que eles refletissem alguma profunda debilidade estrutural do complexo industrial-militar alemão.[98] Afinal de contas, a Alemanha já estava bastante adiantada no desenvolvimento de uma nova geração de aviões com propulsão a jato que estava na vanguarda da engenharia aeronáutica. Os problemas de desenvolvimento surgidos em relação ao avião de combate Me 210 decorriam de uma aposta de alto risco feita pela Luftwaffe no final da década de 1930.[99] Em vez de percorrer o ciclo normal de quatro anos, do protótipo à produção em série, o Ministério da Aeronáutica havia tentado dar um salto na corrida armamentista aérea, reduzindo o prazo para três anos. Isso envolvia o risco deliberado de lançar, apressadamente, em produção em série, uma aeronave que ainda não tinha sido completamente testada. No caso do Ju 88, o tiro não saiu pela culatra. Embora essa aeronave não fosse a arma milagrosa prometida por Göring, sem dúvida, era útil para o serviço. Tampouco o caça pesado Me 210 e o malfadado He 177 eram verdadeiros fracassos. Em 1943, ambos se revelaram aviões de combate viáveis. O que necessitavam era de mais tempo de desenvovimento e especificações de projeto mais razoáveis. No início de 1942, no entanto, isso não servia de consolo para Erhard Milch. Centenas de Me 210 perigosamente instáveis estavam saindo das linhas de produção nas instalações da Messerschmitt em Regensburg e Augsburg. Uma quantidade ainda maior de aviões semiacabados se acumulavam nas oficinas de montagem e já existiam peças em estoque para outras 800 unidades. Milch não teve opção a não ser cortar as perdas e cancelar todo o programa. Em vez disso, numa tentativa desesperada de juntar quantidade e qualidade, ele resolveu concentrar toda a capacidade disponível na produção em massa dos modelos que já tinham sido experimentados e testados nos primeiros anos da guerra.[100]

A nova orientação de se concentrar na produção em massa, sem dúvida, produziu resultados. No verão de 1943, a produção de aviões atingira mais do que o dobro do nível do inverno de 1941-42. A ampla diferença que ocorrera entre a Grã-Bretanha e a Alemanha ficou substancialmente reduzida. Pela primeira vez, a indústria aeronáutica alemã conseguiu obter economias de escala substanciais. Os recursos despejados sobre a Luftwaffe, em 1940-41, foram então concentrados na montagem em massa. As máquinas-ferramenta disponíveis foram organizadas de maneira eficiente a fim de produzir longas séries de aeronaves idênticas. No entanto, nada havia de miraculoso nesse processo. Desde o início da década de 1920, quando surgiram os aviões feitos integralmente de metal, os engenheiros aeronáuticos alemães haviam estimado que os custos decresceriam em progressão geométrica à medida que a escala de produção aumentasse.[101] Chegaram a calcular uma fórmula que descreveria esses chamados efeitos da curva de aprendizado em termos algébricos. A experiência de 1941 mostrou que tais previsões eram notavelmente precisas. Os custos declinaram fortemente quando cada fábrica passou a se concentrar em "seu" modelo padrão. A Alemanha continuou a fabricar aeronaves em grupos um pouco menores do que os norte-americanos, mas o que surpreende a respeito dos recordes de produção, após 1942, não é a diferença e sim a proximidade das estatísticas *per capita*. Enquanto na maioria das indústrias manufatureiras norte-americanas a vantagem dos Estados Unidos sobre a Alemanha era de 2 para 1, o hiato em arcabouços de aeronaves em 1942 e 1943 não era maior do que 50%.[102]

No entanto, a Alemanha pagava um preço elevado por essa expansão quantitativa da produção: a crescente obsolescência tenológica do armamento da Luftwaffe. Já em outubro de 1941, uma comissão de pilotos de primeira linha, encarregados pelo Estado-Maior da Aeronáutica de avaliar o programa de desenvolvimento da Luftwaffe, havia expressado horrorizada descrença com a exigência de Milch de grande aumento da produção do Heinkel 111.[103] A Luftwaffe testara esse bombardeiro, inicialmente, em fevereiro de 1934, quando a

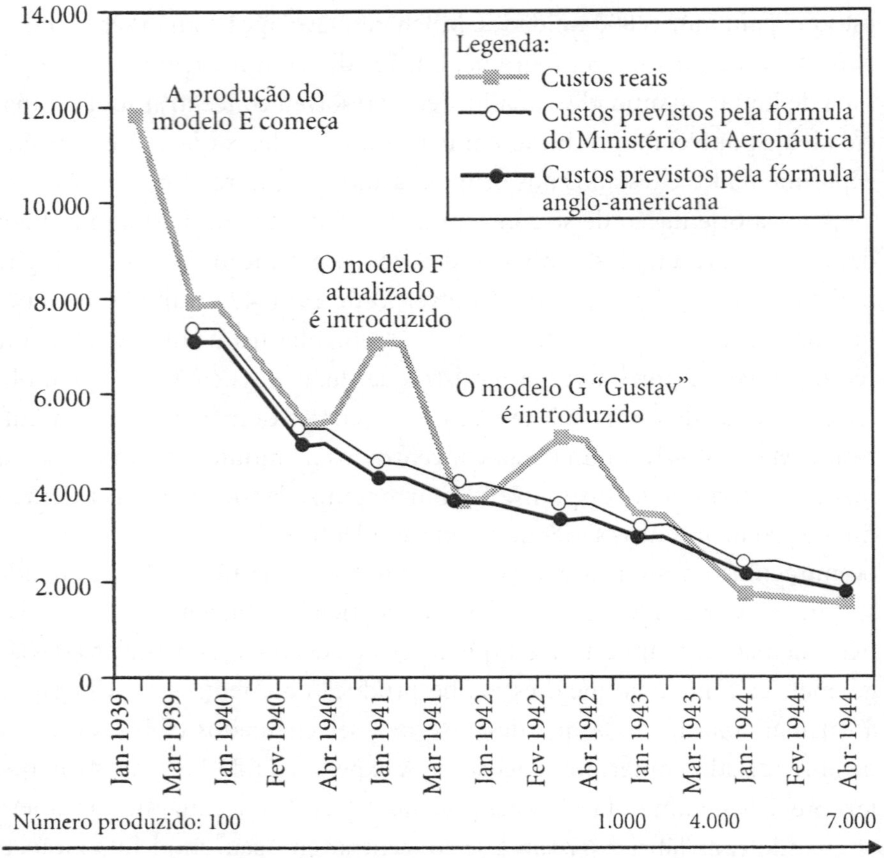

Gráfico 21. Aprendendo a fazer o Me 109 na Messerschmitt em Regenburg (horas por avião)

Força Aérea de Göring ainda se encontrava em sua fase clandestina. Na época, o He 111 era um avião avançado e tinha se beneficiado de contínuos aperfeiçoamentos. Mas, no outono de 1941, os comandantes da Luftwaffe o consideraram inadequado para uso em missões nos céus da Grã-Bretanha, mesmo sob a proteção da noite. Aconteceu, contudo, que o He 111, junto com outros bimotores como o Me 110 e 210/410, ganhou uma extensão de sua vida útil, depois de 1942, em missões defensivas, como caças noturnos na batalha contra a RAF. Como as missões do Comando de Bombardeiros da RAF não previam escolta de caças, a tarefa de interceptação noturna não dependia muito de velocidade e capacidade de manobra absolutas. Para localizar e destruir as lentas frotas de bombardeiros, as tripulações alemãs precisavam de volumosa aparelhagem eletrônica e canhões pesados, que eram facilmente transportáveis pelos bombardeiros bimotores da safra da década de 1930. Somente depois que a Força Aérea norte-americana passou a escoltar ataques diurnos de bombardeiros, na segunda metade de 1943, desafiando diretamente as forças de combate da Luftwaffe, é que o verdadeiro custo da decisão de Milch sobre desenvolvimento de projetos começou a se fazer realmente sentir. O baluarte do poderio defensivo diurno da Luftwaffe eram os Me 109. Dentre o grande aumento de produção de aviões conseguido por Milch, depois de 1942, esses caças representavam, de longe, a maior parcela. Ao serem inicialmente testados em combate na Guerra Civil espanhola, em 1937, os Messerschmitt 109 eram a tecnologia de ponta. Cinco anos depois, devido a deficiências em seu projeto aerodinâmico, o avião já tinha chegado ao limite de sua capacidade de desempenho. Depois de equipado com novos motores mais volumosos, a versão de 1943 do Me 109, denominada Me 109G ou "Gustav", rivalizava com seus correspondentes britânicos, norte-americanos e soviéticos em velocidade em linha reta, mas somente com sacrifício da agilidade em combate. Segundo um ás norte-americano que pilotou todos os principais aviões de combate da Segunda Guerra Mundial, a pouca maneabilidade do Me 109G o tornava "inaceitável como avião de caça", liminarmente "obsoleto", uma "coleção impossível de sobressaltos e abalos".[104] Em velocidade de combate, eram necessários quatro segundos para uma guinada em ângulo de 45 graus. Voando a 500 quilômetros por hora, isso era absurdamente lento. Em combate a baixa altitude, os pilotos dos Mustang e Spitfire descobriram que eram muitas vezes capazes de provocar seus indefesos correspondentes alemães a se chocarem com o solo, porque o Me 109 era demasiadamente lento para se recuperar de qualquer manobra mais violenta. Entre 1942 e 1944, Milch supervisionou a produção de quase 24 mil dessas aeronaves de qualidade inferior. Para milhares de pilotos da Luftwaffe espremidos em suas apertadas carlingas, os Messerschmitts produzidos em massa por Milch se transformaram em pouco mais do que armadilhas mortais.[105]

IV

O breve período entre a primavera e o outono de 1942 foi a lua de mel de Speer. Foi o momento perfeito para lançar a propaganda do milagre armamentista. O crescimento da produção coincidiu com a derradeira fase da guerra na qual as potências do Eixo tiveram capacidade de ditar o ritmo e a intensidade dos combates.[106] Até o verão de 1942, parecia que a maior jogada de Hitler, sua aliança com o Japão contra os Estados Unidos, daria resultado. No início de 1942, os japoneses invadiram, sem encontrar resistência, a Birmânia, a Malásia, a Indonésia e as Filipinas, desferindo um golpe mortal, senão contra os Estados Unidos, pelo menos, contra o Império Britânico na Ásia. No Atlântico, os submarinos dizimavam os navios mercantes norte-americanos desprotegidos. No norte da África, Rommel teve extraordinário progresso contra adversários ineptos, tomando Tobruk em 21 de junho de 1942 e avançando, rapidamente, em direção ao Egito. Com a Grã-Bretanha tropeçando de desastre em desastre, parecia que Hitler realizaria seu sonho mais caro. Churchill enfrentava uma moção de desconfiança na Câmara dos Comuns.[107] Talvez os britânicos pudessem realmente perder a guerra. Enquanto isso, o *Ostheer* dava mostras de se haver recuperado do choque sofrido no inverno.[108]

Em maio de 1942, a Wehrmacht afastou com facilidade uma ofensiva soviética mal realizada na direção de Kharkov, conseguindo fazer quase um quarto de milhão de prisioneiros. Poucas semanas depois, o general Manstein recolheu mais 150 mil prisioneiros na Crimeia. O Exército alemão, que iniciou a grande ofensiva no sul, em 28 de junho, era mais débil, em todos os aspectos, do que o que invadira a União Soviética um ano antes. Porém, inicialmente, o Grupamento Sul do Exército obteve progressos surpreendentes. Stalin havia estacionado suas reservas remanescentes, não no sul, mas em defesa de Moscou. Para as unidades russas que enfrentavam a principal onda do ataque alemão, a prioridade absoluta era evitar serem novamente cercadas. Na última semana de julho de 1942, o 1º Exército Panzer havia invadido Rostov e o setor meridional das linhas soviéticas dava sinais de desintegração. Animado por esses êxitos iniciais, Hitler dividiu o Grupamento Sul em dois braços. O flanco norte, mais fraco, seguiu diretamente para o leste em direção a Stalingrado, no rio Volga. A força principal dirigiu-se para o sudeste, em busca do petróleo do Cáucaso. Em 9 de agosto, uma guarda avançada de tropas de montanha atingiu Maikop, o campo petrolífero mais próximo na região do Cáucaso. As instalações estavam de tal maneira sabotadas que os alemães acharam melhor perfurar novos poços. Para isso foi preciso transportar laboriosamente enormes carregamentos de equipamento pesado de perfuração através das passagens de montanha. A posição conquistada pelos alemães era tênue, e não se podia dizer de que maneira seria possível levar grandes quantidades de petróleo para fora do Cáucaso, mesmo que pudessem conservar suas posições. Mas o alento psicológico de haver chegado aos fabulosos campos petrolíferos foi enorme. Até mesmo Baku parecia agora estar ao alcance. Em 30 de agosto de 1942, a 3ª Divisão Panzer tomou uma cabeça de ponte no rio Terek, o último grande obstáculo natural no caminho de Grosny e na linha férrea que seguia para o sul, rumo ao mar Cáspio.[109]

Em público, pelo menos, o Terceiro Reich retomou seu tom costumeiro de júbilo desafiador. Em julho, Hitler mudou seu quartel-general para a Ucrânia a fim de ficar mais perto da ação e, em 23 de julho, expediu a Instrução no. 45, anunciando que "em uma campanha de pouco mais de três semanas, os objetivos gerais fixados para o flanco sul da frente oriental... foram essencialmente alcançados. Somente forças inimigas débeis...conseguiram escapar ao cerco...".[110] Parecia que, novamente, a União Soviética se encontrava próxima ao colapso. Dada a decepção do inverno e primavera anteriores, o público alemão se mostrou inicialmente desconfiado.[111] No entanto, no fim de julho de 1942, a Gestapo relatava uma onda de otimismo, que Goebbels e Göring se esforçaram por transformar em entusiasmo febril. O foco voltava a ser, decididamente, o saque da Ucrânia. Como vimos, estava em curso um novo e implacável esforço para assegurar que a Alemanha efetivamente recebesse víveres dos territórios ocupados. O verão de 1942 seria a última grande temporada para projetos de assentamento no leste e império racial. Enquanto as tropas petrolíferas labutavam em Maikop, a Kontinentale Öl, empresa petrolífera alemã recém-criada, fazia planos para a tomada dos ativos britânicos nas regiões de petróleo do Egito.[112] Na Rússia, os *Einsatzgruppen* prosseguiam a segunda fase de seu macabro programa de matança. Entre 17 e 19 de julho, Heinrich Himmler visitou Auschwitz e o Governo Geral a fim de transmitir as instruções fatais que trazia de Berlim. O choque de dezembro de 1941 ia sendo esquecido. Tendo derrotado o Exército Vermelho e conquistado o sul da União Soviética, o regime nazista já não teria a temer uma grande ameaça no leste. Bastaria defender seu império continental contra a Grã-Bretanha e os Estados Unidos. Como ocorrera no ano anterior, Hitler, até mesmo, especulava sobre a possibilidade de liberar do exército centenas de milhares de operários alemães especializados para que se concentrassem nas necessidades de produção da Luftwaffe e da Marinha.[113]

Mas apesar dessa onda de otimismo, as preocupações inicialmente provocadas pela crise do inverno de 1941-42 nunca foram completamente silenciadas. Como vimos, o equilíbrio entre carvão e aço do qual dependia a continuação do milagre armamentista de Speer já se tornara crítico em agosto. Os termos com os quais Hitler ameaçara Pleiger, em 11 de agosto, contrastavam fortemente com o otimismo distribuído tão fartamente por Göring e Goebbels. Para Hans Kehrl, que não participara das conversas desesperadas do inverno anterior, as menções ostensivas de Hitler à possibilidade de derrota eram profundamente desconcertantes.[114] Poucas semanas antes, o *führer* surpreendera outros ouvintes ao declarar que, a menos que os campos de petróleo do Cáucaso fossem conquistados até o fim do ano, isso também significaria o fim da guerra.[115] Cada vez mais, o que preocupava Hitler era a iminente batalha com as potências ocidentais.[116] Em agosto, Churchill recuperara-se dos desastres da primeira metade do ano e Hitler temia que, na eventualidade de um repentino colapso soviético, britânicos e norte-americanos tentassem um desembarque imediato e improvisado na França ou na Noruega. Ele levava em conta essa possibilidade com tanta seriedade que ordenou a transferência, da frente oriental para o oeste, de várias divisões da SS de alta qualidade. Além disso, em 15 de agosto de 1942 Hitler determinou a construção acelerada da monstruosa Muralha Atlântica, sua Linha Maginot na costa.

O *führer* sabia que dispunha apenas de mais alguns meses para terminar a guerra no leste, caso pretendesse causar dano à coalizão antinazista. Porém, assim como em 1941, a pergunta era: o Exército Vermelho estará realmente derrotado? O general Halder, chefe do Estado-Maior, estava realmente convencido, no final de julho, de que o *Ostheer* não era suficientemente robusto para obrigar o Exército Vermelho a uma derrota decisiva. No dia 23 de julho, data da tomada de Rostov e do anúncio de Hitler sobre a consecução dos principais objetivos da operação no sul, Halder confiou ao seu diário a observação de que "a crônica tendência a minimizar a capacidade do inimigo está gradualmente assumindo proporções grotescas e se transformando em verdadeiro perigo".[117] A atitude sombria de Halder foi confirmada apenas alguns dias depois por um violento contra-ataque soviético em direção a Rhzev, no coração do Grupamento Sul do Exército alemão.[118] Conforme Fromm já expusera em fevereiro de 1942, o *Ostheer* enfrentava crescente escassez de soldados. Desde o início dessa ofensiva, o Grupamento Sul tinha sofrido 280 mil baixas, das quais somente a metade tinha sido compensada.

No total, Halder previa um déficit de 750 mil homens até novembro de 1942, mais do que a totalidade das hostes de adolescentes que eram esperadas até o fim do ano.[119] A situação ficou ainda mais grave no final de agosto, quando a Frente Norte soviética lançou um ataque maciço para tentar romper o cerco de Leningrado.[120] O Grupamento Norte do Exército alemão conseguiu impedir a penetração soviética e acabou destruindo a força atacante, porém, com o custo de 26 mil baixas, o que negava qualquer esperança de Hitler em esmagar as defesas soviéticas da cidade.[121] No fim de setembro de 1942, o general Fromm, na qualidade de chefe do serviço de suprimentos do Exército, enviou um memorando a Hitler pedindo um fim negociado para a guerra como única forma de salvar a Alemanha do desastre. Fromm tinha estreita relação de trabalho com Speer, que foi plenamente informado das opiniões do general. Speer, porém, permaneceu em silêncio. Hitler não estava com disposição para o derrotismo. No final de setembro, Halder já fora substituído na função de chefe do Estado-Maior e Fromm estava a caminho do esquecimento político.[122]

Enquanto a ferrenha resistência do Exército Vermelho ia prolongando para um segundo ano a guerra no leste, os riscos para a Wehrmacht aumentavam. Em comparação com o outono de 1941, quando os alemães e seus aliados haviam, por vezes, gozado de superioridade numérica em relação ao Exército Vermelho, no outono de 1942 a correlação de forças favorecia os soviéticos por uma margem que tendia a ser de dois para um.[123] Dadas as horrendas baixas sofridas pelos russos, até o outono de 1942, isso representava tanto uma afirmação da extraordinária capacidade de mobilização do regime de Stalin quanto um reflexo do desequilíbrio demográfico subjacente. Mais notável ainda era o fato de que, em certos pontos-chave da linha de combate, os soviéticos haviam conseguido apoiar sua superioridade numérica com preponderância semelhante em artilharia, tanques e aviões. A verdade era que, apesar da propaganda otimista dos noticiários cinematográficos, Speer e Milch estavam perdendo a batalha das fábricas. Mesmo deixando de lado os britânicos e norte-americanos, que produziam em circunstâncias muito mais favoráveis, a Alemanha estava sendo superada pela União Soviética acossada. Se houve um verdadeiro "milagre armamentista", este ocorreu não na Alemanha, e sim nas fábricas de armamentos dos Urais. Apesar de haver sofrido perdas territoriais e perturbações que resultaram em uma queda de 25% da produção nacional total, a União Soviética, em 1942, conseguira superar a Alemanha na produção de praticamente todas as categorias de armamentos. A margem em armas pequenas e artilharia era de três para um. Em tanques, a assombrosa diferença era de quatro para um, acentuada pelo tanque soviético T34, de qualidade superior. Mesmo em aviões de combate, a vantagem soviética era de dois para um.[124] Foi essa superioridade industrial, que contrariava qualquer expectativa, o que permitiu ao Exército Vermelho, primeiro absorver a segunda grande investida da Wehrmacht e, em seguida, em novembro de 1942, lançar toda uma série de contra-ataques devastadores. Seria um verdadeiro equívoco, naturalmente, atribuir os êxitos do Exército Vermelho, após o verão de 1942, inteiramente à força bruta. No outono desse ano, a liderança das forças russas revelava capacidade de planejamento operacional que rivalizava com o que havia de mais competente no lado alemão. Por outro lado, também é inegável que os triunfos de Zhukov e seus colegas teriam sido impossíveis sem o excelente material fornecido pelas fábricas da Rússia.

Para evitar mal-entendidos, trata-se aqui, com toda a ênfase, de uma história de êxito soviético e não de fracasso alemão. No terceiro ano de plena guerra, havia pouca diferença entre o nível da produção de armamentos da Grã-Bretanha e o da Alemanha. Duas economias que, em 1936, tinham possuído setores industriais de dimensões aproximadamente iguais produziam, agora, níveis, semelhantes de armamentos.[125] É claro que a Grã-Bretanha se beneficiava da abundância do empréstimo-arrendamento, enquanto a Alemanha tinha de se contentar com os parcos recursos obtidos na Europa ocupada. Além de armamentos, em 1942, a Alemanha produzia, também, um volume muito maior de bens de investimento do que a Grã-Bretanha, vantagem que se traduziria, até 1944, em uma produção de armamentos substancialmente mais elevada. O desempenho excepcional coube à União Soviética, que, em 1942, produziu o dobro do armamento de infantaria, a mesma quantidade de peças de artilharia e quase o mesmo número de aviões de combate e tanques do que os Estados Unidos, indiscutível campeão do mundo das manufaturas. O milagre soviético não se deveu a assistência ocidental. O empréstimo-arrendamento somente começou a afetar o equilíbrio na frente ocidental, em 1943. A melhor explicação singular para esse notável triunfo é a extraordinária concentração da produção soviética em um pequeno número de armas em um punhado de fábricas gigantescas, o que permitiu a mais completa realização possível de economias de produção em massa.[126] Mas é também claro que o milagre de produção ocorreu à custa de um enorme sacrifício na frente interna soviética, na qual centenas de milhares, senão milhões, de pessoas morreram de fome em prol do esforço de guerra.[127] Com a profunda redução da mão de obra agrícola, a fim de permitir a máxima concentração dos recursos humanos no Exército Vermelho e na produção de armamentos, somente os que trabalhavam recebiam rações adequadas. Da mesma forma, o extraordinário nível de mobilização atingido pela União Soviética em 1942 e início de 1943 não era sustentável. Em 1944, a Alemanha já desfizera a vantagem soviética em todas as categorias. No entanto, nessa altura, isso já não importava. Conforme bem sabiam Albert Speer e Erhard Milch, 1942 era o ano decisivo da guerra. Para que o Terceiro Reich tivesse alguma chance de sobrevivência, era preciso que eles fornecessem ao Grupamento Sul do Exército o equipamento necessário para infligir uma derrota decisiva ao Exército Vermelho. Graças aos esforços extraordinários da União Soviética, ambos fracassaram.

17

Sem lugar para dúvidas

EMBORA, NO OUTONO DE 1942, JÁ NÃO fosse possível ignorar a exaustão do Exército alemão no leste, a superioridade material dos inimigos de Hitler se fez sentir, inicialmente, de maneira avassaladora, não na frente oriental e sim no norte da África.[1] É possível marcar com precisão o momento em que o equilíbrio se deslocou. Em 21 de junho de 1942 o reduzido Afrika Korps, de Rommel, humilhou, em Tobruk, o 8º Exército britânico, muito mais numeroso. Em reação imediata, o presidente Roosevelt despachou para o Egito o primeiro de uma série de comboios de emergência, carregados com 400 tanques norte-americanos e artilharia autopropulsora. Tão logo chegassem a Suez, o Afrika Korps, cujo poderio em tanques, raramente, excedia 250 veículos, estaria definitivamente superado em termos numéricos. Após o primeiro e sangrento confronto em El Alamein, no fim de julho de 1942, Rommel percebeu que não teria mais do que poucas semanas para obter um êxito definitivo contra as forças da Comunidade Britânica, que bloqueavam o caminho para o canal de Suez. Em 6 de setembro, graças à obstinada resistência da Comunidade à maciça superioridade aérea britânica e a uma escassez crônica de combustível, a última ofensiva de Rommel ficara inconclusivamente paralisada em Alam el Halfa. O primeiro tanque Sherman chegou ao Egito nos primeiros dias de setembro. Em 11 do mesmo mês, já eram mais de 300. O general Montgomery poderia iniciar sua contraofensiva confiante em superioridade numérica esmagadora. Na noite de 23-4 de outubro, na segunda batalha de El Alamein, o 8º Exército atacou com uma frota de quase mil tanques, metade dos quais feitos nos Estados Unidos e equipados com poderosos canhões de 75 milímetros. Em contraposição, Rommel dispunha somente de 123 Mark III e Mark IV avançados; o restante de suas forças era composto por tanques ligeiros obsoletos. As tropas de Montgomery, com 200 mil soldados, continham homens vindos da Grã-Bretanha, África do Sul, Nova Zelândia, Austrália e Índia. Rommel e seus aliados italianos mal conseguiam chegar a 100 mil. Mesmo com as pesadas baixas sofridas pelas forças da Comunidade, o resultado nunca esteve em dúvida. Em 4 de novembro, o Afrika Korps iniciou uma retirada que durou três semanas e somente se deteve, em 26 de novembro, na posição em Marsa el Brega, quase 400 quilômetros a oeste, no litoral da Líbia. Nessa altura, os Aliados ocidentais já haviam feito uma segunda contundente demonstração de seu alcance estratégico.[2] Em 8 de novembro de 1942, 63 mil homens e 430 tanques desembarcaram, simultaneamente, em três praias no Marrocos e na Argélia, trazidos por uma frota de cerca de 700 barcos, acompanhados por nada menos do que 5 encouraçados, 7 porta-aviões e 14 cruzadores. Trinta e cinco mil soldados, sob o comando do general Patton, haviam cruzado o Atlântico, partindo diretamente da baía Chesapeake. O restante viera por mar do estuário de Clyde para a África.

Na frente oriental, a campanha de verão seguia o modelo já estabelecido, em 1941.[3] A imensa extensão do território soviético e a feroz resistência do Exército Vermelho levavam os alemães ao limite de suas forças. Durante três angustiosos meses, Zhukov deteve o 6º Exército nas ruínas de Stalingrado, provocando Hitler para que usasse cada vez mais unidades blindadas e infantaria.[4] Enquanto isso, os soviéticos, com manobras de despistamento e máximo sigilo, concentravam tropas frescas de reservas nos flancos, ao longo do rio Don e no baixo curso do Volga. Desta vez, ao contrário do que ocorrera em dezembro de 1941, o peso dos números favorecia o Exército Vermelho. Ao longo de toda a frente oriental, a vantagem soviética era, provavelmente, da ordem de dois para um. Mais importante, porém, era o fato de que o Exército Vermelho, nessa altura, já aperfeiçoara o princípio de concentração, que os alemães haviam utilizado com tanta eficácia no início da guerra. Na crucial frente sudoeste, de onde o Exército soviético iria lançar o primeiro braço do cerco de Stalingrado, 12 divisões de assalto completas, com centenas de tanques e mais de 170 mil soldados, aglomeravam-se no setor de apenas 22 quilômetros.[5] Quando foi desatada a tormenta, em 19 de novembro, o 3º Exército romeno e um Corpo Panzer alemão de poderio reduzido foram, simplesmente, despedaçados. Conforme registrou, mais tarde, um oficial alemão, foi "um quadro de horror. Espicaçados pelo temor aos tanques soviéticos, os caminhões, veículos de comando, motocicletas, cavaleiros e carroças [alemães] correram para o oeste, abalroaram-se, atolaram e capotaram, bloqueando a estrada. Em meio a tudo isso, os pedestres atravessavam, empurravam-se, acotovelavam-se, procurando avançar. Os que tropeçavam e caíam ao chão não voltavam a se erguer. Eram pisoteados, atropelados e esmagados".[6] Em 20 de novembro, a plena intenção da ofensiva soviética tornou-se clara, quando, ao sul de Stalingrado, o 51º Exército soviético irrompeu a tiros de canhão, avassalando as débeis forças romenas, e prosseguiu rapidamente para o noroeste, em direção ao Don. Em 23 de novembro, as duas pontas da pinça soviética já tinham se encontrado, cercando o 6º Exército alemão e também os remanescentes do 4º Exército Panzer e o 3º e 4º Exércitos romenos. Os últimos sobreviventes se renderam, em 2 de fevereiro de 1943, após um cerco de 10 semanas, com a perda de 250 mil soldados da Wehrmacht e um número não registrado de romenos, italianos e auxiliares soviéticos. Duas semanas antes, o contra-ataque soviético havia obrigado os alemães a abandonarem suas posições no Cáucaso. Em meados de fevereiro de 1943, o maltratado *Ostheer* tinha sido obrigado a retroceder às posições de onde havia iniciado a ofensiva no mês de junho anterior. Nesse ponto, a superioridade alemã no campo de batalha era ainda suficiente para deter a derrocada. Rommel, no norte da África, e Manstein, na Ucrânia, conseguiram estabilizar a situação, pelo menos por algum tempo, detendo as ofensivas aliadas. No entanto, essa calmaria foi de curta duração. Enquanto na frente ocidental prevalecia um hiato de exaustão, britânicos e norte-americanos retomaram as hostilidades contra o Afrika Korps, na Tunísia, finalizando a inevitável vitória, em 13 de maio de 1943. "Tunisgrado" custou à Alemanha mais 290 mil homens.

A situação não era melhor na guerra naval.[7] Com a retirada, na primavera de 1942, da costa do Atlântico para águas norueguesas, a guerra para a frota alemã de superfície terminou sem alarde em dezembro do mesmo ano.[8] Não havia combustível suficiente para assegurar operações de longo alcance. Não havia porta-aviões para cobertura aérea. Teria sido melhor para a Alemanha que não tivesse ocorrido o desastre de propaganda da perda de um dos principais navios, porém, o pior era o triste destino dos submarinos. Na primavera de 1943, eles ainda causavam terríveis prejuízos à navegação mercante aliada. Entre 16 e 20 de março desse ano, os comboios HX 229 e SC 122, num total de 100 navios, lutaram contra três grupos de 40 submersíveis na maior batalha de comboios da guerra. Os Aliados perderam 21 embarcações, estimadas em 140.842 toneladas. Dezenas de submarinos foram gravemente atingidos, mas somente um afundou. Segundo declarou o almirante Dönitz, foi a maior vitória da frota de submersíveis, mas esses êxitos não eram capazes de disfarçar o crescente aspecto desigual da guerra naval. Dos 17 grandes comboios que cruzaram o Atlântico, em meados de março de 1943, os submarinos interceptaram somente três. Embora o total de afundamentos praticados pelos submarinos nesse mês e ano chegasse a quase 650 mil toneladas, isso não era suficiente para ameaçar a rota transatlântica de suprimentos. As perdas de navios mercantes aliados foram superiores a 500 mil toneladas mensais, durante o ano de 1942 e início de 1943, mas isso era mais do que compensado pela enorme produção dos estaleiros norte-americanos, que eram, agora, capazes de fornecer barcos totalizando mais de um milhão de toneladas a cada mês. A partir de agosto de 1942, sob constantes ataques de submersíveis, a capacidade mercante dos Aliados se expandia, em vez de se reduzir. Enquanto isso, as perdas de submarinos cresciam assustadoramente. Guiadas por decifrações das comunicações por rádio entre os submersíveis, utilizando novos equipamentos de sonar e auxiliadas pela supremacia aérea, as marinhas da Grã-Bretanha e dos Estados Unidos acabaram com a ameaça dos submarinos. Em maio de 1943, o almirante Dönitz estava perdendo as embarcações e tripulações ao ritmo de um por dia. Com um quinto de sua frota do Atlântico afundada no curso de um mês, Dönitz ordenou a retirada de suas "alcateias", em 24 de maio. Incapaz de sustentar uma guerra de desgaste contra a avassaladora superioridade industrial e tecnológica de seus inimigos, o ramo mais débil das forças armadas da Alemanha fora alijado da guerra.

I

A reação de Hitler e Speer aos desastres do início de 1943 foi previsível: aumento da campanha de mobilização e aceleração da "propaganda armamentista".[9] Os soldados do 6º Exército não morreriam em vão.[10] A destruição em câmara lenta dos últimos inúteis bolsões de resistência em Stalingrado proporcionara ao restante da frente sul alemã a oportunidade de se retirar de forma razoavelmente ordenada para uma posição não muito diferente da que havia ocupado, em junho de 1941. A Alemanha ainda controlava a maior parte da Ucrânia e o carvão e minério de ferro de Donetz. Durante três meses Hitler ordenou que toda a produção do ministério de Speer fosse dirigida exclusivamente à frente oriental.[11] Em 13 de janeiro de 1943, Keitel, Hans Lammers e Martin Bormann instalaram-se como um triunvirato com a missão de supervisionar a mobilização de toda a população da Alemanha para trabalhar no esforço de guerra. Todos os homens e mulheres do país, sem exceção, teriam de ser registrados pelas agências de emprego e sua contribuição potencial seria avaliada. Todas as firmas do setor civil foram submetidas a severa investigação. As que não fossem estritamente essenciais ao esforço de guerra deveriam ser fechadas. A produção de armamentos, nos primeiros meses de 1943, expandiu-se rapidamente em um amplo horizonte. No fim de maio de 1943, já era 120% maior do que quando Speer assumira o cargo. Metade desse aumento era representado pela Luftwaffe e o restante pelo setor de Speer, no qual as munições, a artilharia e o armamento para a infantaria continuavam a preponderar. Mas "progresso numa frente ampla" não era o brado de união de que Hitler e Speer necessitavam naquele desesperado inverno de 1942-43. Precisavam de uma "grande história" com a qual devolver a energia à frente doméstica. A resposta foi o Programa Panzer Adolf Hitler, anunciado com grande estardalhaço, em 22 de janeiro de 1943.[12]

Naturalmente, os tanques não constituíam novidade no esforço armamentista alemão, e Speer, claramente, compreendeu, desde o início, sua importância simbólica. Poucos dias depois de assumir as novas funções, ele realizou uma longa visita ao campo de provas de tanques em Sankt Johann e Kummersdorf, onde foi fotografado dirigindo um dos modelos mais recentes.[13] Como vimos, a comissão de tanques havia aumentado drasticamente seu programa de produção desde o verão de 1941. Os novos modelos — Pantera e Tigre — vinham sendo ansiosamente esperados desde o verão de 1942. Havia gigantescos novos centros de produção em fase de construção, principalmente, o Niebelungenwerk, em Sankt Valentin, perto de Linz. No início de setembro de 1942, Speer acertou com Rohland, que presidia a Comissão Principal para tanques, uma nova meta de produção de 1,4 mil veículos por mês até a primavera de 1944, composta de 600 Panteras, 50 Tigres, 150 tanques leves e uma mescla de 600 canhões de ataque e artilharia de autopropulsão.[14] Sob o impacto do desastre de Stalingrado, Hitler tomou a decisão impulsiva de dobrar esse número. Ele, agora, esperava uma produção de 900 tanques e nada menos do que 2 mil canhões de ataque por mês. O decreto que autorizava Speer a executar o Programa Panzer Adolf Hitler não era redigido na linguagem tecnocrática da racionalização, e sim na retórica drástica da Guerra Total. Obter um "aumento imediato da produção de tanques" era "de importância tão decisiva para o resultado da guerra que todas as agências civis e militares devem apoiar essa campanha de produção com todos os recursos disponíveis sob a direção do Ministério do *reich* para Armamentos e Munição".[15] A produção de tanques deveria ser dotada "ampla e generosamente" de mão de obra, matérias-primas, energia e máquinas, "mesmo que isso signifique que outros programas importantes da economia de armamentos fiquem temporariamente em desvantagem". Os operários das firmas produtoras de tanques ficariam isentos da convocação militar e todos os que tinham sido recrutados pela Wehrmacht, desde 18 de dezembro de 1942, voltariam a suas fábricas. Qualquer pessoa que não colaborasse com o Programa Panzer Adolf Hitler se veria diante do temível *Volksgerichtshof*. O decreto vinha junto com um grande apelo patriótico dirigido à força de trabalho do setor de tanques, que tinha sido feito na Alkett-Rheinmetall em Berlim, por Speer e Goebbels.[16] As fábricas de tanques foram autorizadas a seguir um regime de 72 horas de trabalho por semana. A fábrica Henschel, que produzia o Tigre, em Kassel, trabalhou 24 horas, em turnos de 12 horas, desde o outono de 1942. Alguns *stakhanovites*, embalados pelo entusiasmo do programa do *führer*, aparentemente, se ofereceram para trabalhar, sem parar, durante 24 horas.[17] À guisa de compensação, os heróis nacional-socialistas do trabalho receberam alimentação extra, vitaminas e cotas especiais de vestuário. Speer indicou-os para receberem condecorações. Uma colônia de férias no Tirol foi integralmente reservada para o uso de suas famílias.[18] Nos noticiários de cinema, Speer apareceu apertando as mãos de operários das fábricas de tanques e seus filhos, em companhia do general Guderian, novo chefe supremo do setor de tanques.

Não pode haver dúvida de que a Wehrmacht precisava de mais tanques. Na última semana de 1943, o *Ostheer* havia sofrido perdas a ponto de possuir somente 495 Panzers, dos quais nem todos estavam em condições de funcionamento.[19] Tampouco se pode negar a eficácia do Programa Panzer Adolf Hitler. O número de carros de combate produzidos em 1943, foi mais do que o dobro da quantidade fabricada no outono de 1942. Em termos de peso, a introdução dos novos modelos mais pesados significava um aumento da produção total de mais de 160%. No entanto, a extraordinária ênfase propagandística conferida ao Programa Panzer Adolf Hitler e os poderes especiais atribuídos a Speer para implementá-lo eram completamente desproporcionais à importância dos tanques no esforço geral de guerra. Mesmo no auge do Programa Panzer Adolf Hitler, a parcela dos tanques na produção total de armamentos não excedeu 7%. Enquanto isso, outros setores se viam em grave desvantagem, tanto em termos práticos quanto simbólicos.[20] A propaganda dos tanques feita por Speer produziu o efeito desejado de concentrar todos os industriais da Alemanha na nova prioridade máxima. Mesmo que outros programas tivessem status de alta prioridade, era difícil as empresas interessarem a subcontratadores importantes. A Luftwaffe, em especial, verificou ser praticamente impossível obter entrega rápida de caixas de diferencial para motores de aeronaves, tendo em vista a prioridade de que agora gozava a fábrica de motores para tanques Maybach. O Programa Panzer Adolf Hitler também abocanhou mais do que a parcela que lhe deveria caber em disponibilidade de transporte, provocando atrasos em entregas críticas. O entusiasmo criado pelo programa foi tão extraordinário que a Luftwaffe recorreu ao absurdo expediente de aplicar "prioridade Panzer" a encomendas de aviões, privilégio concedido, pela primeira vez, pela *Zentrale Planung*, em abril de 1943. E, apesar dessas dificuldades, o responsável principal pelo prosseguimento do aumento da produção de armamentos, na primeira metade de 1943, foi o programa de aeronaves de Milch e não o programa de tanques de Speer.

Em maio de 1943, Milch igualou o triunfo de Speer com os tanques por meio de um recorde ainda mais dramático: a produção de 2,2 mil aviões de combate em um único mês. Em todos os aspectos, era uma realização mais significativa do que a fartamente divulgada produção de 1.270 tanques de Speer. Para Karl Frydag, que como engenheiro graduado da Henschel, supervisionava tanto a produção do tanque Tigre quanto a Comissão Principal para arcabouços de aeronaves, não havia comparação. "A produção de tanques e a da Luftwaffe estão sempre sendo comparadas entre si. Não pode haver comparação; a produção de tanques nada vale quando vista diante da Luftwaffe".[21] À luz das estatísticas de armamentos, é difícil discordar. Em termos de valor produzido ou de consumo de recursos, a produção de aviões de combate era, pelo menos, cinco vezes mais importante do que a de tanques.

O Programa Panzer Adolf Hitler manteve o entusiasmo propagandístico que envolvia o Ministério do Armamento de Speer, durante a primeira metade de 1943.[22] No entanto, o que determinaria o futuro da produção de armamentos seria o abastecimento de aço. Levando os operários e fábricas ao ponto máximo, as siderúrgicas conseguiram elevar a produção, em março de 1943, a mais de 2,7 milhões de toneladas, suficientes para sustentar uma cota recorde para a Wehrmacht de mais de 1,4 milhão de toneladas mensais, no primeiro trimestre de 1943.[23] Após a temporária estabilização da frente oriental, no início de abril de 1943, Speer e Hitler debateram em termos otimistas a possibilidade de aumentar a produção de aço em mais 1 mihão de toneladas, a fim de permitir que os extraordinários incrementos na produção de armamentos prosseguissem por mais um ano.[24] No final de maio de 1943, enquanto o *Ostheer* se preparava para seu último grande esforço de estabilização da frente oriental, por meio de um ataque à região soviética de Kursk, a associação do aço do *reich* apresentou estimativas detalhadas das possibilidades existentes, no caso de a Alemanha conseguir manter o controle dos depósitos de manganês da Ucrânia. Presumindo que o marechal de campo Manstein pudesse conservar o domínio de Krivoj Rog, a RVE previa que poderia chegar a 3 milhões de toneladas mensais de aço até outubro de 1944, e elevar esse total para 3,25 milhões, em abril de 1945.[25] Sobre essa base, Speer esperava que a produção de armamentos continuasse a crescer ainda durante mais um ano ao ritmo espetacular conseguido em seus primeiros doze meses na função.

Na primavera de 1943, no entanto, a própria economia alemã de guerra foi diretamente tragada pelos combates. Como vimos, a ameaça de bombardeios anglo-norte-americanos vinha sendo parte importante do pensamento estratégico da Alemanha, pelo menos, desde 1940. Até o início de 1943, no entanto, não fora difícil enfrentá-la. A Real Força Aérea, simplesmente, não dispunha de bombardeiros pesados suficientes para causar danos contínuos à frente doméstica alemã, nem tampouco tecnologia necessária para guiá-los até seus alvos. As grandes incursões aéreas contra Lübeck (28/29 de março de 1942), Rostock (23/24 de abril de 1942), e os "ataques de mil bombardeiros" contra Colônia (30/31 de maio de 1942) e Essen (1º de junho de 1942) já davam certa indicação do que estava por vir, mas não se transformaram em uma campanha sustentada de destruição aérea.[26] Somente em março de 1943, o Comando de Bombardeiros da RAF passou a dispor de aviões adequados para montar um ataque prolongado contra o coração da indústria pesada alemã e da tecnologia para orientá-los até os alvos. A "Batalha do Ruhr" começou em 5 de março com um ataque contra a cidade industrial de Essen, sede da Krupp.[27] Entre 8h58 e 9h36 da noite, guiados pelo facho invisível do sistema OBOE de orientação eletrônica, 362 bombardeiros golpearam o alvo principal com um conjunto de explosivos incendiários e de alto poder, deixando atrás de si um rastro de chamas e destruição.[28] Nessa ocasião, a RAF não apenas atacou com grande potência, mas regressou repetidas vezes num período de cinco meses, despejando um total de 34 mil toneladas de bombas. A sequência de fortes bombardeios foi constante e salpicada de ataques diários para semear confusão por meio de pequenos grupos de bombardeiros leves do tipo Mosquito. Pesados ataques foram desferidos contra todos os principais nódulos do aglomerado do Ruhr: Essen (5, 12/13 de março, 3/4, 30 de abril, 27 de maio, 25 de julho), Duisburg (26/27 de março, 8/9 de abril, 12/13 de maio), Bochum (13/14 de maio, 12 de junho), Krefeld (21 de junho), Düsseldorf (25 de maio, 11 de junho) e Dortmund (4 e 23 de maio), Barmen-Wuppertal (29 de maio), Mülhein (22 de junho), Elberfeldiouppertal (24 de junho), Gelsenkirchen (25 de junho, 9 de julho), Colônia (16 e 28 de junho, 3 e 8 de julho). Para aumentar o tormento, em 16 de maio, bombas especialmente adaptadas destruíram as represas dos rios Möhne e Eder, inundando os campos de cultivo dos arredores e interrompendo o abastecimento de água. Os bombardeios mataram milhares de pessoas e causaram grandes prejuízos às cidades. Acima de tudo, no entanto, agrediram o nódulo mais vital da economia industrial alemã, exatamente no momento em que Hitler, Speer e a RVE esperavam impulsionar a produção de armamentos com novo incremento importante de suprimento de aço.

Pela leitura das fontes contemporâneas fica fora de dúvida que a Batalha do Ruhr significou para a história da economia de guerra da Alemanha uma reviravolta que tem sido em grande parte subestimada pelos relatos do pós-guerra.[29] Conforme reconheceu o próprio Speer, a RAF estava golpeando os alvos certos.[30] O Ruhr não era apenas a região produtora mais importante no campo de carvão de coque e aço, mas também uma fonte crucial de componentes intermediários de todos os tipos. A desorganização da produção no Ruhr provocava a interrupção das linhas de montagem na Alemanha. Quando o primeiro dos ataques pesados atingiu a Krupp, em Essen, Speer imediatamente viajou ao Ruhr a fim de se inteirar das providências para tratar dos desastres.[31] Foi obrigado a voltar em maio, junho e julho a fim de conferir energia à reação de emergência e estimular a mão de obra com atos de bravura pessoal que receberam ampla publicidade.[32] O Ruhr passou do status de frente doméstica ao de zona de guerra. Speer organizou uma equipe especial de emergência com absoluta autoridade sobre a economia local e traçou planos para a evacuação de toda a população não essencial. A força de trabalho remanescente seria organizada em linhas paramilitares, uniformizada e alojada em acampamentos para que pudesse ser rapidamente redistribuída para as fábricas ainda capazes de funcionar.[33] Speer, no entanto, nada mais podia fazer senão limitar os danos. Não podia deter os bombardeiros e nem evitar que prejudicassem, gravemente, o esforço de guerra alemão. Desde o início dos ataques aéreos pesados, no primeiro trimestre de 1943, a produção de aço reduziu-se em 200 mil toneladas. Depois de haver previsto um aumento total da produção de aço para 2,8 milhões de toneladas por mês e distribuído cotas proporcionais, a *Zentrale Planung* enfrentava, agora, um déficit de quase 400 mil toneladas. Todo o laborioso esforço empregado na reorganização do sistema de racionamento foi anulado pela capacidade britânica em prejudicar a produção mais ou menos à vontade. À luz da escassez de aço, Hitler e Speer não tiveram opção a não ser implementar um corte imediato no programa de munições.[34] Após haver mais do que dobrado em 1942, a produção de munições em 1943 aumentou somente 20%.[35] O prejuízo não foi apenas em munições. No verão de 1943, a desorganização no Ruhr manifestou-se em toda a economia alemã numa chamada *Zulieferungskrise* (crise de subcomponentes). Repentinamente, todos os tipos de peças de reposição, moldes e fundições entraram em situação de escassez.[36] Isso afetou não somente a indústria pesada, diretamente, mas todo o complexo de armamentos. Mais significativamente, a falta de componentes essenciais levou à cessação abrupta da produção da Luftwaffe. Entre julho de 1943 e março de 1944, não houve novos aumentos da produção mensal de aeronaves. Para o esforço armamentista como um todo, o período de estagnação durou toda a segunda metade de 1943. Conforme o próprio Speer reconheceu, os bombardeiros aliados anularam todos os planos de incremento da produção.[37] O Comando de Bombardeiros paralisara o milagre armamentista de Speer.

As coisas ainda iriam piorar. A atmosfera de relativa calma que prevalecera, na primavera e no início do verão de 1943, dependia acima de tudo da estabilização temporária da frente oriental, mas ambos os lados sabiam perfeitamente que esse intervalo não poderia durar muito. Era apenas uma questão de tempo até que o Exército Vermelho retomasse os sangrentos esforços para expulsar os invasores alemães. Numa tentativa de se antecipar à ofensiva soviética de verão e de desbaratá-la, e, após semanas de adiamentos, os alemães finalmente, lançaram a própria ofensiva contra a linha soviética mais avançada, em Kursk. O confronto resultante foi uma das maiores batalhas terrestres da história,[38] mas, em retrospecto parece um exercício de perversa futilidade. Em 1941, a Wehrmacht havia atacado a União Soviética em três frentes simultâneas, em uma linha que se estendia por mais de mil quilômetros de uma extremidade à outra. Em 1942, Hitler tinha sido obrigado a se restringir à frente meridional, utilizando somente um grupamento do exército. Em 1943, a Operação Zitadelle apontou para apenas um grupo avançado soviético, na interseção de dois grupamentos do exército.[39] Em vez de uma reviravolta decisiva, a batalha em Kursk acabou demonstrando a situação de desespero da Alemanha. A fim de resistir ao ataque alemão e preparar a própria contraofensiva, os soviéticos haviam reunido 1,3 milhão de homens nas frentes central e de Voronezh. Outros 573 mil permaneciam em reserva. Em contraposição, mesmo utilizando suas reservas, os alemães somente podiam levar 777 mil homens ao combate. Sem dúvida, os esforços do Programa Panzer Adolf Hitler haviam servido para aperfeiçoar a qualidade da força alemã de tanques. Duzentos novos Panteras e 146 Tigres haviam sido especialmente reunidos a fim de liderar o ataque. Além disso, as divisões Panzer estavam, agora, equipadas com novas versões do Mark IV, com um poderoso canhão de 75 milímetros. Em contraste, os soviéticos ainda dependiam da primeira geração do T-34. O problema das Divisões Panzer alemãs não era mais a qualidade, e sim a quantidade. Havendo concentrado 70% do total da força de tanques na frente oriental, em Kursk, a Wehrmacht era capaz de lançar ao combate 2.451 tanques e canhões de ataque, em contraposição a um poderio soviético de 5.128 veículos. No ar, a Luftwaffe tinha desvantagem semelhante. Na artilharia, a diferença contra os alemães era de mais do que 4 para 1. Mais importante, os alemães haviam perdido a ocasião de desfechar um ataque-surpresa, elemento-chave de seu êxito tanto em 1941 quanto em 1942.[40] Graças à excelente atuação de sua inteligência, as defesas soviéticas se encontravam tão bem preparadas que o Exército alemão não conseguiu sequer uma penetração inicial substancial. Era a primeira vez, desde o início da guerra, em que uma ofensiva alemã fracassava nos estágios iniciais. Após

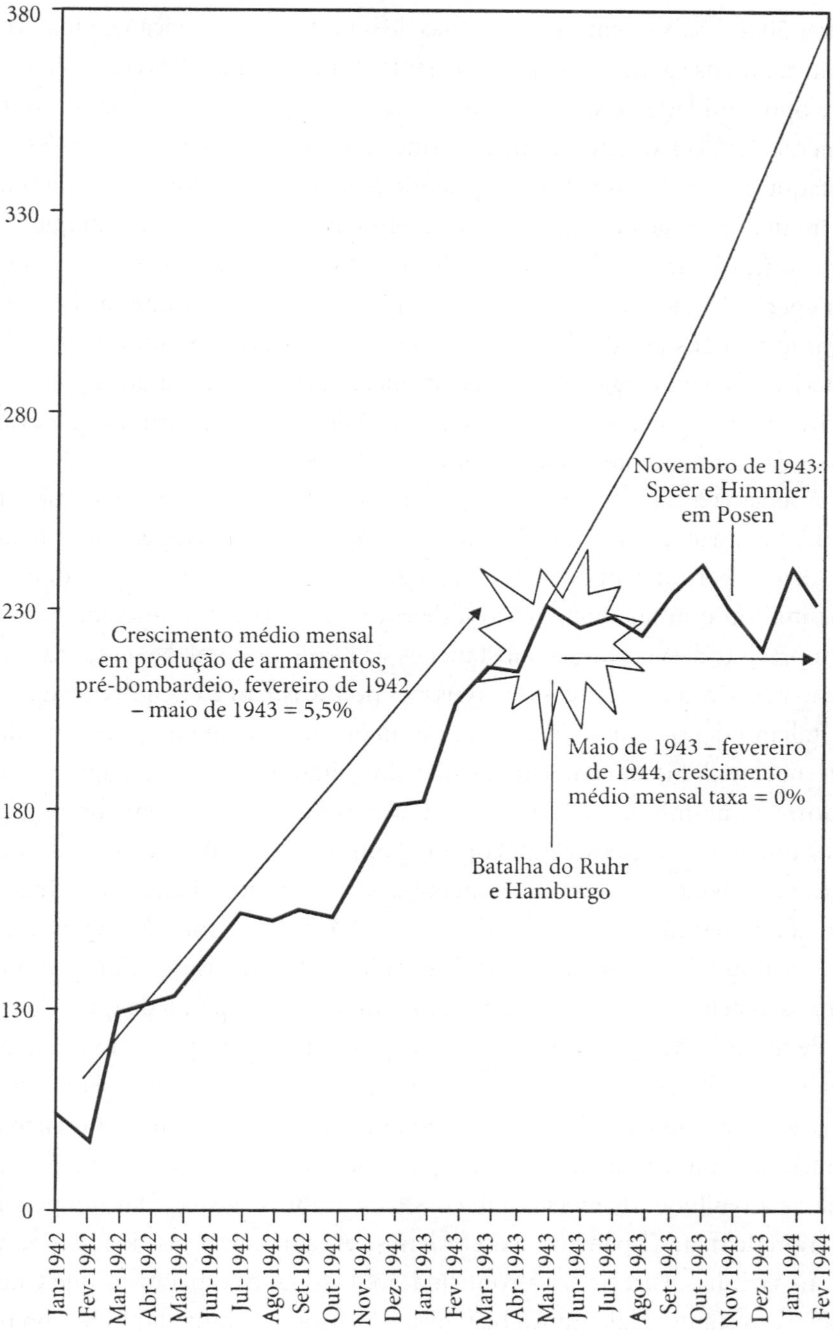

Gráfico 22. Paralisia do milagre armamentista: dois anos de produção de armamentos sob a direção de Speer (janeiro-fevereiro de 1942 = 100)

sofrer 50 mil baixas, em duas semanas de luta, e vasta utilização de material, a última ofensiva alemã na frente oriental foi cancelada. A Wehrmacht não teve oportunidade de se recuperar. Agora, quem ditava o ritmo dos acontecimentos era o Exército Vermelho. Antes mesmo que os alemães cessassem o ataque, os soviéticos já tinham passado à ofensiva no setor central da linha de frente.[41] Em agosto, o Exército Vermelho iniciou um segundo ataque maciço contra o Grupamento Sul do Exército alemão, fazendo-o recuar até o Dnieper. A União Soviética estava agora recebendo, pela primeira vez, ajuda significativa dos Estados Unidos. Centenas de milhares de caminhões norte-americanos para carga e veículos com meia-lagarta foram usados para motorizar o transporte logístico do Exército Vermelho, permitindo que avançasse, constantemente, no decorrer de 1943 e 1944.[42]

Apenas três dias depois do lançamento do ataque alemão, em Kursk, britânicos e norte-americanos desembarcaram na Sicília.[43] Imperdoavelmente, os Aliados permitiram que os alemães evacuassem sua guarnição, o que lhes possibilitou montar uma vigorosa defesa no território continental italiano, sem precisar desviar forças substanciais da frente oriental. No entanto, a invasão provocou dramáticas repercussões políticas. Em 25 de julho, o Exército italiano depôs Mussolini, lançando ondas de choque na opinião pública internacional. Ficou claro que os dias dos ditadores fascistas estavam contados. No mesmo dia, a RAF atacou Essen, pela última vez, em combinação com um ataque experimental contra Hamburgo. Três dias depois, os bombardeiros aliados regressaram e incineraram a segunda cidade da Alemanha numa tempestade apocalíptica de fogo como jamais o mundo testemunhara.[44] Nenhum incêndio jamais havia gerado a intensidade de calor que inundou os distritos orientais de Hamburgo no início da manhã da quarta-feira, 28 de julho. As vidraças derreteram. Corpos humanos ficaram mumificados. Quarenta mil pessoas morreram asfixiadas ou queimadas vivas. Em poucos dias, as forças aéreas britânica e norte-americana destruíram um quarto de milhão de casas e reduziram grande parte do centro da cidade a uma montanha de 43 milhões de metros cúbicos de escombros. Novecentas mil pessoas tiveram de fugir. O pânico e a desordem se espalharam pelas cidades e zonas rurais vizinhas. Parecia ser a confirmação de todas as esperanças que Churchill e o restante da liderança britânica investiram durante tanto tempo nos bombardeios estratégicos. O Comando de Bombardeiros da RAF, finalmente, se transformava em uma arma verdadeiramente capaz de ganhar a guerra.

II

Na verdade, ainda seriam necessários mais dois anos para acabar com o Terceiro Reich. Na Itália, os combates se prolongaram até o final da guerra. O derramamento de sangue na frente ocidental somente chegou a seu terrível clímax nas primeiras semanas de 1945. A RAF continuaria as missões noturnas, mas, em 1943, somente conseguiu provocar mais um incêndio, o de Kassel, em 22 de outubro.[45] Ali, morreram 6 mil pessoas, uma percentagem da população ligeiramente maior, até mesmo, do que a de Hamburgo. Oito mil pessoas ficaram cegas pelos efeitos da fumaça e do calor; 123,8 mil perderam suas moradias. A produção dos tanques Tigre e dos canhões pesados antitanque de 8,8 centímetros ficou atrasada durante meses. Depois disso, no entanto, a RAF ficou absorvida pelo infrutífero esforço de repetir em Berlim o que tinha sido conseguido em Hamburgo.[46] Embora Berlim fosse obviamente um alvo extremamente atraente, era um objetivo muito mais vasto do que qualquer das cidades do Ruhr e ficava exatamente no limite do alcance da RAF. Além disso, em termos industriais, a capital da Alemanha não era de forma alguma um alvo promissor como o Ruhr. Não que Berlim não fosse um centro importante de produção de armamentos, mas era primordialmente um centro manufatureiro, em contraste com o Ruhr, principal fornecedor alemão dos insumos básicos de carvão e aço.[47] Anular o Ruhr e as linhas de transporte que o ligavam ao restante da Alemanha tinha o potencial de desorganizar a produção no país inteiro. Os frequentes ataques contra essa região, em 1943, tinham custado terrivelmente caro ao Comando de Bombardeiros da RAF. Quase 4 mil tripulantes foram mortos ou feitos prisioneiros e 640 bombardeiros tinham sido derrubados ou acidentados. Embora esse desgaste fosse muito grave, no entanto, graças à produção crescente das fábricas britânicas de aviões, o poderio de bombardeiros da RAF, na verdade, aumentou entre fevereiro e agosto de 1943.[48] O Ruhr era o ponto de estrangulamento e, em 1943, estava dentro do raio de alcance da RAF. Foi um trágico erro operacional não manter esse esforço e aumentá-lo. O desastre em curso que Speer e seus colegas, certamente, esperavam, no verão de 1943, foi adiado por mais um ano.

Em retrospecto, no entanto, é claro que o Terceiro Reich ainda não estava derrotado, mas não se pode deixar de assinalar o fortíssimo impacto dos acontecimentos de julho de 1943 sobre os contemporâneos. Até mesmo os adeptos mais fervorosos do Terceiro Reich, dificilmente, poderiam negar que "o fim estava próximo". Hans Kehrl enfrentou essa realidade na primeira noite da devastação de Hamburgo, quando foi acordado por uma chamada telefônica de seu íntimo colega *gauleiter* Karl Kaufmann, que lhe pedia para apressar a entrega de vários carregamentos ferroviários de cal viva, necessária para consumir, rapidamente, dezenas de milhares de cadáveres.[49] Karl correu ao ministério, e, quando foi informado da magnitude do desastre, sofreu um colapso temporário. Pela primeira vez, em muitos anos, esse infatigável funcionário foi obrigado a voltar para casa e passou horas vagando atônito no jardim. Não admira que, quando as notícias de Hamburgo foram conhecidas, a Gestapo recolhesse relatos de choque e consternação em todo o país. A repentina queda de Mussolini aumentou o pânico. A SD notou que os membros do partido já não usavam os distintivos em público e as pessoas evitavam a saudação hitleriana sempre que possível.[50] Speer descobriu que seus ouvintes do partido já não reagiam a suas afirmações orgulhosas sobre os triunfos do milagre armamentista.[51] Entre os principais líderes industriais, segundo relatou a SD, já ninguém mais acreditava na possibilidade de uma vitória alemã.[52] No entanto, dizer isso em público era extremamente perigoso.

A liderança nazista reagiu à crise de abatimento com uma decidida escalada de violência.[53] Em 24 de agosto de 1943, Heinrich Himmler, *Reichsführer* da SS, assumiu o Ministério do Interior. No final do ano, os chefes regionais do partido nazista, os *gauleiter*, passaram a ter formalmente autoridade supervisora sobre os governos locais. O partido e o Estado se mesclaram cada vez mais e o primeiro era quem ditava o tom. Intensificou-se a politização do judiciário, que assumira formas crescentemente agressivas desde o início da guerra. Em 1943, os tribunais já proferiam sentenças de morte contra alemães por derrotismo e sabotagem à razão de 100 por semana. Nem mesmo empresários preeminentes estavam mais imunes. Com efeito, Heinrich Himmler e a Gestapo faziam questão de individualizar derrotistas burgueses para aplicar represálias especialmente agressivas. No outono de 1943, dois gerentes graduados de filiais do Deutsche Bank foram presos e executados por terem feito observações derrotistas.[54] Um membro da diretoria da enorme empresa de eletricidade RWE sofreu a mesma pena, apesar da intervenção de Albert Vögler.[55] Nessa campanha de imposição de disciplina na frente doméstica, Himmler podia contar com o apoio total de Albert Speer. À medida que se aprofundava a crise do Terceiro Reich, ele se aproximava cada vez mais do centro absoluto do poder. Ao fazê-lo, tornou-se um dos principais advogados da radicalização e usou implacavelmente sua autoridade para silenciar o debate sobre a lógica mais ampla do esforço de guerra.

Naturalmente, Speer não deixava de perceber a gravidade da situação da Alemanha. Por ocasião da reunião da *Zentrale Planung*, de 29 de julho de 1943, Hamburgo ainda estava em chamas e ele não pôde evitar conclusões drásticas:

> Somente impedindo os ataques aéreos do inimigo será possível pensar em aumento da produção. Caso, no entanto, esses ataques continuem na mesma escala em que têm ocorrido até agora, eles [a *Zentrale Planung*], dentro de 12 semanas, não precisarão mais tratar de uma série de problemas que agora estão debatendo... O aumento da produção de aviões de caça é a única maneira de impedir que tudo seja destruído, ou, então, é melhor que eles deem um tiro na cabeça.[56]

Alguns membros da liderança nazista tomaram esse conselho ao pé da letra. Em 18 de agosto de 1943, Hans Jeschonnek, chefe do Estado-Maior da Luftwaffe, responsável imediato pela condução da guerra aérea, suicidou-se com um tiro.[57] Erhard Milch perdeu completamente o domínio sobre si mesmo, proclamando a uma plateia de *gauleiter*, ministros e funcionários públicos de alto nível: "Perdemos a guerra! Definitivamente, nós a perdemos." Hitler foi obrigado a despachar Goebbels para administrar o que eles consideraram "uma tijolada".[58] Speer recusou-se por duas vezes a permitir qualquer mostra de derrotismo. A crise do verão de 1943 proporcionou-lhe uma oportunidade de ampliar o alcance de seu ministério e mobilizar mais recursos para o esforço de guerra.[59] Até então, o Ministério Civil de Assuntos Econômicos conservara a responsabilidade pelas matérias-primas e o direito de supervisionar as firmas que não estavam sob controle da Wehrmacht. O objetivo de Speer era mobilizar centenas de milhares de trabalhadores adicionais para o esforço de guerra, passando um "pente fino" naquele setor civil.

No dia anterior ao do ataque contra Hamburgo, Speer reuniu-se com Hans Kehrl, que passara a ser a principal figura no Ministério Civil da Economia, a fim de debater as condições da fusão. Kehrl era nazista implacável, mas era também bem informado e de temperamento independente. Com anos de experiência na política industrial nazista, era um dos críticos mais agudos da propaganda armamentista de Speer. Kehrl tinha observado o advento e o fim do Plano Quadrienal. Não tinha tempo para ouvir o palavrório de Speer sobre milagres armamentistas ou para seu estilo gerencial de "improvisação organizada".[60] Por ser a pessoa mais intimamente envolvida com os aspectos técnicos do racionamento de matérias-primas, Kehrl conhecia bem as verdadeiras limitações que emperravam o potencial militar da Alemanha. Quando Speer exigiu de maneira peremptória que ele e todo o seu departamento ficassem subordinados ao Ministério do Armamento do *reich*, Kehrl reagiu pedindo uma explicação sobre o objetivo mais amplo do esforço de guerra alemão.[61] Speer respondeu com forte indignação. "É completamente fora de propósito", disse ele, "imaginar que, após regressar do quartel-general do *führer*, o ministro tenha de fazer um relato... sobre a situação política, para não falar do conteúdo de sua conversa com o *führer*".[62] Diante disso, Kehrl pediu para ser dispensado do ministério, mas, poucos dias depois, foi informado que o não acatamento dos desígnios de Speer seria considerado deserção.[63] Durante os meses seguintes, Kehrl e sua equipe de matérias-primas foram devidamente absorvidos na estrutura do Ministério do Armamento, onde Kehrl foi também encarregado de organizar o Escritório de Planejamento (*Planungsamt*), a equipe de peritos que muito colaborou na racionalização dos debates na *Zentrale Planung*.

Speer não se limitava a intimidar verbalmente seus colegas. Como o milagre armamentista era a base de sua autoridade e como a propaganda e a persuasão, claramente, já não eram suficientes para assegurar seu prosseguimento, ele recorreu à toda a força do aparelho repressivo do regime nazista. A partir do verão de 1943, na esperança de recomeçar a expansão da produção de armamentos, estreitou mais ainda a aliança com Heinrich Himmler. No fim de julho de 1943, Speer concordou em que a supervisão da segurança no funcionamento das fábricas fosse feita pela SS.[64] Em 5 de outubro de 1943, assinou um memorando formal de cooperação com Himmler, autorizando a rede de informantes da SD a executar verificações da produção civil em toda a indústria alemã.[65] Para comemorar o acordo, fez um discurso a uma plateia de 100 dentre os principais oficiais da Gestapo. No dia seguinte, ele e Himmler transformaram essa nova parceria em um espetáculo, na reunião anual dos *gauleiter*, na conferência celebrada na sede do município de Posen, capital de Warthegau.[66] O programa de discursos, de 6 de outubro de 1943, era extremamente carregado. Além de Speer e Himmler, houve palavras do almirante Dönitz, que, recentemente, assumira o controle da Marinha, e Erhard Milch, além de três membros principais da equipe de Speer. Óbviamente, a participação conjunta dessas figuras importantes do esforço armamentista não era devida ao acaso e sim calculada para conscientizar os líderes regionais do partido nazista quanto ao novo eixo de poder no interior da liderança do Terceiro Reich.

O discurso de Speer, pronunciado logo antes do almoço, teve tom drástico e refletia a crítica situação militar da Alemanha.[67] O objetivo da alocução, anunciado por Speer aos *gauleiter*, era "tirar dos senhores no futuro qualquer desculpa de que não sabiam com o que estávamos lidando... Recebo, constantemente, propostas dos respectivos *gauleiter* que mostram um desconhecimento da situação atual. Eu pediria agora aos senhores, neste momento, que entendam isto com clareza, que somente as medidas mais drásticas poderão melhorar a situação para nós". Speer recordou a sua plateia o triunfante anúncio que fizera no Sportspalast, poucos meses antes, no qual havia prometido aumentos na produção de armamentos de 15 a 20% mensais. Os contínuos ataques da RAF no Ruhr tinham impedido isso. "Desde o início dos ataques aéreos", explicou Speer, "é certo que experimentamos um lento incremento da produção, porém, apenas cerca de 3 a 5% mensais. Isso é absolutamente insuficiente."[68] Na verdade, ele estava sendo superotimista. O índice mensal de armamentos não revelava quaisquer aumentos constantes na segunda metade de 1943. Speer reconheceu, também, que a Alemanha estava atrasada em termos da qualidade de suas armas:

> Passamos por épocas do equipamento bélico nas quais nossos tanques eram inferiores aos dos russos... Durante os últimos dois anos a Luftwaffe, sem dúvida, sofreu absoluta inferioridade, inferioridade técnica em relação às armas do inimigo. Os senhores podem ver, por este exemplo, o que significa obter quantidade e ser qualitativamente inferior. Isso é realmente insuportável em nossa situação.

A esperança para os meses seguintes era que a Alemanha, logo, pudesse vir a ser capaz de rivalizar com os inimigos na qualidade de seu armamento, graças às façanhas de seus cientistas e engenheiros. O que a Alemanha necessitava, agora, era juntar aos avanços tecnológicos um novo aumento da quantidade de sua produção. Speer reiterou com veemência sua mensagem:

> Não apenas é possível, mas é também necessário. É urgentemente necessário, porque já não estamos na afortunada posição em que estávamos depois da campanha da França [verão de 1940], quando éramos capazes de decidir os passos do inimigo, mas, hoje, o inimigo nos dita com sua produção o que nós temos de fazer. E, se não seguirmos esses ditames do inimigo, nesse caso, a longo prazo, não podemos manter a frente de batalha.

O que Speer exigia era que os *gauleiter* o ajudassem na mobilização das derradeiras reservas da economia civil. Não se podia esperar cooperação dos industriais do ramo dos artigos de consumo. "Os grupos de negócios, em sua constelação atual, são principalmente representantes das grandes firmas", disse Speer. "Agora que as grandes firmas dessas indústrias de consumo vão ser eliminadas, mandam-me somente mentiras. Tudo o que me dizem é mentira, seja da indústria gráfica, da produção de papel ou do setor têxtil, do princípio ao fim, somente mentiras e enganos." Além disso, essas indústrias gozavam de proteção política, porque bens de consumo durável escassos, como refrigeradores e rádios, eram excelentes para suborno. Para acabar com essa escandalosa situação, Speer anunciou que estava nomeando "cães de fila" do ramo de armamentos para investigar a produção civil desnecessária. Não hesitou em invocar o elemento dissuasório final:

> Pedi ao *Reichsführer* SS Himmler que colocasse a SD à minha disposição a fim de identificar esses tipos de produtos, e fizemos um acordo com a SD de que esta terá acesso a todas as firmas de armamentos e poderá abrir os inquéritos necessários... Estou pronto a correr os riscos que possam decorrer dos fechamentos. Estou pronto a responder a todas as acusações que poderão vir das mais variadas origens.

Pediu, ainda, que os *gauleiter* "tomassem nota de uma coisa: não há e nem pode haver espaço para a forma anterior pela qual os *gaue* individuais se isentavam dos programas de fechamento. Não é possível que um *gau* seja severo e outro *gau* vizinho faça exatamente o contrário". Speer deu aos *gauleiter* uma quinzena para implementarem os programas de fechamento. Depois disso, ele próprio obrigaria aos fechamentos, a partir de Berlim, "... e posso assegurar-lhes que estou perfeitamente pronto, nesse caso, para afirmar a autoridade do *reich* a qualquer custo. Falei com o *Reichsführer* SS Himmler e, agora, tratarei dos *gaue* que não executem fielmente estas medidas".

Concluiu o discurso com um chamado à unidade:

> Se executarmos essas medidas com a necessária brutalidade e se os senhores me apoiarem nesse assunto, nesse caso, estou absolutamente convencido de que teremos condições de fazer prevalecer, também na quantidade a vantagem que, sem dúvida, adquirimos na qualidade dos armamentos, a fim de resistir ao inimigo e, finalmente, derrotá-lo.

Tendo perdido o irmão em Stalingrado, Speer não tinha ilusões quanto à natureza daquela luta. Mas não hesitou em adotar a mais brutal lógica da guerra de desgaste:

> Nós temos de ser quem dispõe das últimas divisões. Especialmente, na guerra contra a Rússia, será decisivo ser aquele que seja capaz de lançar tropas de reserva no campo de batalha até a fase final. Não tenho dúvidas de que temos capacidade de fornecer o equipamento... estamos em condições de fazê-lo se recebermos o apoio necessário.

Nem por um instante, Speer admitiu a possibilidade de que a Alemanha não fosse capaz de ganhar aquela batalha. Contra todos os indícios que apontavam a conclusão oposta, ele insistiu em que a frente doméstica alemã ainda tinha a força de vontade para prosseguir e que o êxito era, simplesmente, uma questão de liderança:

> Nossa própria pátria, o povo alemão, quer nos ajudar e nos ajudará. Está pronto a contribuir com os sacrifícios necessários. A chegada do momento em que essa grave concepção seja vitoriosa já tardou o suficiente. Depende de nós, e somente de nós, a liderança do *reich* alemão, o fato de podermos ou não prevalecer pela vontade do povo.

O que aconteceu depois do ameaçador apelo de Speer é matéria de debate.[69] Até o último dia de sua vida, ele afirmou que almoçou em Posen e, em seguida, partiu, em companhia de Walter Rohland, a fim de comparecer a um encontro no fim da tarde com Hitler. Além das declarações juramentadas em proveito próprio, fornecidas muito depois dos fatos por Walter Rohland e pelo gerente do centro de conferências, há muito poucos indícios em apoio a essa versão dos acontecimentos. É muito mais provável que Speer ainda estivesse em Posen no final da tarde, quando Heinrich Himmler se levantou para falar aos *gauleiter.* O texto completo do discurso de Himmler, em 6 de outubro, não sobreviveu.[70] No entanto, vários trechos sugerem que era praticamente idêntico a uma palestra feita por ele, dois dias antes, no mesmo local, a líderes importantes da Waffen SS. A maior parte de ambos os discursos foi ocupada por uma exposição desconjuntada da situação militar na frente oriental, como seria de esperar do comandante em chefe da Waffen SS. Himmler também usou parte do tempo para falar do emprego de mão de obra russa, num eco distante dos grandiosos planos de 1941 e 1942. No entanto, as duas alocuções contêm um trecho curto, porém, extraordinário, no qual Himmler arrastou a plateia a uma completa cumplicidade na matança de judeus. Em 1943, seria ingênuo imaginar que a Solução Final constituísse novidade para uma plateia de *gauleiter*. Todos eles tinham estado envolvidos, pelo menos, indiretamente em sua implementação. Diversos, dentre eles, estavam entre os principais executores. Em vez de revelar um segredo, o objetivo da fala de Himmler era, exatamente, combater a complacência que rodeava os debates comuns sobre a "Solução Final", e explicar aos camaradas do partido precisamente o que significava ter, de fato, executado aqueles atos. Assim como fizera Speer, Himmler desejava evitar que os *gauleiter* tivessem "qualquer desculpa":

> Todos os senhores aceitam com satisfação o fato de que não há mais judeus em suas províncias. Todos os alemães, com muito poucas exceções, têm perfeita consciência de que não teríamos podido sobreviver às bombas e às tensões do quarto, talvez, no futuro, ao quinto e, até mesmo, ao sexto ano da guerra, se essa peste destrutiva ainda estivesse presente em nosso corpo político. É fácil pronunciar a curta frase "os judeus precisam ser exterminados", mas as exigências àqueles que têm de colocá-la em prática são as mais severas e difíceis do mundo... Peço apenas que me ouçam, mas que nunca comentem o que estou lhes dizendo aqui, agora. Vejam, temos de enfrentar a pergunta: "O que fazer com as mulheres e crianças?"...Foi preciso tomar uma decisão

> difícil para fazer com que esse povo desaparecesse da face da Terra. Para a organização que tem de executar essa ordem, foi a mais difícil que jamais tivemos de dar... Considero meu dever falar aos senhores, que são os mais elevados dignitários do partido, de nossa ordem política, o instrumento político do *führer*, pelo menos, uma vez, de maneira franca sobre essa questão... dizer-lhes como foi.
>
> Até o fim deste ano a questão dos judeus terá sido resolvida nos países ocupados por nós... Os senhores não duvidarão de que o aspecto econômico apresentou muitas grandes dificuldades, principalmente, na limpeza dos guetos; em Varsóvia, lutamos em batalhas de rua durante quatro semanas... Como aquele gueto produzia casacos de pele e têxteis, fomos impedidos de ocupá-lo quando teria sido fácil: disseram-nos que estávamos interferindo em produção essencial. "Alto!" gritaram. "Isso é produção para a guerra."
>
> Naturalmente, isso nada tem a ver com o camarada do partido Speer: *não foi obra sua* [itálico]. É exatamente esse tipo de atividade, assim chamada de produção para a guerra, o que o camarada Speer e eu limparemos juntos durante as próximas semanas. Faremos isso com a mesma isenção sentimental com que tudo tem de ser feito neste quinto ano da guerra: sem sentimentalismo, mas do fundo de nossos corações, pela Alemanha...
>
> Isso é o que quero dizer para terminar com o tema dos judeus. Agora, os senhores estão informados, e guardarão para si o que ouviram. Talvez, mais tarde, tenhamos de resolver se o povo alemão deve ficar sabendo disso. Mas creio que é melhor que nós — todos juntos — assumamos por nosso povo a responsabilidade... responsabilidade por uma realização, não apenas uma ideia... e, depois, levar o segredo conosco para nossos túmulos...

Em 1970, Speer afirmou não se recordar das reuniões vespertinas, de 6 de outubro de 1943. Chegou a ter o topete de sugerir que Himmler se dirigira pessoalmente a ele naquele ponto do discurso porque o *Reichsführer* SS era míope, não estava usando os óculos e, portanto, não tinha percebido que Speer já saíra da sala. Na verdade, é muito mais provável que Speer, Milch e outras figuras importantes do esforço armamentista tivessem permanecido em seus lugares durante toda a fala. De qualquer forma, é grosseiramente implausível sugerir que, no outono de 1943, não tivessem conhecimento das atrocidades que estavam sendo cometidas contra os judeus em toda a Europa e na frente oriental, em geral. Não era possível que ninguém visitasse a Ucrânia ou o Governo Geral, a partir de 1941, e muito menos supervisionasse o funcionamento das fábricas nesses territórios, sem ter conhecimento da matança em massa que estava ocorrendo. Para dar apenas um exemplo, no outono de 1942, em um relatório a Erhard Milch, Ernst Heinkel, um dos principais fabricantes de aviões da Alemanha, observou, informalmente, que era praticamente impossível iniciar a produção de aviões na Polônia, dada a desorganização causada pela "extirpação dos judeus", palavras que, aparentemente, não necessitavam de comentários adicionais.[71] Como vimos, no outono de 1941, Paul Pleiger e Robert Ley haviam debatido a "solução final da questão judaica" com grandes industriais de carvão.[72] Além disso, Speer tinha sido plenamente informado da decisão de reorganizar o fornecimento de alimentos na Europa, em 1942. Quando a SS empreendeu, em 1944, a evacuação de centenas de milhares de judeus húngaros para Auschwitz, dos quais somente uma minoria foi destinada ao trabalho, o movimento dessa enorme quantidade de pessoas não causou a mínima consternação no Ministério do Armamento.[73] Ninguém poderia imaginar que o campo de concentração de Auschwitz tivesse a intenção de abrigar essas pessoas estando vivas. No mínimo, seria necessária uma cota importante de alimentos, medida que nem sequer foi debatida. A verdade é que um assassinato em massa não era coisa que despertasse qualquer comentário específico de parte de gente que conhecia bem as realidades no Governo Geral e nos territórios orientais. Naturalmente, ninguém gosta de reprisar os detalhes macabros e nem estar pessoalmente envolvido nos homicídios; mas o caráter repugnante dos crimes que tinham sido perpetrados contra os judeus, os prisioneiros de guerra soviéticos e a população civil da Europa oriental não era segredo para muitos.

De qualquer forma, o que nos importa aqui não é a questão de conhecimento pessoal ou de culpa, mas a extraordinária equação criada por Himmler em seu discurso, a correlação entre a "limpeza" do gueto de Varsóvia e o "pente fino" nas indústrias de bens de consumo da Alemanha. Himmler fez um apelo aos *gauleiter* para que tomassem o penoso sacrifício exigido pela mobilização de tempo de guerra com o mesmo tipo de entusiasmo radical que aceitavam, com naturalidade, em relação à questão judaica. Ambas as tarefas eram essenciais para a sobrevivência do regime nazista; ambas tinham de ser executadas com completa ausência de sentimentalismo. Todos naquela sala compartilhavam a responsabilidade para com as duas coisas. Speer estivesse ou não presente, Himmler, certamente, queria que a plateia acreditasse que ele estava ali. No próprio discurso, Speer havia, repetidas vezes, invocado Himmler. Este, agora, retribuía o gesto. A ideia de que Speer ou Milch pretendessem distanciar-se de qualquer coisa que o *Reichsführer* SS tivesse a dizer, certamente, pareceria absurda para o auditório. Todo o objetivo da presença conjunta de Himmler e Speer, em Posen, era realçar a complementaridade entre a ampliação da autoridade de Speer, abarcando a economia civil, e o novo papel de Himmler como ministro do Interior do *reich*. Como vimos, no fim do ano, os *gauleiter* iriam ser formalmente cooptados nesse relacionamento, ao receberem a atribuição de supervisão política sobre as administrações civis locais, em complemento a duas funções como *Reichsverteidigungkommissare* (comissários regionais de defesa).[74] O objetivo da reunião em Posen era unir a liderança regional nazista em torno do novo eixo formado por Speer e Himmler, em Berlim. O terreno comum era o comprometimento compartilhado na defesa do regime de Hitler até a última instância, luta motivada, pelo menos, em parte, pela responsabilidade compartilhada em uma campanha de assassinato em massa de dimensões dificilmente imagináveis.

III

A única réstia de esperança que Speer ofereceu aos ouvintes, em Posen, foi a perspectiva de que a Alemanha, em breve, fosse capaz de reverter o déficit tecnológico acumulado desde o início da guerra.[75] À medida que a situação militar alemã ia ficando mais desesperadora, a promessa de milagres tecnológicos começou a desempenhar papel crescentemente importante no aspecto político do esforço de guerra nazista. Em 1942 e no início de 1943, Hitler depositara grandes esperanças na nova geração de Panzers, mas em Kursk nem o Pantera e nem o Tigre tinham se mostrado decisivos.[76] Na verdade, Hitler decepcionou-se tanto com o Pantera que chegou a pensar seriamente em desmantelar os veículos remanescentes a fim de utilizar os canhões de alta velocidade em defesas antitanques estáticas. A sequência de expectativa exagerada e amarga desilusão passaria a ser típica do desenvolvimento do armamento alemão, após a crise do inverno de 1941-42. Alguns têm sido tentados a interpretar esse ciclo como sintoma de profunda disfunção e irracionalidade, e, especialmente, como indicação da incapacidade do regime em formar redes amplas de interação entre os peritos militares e civis.[77] No entanto, trata-se, sem dúvida, de uma superdramatização.[78] Afinal, dificilmente, poder-se-ia afirmar que o programa de desenvolvimento do armamento alemão fosse significativamente menos produtivo do que, por exemplo, o da Grã-Bretanha. A origem do problema não era a peculiar irracionalidade do "sistema social nazista", e sim a situação desesperada na qual a Alemanha se encontrava. A necessidade urgente de uma saída técnica acarretava esperanças exageradas depositadas em sistemas específicos de armas e na aceleração do desenvolvimento de programas de alto risco, que se tornavam ainda mais imprevisíveis devido à pressão das constantes limitações de mão de obra e materiais. O Me 210, os tanques Tigre e Pantera, os foguetes V1 e V2, a variedade de aeronaves de propulsão a jato ou foguete, eram armas promissoras. No final do conflito, o Pantera, que representara tanto desapontamento em Kursk, havia sido aperfeiçoado, transformando-se em um veículo de combate que suscitava a inveja das potências ocidentais e serviu de modelo para o desenvolvimento do Tanque Principal de Combate.[79] Os problemas iniciais, como os de outras armas milagrosas, decorreram da pressa com que foi lançado ao combate e à produção em massa sem testes adequados. Além disso, como todos os seus primos, foi impotente para modificar a situação estratégica sem saída da Alemanha, e, portanto, somente poderia decepcionar.

Como ilustração das agruras do esforço de guerra alemão nos estágios posteriores da Segunda Guerra Mundial, é tentador utilizar o aclamado submarino Mark XXI, que exemplifica tanto a crescente falta de realismo da propaganda de armamentos da Alemanha quanto o estilo cada vez mais autoritário do ministério de Speer.[80] Em 1942, a construção naval era exemplo da grande cordialidade reinante entre o ministério e a indústria alemã. Embora os suprimentos navais estivessem, inicialmente, fora da jurisdição de Speer, já no outono de 1941, Fritz Todt havia debatido a constituição de uma Comissão Principal. Rudolf Blohm, proprietário do estaleiro Blohm & Voss em Hamburgo e, de longe, o mais importante armador do país, apoiara-o entusiasticamente nesse propósito. Blohm era um capitalista reacionário da cepa de Röchling, e, tal como este último, era também um dos favoritos de Hitler. Como presidente da Comissão Principal, a partir da primavera de 1942, Blohm trabalhou em estreita colaboração com Ernst Cords, representante da Germaniawerft, pertencente à Krupp, impulsionando uma grande reorganização na produção do submarino padrão Mark VII C.[81] A produção em série nos principais estaleiros foi estimulada e, na medida do possível, outras atividades foram contratadas com firmas do interior. Dada a situação na Batalha do Atlântico, no entanto, os esforços de Blohm e Cords não foram suficientes para salvar a campanha dos submarinos. Embora o número de submersíveis disponíveis para operações no Atlântico houvesse aumentado de 85, em maio de 1943, para mais de 200, um ano mais tarde, as unidades Mark VII C, que formavam o grosso da frota alemã, foram cada vez mais superadas pelo poderio aéreo e pela tecnologia eletrônica utilizada pelas marinhas da Grã-Bretanha e dos Estados Unidos. No final de maio de 1943, Dönitz foi obrigado a abandonar a batalha das rotas marítimas mercantes no Atlântico.

Em consequência direta dessa derrota, Dönitz, que tinha sido nomeado comandante em chefe da Marinha, no início de 1943, procurou Speer na esperança de que este pudesse realizar um "milagre armamentista" para a Marinha.[82] Em troca da subordinação direta dos estaleiros à autoridade do Ministério do Armamento, Dönitz esperava que Speer assegurasse mão de obra e materiais necessários para a produção em massa de uma nova geração de submarinos tecnologicamente avançados. As esperanças da Marinha alemã repousavam no revolucionário submarino Mark XXI, que pode ser considerado o primeiro verdadeiro submarino do mundo. Antes do advento do XXI, os submersíveis, tanto da Alemanha quanto de outras marinhas, eram projetados para passar a maior parte do tempo na superfície, onde podiam usar os motores a diesel para manter uma velocidade de cruzeiro razoável. Eles somente submergiam quando entravam em contato direto com o inimigo, passando a navegar com motores elétricos muito menos possantes. O XXI, ao contrário, era projetado, especificamente, para maximizar a velocidade e a permanência sob a água. As linhas aerodinâmicas e baterias de alta potência permitiam atingir a velocidade máxima de 17 nós quando submerso, capacitando-o a escapar dos sistemas de sonar britânico e norte-americano. Além disso, era capaz de navegar sob a água durante vários dias de cada vez, sem precisar de mais do que duas ou três horas a cada 24 em posição suficientemente próxima da superfície para que os motores a diesel sugassem ar por meio de uma sonda. O problema, como o de todas as maravilhosas armas alemãs, era o tempo necessário para desenvolver o excelente projeto do XXI a fim de fazer dele uma arma plenamente funcional e adequada para a produção em massa. Na primavera de 1943, a Marinha alemã estimava que, mesmo com um programa acelerado de desenvolvimento, não poderia contar com os primeiros Mark XXI, antes de novembro de 1944. Não seria possível iniciar a produção em série antes de março de 1945. Isso prenunciava desastre. Tendo perdido a Batalha do Atlântico, o almirante Dönitz não podia permitir aos Aliados uma vantagem de dois anos inteiros.

Para Speer, ao contrário, o problema não era de limitações objetivas, e sim de atitude. Estava convencido de que o ritmo lento da produção de submarinos não resultava de recursos inadequados ou de escassez de mão de obra qualificada, e sim de uma cultura antiquada de suprimento na qual os burocratas navais e os fabricantes "tradicionais" conspiravam a fim de produzir submarinos peça por peça, pouco se preocupando com a eficiência. Speer achava que, para gente como Blohm, "o sistema antigo de construção naval" havia se tornado "quase uma forma de *Weltanschauung*".[83]A alternativa, como seria previsível, era a norte-americana. Na primavera e início do verão de 1943, a imprensa em todo o mundo relatava os êxitos e quebra de recordes dos estaleiros kaiser na armação de navios mercantes a vapor, com o nome de "Liberty", usando seções pré-fabricadas.[84] Na opinião de Speer, esse era o sistema de que a Alemanha precisava para o submarino Mark XXI. Já que não se podia esperar dos armadores tradicionalistas a execução dessa revolução, seria preciso que, conforme a fórmula de Speer, ela fosse imposta a um "forasteiro". Para a produção de seu submarino, Speer escolheu Otto Merker. Este era um perfeito garoto propaganda para o "sistema Speer".[85] Com pouco mais de 40 anos de idade, dono de um currículo que continha vários anos trabalhando no desenvolvimento de tanques nas fábricas MAN, Merker entrara para a Klöckner-Humboldt-Deutz AG, em 1937, para gerenciar a seção de engenharia da Magirus, grande produtora de equipamento anti-incêndio. Num período de apenas cinco anos, conseguira mais do que triplicar a produção. Despertara a atenção de Speer por sua atuação enérgica como diretor de uma comissão especial para motores de combate ao fogo, função de destaque devido aos ataques incendiários noturnos da Real Força Aérea. Enquanto que, para Speer, a falta de experiência de Merker na construção de navios era uma recomendação positiva, para Rudolf Blohm, patriarca da indústria naval alemã, ser substituído por um homem como Merker constituía extraordinário insulto.[86] Numa reação pouco comum e altamente simbólica, Blohm recusou-se a pedir dispensa de suas funções, tanto como presidente da Comissão Principal quanto da do Grupo de Negócios, obrigando Speer a demiti-lo. O verdadeiro conflito, no entanto, não tinha a ver com a autoridade pessoal de Blohm e sim com o futuro da indústria alemã de submarinos. O que levou Blohm e a maioria de seus colegas ao conflito com Speer foi a firme convicção de que Merker estaria comprometendo o esforço de guerra ao impor um sistema de produção em massa completamente inadequado para a situação dos estaleiros do país, em 1943.

O sistema de Merker para a produção em massa do Mark XXI propunha que o trabalho fosse dividido em três estágios. No primeiro, o casco — que tinha de ser feito com chapas pesadas de metal — era dividido em oito seções, cada uma das quais entregue a um grupo de firmas do interior, especializadas em trabalhos com aço, como a subsidiária da MAN em Gustavburg, um dos principais construtores de pontes de aço da Alemanha.[87] No segundo estágio do processo, os enormes elementos internos de aço eram levados por vagões de carga especiais até os estaleiros, onde eram instalados o equipamento e as máquinas. Finalmente, essa seções pré-fabricadas eram novamente transportadas por ferrovia a três áreas específicas de montagem: a Blohm & Voss em Hamburgo, a Deschimag, em Bremen (comprada pela Krupp, em 1941), e a Schichau, no leste. Merker afirmava que seu sistema proporcionava três vantagens. Mobilizava uma ampla faixa de novas especializações fora do setor tradicional de construção naval, mediante a utilização de firmas do interior. Os próprios diques secos, que até o momento constituíam o principal gargalo, seriam ocupados pelo tempo mínimo necessário para montar cada submarino a partir dos elementos já terminados. Finalmente, esperava-se que por meio da subdivisão do processo de construção, os fabricantes de cada etapa da cadeia poderiam obter economias de escala substanciais. Desde a fabricação das chapas de aço até a entrega do submarino acabado, Merker prometia que a construção de cada unidade não levaria mais do que 175 dias. A entrega do primeiro submarino Mark XXI estava prevista para meados de abril de 1944, e a produção em massa prosseguiria imediatamente. Até o final do verão de 1944 a Marinha deveria receber uma frota de 30 novos e revolucionários submarinos, e mais 30 sairiam das linhas de produção a cada mês.

Depois do Programa Panzer Adolf Hitler, a triunfante transformação da indústria de submarinos operada por Merker seria a nova história de sucesso do ministério de Speer. Todos os elementos da propaganda de Speer estavam presentes: burocratas militares e industriais conservadores, superados por jovens gerentes empreendedores (Merker), com o apoio da plena autoridade e energia de Albert Speer, resultando na triunfante introdução de um novo e radical sistema de armamentos capaz de modificar o curso da guerra contra todas as dificuldades.[88] A máquina de relações públicas de Speer assegurou o lançamento do primeiro submarino Mark XXI, em Schichau, exatamente a tempo do aniversário de Hitler, em 19 de abril de 1944. Em 12 de maio seguinte, pouco depois de sua recuperação da grave enfermidade que o debilitara desde janeiro, Speer fez um discurso aos operários dos estaleiros de Hamburgo para exaltar suas realizações: "Estamos realmente vivendo um milagre. Nenhum de nós poderia acreditar nele após os primeiros ataques e o rude golpe contra Hamburgo. Naquele momento, dissemos uns aos outros: 'se isso continuar por mais alguns meses, estaremos perdidos'". Na verdade, no entanto, eles tinham ressurgido das ruínas e agora a situação "realmente não era tão ruim". As tripulações dos submarinos, proclamou Speer, eram as melhores entre as melhores. Tão logo tivessem "as bundas sentadas no barco certo, iriam zarpar".[89] O submarino Mark XXI seria uma das armas decisivas na batalha para a "vitória final" (*Endsieg*). Speer manteve essa linha três meses depois, em agosto de 1944, no que passara a ser seu discurso anual aos *gauleiter*, em Posen.[90] Retornando à sua promessa do ano anterior, Speer vangloriou-se de que, apesar dos bombardeios aliados, a tonelagem dos submarinos triplicaria até o fim do ano.

Na verdade, no entanto, em nenhum dos demais elementos do esforço de guerra alemão o hiato entre propaganda armamentista e a realidade foi mais extremo. Os "teimosos" tradicionalistas dos estaleiros tinham razão em todos os aspectos. A tentativa de Merker em apressar a produção do modelo Mark XXI sem submetê-lo a testes foi um dispendioso fiasco.[91] O submarino, apresentado no aniversário de Hitler em Dantzig, era um modelo apressadamente montado, com infiltrações de água tão graves que teve de ser rebocado para o dique seco logo que a plateia se dispersou. Dos 80 Mark XXI entregues até o fim de 1944, nenhum estava em condições operacionais. No fim de janeiro, somente quatro dos miraculosos barcos de Speer estavam prontos para a ação. Apenas dois saíram valentemente para o mar. Nenhum conseguiu afundar navios aliados. Os submersíveis Mark XXI capturados serviram de modelo para grande parte da indústria mundial de submarinos, porém, não tiveram impacto prático na guerra.

Em parte, a decepção com o programa do XXI decorreu dos conhecidos problemas de apressar um projeto novo e revolucionário, diretamente, do planejamento à produção em massa, sem testes extensos. Não admira que logo ficasse evidente a necessidade de reparar uma grande quantidade de problemas nos submarinos. O mais importante era o do sistema de direção, que necessitava de completa mudança. Além disso, no entanto, o programa foi prejudicado pela dogmática insistência do ministério de Speer no conceito de construção por seções. Os peritos submarinistas da Blohm & Voss haviam duvidado, desde o início, de que firmas do interior sem experiência, pouco afeitas à construção naval, fossem capazes de produzir as seções dos submarinos com suficiente exatidão para que pudessem ser montadas formando um casco resistente à pressão. Tinham razão. Nas seções de casco entregues aos encarregados da montagem, havia desvios de até 3 centímetros. Infiltrações persistentes surgiram na engrenagem de transmissão e no tubo de sucção de ar. A falta de precisão no complexo sistema de direcionamento ocasionava constantes emperramentos do leme. O que era mais grave, e mais previsível, quando as seções pré-fabricadas do casco externo ficaram sujeitas a pressões extremas, a descontinuidade da solda provocava fissuras potencialmente letais. As seções somente poderiam ser confiáveis após exaustivos testes e reparos. No total, os submarinos, que precisavam de 175 dias para serem construídos, exigiam mais 120 dedicados a reparos antes de poderem ser considerados aptos para operação. O sistema de Merker, além disso, exigia um complexo sistema administrativo para supervisionar a fabricação das seções e montagens complementares nos três estágios, que não ficou pronto a tempo. De fato, em 1944, não havia sequer um conjunto completo de desenhos e plantas disponível para os subcontratistas, o que obrigava a tomar as medidas a partir dos primeiros submarinos que estavam sendo montados nos diques secos de Hamburgo e Bremen. Em consequência, os montadores finais nunca recebiam o fluxo adequado de seções pré-fabricadas do qual dependia o sistema de Merker. Em vez disso, tornava-se necessário desviar muitos operários para tarefas que normalmente teriam cabido aos subcontratistas. No curto prazo, pelo menos, os arranjos de subcontratação já em prática, seguidos para o modelo Mark VII C, davam resultados muito melhores do que o conceito radical de seções de Merker. A evolução, em vez de revolução, teria, certamente, proporcionado ganhos reais muito maiores.

A atitude do ministério de Speer, nos últimos 18 meses da guerra, se caracterizou pela maneira de reagir a esses problemas fartamente documentados: não reconsiderando os planos e sim por meio de coerção cada vez mais ditatorial.[92] Assim, disse Karl Otto Saur: "O caminho está escolhido e será seguido com férrea determinaçao".[93] O resultado foi uma crescente tensão entre o ministério e os estaleiros. Em maio de 1944, à medida que se revelava o fiasco do Mark XXI, Merker e Rudolf Blohm acabaram por se confinar a acusações mútuas de conservadorismo e interesse pessoal, de um lado, e incompetência, do outro. Um mês depois, Merker fez ameaças pessoais a Blohm, ao anunciar que para resgatar o programa agiria "sem consideração com as pessoas ou seu status... e que, se não [houvesse] alternativa, também com a necessária rudeza".[94]

Em agosto de 1944, o irmão de Rudolf, Walther Blohm, registrou em seu diário que Merker havia acusado Blohm de sabotagem, alegação extraordinária tendo em vista a reputação deste último. Walther, por sua vez, atribuiu os comentários de Merker à necessidade desesperada de ocultar "o completo fracasso de seu sistema e do próprio desempenho". No outono de 1944, alegações como essa podiam ter graves consequências. No início de outubro, um bombardeio aéreo aliado destruiu seis aviões na pista de decolagem de uma filial aeronáutica da Blohm & Voss. Como punição, Walther Blohm foi arrastado a uma corte marcial e condenado a seis meses de prisão por não haver tomado precauções adequadas contra ataques aéreos. A família Blohm conseguiu anular o julgamento por meio de seus contatos com a *gauleitung* e em Berlim. No entanto, o incidente demonstra a tensão que invadia todos os níveis do esforço de guerra alemão, no final de 1944. Mais significativamente, do ponto de vista do estaleiro, a desconfiança de Merker e Speer era tal que ambos tomaram a medida extraordinária de retirar Rudolf Blohm do controle do próprio estaleiro, nomeando um chamado *Werksbeauftragten* diretamente responsável perante o ministério. Na prática, o comissário de Speer era um diretor de confiança da firma, e Rudolf Blohm parece ter conservado grande parte da autoridade. No entanto, o rebaixamento simbólico de um dos sustentáculos industriais mais fiéis do regime dificilmente poderia ter sido mais drástico.[95] No estaleiro da Deschimag, em Bremen, que era propriedade da Krupp, desde o final de 1941, o ministério de Speer foi ainda mais longe.[96] Assim como Blohm, o *Generaldirektor* da firma, Franz Stapelfeldt, havia constantemente criticado o esquema de seções de Merker e também, como Blohm, tinha considerado impossível cumprir as metas exageradas do ministério. Após meses de diálogos cada vez mais acrimoniosos, Stapelfeldt foi preso pela Gestapo, em 3 de outubro, e mantido refém, até a primavera de 1945, obrigando a Krupp a nomear outro diretor mais favorecido pelo ministério de Speer.

IV

No entanto, seria um equívoco considerar o fiasco do programa do submarino Mark XXI e a tensão com os estaleiros como marcas da política industrial do ministério de Speer nos estágios finais da guerra.[97] Não que os demais programas miraculosos de 1943-45 tivessem êxito mais significativo para influenciar o resultado da guerra, mas é difícil imaginar qualquer outra indústria na qual as relações dos empresários com o regime de Hitler tenham se deteriorado ao ponto do que ocorreu no caso da construção naval. Nos programas de foguetes e aviões a jato, ao contrário, ocorreu uma aliança cada vez mais estreita entre a indústria de armamentos de Albert Speer, o sistema de trabalho escravo de Heinrich Himmler e as principais firmas industriais da Alemanha.

Assim como o submarino Mark XXI, a repentina aceleração do programa do foguete V2, em 1943, foi claramente um jogo de poder de Albert Speer, e também o V2 constituiu reação a um fracasso. Nesse caso, a liderança alemã buscava formas de reagir ofensivamente aos bombardeios anglo-norte-americanos. A Luftwaffe não conseguira desenvolver o próprio bombardeiro pesado, e mesmo que o He 177 tivesse sido mais bem-sucedido, a indústria alemã não possuía os recursos para sustentar imensas frotas aéreas do tipo das que estavam sendo utilizadas por Grã-Bretanha e Estados Unidos. O foguete A2 (V2) de Werner von Braun, ao contrário, prometia dar à Alemanha um meio de ataque contra o qual não havia defesa eficaz. Era, no entanto, uma aposta tecnológica, e, desde o início, não se podia saber se a Alemanha jamais seria capaz de produzir foguetes em quantidade suficiente para golpear a Grã-Bretanha de forma realmente decisiva. Quando a questão dos foguetes começou a ser seriamente debatida, no verão de 1942, Hitler demonstrou judiciosidade ao descartá-la como projeto fantasioso.[98] No entanto, o foguete A4, por ser um plano do Exército, estava inteiramente na esfera de responsabilidade de Speer e, portanto, este tinha todo o interesse em promovê-lo como forma de passar adiante da Luftwaffe. Caracteristicamente, a decisão de passar à produção dos foguetes em grande escala foi tomada em janeiro de 1943, durante os desastres de Stalingrado e do norte da África. Em sinal de seriedade, Speer determinou a criação de uma Comissão Especial para o foguete, sob a chefia de Gerhard Degenkolb, herói do programa de produção acelerada de locomotivas, em 1942.[99] A decisão de passar à produção em massa foi confirmada em março, após lançamentos experimentais bem-sucedidos. Finalmente, em julho de 1943, Hitler conferiu alta prioridade ao projeto com o chamado Erlass A4. Isso deu a Speer o direito de requisitar recursos, até mesmo, da Luftwaffe. Nesse sentido, o programa foi o sucessor ideal do Panzer Adolf Hitler, que, depois do desastre de Kursk, perdera grande parte do brilho. Junto com o projeto de submarinos, o V2 era o programa de mais alta prioridade de que Speer necessitava, no desesperado verão de 1943, a fim de manter o impulso de seu império burocrático. Sem dúvida, o programa assumiu dimensões impressionantes. Nos últimos anos da guerra, o programa A4 surgiria como único projeto de armamento do regime nazista, orçado em 2 bilhões de *reichsmarks*, soma considerável para uma arma que não podia fazer mais do que infligir destruição aleatória nos subúrbios de Londres e Antuérpia.

Também era típico de Speer arriscar a reputação de seu ministério em "programas miraculosos" de caráter ofensivo. Tanto o programa de submarinos quanto o de foguetes satisfaziam a necessidade propagandística de vingança. Porém, por isso mesmo, eram irrelevantes para a situação estratégica da Alemanha. Depois de 1942, o que o país precisava, não era de meios ofensivos, e sim de defesa. Nesse aspecto, o programa de aviões a jato da Luftwaffe era muito mais promissor. O Me 262, primeiro jato operacional do mundo, foi uma realização tecnológica verdadeiramente extraordinária. O fato de que, em 1945, nas circunstâncias mais difíceis, a Alemanha fosse capaz de produzir centenas dessas aeronaves deveria silenciar quaisquer afirmações sobre a inerente debilidade do "sistema tecnológico" alemão. Na lista dos *dei ex machina* com que Hitler poderia haver mudado o curso da guerra, este é um dos mais citados,[100] mas é também uma das armas que mais estão ligadas à mitologia de interesse pessoal do pós-guerra. Depois da guerra, Ernst

Heinkel, Willy Messerschmitt e o chefe das forças combatentes alemãs, Adolf Galland, conspiraram para organizar um relato altamente parcial da história do Me 262, que objetivava comemorar a genialidade da tecnologia alemã e, ao mesmo tempo, demonstrar a incompetência da liderança nazista. Nesse relato, popularizado em biografias de grande sucesso nas livrarias e entrevistas na televisão, a interferência de Hitler, Göring e Milch foi o que furtou de Galland, e de seus valorosos pilotos de caça, uma arma com a qual poderiam ter protegido a Alemanha contra a impiedosa onda de bombardeios. Esse foi um mito que se vinculava a diversos temas na cultura política da Alemanha do pós-guerra: o lamento da perda da possibilidade de uma vitória, o consolo fornecido pela suposta superioridade da "tecnologia alemã", a hipócrita comemoração do horror dos bombardeios aliados. Mas, ao contrário da lenda, todos os indícios, de fato, sugerem que o Ministério da Aeronáutica do *reich* aproveitou a oportunidade da propulsão a jato com a velocidade possível. O que impediu que o Me 262 exercesse influência decisiva na guerra aérea não foram a incompetência nem o conservadorismo, e sim as debilitantes limitações materiais da economia de guerra da Alemanha.

Tão pronto Heinkel testou o primeiro protótipo de propulsão a jato, em agosto de 1939, tanto a Messerschmitt quanto a Heinkel iniciariam, imediatamente, o desenvolvimento de aviões de combate. De fato, essas opções foram perseguidas tão ativamente que causaram uma onda de incerteza tecnológica em todo o programa de desenvolvimento de motores a pistão, no início da década de 1940. Os primeiros projetos do Me 262 foram levados à atenção de Hitler, no verão de 1942, e ele, imediatamente, deu-lhes apoio entusiástico.[101] No fim de maio de 1943, após novos testes, o Ministério da Aeronáutica tomou a decisão definitiva de promover a produção em massa do avião e começou a exercer forte pressão sobre a Messerschmitt para que dedicasse ao projeto todos os recursos. Se houve algum obstáculo para a produção acelerada, nesse ponto, este vinha da própria Messerschmitt. Depois da guerra, Willy Messerschmitt e Ernst Heinkel gostavam de dar a entender, a quem os ouvisse, que o Me 262 estava "pronto", em 1943, ou mesmo em 1942. Isso, no entanto, é altamente enganoso. Em qualquer programa de desenvolvimento de aeronaves, a passagem da fase de protótipo à produção em série é, normalmente, precedida por, literalmente, milhares de horas de testes.[102] Em seguida, vem a produção experimental em série. Somente depois de terminado esse indispensável processo de aprendizado é que se torna seguro investir, fortemente, em instalações de produção em massa. Em 1943, Messerschmitt ainda estava se recuperando do desastre que sofrera com a produção em série demasiadamente apressada do Me 210. Em vez de forçar a produção em massa do Me 262, ele ofereceu, portanto, ao ministério todo um conjunto de projetos, inclusive um motor convencional a pistão como substituto para o caça Me 109.[103] Na verdade, Messerschmitt fez intrigas junto a Speer, durante o ano de 1943, para obstruir os esforços de Milch no sentido de concentrar todos os recursos disponíveis na fabricação em série do jato.[104] Os principais problemas tecnológicos, de qualquer forma, não tinham a ver com a estrutura do avião, e sim com os motores, elemento verdadeiramente revolucionário do projeto. Mesmo que os protótipos estivessem sendo testados com êxito, o primeiro motor a jato operacional do mundo ainda estava longe de poder passar à produção em massa. Isso não era de admirar, dados os enormes obstáculos tecnológicos que precisavam ser vencidos, não apenas para produzir em massa um sistema de propulsão inteiramente novo, mas também fazê-lo com economia de ligas metálicas de alto desempenho.[105] Apesar da extraordinária rapidez dos trabalhos de desenvolvimento, o motor a jato Junkers-Jumo não estava pronto nem mesmo para produção limitada em série, antes do verão de 1944.

Num esforço para passar à produção em massa dos foguetes de Speer e dos caças a jato de Milch, surgiu uma vigorosa cooperação entre a indústria alemã, os ministérios que lidavam com armamentos e a SS.[106] Imediatamente após os bombardeios altamente bem-sucedidos por parte da RAF contra as instalações de fabricação de foguetes em Pennemünde, em 18 de agosto de 1943, Speer levantou a questão de transferir a produção do A4 para túneis subterrâneos. A fim de executar essa tarefa hercúlea de construção, Speer e Hitler rapidamente concordaram que a SS seria a contratista ideal, com sua força de trabalho cativa de internos em campos de concentração. Em poucos dias, Speer e Saur acertaram as condições com Himmler. Encontrou-se um local subterrâneo adequado em um imenso depósito de combustíveis na Turíngia, e todo o projeto recebeu status independente com a fundação da Mittelwerke GmbH. De sua diretoria, participariam o general Hans Kammler, chefe de construções da SS, e duas figuras importantes da equipe de Speer — Degenkolb, famoso pelas locomotivas, e Karl Maria Hettlage, principal perito financeiro de Speer, emprestado pelo Commerzbank. A operação da fábrica propriamente dita era supervisionada por outros veteranos do milagre armamentista, inclusive Albin Sawatzki, que fora responsável pela produção do tanque Tigre na Henschel, durante a época de apogeu do Programa Panzer Adolf Hitler. O contrato inicial foi de 12 mil foguetes V2, num valor total de 750 milhões de *reichsmarks*.[107] No final do mês, Kammler já contava com um contingente de internos no campo de concentração de Buchenwald trabalhando em sua nova fábrica. No final do ano, a força de trabalho escravo já crescera tanto que foi criado o campo de concentração "Dora", como instalação separada.[108]

Com o decreto do A4 na mão, Speer conseguiu, assim, uma vantagem temporária sobre o Ministério da Aeronáutica, embora Milch não estivesse muito atrasado. Também ele tinha excelentes conexões com a SS. Desde 1942, a Luftwaffe tinha sido a principal utilizadora de mão de obra proveniente de campos de concentração para a produção de armamentos.[109] Tanto Heinkel quanto Messerschmitt eram, especialmente, ativos nesse aspecto. Quando Milch determinou à BMW e à Junkers que começassem os preparativos para a produção em massa de motores a jato, no fim de agosto de 1943, esperava que essas empresas utilizassem mão de obra dos campos de concentração de Dachau e Oranienburg.[110] No fim de 1943, já tinha sido acordado que os túneis de Kammler abrigariam as linhas de produção do V2 e do avião a jato Me 262, de Milch. Depois da guerra, um juiz do tribunal que investigava o campo de concentração Dora pediu a Speer explicação para o tríplice relacionamento de trabalho entre a SS, o Ministério da Aeronáutica e o do Armamento. Assinalando o fato de que Kammler estava trabalhando, simultaneamente, para Himmler, Göring e Speer, o juiz sugeriu que "isso, certamente, deve ter gerado choques", e Speer redarguiu: "... ou cooperação... tentamos tudo para chegar à cooperação".[111] Vinda de Speer, que, mais tarde, construiria toda uma interpretação do Terceiro Reich em torno de sua suposta luta de vida ou morte com a SS, essa confissão é altamente significativa.[112]

Num esforço de construção, que mesclava impiedosa brutalidade com velocidade, Hans Kammler conseguiu que o complexo produtivo do túnel de Mittelbau entrasse em operação no final do ano.[113] Para comemorar essa façanha notável, Speer e sua equipe visitaram o local, em 10 de dezembro.[114] O que viram causou profunda impressão. No julgamento de Nuremberg, Speer negou haver presenciado as verdadeiras condições em um campo de concentração, mas, em suas memórias, não mais se ocultou do horror que testemunhara em Mittelbau. Para cumprir o calendário estipulado pelo Ministério do

Armamento de Speer, Kammler sacrificara as vidas de seus operários-prisioneiros.[115] Não tinha sido desperdiçado tempo na construção de alojamento. Os trabalhadores dormiam no local de trabalho, dentro dos túneis, vendo a luz do sol, no máximo, uma vez por semana, privados de acesso a água limpa e instalações sanitárias.[116] Morriam aos milhares.[117] Para estimular os que ainda estavam vivos, Kammler pendurava os recalcitrantes nas vigas de sustentação. Speer e sua equipe viram uma fábrica coberta de cadáveres. Mais tarde, ele afirmou que muitos de seus companheiros ficaram muito abalados com essa viagem de inspeção. O diário de seu escritório registra, em termos menos emotivos, que as exigências do projeto Mittelbau fizeram com que alguns funcionários do ministério tomassem períodos extraordinários de licença.[118] Qualquer que fosse a verdade, isso não abalou o compromisso de Speer em sua aliança com Himmler e sua admiração pelo principal feitor de escravos. Uma semana depois da inspeção, em Dora, Speer escreveu a Kammler, felicitando-o efusivamente pela notável façanha "de transformar as instalações subterrâneas em Niedersachenwerfen (Mittelbau), de suas condições primitivas, há dois meses, em uma fábrica sem igual na Europa e à qual nem mesmo as norte-americanas são superiores. Aproveito esta oportunidade para expressar meus agradecimentos por essa realização realmente exemplar e pedir-lhe que, no futuro, apoie Herr Degenkolb dessa maneira maravilhosa".[119]

Em janeiro de 1944, Degenkolb e Sawatzki entregaram os primeiros três foguetes, todos padecendo de graves defeitos de fabricação.[120] No final de janeiro, a produção subira para 56 unidades e, em maio, superou 400 por mês. Ainda havia problemas com a qualidade da produção, o que resultou em desastrosos insucessos, tanto nas rampas de lançamento quanto em pleno ar, e o total produzido era ainda bastante inferior ao ambicioso objetivo de mil por mês. No verão de 1944, houve também sérias dúvidas sobre a lógica estratégia do programa como um todo, o que causou várias vezes alternância de prioridades entre o V2, o menor e mais barato V1 (apelidado "doodle bug") e o avião a jato Me 262. Mas, apesar de tudo isso, sob a supervisão de Kammler, o primeiro foguete da Mittelwerke foi lançado com êxito contra Londres, em 8 de setembro de 1944, e, naquele mês, a produção atingiu 600 unidades, nível mantido até fevereiro de 1945.[121] Dificilmente, poder-se-ia pedir prova mais reveladora das ambiguidades do discurso de racionalização no Terceiro Reich. Além da bomba atômica, o macabro complexo do túnel na

Turíngia produziu as duas armas mais futuristas da Segunda Guerra Mundial. A fábrica propriamente dita foi, claramente, considerada um triunfo da lógica norte-americana de larga escala,[122] construída em tempo recorde pela aplicação impiedosa, porém, altamente eficiente, de trabalho escravo. Embora o projeto estritamente secreto não pudesse ser usado na propaganda armamentista, foi uma continuação perfeita do "milagre" de Speer. Acima de tudo, foi uma confirmação triunfante da nova aliança entre os dois homens fortes do regime de Hitler — Albert Speer e Heinrich Himmler.

18

Desintegração

A DESGRAÇA NÃO SE ABATEU SOBRE A Alemanha num único golpe, e sim em intervalos regulares, passando de cenário em cenário. Entre um e outro, houve momentos de alívio durante os quais Speer, Goebbels e o restante fizeram todo o possível para reacender a chama da convicção fanática. O mês de julho de 1943 testemunhou um pesadelo de coincidências, com derrotas em diversas frentes: na guerra aérea, na Itália e em Kursk. No leste, os seis meses seguintes foram de retiradas aparentemente sem fim. Não obstante, mediante manobras frenéticas, o Grupamento Sul do Exército conseguiu, de alguma forma, terminar o ano de 1943 ainda no controle das jazidas vitais de minério de ferro e outros metais na Ucrânia.[1] Isso manteve vivas as esperanças da economia de guerra da Alemanha, pelo menos por alguns meses mais. Mesmo na Itália, o fim de Mussolini não prenunciava calamidade imediata. Aproveitando o terreno difícil e a cautela dos Aliados, um contingente modesto de 20 divisões da Wehrmacht conseguiu deter o 8º Exército britânico bem antes de Roma e conter o desembarque pouco reforçado dos norte-americanos em Anzio.[2] Enquanto isso, à medida que corria o outono, o pesadelo de Hamburgo se aliviou. Em vez de se concentrar nos alvos industriais do oeste da Alemanha, o Comando de Bombardeiros da RAF exauriu-se na perversa tentativa de "ganhar a guerra", destruindo Berlim.[3] Houve noites de boa pontaria dos britânicos e terríveis danos foram infligidos à "cidade grande". Em 22 de novembro de 1943, bombardeiros Harris mataram 3,5 mil pessoas, deixaram 400 mil desabrigadas e conseguiram atingir diretamente o centro administrativo do governo alemão, inclusive os escritórios do ministério de Speer e os de suprimentos para o Exército.[4] Porém, durante muitos meses, graças à evolução da tática e da tecnologia, os caças alemães noturnos conseguiram prevalecer.[5] No final de 1943, os bombardeiros aliados ainda não estavam ganhando a guerra. Durante algumas semanas preciosas, a liderança da Alemanha nazista recuperou o fôlego. A sensação de desamparo e derrota passou para segundo plano. Speer chegou a tentar elevar o moral com uma série de conferências sobre a reconstrução após a guerra.[6] No OKW, Alfred Jodl debatia, de modo otimista, a proteção proporcionada à Alemanha pelo gigantesco território da União Soviética. Nenhum avanço inimigo podia ser fatal em 1944. A principal vulnerabilidade estava nos campos petrolíferos da Romênia, única fonte de petróleo importado para a Alemanha.[7]

Os soviéticos, naturalmente, sabiam disso. Na véspera do Natal de 1943, trataram de romper o sangrento impasse no sul. Ataques constantes no eixo Zhitomir-Kiev ameaçaram fazer a ala norte do Exército alemão recuar para o sul. Mesmo assim, os alemães ainda tinham em seu poder as minas de Nikopol e Krivoi Rog. Somente em fevereiro, o domínio foi finalmente rompido e a Wehrmacht acabou expulsa para sempre da curva do Dnieper.[8] A linha de frente do Grupamento Sul, embora ainda intacta, estava agora perigosamente suspensa entre Ternopol e o mar Negro, sem nenhuma posição defensiva natural. Novamente, o Exército Vermelho aproveitou plenamente a oportunidade. Em 4 de março, o 3º Exército de Tanques da Guarda avançou diretamente para o sul, a partir de Ternopol, isolando completamente a posição alemã na Ucrânia. Sob pressão em toda a linha de frente, esforçando-se por manter ligação com os aliados romenos, os alemães recuaram primeiro atravessando o rio Bug e, em seguida, o Dniester. Mas, naquela última linha fluvial vital, não conseguiram impedir que os soviéticos tomassem as cabeças de ponte, que eram as plataformas para a nova investida em direção à Romênia.[9] Quando isso ocorresse, conforme reconhecera Jodl, seria um golpe fatal contra o esforço de guerra da Alemanha. A ameaça mais imediata, entretanto, nos primeiros meses de 1944, era a iminente derrota da Luftwaffe. No início de 1944, a Força Aérea do Exército dos Estados Unidos mudou a feição da batalha diurna ao introduzir uma nova geração de caças de escolta de longo alcance de desempenho substancialmente superior ao dos ultrapassados Messerschmitts, de Milch. Literalmente, milhares de Mustangs P51, equipados com tanques de combustível descartáveis, acompanhavam agora os bombardeiros, penetrando profundamente no território alemão e destruindo os interceptadores da Luftwaffe antes mesmo que chegassem próximo aos esquadrões de bombardeiros. A "Grande Semana" — 20 a 25 de fevereiro de 1944 — é, geralmente, considerada o ponto da reviravolta na guerra aérea.[10] Em seis dias consecutivos, milhares de bombardeiros norte-americano se lançaram contra todas as principais fábricas de aviões da Alemanha. A Luftwaffe não foi destruída em uma única semana. No entanto, a Força Aérea do Exército norte-americano havia advertido os alemães de que, dali em diante, enfrentariam uma taxa de desgaste absolutamente insuportável. Em fevereiro, a Luftwaffe perdera um terço dos caças e um quinto das tripulações. Em março, perdeu mais da metade dos aviões de combate. Em abril, 43% foram derrubados e, em maio e junho, a taxa de baixas situou-se em torno de 50%. Ao longo dos primeiros cinco meses de 1944, todo o contingente de pilotos de caça da Alemanha tinha sido morto ou colocado fora de combate. Alguns poucos ases alemães sobreviveram por tempo suficiente para realizar extraordinárias façanhas, mas o tempo médio de vida dos pilotos da Luftwaffe era, agora, medido em poucas semanas.[11]

I

Diante da iminente extinção da Força Aérea alemã, o Ministério da Aeronáutica do *reich* seguiu o exemplo da Marinha, colocando seu destino nas mãos do Ministério do Armamento de Speer. O resultado foi a formação do chamado *Jägerstab* (Equipe de Combate). Nominalmente, o *Jägerstab* era chefiado por Albert Speer, mas, nas primeiras semanas de 1944, exausto pelo excesso de trabalho, ele sofreu um colapso físico. Até o início de maio, ficou afastado da rotina cotidiana. Portanto, Erhard Milch, que havia "entregado" a independência do Ministério da Aeronáutica, permaneceu encarregado da produção da Luftwaffe, pelo menos, até o verão.[12] Agora, no entanto, podia contar com a energia brutal de Karl Otto Saur, um esquadrão de funcionários graduados do ministério de Speer e os conhecimentos específicos do general SS Kammler. Dispondo de prioridade indiscutível em todo o esforço armamentista, autorizado a tomar quaisquer medidas necessárias para elevar a produção, o *Jägerstab* ressuscitou com êxito o "milagre armamentista". Medida em termos de peso da estrutura das aeronaves, a produção dobrou entre fevereiro e julho de 1944. O aumento do número de aviões produzidos foi ainda mais espetacular: de 1.323, em fevereiro de 1944, para 3.348 em fim de setembro, dos quais quase 2,9 mil eram caças.

O ministério de Speer deve sua lendária reputação a essa tardia explosão na produção de aeronaves. Da maneira que a situação se apresentava, em janeiro de 1944, a produção total de armamentos, após dois anos de liderança de Speer, era "apenas" 130% maior do que fora quando ele assumiu o cargo.[13] Desde os traumáticos acontecimentos de julho de 1943, o índice de produção de armamentos, que vinha sendo calculado regularmente pelo escritório de planejamento de Hans Kehrl, subiu vertiginosamente, aumentando quase 50% em apenas cinco meses. Em relação a um índice de 100 quando Speer assumira a função, o índice que era de 230, em fevereiro, alcançou o nível recorde de 330, em julho de 1944. Dois terços desse aumento podem ser atribuídos aos triunfos de última hora do *Jägerstab*. Speer e Saur tinham perfeita consciência da importância dessa notável explosão tardia para a reputação de seu ministério. Era o capítulo conclusivo ideal na narrativa de propaganda do milagre armamentista. Um por um, o Ministério do Armamento havia assumido a responsabilidade pelos principais elementos do esforço de guerra alemão: primeiro, o Exército e a Reichsbahn, depois o programa Panzer e o programa de submarinos, seguidos pelo milagre do Mittelbau e do V2. Agora, Speer e seus homens iriam levar a salvação à Luftwaffe. O segredo do sucesso era sempre o mesmo: "racionalização", combinada com "autorresponsabilidade da indústria".

Inexplicavelmente, os inquisidores aliados, que começaram a esquadrinhar as ruínas da economia de guerra da Alemanha, em 1945, tomaram essa história ao pé da letra, resolvendo transformar Karl Otto Saur, imagine-se, em uma de suas principais fontes de informação sobre o esforço de guerra do país.[14] Na verdade, como ocorrera com o programa de submarinos e com o Programa Panzer Adolf Hitler, a versão Saur-Speer da história do *Jägerstab* deve ser examinada com extrema cautela. O que é indiscutível é que o *Jägerstab* trouxe nova dose de violência coercitiva à economia armamentista e que isso se estendeu a todas as atividades gerenciais na Alemanha e à força de trabalho, porém, principalmente, aos diversos tipos de mão de obra estrangeira utilizada na produção da Luftwaffe.[15] Nesse particular, Milch foi acusado de crimes contra a humanidade no tribunal de Nuremberg. É difícil compreender de que forma Saur escapou do banco dos réus. No caso do *Jägerstab*, o sistema de "autorresponsabilidade industrial" trombeteado, inicialmente por Todt e depois por Speer, sem dúvida transformou-se em uma ditadura sem restrições legais ou código de conduta civilizada. Depois do ataque da primeira onda de bombardeiros norte-americanos, no final de fevereiro de 1944, Saur e Milch percorreram todas as fábricas de aviões num trem especial, de codinome Hubertus, de onde distribuíam condenações sumárias aos gerentes de fábricas que eles consideravam haver falhado no cumprimento de seus deveres.[16] Em Regensburg, submeteram a uma corte marcial dois contratistas alemães acusados de haver retardado a construção da fábrica da Messerschmitt, porque tinham exigido alojamento razoável para trabalhadores alemães.[17] Em 25 de março, Erhard Milch falou a uma plateia de engenheiros aeronáuticos e oficiais de intendência, apresentando-os às tarefas dos operários com os termos mais drásticos:

> Por favor, continuem seu caminho e derrubem quem quer que impeça seu avanço! Nós nos responsabilizamos por qualquer coisa que aconteça aqui. Não queremos saber se ele [*sic*] está ou se não está autorizado. Para nós, existe apenas essa tarefa. Somos fanáticos em relação a isso... Não existe autoridade que possa me impedir de cumpri-la. Nem eu jamais receberei tal ordem... não deixem que nada os detenha, e façam com que seus subordinados tampouco possam ser detidos... Senhores, eu sei que nem todo subordinado é capaz de afirmar: Para mim, a lei não existe...

Essas almas débeis necessitavam de "alguém que se responsabilize... se ficarem em contato [com o *Jägerstab*] e imediatamente esclarecerem os pontos difíceis para que alguma coisa possa ser feita, nesse caso, estamos dispostos a assumir a responsabilidade, seja ou não dentro da lei". A sobrevivência da Alemanha exigia um sistema dependente apenas da prioridade da produção. Com a perda de metade dos aviões da Luftwaffe, a cada mês, Milch via somente

> duas possibilidades para mim e para a Alemanha: ou temos êxito e, assim, salvamos a pátria, ou continuamos com esses métodos deficientes e teremos o destino que merecemos. Prefiro... [estar]... ocupado fazendo algo que seja contra as regras, mas que seja correto e sensato, ser responsabilizado por isso e, se quiserem, ser enforcado, em vez de ser enforcado porque o Papai Stalin está aqui em Berlim, ou os ingleses. Não desejo isso... Estamos no quinto ano da guerra. Repito: a decisão chegará dentro das próximas seis semanas![18]

O primeiro requisito essencial para o aumento da produção era, sem dúvida, um ritmo de trabalho acelerado. Em todas as fábricas de aviões e de motores aeronáuticos, a norma, a partir da primavera de 1944, passou a ser de 72 horas de trabalho por semana. Seguindo o modelo do Programa Panzer Adolf Hitler, esse árduo ritmo era sustentado mediante o fornecimento, aos operários mais diligentes, de rações extraordinárias de alimentos, doces, cigarros e bebidas alcoólicas, suéteres, roupa de baixo para aquecimento, meias e até cotas especiais de complexos vitamínicos.[19] No entanto, essas recompensas eram, em geral, reservadas à mão de obra alemã e aos estrangeiros de desempenho realmente excepcional. Para o restante, Milch e Saur ofereciam somente a disciplina mais rigorosa. Milch queixava-se de que os operários estrangeiros

> fogem. Não respeitam os contratos. Há dificuldades com os franceses, italianos, holandeses. Os prisioneiros de guerra são... rebeldes e abusados. Também suspeita-se de que pratiquem sabotagem. Esses elementos não podem se tornar eficientes *com métodos suaves. Simplesmente não são tratados com a disciplina necessária.* Se um capataz competente desse um soco num desses sujeitos indisciplinados porque o homem não quer trabalhar, a situação mudaria logo. *Aqui, não é possível observar o direito internacional.* Eu me impus com muita energia, e, com a ajuda de Saur, defendi veementemente o ponto de vista de que os prisioneiros, com exceção dos ingleses e norte-americanos, *devem ser mantidos longe das autoridades militares.* A experiência mostra que os soldados não conseguem tratar com essa gente. Vou tomar medidas muito estritas aqui e vou levar os prisioneiros de guerra desse tipo à minha corte marcial. Se alguém cometer sabotagem ou recusar-se a trabalhar, vou mandar enforcá-lo aqui mesmo na fábrica. Estou convencido de que isso produzirá resultados. (*Itálicos no original.*)

Os métodos do Mittelbau de Kammler ficavam assim estendidos a toda a área da Luftwaffe.[20]

Essa atitude cada vez mais draconiana em relação à disciplina no trabalho chegou ao auge na campanha de mobilização das reservas de trabalho dos campos de concentração. Quinze dias depois do estabelecimento do *Jägerstab*, Himmler informou Milch, por escrito, de que a Luftwaffe já empregava 36 mil internos em campos de concentração e que ele esperava, em breve, elevar esse total para 90 mil.[21] Como exemplo de colaboração produtiva, Himmler citava o caso da fábrica de caças da Messerschmitt, em Regensburg, que havia se tornado subcontratista do campo de concentração de Flossenbürg. Em vez de trabalhar na célebre pedreira, os internos de Flossenbürg estavam, agora, produzindo capôs para motores e tampas de radiadores para o Me 109. Em fevereiro, Regensburg também começou a receber peças de fuselagem feitas no campo de Mauthausen. No verão de 1944, ao que se acredita, 35% da produção atribuída à fábrica da Messerschmitt, em Regensburg, era, na verdade, proveniente dos subcontratistas da SS.[22] Enquanto contribuíam, dessa forma, para os recordes de produção do ministério de Speer, Flossenbürg e seu *Aussenlager* consumiram as vidas de, pelo menos, 20 mil pessoas, além dos muitos outros milhares que morreram em Mauthausen.[23]

Embora os prisioneiros dos campos de concentração tivessem começado a aparecer, cada vez mais, em toda a parte, na produção de armamentos, até a primavera de 1944, os internos judeus, categoria mais baixa na hierarquia racial nazista, tinham estado ausentes desse tipo de emprego. O *Jägerstab* quebrou, até mesmo, esse tabu ideológico. Para assegurar sua participação na defesa contra o Exército Vermelho, a Hungria foi ocupada militarmente pela Wehrmacht, em 19 de março de 1944. Em poucas semanas, a possibilidade de utilizar centenas de milhares de judeus húngaros para o trabalho no esforço de guerra passou a ser ansiosamente debatida no quartel-general do *führer.*[24] A primeira prioridade para o uso de mão de obra judia foram as gigantescas instalações subterrâneas de Kammler, mas, dada a emergência com que se defrontava a Luftwaffe, a possibilidade de empregar judeus nas fábricas de aviões já não era mais descartada. Em meados de maio, Eichmann iniciou a deportação dos judeus húngaros à razão de 12 a 14 mil por dia. Segundo o conhecido princípio da *Selektion*, a maioria seguiria para as câmaras de gás, mas esperava-se que, pelo menos, um terço estivesse apto para trabalhos forçados no *reich*. Auschwitz servia de "campo de reunião" para os transportes que chegavam. Os escolhidos para trabalhar eram entregues diretamente a Sauckel, à organização de construções de Todt ou a outros empregadores de alta prioridade, como o *Jägerstab.*[25] Estima-se que dos 509 mil judeus que, finalmente, foram deportados da Hungria, mais de 120 mil sobreviveram à guerra como mão de obra forçada.[26] No *Jägerstab*, a utilização de judeus húngaros foi inicialmente debatida em 26 de maio de 1944, na primeira reunião a que compareceu o recuperado Albert Speer.

O *Jägerstab* estava ansioso por saber qual a quantidade de judeus que poderia receber e ouviu o relato de um oficial que, evidentemente, estava em contato constante com Auschwitz. A operação de transporte de Eichmann já durava onze dias, e as notícias de Auschwitz não eram boas. Dentre os primeiros a chegar, tinham sido oferecidos ao Ministério do Armamento somente "crianças, mulheres e velhos, com os quais não se pode fazer muita coisa". Os melhores trabalhadores masculinos, ao que parecia, tinham sido mantidos na Hungria, escavando armadilhas de tanques para a Wehrmacht. A ata conclui laconicamente que "A menos que os próximos transportes tragam homens de idade adequada para o trabalho, toda a operação não poderá ter grande sucesso".[27] Naquele estágio da guerra, ninguém poderia realmente ter qualquer dúvida sobre o destino dos judeus que não fossem considerados aptos para o trabalho, mas isso não era problema de Speer ou do *Jägerstab*. Um mês mais tarde, o fluxo de material humano melhorou e o *Jägerstab* teve a satisfação de saber que Auschwitz poderia agora cumprir suas promessas. Em particular, a SS esperava entregar "13 mil judias húngaras, em grupos de 500. Assim, as firmas menores poderão utilizar melhor essas judias do campo de concentração".[28]

Mas a disciplina de trabalho coercitiva e a mobilização de dezenas de milhares de internos dos campos de concentração somente podiam explicar parte do notável aumento da produção de aeronaves, na primeira metade de 1944. Ao relatar a seus crédulos interrogadores da Supervisão de Bombardeiros os triunfos do *Jägerstab*, Karl Otto Saur, previsivelmente, concentrou a atenção sobre outras questões. Segundo a versão dele dos acontecimentos, a chave do êxito do *Jägerstab* foi a "revolução total", realizada na produção de aviões, uma intervenção "singular" com "efeitos decisivos".[29] Antes de 1944, afirmou Saur, a produção de aviões tinha sido indolente. Somente devido à ação decisiva do Ministério do Armamento, a indústria vira-se obrigada a focalizar toda a atenção na maximização da produção. Ao fazer essas afirmações, no entanto, Saur pouco mais fazia do que reiterar o costumeiro *slogan* de propaganda. Para dizer o mínimo, é implausível a ideia de que os produtores que trabalhavam para a Luftwaffe, que, desde 1941, tinham estado sob a supervisão de homens como Karl Frydag (estruturas) e William Werner (fábricas de motores), tivessem muito o que aprender com Karl Otto Saur. Não admira, talvez, que os funcionários do Ministério da Aeronáutica do *reich* vissem com maus olhos os exageros das realizações do *Jägerstab*.

Perplexo com os recordes propalados por Saur, o Ministério da Aeronáutica empreendeu, no verão de 1944, uma análise mais detalhada do repentino e miraculoso aumento de produção ocorrido desde que os homens de Speer haviam assumido o comando. Seu relatório deixa claro que a imoralidade criminosa do *Jägerstab* não era o único aspecto que merecia exame crítico.[30]

Para começar, a história contada por Saur não levava em conta os inevitáveis prazos da produção de aviões. Até mesmo o caça mais simples levava seis meses para ficar pronto, desde a matéria-prima até o aparelho acabado. Como o próprio *Jägerstab* havia passado a existir em fevereiro de 1944, as medidas que tomara e os recursos que mobilizara não poderiam produzir efeitos antes de agosto do mesmo ano. Grande parte do aumento de produção, até julho de 1944, somente podiam ser explicadas em termos de medidas adotadas antes da formação do *Jägerstab*. Mais importante, durante o ano de 1943, o Ministério da Aeronáutica havia conseguido de Sauckel 317 mil trabalhadores para as indústrias da Luftwaffe, além dos 243 mil obtidos por iniciativa própria. Dentre esses, o Ministério da Aeronáutica contava como "seus" os 100 mil internos em campos de concentração fornecidos extraordinariamente pela SS em 1943 e 1944. O ministério havia também iniciado a expansão da produção de motores para aviões, sem a qual a explosão na produção de aeronaves, em 1944, não teria sido possível. O que mais causava ressentimento, contudo, era a atitude incoerente do ministério de Speer. A essência do relato de Saur era que somente a "reação rápida como relâmpago" de Speer e sua equipe era responsável por haver salvo a Luftwaffe de desastre imediato, em fevereiro de 1944.[31] Isso, porém, ignorava o fato de que, no início do outono de 1943, imediatamente após o bombardeio de Hamburgo, o Ministério da Aeronáutica havia preparado uma proposta de aperfeiçoamento da defesa aérea da Alemanha por meio de aviões de combate.[32] A versão inicial do chamado *Reichsverteidigungsprogramm* (Programa 224 da Luftwaffe) previra uma produção mensal, até julho de 1944, de nada menos do que 5.390 aeronaves, das quais dois terços seriam constituídos de caças. Parte importante desse programa era uma drástica redução da produção de modelos mais antigos, em favor da aceleração da fabricação em massa do avião de combate a jato Me 262. Mas, em vez de ajudar Milch na implementação desse esforço crucial de produção, Saur e seus "peritos em racionalização" declararam inatingíveis as metas propostas.[33] No outono, houve muitas reuniões cheias de acrimônia, nas quais Speer lançou um dramático ataque pessoal contra William Werner, o mesmo que, dois anos antes, tinha sido universalmente aclamado como principal perito em produção em massa, o mesmo a quem, em 1943, Speer confiara pessoalmente a responsabilidade geral pela produção de motores, inclusive diante dos protestos da Maybach, que detinha o monopólio do setor de tanques.[34] Somente em fevereiro de 1944, depois que o controle da produção de aviões passou para o ministério de Speer, tudo de repente mudou. Não apenas o *Jägerstab* de Speer se considerou responsável pela acumulação de recursos feita pelo Ministério da Aeronáutica desde 1943, mas também Saur e seus sequazes se sentiram em liberdade para adotar, no verão de 1944, um programa (programa 226) quase idêntico à proposta "impraticável" do Ministério da Aeronáutica, de nove meses antes.

Embora o Ministério da Aeronáutica, obviamente, tivesse outros motivos para queixas, as afirmações do *Jägerstab* em defesa do "sistema Speer", sem dúvida, têm de ser vistas com ceticismo. Com suas iniciativas da segunda metade de 1943, o Ministério da Aeronáutica havia preparado o caminho para a drástica descontinuidade na produção de aviões do início de 1944. Em contraste com a retórica de violenta urgência que acompanhou as ações do *Jägerstab*, em 1944, o ministério recebera pouca ou nenhuma assistência de Saur ou de Speer, somente quando Milch se rendeu e concordou em compartilhar o controle do setor da Luftwaffe foi que Speer dispôs-se a permitir que a produção de aeronaves aproveitasse a plena autoridade do Ministério do Armamento do *reich* e os benefícios práticos que ela conferia. Mesmo em 1944 não houve milagres de racionalização. Ao contrário das afirmações de Saur, é claro que a produção de aviões não entrou em levitação. Embora a confusão reinante em 1944 torne impossível uma contagem exata, é claro que os poderes ilimitados do *Jägerstab* permitiram apoiar a elevação da produção dos caças Me 109 e FW 190 com quantidades de matérias-primas, mão de obra, alimentos e capacidade de transporte sem precedentes. Na verdade, o próprio Speer confirmou essa interpretação em um comentário descuidado feito a jornalistas em junho de 1944. Para explicar a retomada extraordinariamente vigorosa da produção de aviões, ele observou: "Tenho de acrescentar... que, nesse caso, ocorreu uma alteração silenciosa do sistema, porque, desde fevereiro, trouxemos para a indústria aeronáutica capacidades das indústrias de blindagens e Panzer, assim como fizemos em outras indústrias. Esse é o motivo, em minha opinião, para a rápida recuperação."[35] Conforme o diário confidencial do ministério de Speer francamente confessa, a estranha robustez da produção de tanques, em 1943, diante de constante bombardeio aliado, dependera da capacidade de Speer em abastecer a Comissão Principal com cotas extras de aço, retiradas de "fontes secretas", que nem Kehrl nem a *Zentrale Planung* conheciam. Agora, o *Jägerstab* beneficiava-se dos mesmos recursos clandestinos. Conforme suspeitara o Ministério da Aeronáutica, o zeloso controle de Speer sobre recursos essenciais e sua capacidade de conferir "prioridade Panzer" eram os fatores realmente decisivos.[36]

II

Quem quer que fosse, em última análise, merecedor do crédito, no verão de 1944, o *Jägerstab* foi a plataforma para mais uma onda de propaganda armamentista a serviço da radicalização final do esforço de guerra. Regressando de sua prolongada convalescença, Albert Speer voltou vigorosamente à ribalta como salvador do regime nazista. A propaganda do milagre armamentista foi retomada, no início de maio de 1944, com o discurso de Speer aos operários da construção naval, no qual ele louvou as realizações deles em lograr a produção em massa dos submarinos Mark XXI. Convenientemente, tratou de não mencionar que nenhum daqueles barcos iria ganhar os oceanos até o ano seguinte e que nenhum deles, tampouco, estaria realmente pronto para o combate até abril de 1945. Em 9 de junho, imediatamente após os desembarques aliados na Normandia, Speer estimulou as energias do Ruhr com uma conferência intitulada simplesmente "O Milagre dos Armamentos" (*Das Wunder der Rüstung*).[37] O que fica claro no texto do discurso e em comentários subsequentes, feitos em uma roda de imprensa escolhida a dedo, é que Speer agora se sentia obrigado a defender o sistema de "autorresponsabilidade", que era o próprio cerne de toda a mitologia de seu regime. O sistema estava sendo criticado tanto pelas fileiras da indústria quanto do interior do ministério. Radicais como Hans Kehrl queriam transformar o sistema cada vez mais confuso de Comissões, *Rings* e equipes de emergência em uma estrutura simplificada permanente de direção estatal, apoiada em uma consolidação fiscal objeto de concertação.[38] Ao mesmo tempo, no entanto, Speer enfrentava uma onda de opiniões, vindas dos setores de negócios, contrárias às intervenções cada vez mais brutais de seu ministério.[39] Diante dessas tendências adversas, Speer usou seu trunfo mais forte: o relacionamento ímpar com o *führer*. A relação Speer-Hitler tinha passado por momentos de turbulência, desde outubro de 1943, mas, em maio de 1944, ele retomara a intimidade com o *führer*. Embora a saúde de Hitler estivesse se deteriorando e ele se mostrasse cada vez menos disposto a falar em público, concordou em fazer uma aparição extraordinária em favor de Speer. Em 24-5 de junho, em Linz, sob estrita segurança militar, Speer organizou uma conferência para todos os indivíduos importantes na indústria de armamentos, ao todo 300.[40] A plateia assistiu a um nutrido programa de conferências. O discurso do próprio Speer durou três horas, copiosamente ilustrado com transparências e gráficos que retratavam os triunfos do Ministério do Armamento do *reich* e as realizações de seus principais colaboradores — Saur, Degenkolb, Schieber *et al.* Foi uma apresentação destinada a confirmar o sistema de "autorresponsabilidade" e demonstrar sua importância indispensável para o esforço de guerra. As noites foram ocupadas com um programa estimulante de música clássica, inclusive Bruckner, música de câmara com instrumentos de época e uma apresentação de Herbert von Karajan.[41] Para um grupo seleto de delegados, o auge ocorreu, em 26 de junho, com uma visita ao Plattenhof, em Berchtesgaden, onde tiveram o privilégio de ouvir o que seria o último discurso público de Hitler, cujo texto foi efetivamente escrito por Speer. Em seu roteiro, Speer forneceu a Hitler uma reiteração da mensagem que o Ministério do Armamento vinha divulgando durante os últimos dois meses. A "autorresponsabilidade da indústria" era a chave do sucesso. Até o momento, as realizações eram miraculosas. O derrotismo era injustificável. A fim de prevalecer, porém, a Alemanha precisava de um último esforço. Se a indústria alemã deixasse de atender às exigências da guerra, as consequências seriam catastróficas. Speer, claramente, desejava enfatizar especificamente esse ponto. Não era possível esperar misericórdia, nem mesmo dos aliados ocidentais. As notas dele para Hitler eram enfáticas: "Se a guerra for perdida!... impiedosa extirpação da indústria alemã, a fim de eliminar a competição nos mercados mundiais. O inimigo tem planos econômicos concretos, que confirmam isso".[42] Para afastar essa terrível perspectiva, praticamente qualquer sacrifício seria justificado. Seria preciso suportar os métodos brutais do *Jägerstab*. Porém, uma vez assegurada a vitória, o mundo alemão dos negócios podia contemplar um retorno à liberdade empresarial. Como disseram Speer-Hitler: "Quando esta guerra for decidida com nossa vitória, a iniciativa privada na Alemanha terá seu maior momento!" Hitler prometeu aos empresários alemães "talvez o maior florescimento de todos os tempos".[43] Em meio a uma coerção cada vez mais violenta, Speer convenceu Hitler a explicitar claramente sua crença "na continuidade do desenvolvimento da humanidade por meio da promoção da iniciativa privada, que, para mim, é a única condição de qualquer progresso verdadeiro".

Em meio aos horrores de 1944, é difícil imaginar o quanto essas frases já soassem gastas. Em suas memórias, Hans Kehrl recordou o choque que lhe causou a deterioração de Hitler, que agora lhe parecia doente e envelhecido.[44] Essa decepção, no entanto, estava longe de ser universal. Walter Rohland, então diretor-presidente da Vereinigte Stahlwerke e ainda um dos principais sustentáculos de Speer na indústria pesada, tinha sido um dos que mais insistiram para que Hitler fizesse um pronunciamento público em favor da iniciativa empresarial. Poucos dias depois do evento, Rohland escreveu a Speer para felicitá-lo pelo êxito da "conferência sobre armamentos, que se saiu realmente muito bem".[45]

Hitler tinha boas razões para parecer preocupado em Linz. Em 6 de junho, britânicos e norte-americanos, finalmente, haviam desembarcado na França.[46] Previsivelmente, a avassaladora superioridade aérea dos Aliados impediu que a Wehrmacht reagisse com a velocidade necessária para repelir os invasores de volta ao mar. No Dia D, todo o poderio da Luftwaffe no ocidente somente conseguiu 275 decolagens, comparadas com 14 mil dos aviões dos Aliados.[47] Três semanas depois, os britânicos pulverizaram Caen e os norte-americanos ameaçavam cercar dezenas de milhares de soldados alemães na Bretanha. Essa batalha no ocidente, no entanto, foi de pequena escala e lenta em comparação com o drama épico que se desenrolava no leste.[48] Em 22 de junho, no terceiro aniversário do ataque alemão à União Soviética, o Exército Vermelho desencadeou a operação Bagration contra o Grupamento Central da Wehrmacht.[49] Complementando a superioridade numérica e qualitativa de seu equipamento com melhor inteligência e apoio logístico proporcionado pelos caminhões e meias-lagartas norte-americanas, os marechais Zhukov e Vasilevsky lançaram o que é, geralmente, considerado como "a mais impressionante operação terrestre da guerra".[50] Poucos dias depois do ataque, três exércitos alemães estavam inteiramente destruídos. Em 4 de julho, as forças soviéticas haviam liberado Minsk e estavam a caminho da fronteira com a Polônia. Em 11 de junho, a Wehrmacht relatou que o Grupamento Central tinha perdido 28 divisões e 300 mil homens. No fim da batalha da Bielorrússia esse número aumentara para 450 mil.[51] Enormes colunas de prisioneiros alemães desfilavam penosamente pelas amplas avenidas de Moscou. Em 24 de julho, as tropas dos exércitos do flanco esquerdo, do marechal Konstantin Rokossovskii, libertaram o primeiro grande campo de concentração, Majdanek, perto de Lublin. Quatro dias depois, após avançar quase 600 quilômetros em seis semanas, o Exército Vermelho finalmente encontrou resistência que o obrigou a se deter próximo aos subúrbios de Varsóvia. Depois de três anos de luta encarniçada, a Wehrmacht tinha sido obrigada a recuar até o ponto de partida, em junho de 1941.

Enquanto isso, as forças aliadas, finalmente, concentravam suas forças no ataque às fábricas de combustível da Alemanha.[52] As atas com transcrições das reuniões de 22 e 23 de maio sugerem que, após a primeira onda de ataques, até mesmo Speer perdeu o sangue-frio.[53] No entanto, o indômito ministro do Armamento do Terceiro Reich, logo, recuperou o ímpeto. A agonia final do esforço de guerra alemão seria também o momento em que seu poder chegaria ao auge.[54] Em junho de 1944, durante a preparação da conferência de Linz, ele obrigara Göring a reconhecer a consequência lógica da formação da *Jägerstab*. Com vigência a partir de 1º de agosto de 1944, todo o complexo industrial da Luftwaffe foi colocado diretamente sob o controle do superministério de Speer. Pela primeira vez, na história do Terceiro Reich, todo o esforço armamentista ficava formalmente concentrado sob uma autoridade única. E isso não era o bastante. A emergência militar exigia que, praticamente, todos os aspectos da sociedade alemã fossem colocados a serviço do esforço de guerra. Em 12 de julho, Speer escreveu a Hitler exigindo que junto com seus poderes ampliados sobre a economia armamentista, Joseph Goebbels recebesse a responsabilidade de mobilizar a frente doméstica e Heinrich Himmler comandasse as formações de reserva do exército. Somente a implacável determinação da liderança nacional-socialista poderia guiar a Alemanha. Mesmo nesse estágio tardio, Speer recusava-se a admitir a derrota. Em relatório a Hitler, ele acentuou que "com as novas armas, tecnicamente superiores, aviões, submarinos e a utilização do [foguete] A4, e o aumento da produção de tanques e artilharia de ataque, sobrepujaremos, nos próximos três a quatro meses, o auge da crise, que ainda está diante de nós...".[55] Seguiu-se a nomeação de Goebbels como plenipotenciário do *reich* para a guerra total, em 18 de julho.[56] A promoção de Himmler ocorreu dois dias depois.[57] Nos dias anteriores a 20 de julho, Speer se aliou, dessa forma, aos dois homens que mostrariam ser os pilares fundamentais do regime nazista nas horas de desespero, após o atentado contra a vida de Hitler. No momento em que a bomba foi detonada no abrigo blindado de Hitler, Speer estava em companhia de Goebbels e permaneceu com ele durante as horas seguintes. Não pode haver dúvida sobre o objeto de suas simpatias, apesar do mentiroso ocultamento em suas memórias.[58] Quatro dias depois do fracasso da tentativa de golpe, enquanto a SS detinha milhares de suspeitos, Speer saudou, em tom entusiástico, as nomeações de Himmler e Goebbels. Speer disse a sua equipe que esses homens assegurariam que a Guerra Total não seria mais tema "de debates, e sim um fato".[59] No começo de agosto de 1944, por ocasião da absorção do setor da Luftwaffe por seu ministério, Speer usou o mesmo tom ao falar à recém-formada Equipe de Armamentos, organização calcada na, ora extinta, *Jägerstab*. Speer mencionou os poucos "escolhidos" que, agora, tinham assumido a direção do *reich* "à cuja frente, sob o nosso *führer*, estão homens como Himmler e Goebbels".[60] Dada a situação militar da Alemanha, Speer enfatizou que a tarefa da Equipe de Armamentos era tanto psicológica quanto prática. Além de continuar a elevar a produção de armas, a principal missão era espalhar um espírito de "otimismo e calma". Deveriam manter-se unidos até o fim, como uma "comunidade de juramento", nascida de anos de labuta conjunta no esforço armamentista.[61]

Os esforços do próprio Speer para promover otimismo chegaram ao auge poucos dias depois, em Posen, onde ele e Himmler falaram aos *gauleiter*, como tinham feito em 1943. O discurso de Speer continha a mistura costumeira de estatísticas armamentistas que soavam impressionantes, mas, nessa ocasião, ele foi mais adiante. Para assegurar que os números de julho de 1944 fossem realmente os mais elevados jamais registrados, Speer acrescentou aos totais de julho a produção esperada para a primeira semana de agosto.[62] Havia sucumbido à tentação final da "grande mentira". Já não estava simplesmente dramatizando, aumentando e manipulando a realidade; estava, agora, empenhado em um ato consciente de engano. Speer prometeu aos *gauleiter*, para os meses seguintes, novos e enormes incrementos na produção de todas as armas e calibres de munição. No dia seguinte, Hitler reafirmou a posição central de Speer no discurso aos *gauleiter*, depois da conferência, no seu quartel-general, fazendo questão de acentuar as realizações do Ministério do Armamento durante o ano anterior. Apesar do otimismo irreal de Speer, no entanto, o esforço de guerra alemão já tinha declinado. A partir de julho, a produção de armamentos diminuiu e desabou depois do início de 1945. A produção não se reduziu, simultaneamente, em todos os tipos de armamento. As armas e tanques chegaram a seu nível mais elevado somente nos últimos meses de 1944; a munição atingiu o pico em setembro, mas a produção de aeronaves, componente mais complexo do sistema militar industrial e que tinha sido o alvo mais pesadamente atingido pelos bombardeios aliados, sofreu um colapso precipitado, a partir do verão de 1944.

Como isso efetivamente marcava o fim da corrida armamentista, que foi uma das forças motrizes de nossa narrativa desde, pelo menos, o final da década de 1930, vale a pena fazer uma pausa para avaliação.[63] Previsivelmente, à luz do que já foi dito, a disparidade entre a produção da Alemanha e a de seus inimigos era clara. Valendo-se dos triunfos da *Jägerstab*, a Alemanha conseguira produzir em 1944 um total de 34.100 aviões de combate. Em contraposição, a produção conjunta de seus principais adversários — a Grã-Bretanha, a União Soviética e os Estados Unidos — chegara a 127.300, dos quais os Estados Unidos contribuíram com 71.400, ou seja, uma margem de superioridade de 3,7 para um.[64] Em tanques, a diferença era igualmente grande: 18.300 produzidos na Alemanha contra 54,1 mil dos Aliados, com a União Soviética representando 29 mil do total nessa categoria. As margens em artilharia, rifles e metralhadoras foram um pouco menos desfavoráveis para a Alemanha, variando entre 2,1 e 2,7 para 1. O ano de 1944, no entanto, representou o auge da produção alemã, enquanto que nessas categorias os adversários haviam chegado ao máximo, em 1943. Em suma, nada do que Albert Speer e seus colegas haviam feito, desde 1942, fizera diferença em relação ao problema fundamental da Wehrmacht. Mas embora, por um lado, o triunfalismo que rodeia o ministério de Speer tenha de ser encarado como mais do que uma pitada de sal, por outro lado, não há motivo para falar em termos de fracasso. Uma vez havendo a Alemanha entrado em disputa com a Grã-Bretanha e a União Soviética e, uma vez havendo os Estados Unidos lançado plenamente seu peso na balança, os riscos contra o Terceiro Reich, sem dúvida, se tornariam avassaladores. Em 1941, antes da invasão alemã da União Soviética, mas também antes que a economia norte-americana entrasse em ritmo pleno, o PIB conjunto da Grã-Bretanha, União Soviética e Estados Unidos excedia o da Alemanha por um fator de 4,36 para 1. Da mesma forma, na década de 1930, a produção conjunta de aço da Grã-Bretanha, União Soviética e Estados Unidos tinha sido exatamente quatro vezes maior do que a da Alemanha, e isso numa época em que a produção norte-americana estava bem abaixo de seu pico produtivo.[65] Em 1944, a proporção de produção de aço, mesmo que acrescentemos as da Bélgica, França e Polônia à da Alemanha, era de 4,5 para 1 contra Berlim. O que a Alemanha enfrentava, em 1944, era simplesmente a esmagadora superioridade material que seus estrategistas sempre haviam temido.

Sem dúvida, as conquistas alemãs do início da guerra contribuíram, em certa medida, para compensar essa desvantagem. O aumento da mobilização da "capacidade estrangeira", especialmente, da França, era um dos trunfos com os quais Speer contava para revigorar o esforço de guerra da Alemanha, no outono de 1943.[66] Entre 17 e 19 de setembro de 1943, Speer e Kehrl receberam, em Berlim, o ministro francês da Produção, Jean Bichelonne, a fim de debater a possibilidade de um aumento substancial dos suprimentos franceses para a Alemanha. Dado o estado da economia da França, no entanto, tratava-se de um esforço de última instância e de pouca consequência prática. Durante todo o período entre 1939 e 1945, os territórios ocupados tiveram inegável importância para o esforço de guerra alemão. Forneciam sobretudo mão de obra, alimentos e matérias-primas. Proporcionavam, também, um gigantesco suporte territorial, sem o qual a Wehrmacht jamais teria conseguido retardar o fim da guerra até 1945. No entanto, era impossível aos territórios compensar a avassaladora vantagem industrial conferida aos inimigos europeus da Alemanha pelo envolvimento dos Estados Unidos. Já vimos quão irrisória tinha sido a contribuição da Luftwaffe na fase inicial da ocupação dos territórios ocidentais. A situação não melhorou, significativamente, nos estágios posteriores da guerra. Em 1943, último ano de plena ocupação, o total dos suprimentos de equipamento militar à Alemanha vindos da França, Bélgica, Holanda, Governo Geral, Dinamarca, Noruega e Sérvia representou apenas 9,3% da produção geral de armamentos.[67] Somente na construção de navios, equipamento de comunicação e veículos a motor, os territórios ocupados deram contribuição digna de nota ao equipamento de combate da Wehrmacht. Em termos absolutos, em 1943, todas as entregas vindas da Europa ocupada para a Wehrmacht atingiram 4,6 bilhões de *reichsmarks*.[68] Em contraposição, a Grã-Bretanha recebeu entregas no valor de 6,7 bilhões de dólares (aproximadamente, 20 bilhões de *reichsmarks*) da produção total norte-americana

Tabela 17. Produção de armamentos do Eixo e dos Aliados, 1942-1944, em relação ao potencial econômico

Milhares:									PPP 1990 — US$		Milhares de toneladas:	
	Rifles	Pistolas	Metralhadoras	Canhões	Morteiros	Tanques	Aeronaves de combate	Principais navios	PIB 1941	PIB 1944	Produção de Aço 1939	Produção de Aço 1944
EUA	10.714	1.685	2.291	512	61.6	86	153,1	6.755	1.094	1.499	55.731	81.321
Grã-Bretanha	2.052	3.682	610	317	65,3	20,7	61,6	651	344	346	13.716	12.337
URSS	9.935	5.501	1.254	380	306,5	77,5	84,8	55	359	495	18.796	16.350
Total dos Aliados	22.701	10.868	4.155	1.209	433,4	184,2	299,5	7.461	1.797	2.340	88.243	110.008
Alemanha	6.501	695	889	262	66,0	35,2	65,0	703	412	437	21.528	24.218
Itália			83	7	11,3	2,0	8,9	218	144	137	2.283	1.025
Japão	1.959	3	341	126	4,3	2,4	40,7	438	196	189	6.693	6.366
Total do Eixo	8.460	698	1.313	395	81,6	39,6	114,6	1.359	752	763	30.504	31.609
Aliados/ Eixo	2,7	15,6	3,2	3,1	5,3	4,7	2,6	5,5	2,4	3,1	2,9	3,5
Aliados/ Alemanha	3,5	15,6	4,7	4,6	6,6	5,2	4,6	10,6	4,4	5,4	4,1	4,5

Fontes: *Statistisches Handbuch*, 292. M. Harrison (org.), *The Economics of World War II* (Cambridge, 1998), 17

de munições, em 1943, cujo valor foi de 54,4 bilhões de dólares (aproximadamente, 150 bilhões de *reichsmarks*).[69] Mesmo com um cálculo muito favorável a respeito das taxas de câmbio, a proporção das entregas externas de munições aos dois países europeus não pode ter sido menor do que 4 para 1 contra a Alemanha. Devido à baixíssima produtividade dos territórios ocupados, o programa de mão de obra estrangeira era certamente, de longe, a contribuição mais importante da Europa ocupada ao esforço armamentista alemão. Em 1944, um entre cada três operários na indústria de armamentos para a Wehrmacht era estrangeiro.[70]

III

Já nos anos finais da guerra, os devastadores ataques dos Aliados estavam abalando os alicerces da economia de guerra da Alemanha. No entanto, atribuir exclusivamente a esses "choques externos" o colapso final da Alemanha seria, novamente, uma forma de concordar com a fantasiosa narrativa de Speer. De fato, em 1944, a desintegração da economia de guerra alemã, a partir de seu interior, já não podia ser mais encoberta. Na ausência de medidas verdadeiramente dramáticas em contrário, no verão de 1944 era evidente que o país em breve enfrentaria uma inflação não menos grave do que a que dissolvera a estrutura do Estado do tempo do kaiser, entre 1914 e 1923. Isso denota outro ponto cego na história heroica do Ministério de Speer. Até o verão de 1944, não seria certamente injusto dizer que o ministério do *reich* ignorara o papel do dinheiro como instrumento essencial da gestão macroeconômica. Como vimos, a fim de maximizar a produção de armamentos, Speer opusera-se, em 1942, aos esforços do comissário de preços e do Ministério das Finanças em podar os lucros excessivos. Todo o sistema de gestão econômica do Ministério do Armamento baseara-se na extensão e aperfeiçoamento de um mecanismo de controle físico sobre a indústria alemã. Em 1944, no entanto, o problema da inflação estava chegando próximo de Speer. Já não era mais possível deixar de lado o dinheiro, mesmo por parte dos mais ardorosos defensores do controle físico.

Em julho de 1944, o escritório de planejamento de Hans Kehrl compilou um memorando sobre "Poder de compra, Preços e Financiamento da guerra", que começava com palavras dramáticas: "A economia da Alemanha", dizia a repartição de Kehrl, "corre o risco de cair em anarquia, contra a qual até mesmo um sistema ampliado e aperfeiçoado de controles econômicos [*Wirtschaftslenkung*] será inútil".[71] De cima para baixo, a erosão do valor da moeda estava privando os atores econômicos do incentivo de satisfazer as exigências do regime, assim como de seus padrões básicos de cálculo econômico. A Alemanha encontrava-se na rampa escorregadia entre uma economia dirigida pelo Estado, na qual os atores econômicos privados reagiam livremente aos incentivos oferecidos pelas autoridades centrais, e uma economia estatal plena (*Staatswirtschaft*), na qual a atividade econômica era motivada somente por "coerção ou idealismo" (*Zwang oder Idealismus*). E, como o próprio Kehrl acentuava, até mesmo, a "economia totalmente planificada da Rússia soviética" reconhecera a importância de conservar um padrão monetário estável como base para a contabilidade e a mensuração estatística.

A ameaça de inflação era a consequência direta da forte tensão exercida sobre a economia pelo esforço de guerra. Conforme todos os combatentes verificaram, era possível gerir as consequências financeiras da guerra caso a carga não fosse excessiva e sempre que a autoridade governamental fosse suficiente para criar impostos e assegurar o funcionamento adequado do racionamento e dos controles de preços.[72] Além disso, pedir recursos emprestados aos poupadores, ao mercado financeiro ou aos bancos, proporcionava oportunidade crucial de alívio, embora isso, sem dúvida, dependesse da manutenção da confiança do público no esforço de guerra. A inflação que ameaçava desestabilizar o esforço de guerra da Alemanha era sintomática do fato de que, em 1944, esses limiares cruciais já tinham sido penetrados. Não é de admirar que o processo de desintegração tenha começado na periferia do império nazista, e tornou-se mais grave nos Bálcãs.[73] Em meados de 1942, o índice de preços na Grécia já havia aumentado mais de 340%.[74] Na Romênia, fornecedora vital de cereais e petróleo, os preços haviam dobrado no outono de 1942. Na Bulgária e Hungria, o aumento foi de, pelo menos, 70%. Houve inflação igualmente rápida na França e na Bélgica, embora esses países preferissem não publicar as estatísticas oficiais de preços. Em 1943, toda a Europa ocidental ocupada pelos nazistas via-se claramente nas garras de uma onda inflacionária que trazia consigo uma crescente desorganização e colapso da produção. Em 1943, o produto nacional da Grécia foi de metade do que tinha sido antes da guerra. De efeitos menos cruéis, porém mais significativo em termos econômicos, foi a progressiva desintegração da economia francesa, na qual a produção, em 1943, atingiu um terço do nível anterior à guerra. A causa desse colapso monetário não constituía mistério. No caso da França, as exigências alemãs devem haver representado, em 1943, até 50% da renda nacional, carga impossível de ser financiada tanto por meio de impostos quanto por empréstimos sensatos de longo prazo.[75]

Como vimos, em consequência dos enormes gastos militares, a economia da Alemanha vinha sofrendo excesso substancial de demanda, pelo menos, desde 1938. Até 1943, porém, os sintomas de disfunção inflacionária estavam relativamente bem controlados. O sistema silencioso de financiamento da guerra, instituído no outono de 1939, funcionava a contento. Os aumentos de impostos de 1941-42, combinados com contribuições cada vez mais elevadas dos territórios ocupados, permitiam ao Ministério das Finanças do *reich* financiar 54% dos gastos em 1942 e 44% em 1943 mediante receitas.[76] Em 1942, as receitas fiscais foram tão fartas que o *reich* conseguiu até mesmo reduzir sua dependência de empréstimos em relação a 1941. Até 1943, além disso, o fluxo de poupança familiar foi suficiente para que pelo menos 17% dos gastos públicos totais fossem financiados por meio de empréstimos seguros de longo prazo. Isso ainda deixava entre 28 e 33% dos gastos, nos anos orçamentários de 1941, 1942 e 1943, para serem cobertos por empréstimos de curto prazo, mas o Reichsbank conseguiu descarregar no mercado monetário a maior parte dessa "dívida flutuante". Enquanto isso, os preços oficialmente sancionados permaneciam fixos, e um código estrito de tempo de guerra restringia as trocas legítimas a transações entre famílias. O mercado negro era tolerado fora da Alemanha, mas não dentro dos limites do *reich*. Goebbels aproveitou a crise do inverno de 1941-42 para lançar uma grande campanha de publicidade contra a atividade ilegal do mercado negro, que ajudou a reforçar a hostilidade do público contra os especuladores. Segundo uma estimativa otimista, o mercado negro representou somente 2% dos gastos de consumo nos primeiros anos da guerra.[77] Apesar das desastrosas derrotas na frente oriental e a imensa mobilização de recursos, tanto domésticos quanto externos, a que se dedicaram Speer e seus colegas, a estabilidade da ordem econômica foi em grande parte preservada. Na verdade, precisamos ir mais além. Sem o êxito pouco reconhecido das autoridades fiscais e monetárias do *reich* em preservar o equilíbrio econômico geral até o verão de 1943, teria sido muito mais difícil, senão impossível, ao Ministério do Armamento, obter os triunfos que conseguiu. Conforme o escritório de planejamento de

Kehrl tardiamente reconheceu, caso a inflação tivesse corrido à rédea solta, teria sido necessário um grau de coerção muito mais elevado a fim de mobilizar recursos para a produção bélica. O funcionamento do sistema monetário era um lubrificante essencial para o milagre armamentista.

A partir do início do verão de 1943, no entanto, o frágil equilíbrio das finanças de guerra da Alemanha entrou em progressivo colapso. As exigências da mais recente rodada de mobilização armamentista de Speer sobre a economia alemã eram cada vez mais insustentáveis. Em 1943, segundo as estimativas disponíveis mais confiáveis, os gastos bélicos financiados por meios domésticos representavam 60% do produto bruto nacional da Alemanha, o que era uma proporção mais elevada do que em qualquer dos demais países combatentes.[78] Em 1944, a mobilização intensificou-se ainda mais. O consumo e investimento civis foram, novamente, comprimidos à medida que os gastos relacionados com a Wehrmacht continuavam a crescer. No quinto ano da guerra, entre setembro de 1943 e o final de agosto de 1944, a Wehrmacht consumiu a assustadora importância de 99,4 bilhões de *reichsmarks*, mais do que o total da renda nacional nos anos finais da década de 1930. Em contraposição, as receitas fiscais, tanto na Alemanha quanto nos territórios ocupados, estagnaram-se no ponto mais elevado alcançado em 1942; o que era mais preocupante, as instituições financeiras do país estavam chegando ao limite de sua capacidade de absorção das dívidas estatais. A Gestapo era capaz de reprimir manifestações ostensivas de derrotismo, mas não podia controlar diretamente as decisões quotidianas da população alemã. Já em seguida a Stalingrado, os informantes relataram maior disposição de recorrer ao mercado negro.[79] Enquanto as famílias passavam, cada vez mais, a confiar nessas fontes ilegais, ocorreu um correspondente declínio da disposição em prestar informações a respeito delas. Como ocorrera na Primeira Guerra Mundial, o conflito transformou em criminosos cidadãos comuns e respeitadores da lei. Durante toda a guerra, foram abertos mais de 100 mil processos judiciais por desrespeito aos regulamentos da economia de guerra. Segundo uma estimativa independente, no fim da guerra, o mercado negro atendia pelo menos a 10% do consumo familiar. À medida que o dinheiro cada vez mais se encaminhava por canais ilegais, o sistema de reciclagem do excesso de poder de compra entrou em colapso. Justamente no momento em que, no início do verão de 1943, o milagre armamentista de Speer estacou pela primeira vez, os depósitos de poupança caíram vertiginosamente, também, pela primeira vez, desde os primeiros meses da guerra.[80] No verão de 1944, já ocorria um colapso monetário total. A venda de títulos de investimento de longo prazo, como os seguros de vida, já declinara substancialmente na primavera e os bancos em todo o país relataram grandes saques em dinheiro. Por sua vez, as instituições financeiras iam se distanciando dos papéis governamentais tanto de curto quanto de longo prazo, obrigando o Reichsbank a absorver quantidades crescentes de papel-moeda em suas contas. O dinheiro líquido em circulação aumentou assustadoramente. Entre setembro de 1944 e o fim de abril de 1945, o volume de notas expandiu-se em mais de 80%.[81] A Alemanha enfrentava agora a ameaça iminente de hiperinflação. Isso, por sua vez, prejudicava o funcionamento da "economia real". Dada a contínua redução da oferta de bens de consumo nas lojas e a quase inevitabilidade de que a poupança não despendida viesse a ser anulada por uma inflação no pós-guerra, os salários pagos aos trabalhadores em dinheiro tornavam-se cada vez menos importantes. Isso obrigou ao recurso a incentivos materiais, como cotas extras de alimentos, cigarros ou roupas, e também acelerou a espiral de violência coercitiva. Enquanto os incentivos positivos iam perdendo significado, surgiam inevitavelmente as ameaças e sanções policiais. As firmas tinham pouco interesse em acumular nas contas bancárias lucros que em breve se evaporariam, tão logo a inflação do pós-guerra ocorresse. Em vez disso, fizeram o possível para utilizar esses fundos em estoques de matéria-prima, novos prédios, bens de capital e ações de outras empresas, coisas que conservariam seu valor independentemente do deslocamento do sistema monetário. Tanto quanto possível, começaram também a exportar capital para o exterior da Alemanha, em direção a santuários na Suécia, Suíça e Portugal.[82] Do ponto de vista do ministério de Speer, no entanto, essa "corrida para a substância" (*Drang zur Substanz*) era profundamente disfuncional. Ia em direção diametralmente oposta ao desejo dos planejadores em reduzir a acumulação de estoques e impedir que as firmas encomendassem equipamento para novas fábricas que não poderiam, de forma alguma, contribuir para o esforço de guerra imediato. Em 1944, cada *reichsmark* investido em novas máquinas ou novas construções retirava recursos da produção imediata de armamentos.[83]

Portanto, somente no verão de 1944, o ministério de Speer foi forçado a examinar as consequências econômicas mais amplas de sua incessante campanha de produção. Até aquele momento, o ministério via com prazer produtores e operários bem recompensados em termos financeiros por sua contribuição crescente para a produção bélica. Somente quando a desintegração do sistema monetário começou a tornar ineficazes esses incentivos econômicos, o Ministério do Armamento, finalmente, começou a pensar no panorama mais amplo. Para remediar a situação, o escritório de planejamento, inicialmente, sugeriu controles mais restritos, cotas mais racionadas de matéria-prima e regulamentação ainda mais intrusiva do comportamento e práticas de emprego de pessoal por parte das empresas.[84] No entanto, como reconhecia o memorando de julho de 1944, essa infindável busca por perfeição no mecanismo de planejamento estava condenada ao fracasso, a menos que fosse combinada com um esforço igualmente decidido para restaurar o funcionamento do sistema monetário. A equipe de Kehrl propunha, assim, um drástico aumento de impostos sobre gastos de consumo e um sistema de poupança forçada, por meio do qual os contratistas e operários na indústria de armamentos receberiam uma fração de sua renda, não em dinheiro, e sim em forma de títulos do governo, que somente seriam resgatáveis depois que a guerra terminasse.

Como vimos, a ideia de reduzir os lucros obtidos no setor de armamentos vinha sendo repetidamente debatida desde o início da guerra, mas, somente depois do verão de 1944, foi ela finalmente apoiada pelos gestores do esforço armamentista. Em 1943, o Ministério das Finanças propusera uma série de medidas que teriam gerado 8 bilhões de *reichsmarks* adicionais por ano.[85] No entanto, os perigos inerentes a qualquer grande aumento de taxação eram evidentes, desde a experiência do verão de 1942, quando os bancos alemães foram inundados de boatos de que o *reich* estava prestes a decretar um imposto punitivo sobre a poupança. Os bancos de poupança, elo importante na cadeia do "financiamento silencioso", inquietaram-se devido a uma série de retiradas decorrentes de pânico. Não admira que o pacote de propostas de aumento de impostos fosse vetado por Hitler e pelas autoridades do partido, no início de 1943, e a Academia Alemã de Direito, que proporcionara o principal foro para debate acadêmico dos problemas fiscais do *reich*, abolisse a comissão que tratava do tema.[86] Em 22 de setembro de 1944, Hitler novamente vetou qualquer nova discussão sobre grandes aumentos de impostos. Em fevereiro de 1945, quando o estoque de moeda cresceu a ponto de escapar ao controle, o Ministério das Finanças fez mais uma tentativa desesperada de retirar de circulação, pelo menos, 25 bilhões de *reichsmarks*.[87] Enquanto o Terceiro Reich entrava em colapso, o perplexo e distanciado *führer*, finalmente, concordou em assinar um decreto de aumento de impostos, mas somente o fez sob a condição de que as medidas entrariam em vigor apenas depois do fim da guerra.

Muito pode-se especular sobre essa falta de vontade do Terceiro Reich em impor aos *Volksgenossen* todo o peso do custo da guerra. Pode ser entendida como um sintoma do profundo "populismo" do regime. Mas a ironia, naturalmente, era que a decisão de não aumentar os impostos não significava que a verdadeira carga da guerra não recairia sobre os ombros da população alemã. Fosse ou não diretamente confiscada pelo Estado, uma parcela cada vez maior dos salários e benefícios sociais pagos durante a guerra não podia ser gasta, ou somente podia ser gasta em compras no mercado negro, a preços exorbitantes. Nesse sentido, seria ingênuo inferir da decisão de decretar impostos draconianos de guerra que o Terceiro Reich não desejasse impor aos cidadãos o pleno custo do conflito.[88] O que estava acontecendo com os rendimentos em dinheiro, racionamento e restrição da produção de bens de consumo, combinado com impacto dos bombardeios britânicos e norte-americanos, ocasionava uma forte redução do padrão de vida real da população alemã. A decisão de não acompanhar essa redução real com impostos equivalentes sobre os rendimentos monetários tinha no máximo efeitos ambivalentes: poderia deixar que algumas pessoas se sentissem mais ricas por causa dos recursos que iam se acumulando em contas de poupança ou em bônus de guerra. Essas, no entanto, eram promessas de poder de compra futuro, que para manter o valor real dependiam do êxito das autoridades do *reich* em preservar o valor do *reichsmark*. Enquanto isso, o perigo inflacionário representado por esse poder de compra reprimido exigia controles ainda mais estritos, que sem dúvida tinham custos políticos ainda mais elevados. Ao advogar a taxação, no verão de 1944, o escritório de Kehrl não o fez como ato de "rigor", e sim como meio de evitar as desastrosas ineficiências que resultariam de um colapso inflacionário da moeda. Na medida em que fosse capaz de conter a inflação, a taxação, na verdade, teria proporcionado a melhor defesa para a mínima dose de liberdade econômica que o Terceiro Reich ainda dava aos seus cidadãos. Poderia ser politicamente desconfortável no curto prazo, mas, do ponto de vista do próprio regime, sem falar da população como um todo, uma ordem monetária estável era claramente preferível tanto à anarquia da hiperinflação quanto ao controle estatal total.

IV

Afinal, a liderança política do Terceiro Reich nunca precisou enfrentar as consequências de sua própria inação fiscal. No outono de 1944, apesar do lento avanço dos exércitos britânico e norte-americano e das terríveis baixas ainda sofridas pelo Exército Vermelho, a derrota final da Wehrmacht era apenas uma questão de meses. O que ainda estava incerto, nos últimos meses da guerra, era o que entraria primeiro em colapso: a Wehrmacht ou a economia alemã de guerra. As perdas territoriais sofridas, desde o início de 1944, significaram a assinatura da sentença de morte contra a economia de guerra. A evacuação das jazidas de minério da Ucrânia, em fevereiro de 1944, limitou a produçao alemã de aço a um horizonte de tempo de no máximo 18 meses.[89] O suprimento de petróleo da Romênia — precondição absoluta para a continuação de operações de guerra móveis em ampla escala — foi cortado antes de abril de 1944. Essas perdas determinavam um limite de tempo para a sobrevivência da Alemanha, mas não implicavam, por si mesmas, em um colapso imediato. Numa avaliação tipicamente otimista preparada para Hitler, na primeira semana de setembro de 1944, Speer afirmava que os estoques alemães de matérias-primas eram suficientes para permitir o prosseguimento da produção, ainda que a Alemanha fosse obrigada a se retirar completamente dos Bálcãs, da Europa oriental, do norte da Itália e de metade da Hungria.[90] O que paralisou a economia alemã não foram as perdas territoriais e sim a campanha de bombardeios aéreos de intensidade completamente sem precedentes.[91]

Na primeira metade de 1944, as forças aéreas da Grã-Bretanha e dos Estados Unidos tinham estado ocupadas com os preparativos para a invasão da Normandia. Os Aliados nada deixaram ao acaso. A fim de proteger as praias de desembarque de um ataque rápido alemão, pulverizaram metodicamente todo o sistema francês de transporte. As únicas operações diferentes desse bombardeio tático foram ataques devastadores contra as fábricas de hidrogenação de combustível na Alemanha. Quando a Normandia ficou assegurada, os bombardeiros ficaram finalmente liberados para se voltarem integralmente contra a Alemanha, e o fizeram com tremenda intensidade. Tinha sido necessário esperar quatro longos e penosos anos, desde as decisões fatais do verão de 1940, de desenvolver o armamento aéreo anglo-norte-americano, mas a frota aérea que iria ganhar a guerra estava, agora, pronta. Em março de 1943, no início da campanha dos bombardeios estratégicos, britânicos e norte-americanos tinham à disposição mil aviões, com uma capacidade conjunta de transporte de bombas de 4 mil toneladas.[92] Em fevereiro de 1944, época da ofensiva total da Grande Semana, a força conjunta ampliara-se para 3 mil bombardeiros e aumentava rapidamente para chegar a 5.250, em julho de 1944, nível em que se estabilizou até o fim da guerra. Aviões cinco vezes mais numerosos do que em 1943 eram, agora, capazes de desfechar, num único ataque, um total assustador de 20 mil toneladas de bombas. A partir de junho de 1944, essa temível arma voltou-se incessantemente contra o *reich*. Entre junho e outubro de 1944, britânicos e norte-americanos fizeram chover sobre a Alemanha nada menos do que meio milhão de toneladas de bombas, mais do que em toda a guerra até aquele ponto. Durante os seis meses seguintes, despejaram mais 545 mil toneladas. Berlim e o Ruhr experimentaram ataques de intensidade sem precedentes. A 8ª Força Aérea do Exército dos Estados Unidos atingiu Berlim, em 3 de fevereiro de 1945, com uma frota de mil bombardeiros pesados, num ataque que consumiu 2.893 vidas. Mas os alvos, agora, não eram apenas as cidades grandes. Dezenas de cidades menores foram arrasadas por incêndios e explosivos: Darmstadt em 12 de setembro de 1944 (8.400 mortos), Freiburg em 27/28 de novembro (2 mil mortos), Heilbronn em 4 de dezembro (7 mil mortos), Nuremberg em 2 de janeiro de 1945 (1.790 mortos) e novamente em 20 e 21 de fevereiro, Magdeburg em 16 de janeiro de 1945 (4 mil mortos), Dresden em 13/14 de fevereiro (35 mil mortos), Würzburg em 16/17 de fevereiro (5 mil mortos), Pforzheim em 23/24 de fevereiro (17 mil mortos) e Swindemünde em 12 de março (5 mil mortos). O último grande ataque noturno da RAF foi contra Potsdam, em 14/15 de abril de 1945, com 500 bombardeiros que mataram pelo menos 3.500 pessoas e incineraram os registros históricos do Exército prussiano.[93]

Num sentido geral, essa destruição, sem dúvida, contribuiu para a desintegração da frente doméstica alemã, além de, certamente, satisfazer um desejo ardente de vingança. O mês em que ocorreu o bombardeio mais pesado de toda a guerra foi março de 1945, com uma carga total de 133.329 toneladas, numa época em que tais ataques não poderiam ter impacto concebível, nem mesmo para acelerar o fim dos combates. Não que os bombardeios devastadores não tivessem graves efeitos econômicos. Fábricas foram obliteradas, devastadas por incêndios, enterradas em montanhas de escombros ou paralisadas por falta de matéria-prima e energia elétrica. Mas a correlação entre o bombardeio geral das cidades alemãs e o colapso da produção bélica do país foi, no máximo, pouco consistente. Provavelmente, não houve instalação industrial a que os Aliados tivessem dedicado mais atenção do que a Gusstahlfabrik, da Krupp, em Essen, símbolo máximo do militarismo alemão.[94] Ao fim da guerra, a Gusstahlfabrik tinha sido atingida nada menos do que 25 vezes. Em 1943, essa indústria fora bombardeada repetidas vezes durante a "Batalha do Ruhr", mas a produção de aço somente terminou, definitivamente, em 23 a 25 de outubro de 1944, quando Essen foi atacada por um total de 1.200 aviões, que acabaram com a contribuição da Gusstahlfabrik para o esforço de guerra alemão por meio da destruição do fornecimento de energia elétrica. O maior ataque de todos, no entanto, ocorreu em 2 de março de 1945, época em que os bombardeiros pouco mais faziam do que atacar montanhas de escombros. A destruição sem sentido das cidades alemãs poderia prejudicar muito a produção, mas não conseguia paralisá-la completamente. Os bombardeiros acabaram por obter esse resultado cortando as linhas férreas e canais entre o Ruhr e o restante da Alemanha.

O desastre começou, no final de setembro, com um ataque do Comando de Bombardeiros da RAF que fez secar o canal Dortmund-Ems.[95] O gigantesco pátio de concentração de carga, em Hamm, foi atingido repetidas vezes, em setembro e outubro, reduzindo sua capacidade em 75%. O Reno ficou bloqueado, em 14 de outubro, com a destruição da ponte Colônia-Mülheim. Entre 14 e 18 de outubro, os fornecimentos de carvão do Ruhr foram completamente paralisados, e a destruição no sentido oposto foi ainda mais intensa. No início de outubro, somente um dentre 50 trens de transporte de minério conseguiu chegar ao Ruhr. Por falta de minério de ferro, a produção de aço do Ruhr, em janeiro de 1945, declinou 66% em relação ao ano anterior. Embora a estratégia de bombardeios aliados tivesse na verdade abandonado em novembro e dezembro a absoluta prioridade de alvos do sistema de transportes, a simples tonelagem despejada fora suficiente para provocar colapso quase total. Entre novembro de 1944 e janeiro de 1945, as forças aéreas britânicas e norte-americanas lançaram nada menos do que 102.796 toneladas de bombas contra alvos de transporte, especialmente, estradas de ferro e pátios de movimentação de carga. Em 11 de novembro, Speer reportou a Hitler que o Ruhr estava efetivamente isolado do restante do *reich*.[96] O prejuízo nas entregas de carvão do Ruhr, entre agosto de 1944 e janeiro de 1945, elevou-se a 36,5 milhões de toneladas, equivalente a pelo menos seis semanas de consumo normal. Em dezembro de 1944 a Alemanha enfrentou o primeiro de três invernos consecutivos sem estoques adequados de carvão. Somente em 1948 foram restauradas conexões confiáveis entre as minas do Ruhr e os centros urbanos da Alemanha. Para uma sociedade europeia de meados do século XX, isso pressupunha paralisia imediata. Já em janeiro de 1945, o impacto da escassez de carvão se fazia sentir com toda a severidade. Acima do Ruhr, no centro industrial meridional de Mannheim-Ludwigshafen, a falta de carvão provocou uma queda de 80% na produção da Brown, Boveri e Cia., uma das principais produtoras de transformadores elétricos do *reich*. A Opel, em Rüsselsheim, e a BMW, em Munique, fecharam no início de 1945, por falta de carvão. Na primavera, os contemporâneos observavam que o Reno corria sem poluição, pela primeira vez, em uma geração. Não havia fábricas funcionando para sujá-lo.[97]

Nesse ponto, o Ministério do Armamento se via derrotado. Era impossível deter os bombardeiros. O colapso da produção industrial alemã era apenas uma questão de tempo, mas, no outono de 1944, a guerra passou pelo último dos períodos de estagnação, que eram essenciais à capacidade do regime de Hitler em recuperar a confiança e se convencer, repetidas vezes, de que não estava tudo perdido. Em setembro de 1944, o avanço dos Aliados através da França estacou na fronteira do *reich*. Seguiram-se meses de desgastantes batalhas defensivas, com progresso angustiosamente lento, nas quais a Wehrmacht demonstrou capacidade superior de combate, com efeitos notáveis. No leste, o Exército Vermelho deteve-se nos arredores de Varsóvia. Nos meses seguintes, a luta na frente oriental limitou-se em grande parte, aos flancos. O Grupamento Norte do Exército alemão ficou isolado e encerrado na costa do mar Báltico. No sul, depois de conquistar rapidamente a Romênia, o Exército Vermelho avançou com muito mais lentidão através da Hungria. No final de novembro, a Wehrmacht ainda dominava Budapeste. Dessa forma, terminava um ano inteiro de constantes desastres, como previra Alfred Jodl, com as fronteiras do *reich* ainda intactas. E, em 16 de dezembro, a mobilização da indústria de tanques, executada por Speer, permitiu a Hitler se dedicar à sua última grande surpresa da guerra: a ofensiva das Ardenas.[98] Numa tentativa absurda de repetir o êxito de maio de 1940, 1,8 mil tanques, cada qual munido de um tanque de gasolina, penetraram pelas colinas da Bélgica em direção ao rio Meuse e aos gigantescos depósitos aliados de combustível, na

Antuérpia.[99] Na véspera do Natal de 1944, os tanques chegaram ao ponto de travessia dos rios em Dinant, lugar onde ocorrera a reviravolta quatro anos antes. Desta vez, no entanto, não avançaram mais. Embora em inferioridade numérica, as unidades norte-americanas, surpreendidas pelo ataque inicial, combateram obstinadamente na retaguarda, dando tempo para a reação de Eisenhower. Logo que os céus de inverno se abriram, a superioridade aérea dos Aliados voltou a se impor e os reforços foram rapidamente despachados. Conforme disse Patton, foi "um Natal frio e claro, um ótimo clima para matar alemães".[100] Na prática, no entanto, os Aliados, somente em fins de janeiro, conseguiram reverter os ganhos obtidos pela Wehrmacht nessa última e inútil ofensiva. No quartel-general do *führer*, o ânimo ainda não era de derrota.[101] Speer assegurou a Goebbels que, apesar da perda de todos os territórios ocupados, a produção de armamentos poderia prosseguir por mais um ano. A perda da Alta Silésia para o Exército Vermelho, no fim de janeiro de 1945, primeira zona industrial importante da Alemanha a cair em mãos inimigas, obrigou Speer a rever sua estimativa. Estava, no entanto, decidido, como afirmou a Goebbels, a "fazer o que tem de ser feito". De fato, solicitou a Hitler uma derradeira expansão de seus poderes administrativos, assumindo o controle de todo o sistema de transportes do *reich* a fim de assegurar a defesa das indústrias militares e de armamentos contra o clamor de civis que fugiam aterrorizados diante do Exército Vermelho.

No final de março, Speer fez uma última visita ao Ruhr a fim de inspecionar as atividades que vinham sendo executadas por seus mais importantes colaboradores na indústria alemã, Albert Vögler e Walter Rohland, que agora chefiavam uma equipe de emergência encarregada de manter a produção de armamentos no Ruhr.[102] À luz dessa visita, Speer enviou a Hitler, em 15 de março, um relatório no qual desenvolveu a famosa argumentação de que, em vez de se dedicar a uma política de "terra arrasada", a Wehrmacht deveria tomar medidas destinadas a paralisar a indústria alemã no oeste, em vez de destrui-la permanentemente. Isso, pelo menos, proporcionaria ao povo alemão um mínimo de meios de sobrevivência. Recentemente, no entanto, surgiu dos arquivos um segundo memorando, enviado por Speer a Hitler três dias depois, no qual ele advogava uma estratégia completamente diferente para os territórios ainda sob controle alemão. Speer pode ter-se oposto à destruição sem sentido no que dizia respeito à indústria no oeste, mas, em 15 de março, a Wehrmacht ainda dominava posições defensivas na margem leste do Reno. Ao mesmo tempo, o Exército Vermelho fora detido no Weichsel. Speer propunha defender até o último homem essa zona interior da Alemanha, entre o Reno e o Weichsel. Não era uma zona economicamente viável e Speer agora reconhecia que o "colapso econômico" era já inevitável, mas ainda acreditava ser possível o prosseguimento da produção de armamentos por mais oito semanas. Todos os soldados disponíveis deveriam ser concentrados ao longo das margens do rio para uma matança final. Mesmo naquele momento, Speer não abandonou a esperança de que a Alemanha ainda pudesse influenciar o resultado da guerra. "Uma defesa obstinada da atual linha de frente durante algumas semanas", escreveu ele, "pode ainda obter o respeito do inimigo e poderá talvez influir no resultado final da guerra em uma direção positiva".

Não se deve subestimar as consequências desse tipo de raciocínio por parte da liderança política do Terceiro Reich. A Segunda Guerra Mundial na Europa não acabou de maneira natural. As batalhas finais foram as mais sangrentas de todo o conflito. Deixando de lado as baixas sofridas pelos soviéticos, britânicos, norte-americanos e seus aliados da Comunidade Britânica de Nações, as perdas da Wehrmacht foram realmente terríveis. As derrotas de 1944 custaram aos alemães a morte de 1,8 milhão de homens.[103] Nos primeiros cinco meses de 1945, enquanto Speer estimulava o *führer* a uma demonstração final de resistência, 1,4 milhão de soldados alemães enfrentaram a morte, dos quais 450 mil somente em janeiro. Esses números não incluem as dezenas de milhares de vítimas civis dos bombardeios aliados. Descrever a destruição da Alemanha, em 1945, na mesma linguagem do Holocausto é, ao mesmo tempo, obsceno e inexato.[104] Tratava-se de uma guerra, e não de um massacre de inocentes. Pode ter parecido uma matança àqueles que a sofreram, mas esse foi o efeito dos meios utilizados e não o objetivo pretendido. Os Aliados não desrespeitaram nenhuma norma de guerra que não tivesse sido 100 vezes desrespeitada pela Wehrmacht. O Exército Vermelho comportou-se de maneira bárbara nos territórios que ocupou, mas os soviéticos não perpetraram um genocídio. A Alemanha nazista desafiara três dentre as maiores potências industriais da Terra. Foram necessários cinco longos anos para que o poderio industrial dessas últimas se fizesse sentir plenamente. Mas então as máquinas de guerra de que elas dispunham estavam integralmente operacionais e, nos primeiros cinco meses de 1945, entraram no território alemão com efeitos verdadeiramente arrasadores. Os Aliados fizeram a guerra com um poder de fogo que jamais havia sido usado em qualquer conflito anterior. Os resultados foram como um pesadelo e teriam sido ainda piores se não fosse pelo fato de que a política de "primeiro a Alemanha" significasse a destruição do regime nazista antes que a bomba atômica estivesse pronta para ser usada.

Menos de uma semana depois que Speer aconselhou, por escrito, a destruição como sacrifício, as tênues defesas alemãs no Reno foram penetradas. O ministro do Armamento regressou a Berlim para uma última reunião de trabalho com Hitler, em 29/30 de março.[105] Não existe relato autêntico desse encontro, a não ser o comentário zombeteiro no diário de Goebbels e as memórias pouco confiáveis de Speer. Hitler parece haver arrancado de Speer a promessa de que ele faria todo o possível para "elevar a resistência ao limite máximo". Speer não conseguiu convencer Hitler a retirar a ordem de arrasar tudo no caminho dos invasores. Tanto ele quanto o *führer* preferiram preservar seu relacionamento até o fim. Speer opôs-se à ordem ao estilo de Nero, mas não pessoalmente. Somente depois da reunião final com Hitler, ele expediu instruções detalhadas para o cumprimento da ordem de evacuação, contrariando efetivamente a intenção do *führer*. As autoridades locais receberam permissão para paralisar as instalações industriais da Alemanha e tornar as pontes inutilizáveis, porém, sem destruí-las. O que importava agora era a ação em nível local. À medida que o Estado alemão se desintegrava, o mesmo ocorria com a economia nacional. Regiões, firmas e indivíduos ficaram reduzidos a desesperadas estratégias de sobrevivência. No Ruhr, Albert Vögler e Walter Rohland debateram, inconclusivamente, com os comandantes militares locais a demolição de uma das pontes mais importantes da região. O acordo foi que, embora a ponte devesse ser bloqueada para impedir a passagem, as linhas de energia elétrica, água e gás permaneceriam intactas. Em última instância, o que sobreviveu aos bombardeios foi salvo pela chegada das forças norte-americanas. No quartel-general da capital, Herbert Backe, que anteriormente planejara o fornecimento de alimentos para toda a Europa, passou a preocupar-se principalmente com o abastecimento dos depósitos de Berlim, na esperança de que a vida urbana pudesse ser mantida pelo menos até a colheita seguinte. Hans Kehrl continuou a trabalhar febrilmente no planejamento,[106] colaborando com Backe em um programa emergencial de produção de equipamentos agrícolas, presumindo que a agricultura e os alimentos seriam os principais problemas da Alemanha nos anos vindouros.

Preparou também um programa a fim de assegurar um suprimento mínimo de roupas para a população alemã após o colapso. Nesse ponto, no entanto, a segurança de sua própria família era um tema inevitável. Com o auxílio de Helmut Röhnert, diretor-presidente da Rheinmetall, Kehrl enviou a mulher e uma filha jovem para o oeste, nos terrenos de teste do Luneburger Heide, em segurança além do alcance do vingativo Exército Vermelho. Grande parte de seu antigo escritório no Ministério de Assuntos Econômicos foi mandada para o interior da Turíngia, em um ônibus de dois andares, cheio de documentos, dinheiro e ouro. Enquanto isso, Rolf Wagenführ, principal estatístico dos ministérios comandados por Speer, ocupava-se de uma impressionante coletânea de estatísticas, que, até hoje, nos proporcionam o relato mais influente sobre o esforço de guerra da Alemanha.[107] O milagre armamentista não seria coberto por um véu de silêncio. No momento em que a macabra realidade da economia de guerra nazista era liquidada, sua história já começava a ser escrita.

19

Fim

As garras da derrota finalmente fecharam-se sobre o Terceiro Reich na última semana de abril de 1945. Pouco antes do meio-dia de 25 de abril, patrulhas avançadas da 69ª Divisão de Infantaria do 1º Exército norte-americano encontraram o 1º Exército ucraniano da União Soviética nas margens do Elba, na pequena cidade de Strehla, na Saxônia, em meio aos restos macabros de uma coluna de alemães fugitivos. As margens do rio, onde o tenente norte-americano Albert Kotzebue abraçou seus correspondentes soviéticos, estavam cobertas pelos cadáveres desmembrados de dezenas de idosos, mulheres e crianças. Três dias antes, haviam sido vítimas de soldados da Wehrmacht em retirada que, de tão desesperados por escapar da captura pelo Exército Vermelho, haviam feito explodir a ponte improvisada enquanto centenas de civis ainda a estavam atravessando. O total de afogados e despedaçados pelas duas detonações pode haver chegado a 400.

Não admira que a ocasião oficial do encontro soviético-norte-americano, que definiria o mundo, fosse deslocada para 45 km rio abaixo, até a pequena cidade de Torgau, onde o contato ocorreu na tarde do mesmo dia. A pose para a fotografia oficial na ponte semidestruída de Torgau foi feita no dia seguinte. Embora artificial, o aperto de mãos foi altamente significativo. Ao longo do curso do Elba, Torgau fica a meio caminho entre o calcinado esplendor barroco de Dresden e o berço da Europa luterana, em Wittenberg. A poucas milhas em direção ao norte ficava Dessau, sede não apenas das fábricas de bombardeiros Junker, mas também do modernismo seminal da Bauhaus, no início do século XX. Não havia local mais simbólico em toda a Alemanha onde representar o histórico deslocamento da balança global de poder, da velha Europa para as novas potências: Estados Unidos e União Soviética.

Do ponto de vista econômico, Torgau era o resultado lógico dos dois acontecimentos verdadeiramente dramáticos que definiram a primeira parte do século XX. O primeiro, e mais óbvio, foi o surgimento dos Estados Unidos como força dominante na economia mundial. O segundo, que não se tornou visível senão depois da década de 1930, foi a surpreendente transformação do Império Russo realizada pela ditadura bolchevique. Conforme a reunião dos infantes soviéticos e norte-americanos no coração da Europa Central confirmava, a história do Continente, na primeira metade do século XX, a história da Alemanha e a história do regime de Hitler somente podem ser entendidas em relação a esses acontecimentos gêmeos nos Estados Unidos e na União Soviética. Sem dúvida, é esse o pano de fundo contra o qual este relato específico do crescimento e queda da economia nazista está colocado.

Hitler nunca deixou de relembrar as revoluções que haviam sacudido a Europa em 1917-18. O anticomunismo foi um elemento imutável em sua visão política, estreitamente mesclado com uma forma particularmente tóxica de antissemitismo conspiratório. Mas o anticomunismo era tema comum para a direita alemã, assim como os projetos de expansionismo em direção ao leste. Além disso, embora a União Soviética estivesse sempre presente à distância nos assuntos europeus, isolara-se na década de 1920, e, na de 1930, tendia a ser desprezada como fator importante na política europeia de poder. Portanto, a fim de identificar a peculiaridade e a dinâmica motivadora do regime de Hitler, considerou-se mais esclarecedor focalizar, nos primeiros capítulos deste livro, as relações entre o Terceiro Reich e as potências ocidentais.

A ascensão dos Estados Unidos colocou a Alemanha diante de uma escolha, assim como foi o caso com a Grã-Bretanha e a França. Com Stresemann como ministro do Exterior, a República de Weimar reagiu à nova situação com notável realismo e flexibilidade. Conforme demonstramos, a República de Weimar baseou toda a sua estratégia de segurança no poder econômico dos Estados Unidos, tanto como sustentáculo de sua segurança quanto como alavanca para pressionar a Grã-Bretanha e a França no sentido da revisão do Tratado de Versalhes. E, como vimos, essa decisão estratégica continuou a definir a política do último governo respeitável da República de Weimar, até o verão de 1932. Somente após o espasmo final da Grande Depressão de 1932-33 e o colapso da hegemonia norte-americana na Europa foi que o caminho ficou realmente livre para o tipo de nacionalismo agressivamente nacionalista de Hitler.

Em um de seus diálogos finais com Martin Bormann, em fevereiro de 1945, Hitler observou: "Um infeliz acidente histórico fez com que fosse meu destino que minha chegada ao poder coincidisse com o momento em que o escolhido do judaísmo mundial, Roosevelt, tomasse o comando da Casa Branca... Tudo foi arruinado pelos judeus, que fizeram dos Estados Unidos seu baluarte mais poderoso".[1] O que pesou na mente de Hitler, nos últimos meses da guerra, foi o papel fundamental desempenhado por Roosevelt ao frustrar seu projeto de conquista do Continente. Em 1933, no entanto, o papel dos Estados Unidos foi o oposto. Quando Hitler chegou ao poder e Roosevelt assumiu o cargo, a economia norte-americana estava atormentada por uma derradeira e devastadora crise bancária. A decisão de Washington em desligar o dólar do ouro, tomada sem atenção a suas ramificações internacionais, destruiu a pequena possibilidade que existia de montar uma frente internacional conjunta para conter o regime de Hitler, antes que este consolidasse seu domínio sobre a Alemanha. A coincidência entre a chegada de Hitler ao poder e ao temporário afastamento dos Estados Unidos da cena global — recuo que deixou a Europa órfã como nunca havia estado desde a Primeira Guerra Mundial — foi de importância incalculável.

Embora discordasse profundamente da estratégia de Stresemann em relação aos Estados Unidos, Hitler não deixou absolutamente de perceber a mudança do mundo na década de 1920. Em seu "Segundo Livro", escrito em 1928, ele colocou as questões estratégicas centrais com extraordinária clareza: como poderia a Alemanha, como Estado europeu, reagir à "ameaça de hegemonia global dos Estados Unidos"? Como poderia contrapor-se ao domínio econômico e militar dos EUA, aparentemente inevitável? Como deveria a liderança política alemã reagir às aspirações materiais, despertadas em sua população pelo exemplo da prosperidade norte-americana? Essas perguntas são inegavelmente modernas. De fato, ainda hoje estão presentes. As respostas de Hitler, no entanto, eram explosivas. A solução não era aliar a Alemanha com os Estados Unidos, nem adotar métodos norte-americanos de vida e de produção. Qualquer tentativa que levasse à "americanização" fatalmente acarretaria frustração e desastre. Por trás dos EUA, afinal, estava a força malévola do judaísmo internacional, disfarçada com o manto do liberalismo, capitalismo e democracia. A única resposta adequada ao desafio norte-americano era a criação de um *Lebensraum* para o povo alemão, suficiente para rivalizar com o espaço proporcionado pelo continente ocupado pelos Estados Unidos. Um espaço dessas dimensões somente estava disponível a leste e somente poderia ser conseguido por meio de conquista. Não parece haver motivo para duvidar que essa missão de conquista fosse a ambição que sustentava o regime de Hitler. Para ele, uma guerra de conquista não era uma opção política entre outras. Ou a raça alemã lutava pelo *Lebensraum* ou seus inimigos raciais a condenariam à extinção.

Para preparar esse desafio eram necessários uma estratégia diplomática e um grande esforço militar, ambos seriam, em última análise, baseados na economia. O enorme esforço da mobilização nacional terá de constituir o foco central da história econômica do regime de Hitler. Em comparação com o complexo militar-industrial, as várias medidas de criação de trabalho para civis, lançadas entre junho e dezembro de 1933, as iniciativas domésticas de política social e os projetos abortados de consumo de massa que se seguiram foram nada mais do que medidas interinas, que somente poderiam atingir sua verdadeira significação após uma campanha bem-sucedida de conquista. De qualquer forma, seria um erro presumir que a remilitarização da sociedade alemã fosse algo imposto de cima para baixo, com a maioria dos alemães preferindo manteiga aos canhões. Para muitos milhões, a reconstrução da Wehrmacht foi, sem dúvida, o aspecto de maior êxito da política interna do regime e o consumo de massa coletivo de armamentos constituiu substituto mais do que suficiente para a prosperidade privada.

Conforme deve ter ficado evidente na primeira metade deste livro, o rearmamento foi a força absoluta e determinante que impulsionou, desde o início, a política econômica. Tudo o mais foi sacrificado em prol disso. Nos seis anos entre janeiro de 1933 e o outono da crise de Munique, o regime de Hitler aumentou a parcela do produto nacional destinada aos militares de menos de 1% para quase 20%. Nunca antes o produto nacional havia sido redistribuído nessa escala e com tanta velocidade por um país capitalista em tempo de paz. Esse extraordinário esforço de redistribuição, sem dúvida, foi facilitado pelo crescimento simultâneo da produção da Alemanha. A oportunidade de trabalho proporcionada a 6 milhões de desempregados satisfez as necessidades da Wehrmacht, permitindo, ao mesmo tempo, o incremento do consumo e investimento civis. Mas é fácil esquecer, dada a riqueza da Alemanha de hoje, que, na década de 1930, o país estava a uma geração de distância da prosperidade e que a maior parte da população subsistia em um padrão de vida muito modesto. O rearmamento foi feito a um custo muito elevado e esse custo ficou ainda mais pesado por causa das limitações muitas vezes excessivas impostas pelo balanço de pagamentos da Alemanha. Já em 1934, os interesses tanto das indústrias de bens de consumo quanto dos camponeses estavam sendo sacrificados em nome do rearmamento. A partir de 1935, em muitas cidades alemãs, a manteiga e a carne foram subrepticiamente racionadas. Depois de 1938, com os gastos militares se aproximando dos níveis do tempo de guerra, a relação entre consumo e armamentos ficou verdadeiramente grave. A capacidade do regime de Hitler em impor essa redistribuição de recursos não indica ineficiência e desorganização, e sim um sistema altamente eficaz na busca dos objetivos centrais estipulados por ele. Ademais, isso nos deveria levar a questionar qualquer interpretação do regime de Hitler com base na ideia de que lhe faltavam alicerces internos sólidos. Devemos reiterar que o Terceiro Reich transferiu maior quantidade de recursos em tempo de paz para usos militares do que qualquer outro regime capitalista da história. E essa vantagem em termos de mobilização de recursos domésticos continuou a existir durante a guerra mundial que se seguiu.

As intervenções do regime na economia foram de tal forma profundas — começando pelo controle de câmbio e chegando até ao racionamento de todas as principais matérias-primas e ao recrutamento forçado de trabalhadores civis em tempo de paz — que suscitam a tentação de fazer comparações com a União Soviética de Stalin. Tal comparação é, sem dúvida, sugestiva ao realçar o tipo de síntese entre militarização e reestruturação doméstica e social que teria sido necessária para realizar as ambições de Hitler. Desde a emergência dos Estados Unidos como potência mundial, na primeira parte do século XX, somente o militarismo de estilo soviético tem sido capaz de apresentar um desafio sustentado e digno de crédito à hegemonia norte-americana. Em comparação com o regime de Stalin, é possível classificar o Estado hitlerista como uma "ditadura débil". Como vimos, essa foi a conclusão a que chegaram observadores bem-informados como o general Franz Halder, no outono do fracasso da Operação Barbarossa, em 1941. Mais notavelmente, em comparação com a União Soviética, o Terceiro Reich absteve-se de uma racionalização dramática dos setores mais atrasados de sua sociedade, a agricultura camponesa e o setor de ofícios, medida que poderia ter "liberado" milhões de trabalhadores adicionais. Porém, dado o que hoje sabemos a respeito do *Generalplan Ost* e da reestruturação agrária abrangente que deveria iniciar, aparentemente, essa era uma questão de oportunidade. A reestruturação ampla da sociedade alemã foi simplesmente adiada até a conquista do *Lebensraum* no leste. É preciso, portanto, reconhecer que o partido nazista, ao contrário dos próceres do comunismo soviético, não era um aparelho experiente de luta de classes e, dentro dos padrões da Europa Ocidental dificilmente poderia ser acusado de falta de energia redistributiva. Nunca antes, em tempo de paz, uma economia capitalista havia sido reorientada com tanta diligência.

Deixando de lado a comparação com o regime stalinista, também seria perfeitamente possível fazer a pergunta oposta. De que forma teria o Terceiro Reich conseguido estender tanto seu controle sobre a economia alemã? Por que motivo o grupo de pressão do mundo dos negócios na Alemanha tolerou essa drástica invasão do poder estatal, a partir de 1933? Uma década antes, somente, os grandes empresários haviam desempenhado papel importante na frustração das ambições reformistas dos primeiros tempos da República de Weimar. A resposta que damos aqui compõe-se, basicamente, de quatro elementos. Antes de mais nada, é preciso realçar os prejuízos causados pela Grande Depressão ao poder independente do grupo de pressão do mundo dos negócios. Ainda que estivessem predispostos a fazê-lo, os grandes empresários alemães não estavam em condições de batalhar, seriamente, em 1933. Segundo, embora a guinada nazista na direção da autarquia estivesse na contramão da agenda internacional daquele grupo de pressão da Alemanha, o autoritarismo doméstico da coalizão de Hitler o agradava, assim como os gordos lucros que começaram a surgir em meados da década de 1930. Terceiro, embora tivesse claramente havido uma forte afirmação do poder estatal sobre o mundo dos negócios, depois de 1933, a coerção rude foi aplicada apenas de maneira seletiva e, em muitos aspectos, o regime se mostrava completamente disposto a aproveitar a iniciativa, independente de empreendedores, gerentes e técnicos. Finalmente, dada a estrutura altamente desigual de propriedade e organização existente na economia alemã e a falta de unidade entre interesses capitalistas em competição, bastava uma série de alianças táticas escolhidas com cuidado para impelir, na direção desejada pelo regime, segmentos vitais da indústria e do comércio.

Uma vez tendo em mente as limitações sob as quais o Terceiro Reich era obrigado a operar, portanto, é difícil escapar da conclusão de que se tratava de um regime extremamente eficaz na tarefa de mobilização. Além disso, é claro que essa mobilização buscava desde o início a ressurreição da Alemanha como potência militar e num sentido mais geral a realização dos objetivos de conquista de Hitler. Mas, se perguntarmos se a mobilização fazia parte de uma síntese estratégica coerente, se perguntarmos se diplomacia, planejamento militar e mobilização econômica se encontravam unidas após 1933 em um plano de guerra coerente, a resposta dada neste livro é negativa. A esse respeito, ainda nos esforçamos para desfazer o efeito da visão retrospectiva. Sabemos, afinal de contas, que até a frustração da Operação Barbarossa, no outono de 1941, os exércitos de Hitler venciam tudo o que encontravam pela frente. Parece difícil imaginar que essa notável preponderância militar não fosse resultado de uma longa preparação. Mas a espantosa conclusão sugerida pela história militar recente é de que, efetivamente, isso era verdade. A Alemanha iniciou a guerra, em setembro de 1939, sem possuir superioridade material ou técnica substancial em relação aos mais poderosos estabelecimentos militares do ocidente. Foi somente a interação fatal entre o planejamento operacional aliado e o alemão que levou à derrota da França em poucas breves semanas, em maio e junho de 1940. E isso, por sua vez, foi o que desatou a violência da Wehrmacht através do leste e do sul da Europa, em 1941, afinal e previsivelmente barrada pela imensa extensão da União Soviética e pela obstinada, embora mal dirigida, resistência do Exército Vermelho. Os capítulos centrais deste livro tratam de desvendar os enigmas suscitados por essas importantes descobertas dos historiadores de batalhas. Se a imensa campanha de desarmamento da década de 1930 e a anexação da Áustria e da Tchecoslováquia não foram suficientes para conferir à Alemanha uma substancial vantagem material sobre seus inimigos, se seu efeito imediato foi obrigar a Grã-Bretanha e a França a abandonarem o pacifismo em prol de uma estratégia agressiva de contenção e fazer com que tanto Washington quanto Moscou reconsiderassem suas posições na Europa, nesse caso, por que motivo Hitler iniciou a guerra em setembro de 1939?

Ao tratar dessa questão, alguns historiadores preferiram argumentar que Hitler, simplesmente, errou em seus cálculos. Afirmaram que sua intenção não era precipitar uma guerra geral na Europa. Após o que ocorreu em Munique em 1938, o *führer* esperava que a Grã-Bretanha e a França se mantivessem alheias ao que acontecesse na Europa Oriental. Não foi ele, e sim as potências ocidentais, quem resolveu transformar a Polônia em um *casus belli*. Rejeito essa opinião argumentativa porque não se coaduna com os indícios diplomáticos dos dias finais, anteriores à guerra. Em agosto de 1939, assim como em setembro de 1938, Hitler via-se diante da quase certeza de que a Grã-Bretanha e a França declarariam guerra. Na primeira ocasião, ele se retraiu; na segunda, preferiu não o fazer. O motivo pelo qual ele se lançou para diante em vez de recuar está explicado neste livro por meio de uma síntese de três elementos distintos, que constituem uma novidade.

O primeiro ponto a ser acentuado é que, no verão de 1939, Hitler já sabia que o esforço para desenvolver um programa de longo prazo de preparação para uma guerra com as potências ocidentais havia fracassado. Esta, na verdade, é uma das principais revelações deste livro. Embora, em 1938, o regime nazista tivesse procurado reagir à crescente resistência das potências ocidentais, dedicando-se a um gigantesco programa de rearmamento em todos os aspectos, e, embora Hitler e Ribbentrop tivessem procurado criar uma aliança global de alcance suficiente para rivalizar com a emergente coalizão ocidental, essa tentativa foi frustrada. No verão de 1939, era claro que os esforços alemães para unir a Itália e o Japão numa tripla ameaça contra os britânicos haviam fracassado. Além disso, como este livro mostra, pela primeira vez com riqueza de detalhes, a economia armamentista alemã, no verão de 1939, estava sendo fortemente prejudicada pelos persistentes problemas de balanço de pagamentos. Isso não significa que o Terceiro Reich enfrentava uma crise econômica. O conjunto de controles instituídos, durante a década de 1930, foi inegavelmente eficaz para impedir a repetição de uma crise geral como a que estivera a ponto de desestabilizar o regime de Hitler, em 1934. Porém, em 1939, a precária situação do balanço de pagamentos da Alemanha não permitia nova aceleração do esforço armamentista. Como a Grã-Bretanha, a França, os Estados Unidos e a União Soviética estavam também incrementando seu rearmamento exatamente na mesma ocasião, Hitler se via diante de uma grave deterioração do equilíbrio de forças muito antes do que havia imaginado.

A drástica mudança na constelação diplomática mundial aumentava a pressão no sentido de ação imediata. Por meio da ação agressiva, em 1938 e início de 1939, Hitler desmantelara o cordão de segurança da França na Europa Central, que dependia da Tchecoslováquia. No entanto, após a ocupação de Praga na primavera de 1939, as frentes diplomáticas tornaram-se mais hostis devido às garantias britânicas e francesas dadas à Polônia e à Romênia. Tudo agora dependia do comportamento das duas potências laterais, os Estados Unidos e a União Soviética. No verão de 1939, a decisão de Stalin em optar por uma estratégia de estímulo a uma guerra intracapitalista fez a balança se inclinar em favor da Alemanha. O pacto nazi-soviético deu garantias à Alemanha contra uma segunda frente no leste e a protegia dos piores efeitos da temida possibilidade de um bloqueio anglo-francês. Pode-se, portanto, construir uma estratégia econômica convincente para explicar a decisão de Hitler em iniciar a guerra em setembro de 1939. Dada a posição econômica em deterioração da Alemanha e a inesperada mudança favorável do equilíbrio diplomático, Hitler nada mais tinha a ganhar com a procrastinação. Como vimos, ele apresentava essa lógica, praticamente com as mesmas palavras, a quem quer que o ouvisse, após setembro de 1939.

Mas, se nos restringirmos a esses elementos racionais de estratégia, deixaremos de lado o terceiro e crucial ingrediente do processo de tomada de decisões de Hitler. Argumentar em termos de uma janela estratégica de oportunidade suscita a questão de saber por que motivo Hitler acreditava ser inevitável a guerra contra as potências ocidentais. Por que motivo ele se sentiu compelido a aproveitar a oportunidade, a arriscar o futuro de todo o seu regime em uma guerra contra a Grã-Bretanha e a França, num momento em que a Alemanha tinha, no máximo, somente uma tênue vantagem militar? Para explicar essa decisão é preciso invocar a ideologia. Isso pode parecer paradoxal em vista do fato de que Hitler estava, claramente, se afastando do programa delineado em *Mein Kampf*. Naquele livro, ditado em uma cela da prisão de Landsberg, 15 anos antes, ele propunha uma aliança contra a ameaça judaico-bolchevista. Em 1939, iniciou a guerra com essas frentes trocadas: uma aliança com Stalin contra a Grã-Bretanha. Isso, no entanto, é uma maneira simplista de ver as coisas. A chave para a ideologia de Hitler não era um esquema diplomático específico, e sim sua fixação obsessiva na luta racial e, em particular, o antagonismo entre arianos e judeus. No memorando do Plano Quadrienal, de 1936, a ênfase ainda tinha sido posta sobre a conspiração judaico-bolchevista. Dois anos depois, quando as políticas externa e a de armamentos se dirigiam ainda mais claramente contra o ocidente, verifica-se um estranho paralelo na mudança de foco da retórica antissemita do regime. A partir de 1938, nos pronunciamentos públicos de Hitler, a questão judaica, em seu sentido mais amplo, passou a ser uma questão ocidental e, acima de tudo, uma questão norte-americana. Como ficou demonstrado nos capítulos 8 e 9, depois da conferência de Evian e, com maior intensidade, após a *Kristallnacht*, o presidente Roosevelt foi identificado como principal agente de uma conspiração judaica mundial dedicada à destruição da Alemanha nacional-socialista. Não por coincidência, a famosa ameaça de aniquilação feita por Hitler em 30 de janeiro de 1939 foi uma reação direta ao discurso de Roosevelt sobre o Estado da União. Os Estados Unidos, como todos compreendiam, eram a chave da decisão do equilíbrio da corrida armamentista. Se a Grã-Bretanha e a França pudessem contar, de maneira firme, com o auxílio norte-americano, a posição de ambas seria praticamente inexpugnável, mas a posição dos Estados Unidos estava em equilíbrio precário. Enquanto Roosevelt liderava o ataque retórico contra Hitler e estimulava a resistência da Grã-Bretanha, França e Polônia ao expansionismo nazista, as correntes isolacionistas domésticas eram ainda poderosas. Hitler e o restante da liderança nazista somente podiam interpretar essa complexa situação através do escuro véu de um antissemitismo maniqueísta. Para eles, era óbvio que elementos judeus em Washington, Londres e Paris, implacavelmente dispostos a destruir a Alemanha nazista, apertavam os laços do cerco. E foi essa sensação paranoica de ameaça o que precipitou a decisão de Hitler em lançar o ataque contra a Polônia e em seguida contra a coalizão ocidental que continuava a se colocar obstinadamente em seu caminho.

Talvez não seja surpresa o fato de que esse fator não tenha sido enfatizado nos discursos feitos por Hitler à liderança militar, entre maio e agosto de 1939 — certamente, não o foi nas notas tomadas pelos militares que estiveram presentes nesses momentos. Depois do fato, porém, Hitler não fez segredo de sua importância. De maneira muito enfática, nas conversações com a liderança italiana, na primavera de 1940, tanto Hitler quanto Ribbentrop acentuaram o papel dos judeus em forçar o ritmo dos acontecimentos de 1939. Mais ainda, essa combinação peculiar de fatores estratégicos e econômicos, exacerbada pela constante obsessão antissemita de Hitler, não serve apenas para explicar sua decisão de ir à guerra: pode também conferir sentido à sua disposição subsequente de levar o conflito a uma escala ainda maior. A decisão de arriscar uma guerra europeia geral por causa da Polônia, a decisão que foi tomada, no verão de 1940, após haver derrotado a França, mas não a Grã-Bretanha, de iniciar imediatamente preparativos para um ataque contra a União Soviética, e finalmente a decisão de novembro-dezembro de 1941, de apoiar o Japão em sua agressão aos Estados Unidos — todas elas seguiram o mesmo molde. Diante da coalizão de inimigos que surgira inicialmente em 1938, orquestrada, como acreditava Hitler, pelo "eleito do judaísmo internacional", ele sabia que o tempo não estava ao seu lado. O poderio econômico conjunto das potências ocidentais, acrescentado ao da União Soviética, depois de junho de 1941, era avassalador. Para conseguir assegurar o *Lebensraum* de que a Alemanha necessitava para sua verdadeira liberdade estratégica, Hitler precisava atacar dura e rapidamente.

Em relação aos anos iniciais da Segunda Guerra Mundial, há quatro pontos novos que devemos enfatizar como conclusão deste livro. A guinada antiocidental do antissemitismo nazista, que identificamos como tema importante em 1938-39, continuou sem trégua ao longo de 1940 e 1941. Havendo precipitado a guerra ao apoiar a Grã-Bretanha e a França em sua garantia para com a Polônia, Roosevelt agora prolongava o conflito apoiando a recusa de Churchill em se render, constelação que, em Berlim, somente podia ser explicada com referência à ação malévola dos judeus tanto em Washington quanto em Londres. Isso, por sua vez, implica que, no que respeita à motivação, qualquer distinção drástica e sólida entre as guerras no oeste e no leste deve ser suavizada e, até mesmo, completamente abandonada. Embora na forma de execução ambas as guerras fossem muito diferentes, acreditar que tenham sido motivadas de maneiras fundamentalmente distintas é um equívoco. A guerra no oeste contra Churchill e Roosevelt não foi menos ideológica do que a guerra pelo *Lebensraum* no leste. E, embora a principal motivação para a invasão da União Soviética, em 1941, e não em data posterior, tenha sido forçar o ritmo dos acontecimentos no ocidente, levando a Grã-Bretanha à submissão antes que os Estados Unidos pudessem intervir, também isso deve ser visto como parte da guerra mais ampla contra o judaísmo mundial. Contrapor essa "lógica estratégica" à visão ideológica longamente abrigada por Hitler de uma guerra de conquista no leste é colocar uma falsa alternativa. Desde 1938, Hitler considerava-se preso a uma confrontação global com os judeus do mundo. Relacionar a campanha no leste com a guerra no oeste, portanto, não diminui de forma alguma o conteúdo ideológico.

Afastando essa possível fonte de mal-entendido, o segundo ponto da argumentação é que havia um forte motivo econômico para a decisão de Hitler em ampliar a guerra, em 1941. A surpreendente derrota da França, no início do verão de 1940, prometia mudar todo o panorama. Mas, na verdade, a espetacular vitória da Wehrmacht não resolveu o dilema estratégico fundamental de Hitler. A Marinha e a Força Aérea da Alemanha eram demasiado débeis para obrigar a Alemanha a ir à mesa de negociações. A lógica competitiva da corrida armamentista continuou a vigorar em 1940 e 1941. Em vez de se render à vontade da Alemanha, a Grã-Bretanha mostrou-se disposta a ir ao ponto de uma bancarrota nacional antes de ser salva pelo empréstimo-arrendamento. E, graças às relativamente abundantes reservas de divisas e ajuda norte-americana, era-lhe possível mobilizar uma quantidade muito maior de recursos externos do que a Alemanha, naquele momento crítico da guerra. Em Berlim, ao contrário, uma vez passada a euforia da vitória, instaurou-se considerável desilusão quanto à viabilidade econômica do novo *Grossraum* da Alemanha. A conquista da maior parte da Europa ocidental acrescentou às já graves deficiências da Alemanha uma drástica escassez de petróleo, dificuldades constantes no abastecimento de carvão e uma séria falta de alimentação para animais. As populações da Europa ocidental constituíam um ativo vital, assim como sua capacidade industrial, porém, dadas as limitações impostas pelo bloqueio britânico, a possibilidade efetiva de mobilização desses recursos estava longe de ser clara. A menos que a Alemanha conseguisse assegurar o acesso aos superávits de grãos e ao petróleo da União Soviética, e ainda organizar um aumento sustentado da produção de carvão, a Europa continental estaria ameaçada por prolongados declínios da produção, produtividade e padrões de vida. Além disso, Roosevelt já lançara seu próprio espetacular programa de rearmamento, poucos dias depois da vitória alemã em Sedan. A pressão estratégica sobre Hitler para evitar uma intervenção decisiva dos Estados Unidos na guerra somente pode ser realmente apreciada se fizermos plena justiça à escala do esforço anglo-norte-americano, já desde o verão de 1940. Nesse particular, a diferença verdadeiramente imensa entre o fornecimento de aeronaves anglo-norte-americanas e a capacidade relativamente insignificante das fábricas da França e Holanda é altamente reveladora. Göring e o Ministério alemão da Aeronáutica tinham perfeita consciência desse desequilíbrio.

Dar o devido peso à corrida armamentista transatlântica, nos cálculos alemães, em 1940-41, também nos ajuda e explicar outro enigma que continua a preocupar os estudantes do regime nazista e que influencia, de maneira extraordinária, o modo pelo qual escrevemos sua história. Ao contrário do que afirmam alguns autores, o *Ostheer* de 1941 era, consideravelmente, mais poderoso do que aquele que invadiu a França. É igualmente inegável, porém, que se tratava de uma força cuidadosamente calibrada na suposição de que o Exército Vermelho seria derrotado em uma campanha curta. O planejamento alemão não previa margem de erro. Mesmo numa interpretação favorável, portanto, a Campanha Barbarossa continha enormes riscos e parece irracional e temerária quando confrontamos essas provas de mobilização mínima com as estatísticas industriais mais comumente citadas, que parecem mostrar estagnação na produção de armamentos e um colapso catastrófico na produtividade da mão de obra, entre 1940 e 1941. À luz desses dados, pareceria que a complacência e ineficiência que se seguiram à vitória sobre a França, junto com uma condescendência racista em relação aos soviéticos, impediram que a Wehrmacht maximizasse sua oportunidade no que, sem dúvida, era a campanha decisiva da guerra. Se isso fosse verdade, certamente esse momento de "fracasso" deveria figurar no centro de nossa interpretação do regime de Hitler. No entanto, quando consideramos a situação estratégica mais ampla e a combinamos com um exame crítico dos elementos econômicos, surge um panorama muito diferente. A ideia de que a produção de armamentos na Alemanha tenha recuado, em 1940-41, e de que houve um colapso drástico na produtividade é, em grande parte, uma ilusão estatística. Além disso, focalizar apenas a produção de armamentos ignora uma das características mais salientes do início do esforço de guerra alemão, uma imensa onda de investimentos que continuou quase ininterrupta, entre 1939 e 1942. Ao dar-lhe a importância que merece, percebemos um fato crucial. Graças ao apoio norte-americano à Inglaterra, a Alemanha continuou presa à lógica da corrida armamentista transatlântica, mesmo durante a preparação para a Operação Barbarossa. Os recursos industriais da Alemanha não podiam concentrar-se integralmente na União Soviética, porque ao mesmo tempo era preciso dar partida aos imensos preparativos para a guerra aérea com a Grã-Bretanha e os Estados Unidos, prestes a se iniciar. Foi somente após as estupendas vitórias militares alemãs na França, portanto, que Hitler adotou o que pode justificadamente ser chamada de uma estratégia de *blitzkrieg*, uma estratégia coordenada, na qual tanto a produção de armamentos quanto o planejamento estratégico partiam da premissa de uma rápida e decisiva vitória sobre o Exército Vermelho no campo de batalha. Seu objetivo, no entanto, não era proteger a população civil, e sim permitir à Alemanha combater, simultaneamente, em duas guerras.

Na verdade, pode-se dizer que, na primavera de 1941, o Terceiro Reich não se preparava para duas guerras, e sim para três: uma contra o Exército Vermelho, outra contra britânicos e norte-americanos e uma terceira contra as populações civis da Europa Oriental, a começar pelos judeus. Nesse ponto, também as motivações "pragmáticas e econômicas" estavam intimamente ligadas à ideologia genocida. Por um lado, os programas da SS de eliminação genocida da população, a começar pelos judeus, estavam entranhados no *Generalplan Ost* numa extraordinária visão de colonização agrícola e industrial. Da mesma forma, no Plano de Fome acordado pelos ministérios na primavera de 1941, um cálculo absolutamente pragmático de abastecimento alimentar combinava-se com as suposições de hierarquia racial para produzir um plano de assassinato em massa que tornava insignificante, até mesmo, o programa de Wannsee.

No entanto, essa *blitzkrieg* global, essa ampla estratégia de guerra racial, acabou se transformando, não em uma estratégia de vitória, mas de derrota. Já em Smolensk, em julho-agosto de 1941, a Operação Barbarrossa empacou. Enquanto isso, os Estados Unidos comprometiam-se cada vez mais firmemente com o fornecimento de ajuda tanto à Grã-Bretanha quanto à União Soviética. Diante da certeza crescente de que teria de combater em uma, duas e, talvez, em três frentes, a extraordinária síntese estratégica que o Terceiro Reich construíra durante os doze meses anteriores desmoronou. Em dezembro, fiel à sua lógica conspiratória, Hitler já havia declarado guerra aos Estados Unidos em aliança com os japoneses. Convencido de que a guerra aberta com os Estados Unidos, de qualquer maneira, era apenas uma questão de meses, ele aproveitou a distração estratégica fornecida pela ofensiva japonesa no Pacífico. Hitler voltou várias vezes a sua troca de invectivas verbais com Roosevelt, no outono de 1941, quando ruminava a respeito tanto da forma que acabaria tomando a Solução Final quanto da possibilidade de uma via estratégica de escape da guerra de duas frentes, na qual o Terceiro Reich se via agora empenhado.

Qualquer estimativa razoável concluirá que a declaração de guerra de Hitler contra os Estados Unidos selou o destino da Alemanha. As forças militares e econômicas que se congregaram contra o Terceiro Reich, em 1942, eram avassaladoras. Como vimos, essa visão fatalista era compartilhada por todos os que estavam mais intimamente envolvidos na gestão do esforço de guerra alemão até a crise de Moscou. Udet, na Luftwaffe, Fromm no Exército, Thomas, no alto-comando da Wehrmacht, Todt, no Ministério do Armamento, Canaris, na inteligência, e Rohland e seus colegas, no Ruhr — todos chegaram à mesma conclusão. Todos eles haviam comprometido sua sorte com o regime de Hitler, mas não ignoravam as tendências básicas dos primeiros tempos da história do século XX. Estavam tão convencidos da importância primordial da economia dos Estados Unidos quanto a vasta maioria de seus contemporâneos. Nenhum deles duvidava de que, uma vez mobilizada a capacidade industrial norte-americana — e conheciam perfeitamente as medidas que já tinham sido tomadas em 1940 e 1941 —, a situação da Alemanha seria pior do que em 1918. Imaginar qualquer cenário diferente teria sido desafiar o bom senso da época, que se refletia na ansiedade do público fielmente registrada pelos informantes da Gestapo. O pleno significado do triunfo produtivo dos Estados Unidos, depois de 1942, surpreendeu até mesmo os norte-americanos, mas o cenário básico já tinha sido preparado, em 1917 e 1918, e na contínua repetição da narrativa fordista, ao longo das décadas de 1920 e 1930. E ocorreu de fato, sem dúvida, que o pessimismo dos principais peritos alemães nem sequer deu importância integral ao extraordinário poder industrial e de resistência da União Soviética que, na verdade, revelou ser o maior problema da Wehrmacht em 1942 e 1943.

Esse pessimismo, no entanto, deve servir para trazer à ribalta o grupo de indivíduos que assumiram o comando do esforço de guerra alemão após a crise de Moscou. As motivações de homens como Herbert Backe, orquestrador do Plano da Fome, ou do *gauleiter* Fritz Sauckel, com sua multidão pan-europeia de trabalhadores forçados, jamais foram discutidas. Tampouco é preciso discutir Albert Speer. Esses homens foram agentes apolíticos da eficiência tecnocrática. Eram fiéis a Hitler e dispostos a trabalhar pelo Terceiro Reich até o amargo fim. Eram gente em quem Hitler podia confiar até mesmo nos últimos meses da guerra e que, literalmente, não se deteriam diante de nenhum obstáculo para continuar o combate. O "milagre armamentista" de Speer utilizava recursos mobilizados por todas as facetas do Estado nazista. O Reichsbank, o Ministério de Assuntos Econômicos e o Ministério das Finanças desempenharam papel importante, mas, em grande parte, pouco reconhecido, na preservação da estabilidade da moeda alemã, pelo menos, até o início de 1944. A indústria alemã reuniu todas as suas energias num esforço desesperado para prevalecer na luta contra a União Soviética. Esses componentes do esforço de guerra alemão, aparentemente inócuos, eram ligados de múltiplas maneiras ao sinistro nexo de poder político organizado em torno das questões de mão de obra e alimentos do *gauleiter* Sauckel, do secretário de Estado, Herbert Backe, de Hermann Göring e de Heinrich Himmler. Por meio de esforços conjuntos, em 1942, milhões de trabalhadores adicionais foram mobilizados para a indústria alemã e o equilíbrio alimentar da Europa foi drasticamente redistribuído, de forma a assegurar as calorias e proteínas necessárias para nutrir o milagre armamentista de Albert Speer. Conforme demonstramos no capítulo 16, no verão de 1942, até mesmo a morte em massa dos judeus poloneses nas câmaras de gás serviu a um propósito funcional, nessa forma radicalizada de Guerra Total. E, do verão de 1943 em diante, Speer passou a se apoiar ainda mais em uma parceria coercitiva com Heinrich Himmler e a SS.

A ênfase sobre a racionalização na gestão do esforço de guerra alemão, que emergiu da crise de 1941, era, sem dúvida, um elemento novo. Após a nomeação de Speer, a produção alemã de armamentos efetivamente aumentou. No entanto, considerar esse fato como uma expressão apolítica da capacidade tecnocrática de Speer é um equívoco. Todo o objetivo do "milagre armamentista" era político. Trombeteado em altos brados pela nova orientação da "propaganda de armamentos", serviu para responder à dúvida fundamental que, cada vez mais, perturbava o esforço de guerra alemão. A mensagem essencial da campanha de racionalização era que a evidente inferioridade material da Alemanha não tinha de ser fatal. Com a aplicação adequada de força de vontade e enérgica improvisação juvenil, era possível produzir mais gastando menos. E, como a Wehrmacht demonstrara tantas vezes, não havia limite para o que os soldados alemães eram capazes de realizar, bastando que pudessem contar com o armamento adequado.

A questão não é, naturalmente, desprezar completamente o aumento da produção de armamentos conseguido por Speer e Milch. O aumento era verdadeiro, mas sua falência estratégica não era menos real. A essência da aposta de Hitler, em dezembro de 1941, era a oportunidade. Após a declaração de guerra aos Estados Unidos, a necessidade de obter êxito decisivo contra o Exército Vermelho se tornou mais urgente do que nunca. Nesse aspecto crucial, o Ministério do Armamento de Speer fracassou. Em 1942, na primeira onda do "milagre armamentista", a produção alemã foi consideravelmente menor do que o resultado da extraordinária mobilização da economia soviética. Esse esforço soviético era insustentável; em 1944, a Alemanha havia alcançado e ultrapassado a União Soviética. Porém, como tanto os soviéticos quanto os alemães sabiam, as batalhas do verão, outono e inverno de 1942-43 eram a chave da decisão da guerra na frente oriental. Nesse período crucial, a vitória coube às fábricas soviéticas. Essa janela de oportunidade tinha tal importância porque, durante a maior parte do ano de 1942, as operações ofensivas da Grã-Bretanha e dos Estados Unidos contra o Terceiro Reich tiveram impacto marginal. A partir do outono de 1942, isso já não era verdade. O peso do material britânico e norte-americano se fez sentir primeiro no norte da África e no Mediterrâneo, em seguida na derrota dos submarinos alemães e depois na primavera de 1943, no bombardeio aéreo sustentado. Junto com a eliminação de Mussolini, em julho de 1943, a abertura de uma "segunda frente" teve efeito verdadeiramente dramático. Durante seis meses, em 1943, a destruição causada pelos bombardeios britânicos e norte-americanos deteve o milagre armamentista de Speer. A frente doméstica alemã foi abalada por uma grave crise de moral. Na altura de julho de 1943 era óbvio que a guerra estava perdida.

A famosa aceleração final da produção alemã de armamentos em 1944, responsável em grande parte pela reputação do Ministério do Armamento de Speer, ocorreu no contexto de um redemoinho de violência apocalíptica que consumiu as vidas de milhões de pessoas e devastou grande parte do Continente. Primeiro no Mittelbau e, em seguida, nas práticas brutais do *Jägerstab*, a violência assassina do Estado policial da SS passou diretamente para a economia de guerra. Dezenas de milhares de aviões de caça ultrapassados foram arrancados das fábricas alemãs, na primeira metade de 1944, mediante a mobilização de toda a mão de obra e materiais disponíveis, aplicando poderes de repressão quase ilimitados e explorando todas as possibilidades de lograr economias de escala. No verão de 1944, Speer e o *Jägerstab* mantiveram uma linha telefônica exclusiva para Auschwitz, onde os guardas da SS faziam a triagem dos judeus da Hungria, a última grande parcela da população a ser engolida pelas câmaras de gás. Na macabra umidade e penumbra das fábricas subterrâneas de Hans Kammler, o Terceiro Reich fez sua última e inútil tentativa de se igualar aos norte-americanos na produção em massa.

Hitler havia profetizado que, se a Alemanha não prevalecesse sobre seus inimigos, enfrentaria uma catástrofe nacional sem paralelo na história moderna. A partir de 1942, ele e seus colaboradores, principalmente Albert Speer, orientaram a Alemanha diretamente para esse resultado. Ainda hoje, é quase impossível contemplar o prejuízo infligido pelo regime de Hitler e por sua inútil guerra. Décadas após os acontecimentos, a lembrança dos danos causados — à população da Europa, ao tecido físico da vida quotidiana, à própria ideia de uma civilização europeia — é ainda bastante para inspirar sentimentos de desespero, raiva e ressentimento, e não apenas por parte das vítimas da Alemanha. Não é este o momento para procurar examinar esse horror. Porém, como os historiadores econômicos têm meios de fazer com que os desastres, tais como o que a Alemanha provocou contra si mesma em 1945, desapareçam da trajetória de longo prazo do crescimento econômico, vale a pena demorarmo-nos um pouco sobre este cenário.

Dificilmente, pode-se descrever a escala de destruição e sofrimento humano na Alemanha, em 1945.[2] Enquanto o Terceiro Reich entrava em colapso, além dos vários milhões de homicídios cometidos pela Alemanha em toda a Europa, mais de um terço dos meninos nascidos em famílias alemãs, entre 1915 e 1924, estavam mortos ou desaparecidos. Entre os nascidos, entre 1920 e 1925, as perdas chegavam a 40%. O restante da população alemã sofreu desenraizamento ou deslocamento em escala verdadeiramente épica. Enquanto os 11 milhões de soldados da Wehrmacht que haviam sobrevivido à guerra eram levados para os campos de prisioneiros improvisados pelas forças de ocupação, uma quantidade semelhante de 9 a 10 milhões de deslocados não alemães passaram a gozar de uma liberdade fora do comum enquanto aguardavam repatriação para suas terras nas Europas Oriental e Ocidental. Ao mesmo tempo, 9 milhões de alemães que haviam sido evacuados regressavam a suas cidades devastadas. Enquanto isso, ocorria no leste uma avalanche humana sem precedentes, quando 14,16 milhões de pessoas de origem étnica alemã eram sistematicamente expulsas de seus lares na Europa Oriental e Central pela ressentida população eslava. Pelo menos, 1,71 milhão de pessoas morreriam durante o caminho nesse êxodo espetacular. O país ao qual "regressavam" apresentava um cenário de devastação e pobreza que desafia descrição. Grande parte da Alemanha tinha sido reduzida a "uma desolação coberta de escombros na qual os vivos frequentemente invejavam os mortos".[3] De um total de 19 milhões de apartamentos, pelo menos, 3,8 milhões tinham sido destruídos. Nas cidades mais afetadas pelos bombardeios, as perdas de habitações chegavam a 50%.[4] Aglomerada em apartamentos superpovoados e semidestruídos, a população alemã, que até o outono de 1944 havia sido razoavelmente bem alimentada, passou a sofrer frio e fome.

Ao contrário do que tinham feito os alemães quando reinavam sobre a Europa, os Aliados fizeram o possível para manter viva a população da Alemanha, mas o fizeram com reservas. Assim, disse o lugar-tenente de Eisenhower, general Lucius D. Clay, em junho de 1945: "As condições na Alemanha neste inverno serão extremamente difíceis e haverá muito frio e fome. Será preciso um pouco de frio e fome para que o povo alemão perceba as consequências da guerra que provocou".[5] Não obstante, Clay fez questão de dizer que "esse tipo de sofrimento não deve atingir o ponto em que resulte em morte em massa por inanição e enfermidades".[6] A instrução nº 1067 do Estado-Maior conjunto, expedida às forças de ocupação, em 1945, especificava que o fornecimento de alimentos à Alemanha deveria ser apenas o suficiente para evitar "doenças e agitação". Até 1948, no entanto, o abastecimento de víveres nas quatro zonas de ocupação foi muito inferior ao necessário. Em consequência direta de decisões tomadas por Speer e pela *Zentrale Planung*, em 1943 e 1944, os fertilizantes à base de nitrogênio necessários para a agricultura alemã haviam sido desviados para a produção de explosivos e munição. As colheitas declinaram drasticamente. Para piorar a situação, a principal região de superávit de grãos a leste do Oder-Neisse foi atribuída à Polônia, segundo o acordo de Potsdam. Foram fornecidos suprimentos vindos do outro lado do Atlântico, mas, no início do verão de 1946, as rações em muitas regiões urbanas da Alemanha eram inferiores a mil calorias diárias. Apesar do mercado negro florescente, era evidente a existência de grave desnutrição. A mortalidade aumentou, assim como a incidência de doenças relacionadas com a fome. As taxas de infecção devidas a difteria, febre tifoide e tuberculose dobraram nas zonas de ocupação britânica e norte-americana. O peso dos recém-nascidos declinou drasticamente. Até mesmo os estatísticos mais corajosos hesitam em sondar as profundezas em que a Alemanha havia caído no final de 1945. O dinheiro há muito deixara de ter funções no sentido comum do termo. Uma estimativa de 1946 calculou o PIB alemão *per capita* em pouco mais de 2,2 mil dólares, montante inédito desde a década de 1880, e equivalente a um décimo da renda dos alemães de hoje. Sem dúvida, essa quantia exagera o verdadeiro nível de atividade econômica na segunda metade de 1945. A produção de carvão, vital para a sociedade urbana moderna, havia declinado em 80%, e o carvão disponível não podia ser distribuído devido à destruição do sistema ferroviário.

Tampouco devemos subestimar a intensidade do ódio dirigido contra a Alemanha por seus vizinhos e antigos inimigos. Se é verdade que, após 1945, os alemães foram obrigados a engolir, pelo menos, um pouco de seu sentimento de vitimização, não é menos verdade que os ex-inimigos da Alemanha acharam melhor esquecer o sentimento de raiva que, sem dúvida, motivou boa parte da política aliada no período imediatamente posterior à guerra. Em 1945, na fronteira entre a Holanda e a Alemanha, os soldados norte-americanos viam tabuletas que diziam: "Aqui termina o mundo civilizado".[7] Um dos mitos mais persistentes da história do pós-guerra é o de que os Aliados haviam aprendido a lição da Primeira Guerra Mundial e não exigiram reparações à Alemanha. Na verdade, as duas metades do país pagaram compensações muito mais elevadas, em 1945, do que tinha feito a República de Weimar. Não admira que os soviéticos buscassem compensações com muito mais determinação. O que se tornaria a República Democrática Alemã sofreu o desmantelamento de, pelo menos, 30% de seu estoque de capital industrial e pagou custos de ocupação e reparações à União Soviética que, ainda em 1953, totalizavam quase 13% de sua renda nacional.[8] Por sua vez, a República Federal foi tratada com mais leniência, mas também pagou reparações, entre 1953 e 1992, num total de mais de 90 bilhões de *deutschmarks*. O que se desmantelou não foi apenas o capital físico. Na zona soviética, dezenas de milhares de suspeitos de pertencerem ao partido nazista foram detidos para interrogatório e julgamentos sumários. Muitos milhares foram executados. As potências ocidentais, previsivelmente, adotaram procedimentos mais legalistas. Cerca de 200 mil suspeitos nazistas foram detidos e encerrados em campos de prisioneiros, inclusive muitos líderes do mundo dos negócios da Alemanha. Dentre 5.153 indivíduos acusados de grandes crimes de guerra, 668 foram condenados à morte por tribunais militares. Além disso, na primeira onda de entusiasmo, os Aliados demitiram quase a metade dos funcionários públicos civis de suas zonas e exigiram que milhões se apresentassem para desnazificação. Embora esse processo acabasse por degenerar em uma farsa cínica, em sua primeira fase, foi visto pela população alemã como uma ameaçadora intervenção na estrutura de sua vida social. Considerado em conjunto com o alto perfil dos julgamentos de Nuremberg, era mais um indício do status de pária a que havia sido reduzida a Alemanha.

O período inicial do pós-guerra, portanto, confirmou, em grande parte, a visão hitleriana apocalíptica em relação à política. A Alemanha havia deixado de existir como entidade política, como força militar e como expressão econômica. A terrível ironia, no entanto, foi que, nos anos que se seguiram, a lógica que prevaleceu não foi a de Hitler e sim a de Stresemann. Em 1919, de olho na ameaça bolchevista a leste, Stresemann previra que chegaria a ocasião em que a Alemanha seria novamente necessária. Após a Segunda Guerra Mundial, com o Exército Vermelho em Viena e em Berlim, em menos de dois anos, a mesma convicção impôs-se em Washington e em Londres. A fim de evitar o colapso e o crescimento do apoio ao partido comunista, a reconstrução começou já no verão de 1946-47. Na década de 1920, a aposta de Stresemann tinha sido a de que a economia alemã era de tal forma parte integrante da economia europeia mais ampla que nenhuma das potências vitoriosas teria interesse em desabilitá-la permanentemente. Em 1947, o secretário de Estado norte-americano, general George Marshall, vinculou a inclusão da Alemanhã a sua famosa oferta à Europa. Inicialmente, foi difícil à França engolir a ideia. O programa nacional francês de reconstrução econômica baseava-se na premissa de que seria a França, e não a Alemanha, quem controlaria os recursos do Ruhr. Três anos depois do anúncio de Marshall, no entanto, foram os franceses que se adiantaram, como tinham feito, em 1929, com propostas de integração europeia, desta vez, centradas em uma Comunidade Europeia do Carvão e do Aço e uma Comunidade Europeia de Defesa. Para completar a amarga ironia, Konrad Adenauer, que, na função de chanceler da República Federal da Alemanha, entre 1949 e 1963, levaria o país a sua posição central tanto da Comunidade Europeia quanto da OTAN, era, na verdade, somente dois anos mais idoso do que Gustav Stresemann, que morrera com apenas 51 anos de idade, em 1929.[9]

Um sistema parlamentar eficiente, uma aliança com os Estados Unidos e integração europeia mais estreita eram, sem dúvida, objetivos a que Stresemann aspirava. Mas, na década de 1920, a atmosfera política de Weimar ainda era animada pela ideia, que, afinal, a desestabilizou, de que a Alemanha algum dia ressurgiria como grande potência no sentido clássico dos séculos XVIII e XIX. O que exatamente isso significava já era questionável após a Primeira Guerra Mundial e após a consequente demonstração da inutilidade da guerra como meio para a grande política de poder. Mas a "liberdade de ação" nas relações internacionais era, claramente, ainda um dos elementos constitutivos da plena soberania, tanto para Stresemann quanto para a maioria dos demais europeus. Após o horror do nazismo da Segunda Guerra Mundial, a democratização, a aliança ocidental e a integração europeia mais estreita estavam de volta à ribalta. A tentação apocalíptica do militarismo havia sido, em grande parte, exorcizada da Europa. Suas fagulhas moribundas ainda crepitavam, ocasionalmente, em ações imperiais de retaguarda. Com ela, desapareceu também qualquer aspiração à "liberdade", que antes era considerada parte do status de grande potência. Já no outono de 1943, após a Batalha de Kursk, os Estados Unidos haviam compreendido que a potência dominante na Europa, no futuro previsível, seria a União Soviética e não a Grã-Bretanha, para não falar na França. Inicialmente, o governo Roosevelt tentou ajustar-se a essa nova realidade em cooperação com os soviéticos. Juntas, as duas superpotências governariam tanto a Europa quanto o mundo, nas circunstâncias em que seria possível fazê-lo "sem a Alemanha". Em 1947, porém, essa opção estava já claramente fora de questão. Primeiro a Alemanha Ocidental e, em seguida, a Oriental, foram reerguidas como países independentes. Sua recuperação econômica subsequente, junto com o restante da Europa, constituiu um dos verdadeiros milagres do século XX. O êxito na criação de um sistema político democrático na Alemanha ocidental foi também notável. De fato, a Alemanha do oeste parecia estar, de tal forma, livre das tensões que haviam assolado a República de Weimar que alguns se sentiram tentados a supor que o fogo curativo do nacional-socialismo havia sido necessário para expulsar os demônios alemães. O que isso ignora, no entanto, é que a democracia alemã, após 1945, não tomou a forma que se havia imaginado na década de 1920. Existiu no interior de uma estranha forma truncada de Estado, e o mesmo pode ser dito em relação à maioria, senão todas, as antigas "grandes potências" da Europa. As novas linhas de combate da Guerra Fria atravessavam o centro do território alemão. De ambos os lados, aglomeravam-se numerosas forças de ocupação não europeias — norte-americanas a oeste, soviéticas a leste. A ameaça de aniquilação nuclear pairava sobre todas as cabeças. E, embora a Alemanha Ocidental, sem dúvida, possuísse uma democracia em funcionamento, a amplitude do debate político era também incomparavelmente mais restrita do que havia sido na década de 1920. Os temas mais explosivos do ambiente político de Weimar — a questão da integridade territorial e a questão da paridade militar — pareciam retirados para sempre da agenda política. O milagre econômico era a preocupação constante da República Alemã Ocidental, assim como do restante da Europa. O drama de 25 anos de crescimento econômico sem precedentes levou a "política", no sentido clássico, para a periferia do debate. Até mesmo o notável projeto de integração europeia se resolveu em um incessante processo de negociação sobre cotas de leite e concessões tarifárias nacionais. A catástrofe do Terceiro Reich não resultou na extinção da Alemanha e sim no encerramento da era clássica da política europeia. Sessenta anos depois, o que mais possa ocorrer na política europeia, além das cansativas escaramuças do descontentamento com a prosperidade, é ainda uma questão aberta.

APÊNDICE

Dados suplementares

Tabela A1. Contas-correntes: Dependência da Alemanha em recursos externos

	Conta-corrente (1)	Balança comercial (2)	Balança comercial em serviços, juros, dividendos e reparações (3)
1913	939	– 673	1.612
1924	– 1.664	– 1.816	152
1925	– 3.045	– 2.444	– 601
1926	– 39	793	– 832
1927	– 4.244	– 2.960	– 1.284
1928	– 3.192	– 1.311	– 1.881
1929	– 2.469	– 44	– 2.425
1930	– 610	1.558	– 2.168
1931	1.040	2.778	– 1.738
1932	257	1.052	– 795
1933	132	666	– 534
1934	– 534	– 373	– 161
1935	– 107	– 8	– 99
1936	615	544	71
1937	259	437	– 178
1938	– 566	– 319	– 247
1939	53	376	– 323
1940	– 1.012	– 72	– 940
1941	– 3.331	39	– 3.370

Nota:

A coluna (1) é a soma de (2) e (3). Um sinal positivo na conta-corrente significa que a Alemanha estava acumulando créditos em economias externas. Ao contrário, um sinal negativo indica empréstimos externos tomados pela Alemanha ou outras aquisições não compensadas de divisas ou ouro, p. ex., a tomada de controle das reservas de ouro da Áustria ou a imposição de pagamentos de ocupação não descritos como reparações.

Fontes: W.G. Hoffmann, *Das Wachstum der deutschen Wirtschaft* (Berlim, 1965), 816-28; A. Ritschl, "Die deutsche Zahlungsbilanz 1936-1941", *VfZ* 39 (1991), 123.

Tabela A2. Produção de insumos em matérias-primas essenciais — território alemão pré-1938

	Produção em milhares de toneladas					
	Carvão (antracita)	Aço bruto	Aço fundido eletricamente	Alumínio	Hidratação de combustível, perfuração de petróleo e benzol	Tecidos e raiom
1929	163.441	16.246	131	34	499	28
1930	142.695	11.538	95	32	546	29
1931	118.634	8.292	83	31	575	31
1932	104.731	5.764	71	24	535	28
1933	109.905	7.612	120	18	584	33
1934	124.891	11.916	172	37	690	46
1935	143.013	16.446	260	71	994	62
1936	158.407	19.216	380	97	1.294	88
1937	184.489	19.849	526	128	1.621	156
1938	186.186	22.656	697	166	1.928	220
1939	187.956	22.508	914	200	2.344	280
1940	184.354	19.141	992	211	3.318	317
1941	186.531	20.836	1.163	234	3.946	383
1942	187.920	20.480	1.276	264	4.649	411
1943	190.482	20.758	528	250	5.149	411
1944	166.059	18.318	1.512	244	4.018	389

Produção relativa a 1929						
Producão industrial total	Carvão (antracita)	Aço bruto	Aço fundido eletricamente	Alumínio	Hidratação de combustível, perfuração de petróleo e benzol	Tecidos e raiom
100	100	100	100	100	100	100
83	87	71	73	94	109	104
66	73	51	63	91	115	111
58	64	35	54	69	107	100
67	67	47	91	54	117	118
83	76	73	131	109	138	164
97	88	101	198	208	199	221
107	97	118	289	285	259	314
119	113	122	401	374	325	557
132	114	139	531	486	386	786
140	115	139	697	585	470	1.000
135	113	118	756	620	665	1.132
138	114	128	886	686	791	1.368
140	115	126	973	774	932	1.468
157	117	128	402	733	1.032	1.468
154	102	113	1.152	716	805	1.389

Fontes: *Statistisches Handbuch von Deutschland*; *Statistisches Jahrbuch für das Deutsche Reich* (vários); R. Wagenführ, *Die deutsche Industrie im Kriege* (Berlim, 1954).

Tabela A3. Produção e distribuição de aço, 1937-1944 (milhares de ton. mensais)

	Produção		Distribuição a	
	Produção de aço, Alemanha pré-guerra,	Produção de aço da *Grossraum*	Distribuição total	Armamentos totais/ diretos da Wehrmacht
1937/II	1.531			300
1937/III	1.580			235
1937/IV	1.638			268
1938/I	1.881			302
1938/II	1.891			325
1938/III	1.994			658
1938/IV	2.011			593
1939/I	2.090			525
1939/II	2.026			628
1939/III	1.976			575
1939/IV	1.819			859
1940/I	1.678		1.835	924
1940/II	1.736		1.884	880
1940/III	1.820		1.885	900
1940/IV	1.916		2.204	1.017
1941/I	1.922	2.298	2.258	1.000
1941/II	1.970	2.374	2.375	1.040
1941/III	1.970	2.378	2.519	1.120
1941/IV	1.961	2.362	2.309	1.032
1942/I	1.786	2.141	2.644	1.153
1942/II	1.857	2.283	2.777	1.073
1942/III	1.975	2.473	2.217	994
1942/IV	2.141	2.684	2.611	1.253
1943/I		2.687	2.654	1.414
1943/II		2.511	2.896	1.475
1943/III		2.517	2.431	1.298
1943/IV		2.486	2.374	1.269
1944/I		2.573	2.562	1.338
1944/II		2.496	2.600	1.363
1944/III		2.236	2.328	1.246
1944/IV		1.314	2.054	1.179

Nota: Rações anteriores a 1938 ajustadas para baixo para compensar o fato de que após 1938, as rações eram calculadas em peso do aço acabado, que é em geral menor do que a medida de aço bruto usada nos primeiros meses do racionamento.

Exército	Plano Quadrienal da OKW	Exportação	Pré-1938, aço disponível para outras finalidades	Aço da *Grossraum* disponível para outras finalidades
146	120	505	606	
146	120			
146	105			
146	145			
146	100	398	1068	
387	140	398	798	
387				
210				
210				
215				
306	206	173	581	
342	247	200	307	
445	252	200	404	
305	225	258	437	
350	242	330	327	
290	287	364	271	647
270	304	451	175	579
227	355	455	40	448
180	322	403		605
349	388	418		182
350	371	418		421
400	294	270		915

Fontes: USSBS, *The Effects of Strategic Bombing*, 250-51; R. Wagenführ, *Die deutsche Industrie im Kriege* (Berlim, 1954), 168; M. Geyer, "Rustungsbeschleunigung und Inflation", *MGM* 30 (1981), 163; Müller, em *DRZW* 5/2. 555.

Tabela A4. Posição da Wehrmacht em armamentos

	Quantidades de armas:			
	Outubro 1939	Maio 1940	Junho 1941	Janeiro 1942
Rifles K 98	2.569.300	3.228.500	4.372.800	4.717.500
MP38 e 40	5.711	27.800	166.700	205.450
MGs	103.300	150.400	203.250	206.500
Flak 30 — 2 cm	895	1.487	2.153	2.690
Pak — 3, 7 cm	10.560	14.257	15.522	13.348
Morteiro leve	5.062	9.957	16.129	15.579
Morteiro pesado	3.959	7.091	11.767	11.719
Nebelwerfer 10 cm	179	288	1.112	953
Canhão leve 18 infantaria	2.931	3.365	4.176	4.022
Canhão pesado 33 infantaria	367	491	867	866
Obus leve 16 ou 18	4.919	5.538	7.076	6.772
Obus pesado	2.434	2.383	2.867	2.746
Artilharia pesada 21-42 cm	47	163	442	548
Munição infantaria (milhões de unidades)	6.665	8.459	9.774	7.176
Pz. U. Pak obuses (milhões de unidades)	36	77	79	69
Obuses artilharia (milhões de unidades)	29	57	90	64
PzKampfW I	1.305	1.266	966	817
PzKampfW II	991	1.110	1.159	996
PzKampfW III	151	785	1.440	1.866
PzKampfW IV	143	290	572	511
PzKampfW 38t	122	238	754	434
Total tanques leves	2.296	2.376	2.125	1.813
Total tanques médios	416	1.313	2.766	2.811
Meias-lagartas	5.200	7.997	15.642	19.129
Força militar da Wehrmacht	4.556.000	5.766.448	7.309.000	7.648.000
Total de efetivos do exército	3.706.000	4.347.000	5.200.000	5.428.000

Aumento %:				
Mai 1940 sobre out 1939	Jun 1941 sobre mai 1940	Jan 1942 sobre jun 1941	Poder de fogo por soldado, mai 1940 sobre out 1939	Poder de fogo por soldado, jun 1941 sobre mai 1940
25,7	35,4	7,9	7,1	13,8
386,8	499,6	23,2	315,0	403,9
45,6	35,1	1,6	24,1	13,6
66,1	44,8	24,9	41,6	21,7
35,0	8,9	– 14,0	15,1	– 8,5
96,7	62,0	– 3,4	67,7	36,1
79,1	65,9	– 0,4	52,7	39,4
60,9	286,1	– 14,3	37,2	224,5
14,8	24,1	– 3,7	– 2,1	4,3
33,8	76,6	– 0,1	14,1	48,4
12,6	27,8	– 4,3	– 4,0	7,4
– 2,1	20,3	– 4,2	– 16,5	1,1
246,8	171,2	24,0	195,7	127,9
26,9	15,5	– 26,6	8,2	– 2,9
115,4	2,0	– 11,7	83,6	– 14,3
94,7	58,2	– 29,7	66,0	32,9
– 3,0	– 23,7	15,4	– 17,3	– 35,9
12,0	4,4	– 14,1	– 4,5	– 12,3
419,9	83,4	29,6	343,2	54,2
102,8	97,2	– 10,7	72,9	65,7
95,1	216,8	– 42,4	66,3	166,2
3,5	-10,6	– 14,7	– 11,8	– 24,8
215,6	110,7	1,6	169,1	77,0
53,8	95,6	22,3	31,1	64,4
26,6	26,8	4,6		
17,3	19,6	4,4		

Fontes: Kröner, em *DRZW* 5/1.731, 826, 834, 959; Müller, em *DRZW* 5/1. 554-5.

Tabela A5. Abastecimento de grãos da Alemanha 1932-1944 (milhões de toneladas)

	1932-3	1933-4	1934-5	1935-6	1936-7	1937-8	1938-9
Colheita de grãos	22,8	24,3	20,3	21,0	20,9	21,1	24,9
Importações líquidas	0,4	– 0,4	1,1	0,0	1,2	1,6	1,6
Estoques no início do ano	1,0	2,0	3,1	3,4	1,7	2,0	3,2
Quantidade disponível	25,1	27,0	24,8	22,8	24,1	25,8	33,1
Sementes e perdas	2,5	2,5	2,4	2,4	2,4	2,3	2,5
Consumo doméstico	19,8	20,3	18,8	20,4	19,5	19,1	20,7
Estoques no fim do ano	2,0	3,1	3,4	1,7	2,0	3,2	6,6

	1938-9	1939-40	1940-41	1941-42	1942-43	1943-44
Colheita de grãos	29,6	27,5	24,0	23,6	22,7	23,9
Importações líquidas	2,5	2,1	2,2	3,0	5,1	4,6
Estoque no início do ano	4,8	8,8	7,5	3,1	1,8	2,5
Quantidade disponível	36,9	38,4	33,7	29,7	29,6	31,0
Sementes e perdas	3,0	3,0	2,9	3,0	2,9	2,9
Consumo doméstico	25,1	27,9	27,7	24,9	24,2	25,0
Estoques no fim do ano	8,8	7,5	3,1	1,8	2,5	3,1

Fontes: A. Hanau e R. Plate, *Die deutsche landwirtschaftliche Preis- und Marktpolitik im Zweiten Weltkrieg* (Stuttgart, 1975), 49; *Statistisches Handbuch von Deutschland*, 489-90; *Statistisches Jahrbuch für das Deutsche Reich* 1937, 367.

Tabela A6. Índice de produção de armamentos do ministério de Speer

	Índice de Armamentos	Armas	Tanques	Veículos	Aeronaves	Navios e submarinos	Munições	Pólvora	Explosivos
1941	97	106	81	n/a	97	110	102	96	103
1942	133	137	130	120	133	142	166	129	132
1943	216	234	330	138	216	182	247	200	191
1944	277	348	536	110	277	157	306	212	226
Janeiro 1942	103	98	93	108	112	90	98	103	101
Fevereiro 1942	97	102	107	93	88	111	102	97	99
Março 1942	129	111	80	129	151	109	115	111	123
Abril 1942	133	122	129	123	135	162	124	108	125
Maio 1942	135	150	152	125	133	113	144	116	141
Junho 1942	144	125	122	137	131	165	173	129	149
Julho 1942	153	148	122	131	145	113	177	132	138
Agosto 1942	153	135	134	123	140	136	201	134	122
Setembro 1942	155	149	131	105	142	133	202	160	131
Outubro 1942	154	150	144	116	133	134	209	151	147
Novembro 1942	165	155	146	109	134	202	222	148	153
Dezembro 1942	181	195	199	135	155	187	229	153	150
Janeiro 1943	182	169	154	128	172	190	215	168	176
Fevereiro 1943	207	185	169	132	227	164	230	184	169
Março 1943	216	216	210	168	205	233	239	185	200

Abril 1943	215	212	289	145	216	185	229	194	169
Maio 1943	232	235	465	144	211	207	245	205	191
Junho 1943	226	238	340	161	233	208	230	200	199
Julho 1943	229	238	367	146	236	163	238	214	192
Agosto 1943	224	240	328	129	228	158	245	200	189
Setembro 1943	234	260	495	128	222	191	259	201	194
Outubro 1943	242	269	454	133	237	171	265	216	206
Novembro 1943	231	264	364	122	216	168	282	219	211
Dezembro 1943	222	280	415	116	186	140	288	208	198
Janeiro 1944	241	274	438	142	232	140	281	204	208
Fevereiro 1944	231	284	460	122	186	170	303	219	234
Março 1944	270	301	498	133	262	153	314	226	163
Abril 1944	274	320	527	121	285	127	302	230	254
Maio 1944	285	337	567	126	295	152	301	242	276
Junho 1944	297	361	580	133	321	107	307	223	276
Julho 1944	322	384	589	117	367	139	319	209	267
Agosto 1944	297	382	558	116	308	141	323	224	182
Setembro 1944	301	377	527	84	310	184	335	219	175
Outubro 1944	273	372	516	79	255	217	321	205	205
Novembro 1944	268	375	571	78	274	124	307	173	201
Dezembro 1944	263	408	598	63	224	233	263	166	178
Janeiro 1945	227	284	557	60	231	164	226	162	128

Fonte: R. Wagenführ, *Die Deutsche Industrie im Kriege* (Berlim, 1954), 180-181.

Notas

Nas notas, as obras secundárias mais frequentes estão abreviadas da seguinte forma:

Domarus	M. Domarus (org.), *Adolf Hitler: Reden und Proklamationen, 1932-1945* (Munique, *1965), 2* vols.
DRZW	*Das deutsche Reich und der Zweite Weltkrieg* (Stuttgart, *1979-),* *9* vols.
Eichholtz	D. Eichholtz, *Geschichte der deutschen Kriegswirtschaft 1939-1945* (Berlim, 1969-96), 3 vols.
Halder Diary	C. Burdick and H.-A. Jacobsen (orgs.), *The Halder War Diary 1939-1942* (Londres, 1988)
Weinberg, *Foreign Policy I*	G. L. Weinberg, *The Foreign Policy of Hitler's Germany: Diplomatic Revolution in Europe, 1933-1936* (Chicago, 1970)
Weinberg, *Foreign Policy II*	G. L. Weinberg, *The Foreign Policy of Hitler's Germany: Starting World War* II, *1937-1939* (Chicago, 1980)

As principais coleções de fontes publicadas referidas estão abreviadas da seguinte forma:

ADAP	*Akten zur deutschen auswaertigen Politik,* ser. D. (Baden-Baden, 1950-57)
DGFP	*Documents on German Foreign Policy,* ser D. (Londres, 1962-4)
IMT	Tribunal Militar Internacional, *Trial of the Major War Criminals before the International Military Tribunal, Nuremberg* 14 *November 1945-1 October 1946* (Nuremberg, 1949), 42 vols.
Meldungen.	H. Boberach (org.), *Meldungen aus dem Reich 1938-1945: Die geheimen Lageberichte des Sicherheitsdienstes der SS* (Herrsching, 1984), 17 vols.

As referências aos arquivos estão abreviadas da seguinte forma:

BAH	Bundesarchiv Hoppegarten Branch
BAL	Bundesarchiv Lichterfelde Branch
BAMA	Bundesarchiv Militaerarchiv Freiburg
MA	Moscow Archives
NA	National Archive Washington
PRO	Public Record Office (National Archive, UK)

Outras abreviações usadas:

GG	*Geschichte und Gesellschaft*
HWJ	*History Workshop Journal*
HZ	*Historische Zeitschrift*

IfK Institut fuer Konjunkturforschung
IWM Imperial War Museum
JbW *Jahrbuch fuer Wirtschaftsgeschichte*
MGM *Militaergeschichtliche Mitteilungen*
VfZ Vierteljahreshefte fuer *Zeitgeschichte*
VWSG *Viertelsjahresschrift fuer Wirtschafts- und Sozialgeschichte*
VzK *Vierteljahreshefte zur Konjunkturforschung*

Prefácio

1 K. Marx, '18th Brumaire of Louis Napoleon', em K. Marx e F. Engels, *Selected Works in Two Volumes* (Moscou, 1958), 1. 247.
2 M. Burleigh, *The Third Reich: A New History* (Londres, 2000).
3 B. Wegner, 'Hitler, der Zweite Weltkrieg und die Choreographie des Untergangs', *Geschichte und Gesellschaft*, 26 (2000), 493-518.

Introdução

1 Para reflexão sobre essa polaridade ver M. Geyer, 'The Stigma of Violence, Nationalism, and War in Twentieth-Century Germany', *German Studies Review*, 15 (1992), 75-110, e K. H. Jarausch e M. Geyer, *Shattered Past: Reconstructing German Histories* (Princeton, 2003).
2 H. James, *A German Identity* 1770-1990 (Londres, 1989), 177-89.
3 Para resumos, ver P. Krueger, *Die Aussenpolitik der Republik von Weimar* (Darmstadt, 1985) e G. Niedhart, *Die Aussenpolitik der Weimarer Republik* (Munique, 1999). Para continuidades ideológicas, W. D. Smith, *The Ideological Origins of Nazi Imperialism* (Oxford, 1986).
4 G. Feldman, *The Great Disorder: Politics, Economics and Society in the German Inflation, 1914-1924* (Oxford, 1993).
5 Para uma análise útil do estado atual dos estudos sobre Stresemann, ver K. H. Pohl, 'Gustav Stresemann: New Literature', *German Historical Institute London: Bulletin, 26/1* (2004), 35-62.
6 J. Wright, *Gustav Stresemann* (Oxford, 2002), 420.
7 I. Kershaw, *Hitler, 1889-1936: Hubris* (Londres, 1998), 240-42.
8 G. Weinberg (org.), *Hitlers Zweites Buch: Ein Dokument aus dem Jahr 1928* (Stuttgart, 1961) (daqui em diante, *Zweites Buch).*
9 M. Berg, *Gustav Stresemann und die Vereinigten Staaten von Amerika: Weltwirtschaftliche. Verflechtung und Revisionspolitik* 1907-1929 (Baden-Baden, 1990), 19-21.
10 Wright, *Stresemann*, 8-58.
11 Sobre o tema do americanismo na Alemanha do início do século XX, ver A. Luedtke, I. Marssolek e A. von Saldern (orgs.), *Amerikanisierung: Traum und Alptraum im Deutschland des 20. Jahrhunderts* (Stuttgart, 1996).
12 Berg, *Stresemann*, 43.
13 Ibid., 98.
14 *Zweites Buch, 23.*
15 Wright, *Stresemann*, 373-83 e 412-13.
16 S. A. Schuker, *The End of French Financial Predominance in Europe: The Financial Crisis of 1924 and the Adoption of the Dawes Plan* (Chapel Hill, NC, 1976), 180-86. F. Costigliola,

Awkward Dominion: American Political, Economic and Cultural Relations with Europe, 1919-1933 (Ithaca, NY, 1984), III-27.

17 J.Y Case e E.N. Case, *Owen D. Young and American Enterprise* (Boston, 1982), 272-335.

18 G. Hardach, *Weltmarktorientierung und relative Stagnation* (Berlim, 1976), 34-5. H.O. Schoetz, *Der Kampf um die Mark 1923/24* (Berlim, 1987). Ao câmbio de 4,20 *reichsmarks* por um dólar, o *reichsmark* estava substancialmente supervalorizado, como a libra esterlina após 1925.

19 W. C. McNeil, *American Money and the Weimar Republic* (Nova York, 1986). Para uma cronologia mais precisa, ver M. Wala, *Weimar und Amerika: Botschafter Friedrich van Prittwitz und Gaffron* (Stuttgart, 2001), 110-22. Para uma história dos bônus, com boas ilustrações, ver H.-G. Glasemann, *Deutschlands Auslandsanleihen 1924-1945* (Wiesbaden, 1993).

20 Agradavelmente ilustrado em H.G. Moulton e I. Pasvolsky, *War Debts and World Prosperity* (Nova York, 1932)

21 W. G. Pullen, *War Debts and United States Foreign Policy 1919-1919* (Nova York, 1987).

22 H. James, *The Reichsbank and Public Finance in Germany 1924 -1933* (Frankfurt, 1985) 19-56.

23 A. Ritschl, *Deutschlands Krise und Konjunktur 1924-1934* (Berlim, 2002), 120-27.

24 W. Link, *Die amerikanische Stabilisierungspolitik in Deutschland 1921-1932* (Düsseldorf, 1970), 411-21. Costigliola, *Awkward Dominion*, 196-210.

25 Para um resumo recente, Kershaw, *Hitler: Hubris*, 1-69.

26 Sobre a importância dessa ideia, ver A. Ritschl, 'Die NS-Wirtschaftsideologie — Modernisierungsprogramm oder reaktionaere Utopie?', em M. Prinz e R. Zitelmann (orgs.), *Nationalsozialismus und Modernisierung* (Darmstadt, 1991), 48-70.

27 *Zweites Buch* 46-69.

28 Para um esboço dos aspectos específicos de sua estratégia para a Europa Oriental, ver Weinberg, *Foreign Policy I*, 14-20.

29 Sobre o elo Karl May-Hitler, ver o controvertido artigo de K. Mann, 'Cowboy Mentor of the Fuehrer', *Living Age*, 359 (1940), 217-22. Sobre um esforço para desligar May de Hitler, B. Linkemeyer, *Was hat Hitler mit Karl May zu tun?* (Abstadt, 1987). Sobre May no contexto da imaginação literária alemã a respeito dos Estados Unidos, ver J. L. Sammons, *Ideology, Mimesis, Fantasy* (Chapel Hill, NC, 1998), 229-45. Sobre a popularidade de May e o gênero da aventura na ficção, ver R. Frigge, *Das erwartbare Abenteuer: Massenrezeption und literarisches Interesse am Beispiel der Reiserzaehlungen van Karl May* (Bonn, 1984), 150-58.

30 Sobre isso e o que se segue, ver o sutil debate em P. Gassert, *Amerika im Dritten Reich* (Stuttgart, 1997), 35-6 e 87-103, que suplanta todas as obras anteriores sobre Hitler e os Estados Unidos.

31 *Zweites Buch, 58.*

32 Ibid., 123.

33 Ibid., 123-4.

34 Ibid., 127-8.

35 Ibid., 130.

36 Para uma análise do entendimento de Hitler sobre história, ver F.-L. Kroll, *Utopie als Ideologie: Geschichtsdenken und politisches Handeln im Dritten Reich* (Paderborn, 1998). Kroll dá importância insuficiente à visão apocalíptica do mundo que tinha Hitler.

37 *Zweites Buch*, 71.

38 I. E. Jones, *German Liberalism and the Dissolution of the Weimar Party System, 1918-1933* (Chapel Hill, NC, 1988), 301-5.

39 Após quase duas décadas de revisionismo produtivo, sem dúvida, é hora de focalizar diretamente as consequências da defeituosa hegemonia norte-americana na década de 1920, conforme esboçado por C. P. Kindleberger em *The World in Depression, 1929-1939* (Berkeley, 1986) e elaborado por Link, *Stabilisierungspolitik*, e Costigliola, *Awkward Dominion.*

O agente imediato dos problemas, naturalmente, foi a reação nacionalista alemã, que, por sua vez, produziu uma "falha de cooperação" de parte dos franceses. O auxílio britânico tampouco importa. Porém, dada a patente fragilidade das relações europeias, o fator causal exógeno foi a ausência de ação norte-americana para fazer o que poderia ter sido feito.

40 Case e Case, *Owen D. Young*, 434-54.

41 Costigliola, *Awkward Dominion*, 206-15.

42 P. Heyde, *Das Ende der Reparationen: Deutschland, Frankreich und der Youngplan 1929-1932* (Paderborn, 1998), 65-9. Foi quase igualmente insatisfatório para Londres. Ver R. W. D. Boyce, *British Capitalism at the Crossroads 1919-1932* (Cambridge, 1987), 186-216.

43 Para uma avaliação da importância relativa das taxas de câmbio e do efeito do Plano Young, ver Ritschl, *Krise und Konjunktur*, 107-41.

44 E. E. Schattschneider, *Politics, Pressures and the Tariff* (Nova York, 1935). Numa visão histórica mais ampla, a importância de Smoot-Hawley era restaurar as tarifas norte-americanas aos níveis mais elevados que haviam prevalecido antes de 1914. Ver A. E. Eckes, *Opening America's Markets* (Chapel Hill, NC, 1995), 106-9. Acentuando a incerteza, mais do que o nível absoluto da nova tarifa, ver H. James, *The End of Globalization: Lessons from the Great Depression* (Cambridge, Mass., 2001), 29.

45 Krueger, *Aussenpolitik*, 498-9, Wright, *Stresemann*, 475-6.

46 Sobre a decepção pública geral com os Estados Unidos no final da década de 1920 e início da de 1930, ver Gassert, *Amerika*, 78-86.

47 O melhor relato curto é H. James, 'Hjalmar Schacht', em R. Smelser, E. Syring e R. Zitelmann (orgs.), *Die Braune Elite* (Darmstadt, 1993), II. 206-18. Também excelente é N. Muehlen, *Der Zauberer: Leben und Anleihen des Dr Hjalmar Horace Greeley Schacht* (Zurique, 2ª. ed., 1938).

48 Feldman, *Great Disorder*, 792-6 e 821-3.

49 Schoetz, *Kampf um die Mark* , e Feldman, *Great Disorder*, 827-35.

50 Johann Houwink ten Cate, 'Hjalmar Schacht als Reparationspolitiker (1926-1930)', *Vierteljahrschrift fuer Sozial- und Wirtschaftsgeschichte*, 74 (1987), 186-228.

51 Berg, *Stresemann*, 380-87

52 Hardarch, *Weltmarktorientierung*, 110-11

53 H. A. Winkler, *Weimar 1918-1933* (Munique, 1993), 364-80.

54 J. von Kruedener (org.), *Economic Crisis and Political Collapse: The Weimar Republic 1924-1933* (Oxford, 1990) e I. Kershaw (org.), *Weimar: Why Did German Democracy Fail?* (Londres, 1990). A mais recente na lista de críticas keynesianas e proto-keynesianas é R. Meister, *Die Grosse Depression: Zwangslagen und Handlungsspielraeume der Wirtschafts- und Finanzpolitik in Deutschland 1929-1932* (Regensburg, 1991).

55 Sobre a afirmação alemã original deste ponto, ver K. Borchardt, 'Zwangslage und Handlungsspielraeume in der grossen Weltwirtschaftskrise der fruehen dreissiger Jahre', em K. Borchardt, *Wachstum, Krisen, Handlungsspielraeume der Wirtschaftspolitik* (Goettingen, 1982), 165-82. Sobre seu complemento internacional, ver B. Eichengreen, *Golden Fetters: The Gold Standard and the Great Depression, 1919-1939* (Oxford, 1992), 230-46.

56 Opiniões sobre a questão de saber se o mercado internacional de capitais se encontrava absolutamente fechado para a Alemanha após o Plano Young: compare-se Ritschl, *Krise und Konjunktur*, 105-20 com T. Ferguson e P. Temin, 'Made in Germany: The German Currency Crisis of July 1931, *Research in Economic History*, 21 (2003), 1-53. O aperto, sem dúvida, era suficiente para tornar necessário um importante ajuste doméstico.

57 Hardarch, *Weltmarktorientierung*, 120-21.

58 Wala, *WeimarundAmerika*, 158-66.

59 Krueger, *Aussenpolitik*, 507- 51.

60 Sobre a opinião de Schacht descartando a França, ver Cate, 'Hjalmar Schacht.

61 De inteiro acordo com Ferguson e Temin, 'Made in Germany'.
62 Winkler, *Weimar*, 404-14.
63 Argumento apresentado inicialmente por Hardach, *Weltmarktorientierung*, 126-31 e reforçado por Ferguson e Temin, 'Made in Germany'.
64 Como diz Winkler, Brüning poderia ter comemorado a moratória de Hoover como triunfo da política externa alemã, Winkler, *Weimar*, 415.
65 Costigliola, *Awkward Dominion*, 235-8. Sobre a política norte-americana em Berlim entre dezembro de 1930 e julho de 1931, ver B. V. Burke, *Ambassador Frederic Sackett and the Collapse of the Weimar Republic, 1930-1933* (Cambridge, 1994), 113-44.
66 Ritschl, *Krise und Konjunktur*, 150-51 e Wala, *Weimar und Amerika*, 169-79
67 Heyde, *Das Ende*, 200-24.
68 G. D. Feldman em L. Gall, G. D. Feldman, H. James, C.-L. Holtfrerich e H. E. Buschgen, *The Deutsche Bank 1870-1995* (Londres, 1995), 240-76
69 Hardach, *Weltmarktorientierung*, 139.
70 Heyde, *Das Ende*, 255-64. Como aponta Ritschl, *Krise und Konjunktur*, 154-6, isso também dava prioridade aos credores norte-americanos de curto prazo.
71 *The Economist*, 26 de setembro de 1931, 547-8.
72 *Der Deutsche Volkswirt*, 1º de abril 1932, 869 e 875.
73 J. Schiemann, *Die deutsche Waehrung in der Weltwirtschaftskrise 1929-1933* (Berna, 1980), 166-292, Heyde, *Das Ende*, 280-96 e K. Borchardt, 'Zur Frage der waehrungspolitischen Optionen Deutschlands in der Weltwirtschaftskrise' em Borchardt, *Wachstum, Krisen, Handlungsspielraeume*, 206-24.
74 Para um comentário contemporâneo, ver *The Economist*, 3 de outubro de 1931, 613.
75 Schiemann, *Die deutsche Waehrung*, 188, 207-14.
76 Sobre o papel dos Estados Unidos em impelir a Alemanha em direção a controles cambiais, ver Ritschl, *Krise und Konjunktur*, 153-4. A França igualmente opôs-se a qualquer ação semelhante; Schiemann, *Die deutsche Waehrung*, 195-200.
77 H. Mommsen. 'Heinrich Bruening as Chancellor', em H. Mommsen, *From Weimar to Auschwitz* (Cambridge, 1991), 119-40.
78 Winkler, *Weimar*, 435-7.
79 *The Economist*, 12 de dezembro de 1931, 1115.
80 S. Gillmann and H. Mommsen (orgs.), *Politische Schriften und Briefe Carl Friedrich Goerdelers* (Munique 2003), 179-83, 214-32, 240-47.
81 A. Reckendrees, *Das 'Stahltrust-Projekt'* (Munique 2000), 471-507.
82 G. D. Feldman 'From Crisis to Work Creation: Government Policies and Economic Actors in the Great Depression', em J. Kocka, H.-J. Puhle e K. Tenfelde (orgs.), *Yon der Arbeiterbewegung zum modernen Sozialstaat* (Munique, 1994), 703-18.
83 Outubro de 1931 foi também o momento em que a ala direita do DVP, partido anterior de Stresemann, forçou um rompimento com Brüning; Winkler, *Weimar*, 430-32.
84 Sobre os aplausos a Hitler e Schacht, ver G. Schulz (org.), *Politik und Wirtschaft in der Krise 1930-1932* (Düsseldorf, 1980), doc. 341, Blank a Reusch, 12 de outubro de 1931, II. 1039-43. Sobre a sensação causada pelo discurso de Schacht, ver relatos em 11 e 12 de outubro de 1931 em *Schulthess' Europaeischer Geschichtskalender* (Munique, 1932), 224-9.
85 *Der Deutsche Volkswirt* de Gustav Stolper continuou a unir as forças do liberalismo; ver, por exemplo, a análise de Wilhelm Roepke sobre a recente publicação de Ferdinand Fried em *Der Deutsche Volkswirt*, 6 de janeiro de 1933, 437-8.
86 James, *The End of Globalisation*, 187-99.
87 E. Teichert, *Autarkie und Grossraumwirtschaft in Deutschland 1930-1939* (Munique, 1984).

88 Ver, por exemplo, a notável elisão no título de D. P. Silverman, *Hitler's Economy: Nazi Work Creation Programs, 1933-1936* (Cambridge, 1998).

89 Principalmente, talvez, na genealogia do keinesianismo alemão apresentada nos 5 volumes de G. Bombach *et al.* (orgs.), *Der Keynesianismus* (1976-84). Para um notável exemplo recente do gênero de autoria nada menos do que do correspondente econômico da BBC, ver J. Peter e M. Stewart, *Apocalypse 2000: Economic Breakdown and the Suicide of Democracy 1989-2000* (Londres, 1987).

90 Sobre a advertência de Schacht a Hitler, em agosto de 1932, para evitar comentários específicos sobre política econômica, ver IMT, *Nazi Conspiracy and Aggression* (Washington, 1946-7), II, EC-456, 513-14.

91 Sobre as interconexões entre as três conferências, ver M. Geyer, *Aufruestung ode Sicherheit: Die Reichswehr in der Krise der Machtpolitik 1924-1936* (Wiesbaden, 1980), 236-44, Costigliola, *Awkward Dominion*, 218-61 e P. Clavin, *The Failure of Economic Diplomacy: Britain, Germany, France and the United States, 1931-36* (Nova York, 1996).

92 Para um resumo eficaz, ver H. Sirois, *Zwischen Illusion und Krieg: Deutschland und die USA 1933-1941* (Paderborn, 2000), 51-9.

93 M. Geyer, 'Etudes in Political History: Reichswehr, NSDAP, and the Seizure of Power', em Peter D. Stachura (org.), *The Nazi Machtergreifung* (Londres, 1983), 101-23, e M. Geyer, 'Militaer, Ruestung und Aussenpolitik: Aspekte militaerischer Revisionspolitik in der Zwischenkriegszeit', em Manfred Funke (org.), *Hitler, Deutschland und die Maechte* (Düsseldorf, 1976), 239-68.

94 M. Geyer, 'Das Zweite Ruestungsprogramm (1930-1934)', *MGM* 17 (1975), 125-72.

95 Sobre apoio militar a firmas com problemas, ver E. W. Hansen, *Reichswehr und Industrie* (Boppard, 1978), 179-85.

96 Heyde, *Das Ende*, 408-55 e Clavin, *Failure*, 30-59.

97 C. R. S. Harris, *Germany's Foreign Indebtedness* (Oxford, 1935*)*,110.

98 Essa foi também a mensagem clara do relatório Layton sobre a situação da Alemanha em agosto de 1931; ver Winkler, *Weimar*, 420.

99 Em vez de uma decisão de princípio no sentido de tarifas baixas, o resultado foi um contundente impasse entre as exportações agrícolas e as industriais que somente podia ser resolvido por meio de uma série de expedientes embaraçosos de curto prazo, os quais, no entanto, mantiveram baixas as tarifas, pelo menos, até 1929; ver R. M. Spaulding, *Osthandel und Ostpolitik: German Foreign Trade Policies in Eastern Europe from Bismarck to Adenauer* (Providence, RI, 1997), 123-37. D. Stegmann, 'Deutsche Zoll- und Handelspolitik *1924/5-1929*', em H. Mommsen, D. Petzina e D. Weisbrod (orgs.), *Industrielles System und politische Entwicklung in der Weimarer Republik* (Düsseldorf, 1977), II. 499-513.

100 Clavin, *Failure*, 61-80.

101 S. Dengg, *Deutschlands Austritt aus dem Voelkerbund und Schachts Neuer Plan* (Frankfurt, 1986), 386-7 e R. Neebe, *Grossindustrie, Staatund NSDAP 1930-1933* (Goettingen, 1981), 122-6.

102 Kershaw, *Hitler: Hubris*, 414.

103 Sobre o desenvolvimento do protecionismo alemão no contexto europeu, ver M. Tracy, *Government and Agriculture in Western Europe 1880-1988* (Hemel Hempstead, 1989).

104 W. Pyta, *Dorfgemeinschaftund Parteipolitik 1918-1933* (Düsseldorf, 1996), 203-33.

105 Ver W. A. Boelcke, *Deutschland als Welthandelsmacht 1930-1945* (Stuttgart, 1994), 17-20

106 Argumento percebido pelos defensores da proteção industrial em setores como o têxtil, mas combatido pelo ministro de Assuntos Econômicos; ver K. Wiegmann, *Textilindustrie und Staat in Westfalen 1914-1933* (Stuttgart, 1993), 220-22.

107 D. Petzina, *Die Verantwortung des Staates fuer die Wirtschaft* (Essen, 2000), 10-45.

108 Esse hiato é ocultado em Spaulding, *Osthandel*, 222-33.

109 Fora dos assuntos de comércio, a preocupação principal da Reichslandbund era atrasar quaisquer esforços para dividir as grandes propriedades do leste e abri-las ao assentamento de camponeses. Ver S. Merkenich, *Gruene Front gegen Weimar: Reichs-Landbund und agrarischer Lobbyismus* 1918/1933 (Düsseldorf, 1998), 300-19.
110 Winkler, *Weimar,* 509-12.
111 T. Stolper, *Ein Leben in Brennpunkten unserer Zeit* (Viena, 1967), 309-10.
112 Para comentário internacional, ver *The Economist,* 17 de setembro de 1932, 493. Para uma análise da literatura contemporânea, ver C. Buchheim, 'Die Erholung von der Weltwirtschaftskrise *1932-33* in Deutschland', *Jahrbuch fuer Wirtschaftsgeschichte,* I (2003), 13-26
113 *Der Deutsche Volkswirt,* 8 de julho de 1932, 1340.
114 Reichskreditgesellschaft, *Germany's Economic Situation at the Turn of 1932/1933* (Berlim, 1933).
115 Para uma crítica do constante pessimismo do instituto, ver *Der Deutsche Volkswirt,* 9 de dezembro de 1932, 291.
116 *The Economist,* 24 de dezembro de 1932, 1185-6.
117 Perpetuado, apesar de todos os indícios, em W. Abelshauser, 'Kriegswirtschaft und Wirtschaftswunder: Deutschlands wirtschaftliche Mobilisierung fuer den Zweiten Weltkrieg und die Folgen fuer die Nachkriegszeit', *VfZ* 47 (1999), 505-6.
118 H. A Turner, *Hitler's Thirty Days to Power: January 1933* (Nova York, 1996), 1-2.
119 G. Jasper, *Die Gescheiterte Zaehmung: Wege zur Machtergreifung Hitlers, 1930-1934* (Frankfurt, 1986).
120 p. ex. Abelshauser, 'Kriegswirtschaft und Wirtschaftswunder'.

1. "A cada trabalhador seu trabalho"

1 H. Hoehne, *Zeit der Illusionen* (Düsseldorf, 1991), 51.
2 Domarus, I. 191-4.
3 Domarus, 1.193.
4 Domarus, I. 198.
5 K. J. Mueller, *Armee und Drittes Reich 1933-1939* (Paderborn, *1989),* 263.
6 BAL 311 536, 20, atas da reunião da comissão de criação de empregos, 9 de fevereiro de 1933.
7 D. Petzina, 'Hauptprobleme der deutschen Wirtschaftspolitik 1932/33', em Petzina, *Die Verantwortung des Staates fuer die Wirtschaft* (Essen, 2000), 90-124.
8 S B. Wulff, *Arbeitslosigkeit und Arbeitsbeschaffungsmassnahmen in Hamburg 1933-1939: Eine Untersuchung zur Nationalsozialistischen Wirtschafts- und Sozialpolitik* (Frankfurt, 1987),36-48.
9 R. J. Evans, *The Coming of the Third Reich* (Londres, 2003), 309-90.
10 D. P. Silverman, *Hitler's Economy: Nazi Work Creation Programs, 1933-1936* (Cambridge, 1998), 63-4.
11 Nos debates no Reichstag em 9-10 de maio de 1932 em que Gregor Strasser inicialmente apresentou o plano nazista de criação de empregos, Reihard foi o primeiro a falar, preparando o cenário para o dramático anúncio de Strasser. Ver *Verhandlungen des Reichstages, Stenographische Berichte* (1932), 6lst Sitzung, 9 May 1932, 2491-4. Mesmo depois de afastar-se do partido, Reinhardt continuou a advogar na linha de Strasser; ver *Der Deutsche Volkswirt,* 23 de dezembro de 1932, 356.
12 K. Gossweiler, *Die Röhm Affaere: Hintergruende — Zusammenhaenge — Auswirkungen* (Colônia, 1983), 342.

13 C. P. Kindleberger, *The World in Depression, 1929-1939* (Berkeley, 1986), 195-201 e B. Eichengreen, *Golden Fetters: The Gold Standard and the Great Depression, 1919-1939* (Oxford, 1992), 317-47.
14 P. Clavin, *The Failure of Economic Diplomacy: Britain, Germany, France and the United States, 1931-36* (Nova York, 1996), 83-8.
15 Ver seu discurso na reunião plenária do Reichsbank, 7 de abril de 1933. Hitler reiterou sua decisão de evitar experiências monetárias, ver Domarus, I. 233.
16 H. James, *The German Slump*, (Oxford, 1986) 403.
17 Wulff, *Arbeitslosigkeit* 41 e 49-62.
18 Para resumo dos debates na Alemanha, ver H. Janssen, *Nationalökonomie und Nationalsozialismu: die deutsche Volkswirtschaftslehre in den dreissiger Jahren* (Marburg, 1998) e W. Grotkopp, *Die grosse Krise: Lehren aus der Ueberwindung der Wirtschaftskrise 1929-32* (Düsseldorf, 1954).
19 Ver os debates sobre o mecanismo financeiro em K. Schiller, *Arbeitsbeschaffung und Finanzordnung in Deutschland* (Berlim, 1936).
20 H.-J. Kwon, *Deutsche Arbeitsbeschaffungs und Konjunkturpolitik in der* Weltwirt*schaftskrise: Die 'Deutsche Gesellschaft fuer oeffentliche Arbeiten AG (Oeffa)' als Instrument der Konunkturpolitik von 1930 bis 1937* (Osnabrück, 1997).
21 Silverman, *Hitler's Economy*, 69-146.
22 A Prússia recebeu uma verba de 60 milhões de *reichsmarks* do fundo de 100 milhões para regulação nacional de cursos de rios e beneficiamento de terras, dos quais a Prússia oriental recebeu um terço. Ver Silverman, *Hitler's Economy*, 75.
23 Sobre a fortes críticas de Schacht às despesas para criação de empregos, ver Wulff, *Arbeitslosigkeit*, 60-66.
24 Ibid., 60.
25 R. Stammer (org.), *Reichsautobahnen: Pyramiden des Dritten Reiches* (Marburg, 1982).
26 Os indícios não sustentam a ênfase na motorização como principal impulsionadora da recuperação econômica da Alemanha feita por R. J. Overy, *War and Economy in the Third Reich* (Oxford, 1994), 68-89.
27 K. H. Ludwig, *Technik und Ingenieure im Dritten Reich* (Düsseldorf, 1974), 303-44.
28 F. W. Seidler, *Fritz Todt: Baumeister des Dritten Reiches* (Frankfurt, 1986), 97-102. 29 Silverman, *Hitler's Economy*, 160.
30 BAL R43II 537, 55-69.
31 Wulff, *Arbeitslosigkeit, 65-7.*
32 W. S. Allen, *The Nazi Seizure of Power: The Experience of a Single German Town 1930-1935* (Chicago, 1965), 192-208 and 258-71.
33 Wulff, *Arbeitslosigkeit*, 170-71.
34 S. Dengg, *Deutschlands Austritt aus dem Voelkerbund und Schachts Neuer Plan* (Frankfurt, 1986).
35 Ver debate preliminar no Reichsbank sobre vantagens e desvantagens em BAL R2501 6439, 165-208.
36 Estimativas contemporâneas em *VzK* 8 de janeiro de 1934, 175.
37 Citado em N. Forbes, *Doing Business with the Nazis* (Londres, 2000), 99.
38 Ver a estimativa do provável saldo da conta de capitais da Alemanha em março-dezembro de 1933, preparado pelo Reichsbank em 15 de março de 1933, em BAL R2501 6440, 48-51.
39 Ver debate sobre a posição do Reichsbank em BAL R2501 6440 e 6505.
40 H.-J. Schroeder, *Deutschland und die Vereinigten Staaten 1933-1939* (Wiesbaden, 1978),78.
41 Para relatos da visita, ver G. Weinberg, 'Schachts Besuch in den USA im Jahre 1933', *VfZ* II (1963), 166-80 e A. O. Offner, *American Appeasement: United States Foreign Policy and Germany, 1933-1938* (Cambridge, Mass., 1969), 28-9.

42 Suspeitas confirmadas por estatísticas internas do Reichsbank BAL R 2501 6440, 127.

43 B. J. Wendt, *Economic Appeasement: Handel und Finanz in der britischen Deutschland Politik 1933-1939* (Düsseldorf, 1971), 131-40 e Forbes, *Doing Business*, 69.

44 Clavin, *Failure, 108.*

45 Ibid., 89- 165. Embora proporcionando novos esclarecimentos sobre o papel da Grã-Bretanha, Clavin sem dúvida vai longe demais ao diminuir a responsabilidade dos Estados Unidos pelo fracasso da Conferência. Para um exame esclarecedor das reações francesas à Conferência, ver C. Maddison, 'French Inter-war Monetary Policy' (EUI thesis, 1997), 276-304.

46 Sobre o impacto debilitante dessas divisões quanto aos esforços de Hull para obter um acordo anglo-norte-americano de comércio em 1933 que teria significado importante desafio à estratégia pretendida por Schacht, ver P. Clavin, 'Shaping the Lessons of History: Britain and the Rhetoric of American Trade Policy, 1930-1960', in A, Marrison (org.), *Free Trade and its Reception 1815-1960* (Londres, 1998), 287-307, e M. A. Butler, *Cautious Visionary: Cordell Hull and Trade Reform, 1933-1937* (Kent, Ohio, 1998), 15-45. Os EUA não estavam divididos somente em temas econômicos. O Congresso também prejudicou os esforços do governo para assumir a liderança em desarmamento. Ver Offner, *American Appeasement*, 35-41.

47 P. J. Hearden, *Roosevelt Confronts Hitler: America's Entry into World War II* (Dekalb, Ill., 1987), 33.

48 A defesa dessa datação vem de M. Geyer, 'Das Zweite Ruestungsprogramm *(1930-1934)*', *MGM* 17 (1975), 134. A escala do programa de 35 bilhões de *reichsmarks* está documentado num relatório publicado em M. Geyer, 'Ruestungsbeschleunigung und Inflation: Zur Inflationsdenkschaft des Oberkommandos der Weltmacht vom November *1938*', *MGM* 30 (1981), 121-86, que dá a primavera de 1934 como data do programa. Embora a coincidência seja menos clara se aceitarmos essa data, isso não faria diferença substancial para a argumentação aqui desenvolvida.

49 E. L. Homze, *Arming the Luftwaffe* (Lincoln, Nebraska, 1976), 258.

50 M. Geyer, *Aufruestung oder Sicherheit: Die Reichswehr in der Krise der Machtpolitik* 1924-1926 (Wiesbaden, 1980) 348.

51 W. Feldenkirchen, *Siemens* 1919-1945 (Munique, 1995), 497-8 e W. Abelshauser, in L. Gall (org.), *Krupp im* 20. *Jahrhundert* (Berlim, 2002), 273.

52 L. Budrass, *Flugzeugindustrie und Luftruestung in Deutschland* (Düsseldorf, 1998), 317-18.

53 Um tanto surpreendentemente, Schroeder, *Deutschland und die Vereinigten Staaten*, 29-92 e 121-67 dá pouco espaço às consequências do calote alemão, concentrando-se em vez disso no comércio. Weinberg trata amplamente do calote mas não o contrasta com o pano de fundo da década de 1920; ver Weinberg, *Foreign Policy I*, 133-45. Para um sumário mais equilibrado, ver H. Sirois, *Zwischen Illusion und Krieg: Deutschland und die USA* 1933-1941 (Paderborn, 2000), 51-9.

54 Domarus, I, 269-78.

55 Ver Weinberg, *Foreign Policy I*, 89-93, III-14.

56 Dengg, *Deutschlands Austritt*, 278-306.

57 P. Bernard e H. Dubief, *The Decline of the Third Republic* 1914-1938 (Cambridge, 1988), 219-28.

58 B. R. Kroener, '*Der starke Mann im Heimatkriegsgebiet*': *Generaloberst Friedrich Fromm. Eine Biographie* (Paderborn, 2005), 219-21.

59 H. Pophanken, *Gruendung und Ausbau der 'Weser'-Flugzeugbau GmbH* 1933 *bis* 1939 (Bremen, 2000), 25, 30, Homze, *Arming*, 46-62 e Budrass, *Flugzeugindustrie*, 293-335.

60 *Das deutsche Reich und der Zweite Weltkrieg* (daqui em diante *DRZW)* (Frankfurt, 1989), 1. 487-8 e W. Deist, *The Wehrmacht and German Rearmament* (Londres, 1981), 28-31.

61 W. A. Boelcke, *Deutschland als Welthandelsmacht*, 1930-1945 (Stuttgart, 1994), 23-6.

62 Esse temor foi expressado inicialmente num memorando do Reichsbank redigido em 28 de março de 1933, BAL R2501 6439, 165-208. Foi reiterado em todos os debates seguintes. Ver resumo útil em R2501 6604, 375-404.
63 Wendt, *Economic Appeasement,* 162-9 e Forbes, *Doing Business,* 74-82.
64 J. Duelffer, *Weimar, Hitler und die Marine: Reichspolitik und Flottenbau, 1920-1939* (Düsseldorf, 1973), 251-3. J. Duelffer, *Handbuch zur deutschen Militaergeschichte 1648-1939,* VIII (Munique, 1977), 453-5. DRZW 1. 540-46.
65 A Grã-Bretanha, a França e os Estados Unidos já possuíam boas informações sobre o rearmamento da Alemanha na época da Conferência Econômica Mundial de 1933; ver Clavin, *Failure, 182.*
66 Weinberg, *Foreign Policy I, 169-72.*
67 Essa canção nazista que homenageia a comunidade trabalhista do país e a heroica liderança de Hitler pode ser baixada como arquivo de áudio de pelo menos um *site* da Internet. Também existe em formato de CD.
68 BAL R 3101 9930, 602.
69 P. Schulz, *Nicht die Zeit, um auszuruhen: Dokumente und Bilder zur Geschichte der hannoverschen Arbeiterbewegung* (Hanover, 1990), 469-70.
70 BAL 43II 537, 99.
71 Silverman, *Hitler's Economy,* 82-4
72 BAL 431 537, 161.
73 Ver resumo de suas preocupações em BAL 43I 537, 208.
74 Wulff, *Arbeitslosigkeit,* 125.
75 Baseado em Ritschl, "Deficit Spending in the Nazi Recovery, 1933-1938: A Critical Reassessment", Working Paper No. 68, Institute for Empirical Research in Economics, Universidade de Zurique (dezembro de 2000), quadro 5.
76 Silverman, *Hitler's Economy,* 253-4.
77 J. A. Tooze, *Statistics and the German State 1900-1945: The Making of Modern Economic Knowledge* (Cambridge, 200I).
78 Ver H. A. Turner, *Hitler's Thirty Days to Power: January 1933* (Nova York, 1996), 1-2.
79 James, *German Slump,* C. Buchheim and R. Garside (eds.), *After the Slump: Industry and Politics in 1930S' Britain and Germany* (Frankfurt, 2000), A. Ritschl, *Deutschlands Krise und Konjunktur 1924-1934* (Berlim, 2002), todos concordam com essa comparação.
80 Por esse motivo também não vejo por que entrar num amplo debate sobre efeitos multiplicadores. Conforme já era bem compreendido pelos contemporâneos, a recuperação econômica de Hitler nada tinha de keynesiana; ver C. Bresciani Turroni, 'The "Multiplier" in Practice: Some Results of Recent German Experience', *Review of Economic Statistics,* 20 (1938), 76- 88.
81 A dificuldade de estimar despesas de consumo é a principal fonte das divergências na interpretação da recuperação entre Ritschl, *Krise und Konjunktur* e estudos baseados em dados retirados de W. G. Hoffmann, *Das Wachstum der deutschen Wirtschaft* (Heidelberg, 1965), 617-705. Neste particular, usei os números de Ritschl, que mostra queda do consumo na primeira metade de 1933, erguendo-se somente na segunda metade do ano e seguido por estagnação em 1934.
82 Gossweiler, *Die Röhm Affaere,* 342-7; confirmado por BAL R 2501 e R 3101 9932.
83 Por interpretar equivocadamente os dados, H. James, 'Innovation and Conservatism in Economic Recovery: The Alleged "Nazi Recovery" of the 1930s', em T. Childers e J. Caplan (orgs.), *Reevaluating the Third Reich* (Nova York, 1993), 114-38, vai longe demais ao descartar o apoio à política fiscal ocorrido em 1933 e 1934. R. L. Cohn, 'Fiscal Policy in Germany during the Great Depression', *Explorations in Economic History,* 29 (1992), 318-42 é mais exato.
84 A reavaliação das contas públicas feita por Ritschl e os números do PIB tornam insustentáveis as interpretações da recuperação econômica nazista que atribuem prioridade, nas despe-

sas governamentais, à criação de empregos civis em vez do rearmamento. Os exemplos mais notáveis disso são R. Overy, *The Nazi Economic Recovery 1932-1938* (Cambridge, 1996) e C. W. Guillebaud, *The Economic Recovery of Germany: From 1933 to the Incorporation of Austria in March 1938* (Londres, 1939). O que ainda se questiona é a importância da política governamental para a recuperação, e não as prioridades no interior da política de rearmamento.

85 Ritschl, *Krise und Konjunktur,* apêndice C2.

86 Esse é verdadeiramente o teste mais severo de causalidade aplicado por Ritschl, 'Deficit Spending'.

87 M. Geyer, 'Zum Einfluss der Nationalsozialistische Ruestungspolitik auf das Ruhrgebiet', *Rheinische Vierteljahresblaetter,* 45 (1981), 255.

2. Novos rumos

1 As páginas seguintes se baseiam em I. Kershaw, *Hitler 1889-1936: Hubris* (Londres, 1998), 499-519 e K. J. Mueller, *Armee und Drittes Reich 1933-1939* (Paderborn, 1989), 62-70.

2 O texto do acordo se encontra em Mueller, *Armee und Drittes Reich,* 192-5.

3 Weinberg, *Foreign Policy I,* 87-107.

4 Ver os relatos extraordinariamente vívidos, em primeira mão, da atmosfera na fronteira entre a Itália, Áustria e Iugoslávia em julho e agosto de 1934, por Gareth Jones, para os jornais *Western Mail* e *South Wales News.*

5 G. Morsch, *Arbeit und Brot: Studien zur Lage, Stimmung, Einstellung und Verhalten der deutschen Arbeiterschaft, 1933-1936/37* (Frankfurt, 1993), 184.

6 Devido à aguda escassez de divisas, a situação econômica estava muito mais próxima da crise incontrolável do que das tensões do final da década de 1930 acentuadas por Tim Mason; ver J. Caplan (org.), *Nazism, Fascism and the Working Class: Essays by Tim Mason* (Cambridge, 1995).

7 *Schulthess Europaeischer Geschichtskalender* (Munique, 1934), 19 de abril de 1934, 108. Sobre a importância dessa violação aparentemente técnica da liberdade, ver os penetrantes comentários em F. Hayek, *Road to Serfdom* (Londres, 1944), 66-9. Seu impacto foi finalmente amplamente reconhecido em toda a literatura sobre a perseguição econômca aos judeus.

8 *Die Deutsche Volkswirtschaft,* 10 (1934), 289-91.

9 *Die Deutsche Volkswirtschaft,* 14 (1934), 420.

10 *Schulthess* 1934, 131, relato do discurso de Goebbels, 11 de maio de 1934.

11 Wilhelm Keppler (1882-1960) nasceu em uma família de industriais de Baden Norte que produzia gelatina fotográfica sob licença da Eastman Kodak nos Estados Unidos. Nazista ativo desde 1927, Keppler teve influência em 1931-2 trazendo para o partido nazista um pequeno grupo de homens de negócios. De grande importância foi a relação de Keppler com o banqueiro Kurt von Schroeder, anfitrião do decisivo encontro entre Hitler e Papen em janeiro de 1933; H. A. Turner, *German Big Business and the Rise of Hitler* (Oxford, 1985), 192, 238-46, 314-16. Após 1933, o papel de Keppler's tendeu a ser considerado menos importante, mas na verdade ele continuou a ter participação central na política industrial nazista durante toda a década de 1930.

12 S. Dengg, *Deutschlands Austritt aus den Voelkerbund und Schachts Neuer Plan* (Frankfurt, 1986), 362-79 e D. Doering, *Deutsche Aussenwirtschaftspolitik* 1933-35 (Berlim, 1969). Para uma análise mais estritamente econômica, ver M. Ebi, *Export um jeden Preis: Die deutsche Exportfoerderung von* 1932-1938 (Stuttgart, 2004).

13 O drama da crise surge com mais clareza nas pesquisas sobre as relações anglo-germânicas: ver B. J. Wendt, *Economic Appeasement: Handel und Finanz in der britischen Deutschland-Politik* 1933-1939 (Düsseldorf, 1971), 180-219 e Forbes, *Doing Business,* 90-92. Ver também o comentário impaciente em *The Economist,* 23 de junho de 1934, 1378-9.

14 'Die Preise hoch, Kartelle fest geschlossen/das Kapital marschiert mit leisem Schritt/die Boersianer sind Parteigenossen/und fuer das Kapital sorgt nun Herr Schmitt.' Citado em N. Muehlen, *Der Zauberer: Leben und Anleihen des Dr Hjalmar Horace Greeley Schacht* (Zurique, 2ª ed., 1938), 159.

15 G. D. Feldman, *Allianz and the German Insurance Business*, 1933-1945 (Cambridge, 2001), 101-2.

16 Muehlen, *Der Zauberer*, 162.

17 IfK, Suplemento de *Weekly Report*, 11 de abril de 1934; ibid., 25 de abril de 1934, 73-4.

18 Para um relato sobre a situação da Saxônia, região exportadora clássica, ver M. C. Schneider, 'Die Wirtschaftsentwicklung', em C. Vollnhals (org.), *Sachsen in der NS-Zei* (Leipzig, 2002), 72-84.

19 Ebi, *Export, 62-92.*

20 Ver o exame dos obstáculos às exportações alemãs em *Wirtschaftsdienst*, 29 (20 de julho de 1934), 990-93. A tarifa, forma tradicional de proteção ao comércio no século XIX, elevava o preço dos artigos importados por meio de um imposto, mas deixava aos consumidores a decisão sobre a quantidade de bens estrangeiros mais caros que desejavam comprar. Os sistemas de cotas da década de 1930 impunham regulamentação direta sobre as quantidades efetivamente importadas de países específicos.

21 Sobre as preocupações com o sistema de compensações e a opinião de que foi imposto à Alemanha por seus credores, ver memorandos e discursos no Reichsbank em BAL R2501 6602, 489-98 e R2501 6604, 375-404.

22 A. Barkai, *From Boycott to Annihilation: The Economic Struggle of German Jews* (Hanover, 1989), 13-53.

23 Em ordem cronológica, ver BAL R2501 6440, 102-19, R2501 6601, 331-42, R2501 6602,150-73.

24 P. Longerich, *Politik der Vernichtung: Eine Gesamtdarstellung der nationalsozialistischen Judenfolgung* (Munique, 1998), 46-56 .

25 Ver BAL R2501 6444, 198.

26 F. Bajohr, *'Aryanisation' in Hamburg: The Economic Exclusion of Jews and the Confiscation of their Property in Nazi Germany* (Oxford, 2002), 121. A quantia foi elevada de 20% para 60%. Em 1936 o desconto subiria para 80% e, em 1938, para 90%.

27 Longerich, *Politik*, 125

28 *Schulthess 1934*, 11 de maio de 1934, 131.

29 BAL R2501 6423, 29-36.

30 BAL R2501 6603, 2-I5.

31 *Konjunkturstatistisches Handbuch*, 121.

32 A melhor descrição deste e de outros sistemas de subsídio está em Ebi, *Export*, 32-61.

33 A argumentação essencial é feita com a energia necessária em, ibid., 91-2.

34 *The Economist*, 2 de junho de 1934, 1186, e 23 de junho de 1934, 1378-9.

35 A. O. Offner, *American Appeasement: United States Foreign Policy and Germany 1933-1938* (Cambridge, Mass., 1969), 78-9.

36 K. Gossweiler, *Die Roehm Affaere: Hintergruende — Zusammenhaenge — Auswirkungen* (Colônia, 1983), 71-5, 339-49.

37 Ver debate em BAL R250I 6510 e R3101 9932.

38 H. Kehrl, *Krisenmanager im Dritten Reich* (Düsseldorf, 1973), 58.

39 Sobre a versão de Schmitt, em 1945, da reunião no Obersalzberg, ver Feldman, *Allianz*, 101. Feldman assinala que Schmitt após a guerra preocupou-se em evitar apresentar Schacht de maneira demasiadamente desfavorável.

40 Sobre a natureza proposital dessas medidas, ver BAL R2501 6601, 396-438.

41 Sobre isto e o que se segue, ver Ebi, *Export*, 93-116 e Doering, *Deutsche Aussenwirtschaftspolitik*, 222-46.

42 Ver, por exemplo, a linha seguida por *Die Deutsche Volkswirtschaft*, 4 (1933), 100.

43 Sobre críticas do Reichsbank à proposta da Hansa Bund's de atrelar o *reichsmark* à libra para fins comerciais, ver BAL R2501 6601, 188-94, 202-19, 242-52 O Reichsbank se alarmou com a considerável publicidade resultante para a Hansa Bund.

44 *Wirtschaftsdienst*, 7, 16 de dezembro de 1934, 216; 8, 23 de fevereiro de 1934, 252-3; 17, 27 de abril de 1934, 563-4, 559-63.

45 *The Economist*, 12 de maio de 1934, 1025.

46 *Wirtschaftsdienst*, 19, 11 de maio de 1934, 641. Poucas semanas depois, foi iniciada uma desvalorização paralela do débito na França, provocada por um discurso de Paul Reynaud na Câmara dos Deputados em 28 de junho de 1934; ver C. Maddison, 'French Inter-war Monetary Policy, (EUI thesis1997), 99-433.

47 Esse contrato proporcionou cobertura assimétrica contra as flutuações do valor do *reichsmark*. Caso este se desvalorizasse, os clientes pagariam o ouro a 1 *reichsmark* por 1/2790 kg de ouro de lei; *Die Deutsche Volkswirtschaftt*, 24 (1934), 739-40.

48 *Wirtschaftsdienst*, 21, 25 de maio de 1934, 699-701.

49 W. A. Boelcke, *Die deutsche Wirtschaft 1930-1945* (Düsseldorf, 1982), 53, 64, 75, 87.

50 Para uma crítica do Reichsbank, ver BAL R2501 6601, 396-438. Sobre o apoio no interior do ministério, ver BAL R2501 6603, 16-32 e para o apoio do partido, R2501 6603, 33-47.

51 Dengg, *Deutschlands Austritt*, 396-7 e Ebi, *Export*, 110-17.

52 O incidente está registrado em Kehrl, *Krisenmanager*, 58.

53 A. Ritschl, 'Nazi Economic Imperialism and the Exploitation of the Small', *Economic History Review*, 54 (2001), 324-45.

54 Ver a lúcida avaliação do Reichsbank durante a crise de janeiro de 1934, BAL R2501 6601, 287-92.

55 Em seu relatório de 24 de abril de 1933, em BAL R2501 6439, 242-3, o Reichsbank até mesmo especulava que os Estados Unidos poderiam acabar apoiando a Alemanha contra reivindicações de credores europeus com os quais a Alemanha tinha superávits comerciais.

56 BAL R2501 6603, 1-22.

57 Wendt, *Economic Appeasement, 220-88.*

58 Ver notável relato em N. Forbes, *Doing Business with the Nazis* (Londres, 2000), 97-115.

59 Ver a exaltada avaliação de um economista graduado do Reichsbank em BAL R2501 6604, 375-404.

60 Royal Institute of International Affairs, *The Problem of International Investment* (Londres, 1937), 304-9.

61 Offner, *American Appeasement*, 93-106; H. Sirois, *Zwischen Illusion und Krieg: Deutschland und die USA 1933-1941* (Paderborn, 2000), 88-99.

62 M. A. Butler, *Cautious Visionary: Cordell Hull and Trade Reform, 1933-1937 (*Kent, Ohio, 1998), 82-120; A. E. Eckes, *Opening America's Markets* (Chapel Hill, NC, 1995), 140-57. Para uma análise tipicamente iconoclasta, ver S. A. Schuker, *American 'Reparations' to Germany* 1919-1933: *Implications for the Third World Debt Crisis* (Princeton, 1988), 102-3.

63 Citado em H.J. Schroeder, *Die USA und Deutschland 1918-1975* (Munique, 1978), 123.

64 D. A. Irwin, 'From Smoot-Hawley to Reciprocal Trade Agreements: Changing the Course of US Trade Policy in the 1930s', NBER Working Paper Series, 5895 (1997), 28.

65. O Brasil fez advertências em dezembro de 1934 a respeito de uma proposta de arranjo de troca de algodão com a Alemanha ; ver P. J. Hearden, *Roosevelt Confronts Hitler: America's Entry into World War* II (Dekalb, Ill., 1987), 43-5.

66 O acordo anglo-alemão de pagamentos tampouco impediu uma grave redução das importações do Império Britânico pela Alemanha. Em termos reais as importações alemãs de produtos britânicos caíram 30% entre 1928 e 1938. W. Graevell, *Der Aussenhandel in der Nationalwirtschaft* (Stuttgart, 1937), 85.

67 Numa avaliação inicial em 29 de maio de 1934, o Reichsbank estimou que aproximadamente 900 milhões de *reichsmarks*, equivalentes a um quinto das importações alemãs, podiam ser transferidos a fornecedores com os quais o país, na ocasião, tinha superávits comerciais. Ver BAL R2501 6601, 396-438.

68 Guido Radio von Radiis, *Die deutsche Aussenhandelspolitik unter dem Einfluss der Devisenbewirtschaftung von 1931 bis 1938* (Zurique 1938), 122-5, 130-32.

69 Schacht falava contra a política comercial norte-americana, mas os argumentos se aplicavam com igual veemência a sua própria política; citado por Schroeder, *Die USA und Deutschland*, 122.

70 Ver o relato notavelmente claro da posição do Brasil em S. E. Hilton, *Brazil and the Great Powers, 1930-1939* (Austin, Tex., 1975).

71 W. Feilchenfeld, D. Michaelis e L. Pinner, *Haavara-Transfer nach Palaestina und Einwanderung deutscher Juden 1933-1939* (Tuebingen, 1972).

72 Ver documentos em BAL R2501 6441, 6002 e 6003; Ebi, *Export*, 118-48 e Dengg, *Deutschlands Austritt*, 402-5.

73 Hitler também acompanhou de perto os debates anglo-alemães no outono de 1934 e aprovou pessoalmente o Acordo de Pagamentos; ver Wendt, *Economic Appeasement*, 276.

74 *Schulthess 1934*, 26 de agosto de 1934, 221-6.

75 *Konjunkturstatistisches Handbuch*, 52 e 92.

76 BAL R2501 6602, 320-22.

77 Isto e o que se segue foi retirado de BAL R2501 6603, 1-22.

78 BAL R2501 6603-47.

79 Ebi, *Export*, 159-91. Há estatísticas impressionantes sobre a escala do imposto e sua distribuição entre as indústrias em BAL R2 31.034.

80 As empresas deveriam pagar 0,4% sobre os primeiros 15 milhões de *reichsmarks* em vendas domésticas, 0,6% sobre os 15 milhões subsequentes, 1% sobre os 15 milhões seguintes, com um acréscimo de 0,4% sobre cada 15 milhões de *reichsmarks* adicionais. Ver P. Hayes, *Industry and Ideology: IG Farben in the Nazi Era* (Cambridge, 1987), 152.

81 Talvez não seja de admirar que o gigante químico IG Farben, pagou o mais elevado imposto de exportação, que em seu caso variou entre 5% e 9%. Em 1935-6 o total chegou a 50-60 milhão de *reichsmarks*. A carga líquida foi menor porque a IG Farben era grande exportadora e por isso recebeu elevada parcela do novo subsídio.

82 Benson Ford Research Center, Ace. 732, caixa 435.

83 Ver BAL R131 618, 85 sobre a reação da indústria do aço.

84 BAL R2501 6447, 152-5.

85 A exceção mais significativa a esta regra foi Gottfried Dierig, coproprietário da Christian Dierig AG, firma que dominava o setor têxtil na Alemanha. Foi presidente do Grupo do *reich* para a indústria entre dezembro de 1936 e outubro de 1938; ver R. Eckert, 'Die Leiter und Geschaeftsfuehrer der Reichsgruppe Industrie', I, *Jahrbuch für Wirtschaftsgeschichte, 4* (1979), 264.

86 Para um exame profundo, ver G. Hoeschle, *Die deutsche Textilindustrie zwischen 1933 und 1939: Staatsinterventionismus und oekonomische Rationalitaet* (Stuttgart, 2004).

87 Conforme resumidamente notado em I. Kershaw, *The 'Hitler Myth'* (Oxford, 1987), 62-78 e laboriosamente documentado com detalhes em Morsch, *Arbeit und Brot.*

88 Baden foi menos atingida pela Depressão, mas recuperou-se mais lentamente do que o resto da Alemanha; Ver R. Peter, *Ruestungspolitik in Baden: Kriegswirtschaft und Arbeitseinsatz in einer Grenzregion im Zweiten Weltkrieg* (Munique, 1995), 79-95.

89 Morsch, *Arbeit und Brot*, 188.

90 Ibid., 170.

91 Ibid., 178-9.

92 Ibid., 157.

3. Sócios: o regime e o mundo dos negócios na Alemanha

1 Esta citação e as seguintes vêm de IMT, *Nazi Conspiracy and Aggression* (Washington, 1946-7), VI. *1080-85*, H. A. Turner, *German Big Business and the Rise of Hitler* (Oxford, 1985), 329-32 e P. Hayes, *Industry and Ideology: IG Farben in the Nazi Era* (Cambridge, 1987), 82-7.

2 Weinberg sugere que a falta de referência a conquistas no exterior pode ser devida simplesmente ao fato de que Hitler não desejava repetir algumas das alusões mais agressivas que fizera no clube industrial de Düsseldorf um ano antes; Weinberg, *Foreign Policy I*, 28.

3 A lista faz parte de IMT, *Nazi Conspiracy and Aggression*, VII, NI-391, 565-8.

4 Grande literatura, bem resumida em U. Wehler, *Deutsche Gesellschaftsgeschichte* (Munique, 2003), IV. 664-90 e 721-31.

5 Ver P. Suess, '*Ist Hitler nicht ein famoser Kerl?*': *Graetz. Eine Familie und ihr Unternehmen vom Kaiserreich bis zur Bundesrepublik* (Paderborn, 2003), 115. A citação, "Hitler não é um sujeito fabuloso?" é de Erich Grätz, proprietário e gerente de uma indústria de lâmpadas a gás e eletrônica de médio porte.

6 T. Mason, 'Zur Entstehung des Gesetzes zur Ordnung der nationalen Arbeit vom 20 Januar 1934', em H. Mommsen, D. Petzina and D. Weisbrod (orgs.), *Industrielles System and politische Entwicklung in der Weimarer Republik* (Düsseldorf, 1977), I. 322-51. Ver também M. Frese, *Betriebspolitik im Dritten Reich: DAF, Unternehmer und Staatsbuerakratie in der westdeutschen Grossindustrie 1933-1939* (Paderborn, 1991), 93-113.

7 B. Weisbrod, *Schwerindustrie in der Weimarer Republik* (Wuppertal, 1978), 495-6. Sobre a autoestilização das elites industriais alemãs, ver S. Unger, 'Die Wirtschaftselite als Persoenlichkeit', em V. R. Berghahn, S. Unger e D. Ziegler (orgs.), *Die deutsche Wirtschaftselite im 20. Jahrhundert* (Bochum, 2003), 295-316.

8 M. Schneider, *Unterm Hakenkreuz: Arbeiter und Arbeiterbewegung 1933 bis 1939* (Bonn, 1999), 290-300. R. Hachtmann, *Industriearbeit im 'Dritten Reich'* (Goettingen, 1989), 92-112.

9 Ver os artigos de C. Buchheim e B. Eichengreen em C. Buchheim *et al.* (orgs.), *Zerrissene Zwischenkriegszeit: Wirtschaftshistorische Beitraege* (Baden-Baden, 1994), 97-122 e 177-204. Deve-se notar, no entanto, que ao contrário de outros países os salários reais na verdade não aumentaram na Alemanha durante a Depressão.

10 W. Buehrer, 'Zum Wandel der wirtschafts- und sozialpolitischen Zukunftsvorstellungen in der deutschen Industrie zwischen Weltwirtschaftskrise und Wirtschaftswunder', e M. Prinz e M. Frese, *Politische Zaesur und gesellschaftlicher Wandel im 20. Jahrhundert* (Paderborn, 1996), 81-104; W. Zollitsch, *Arbeiter zwischen Weltwirtschaftskrise und Nationalsozialismus* (Goettingen, 1990).

11 Sobre a posição de Krupp, ver W. Abelshauser, 'Gustav Krupp und die Gleichschaltung des Reichsverbandes der Deutschen Industrie, 1933-1934', *Zeitschrift fuer Unternehmensgeschichte*, 47 (2002), 3-26.

12 Esse é o tema constante que perpassa todas as publicações da Reichsverband até o início da década de 1930: *Stellung der deutschen Industrie in der Weltwirtschaft* (Berlim, 1922); *Deutsche Wirtschafts- und Finanzpolitik* (Berlim, 1925), 20-21 e 53-7; *Aufstieg oder Niedergang?* (Berlim, 1929), 15 e 41-2; H. Kraemer, *Europaeische Handelspolitik* (Berlim, 1930).

13 Ver R. Frommelt, *Paneuropa oder Mitteleuropa: Einigungsbestrebungen im Kalkuel deutscher Wirtschaftund Politik 1925-1933* (Stuttgart, 1977). Sobre a visão "europeia" de industriais alemães importantes do aço, ver G. Mollin, *Montankonzerne und 'Drittes Reich'* (Göttingen, 1988), 55-7.

14 Ver debate sobre a formação do cartel do aço em K. H. Pohl, *Weimars Wirtschaft und die Aussenpolitik der Republik 1924-1926: Yom Dawes-Plan zum Internationalen Eisenpakt* (Düsseldorf, 1979).

15 G. Kuemmel, *Transnationale Wirtschaftskooperation und der Nationalstaat: Deutsch-amerikanische Unternehmensbeziehungen in den dreissiger Jahren* (Stuttgart, 1995).

16 Sobre as complexidades desse relacionamento, ver Pohl, *Weimars Wirtschaft*.

17 G. Feldman, *The Great Disorder: Politics, Economics and Society in the German Inflation, 1914-1924* (Oxford, 1993), 498-504, 720-80.

18 Sobre o grupo nacionalista no interior da indústria, ver A. Meyhoff, *Blohm & Voss im Dritten Reich'* (Hamburgo, 2001), 44-51.

19 Sobre a decisão de Dawes, ver M. Berg, *Gustav Stresemann und die Vereinigten Staaten von Amerika: Weltwirtschaftliche Verflechtung und Revisionspolitik 1907-1929* (Baden-Baden, 1990), 187-217. Sobre o Plano Young , ver R. Neebe, *Grossindustrie, Staat und NSDAP 1930-1933* (Goettingen, 1981), 53-7. Sobre apoio industrial dos adversários de Hugenberg no DNVP, ver L. E. Jones, *German Liberalism and the Dissolution of the Weimar Party System*, 1918-1933 (Chapel Hill, NC, 1988), 352-5.

20 E. W. Hansen, *Reichswehr und Industrie* (Boppard, 1978). Previsivelmente, Blohm, Borsig e seus amigos no DNVP participaram entusiasticamente.

21 M. Gruebler, *Die Spitzenverbaende der Wirtschaft und das erste Kabinett Bruening* (Düsseldorf, 1982).

22 C. Kopper, *Zwischen Marktwirtschaft und Dirigismus: Bankenpolitik im 'Dritten Reich' 1933-1939* (Bonn, 1995), 51-67.

23 Sobre a FAVAG, ver G. D. Feldman, *Allianz and the German Insurance Business*, 1933-1945 (Cambridge, 2001), 17-26. Sobre a HANOMAG, ver P. Schulz, *Nicht die Zeit, um auszuruhen: Dokumente und Bilder zur Geschichte der hannoverschen Arbeiterbewegung* (Hanover, 1990), 306-37. Sobre Schultheiss, ver M. Fiedler, 'Netzwerke des Vertrauens', in D. Ziegler (org.), *Grossbuerger und Unternehmer* (Goettingen, 2000), 96-106.

24 W. Feldenkirchen, *Siemens* 1919-1945 (Munique, 1995), 127-8.

25 A. Reckendrees, *Das 'Stahltrust-Projekt'* (Munique, 2000), 471-506.

26 No início de janeiro de 1933, o eixo Thyssen-Schacht-Papen-Hitler tinha pouco apoio, mesmo na ala direita da política industrial, com o grupo do Ruhr constituído por Reusch, Krupp e Vögler favorecendo um governo liderado pelo DNVP sem Hugenberg com a SA tendo sido separada do restante do partido nazista. Ver Neebe, *Grossindustrie*, 142- 52. Sobre a incapacidade de Schacht de formar uma base ampla de apoio industrial em dezembro de 1932, ver Feldenkirchen, *Siemens*, 437-8.

27 Já em outubro de 1931 era patente a ausência dos principais líderes industriais da reunião de Harzburg. Ver G. Schulz (ed.), *Politik und Wirtschaft in der Krise* 1930-1932 (Düsseldorf, 1980), doc. 342, 13 de outubro de 1931, Gilsa a Reusch, II. 1043-4.

28 Feldenkirchen, *Siemens*, 212 e 557, e Abelshauser, 'Gustav Krupp'.

29 Neebe, *Grossindustrie*, 122-7.

30 G. D. Feldman, 'The Economic Origins and Dimensions of European Fascism', em H. James e J. Tanner (orgs.), *Enterprise in the Period of Fascism in Europe* (Aldershot, 2002), 6-8.

31 Paralelamente ao subestimar o alento dado à política fiscal em 1933, H. James, 'Innovation and Conservatism in Economic Recovery: The Alleged 'Nazi Recovery' of the 1930s', em T. Childers e J. Caplan (eds.), *Reevaluating the Third Reich* (Nova York, 1993), também subestima as mudanças dentro do sistema de controle de importações e promoção de exportações entre 1931 e 1935.

32 Para um excelente relato que esclarece a natureza altamente politizada do sistema e o papel de Schacht em sua imposição, ver Meyhoff, *Blohm & Voss*, 88-107; Sobre o pano de fundo político, ver A. Barkai, *Das Wirtschaftssystem des Nationalsozialismus* (Frankfurt, 1988), 110-31. Para um resumo organizacional, ver I. Esenwein-Rothe, *Die Wirtschaftsverbaende von 1933 bis 1945* (Berlim, 1965).

33 R. Eckert, 'Die Leiter und Geschaeftsfuehrer der Reichsgruppe Industrie', I e II, *Jahrbuch fuer Wirtschaftsgeschichte*, 4 (1979).

34 J. A. Tooze, *Statistics and the German State 1900-1945: The Making of Modern Economic Knowledge* (Cambridge, 2001), 177-214.

35 Sobre a interpenetração de interesses de negócios e administração estatal no sistema de comércio exterior, ver W. A. Bölcke, *Die deutsche Wirtschaft 1930-1945* (Düsseldorf, 1982), 88-107.

36 Meyhoff, *Blohm & Voss*, 104-5.

37 *Konjunkturstatistisches Handbuch* (Berlim, 1935), 107.

38 Sobre Gödeler, ver S. Gillmann e H. Mommsen (orgs.), *Politische Schriften und Briefe Carl Friedrich Goerdelers* (Munique, 2003). Relatórios da Gestapo confirmaram a reação popular positiva à criação do cargo de comissário de preços; G. Morsch, *Arbeit und Brot:Studien zur Lage, Stimmung, Einstellung und Verhalten der deutschen Arbeiterschaft, 1933-1936/37* (Frankfurt, 1993), 197.

39 Os melhores exames ainda são A. Schweitzer, *Big Business in the Third Reich* (Bloomington, Ind., 1964), 184-96 e 265-87, e F. Neumann, *Behemoth: The Structure and Practice of National Socialism 1933-1944* (Nova York, 1944), 261-73. Ver também R. Puppo, *Die wirtschaftsrechtliche Gesetzgebung im Dritten Reich* (Konstanz, 1989).

40 Ver o comentário em *Der Deutsche Volkswirt*, 20 de novembro de 1936, 359.

41 A obra principal é M. Spoerer, *Von Scheingewinn zum Ruestungsboom: Die Eigenkapitalrentabilitaet der deutschen Industrieaktiengesellschaften 1925- 1941* (Stuttgart, 1996).

42 *Die Deutsche Volkswirtschaft*, 10, 1º de Abril de 1934.

43 S. Lurie, *Private Investment in a Controlled Economy* (Nova York, 1947), 122-47; W. A. Boelcke, *Die Kosten von Hitlers Krieg: Kriegsfinanzierung und finanzielles Kriegserbe in Deutschland 1933-1948* (Paderborn, 1985), 36-50.

44 Kopper, *Zwischen Marktwirtschaft und Dirigismus*, 86-125.

45 Argumento inicialmente apresentado por Barkai, *Das Wirtschaftssystem*, 195-204, que se tornou tema constante em H. James, *The Deutsche Bank and the Nazi Economic War against the Jews* (Cambridge, 2001), 285-91, H. James, 'Banks and the Era of Totalitarianism', em James e Tanner, *Enterprise in the Period of Fascism*,14-25 e H. James, *The Nazi Dictatorship and the Deutsche Bank* (Cambridge, 2004), 22-37.

46 Sobre esse setor crucial possuímos apenas o estudo pouco notado de B. Hopmann, *Von der MONTAN zur Industrieverwaltungsgesellschaft (IVG) 1916-1951* (Stuttgart, 1996).

47 Um tanto surpreendentemente, a "conexão Mannesmann" apesar de sua evidente importância praticamente não figurou nos muitos estudos de James sobre o Deutsche Bank. Sobre a clássica interpretação conspiratorial, ver OMGUS, *Ermittlungen gegen die Deutsche Bank* (Noerdlingen, 1985), 103-11, I50-52

48 D. Schweer e W. Thieme (orgs.), *'Der glaeserne Riese'* R *WE: Ein Konzern wird transparent* (Essen, 1998).

49 Ibid., 82. Sobre HOCHTIEF em geral, ver M. Pohl and B. Siekmann, *HOCHTIEF and its History* (Munique, 2001). Hoje, a RWE é proprietária majoritária da HOCHTIEF, uma das maiores empresas de construção do mundo.

50 Para um excelente relato "anticorrupção", ver W. Zaengl, *Deutschlands Strom: Die Politik der Elektrifizierung van* 1866 *bis heute* (Frankfurt, 1989).

51 J. O. Kehrberg, *Die Entwicklung des Elektrizitaetsrechts in Deutschland: Der Weg zum Energiewirtschaftsgesetz von 91935* (Frankfurt, 1997) e B. Stier, *Staat und Strom: Die politische Steuerung des Elektrizitaetssystems in Deutschland 1890-1950* (UbstadtWeihler, 1999), 442-70.

52 Para exemplos de como isto funcionava em favor dos grandes geradores, ver Zaengl, *Deutschlands Strom*, 182-3.

53 Tooze, *Statistics*, 40-102.

54 Testemunho reproduzido com absoluta falta de distanciamento crítico em Boelcke, *Die deutsche Wirtschaft, 88-9'.*

55 A concentração de poder na nação-Estado surge como único denominador comum de 'Nacional Socialista' também em G. Ambrosius, 'Was war eigentliche "nationalsozialistisch" an den Regulierungsansaetzen der dreissiger Jahre?', em W. Abelshauser, J.-O. Hesse e W. Plumpe (orgs.), *Wirtschaftsordnung, Staat und Unternehmen: Neue Forschungen zur Wirtschaftsgeschichte des Nationalsozialismus* (Essen, 2003), 41-60.

56 Para um debate contemporâneo do problema do balanço de pagamentos feito pela prestigiosa Verein fuer Sozialpolitik, ver R. Meerwarth *et al.*, *Problem der deutschen Zahlungsbilanz* (Munique, 1924). Para um exame crítico das teorias contemporâneas, ver G.-L. Holtfrerich, *Die deutsche Inflation 1914-1923* (Berlim, 1980), 154-71.

57 Esta visão historicista foi veemente impulsionada pelo Institut für Konjunkturforschung em todas as suas publicações e resumida por E. Wagemann em *Zwischenbilanz der Krisenpolitik* (Berlim, 1935).

58 A pouca atenção à ação do mundo dos negócios em relação ao regime é um dos perigos de se adotar apressadamente a afirmação de Tim Mason sobre a "primazia do aspecto político" na literatura sobre a história dos negócios no Terceiro Reich. Para a afirmação original, ver J. Caplan (org.), *Nazism, Fascism and the Working Class: Essays by Tim Mason* (Cambridge, 1995), 53-76.

59 Para um esboço estatístico, ver R. Krengel, *Anlagevermoegen, Produktion und Beschaeftigung der Industrie im Gebiete der Bundesrepublik van 1924 bis 1956* (Berlim, 1958) e J. A. Tooze, "'Punktuelle Modernisierung": Die Akkumulation von Werkzeugmaschinen im "Dritten Reich"', *Jahrbuch fuer Wirtschaftsgeschichte*, I (2003), 79-98.

60 Ver a tradição da literatura de corrupção na IG que vai de J. Borkin e G. A.Welsh, *Germany's Master Plan: The Story of Industrial Offensive* (Londres, 1943), via J. E. Dubois, *Generals in Grey Suits* (Londres, 1953) até J. Borkin, *The Crime and Punishment of IG Farben* (Londres, 1979).

61 O melhor livro sobre a IG, na verdade o melhor livro sobre o mundo dos negócios no Terceiro Reich, é Hayes, *Industry and Ideology*. Na mesma linha, ver a contribuição de R. G. Stokes a W. Abelshauser *et al.*, *BASF: The History of a Company* (Cambridge, 2004), 206-361. Mais problemático é G. Plumpe, *Die IG Farbenindustrie AG* (Berlim, 1990).

62 Para um relato, ver J. A. Johnson em Abelshauser *et al.*, *BASF*, 151-76; Hayes, *Industry and Ideology*, 1-19.

63 J. Radkau, *Technik in Deutschland* (Frankfurt, 1989), 263-8.

64 Johnson em Abelshauser *et al.*, *BASF*, 204, e Stokes, ibid., 222-33.

65 D. Yergin, *The Prize: The Epic Quest for Oil, Money and Power* (Nova York, 1991), 207-52.

66 A ICI britânica, que também embarcara em um programa de hidrogenação de combustíveis na década de 1920, igualmente fez pressão sobre o governo britânico para obter proteção; ver Plumpe, *Die IG Farbenindustrie*, 265-79

67 Devemos essa penetrante visão básica acima de tudo a Mollin, *Montankonzern*, comentário sobre o novo eixo da química do carvão, ver *Der Deutscher* 1185-7.

68 Plumpe, *Die IG Farbenindustrie*, 272. Gottfried Feder, autor do manifesto do partido nazista, assumiu o RWM durante breve gestão como secretário de Estado e foi posto de lado por Schacht.

69 Sobre o que se segue, ver T. Buetow e F. Bindernagel, *Ein KZ in der Nachbarschaft: Das Magdeburger Aussenlager der Brabag und der 'Freundeskreis Himmler'* (Colônia, 2003), 9-68, e W. Birkenfeld, *Der synthetische Treibstoff 1933-1945* (Goettingen, 1964), 35-48.

70 Carl Krauch (1887-1968) entrou para a BASF em Ludwigshafen em 1912 como doutor em química. Em consequência de seu excelente desempenho no esforço para obter nitrogênio sintético durante a Primeira Guerra Mundial, foi rapidamente promovido, primeiro a diretor técnico em Ludwigshafen, e depois a gerente-geral da Ammoniakwerk Merseburg (Leuna). Entrou para a diretoria da IG Farben em 1925 como vice-diretor.

Sua promoção a membro pleno da diretoria em 1934 correspondeu a seu papel central na gestão das relações da empresa com a ditadura nazista emergente. Parece haver estado estreitamente ligado a Albert Vögler. A decepção por não ter sido escolhido para presidente da junta diretora da IG quando Carl Bosch se aposentou na primavera de 1935 pode explicar a crescente dedicação de Krauch aos programas autárquicos do regime, mais do que aos negócios específicos da empresa. Hayes, *Industry and Ideology,* 156-8.

71 Reckendrees, *Das 'Stahltrust-Projekt'* e A. Chandler, *Scale and Scope: The Dynamics of Industrial Capitalism* (Cambridge, Mass; 1990), 550-58.

72 J. R. Gillingham, *Industry and Politics in the Third Reich: Ruhr Coal, Hitler and Europe* (Londres, 1985).

73 Estranhamente, ainda não possuímos um tratamento abrangente da indústria pesada no Terceiro Reich. O melhor guia é Mollin, *Montankonzerne.*

74 Abelshauser, 'Gustav Krupp'.

75 Sobre Paul Reusch, a melhor obra recente é C. Rauh-Kuehne, 'Zwischen "verantwortlichem Wirkungskreis" und "haeuslichem Glanz": Zur Innenansicht wirtschaftsbuerglicher Familien im 20. Jahrhundert', in Ziegler (ed.), *Grossbuerger und Unternehmer,* 215-48. De outra forma, temos de confiar ainda em E. Maschke, *Es entsteht ein Konzern: Paul Reusch und die GHH* (Tuebingen, 1969).

76 Ver Turner, *German Big Business,* 145-8 e 264-5 e mais recentemente E. O. Eglau, *Fritz Thyssen* (Berlim, 2003).

77 W. Abelshauser, in L. Gall (ed.), *Krupp im 20. Jahrhundert* (Berlim, 2002), 328-33. As estatísticas reproduzidas por Abelshauser referem-se apenas à Gusstahlfabrik em Essen, cuja gama de produtos era mais diversificada do que a da Krupp-Gruson.

78 Ibid., 344-7, acentua a falta de lucratividade e a pequena escala das atividades na Alemanha mesmo no final da década de 1930. Para uma atenção mais adequada à importância do estaleiro para a história dos submarinos alemães e em particular para o desenvolvimento do U-VII, ver E. Roessler, *Die deutschen U-Boote und ihre Werften* (Koblenz, 1990), 38-90 e E. Roessler, *Geschichte des deutschen U-Bootbaus* (Augsburg, 1996), I. 162-70.

79 Novamente, não possuímos uma biografia confiável. Para uma hagiografia, ver G. van Klass, *Albert Vögler* (Tuebingen, 1957). O papel central de Vögler's na política alemã dos negócios foi recentemente confirmado pela análise quantitativa em rede de Martin Fiedler. Numa amostra dos membros das diretorias das 354 maiores empresas públicas da Alemanha em 1927 e 1938, que englobava entre 3 mil e 4 mil pessoas, Vögler ficou em oitavo lugar como a "figura mais central" em 1927 e foi de longe o mais bem relacionado em 1938. Além disso, foi uma das apenas duas pessoas que constam na lista tanto em 1927 quanto em 1938. A outra era Emil Georg von Strauss da Deutsche Bank-Daimler Benz que ficou em décimo primeiro lugar em 1927, e em oitavo em 1938. Ver M. Fiedler e B. Lorentz, em Berghahn, Unger e Ziegler (orgs), *Die deutsche Wirtschaftselite,* 51-74.

80 Neebe, *Grossindustrie,* 189-91.

81 M. Pohl, *VIAG* (Munique, 1998), 112-13; Kopper, *Zwischen Marktwirtschaft und Dirigismus,* 89.

82 Eckert, 'Die Leiter und Geschaeftsfuehrer', II.

83 Mollin, *Montankonzerne,* 40-41

84 W. Weber, 'Walter Borbet (1881-1942)', em W. Weber (org.), *Ingenieure im Ruhrgebiet* (Muenster, 1999), 224-56, e G. H. Seebold, *Ein Stahlkonzern im Dritten Reich: Der Bochumer Verein 1927-1945* (Wuppertal, 1981), 239-45.

85 W. Rohland, *Bewegte Zeiten: Erinnerungen eines Eisenhuettenmannes* (Stuttgart, 1978).

86 Schulz, *Nicht die Zeit, um auszuruhern,* 480-82 e Seebold, *Ein Stahlkonzern,* 74-7.

87 Para o resumo de Rohland do estado da arte, ver Rohland, 'Die Entwicklung des Lichtbogen-Elektrostahlofens zum Grossraumofen und seine metallurgische Anwendung', *Stahl*

und Eisen, 61 (1941), 1-12. Rohland era critico em relação ao chamado processo Duplex preferido por Borbet.

88 Essa é a principal descoberta de Reckendrees, *Das 'Stahltrust-Projekt'*.

89 F. Sommer e H. Pollack, *Elektrostahlerzeugung* (Düsseldorf, 1950), 10-14 e E. Ploeckinger e O. Etterich, *Electric Furnace Steel Production* (Chichester, 1985), 4-7.

90 Argumento feito em estilo monumental por L. Budrass. *Flugzeugindustrie und Luftruestung in Deutschland* (Düsseldorf, 1998). Ver também E. L. Homze, *Arming the Luftwaffe* (Lincoln, Nebraska, 1976). A seção seguinte se baseia nessas obras, exceto quando indicado.

91 M. Fiedler, 'Die hundert groessten Unternehmen in Deutschland — nach der Zahl ihrer Beschaeftigten — 1907, 1938, 1973, 1995', *Zeitschrift fuer Unternehmensgeschichte*, 44 (1999), 32-66 e 'Nachtrag', ibid., 235-42. Para uma lista das 100 firmas principais, ver www.hist.cam.ac.uk/academic-staff|further_details/tooze.html

92 A Rheinmetall era a única outra firma industrial com dependência equivalente na Wehrmacht e mesmo na Rheinmetall em 1938 os armamentos representavam somente 57% da produção. Ver Imperial War Museum (daqui em diante IWM), FD 717/46, caixa 248, relatórios da Rheinmetall.

93 Budrass, *Flugzeugindustrie*, 321-33.

94 Ibid., 326-8.

95 H. Pophanken, *Gruendung und Ausbau der 'Weser'-Flugzeugbau GmbH 1933 bis 1939* (Bremen, 2000), 34-5.

96 Feldenkirchen, *Siemens*, 380-82.

97 Hayes, *Industry and Ideology*, 139-42 e Kuemmel, *Transnationale Wirtschaftskooperation*, 168.

98 Pohl, *VIAG*, 165-72.

99 A referência padrão agora é G. Hoeschle, *Die deutsche Textilindustrie zwischen 1933 und 1939: Staatsinterventionismus und oekonomische Rationalitaet* (Stuttgart, 2004). Mas ver também J. Schemer, 'Zwischen Staat und Markt: Die deutsche halbsynthetische Chemiefaserindustrie in den 1930er Jahren', *VWSG* 89 (2002),427-48.

100 Tanto o raiom e a fibra básica são produzidas a partir de celulose vegetal, usando-se as mesmas técnicas químicas. O raiom é produzido em forma de fios contínuos prontos para tecelagem em máquinas especializadas, eliminando a necessidade de certas operações. A produção das fibras básicas é mais barata, mas por serem mais curtas têm de ser tratadas como a lã ou o algodão para formar fios, que em seguida podem ser trabalhados em teares ou outros dispositivos. Para uma introdução profusamente ilùstrada ver VGF, *Die Kunstfaser: Wie werden Kunstseide und Zellwolle hergestellt und verarbeitet?* (Stuttgart, 1938).

101 Sobre Kehrl, ver H. Kehrl, *Krisenmanager im Dritten Reich* (Düsseldorf, 1973), 87-92 e R.-D. Mueller, *Der Manager der Kriegswirtschaft: Hans Kehrl* (Essen, 1999).

102 S. Reich, 'Corporate Social Responsibility', em F. R. Nicosia e J. Huener (orgs.), *Business and Industry in Nazi Germany* (Berghahn, 2004) 115-17.

103 Sobre a atribulada história dos investimentos de Ford, ver S. Reich, *The Fruits of Fascism: Postwar Posterity in Historical Perspective* (Ithaca, NY, 1990).

104 N. Forbes, *Doing Business with the Nazis* (Londres, 2000), 133-65.

105 Kuemmel; *TransnationaleWirtschaftskooperation*, 232.

106 Ibid., 191.

4. *Volksgemeinschaft* com parcimônia

1 R.Devo a R. Zitelmann, *Hitler:Selbstverstaendnis eines Revolutionaers* (Stuttgart, 1987) haver chamado minha atenção para este aspecto.

2 Sobre isso e o que se segue, ver W. Koenig, 'Das Scheitern einer nationalsozialistischen Konsumgesellschaft', *Zeitschrift fuer Unternehmensgeschichte*, 48 (2003), 152-3.

3 C. Clark, 'Internationaler Vergleich der Volkseinkommen', *Weltwirtschaftliches Archiv*, 47 (1938), 51-76, seguido por sua obra definidora *The Conditions of Economic Progress* (Londres, 1940).

4 A importância da análise de Clark foi claramente reconhecida na Alemanha, como se verifica pela reação quase oficial que recebeu de um representante do Escritório de estatísticas do *reich*. Ver P. Jostock, 'Wieweit sind Volkseinkommen international vergleichbar?', *Weltwirtschaftliches Archiv*, 49 (1939), 241-73, e P. Jostock, *Die Berechnung des Volkseinkommens und ihr Erkenntniswert* (Stuttgart, 1941).

5 Ver A. Maddison, *The World Economy: A Millennial Perspective* (Paris, 2001). A unidade de comparação na qual foram feitos esses exercícios de contabilidade é o chamado dólar Geary-Khamis de 1990.

6 Para um debate desnecessariamente polêmico da "imposição" do padrão de vida norte-americano à Europa, ver V. de Grazia, *Irresistible Empire: America's Advance through Twentieth-Century Europe* (Cambridge, Mass., 2005). Ver também W. Koenig, *Geschichte der Konsumgesellschaft* (Stuttgart, 2000), 108-22.

7 Para o que se segue, ver a literatura examinada em S. L. Engermann e R. E. Gallman, *The Cambridge Economic History of the United States*, vol. III (Cambridge, 2000), 829-45.

8 H. Ford, *My Life and Work* (Londres, 1923), foi imediatamente traduzido para o alemão, assim como H. Ford, *The International Jew* (Leipzig, 1922).

9 T. von Freyberg, *Industrielle Rationalisierung in der Weimarer Republik* (Frankfurt, 1989) e T. Siegel and T. von Freyberg, *Industrielle Rationalisierung unter dem Nationalsoziolismus* (Frankfurt, 1991). Sobre a difusão dos modos inovadores do uso de máquinas-ferramenta na indústria alemã no período do entreguerras, ver J. A. Tooze, "'Punktuelle Modernisierung': Die Akkumulation von Werkzeugmaschinen in 'Dritten Reich'", *Jahrbuch fuer Wirtschaftsgeschichte*, 1 (2003).

10 A. Chandler, *Scale and Scope: The Dynamics of Industrial Capitalism* (Cambridge, Mass., 1990), 393-502.

11 A firma Hohner, por exemplo, em 1929, produziu quase 22 milhões de harmônicas e exportou-as praticamente para todos os países do mundo. Ver H. Berghoff, *Zwischen Kleinstadt und Weltmarkt: Hohner und die Harmonika* 1857-1961 (Paderborn, 1997), 391.

12 J. H. Morrow, *German Air Power in World War I* (Lincoln, Nebraska 1982) e L. Budrass, *Flugzeugindustrie un Luftrüstung in Deutschland* (Düsseldorf, 1998), 21-66. Engermann e Gallman, *Cambridge Economic History of the U.S.*, III, 839.

13 L. Rostas, 'Industrial Production, Productivity and Distribution in Britain, Germany and the United States', *Economic Journal*, 53 (1943), 39-54.

14 Sobre a comparação anglo-germânica vista do ângulo britânico, ver S. Broadberry, *The Productivity Race: British Manufacturing in International Perspective*, 1850-1990 (Cambridge, 1997).

15 Em 1936, o valor agregado *per capita* na agricultura chegou a 1,20 *reichsmarks* de 1913, em contraposição a uma produtividade não agrícola *per capita* de 2,400 *reichsmarks*; números retirados de W. G. Hoffmann, *Das Wachstum der deutschen Wirtschaft* (Heidelberg, 1965), 205-6 e 454.

16 Ver K. Helfferich, *Deutschlands Volkswohlstand* 1888-1913 (3ª. ed., Berlim, 1914).

17 Ver a controvérsia em torno de estimativas contemporâneas de investimento nacional debatida em A. Tooze, *Statistics and the German State 1900-1945: The Making of Modern Economic Knowledge* (Cambridge, 2001), 172.

18 Tema recorrente nos livros imensamente bem-sucedidos de A. Zischka's sobre matérias-primas, inclusive *Der Kampf um die Weltmacht Baumwolle* (Leipzig, 193 5), *Wissenschaft bricht Monopole* (Leipzig, 1936, vendas totais de 616.000 exemplares), *Brot fuer Zwei*

Milliarden Menschen (Leipzig, 1938), *Oelkrieg* (Leipzig, 1939) e *EnglandsBuendnisse* (Leipzig, 1940). Zischka's vendeu milhões de exemplares antes de 1945.

19 Os números se referem a 1939 e foram retirados de SRA, *Statistisches Jahrbuch fuerdas Deusche Reich* (1941/42) (Berlim, 1942), 382. Ver debate detalhado em R. Hachtmann, *Industriearbeit im 'Dritten Reich'* (Goettingen, 1989).

20 Sobre isto e o que se segue, ver G. Thost, 'Das Einkommen der Arbeiter, Angestellte und Beamten', *Die Deutsche Volkswirtschaft*, 20 (1939), 776-80.

21 SRA, *Statistisches Jahrbuch fuer das Deutsche Reich*, 377-80.

22 Ibid., 448. Segundo Clark, *Conditions*, 69, os norte-americanos gastavam em alimentos praticamente a mesma quantia que os alemães, mas isso representava somente 21,5% de sua renda. O contraste entre a Grã-Bretanha e a Alemanha era menos abrupto, porém mesmo assim significativo. Em comparação com a Alemanha, as famílias britânicas gastavam apenas 30% de sua renda em alimentos.

23 Para um relato vívido e bem ilustrado da vida cotidiana na Alemanha entre as duas guerras, ver G Kaehler (org.), *Geschichte des Wohnens* (Stuttgart, 1996), IV.

24 ILO, *An International Enquiry into Costs of Living: A Comparative Study of Workers' Living Costs in Detroit (USA) and Fourteen European Cities* (2ª. ed. rev., Genebra, 1931), 33-45.

25 Para uma história econômica contemporânea escrita desse ponto de vista liberal, ver G.Stolper, *German Economy: 1870-1940 Issues and Trends* (Nova York, 1940).

26 Ver C. S. Maier, 'Society as Factory', em sua *In Search of Stability: Explorations in Historical Political Economy* (Cambridge, 1987), 19-69 e M. Nolan, *Visions of Modernity: American Business and the Modernization of Germany* (Oxford, 1994).

27 A. Luedtke, 'The "Honour of Labour", em D. F. Crew (org.), *Nazism and German Society 1933-1945* (Londres, 1994), 67-109.

28 J. Gillingham, 'The "Deproletarianization" of German Society: Vocational Training in the Third Reich', *Journal of Social History*, 19 (1986), 423-32.

29 Sobre o colapso da crença no progresso econômico liberal, ver p. ex., o emigrante austríaco e futuro guru do gerenciamento P. F. Drucker, *The End of Economic Man* (Nova York, 1939).

30 Para o que se segue, ver A. Ritschl, 'Die NS-Wirtschaftsideologie — Modernisierungsprogramm oder reaktionaere Utopie?', in M. Prinz and R. Zitelmann (orgs.), *Nationalsozialismus und Modernisierung* (Darmstadt, 1991), 48-70.

31 R. Luxemburg, *The Accumulation of Capital* (1913).

32 Ver a conferência malthusiana feita por Keynes na Sociedade Eugênica, em 1937, reproduzida em *Population and Development Review*, 4 (1978), 517-23, e o discurso presidencial de A. Hansen à Associação Econômica Americana em 1938, reproduzido em *Population and Development Review*, 30 (2004), 329-42.

33 Ver as declarações de Hitler na exposição de automóveis de Berlim em 1934, Domarus, I. 369-71, 7 de março de 1934.

34 W. Koenig, *Volkswagen, Volksempfänger, Volksgemeinschaft: 'Volksprodukte' im Dritten Reich. Yom Scheitern einer nationalsozialistischen Konsumgesellschaft* (Paderborn, 2004).

35 Como ibid., 243-57.

36 IfK, *Weekly Report*, 22 de Agosto de 1935.

37 Koenig, *Volkswagen, 25-99.*

38 Isso aliviou os problemas de fluxo de caixa, mas aumentou substancialmente o custo do equipamento, pois implicava em uma taxa de juros de quase 14%. Ver a cópia no excelente website www.ve30.de.

39 IfK, *Weekly Report*, 11 de agosto de 1938, 61-4.

40 Koenig, *Volkswagen*, 145 e as anotações sobre Seibt, Bruckern & Stark, Lumophon e Owin em www.radiomuseum.org/dsp_herstelle_detail.cfm.

41 Três anos depois, graças às amplas vendas dos receptores DKE, a Alemanha chegou ao nível da Grã-Bretanha. Ver Koenig, *Volkswagen*, 84.

42 Esta avaliação sem dúvida era viciada pela supervalorização da taxa de câmbio alemã, mas mesmo assim refletia a avassaladora vantagem dos produtores norte-americanos. Ibid., 80-81.

43 Ver a equação entre carros e aviões com que Hitler iniciou o discurso na exposição automobilística internacional em Berlim, 11 de fevereiro de 1933, Domarus, I. 208.

44 R. Flik, *Von Ford lernen? Automobilbau und Motorisierung in Deutschland bis 1933* (Colônia,2001).

45 Como a população de Berlim na verdade declinou entre 1933 e 2002, de 4,23 milhões para somente 3,38 milhões, a densidade de automóveis em relação ao número de habitantes na verdade aumentou em um fator de 30.

46 Domarus, 1.209.

47 'Die steuerliche Belastung der Kraftfahrzeuge im In- und Ausland', *Vierteljahrshefte zur Statistik des Deutschen Reichs*, 42 (1933), 136-46.

48 IfK, *Haltungskosten von Personenkraftfahrzeugen* (Jena, 1938), 42-3,68.

49 Presumindo-se um consumo de combustível de 8,5 litros por 100 km, rendimentos diários de 5 *reichsmarks* e preço de combustível de 39 *pfennigs* por litro.

50 Flik, *Von Ford lernen*, 78.

51 Ibid., 131-241.

52 Sobre o fenômeno contemporâneo de Ruesselsheim, ver a fotorreportagem de H. Hauser, *Am laufenden Band* (Frankfurt, 1936) e *Im Kraftfeld von Ruesselsheim* (Munique, 1942), ambas com imagens de P. Wolf, a segunda com uma variedade de fotos coloridas sem precedentes.

53 Exceto quando indicado, as páginas seguintes se baseiam em H. Mommsen e M. Grieger, *Das Volkswagenwerk und seine Arbeiter im Dritten Reich* (Düsseldorf, 1996), 53-226.

54 Domarus, I. 577-8.

55 Mommsen and Grieger, *Das Volkswagenwerk*, 129.

56 M. Fuehrer, *Mieter, Hausbesitzer, Staat und Wohnungsmarkt: Wohnungsmangel und Wohnungszwangswirtschaft in Deutschland 1914-1960* (Stuttgart, 1995), 27-46. Para um cálculo bem documentado, ver IfK, suplemento do *Weekly Report*, 22 de abril de 1936, que sugere a existência de 750 mil famílias com recursos suficientes para poder comprar uma casa pequena se houvesse alguma disponível e outras 750 mil que necessitavam moradia, mas não tinham renda suficiente.

57 G. Schulz, 'Die Diskussion ueber Grundlinien einer Nachkriegssozialpolitik im Nationalsozialismus', em M. Prinz e M. Frese (orgs.), *Politische Zaesur und gesellschaftlicher Wandel im 20. Jahrhundert* (Paderborn, 1996), 111.

58 Sobre a situação no final da década de 1920, ver Deutsche Bau- und Bodenbank AG, *Die Entwicklung der deutschen Bauwirtschaft im ersten Halbjahr 1929* (Berlim, s.d.), 20-21.

59 Kaehler (org.), *Geschichte des Wohnens*, Quadro 12, 720.

60 T. Harlander, *Zwischen Heimstaette und Wohnmaschine: Wohnungsbau und Wohnungspolitik in der Zeit des Nationalsozialismus* (Basle, 1995), 30-53.

61 F. Luetge, *Wohnungswirtschaft* (Jena, 1940), 199-206.

62 Harlander, *Zwischen Heimstaette und Wohnmaschine*, 60.

63 K. C. Fuehrer, 'Das NS Regime und die "Idealform des deutschen Wohnungsbaues"', *VWSG* 89 (2002), 141-66.

64 Fuehrer, *Mieter*, 230-50 e Harlander, *Zwischen Heimstaette und Wohnmaschine*, 97-100.

65 Uma empresa de construção civil envolvida com o setor de moradia, verificou que 18% de seus funcionários pagavam aluguéis mais elevados do que 30 *reichsmarks*, 37% pagavam entre 20 e 30 *reichsmarks* e 45% pagavam menos de 20 *reichsmarks*. Ver BAH

R131, 594, Niederschrift über die Sitzung des Beirates der Industrieabteilung der Wirtschaftskammer Düsseldorf, 14 de outubro de 1940.

66 Koenig, *Volkswagen*, 115-24.

67 Harlander, *Zwischen Heimstaette und Wohnmaschine*, 198-206.

68 Sobre os debates de racionalização na indústria da construção no final da década de 1930, ver Luetge, *Wohnungswirtschaft*, 107-12.

69 *Zweites Buch*, 144.

70 Existem na verdade fortes indícios que mostram o amplo apoio popular para a visão do *Lebensraum* de Hitler. Ver B. Stoever, *Volksgemeinschaft im Dritten Reich: Die Konsensbereitschaft der Deutschen aus der Sicht sozialistischer Exilberichte* (Düsseldorf, 1993), 236-7.

71 W. Landhoff, *Die grossen Militaerparaden des dritten Reiches* (Kiel, 2002).

72 Ver a foto da multidão que observa um destacamento de tanques Mark I no Bückeberg, provavelmente em 1935, em W. J. Spielberger, *Die Panzerkampfwagen I und II* (Stuttgart, 3ª ed., 1991), 41.

73 Stoever, *Volksgemeinschaft*, 180-82, que também nota a popularidade da remilitarização da Renânia.

74 Ibid., 139, com exemplos da Dornier, Messerschmitt, Heinkel e MAN.

75 Para evitar confusão, o tanque em apreço, o Tigre, somente começou a ser produzido em 1943 e seu preço real de custo para a Wehrmacht era de 300 mil *reichsmarks*, inclusive em suprimento completo de munição para o canhão de 8,8 cm. Os termos usados, no entanto, são extremamente reveladores. W. J. Spielberger, *Tiger and King Tiger Tanks* (Sparkford, 1987), 104, 220-21.

76 A. Luedtke, 'Ikonen des Fortschrittes', in A. Luedtke, 1. Marssolek e A. von Saldern (org.), *Amerikanisierung: Traum und Alptraum im Deutschland des* 20. *Jahrhunderts* (Stuttgart, 1996), 199-210. Para um relato equilibrado da evolução da propaganda da Wehrmacht, ver E.-M. Unger, *Illustrierte als Mittel zur Kriegsvorbereitung in Deutschland 1933 bis* 1939 (Colônia, 1984), 137-270.

77 K. Moeser, 'World War I and the Creation of Desire for Automobiles in Germany', em S. Strasser, C. McGovern e M. Judt, *Getting and Spending: European and American Consumer Societies in the Twentieth Century* (Cambridge, 1998), 195-222.

78 P. Fritzsche, *A Nation of Fliers: German Aviation and the Popular Imagination* (Cambridge, Mass., 1992), 185-219.

5. A salvação dos camponeses

1 J. C. Weaver, *The Great Land Rush and the Making of the Modern World, 1650-1900* (Montreal, 2003) e A. W. Crosby, *Ecological Imperialism: The Biological Expansion of Europe*, 900- 1900 (Cambridge, 1986).

2 Para reflexões contemporâneas, ver D. Goodman e M. Watts (orgs.), *Globalising Food: Agrarian Questions and Global Restructuring* (Londres, 1997).

3 Para um vívido relato contemporâneo, ver H. H. Tiltman, *Peasant Europe* (Londres, 1934).

4 Para um relato que acentua o dualismo da economia alemã no período entreguerras, ver B. Lutz, *Der kurze Traum immerwaehrender Prosperitaet* (Frankfurt, 1989).

5 Sobre a questão dos mineiros, ver M. Prinz e H. Hanke, "Man weiss nicht, was noch kommt": Zum Wandel wirtschaftlicher Zukunftsvorstellungen seit dem Ersten Weltkrieg im Spiegel bergmaennischen Wohnens', em M. Prinz e M. Frese (orgs.), *Politische Zaesuren und gesellschaftlicher Wandel im 20. Jahrhundert* (Paderborn, 1996), 35-58.

6 Ver os comentários de Bessel em M. Fulbrook (org.), *German History since 1800* (Londres, 1997), 251.
7 L. Wiethaler, *Lust und Plage der alten Bauernarbeit* (Mirskofen, 1983).
8 A. Hitler, *Mein Kampf* (Boston, 1947),4-5.
9 A. Offer, *The First World War: An Agrarian Interpretation* (Oxford, 1989).
10 C. P. Vincent, *The Politics of Hunger: The Allied Blockade of Germany, 1915-1919* (Athens, Ohio, 1985), 124-51.
11 A. Lüdtke, 'Hunger in der Grossen Depression: Hungerfahrungen und Hungerpolitik am Ende der Weimarer Republik', *Archiv fuer Sozialgeschichte,* 27 (1987), 145-76.
12 R. W. Davies, M. Harrison e S.G. Wheatcroft, *The Economic Transformation of the Soviet Union, 1913-1945* (Cambridge, 1994), 62-4.
13 G. Corni e H. Gies, *Brat, Butter, Kanonen: Die Ernaehrungswirtschaft in Deutschland unter der Diktatur Hitlers* (Berlim, 1997), 43-62.
14 Sobre o que se segue, ver G. Corni e H. Gies, *Blut und Boden: Rassenideologie und Agrarpolitik im Staat Hitlers* (Idstein, 1994), 17-24.
15 R. W. Darré, *Das Bauerntum als Lebensquell der Nordischen Rasse* (1928).
16 F.-L. Kroll, *Utopie als Ideologie: Geschichtsdenken und politisches Handeln im Dritten Reich* (Paderborn, 1998), R. Breitman, *The Architect of Genocide: Himmler and the Final Solution* (Londres, 1991) e P. Padfield, *Himmler Reichsfuehrer* SS (Londres, 1990).
17 U. Mai, *'Rasse und Raum': Agrarpolitik, Sozial- und Raumplanung im NS-Staat* (Paderborn, 2002), 113-54.
18 Nesse sentido, Darré se enquadra perfeitamente na caracterização de fascismo dada por R. Griffin, *The Nature of Fascism* (Londres, 1991).
19 Corni e Gies, *Blut und Boden,* 68.
20 Ver a ingênua caracterização de Backe em J.K. Galbraith, 'Germany was Badly Run', *Fortune* (Dezembro de 1945), 177.
21 Para uma breve biografia de Backe, ver J. Lehman, 'Technokrat und Agrarideologie", em R. Smelser, E. Syring e R. Zitelmann (orgs.), *Die Braune Elite: 22 biographische Skizzen* (Darmstadt, 1993), II. 1-1222 A caracterização seguinte da visão ideológica de Backe se baseia em H. Backe, *Das Ende dês Liberalismus in der Wirtschaft* (Berlim, 1938) e H. Backe, *Um die Nahrungsfreiheit Europas: Weltwirtschaft oder Grossraum* (Leipzig, 1942). Esta última quase certamente foi escrita por outra pessoa, mas reflete claramente a ideia que Backe fazia de si mesmo.
23 Discurso no Reichsrat, 2 de fevereiro de 1933; Domarus, I. 237.
24 Backe, *Um die Nahrungsfreiheit,* 15, argumentação que antecipa de forma estranha a crítica do imperialismo liberal feita por M. Davies, *Late Victorian Holocausts* (Londres, 2001).
25 H. Backe, 'Grundsaetze einer lebensgesetzlichen Agrarpolitik', *Deutsche Agrarpolitik,* 3 (Setembro de 1932), 164-77.
26 M. Sering (org.), *Die agrarischen Umwaelzungen im ausserrussischen Osteuropa* (Berlim, 1930).
27 F. Wunderlich, *Farm Labor in Germany 1810-1945* (Princeton, 1961), 14-17.
28 Ver livros de escrituração em A. Muenzinger, *Der Arbeitsertrag der baeuerlichen Familienwirtschaft,* I e II (Berlim, 1929).
29 Sobre o surgimento da medida de 20 hectares como ideal no planejamento agrícola nazista, ver Mai, "*Rasse und Raum*", 155-88.
30 Segundo agrônomos contemporâneos, nas fazendas menores, de alta intensidade, era necessário um homem para cada 2-2,5 hectares. Ver E. Laur, *Landwirtschaftliche Betriebslehre fuer baeuerliche Verhaeltnisse* (Aarau, 1927), 191.
31 G. Corni, *Hitler and the Peasants: Agrarian Policy of the Third Reich, 1930-1939* (Oxford, 1990), 4-5, 222 e Mai, '*Rasse und Raum*', 16-47.

32 Hitler, *Mein Kampf*, 133-43.
33 Ibid., 654.
34 IMT II. 332-4.
35 Ver a versão distribuída às autoridades alemãs na União Soviética ocupada em 1941, H. Backe, *Die russische Getreidewirtschaft als Grundlage der Land- und Volkswirtschaft Russlands* (Berlim, 1941).
36 Ibid., 168.
37 Corni, *Hitler and the Peasants*, 28.
38 Sobre o que se segue, ver o excelente website mantido por Bernhard Gelderblom, www.gelderblom-hameln.de/.
39 Domarus, I. 304-5, 1º de outubro de 1933.
40 F. Grundmann, *Agrarpolitik im Dritten Reich: Anspruch und Wirklichkeit des Reichserbhofgesetzes* (Frankfurt, 1979) e Mai, '*Rasse und Raum*', 48-58.
41 Corni and Gies, *Blut und Boden*, 33-7.
42 B. Herlemann, '*Der Bauer klebt am Hergebrachten*': *Bauerlicher Verhaltensweisen unterm* NS *auf dem Gebiet des heutigen Landes Niedersachsen* (Hanover, 1993), 105-6.
43 Ver W. G. Hoffmann, *Das Wachstum der deutschen Wirtschaft* (Heidelberg, 1965), 225-6.
44 Herlemann, *Der Bauer*, 93-4.
45 Corni e Gies, *Brat, Butter, Kanonen*, 75-396 e A. Barkai, *Das Wirtschaftssystem des Nationalsozialismus* (Frankfurt, 1988), 131-49.
46 Backe, 'Grundsaetze', 175.
47 K. Meyer, *Gefuege und Ordnung der deutschen Landwirtschaft* (Berlim, 1939), 636-78.
48 Corni e Gies, *Brot, Butter, Kanonen*, 101-21. Para o primeiro de uma série de relatórios do Reichsbank sobre a RNS e outros órgãos do partido, ver BAL R2501 6506, 114-22.
49 Segundo uma análise preparada para Hitler por Darré, os custos administrativos da organização de gestão de mercado da RNS eram de apenas 30 milhões de *reichsmarks* comparados com um movimento total de 30 bilhões de *reichsmarks*, e dados os lucros obtidos com a venda de alimentos importados para animais a organização pagava com sobras suas despesas. Ver Corni e Gies, *Brot, Butter, Kanonen*, 164.
50 Dados de Hoffmann, *Das Wachstum*, 454-5 e tabelas subsidiárias.
51 F. Fried, *Die Zukunft des Aussenhandels* (Jena, 1934).
52 Corni e Gies, *Brot, Butter, Kanonen*, 269.
53 Corni, *Hitler and the Peasants*, 160-61.
54 Os maçons ficavam atrás somente dos judeus na demonologia de Heinrich Himmler e da SS.
55 E. Woermann, *Die Veredlungswirtschaft* (Berlim, 1933). Woermann era um dos principais conselheiros agrônomos da RNS.
56 Hoffmann, *Das Wachstum*, 528.
57 Corni, *Hitler and the Peasants*, 159.
58 Grundmann, *Agrarpolitik*, 121.
59 Infelizmente, Corni e Gies continuam com este hábito em *Brot, Butter, Kanonen*, 309-15. Para um resumo mais equilibrado, ver M. Kutz, 'Kriegserfahrung und Kriegsvorbereitung: Die agrarwirtschaftliche Vorbereitung des Zweiten Weltkrieges ... II. Teil', *Zeitschrift fuer Agrargeschichte und Agrarsoziologie*, 32 (1984), 135-64, e uma das últimas grandes obras da história econômica da Alemanha Oriental, R. Berthold (org.), *Produktivkraefte in Deutschland* 1917/18 *bis 1945* (Berlim, 1988), 224-83.
60 H. von der Decken, *Entwicklung der Selbstversorgung Deutschlands mit landwirtschaftlichen Erzeugnissen* (Berlim, 1938), 13.
61 H. von der Decken und H. Liebe, 'Die Ernaehrungswirtschaft Deutschlands im Weltkrieg und heute', *Vierteljahrshefte zur Wirtschaftforschung*, I (1940/41), 5-28.

62 Sobre alimentação animal, ver IfK, *Weekly Report,* 30 de maio de 1934, 20-21, 93-94. Sobre o mercado de trigo, ver IfK, Suplemento do *Weekly Report,* de 7 de novembro de 1934. A. Hanau and R. Plate, *Die deutsche landwirtschaftliche Preis- und Marktpolitik im Zweiten Weltkrieg* (Stuttgart, 1975), 82.

63 Von der Decken, *Entwicklung,* 92-3. O debate sobre a questão da alimentação animal em Corni e Gies, *Brot, Butter, Kanonen,* 267-8 e 309-310 é enganoso porque se concentra em apenas um tipo de alimentação — cereais — e usa 1933 como padrão de comparação, ano de colheita abundante no qual a Alemanha praticamente não teve necessidade de importar cereais. Como mostram os dados de Decken, a constante redução das importações de alimentos era muito mais forte do que Corni e Gies reconhecem.

64 Hanau e Plate, *Preis- und Marktpolitik,* 41-2.

65 Para um resumo das medidas tomadas para suportar a escassez de cereais em 1936, ver BAL R43II 31, 155-64.

66 Ver o relatório previsivelmente crítico do Reichsbank, BAL R2501 6799, 107, de 20 de outubro de 1936.

67 Contrariamente a Corni e Gies, *Brat, Butter, Kananen,* 274 e Corni, *Hitler and the Peasants,* 165-7.

68 *Statistisches Handbuch van Deutschland* (Munique, 1949), 489-90 e Hanau e Plate, *Preis- und Marktpolitik,* 49. Ao deixar de considerar o acúmulo de estoques, Corni e Gies interpretam equivocadamente a importação de 2,5 milhões de toneladas de trigo, em 1938/9, como sinal de "escassez". Ver Corni e Gies, *Brat, Butter, Kanonen,* 314.

69 Para uma refutação convincente dos relatos exagerados de crise surgidos na mídia britânica, IfK, Suplemento do *Weekly Report,* de 10 de fevereiro de 1937.

70 Isso levou alguns autores a considerer os camponeses, se não exatamente vítimas do nazismo, pelo menos como grupo desprezado pelo regime. Ver H. James, *The German Slump* (Oxford, 1986), 357 e A. von Saldern, *Mittelstand im 'Dritten Reich'* (Frankfurt, 1979), 125-6.

71 Herlemann, *Der Bauer,* 145.

72 Ibid., 147-50.

73 *Statistisches Handbuch von Deutschland,* 607.

74 N. R. Reagin, 'Marktordnung and Autarkic Housekeeping: Housewives and Private Consumption under the Four-Year Plan, 1936-1939', *German History,* 19 (2001), 162-84.

75 Paradoxalmente, a reforma agrária comunista não criou grandes cooperativas, e nem mesmo fazendas viáveis de 20 hectares, e sim um grande número de pequenas áreas de 5 a 10 hectares. Ver A. Bauerkaemper, 'Antinomien der Modernisierung: Die Bodenreform in Mecklenburg 1945', em Prinz e Frese, *Politische Zaesuren,* 361-87.

76 Para um exemplo importante, ver A. Muenzinger, 'Aussiedlung als letztes Mittel der Erhaltung des Bauerntums', *Berichte ueber die Landwirtschaft,* 23 (1938), 205-45. Ver também Mai, '*Rasse und Raum*', 69-74. W. Pyta, 'Menschenoekonomie: Das Ineinandergreifen von laendlicher Sozialraumgestaltung und rassenbiologischer Bevoelkerungspolitik im NS-Staat', HZ 273 (2001), 31-94.

77 IfK, *Weekly Report,* 10 de agosto de 1939, 198.

78 Ironicamente, uma das mais francas confissões dos verdadeiros objetivos do programa nacionalista de conquista não veio de Hitler nem dos nazistas, e sim do arquiagrário Hugenberg, na Conferência Econômica Mundial em 1933 (ver Capítulo 2), e isso não passou despercebido a Stalin. Ver J. V. Stalin, 'Report to the 17th Party Congress, January 1934', em J.V. Stalin, *Problems of Leninism* (Beijing, 1976), 690-92.

79 O que se segue baseia-se em A. D'Onofrio, 'Rassenzucht und Lebensraum: Zwei Grundlagen im Blut- und Boden-Gedanken von Richard Walther Darré', *Zeitschrift fuer Geschichtswissenschaft,* 49 (2001), 141-57.

6. 1936: quatro anos para a guerra

1 Para uma apreciação global, ver Z. Steiner, *The Triumph of the Dark: European International History*, 1933-1939 (Oxford, 2006). Sobre a Alemanha, a melhor apreciação ainda é a de Weinberg, *Foreign Policy I*, 239-356.
2 A.W. Schatz, "The Anglo-American Trade Agreement and Cordell Hull's Search for Peace 1936-1938", *Journal of American History* 57, (1970), 87.
3 Sobre a posição britânica, ver F. McDonough, *Neville Chamberlain, Appeasement and the British Road to War* (Manchester, 1998), R. A. C. Parker, *Chamberlain and Appeasement: British Policy and the Coming of the Second World War* (Nova York, 1993) e G. Schmidt, *The Politics and Economics of Appeasement: British Foreign Policy in the 1930s* (Nova York, 1986).
4 Sobre a França, ver R. Frankenstein, *Le Prix du rearmement français 1935-1939* (Paris, 1982), 65-81. Sobre a Grã-Bretanha, Parker, *Chamberlain and Appeasement*, 272-82.
5 Para um breve resumo, ver P. Clavin, *The Great Depression in Europe, 1929-1939* (Basingstoke, 2000), 186-97.
6 A. O. Offner, *American Appeasement: United States Foreign Policy and Germany, 1933-1938* (Cambridge, Mass., 1969), 171-82.
7 P. Gassert, *Amerika im Dritten Reich* (Stuttgart, 1997), 190-94.
8 D. Ades *et al.*, *Art and Power: Europe under the Dictators 1930-1945* (Londres, 1996), 58-118.
9 Sobre as ambiguidades da "normalidade" da década de 1930, ver U. Herbert 'Die guten und die schlechten Zeiten', em L. Niethammer (org.), *'Die Jahre weiss man nicht, wo man die heute hinsetzten solt': Faschismuserfahrungen im Ruhrgebiet* (Berlim, 1983), 67-96.
10 Para uma amostra, ver os relatórios dos social-democratas exilados a respeito dos temores gerais da guerra no início de 1936, *Deutschland Berichte*, 3 (1936), 300-14; 4 (1936), 460-78; 6 (1936), 675-80; 8 (1936), 963-8; 9 (1936), 1097-104.
11 IfK, *Weekly Report*, 6 de maio de 1936.
12 Ver a brilhante análise em S. Friedlaender, *Nazi Germany and the Jews* (Londres, 1997), I. 177-89.
13 Ainda há referências importantes nas contribuições de H.-E. Volkmann e W. Deist a DRZWI, 211-640, surgida inicialmente em 1979. Para um resumo atualizado, que no entanto é pouco convincente em diversos pontos importantes, ver K. H. Roth, 'Von der Ruestungskonjunktur zum Raubkrieg', em W. Roehr, B. Berlekamp e K. H. Roth, *Der Krieg vor dem Krieg: Politik und Oekonomik der 'friedlichen' Aggression Deutschlands 1938-1939* (Hamburgo, 2001), 29-97.
14 Para uma brilhante e curta apreciação, ver M. Geyer, *Deutsche Ruestungspolitik 1860-1980* (Frankfurt, 1984).
15 O que se segue se baseia em dados retirados do apêndice de A. Ritschl, *Deutschlands Krise und Konjunktur 1924-1934* (Berlim, 2002), e 'Deficit Spending in the Nazi Recovery, *1933-1938:* A Critical Reassessment', Working Paper No. 68, Institute of Empirical Research in Economics, Universidade de Zurique (dezembro de 2000).
16 N. Muehlen, *Der Zauberer: Leben und Anleihen des Dr Hjalmar Horace Greeley Schacht* (Zurique, 2ª ed., 1938), 166. A exposição foi exibida no curto documentário de Leni Riefenstahl's, *Tag der Freiheit* (1935).
17 Como está em R. Overy, *The Nazi Economic Recovery 1932-1938* (Cambridge, 1996), 44-5.
18 H. Sirois, *Zwischen Illusion und Krieg: Deutschland und die USA 1933-1941* (Paderborn, 2000), 74.
19 Tema de W. Deist, *The Wehrmacht and German Rearmament* (Londres, 1981), agora ampliado em B. R. Kroener, '*Der starke Mann im Heimatkriegsgebiet*': *Generaloberst Friedrich Fromm. Eine Biographie* (Paderborn, 2005), 232-8.
20 Kroener, *Fromm, 242-7.*

21 K.-H. Voelker, *Die deutsche Luftwaffe 1933-1939: Aufbau, Fuehrung und Ruestung der Luftwaffe sowie die Entwicklung der deutschen Luftkriegstheorie* (Stuttgart, 1967), 98.

22 E. L. Homze, *Arming the Luftwaffe* (Lincoln, Nebraska, 1976), 149.

23 O Reichsbank teve dificuldade em financiar importâncias superiores a 6 bilhões de *reichsmarks*. BAL R2501 6627, *Denkschrift*, 21 de novembro de 1935, 224-7.

24 M. Geyer, *Aufruestung oder Sicherheit: Die Reichswehr in der Krise der Machtpolitik 1924-1936* (Wiesbaden, 1980), 446.

25 IMT XXXVI. 292, Schacht a Blomberg, 24 de dezembro de 1935.

26 James, 'Innovation and Conservatism in Economic Recovery: The Alleged "Nazi Recovery" of the 1930s', em I. Childers e J. Caplan (orgs.), *Reevaluating the Third Reich* (Nova York, 1993), 130.

27 Sobre a severidade das restrições no setor têxtil em 1936, ver G. Hoeschle, *Die deutsche Textilindustrie zwischen 1933 und 1939: Staatsinterventionismus und oekonomische Rationalitaet* (Stuttgart, 2004), 74-106.

28 O processo de negociação está documentado em BAH R13I 605 e BAL R13I 447, 141-5. As autoridades apoiaram inicialmente, mas se afastaram da ideia em maio.

29 Sobre o crescente interesse militar na borracha sintética, ver IMT VII, NI-4713, 778-84.

30 M. Riedel, *Eisen und Kohle fuer das Dritte Reich: Paul Pleigers Steltung in der NSWirtschaft* (Goettingen, 1973), 66-8.

31 A. Kube, *Pour le Merite und Hakenkreuz: Hermann Göring im Dritten Reich* (Munique, 1986), 140-46, R. J. Overy, *Göring* (Londres, 1984), 39-47, D. Petzina, *Autarkiepolitik im Dritten Reich* (Stuttgart, 1968), 30-48.

32 Sobre as reuniões em maio e junho, ver BAL R261 36, 1-48.

33 Riedel, *Eisen und Kahle*, 86.

34 Deist, *Wehrmacht*, 45.

35 Os principais documentos estão em BAMA RH15/70. Ver também K. J. Mueller, *Armee und Drittes Reich* 1933-1939 (Paderborn, 1989), doc. 136-140, pp. 296-308. Sobre o pano de fundo, ver Kröener, *Fromm*, 254-61. Ver também Deist, *Wehrmacht*, 36-53.

36 Sobre os detalhes do plano de Fromm, ver BAMA RH15/70, 110-47.

37 Sobre os acessórios padrão do tanque, ver B. Mueller-Hillebrand, *Das Heer 1933-1945* (Darmstadt, 1954), I. 7I. Para uma valiosa introdução à evolução da organização da divisão Panzer, ver o website http://www.achtungpanzer.com, mantido por George Parada.

38 Sobre a produção francesa de tanques, ver Frankenstein, *Le Prix*, 228, 3II.

39 Mueller-Hillebrand, *Das Heer*, I. 7I and R. L. DiNardo, *Mechanized juggernaut or Military Anachronism? Horses and the German Army of World War II* (Nova York, 1991).

40 Na primavera de 1938, 74% da artilharia alemã, inclusive a maior parte da artilharia pesada, era de tração animal. Ver F. Hahn, *Waffen und Geheimwaffen des deutschen Heeres 1933-1945* (Bonn, 3a. ed.,1 1998), I. 15.

41 BAL R2501 6608, 2-I5 contém um memorando de meados de agosto de 1936 no qual o Reichsbank contemplava a introdução de racionamento de roupas em caso de uma repentina escassez de importações em moeda forte.

42 P. Longerich, *Politik der Vernichtung: Eine Gesamtdarstellung der nationalsozialistischen judenverfolgung* (Munique, 1998), 119.

43 BAL R250I 6446, 13-19.

44 Riedel, *Eisen und Kahle*, 88-9.

45 O que se segue se baseia no conteúdo do Arquivo Especial de Moscou (daqui em diante MA) 700 VJP1/2. Sobre Gördeler, ver S. Gillmann e H. Mommsen (orgs.), *Politische Schriften und Briefe Carl Friedrich Goerdelers* (Munique, 2003), 267-9 e 411-64.

46 Offner, *American Appeasement*, 146-53 e G. Kuemmel, *Transnationale Wirtschaftskooperation und der Nationalstaat: Deutsch-amerikanische Unternehmensbeziehungen in der dreissiger Jahren* (Stuttgart, 1995), 89.

47 O conflito entre os Estados Unidos e a Alemanha contrastava fortemente com o crescente entendimento entre os Estados Unidos e o Império Britânico. O Canadá e os Estados Unidos haviam concluído um acordo comercial recíproco em 1935. Ver I. M. Drummond e N. Hillmer, *Negotiating Freer Trade: The UK and the US, Canada and the Trade Agreements of 1938* (Waterloo, Ontario, 1989), 39-45.

48 K. Mouré, *Managing the Franc Poincare: Economic Understanding and Political Constraint in French Monetary Policy, 1928-1936* (Cambridge, 1991), 191-273. Acentuando o drama desse rompimento com a ortodoxia do padrão ouro, Margairaz fala de uma "véritable mutation mentale et culturelle pour l'Etat." Ver M. Margairaz, *L'Etat, les finances et l'economie: Histoire d'une conversion, 1932-1952* (Paris, 1991), I. 263.

49 Drummond e Hillmer, *Negotiating Freer Trade*, 35.

50 Gördeler se referia à "grandiose Möglichkeit". O melhor debate sobre o memorando de Gördeler é ainda G. Ritter, *Carl Goerdeler und die deutsche Widerstandsbewegung* (Stuttgart, 1954), 76-9.

51 MA VJP 700 I/2, 82, Gördeler ao Staatsrat Neumann, 2 de setembro de 1936, 12.

52 Sobre as ideias econômicas nos círculos da oposição, ver E. Müller, *Widerstand und Wirtschaftsordnung* (Frankfurt, 1988), 49-69.

53 Sobre a posição de Bücher, ver P. Hayes, *Industry and Ideology: IG Farben in the Nazi Era* (Cambridge, 1987), 130-31. J. Scholtyseck, *Robert Bosch und der liberale Widerstand gegen Hitler 1933 bis 1945* (Munique, 1999), 183-224.

54 Sobre a oposição de Gördeler ao 'Währungsexperimente' em 1934, ver Ritter, *Carl Goerdeler*, 68-70 e Gillmann e Mommsen, *Politische Schriften*, relatório de agosto de 1934, 361.

55 Ver os recortes de diversos jornais europeus da primavera de 1936 em BAL R2501 2629.

56 Moure, *Managing*, 238-9. C. Maddison, 'French Inter-war Monetary Policy' (Tese para a EUI, 1997), 430-545.

57 Sobre a fábrica popular de boatos sobre desvalorização, ver SOPADE, *Deutschland Berichte*, 3 de junho de 1936, 706-10.

58 BAL R2501 6424, 290-327 ('Die deutsche Waehrung im Faile einer Abwertung des Goldblocs').

59 BAL R2501 6424, 327.

60 Novembro de 1935, BAL R2501 6516, 119-34 e R2501 6627, 224-7; dezembro de 1935, R2501 6517, 31-5; fevereiro de 1936, R2501 6627, 228-38; culminando em maio de 1936, R2501 6517, 314-19 e 294-303. Esta última sugere uma gestão geral feita pela liderança do Reichsbank, pelo método de tentativas em janeiro de 1939.

61 Petzina, *Autarkiepolitik, 47.*

62 MA VJP 700 I/2.

63 W. Treue, 'Hiders Denkschrift zum Vierjahresplan 1936', *VfZ* 3 (1955), 184-210.

64 IMT XXVII, 1301-PS, 153-4.

65 *DRZW* 1. 525.

66 IMT XXXVI, 416-EC, 488-91.

67 Friedlaender, *Nazi Germany*, 1. 183-4.

68 Kube, *Pour le Merite*, 160-61. Kube usa a prova dessa insatisfação para afirmar que o Plano Quadrienal era uma insituição não partidária. Trata-se claramente de um exagero da natureza das divergências.

69 Muehlen, *Der Zauberer*, 187. Ver também o relatório do embaixador norte-americano Dodd em http://www.fdrlibrary.marist.edu/psf/box32/t300i07.html, Dodd a Moore, 31 de agosto de 1936.

70 O crédito por haver desenterrado essa gema pertence a Harold James, que descobriu a errônea transcrição da palavra "abwerten" como "abwarten" na edição amplamente utilizada do diário de Goebbels. James, "Innovation", 130.

71 Kube, *Pour le Mérite*, 158-60. Göring anunciou sua estratégia em uma reunião do Conselho Ministerial, em 21 de outubro de 1936, BAL R026IV, 4 fol. 1, 16-17.
72 Hornze, *Arming*, 149.
73 BAMA RH15/148, 2-4.
74 BAMA RH 15/70, 80.
75 IMT VII, NI-051, Prova da acusação 421, discurso de Göring na 'Preussenhaus' em 17 de dezembro de 1936, 815-17.
76 L. Budrass, *Flugzeugindustrie und Luftruestung in Deutschland* (Düsseldorf, 1998), 480-81.
77 Para ideias oposta a respeito da natureza da organização do Plano Quadrienal, ver Petzina, *Autarkiepolitik*, 58-9, Kube, *Pour le Mérite*, 160-61, G. Mollin, *Montankonzerne und 'Drittes Reich'* (Goettingen, 1988), 60-61, W. A. Bölcke, *Die deutsche Wirtschaft 1930-1945* (Düsseldorf, 1982), 178-92, Overy, *Göring*, 58-60 e Budrass, *Flugzeugindustrie*, 471-2.
78 H. Kehrl, *Krisenmanager im Dritten Reich* (Düsseldorf, 1973), 101.
79 Petzina, *Autarkiepolitik*, 81-2.
80 Kehrl, *Krisenmanager*, 87-96.
81 Petzina, *Autarkiepolitik*, 83-4.
82 J. Streb, 'Technologiepolitik im Zweiten Weltkrieg: Die staadiche Foerderung der Synthesekautschukproduktion im deutsch-amerikanischen Vergleich', *VfZ* 50 (2002), 367-97 e G. Plumpe, *Die IG Farbenindustrie AG* (Berlim, 1990), 356-78.
83 Sobre o papel de Krauch, o guia mais confiável é ainda Hayes, *Industry and Ideology*, 156-8.
84 Nascido em 1884, havendo estudado Direito, Schnitzler entrou para a diretoria da IG em 1926 e dirigiu os negócios tradicionais no setor de corantes. Nesse particular tinha mentalidade mais internacional do que alguns de seus colegas da área de sintéticos da empresa.
85 IG Farben Caso VII, NI-5196, 1503-17.
86 Em janeiro de 1937, os estoques alemães de minério de ferro eram suficientes para cobrir somente a produção de um mês. Ver BAH R13I 619, 132.
87 Dados retirados de BAH R13I 408, 105-8.
88 Sobre a pressão nos preços de sucata e outros produtos de ferro, ver BAH R13I 605, 34-41.
89 Há um rascunho em BAL R261V 4, 69-84.
90 Sobre a ação resultante de parte da Stahlwerks-Verband, BAH R13I 459, 107-10.
91 Até agora o único estudo confiável é a dissertação inédita de T. Sarholz, 'Die Auswirkungen der Kontingentierung von Eisen und Stahl auf die Aufruestung der Wehrmacht von 1936 bis 1939' (Darmstadt, 1983), que examina o impacto sobre a Wehrmacht.
92 Ver o protesto em BAMA RH15/148, 10-15.
93 BAMA RH15/148, 139-47.
94 Sarholz, 'Auswirkungen', 225 e Kröner, *Fromm*, 306-12.
95 Sarholz, 'Auswirkungen', 232.
96 BAMA RH15/148, 66-7, 75-85.
97 BAMA RL3/2477 e Homze, *Arming*, 153. O aperto imediato foi sobre a Luftwaffe mediante cortes de gastos, mas isso foi combinado com uma correspondente redução da distribuição de matérias-primas, ver Sarholz, 'Auswirkungen', 219-36.
98 Homze, *Arming*, 145.
99 Ver os números em BAMA RL3/2617.
100 BAL R2 31.034. Ver debate nos círculos da indústria do aço, BAH R13I 619, 71-2. M. Ebi, *Export um jeden Preis: Die deutsche Exportfoerderung von* 1932/1938 (Stuttgart, 2004), 192-222. Embora Ebi forneça um excelente relato técnico sobre o funcionamento do sistema, ignora completamente tanto a decisão estratégica de dar prioridade às exportações

na distribuição de aço quanto o contexto político doméstico e internacional mais amplo no qual o sistema funcionava.

101 S. Newton, *Profits of Peace: The Political Economy of Anglo-German Appeasement* (Oxford, 1996), 60-63.

102 Sobre os contatos de Schacht com a França e a Grã-Bretanha em 1937, ver Weinberg, *Foreign Policy* II, 67-94.

113 IMT XXXVI, EC 286, 282-9I. Ver Apêndice, Tabela A3.

104 BAH R13I 619, 107-9.

105 Petzina, *Autarkiepolitik*, 111.

106 *Riedel, Eisen und Kohle*, 62-154 e Mollin, *Montankonzerne*, 70-76

107 BAH RI3I 597, 176-222.

108 Riedel, *Eisen und Kohle*, 101-226.

109 IMT XII, Pleiger testimony, 630-48.

110 Além de sua ligação com Göring e Pleiger, Brassert envolveu-se também, entre 1936 e 1938, num controvertido projeto japonês para o desenvolvimento de fornecimento de minério de ferro oriundo dos depósitos da ilha Koolan, em Yampi Sound, no oeste da Austrália. Ver 'Documents of Australian Foreign Policy, 1937-1938, I, disponíveis on-line em http://www.info.dfat.gov.au/info/historical/HisDocs.nsf/.

111 C. R. S. Harris, *Germany's Foreign Indebtedness* (Nova York, 1978), 117 e A. Reckendrees, *Das 'Stahltrust-Projekt'* (Munique, 2000), 255.

112 Riedel, *Eisen und Kohle*, 172.

113 BAH RI3I 597, I06-107.

114 Flick recebeu seu exemplar às 13h49, em 24 de agosto de 1937. Ver BAL R8122 7, 19.

115 BAL R8122 7, Flick, 11-14.

116 Para duas interpretações diferentes do comportamento cínico de Zangen, ver BAL R8122 7, 51-2 e BAH R13I 597, 64-9.

117 BAH R13I 597, 106-17.

118 R. J. Overy, *War and Economy in the Third Reich* (Oxford, 1994), 144-74, e *Göring*, 111-18. A. Meyer, *Hitlers Holding: Die Reichswerke Hermann Görin;* (Munique, 1999).

119 Para uma lista completa das diversas *holdings*, ver BAL R2Anh84, 94-113.

120 Sobre o desmembramento do império carbonífero Petschek, ver Mollin, *Montankonzerne* 184-7 e H. James, *The Deutsche Bank and the Nazi Economic War against the Jew* (Cambridge, 2001), 100-104. Sobre a apreensão de ativos tchecos e da Silésia, ver W. Roehr 'Zur Rolle der Schwerindustrie im annektierten polnischen Oberschlesien fuer die Kriegswirtschaft Deutschlands von 1939 bis 1949', *Jahrbuch fuer Wirtschaftsgeschichte*, (1991), 9-58. Sobre a expansão da Reichswerke em outras áreas da indústria pesada, ver H. Radant, 'Die Vitkovicer Berg- und Eisenhuetten-Gewerkschaft als Organisationszentrum der Reichswerke AG "Hermann Göring" fuer die Beherrschung der Eisen- und Stahlwirtschaft suedosteuropaeischer Laender', *Jahrbuch fuer Wirtschaftsgeschichte*, 3 (1973) 17-41.

121 BAMA RH15/I48, 170-73.

122 Sarholz, 'Auswirkungen', 237.

123 BAMA RH15/149, 40. Sarholz, 'Auswirkungen', 246.

124 BAMA RH15/149, 36-8.

125 BAMA RH15/149, 57-62. Sarholz, 'Auswirkungen', 253.

126 IMT XXV, 386-PS, 402-13.

127 Weinberg, *Foreign Policy II*, 18-51. A insistência de Weinberg em uma 'Blitzkrieg conception' supostamente preferida por Hitler em novembro de 1937 dificilmente parece estar apoiada pelo texto do memorando de Hossbach.

128 BAMA RHI5/149, 84-97.

129 Sarholz, 'Auswirkungen', 257-9.

130 Essa decisão vital, até agora sem ser notada na literatura, está registrada em BAH R13I 472, 204, confirmada por BAH R131 606, 178-86 e BAL R8122, 347, de 25 de fevereiro de 1938 e 3 de março de 1938.
131 BAMA RH15/150, 12-13, importante porque data de 24 de fevereiro de 1938, várias semanas antes da escalada de tensões após o *Anschluss*.
132 O primeiro a acentuar este ponto-chave foi Geyer, *Deutsche Ruestungspolitik*, 146-7.
133 BAMA RHI5/149, 106-13.
134 Argumentação articulada com muita clareza por M. Knox, 'Conquest, Foreign and Domestic', em 'Fascist Italy and Nazi Germany', *Journal of Modern History*, *56* (1984), 1-57
135 M. Broszat, *Der Staat Hitlers* (Munique, 1969), 363-75.
136 I. Kershaw, *Hitler 1936-1945: Nemesis* (Londres, 2000), 51-60.
137 Boelcke, *Die deutsche Wirtschaft*, 182.
138 Ibid., 183.
139 Na monumental biografia de Kershaw, a questão essencial do aço não merece sequer uma menção no índice remissivo. Ver Kershaw, *Hitler: Nemesis*.

7. Na zona de perigo

1 IG Farben Caso VII, 1538-9, documento NI-I4S07.
2 Weinberg, *Foreign Policy II*. Sobre o processo de tomada de decisões, ver G. C. B. Waldenegg, 'Hitler, Göring, Mussolini und der "Anschluss" Oesterreichs an das Deutsche Reich', *VfZ* 51 (2003), 147-82.
3 E não, como implausivelmente sugerido por K. H. Roth, sobre as pressões econômicas dentro da Alemanha. Tanto para a opinião de Roth quanto para uma crítica persuasiva, ver W. Roehr, B. Berlekamp e K. H. Roth (orgs.), *Der Krieg vor dem Krieg: Politik und Oekonomik der 'friedlichen' Aggression Deutschlands 1938/1939* (Hamburgo, 2001).
4 Sobre o que se segue, ver IfK, *Weekly Report*, 11, de 16 de março de 1938, 4 de abril de 1938 e 14 de dezembro de 1938.
5 G. Mollin, *Montankonzerne und 'Drittes Reich'* (Göttingen, 1988), 115-24.
6 Ver avaliação de funcionários da VJP em BAL R26IV 5, 166-170 e RO26IV, 4 fol. 1, 56-64.
7 R. Banken, 'Die deutsche Goldreserven und Devisenpolitik 1933-1939', *JbW* I (2003), 49-78.
8 IfK, *Weekly Report*, 11, 29 de junho de 1938, 193-6.
9 M. Ebi, *Export um jeden Preis: Die deutsche Exportfoerderung von* 1932-1938 (Stuttgart, 2004) 223-37.
10 BAL RO26IV, 4 fol. I, 39-44.
11 Ver análise em IfK, *Weekly Report*, II, 4 de abril de 1938, 118
12 D. E. Kaiser, *Economic Diplomacy and the Origins of the Second World War: Germany Britain, France and Eastern Europe, 1930-1939* (Princeton, 1980), 244.
13 Sobre o pânico de maio e o subsequente tom antibritânico, ver J. Henke, *England in Hitlers politischem Kalkuel* 1935-1939 (Boppard, 1972), I50-62.
14 Consciente desse risco, o governo britânico fez o possível para acalmar os comentários da imprensa. Ver R. A. C. Parker, *Chamberlain and Appeasement: British Policy and the Coming of the Second World War* (Nova York, 1993), 149.
15 R. Overy, 'Germany and the Munich Crisis', *Diplomacy and Statecraft*, 10 (1999), 191-215. K. J. Mueller, *Armee und Drittes Reich* 1933-1939 (Paderborn, 1989), doc. 152, 333-5. K. J. Mueller, *General Ludwig Beck: Studien und Dokumente zur politisch-militaerischen Vorstellungswelt und Taetigkeit des Generalstabschefs des deutschen Heeres 1933-1938* (Boppard, 1980), 512-20. Por desprezar os indícios vindos da economia armamentista, S. Kley, .*Hitler, Ribbentrop und die Entfesselung des Zweiten Weltkrieges* (Paderborn, 1996), 59-62, subestima a importância do anúncio de 28 de maio de 1938.

16 Sobre a importância de 1938 em mostrar abertamente o antagonismo de Hitler em relação ao Ocidente, ver Weinberg; *Foreign Policy II*, 355 e 465-6. W. Michalka, *Ribbentrop und die deutsche Weltpolitik 1933-1940* (Munique, 1980), 228-9.

17 Para avaliações alemãs, ver ensaios em F. Knipping e K. J. Mueller (orgs.), *Machtbewusstsein in Deutschland am Vorabend des Zweiten Weltkrieges* (Paderborn, 1984).

18 Para uma brilhante análise da autoconfiança do planejamento naval britânico, ver J. A. Maiolo, *The Royal Navy and Nazi Germany*, 1933 — 1939: *A Study in Appeasement and the Origins of the Second World War* (Basingstoke, 1998), especialmente III-20.

19 T. C. Imlay, *Facing the Second World War: Strategy, Politics and Economics in Britain and France 1938-1940* (Oxford, 2003).

20 Para uma análise contemporânea das despesas navais e de construção de navios, ver IfK, *Weekly Report*, 20 de julho de 1938. Segundo o relatório, a Alemanha possuía um décimo da tonelagem britânica de vasos de guerra modernos. Dados publicados no verão de 1939, IfK, *Weekly Report*, 12 de julho de 1939, mostraram que, mesmo após dar a mais alta prioridade à *Kriegsmarine* no início de 1939, as despesas navais alemãs excederam as orçamentadas pelos britânicos em somente 5%.

21 H. Sirois, *Zwischen Illusion und Krieg: Deutschland und die USA 1933-1941* (Paderborn, 2000), 159.

22 M. M. Postan, *British War Production* (Londres, 1952), 14-23. C. Peden, *British Rearmament and the Treasury: 1932-1939* (Edimburgo, 1979), 128-34. S. Ritchie, *Industry and Air Power: The Expansion of British Aircraft Production 1935-1941* (Londres, 1997).

23 R. Frankenstein, *Le Prix du rearmament français 1935-1939* (Paris, 1982), 88-92, 195-7. H. Chapman, *State Capitalism and Working-Class Radicalism in the French Aircraft Industry* (Berkeley, 1991), 149-74.

24 Ver as instruções para um aumento drástico nos fornecimentos para o Exército, BAMA RH 15/150, 80.

25 Compare-se BAMA RH15/150, 56-7 com 86-9.

26 I. Budrass, *Flugzeugindustrie und Luftruestung in Deutschland* (Düsseldorf, 1998), 536-56.

27 J. Duelffer, *Handbuch zur deutschen Militaergeschichte* 1648-1939, VII (Munique, 1978), 475 e J. Duelffer, *Weimar, Hitler und die Marine: Reichspolitik und Flottenbau*,1920-1939 (Düsseldorf, 1973),468-9.

28 W. Birkenfeld, *Der synthetische Treibstoff* 1933-1945 (Goettingen, 1964), 112-25. D. Petzina, *Autarkiepolitik im Dritten Reich* (Stuttgart, 1968), 116-30. P. Hayes, *Industry and Ideology: IG Farben in the Nazi Era* (Cambridge, 1987), 206-11. G. Plumpe, *Die IG Farbenindustrie AG* (Berlim, 1990),722-40.

29 Ambros, nascido em 1901, fizera uma carreira espetacular como principal perito em borracha sintética da IG e como um dos mais próximos colaboradores de Krauch. No final da década de 1930, era membro da diretoria e presidia a comissão de *buna* da IG.

30 IMT VII 874-909 fornece um resumo dos diversos planos. Plumpe, *Die IG Farbenindustrie*, 722-34 dá uma visão geral valiosa porém desnecessariamente polêmica.

31 Pouco depois, Göring usou título semelhante para indicar a prioridade conjunta do Ju 88 e dos planos químicos, nomeando Koppenberg para o cargo de Sonderbevollmaechtigte des Generalfeldmarschalls Görings fuer die Herstellung der Ju 88. Ver L. Budrass, 'Unternehmer im Nationalsozialismus: Der "Sonderbevollmaechtigte des Generalfeldmarschalls Göring fuer die Herstellung der Ju 88"', em W. Plumpe e C. Kleinschmidt (org.), *Unternehmen zwischen Markt- und Macht* (Essen, 1992), 74-89.

32 T. Sarholz, 'Die Auswirkungen der Kontingentierung von Eisen und Stahl auf die Aufruestung der Wehrmacht von 1936 bis 1939' (tese, Darmstadt, 1983), 310.

33 Quanto à pressão financeira sobre o Ministério da Aeronáutica no início de 1938, ver E. L. Homze, *Arming the Luftwaffe* (Lincoln, Nebr., 1976), 155-6. Sobre as preocupações no Reichsbank, ver relatórios em BAL 2501 6520.

34 W. A. Boelcke, *Die Kosten von Hitlers Krieg: Kriegsfinanzierung und finanzielles Kriegserbe in Deutschland* 1933-1948 (Paderborn, 1985), 33.
35 BAMA RH15/150, 108.
36 M. Geyer, 'Ruestungsbeschleunigung und Inflation', *MGM* 30 (1981), 145.
37 Ver os algarismos com preços ajustados em A. Ritschl, *Deutschlands Krise und Konjunktur 1924-1934* (Berlim, 2002), tabela B.8.
38 Geyer, 'Ruestungsbeschleunigung', 163.Ver Apêndice, Tabela A3.
39 Sobre essa aceleração proposital, ver BAH RI3I 606, 178-86, 151-69, 111-20, 66-75, 51-3, R13I 692, 105-20 e BAL R8122, 347.
40 Sarholz, 'Auswirkungen', 309 e B. R. Kroener, '*Der starke Mann im Heimatkriegsgebiet*': *Generaloberst Friedrich Fromm. Eine Biographie* (Paderborn, 2005), 314-15.
41 Para essa citação e as seguintes, ver IMT XXXVIII. 376-400, R-140.
42 Sobre o entendimento de Göring na primavera de 1938 de que os Estados Unidos teria de ser considerado inimigo do nacional-socialismo, ver A. O. Offner, *American Appeasement: United States Foreign Policy and Germany,* 1933-1938 (Cambridge, Mass., 1969), 242-3.
43 Ver o debate altamente competente em Gerold von Minden, *Wirtschaftsfuehrung im Grossdeutschen Reich* (Berlim, 1939). Minden was adviser to Funk as Generalbevollmaechtigter fuer die Wirtschaft.
44 BAL R3102 2700.
45 J. A. Tooze, *Statistics and the German State* 1900-1945: *The Making of Modern Economic Knowledge* (Cambridge, 2001), 177-245.
46 Ver plantas e estimativas estatísticas em BAL R3102 3154.
47 Mais recentemente, G. Aly, *Hitlers Volksstaat* (Frankfurt, 2005).
48 Essa era no mínimo uma *idée fixe na burocracia do reich*. Ver debate sobre capacidade financeira relativa em maio de 1938 em BAL R2501 6639, 292-307, a justificativa pública dada em R2501 6521 1-17, e a abrangente comparação de taxas de imposto em R250I 6652, que mostra que os impostos alemães sobre salários e remunerações era mais elevada do que em qualquer parte da Europa Norte-ocidental. Os impostos sobre capital eram mais altos do que em qualquer lugar, exceto a França, na maior parte das categorias de empresas.
49 O sentido de urgência que motivava essa decisão está bem comunicado em *Der Deutsche Volkswirt*, 12, 5 agosto de 1938, 45.
50 IMT XII. 503-9, NG-5328, circulares expedidas por Krosigk, 5 de julho de 1938.
51 Ver estimativas de capacidade de financiamento, BAL R250I 6639, 339-4I, 347-64.
52 Deutsche Bau- und Bodenbank, *Die Entwicklung der deutschen Bauwirtschaft im Jahre* 1938 (Berlim, 1939), 6-7, 28-9.
53 T. Harlander, *Zwischen Heimstaette und Wohnmaschine: Wohnungsbau und Wohnungspolitik in der Zeit des Nationalsozialismus* (Basle, 1995), 139-40.
54 A. C. Mierzejewski, *The Most Valuable Asset of the Reich: A History of the German National Railway,* II: *1933-1945* (Chapel Hill, NC, 2000), 67-9.
55 Ibid., 54-6.
56 *Deutschland Berichte,* 5, 5 de novembro de 1938, 1221.
57 'The Difficulties of Germany's Railways', *The Economist,* 3 de junho de 1939, 544.
58 Há uma breve ata em BAL R250I 6520.
59 A partir do final de dezembro de 1937, o Reichsbank iniciou as próprias avaliações de inflação de preços e salários, independentemente dos índices oficiais publicados pelo Escritório de estatísticas do *reich*. BAL R2501 658I, 353-9I.
60 IfK, Suplemento a *Weekly Report,* 26 de janeiro de 1938, 'The Limits of the Labour Supply'.

61 T. Mason, *Arbeiterklasse und Volksgemeinschaft* (Opladen, 1975), doc. 144, Schreiben des RAM 14 de julho de 1938, 836.
62 Ibid., 898.
63 Esse é o repetitivo estribilho nos documentos reunidos ibid., 601-979.
64 H. Kahrs, 'Die ordnende Hand der Arbeitsaemter: Zur deutschen Arbeitsverwaltung 1933 bis 1939', em W. *Gruner et al., Arbeitsmarkt und Sondererlass: Menschenverwertung, Rassenpolitik und Arbeitsamt* (Berlim, 1990), 9-61.
65 R. von Yalta, 'Das Arbeitsbuch in der Statistik', *Allgemeines Statistisches Archiv, 27* (1937-8), 263-73.
66 Mason, *Arbeiterklasse,* 251.
67 A Wehrmacht e a administração trabalhista haviam concordado três semanas antes quanto à necessidade desse decreto. Ver BAMA RH15/150, 109-10.
68 Mason, *Arbeiterklasse,*127, 735-43.
69 G. Corni e H. Gies, *Blut und Boden: Rassenideologie und Agrarpolitik im Staat Hitlers* (Idstein, 1994), 168.
70 Ver o relatório secreto do Reichsbank em BAL R2501 6581, 353-72.
71 Para uma análise da *Landflucht* feita pelo Escritório de Estatística do *reich*, ver P. Bramstedt, 'Lohngefaelle und Landflucht', *Die Deutsche Volkswirtschaft,* 8 (1939), 285-90.
72 G. Corni, *Hitler and the Peasants: Agrarian Policy of the Third Reich, 1930-1939* (Oxford, 1990), 220.
73 A. Schuermann, 'Niedersachsen', em K. Meyer e K. Thiede (orgs.), *Die laendliche Arbeitsverfassung im Westen und Sueden des Reiches: Beitraege zur Landfluchtfrage* (Heidelberg, 1941), 31
74 D. Muenkel, "Du, deutsche Landfrau bist verantwortlich!" Bauer and Baeuerin im NS', *Archiv fuer Sozialgeschichte,* 38 (1998), 141-64; B. Herlemann, '*Der Bauer klebt an Hergebrachten': Bauerlicher Verhaltensweisen unterm* NS *auf dem Gebiet des heutigen Landes Niedersachsen* (Hanover, 1993), 169-71; S. Jacobeit, 'ZumAlltag der Baeuerinnen in Klein- und Mittelbetrieben waehrend der Zeit des deutschen Faschismus 1933 bis 1939', JbW 1 (1982), 7-30.
75 Schuermann, 'Niedersachsen', 35.
76 Corni e Gies, *Blut und Boden,* 167-9.
77 Ibid., 56 e 171-82.
78 Mueller, *Beck,* 493-6 e 521-8. Geyer, 'Ruestungsbeschleunigung', 136.
79 Geyer, 'Ruestungsbeschleunigung', 154.
80 Mason, *Arbeiterklasse,* doc. 150, 866.
81 Para dados sobre emprego e construção da Muralha do Oeste, ver WM EDS, Mi. 14/351.
82 W. Bauer and P. Dehen, 'Landwirtschaft und Volkseinkommen', *Vierteljahrshefte zurWirtschaftsforschung,* 13 (1938-9), 411-32. H. L. Fensch, 'Die Unterbewertung der Landarbeit in den verschiedenen Betriebsgruppen der deutschen Landwirtschaft', *Berichte, ueber die Landwirtschaft,* NS 28/2 (1942), 169-224.
83 Corni e Gies, *Blut und Boden,* 171-85.
84 Tomando os números sobre emprego e valor agregado a preços constantes de W. G. Hoff, *Das Wachstum der deutschen Wirtschaft* (Heidelberg, 1965), 205-6 e 454, o valor agregado *per capita* na agricultura em 1936 foi de 1.200 *reichsmarks* em comparação com uma produtividade agrícola *per capita* de 2.400 *reichsmarks.*
85 Argumento exposto com bastante clareza pelo *Reichskommissar für Preisbildung* J. Wagner em 'Preispolitik und Landwirtschaft', *Die Deutsche Volkswirtschaft,* I (1939), 15-17. Ver também comentários céticos em 'Landwirtschaft und Volkseinkommen', *Die Deutsche Yolk schaft,* 32 (1939), 1163-4.

86 A. S. Milward, 'The Reichsmark Bloc and the International Economy', em G. Hirs, e 1. Kettenacker (orgs.), *Der 'Fuehrerstaat': Mythos und Realitaet* (Stuttgart, 1981) 377-428.
87 Ver relatórios em BAL R2501 6591, 24-66 e R2501 6522.
88 BAL R2501 6591, 39.
89 Discurso de Darré no *6th Bauerntag* em Goslar, 27 de novembro de 1938, W. Darré, *Aut des Bauerntums: Reichsbauerntagreden 1933 bis 1938* (Berlim 1942), 115 e 119.
90 Ao contrário de Corni, que considera 'irracional' o apelo de Darré. Ver Corni, *Hitler and the Peasants*,220.
91 Ibid., 258.
92 G. Ritter, *Carl Goerdeler und die deutsche Widerstandsbewegung* (Stuttgart, 1954 e S. Gillmann e H. Mommsen (orgs.), *Politische Schriften und Briefe Carl Frie Goerdelers* (Munique, 2003). R. A. Biasius, *Fuer Grossdeutschland — gegen den gossen, Krieg: Ernst von Weizsaecker in den Krisen um die Tschechoslowakei und Polen* (Colônia, 1981). U. vonHassel, *Die Hassel-Tagebuecher 1938-1944: Aufzeichnungen vom at Deutschlands* (Berlim, 1989).
93 A. Kube, *Pour le Mririte und Hakenkreuz: Hermann Göring im Dritten Reich* (Munique, 1986), 363-4 e R. J. Overy, *Göring* (Londres, 1984), 80-81.
94 Ver documentos coligidos em Mueller, *Armée*, 309-57.
95 Mueller, *Beck*, 504 e 523.
96 W.Murray, *The Change in the European Balance of Power, 1938-1939* (Princeton, 1984) 245-53. K.-H. Voelker, *Die deutsche Luftwaffe, 1933-1939: Aufbau, Fuehrung und Rüsttung der Luftwaffe sowie die Entwicklung der Luftkriegstheorie* (Stuttgart, 1967), 160.
97 Mueller, *Beck, 527.*
98 Ibid., 299-304.
99 B.-J. Wendt, *Grossdeutschland Aussenpolitik und Kriegsvorbereitung des Hitler-Regimes* (Munique, 1987), 150-52. Weinberg, *Foreign Policy II*, 378-464.
100 D. Reynolds, *From Munich to Pearl Harbor: Roosevelt's America and the Origins of the Second World War* (Chicago, 2001), 40.
101 Mueller, *Beck*, 561.
102 Ibid., 559.
103 Blasius, *Fuer Grossdeutschland*, 44.
104 Toda a citação seguinte vem de IMT XII. 419, 509-14, RFM to Hitler, 1º de setembro de 1938.
105 Ponto desprezado por Overy, que afirma que a "oposição conservadora" tendia a exagerar a gravidade das dificuldades econômicas da Alemanha. Ver R. J. Overy, *War Economy in the Third Reich* (Oxford, 1994), 208-12.
106 Ver análise do Reichsbank em BAL R250I 6549 e IfK, *Weekly Report*, 7 de setembro de 1938, 'Der Kursrueckschlag am Aktienmarkt', 251-4.
107 Tudo o que se segue foi retirado de IMT XII. 419, 51 12, RFM para Hitler, 1º de setembro de 1938.
108 A hostilidade dos Estados Unidos tinha ficado clara pelo menos desde outubro de 1937 e do discurso de quarentena de Roosevelt. Intensificou-se durante 1938. Ver Sirois, *Zwischen Illusion*, 105-10, 117-28.
109 Para uma avaliação recente da 'resistência' militar em 1938, ver DRZW 9/1, 751-6.
110 K. J. Mueller, *Das Heer und Hitler: Armee and nationalsozialistisches Regime 1933-1940* (Stuttgart, 1969), 361.
111 Sobre a crise do ponto de vista britânico, ver Parker, *Chamberlain and Appeasement*, 174-81.
112 Kershaw, *Hitler 1936-1945: Nemesis* (Londres, 2000), 113-25.
113 Para o que se segue, ver P. Longerich, *Politik der Vernichtung: Eine Gesamtdarstellung der nationalsozialistischen Judenverfolgung* (Munique, 1998), 153-225.
114 BAL R2501 6446, 128-31.

115 Para uma descrição contemporânea lúcida, ver ADAP D V doc. 575, Reichsstelle fuer Devisenbewittschaftung an das Auswaertiges Amt, 7 de dezembro de 1937, 650-53.

116 F. Bajohr, *'Aryanisation' in Hamburg: The Economic Exclusion of Jews and the Confiscation of their Property in Nazi Germany* (Oxford, 2002), merece crédito por chamar atenção para a importância dessa perseguição administrativa. O que ainda nos falta, no entanto, é uma sensação clara do grau de discriminação sofrido pelos judeus em um sistema de controles geralmente opressivo.

117 Longerich, *Politik,* 181.

118 Citado em H. Safrian, *Eichmann und seine Gehilfen* (Frankfurt, 1995), 29.

119 Citado em A. Barkai, *From Boycott to Annihilation: The Economic Struggle of German Jews* (Hanover, 1989), 129. Conforme assinala Bajohr, Barkai exagera dramaticamente o grau de arianização que ocorrera antes de 1938 por meio do uso descuidado de estatísticas do censo quanto ao número de negócios de judeus em 1933. Ver Bajohr, *'Aryanisation',* 108.

120 H. James, *The Deutsche Bank and the Nazi Economic War against the Jews* (Cambridge, 2001).

121 W. Moenninghoff, *Enteignung der Juden: Wunder der Wirtschaft Erbe der Deutschen* (Hamburgo, 2001), 91-106.

122 Pelo menos nisso é possível concordar integralmente com Aly, *Hitlers Volksstaat.*

123 Barkai, *Boycott,* 118-19 e Longerich, *Politik,* 161.

124 Longerich, *Politik,* 192.

125 Sobre a onda de detenções em Frankfurt, ver M. Kingreen (org.), *'Nach der Kristallnacht': Juedisches Leben und antijuedische Politik in Frankfurt am Main 1938-1945* (Frankfurt, 1999), 19-90.

126 Mason, *Arbeiterklasse,* 908-33, Göring à primeira reunião da *Reichsverteidigungsrat,* 18 de novembro de 1938, 915-16.

127 Aly, *Hitlers Volksstaat,* 60-66.

128 IMT XII, documento 1412-PS, decreto de Göring emitido no Reichsgesetzblatt, 1938 I, 1579, 12 de novembro de 1938. Longerich, *Politik,* 212.

129 Ibid., 213.

130 Aly, *Hitlers Volksstaat,* 54-6.

131 Argumentação feita inicialmente por G. Aly e S. Heim, *Vordenker der Vernichtung: Auschwitz und die deutschen Plaene fuer eine neue europaeische Ordnung* (Hamburgo, 1991), 22-49.

132 Números retirados de BAL R2Anh78, 213-29, Archiv des ehem. RFM, 'Massnahmen gegen die juedische Bevoelkerung und ihre Einrichtungen seit 1933', 20 de fevereiro de 1949.

133 Segundo o *Statistisches Handbuch,* 555, a receita total do *reich* oriunda de impostos e alfândega em 1938-9 atingiu 18,2 bilhões de *reichsmarks.* A base sobre a qual Aly (*Hitlers Volksstaat,* 62) chegou a uma estimativa total 9% mais elevada é obscura. Parece que ele aplicou toda a receita da taxa sobre riqueza a um único ano, 1938, quando na verdade ela se desdobrou ao longo de três exercícios fiscais. Pode ser importante a esse respeito o fato de que nas páginas em que trata desse assunto Aly cita material proveniente de BAL R2Anh, mas não o estudo detalhado mencionado acima.

134 Para o que se segue, ver R. Weingarten, *Die Hilfeleistung der westlichen Welt bei der Endloesung der deutschenJudenfrage* (Frankfurt, 1981) e T. Sjoeberg, *The Powers and the Persecuted* (Lund, 1991).

135 Para o que se segue, ver documentos em *ADAP* D V, 753-91, Weingarten, *Die Hilfeleis tung,* 97-147, Sjoeberg, *The Powers,* 44-58, C. Browning, *The Final Solution and the German Foreign Office* (Nova York, 1978), 17-19, e S. Friedlaender, *Nazi Germany and the Jews* (Londres, 1997), 1. 311-16.

136 Longerich, *Politik,* 211.

137 Em janeiro de 1939 Schacht e Rublee debatiam uma versão menos ambiciosa do plano, mais parecida com o acordo Haavara. BAL R2501 6641, 44-56.

138 Para quantidades, ver H. A. Straus., 'Jewish Emigration from Germany-Nazi Policies and Jewish Responses', I e II, *Leo Baeck Institute Year Book*, 25 (1980), 313-62 e 26 (1981), 343-410, e W. Rosenstock, 'Jewish Emigration from Germany', *Leo Baeck Institute Year Book*, I (1956), 373-90.

139 Safrian, *Eichmann*, 23-67.

140 Para o que se segue, ver Friedländer, *Nazi Germany*, 1. 308-16.

141 IMT XXXVIII. 140-R, 377.

142 Weinberg, *Foreign Policy* II, 517-22.

143 D. C. Watt, *How War Came: The Immediate Origins of the Second World War, 1938-1939* (Londres, 1989), 91.

144 A afirmação mais conhecida é a de G. I. Weinberg, 'Hitler's Image of the United States', *American Historical Review*, 69 (1964), 1006-21.

145 A opinião de Weinbergs sobre a irrelevância dos Estados Unidos para os cálculos de Hitler foi contestada de forma ampla por uma série de obras, das quais as mais notáveis são S. Friedlaender, *Prelude to Downfall: Hitler and the United States 1939-1941* (Londres, 1967), A. Hillgruber, *Hitlers Strategie* (Frankfurt, 1965), 192-206, A. Hillgruber, 'Hitler und die USA', em D. Junker (org.), *Deutschland und die USA 1890-1985* (Heidelberg, 1986), 27-41, D. Junker, *Kampf um die Weltmacht: Die USA und das Dritte Reich 1933-1945* (Düsseldorf, 1988), P. Gassert, *Amerika im Dritten Reich* (Stuttgart, 1997), e Sirois, *Zwischen Illusion*.

146 Para os estudiosos das relações Estados Unidos-Alemanha, a nova importância da "questão judaica" ficou dramaticamente evidente, em 1938-9. Ver Gassert, *Amerika*, 199-209 e 257-61, e Sirois, *Zwischen Illusion*, 126-35. Em contraste, essa nova maneira de focalizar a questão judaica no Ocidente, que acompanha a reorientação da política externa desde 1938, tem sido em geral negligenciada na literatura sobre o Holocausto. Friedlaender é a exceção, ao notar que "As democracias ocidentais, e especialmente os Estados Unidos, estavam temporariamente ocupando o lugar da Rússia bolchevista como sede do poder judaico internacional" (*Nazi Germany*, 311). Porém, ele não explora as mais amplas ramificações dessa mudança. Ainda mais enfática na mentalidade da liderança da SS era a identificação de Roosevelt com a maçonaria. Ver *Meldungen* II, Jahreslagebericht 1938, 8-20.

147 Sobre a predominância inicial dos temas antissemitas, ver Gassert, *Amerika*, 199-209. Ao focalizar unicamente a questão da emigração, Friedländer minimiza o impacto da *Kristallnacht* nas relações tanto dos Estados Unidos quanto da Grã-Bretanha com a Alemanha; Friedländer, *Nazi Germany*, 298-302.

148 S. Casey, *Cautious Crusade: Franklin D. Roosevelt, American Public Opinion and the War against Nazi Germany* (Oxford, 2001), 20.

149 *Documents of German Foreign Policy* (daqui em diante DG *FP*), série D IV, 639-640.

150 Reynolds, *From Munich*, 50-54.

151 Para caricaturas notáveis, ver *Deutschland-Berichte*, 6 (1939), 145-9.

152 *ADAP* DV doc. 664, 782. Sobre o duradouro antissemitismo do Ministério do Exterior da Alemanha, ver Browning, *The Final Solution*, 11-22. Sobre a crescente influência da SS no Ministério do Exterior alemão a partir de 1938, ver H.-J. Döscher, *Das Auswärtige Amt im Dritten Reich: Diplomatie em Schatten der 'Endlösung'* (Berlim, 1986).

153 Domarus, II. 1053.

8. 1939: nenhuma vantagem em esperar

1 Sobre isto e o que se segue, ver BAL R2501 6521, 291-305.

2 BAL R2501 6521, 119-26, *Entwurf*, 15 de outubro de 1938.

3 BAL R2501 6521, 291-305, *Teilentwurf,* 3 de outubro de 1938, 295.
4 Para esta estimativa, ver M. Geyer, 'Zum Einfluss der nationalsozialistischen Ruestungspolitilt auf das Ruhrgebiet', *Rheinische Vierteljahresblaetter,* 45 (1981), 255.
5 U. von Hassel, *Die Hassel-Tagebuecher* 1938-1944: *Aufzeichnungen vom andenr Deutschlands* (Berlim, 1989), 51.
6 G. Thomas, *Geschichte der deutschen Wehr-und Rüstungswirtschaft* (Boppard, 1966), 509.
7 IMT XII. F5-18, 1301-PS, atas da conferência no Ministério da Aeronáutica do *reich,* 14 de outubro de 1938, 515. Ver também instruções para o Plano Quadrienal em BAL R26IV 5,180-85, 31ª reunião do Generalrat, 14 de outubro de 1938.
8 Quanto ao Exército, ver BAMA RH15/I50 212, 228-30. IMT XXVII. 164-6, 1301-PS, Relatório datado de 27 de outubro de 1938. O total dos pedidos da Wehrmacht chegaram a 1,08 milhões de toneladas por mês, comparadas com uma produção de somente 1,8 milhões de toneladas.
9 L. Budrass, *Flugzeugindustrie und Luftruestung in Deutschland* (Düsseldorf, 1998) 557-75.
10 Ver o plano de fornecimento em BAMA RL3 2199, 20 de outubro de 1938.
11 J. Duelffer, *Weimar, Hitler und die Marine: Reichspolitik und Flottenbau, 1920-1939'* (Düsseldorf, 1973), 471-512. Duelffer, *Handbuch zur deutschen Militaergeschicblr* 1648-1939 (Munique, 1977), VIII. 482-4. IMT, TMWC doc. 854-D.
12 BAL R2501 6639, 371.
13 Thomas, *Geschichte, 1-3.*
14 O melhor resumo das atividades de Thomas está em B. A. Carroll, *Design for Total War: Arms and Economics in the Third Reich* (Haia, 1968).
15 M. Geyer, 'Ruestungsbeschleunigung und Inflation', *MGM* 30 (1981), 127-9.
16 Para o pano de fundo geral, ibid. Para o material fornecido pelo Reichsbank ao escritório de Thomas, ver BAL R2501 6446, 201 — 5. IMT, *Nazi Conspiracy and Aggression* (Washington, 1946-7), VI. 267-70, 3575-PS, e T. Mason, *Arbeiterklasse und Volksgemeinschaft* (Opladen, 1975), 907-33.
17 Budrass, *Flugzeugindustrie,* F5-75.
18 Sobre este plano, ver G. Aly e K. H. Roth, *Die restlose Erfassung* (Berlim, 1984), 44-52
19 Ver o debate sobre o estado do sistema ferroviário em BAL R026IV 4 fo1. I, 10, Sitzung des kleinen Generalrats, 13 de outubro de1938; R26IV 5, 32. Sitzung des Generalrats, 28 de outubro de 1938.
20 Essa ideia era popular no Reichsbank. Ver BAL R2501 6641,27-36, memorando em 3 de novembro de 1938.
21 Mason, *Arbeiterklasse,* 932.
22 H. Mommsen e M. Grieger, *Das Volkswagenwerk und seine Arbeiter im Dritten Reidl* (Düsseldorf, 1996), 333-4.
23 F. W. Seidler, *Fritz Todt: Baumeister des Dritten Reiches* (Frankfurt, 1986), 212. Ver também Deutsche Bau- und Bodenbank, *Die Entwicklung der deutschen Bauwirtschaft*; *Jahre* 1938 (Berlim, 1939), 6-13, que estima que as obras públicas representaram 80% de toda a atividade em 1938.
24 A. Meyhoff, *Blohm & Voss im 'Dritten Reich'* (Hamburgo, 2001), 234-43.
25 M. Geyer, 'Ruestungsbeschleunigung und Inflation', *MGM* 30 (1981), 181.
26 Sobre este ponto, concordo com R. Overy, 'Reply', *Past and Present,* 122 (1989), 222-40. Porém, como ficará claro abaixo, essa estratégia entrou em colapso quase tão pronto quanto foi formulada.
27 Sobre a linha antiocidental da Alemanha pós-Munique, ver Weinberg, *Foreign Policy II,* 465-53, J. Henke, *England in Hitlers politischen Kalkuel* 1935-1939 (Boppard, 1972), 162-221, S. Kley, *Hitler, Ribbentrop und die Entfesselung des Zweiten Weltkrieges* (Paderbom, 1996), 147-258 e W. Michalka, *Ribbentrop und die deutsche Weltpolitik 1933-1940* (Munique, 1980), 239-94.

28 O principal documento é o memorando da Wehrmacht a Ribbentrop sobre as negociações militares germano-italianas, 30 de novembro de 1938, no. 411, DGFP D IV, 528-32.
29 O total para os Estados Unidos é muito mais elevado somente se adicionarmos a Força Aérea da Marinha norte-americana e os aviões usados pelo Corpo de Fuzileiros Navais. O poderio aéreo total dos Estados Unidos tanto em aviões de combate quanto de outras categorias em todos os teatros era superior a 90 mil aeronaves no final de 1944. Ver J. Ellis, *The World War II Databook* (Londres, 1993), 231-43.
30 E. L. Homze, *Arming the Luftwaffe* (Lincoln, Nebraska, 1976), 223.
31 Budrass, *Flugzeugindustrie*, 558-63.
32 BAMA RL3 2199, 324-8.
33 Ver P. W. Zieb, *Logistik Probleme der Kriegsmarine* (Neckargemuend, 1961), 105-6 e W. Meier-Doernberg, *Die Oelsversorgung der Kriegsmarine 1935 bis 1945* (Freiburg, 1973), 29-31.
34 BAL R250I 6549, 73.
35 H. James foi o primeiro a realçar a importância do episódio seguinte em sua contribuição a L. Gall *et al.*, *The Deutsche Bank 1870-1995* (Londres, 1995), 289-91.
36 IMT, *Nazi Conspiracy and Aggression*, VII, EC 369, 426.
37 O diálogo do qual os parágrafos seguintes foram retirados está registrado em BAL R3 003847, 189-93.
38 Hassel, *Hassel-Tagebuecher*, 81.
39 Isto e o que se segue vêm de IMT, *Nazi Conspiracy and Aggression*, VII, EC-369, 427-32.
40 IMT XXXV, D-855, 597.
41 Baseado em um total de 16 bilhões para o Exército, de T. Sarholz, 'Die Auswirkungen der Kontingentierung von Eisen und Stahl auf die Aufruestung der Wehrmacht von 1936 bis 1939' (Darmstadt, tese, 1983), 412 e dados da Luftwaffe vindos de Homze, *Arming*, 228.
42 Ver algarismos inéditos do orçamento em Institut fuer Zeitgeschichte, Da 03.03, Reichshaushalt 1939.
43 G. Albrecht, 'Der neue Finanzplan', *Finanzarchiv*, 7 (1940), 147-51. IfK, Suplemento do *Weekly Report*, 20 de abril de 1939.
44 W. A. Boelcke, *Die Kosten van Hitlers Krieg: Kriegsfinanzierung und finanzielles Kriegserbe in Deutschland 1933-1948* (Paderborn, 1985), 21.
45 Hassel, *Hassel-Tagebuecher*, 817.
46 Conforme previsto pelo Reichsbank, BAL R2501 6641, 126-57.
47 Três bilhões, mais 2,7 bilhões em títulos de curto prazo emitidos pela Wehrmacht durante o auge da crise tcheca e que somente eram devidos no ano fiscal seguinte. Instittut für Zeitgeschichte, Da 03.03, Reichshaushalt 1939.
48 BAL R2501 6646, 425-6.
49 BAL R26N 5, 181, ênfase do autor.
50 BAL R2501 6446, 419-24.
51 Conforme demonstrou R. Banken, 'Die deutsche Goldreserven und Devisenpolitik *1933-1939*', JbW (2003), 49-78, isso não era estritamente verdadeiro. Durante os anos finais da década de 1930, o Reichsbank manteve uma reserva oculta de ouro para uso em emergências, de 370 a 550 milhões de *reichsmarks*, suficiente para financiar, por cerca de um mês, as importações. Banken, no entanto, não levou em conta que a acumulação dessa reserva dependia não apenas da aquisição de divisas por meio da venda de ativos privados alemães e de pilhagem no estrangeiro, mas também do programa concertado de gestão da balança de pagamentos debatido neste capítulo e em capítulos anteriores. O rearmamento não era absolutamente prioritário, como ele supõe, porém constantemente pesava contra a necessidade de exportar. As contas alemãs de recursos em moeda estrangeira são portanto uma variável *expost*, e a tentativa de Banken de inferir a partir

desses dados as pressões que agiam sobre os formuladores de política não pode deixar de ser enganosa, pois esses formuladores na verdade reagiam a previsões *exante* de um futuro desastre. O fato de que o Reichsbank tenha conseguido conservar pelo menos um mínimo de reservas em divisas não significa que não houvesse um potencial de crise, e sim apenas mostra que a estratégia de gestão da crise era eficaz. Para uma posição mais próxima da apresentada aqui, ver A. Ritschl, 'Die deutsche Zahlungsbilanz 1936-1941 und das Problem des Devisenmangels vor Kriegsbeginn', VfZ 39 (1991), 103-23.

52 IMT, *Nazi Conspiracy and Aggression,* VII, EC-369, 430. O crédito em apreço é o concedido no período entre entrega e pagamento.

53 Sobre a balança comercial, ver W. Graevell, 'Stoerungen im Aussenhandel', *Die Deutsche Volkswirtschaft,* 1 (1939), 43-50.

54 BAL R26IV 5, 180-81.

55 Bölcke, *Kosten,* 59 e Geyer, 'Ruestungsbeschleunigung', 144.

56 Ver apreciação desse gigantesco discurso de duas horas e meia em Domarus, II. 1047-67.

57 Domarus II. 1053.

58 Sarholz, 'Auswirkungen', 351. IMT, *Nazi Conspiracy and Aggression,* III. 868, 1301-PS.

59 BAMA RH15/151, 5-6.

60 BAMA RHI5/151, 44-8.

61 BAMA RH15/151, 61-3.

62 Sarholz, 'Auswirkungen', 427-8.

63 BAMA RH15/152, 37.

64 BAMA RH15/151, 197 sugere 91 mil em munição. RH15/152, 5 estima 100 mil, aparentemente em armamento.

65 Devemos a um artigo de Richard Overy a primeira análise profunda do fenômeno. Ver R. Overy, 'The German Pre-war Aircraft Production Plans', *English Historical Review,* 90 (1975), 778-97. Overy, no entanto, trata esse recuo como uma idiossincrasia do planejamento da Luftwaffe e não como sintoma de problemas mais amplos na economia armamentista.

66 BAMA RL3 2630 LC 7, 21 de julho de 1939, Aktennotiz.

67 Budrass, *Flugzeugindustrie,* 585-7. Ver também RL3 2630 GL, 24 de julho de 1939, Protokoll.

68 Weinberg, *Foreign Policy II,* 535-602.

69 Sobre a crescente frustração de Hitler, ver D. C. Watt, *How War Came: The Immediate Origins of the Second World War 1938-1939* (Londres, 1989), 190.

70 Ver a descrição das opiniões de "terceiros", como a Turquia e a Romênia, ibid., 284-5.

71 A. W. Schatz, 'The Anglo-American Trade Agreement and Cordell Hull's Search for Peace *1936-1938*', *Journal of American History,* 57 (1970), 85-103.

72 H. J. Schroeder, 'Machtpolitik und Oekonomie: Zur nationalsozialistischen Aussenpolitik im Jahre 1938', em F. Knipping e K.-J. Mueller (orgs.), *Machtbewusstsein in Deutschland am Vorabend des Zweiten Weltkrieges* (Paderborn, 1984), 221.

73 C. A. Macdonald, *The United States, Britain and Appeasement 1936-1939* (Londres, 1981), 114.

74 D. Reynolds, *From Munich to Pearl Harbor: Roosevelt's America and the Origins of the Second World War* (Chicago, 2001), 42-8 e C. Macdonald, 'Deterrent Diplomacy: Roosevelt and the Containment of Germany, 1938-1940', em R. Boyce e E. M. Robertson (orgs.), *Paths to War: New Essays on the Origins of the Second World War* (Nova York, 1989), 297-329.

75 J. M. Haight, *American Aid to France 1938-1940* (NovaYork, 1970), 18-102.

76 Conforme confessa Weinberg, 'Os alinhamentos futuros já estavam se tornando visíveis, pelo menos nos contornos'. Weinberg, *Foreign Policy II,* 521. No que diz respeito a Hitler, sem dúvida era mais do que um "contorno".

77 DGFP D VI no. 14, 14. Foi estimado que isso reduziria as exportações dos Estados Unidos de 200 milhões para 115 milhões de *reichsmarks*, comprometendo o acesso alemão ao algodão americano. *DGFP* D VI No. 130, 159-60. Sirois, *Zwischen Illusion*, 162-9.

78 Ver a incoerência dessa avaliação estratégica no discurso aos comandantes em chefe, 23 de maio de 1939, IMT XXXVII, doc. O79-L, 546-56.

79 Watt, *How War Came, 190-92.*

80 IMT VII, EC 282, 944-56.

81 *DGFP* VI No. 78, 91-6.

82 Ver o claro relato do representante de Göring, Wohlthat, que confirma a importância da pressão militar exercida pela Hungria, aliada da Alemanha, *DGFP* D VI No. 131, 160-66.

83 Watt, *How War Came*, 271-312 realça o êxito britânico e francês. Ao contrário, Weinberg, *Foreign Policy II*, 584-92 credita à Alemanha sucesso completo em assegurar ao menos seus interesses econômicos mais básicos.

84 Ver o alarme em Berlim com rumores de uma mudança de turcos para o campo franco-britânico. *DGFP* D VI No. 59,68.

85 D. E. Kaiser, *Economic Diplomacy and the Origins of the Second World War: Germany, Britain, France and Eastern Europe, 1930-1939* (Princeton, 1980), 269-71.

86 Ibid., 278.

87 IMT XXXVI, doc. EC 028, 113.

88 De acordo com Carroll, *Design*, 104 e Weinberg, *Foreign Policy II*, 28.

89 G. Schreiber, 'Das strategische Lagebild von Luftwaffe und Kriegsmarine im Jahre 1938', em Knipping e Mueller, *Machtbewusstsein*, 188. Deve-se acentuar que se trata de uma afirmação relativa. Nessa altura nenhuma das forças aéreas europeias, inclusive a Luftwaffe, possuía sequer de perto o poderio necessário para sustentar uma campanha de bombardeios estratégicos. Também esse foi um tema de relatórios da Luftwaffe na parte final do ano. Ver Hornze, *Arming*, 243-5.

90 IMT, *Nazi Conspiracy and Aggression*, IV. 4-6, Conferência Göring-Ciano 15 de abril de 1939, 1874-PS. E Hitler confirmou a avaliação do contigente aéreo em 1939, onze meses mais tarde em uma entrevista com Mussolini: "No outono passado, a superioridade aérea alemã foi realmente considerável. Mesmo assim, a Alemanha tinha medo de que essa superioridade poderia ser, em parte, perdida através de programas de contrução divulgados na Inglaterra e França, e as entregas americanas". Conversa entre Hitler e Mussolini; 18 de Março de 1940. *DGFP* D IX No. 1, 1-16, doc. 1.

91 B. R. Kröner, *'Der starke Mann im Heimatkriegsgebiet': Generaloberst Friedrich Fromm. Eine Biographie* (Paderborn, 2005), 317-22. Primeiros rascunhos, BAMA RH15/151, 162-72.

92 IWM EDS, caixa 71, 71433.

93 BAMA RH15/152, 46.

94 BAMA RH15/152, 174-9. Sarholz, 'Auswirkungen', 436.

95 IWM EDS, Mi. 14/521, 71527.

96 O seguinte diálogo revelador está em IWM EDS, caixa 71, 71534 e 71535.

97 *DGFP* D VI No. 52, 57-62. Ele imediatamente qualificou essas declarações no que toca à Marinha.

98 C. Hartmann e S. Slutsch, 'Franz Halder und die Kriegsvorbereitungen im Fruehjahr 1939', *VfZ* 45 (1997), 467-95.

99 Kröner, em DRZW 3/1. 711. Em contraposição, em setembro de 1938 a Wehrmacht somente conseguira lançar 37 divisões contra os tchecos, das quais 3 eram blindadas.

100 W. Murray, *The Change in the European Balance of Power, 1938-1939* (Princeton, 1984), 348-50.

101 Ampliando e reforçando a opinião de J. Dülffer, 'Der Beginn des Krieges 1939: Hitler, die innere Krise und das Maechtesystem', GG 2 (1976), 443-70 e B.-J. Wendt, 'Durch das

"strategische Fenster" in den Zweiten Weltkrieg', em W Backe, E. Jesse e R. Zitelmann (orgs.), *Die Schatten der Vergangenheit: Impulse zur Historisierung des Nationalsozialismus* (Berlim, 1990), 344-74.

102 Para diferentes versões deste discurso, ver K. J. Mueller, *Das Heer und Hitler: Armee und nationalsozialistisches Regime 1933-1940* (Stuttgart, 1969), 409-11; B.-J. Wendt, *Grossdeutschland: Aussenpolitik und Kriegsvorbereitung des Hitler-Regimes* (Munique, 1987), 163; DRZW 1. 842; Kaiser, *Economic Diplomacy*, 281.

103 A. Speer, *Inside the Third Reich* (Londres, 1970), 236.

104 *ADAP* D VIII, doc. 663, Hitler para Duce, 8 de março de 1940, 687 (itálicos meus).

105Opinião de A. Hillgruber, *Die Zerstoerung Europas: Beitraege zur Weltkriegsepoche 1914 bis 1945* (Frankfurt, 1988), 212.

106 Reynolds, *From Munich*, 49-50.

107 Watt, *How War Came*, 268.

108 Haight, *American Aid*, 124-31.

109 A importância do fator tempo foi enfatizada durante os debates estratégicos alemães em 1939. Ver *DGFP* D VI No. 107, 129-35.

110 R.A.C. Parker, *Chamberlain and Appeasement: British Policy and the Coming of the Second World War* (Nova York, 1993), 227-31.

111 G. Roberts, 'The Alliance that Failed: Moscow and the Triple Alliance Negotiations, 1939', *European History Quarterly* (1996), 383-414.

112 Ver a sombria previsão da Marinha quanto ao poderio relativo das frotas, datado de 15 de junho de 1939, em J. Maiolo, *The Royal Navy and Nazi Germany, 1933-1939: A Study in Appeasement and the Origins of the Second World War* (Basingstoke, 1998), 183.

113 Para um relato profundo sobre a mudança da posição de Stalin durante o decorrer de 1939, ver S. Pons, *Stalin and the Inevitable War, 1936-1941* (Londres, 2002). Para uma datação mais tardia da mudança da posição soviética, ver G. Roberts, 'The Soviet Decision for a Pact with Nazi Germany', *Soviet Studies*, 44 (1992), 57-78, criticado por J. Haslam, 'Soviet-German Relations and the Origins of the Second World War: The Jury Is Still Out', *Journal of Modern History*, 69 (1997), 785-97.

114 Ponto-chave da reinterpretação de Pons. Ver *DGFP* D VI No. 112, 138-40.

115 *DGFP* D VI No. 441, 589-93.

116 *DGFP*D VI No. 424, 558-9 e No. 446,597-8.

117 Sobre o crescente desapontamento da Alemanha em relação ao Japão, e a crescente preocupação japonesa com a guerra na China, ver *DGFP* D VI No. 447, 599-600, No. 457, 614-15, No. 538, 737-40, No. 548, 750-51, No. 597, 821-2, No. 619, 858-60. No início de julho, parecia evidente que não seria possível um acordo em que o Japão se comprometesse a entrar em guerra contra a Grã-Bretanha e a França em caso de um conflito na Europa. Weinberg, *Foreign Policy* II, 601-27.

118 *DGFP* DVINo. 459,617-20.

119 Em conversa com Mussolini, Göring sugeriu que o equilíbrio naval seria favorável, na melhor das hipóteses, em 1942-3. *DGFP* D VI no. 21, 258-63.

120 *DGFP* D VI No. 607, 834-6.

121 F. Thyssen, I *Paid Hitler* (Londres, 1941), 52-y. G. Mollin, *Montankonzerne und 'Drittes Reich'* (Goettingen, 1988), 124-8.

122 Sobre a evolução das opiniões de Hitler em direção à aceitação de um risco calculado de guerra no oeste, ver J. Henke, *England*, 235-302.

123 Hillgruber acentua corretamente a significação fundamental dessa declaração feita a J.C. Buckhardt em 11 de agosto de 1939 ao enfatizar a maneira deliberada pela qual Hitler se dirigiu a uma confrontação com as potências ocidentais. Ver Hillgruber, *Zerstoerung*, 208.

124 *DRZW* 4. I42.

125 O RWM considerou "vitais" (*lebenswichtig)* as entregas de trigo, petróleo e fosfatos, *DRZW* 4. 147.

126 H. Schwendemanm, *Die Wirtschaftliche Zusamenarbeit dem Deutschen Reich un der Sowjetunio vom 1929 bis 1941: Alternativ zu Hitlers Ostprogramm?* (Berlim, 1993), 373.

127 E. Wagner (org.) *Der General quartiermeister: Briefe und Tagebuchaufzeichnungen des Generalquartiermeisters des Heeres General der Artillerie Eduard Wagner* (Munique, 1963), 106.

128 Conforme nota Weinberg, *Foreign Policy* II, 629; ver também pp. 638-46. A declaração de guerra pela Grã-Bretanha em 3 de setembro foi uma decepção, mas não uma surpresa.

129 Um dos argumentos fortemente defendidos em Kley, *Hitler, Ribbentrop,* 258-320. A incompreensão do Exército está bem-documentada em Kröner, *Fromm,* 342-50.

130 Em contraste com R. Overy, 'Hitler's War Plans and the German Economy', em Boyce e Robertson, *Paths to War,* 96-127. Ver também I. Kershaw, *Hitler 1936-1945: Nemesis* (Londres, 2000), 155-80.

131 Sobre este ponto importante somos obrigados a abandonar a tese sugerida em várias formas por T. Mason, *Nazism, Fascism and the Working class* (Cambridge, 1995) 33-52, 104-30, 295-322.

132 Retomando uma formulação proposta por Budrass, *Flugzeugindustrie,* 574.

133 Ver Weinberg, *Foreign Policy* II, 654. Ver também os comentários perspicazes de J. A. Maiolo, 'Armaments Competition', em R. Boyce and J. A. Maiolo (eds.), *The Origins of World War Two: The Debate Continues* (Basingstoke, 2003), 286-307.

134 J. Gooch, 'Fascist Italy', em Boyce e Maiolo, *The Origins of World War Two,* 45-8. Ver também B. R. Sullivan, 'Italy's Path from Non-alignment to Non-belligerency to War, 1937-1940', em N. Wylie (org.), *European Neutrals and Non-belligerents During the Second World War* (Cambridge, 2002), 119-49 .

135 Sobre a confiança de Stalin na posição soviética no outono de 1939, ver Pons, *Stalin,* 186-7.

136Kaiser, *Economic Diplomacy,* 239.

137Citado em G. L. Weinberg, *A World at Arms: A Global History of World War* II (Cambridge, 1994), 164.

138 Ver a notável descrição em E. R. May, *Strange Victory: Hitler's Conquest of France* (Nova York, 2000), 195-212.

139 Conforme disse Hitler a Göring, ele estava jogando '*va banque*'; Hillgruber, *Zerstoerung,* 212. A famosa expressão se refere a uma jogada de alto risco na qual o jogador aposta uma importância equivalente à que está em poder da banca.

140 Sobre sua contínua adesão a essa interpretação das relações anglo-norte-americanas, ver S. Friedländer, *Prelude to Downfall: Hitler and the United States* 1939-1941 (Londres, 1967), 90.

141 Ver T. Jersak, em DRZW 9/1, 295-6.

142 Interpretação robustecida nas mentes dos teóricos antissemitas da conspiração por documentos diplomáticos recolhidos em Varsóvia, em 1939, que parecem fornecer provas claras do papel dos Estados Unidos em instigar a resistência polonesa à Alemanha e conferiram força à teoria nazista da conspiração. Ver *ADAP* D VIII, doc. 665, encontro Ribbentrop-Mussolini, 10 de março de 1940, 696. Ver também Friedlaender, *Prelude,* 73-7.

143 Sobre a variação das expectativas alemãs sobre a oportunidade da ajuda norte-americana, ver P. Gassert, *Amerika im Dritten Reich* (Stuttgart, 1997), 269.

144 A ameaça de aniquilação total sugerida pela *Vernichtungenwillen* foi invocada por Ribbentrop em conversa com Mussolini em 10 de março de 1940 e estava claramente nas entrelinhas pela mensagem de Hitler citada acima. Ver *ADAP* D VIII, doc. 665, 696. O termo *Vernichtungskrieg* também foi usado pelo representante alemão em Washington

em um relatório a Berlim, em 17 de maio de 1939. Ver H. Sirois, *Zwischen Illusion und Krieg: Deutschland und die USA* 1933-1941 (Paderborn, 2000), 184.

9. A caminho da bancarrota: o primeiro inverno da guerra

1 O título deste capítulo foi escolhido em homenagem a I. Kershaw, *Hitler 1936-1945: Nemesis* (Londres, 2000), 181-242.
2 Para relatos desses acontecimentos e cópias de tabelas como as que Thomas apresentou, ver IWM EDS, al 1492 e BAMA RW19/205, 120-43.
3 G. Thomas, *Geschichte der deutschen Wehr- und Ruestungswirtschaft* (Boppard, 1966), 509-10.
4 G. Wagner (org.), *Lagevortraege des Oberbefehlhabers der Kriegsmarine vor Hitler 1939-1945* (Munique, 1972), 20-21.
5 K.-H. Völker, *Die deutsche Luftwaffe, 1933-1939: Aufbau, Fuehrung und Ruestung der Luftwaffe sowie die Entwicklung der deutschen Luftkriegstheorie* (Stuttgart, 1967), 159-62 e E. L. Homze, *Arming the Luftwaffe* (Lincoln, Nebraska, 1976), 240-47.
6 C. Hartmann e S. Slutsch, 'Franz Halder und die kriegsvorbereitungen im Fruehjahr 1939, *VfZ* 45 (1997) 467-95.
7 *Time*, 34 (25 de setembro de 1939),13.
8 *Meldungen*, 9 de outubro de 1939, 331:
9 Ibid., 18 de outubro de 1939, 364, 20 de outubro de 1939, 372.
10 Ibid., 23 de outubro de 1939, 382. 'Vater Chamberlain, der du bist in London, vertilgt werde dein Name, dein Reich verschwinde ...' Houve também uma versão tópica do 'Tannenbaum'.
11 Ibid., 25 de outubro de 1939, 390.
12 *Halder Diary*, 27 de setembro de 1939, 62 e A. Hillgruber, *Die Zerstoerung Europas: Beitraege zur Weltkriegsepoche 1914 bis 1945* (Frankfurt, 1988), 210.
13 Ibid., 211.
14 Esse trecho, com itálicos meus, foi retirado de um discurso à liderança da Wehrmacht em 23 de novembro de 1939. Weinberg, em seu conhecido ensaio 'Hitler's Image of the United States', distorce o significado ao separar a primeira frase do contexto e ao omitir de sua tradução o importante qualificativo "ainda assim". Estranhamente, no ensaio seguinte de sua coletânea, Weinberg corrigiu a tradução enganosa, mas nunca comentou a diferença. Ver G. L. Weinberg, *World in the Balance: Behind the Scenes of World War II* (Londres, 1981), 63, 81. Para relatos mais persuasivos, ver S. Friedlaender, *Prelude to Downfall: Hitler and the United States 1939-1941* (Londres, 1967), 86-7 e H. Sirois, *Zwischen Illusion und Krieg: Deutschland und die USA 1933-1941* (Paderborn, 2000), 189-209.
15 Thomas, *Geschichte*, 170-78.
16 F. Hahn, *Waffen und Geheimwaffen des deutschen Heeres 1933-1945* (Bonn, 3ª. ed., 1998), II. 198-9.
17 *Halder Diary*, 24 de setembro de 1940, 61. Para a reação, ver Kroener, em *DRZW* 512. 819-24 e W. Murray, 'The German Response to Victory in Poland: A Case Study in Professionalism', *Armed Forces and Society*, 7 (1981), 285-98.
18 Hahn, *Waffen*, II. 194-6.
19 K.-H. Frieser, *Blitzkrieg-Legende: Der Westfeldzug 1940* (Munique, 1996), 71-7.
20 Sobre a dissensão subsequente com Hitler, ver *Halder Diary*, 27 de setembro de 1939 - 24 de novembro de 1939, 61-82.
21 E. R. May, *Strange Victory: Hitler's Conquest of France* (Nova York, 2000), 21 5-26 e Kershaw, *Hitler: Nemesis*, 233-79.

22 E. Wagner (org.), *Der Generalquartiermeister: Briefe und Tagebuchaufzeichnungen des Generalquartiermeisters des Heeres General der Artillerie Eduard Wagner* (Munique, 1963), 147.
23 G. Engel, *Heeresadjutant bei Hitler 1938-1943' Aufzeichnungen des Majors Engel*, ed. Hildgard von Kotze (Stuttgart, 1974), 66-71 Kershaw, *Hitler: Nemesis*, 270.0.
24 Ver Hillgruber, *Zerstoerung*, 215.
25 A descrição seminal do esforço de guerra inicial da Alemanha como 'economia pacífica de guerra' é de R. Wagenfuehr, *Die deutsche Industrie im Kriege* (Berlim, 1954), 25. Para uma forte crítica, ver R. J. Overy, *War and Economy in the Third Reich* (Oxford, 1994), 233-314. Para um debate primordialmente político e organizacional, ver Müller, em *DRZW 5/1*. 349-90.
26 J.M. Haight, *American Aid to France 1938-1940* (Nova York, 1970), 132-88.
27 DRZW 1.427.
28 Friedländer, *Prelude*, 83-4.
29 Haight, *American Aid*, 189-231. H. D. Hall, *North American Supply* (Londres, 1955), 117-68.
30 A história oficial de Medlicott sobre o bloqueio, que começa com uma famosa expressão negativa: 'esperava-se... demasiado do bloqueio' — na verdade, menciona pouco ou nenhum indício do lado alemão e não dá importância à gravidade do problema das importações da Alemanha. W. N. Medlicott, *The Economic Blockade* (Londres, 1952), 1. 411.
31 Ver números sucessivos de SRA, *Monatlicher Nachweisueber den Auswaertigen Handel, 1939-44*.
32 BAMA RW19/172, 23 de outubro de 1939.
33 W. Murray, *Luftwaffe* (Londres, 1985), 62-3.
34 Embora empenhado em uma narrativa de caos organizacional, R. D. Müller encontra poucas provas de uma redução da produção civil. Ver Müller, em *DRZW 5/1*. 380. No setor de armamentos, a Wehrmacht relatou com satisfação que não houve choque; BAMA RH15/159, 330-33. A dissertação de Wagenführ sobre o chamado 'choque da guerra' ou 'Kriegsstoss' consiste em tiroteio político mais do que análise substantiva. Ver Wagenführ, *Die deutsche Industrie*, 24-8.
35 Em sucessivas versões, esta tese se tornou mais enfática. Klein argumentou cautelosamente: 'Hitler foi menos capaz de subordinar os diversos interesses privados... do que comumente se tem presumido'; B. H. Klein, *Germany's Economic Preparations for War* (Cambridge, Massachusetts, 1959), 25. Seis anos depois, Milward foi mais enfático: 'Os arquivos do escritório do Presidente da Polícia de Berlim estavam cheios de previsões temerosas de agitação política que seria causada pelas mínimas dificuldades do programa alemão de investimento de capital'. A *blitzkrieg* era atraente porque permitia que Hitler não restringisse o consumo: A. S. Milward, *The German Economy at War* (Londres, 1965), 12. Finalmente, Mason afirmou, em 1966: 'A função política doméstica dos planos da *blitzkrieg* residiam em sua promessa de terminar rapidamente a guerra com êxito e sem exigir sacrifícios exagerados ao povo alemão'; T. Mason, *Nazism, Fascism and the Working Class* (Cambridge, 1995), 69.
36 Müller, em *DRZW* 5/1.375-83.
37 Ver o ataque de Göring contra Funk em BAMA RH 25/159, 275-9
38 Müller, em *DRZW* 5/1. 410-15.
39 BAMA RW 19/205, 125.
40 Müller, em *DRZW* 5/1. 384.
41 NA T77 339 Wi/IF 5.2151, Stellungnahme für Chef des WFA, 18 de outubro de 1939.
42 Ver relatório de Hanneken ao VJP no início de janeiro de 1940, IWM EDS, al 1905 ex Wi. If. 5.405.
43 Sobre a convicção de Thomas de que o combate no Ocidente seria um *Materialschlacht*, ver seus comentários sobre prováveis necessidades de transporte em BAMA RW 19/172, 27.

44 NA T 77 339 Wi/IF 5.2151, memo sem data dos arquivos Wi Rue Amt, provavelmente do início de 1940.

45 Weinberg, *Foreign Policy II,* 19-20 oferece uma versão sucinta dessa crítica hitleriana. Estranhamente, no entanto, Weinberg a situa em 1937, embora Hitler, na verdade, somente tenha contestado diretamente a posição de Thomas em 1939-40.

46 Independentemente, também, das perspectivas de longo prazo. No outono de 1939, ele recusou-se a conferir a prioridade máxima solicitada pelo Exército e por Albert Speer ao programa de foguetes de Peenemuende, pelo motivo de que não poderia ter impacto na guerra senão a partir de, pelo menos, 1941. Ver BAMA RH15/153, 123-5.

47 IWM EDS, al 1571, Chef Wi Rue Amt Aktennotiz, 4 de dezembro de 1939. Ver nota anterior de Thomas num sentido semelhante. IMT, *Nazi Conspiracy and Aggression* (Washington, 1946-7), VII, EC-615, 603.

48 IWM EDS, al 1571, *Inspekteurbesprechung*, 24 de março de 1940.

49 Ver resumo em BAMA RW 19/172 OKW, 23 de outubro de 1939.

50 Sobre o choque para os estaleiros, ver A. Meyhoff, *Blohm & Voss im 'Dritten Reich'* (Hamburgo, 2001), 243-53.

51 E. Roessler, *Geschichte des deutschen U-Bootbaus* (Augsburg, 1996), I. 192-208.

52 L. Budrass, *Flugzeugindustrie und Luftruestung in Deutschland* (Düsseldorf, 1998), 587-90.

53 H. Strachan, *The First World War* (Oxford, 2001), I. 993-1048.

54 Conforme ficou claro em sua primeira conferência na guerra sobre armamentos, em outubro de 1939, BAMA *RH* 15/159,330-33.

55 E. Leeb, *Aus der Ruestung des Dritten Reiches (Das Heereswaffenamt 1938-1945)* (Berlim, 1958).

56 Ver comentários sobre os prejuízos causados à reputação do Exército entre os industrialistas, já em 1937, BAMA RH 15/149, 3-22.

57 BAMA RH15/159, 330-33:

58 BAMA RW 19/205, 129 e Müller, em *DRZW* 5/1, 425-6.

59 BAMA RW 19/173, *246-59.*Como assinalaram os peritos militares, a qualidade da munição melhorara muitíssimo desde a Primeira Guerra Mundial, tanto em termos de alcance quanto de potência explosiva. Somente seria possível atingir os níveis de produção da Primeira Guerra à custa de um retorno aos obuses de ferro fundido recheados de explosivos de qualidade inferior.

60 BAMA RW19/164, 3-10, OKW Tagebuch. Para detalhes, ver BAMA RH 15/160, Waffenamt, 10 de janeiro de 1940.

61 Sobre expressões de incredulidade vindas do escritório de fornecimentos do Exército, ver BAMA RH 15/160, 264. Sobre essa arma muito disseminada, mas pouco elogiada, ver Hahn, *Waffen,* 146-61. Durante o curso da guerra, uma parcela significativa da indústria pesada alemã ficou ocupada com a produção de 17mil obuses leves e os 110 milhões de dispararos feitos.

62 O relato que mais se apoiou em Thomas é Müller, em *DRZW* 5/1 349-426, que focaliza as políticas 'policêntricas' do esforço de guerra alemão. Embora de uma perspectiva diferente, Overy também acentua a ineficiência como resultado de falhas organizacionais nos primeiros anos da guerra. Ver Overy, *War and Economy,* 313 e 343-56.

63 O que segue se baseia em um novo cálculo do índice mensal da produção de armamentos, cujos detalhes estão disponíveis no website do autor e em J. A. Tooze, 'Arming the Reich: Armaments Production in Hitler's Germany' (em preparação) disponível no website do autor.

64 Ver BAMA RL3 2630, Beschaffungslage, dezembro de 1939.

65 Göring iniciou a campanha contra o escritório de fornecimento do Exército já no final de novembro. Ver BAMA RH15/159, Vortragsnotiz, 29 de novembro de 1939.

66 Argumento proposto enfaticamente pelo pessoal do escritório de fornecimento do Exército em resposta aos seus críticos. Ver BAMA RH15/153, 128-30 e RH15/159, 248-50, porém ignorado por Wagenfuehr, Müller e Overy.
67 IWM, M14/328, Niederschrift über Rue In Besprechung, 8-9 de janeiro de 1940, 2-3.
68 Os primeiros debates ansiosos sobre o problema do transporte ocorreram em novembro de 1939. Ver BAMA RW19/172, 22-30 e BAH R131 607, 81-6.
69 *Statistisches Handbuch von Deutschland* (Munique, 1949), 349-51.
70 A. C. Mierzejewski, *The Most Valuable Assest of the Reich: A History of the German National Railway,* II: *1933-1945.* (Chapel Hill, NC, 2000), 57-93.
71 *Meldungen,* III: 27 de dezembro de 1939, 606. É notável o fato de que, em 1939, os acidentes ferroviários em toda a Alemanha tiraram as vidas de 1.920 pessoas (excluindo suicídios) e deixaram 4.523 feridas. Os números foram 100% mais elevados do que em 1937. Ver SRA, *Statistisches Jahrbuch fuer das Deutsche Reich* (1941/42) (Berlim, 1942), 242.
72 *Meldungen,* III: 17 de janeiro de 1940, 652,, 29 de janeiro de 1940, 705-6.
73 IWM FD717/46, caixa 248 255 e segs., Rheinmetall Informationsbericht, 1939. Sobre o impacto da escassez de carvão sobre a moral em Berlim e alhures, ver *Meldungen,* III: 8 de janeiro de 1940, 622-4, 26 de janeiro de 1940, 686-7.
74 BAMA RW19/263, Relatório do OKW, 2 de abril de 1940, 6-13.
75 IWM EDS, al 1571, 16 de fevereiro de 1940, Besprechung.
76 *Halder Diary,* 27 de janeiro de 1940, 173-4.
77 BAMA RH15/160, 254-69.
78 Isto e a resposta de Keitel citada abaixo estão em IWM EDS, al 1492.
79 BAMA RH15/151, 104-5.
80 IWM Mi. 14 328, Rue In Besprechung, 8/9 de janeiro de 1940.
81 IWM EDS, al 1492, Aktennotiz Vortrag bei Keitel, 27 de janeiro de 1940.
82 Ao contrário, embora compreenda perfeitamente a natureza política da 'crise das munições', Müller adere sem crítica aos ataques contemporâneos contra os 'burocratas militares' e considera que todos os passos até a nomeação de Todt se dirigiram a maior eficiência. Ver Müller, em *DRZW* 5/1: 423, 453-66.
83 IWM EDS al 1492, Chefe do OKW ao *Oberbefehlhaber des Heeres,* 2 de março de 1940.
84 BAMA RW19/164, anotação no diário em 4 de março de 1940, 65-6. Müller em *DRZW* 5/1 462-78. K. H. Ludwig, *Technik und Ingenieure im Dritten Reich* (Düsseldorf, 1974), 344-60.
85 D. Eichholtz, *Anatomie des Krieges: Neue Dokumente ueber die Rolle des deutschen Monopolkapitals bei der Vorbereitung und Durchfuehrung des Zweiten Weltkrieges* (Berlim, 1969), 243-58.
86 Eichholtz, I. 121-32.
87 Durante os dias seguintes, ele também esteve com Albert Vögler da Vestag, Helmuth Roehnert da Rheinmetall e Erich Tgahrt, diretor-presidente da Hoesch AG.
88 As associações industriais lhe forneceram também listas de candidatos para suas comissões. Ver BAH R131 657, 51, 53-9.
89 Ver instruções de Todt ao RgI em BAMA RW19/263.
90 W. Weber, 'Walter Borbet (1881-1942)', em W. Weber (org.), *Ingenieure im Ruhrgebiet* (Münster, 1999), 252-3.
91 Domarus, II. 1540-59.
92 Müeller, em *DRZW* 5/1. 467.
93 Herbst, *Das nationalsozialistische Deutschland 1933-1945* (Frankfurt, 1996), 304, cita dados de produção trimestral de munições em 1939-40, mas tira a conclusão equivocada.
94 IWM I4/328, janeiro de 1940, Rue In Besprechung, 8/9 de janeiro de 1940.
95 Sobre o funcionamento desse arranjo, do ponto de vista dos industriais, ver BAH R131 593, Niederschrift, 15 de março de 1940. Müller, in DRZW 5/1. 448, despreza o argumento, porque a Rue In era muito seletiva quanto às firmas com as quais preferia envolver-se,

o que é estranho porque Müller também acusa os militares de falta de discriminação em suas políticas de fornecimento.

96 Conforme mostra Budrass, o modelo concreto de contratação mencionado em 1940 era o modelo Junkers da Luftwaffe. Budrass, *Flugzeugindustrie*, 654-5.

97 O primeiro historiador a apresentar esse argumento contra o consenso prevalecente foi Overy. Ver Overy, *War and Economy*, 259-314.

98 Sobre o caráter plebiscitário, ver G. Aly, *Hitlers Volksstaat* (Frankfurt, 2005), 334-9.

99 Esses algarismos sobre adições líquidas vêm de *Statistisches Handbuch*, 340-41.

100 Ver avaliação em BAL R2501 7006, 321-4.

101 Eichholtz, III. 703-8.

102 BAL R2501 6557, 505-6.

103 Müller, em *DRZW* 5/1. 396-405. G. Corni e H. Gies, *Brot, Butter, Kanonen: Die Ernaehrungswirtschaft in Deutschland unter der Diktatur Hitlers* (Berlim, 1997), 555-75. H. Kehrl, *Krisenmanager im Dritten Reich* (Düsseldorf, 1973), 178-84.

104 O Reichsbank e a SRA estimaram que, mesmo para as famílias de baixa renda da classe trabalhadora, a redução de despesas seria da ordem de 12% como resultado direto do racionamento. BAL 2501 6610, 391-6. Para as famílias de rendimentos mais elevados, o efeito seria muito maior.

105 BAH R131 607, 113-27, 81-6.

106 Essa já era uma fatia maior do que a alocada aos armamentos durante o programa Hindenburgo em 1917. Ver BAL R2501 7006, 83-90. Era também maior do que a quantidade de aço alocada a objetivos bélicos na Grã-Bretanha na mesma época. Ver W. P. Howlett, 'The Competition Between the Supply Departments and the Allocation of Scarce Resources in the Second World War' (Cambridge, tese de doutorado, 1988), 65.

107 *Meldungen*, III: 8 de dezembro de 1939, 552. Ver a lista das restrições em BAH R131 677.

108 BAMA RW19/164, 28-9. Em BAMA RW19/173, 58, Hanneken o considera simplesmente 'irresponsável'. Ver a reação atônita de representantes da corporação Flick registrada em BAL R8122 58, Notiz fuer Herrn Flick, 13 de fevereiro de 1940'. Ver também as alocações completamente insustentáveis de metais não ferrosos em BAMA RW19/173, 121 e 139-41.

109 IWM EDS, al 1571, Chef Wi Rue Amt, 30 de janeiro de 1940. Ele reiterou o mesmo argumento a um grupo mais amplo em 9 de fevereiro de 1940, BAMA RW 19/173, 114-17.

110 As fontes principais são Kröner, em *DRZW* 5/I e 512.

111 Argumento fundamental apresentado tanto por Overy, *War and Economy*, 291-303 quanto T. Siegel, *Leistung und Lohn in der nationalsozialistischen 'Ordnung der Arbeit'* (Opladen, 1989), 161-73.

112 Ver dados sobre padrões regionais de emprego em SRA, *Statistisches Jahrbuch fuer das Deutsche Reich*, 54-65.

113 Kröner, em *DRZW* 5/1. 819-29.

114 Sobre os tipos de mão de obra preferidos pela Luftwaffe, ver Völker, *Luftwaffe*, 115-25.

115 Budrass, *Flugzeugindustrie*, 767-8.

116 Müller, em *DRZW 5/1*. 401.

117 Sobre a escassez de batatas, base da nutrição na Alemanha, no início de 1940, ver *Meldungen*, 15 de janeiro de 1940, 648-9, 31 de janeiro de 1940, 714-15, 14 de fevereiro de 1940, 756.

118 U. Herbert, *Hitler's Foreign Workers: Enforced Foreign Labour in Germany under the Third Reich* (Cambridge, 1997), 61-94. C. Madajczyk, *Die Okkupationspolitik Nazideutschlands in Polen 1939-1945* (Berlim, 1987), 216-32.

119 Pode-se afirmar que as tensões russo-polonesas eram ainda mais graves. Sobre o sistema de repressão estabelecido nos territórios poloneses anexados por Stalin no outono de 1939, ver B. Musial, '*Konterrevolutionaere Elemente sind zu erschiessen*': *Die Brutalisierung des deutschsowjetischen Krieges im Sommer* 1941 (Munique, 2000), 25-97.

120 G. Aly, '*Endloesung*': *Voelkerverschiebung und der Mord an den europaeischen Juden* (Frankfurt, 1995) e G. Aly e S. Heim, *Vordenker der Vernichtung: Auschwitz und die deutschen Plaene fuer eine neue europaeische Ordnung* (Hamburgo, 1991).

121 M. Spoerer, *Zwangsarbeit unter dem Hakenkreuz* (Stuttgart, 2001), 45. Não mais do que poucas centenas sobreviveram à guerra.

122 H. Frank, *Das Diensttagebuch des deutschen Generalgouverneurs in Polen 1939-1945*, orgs. W. Praeg e W. Jacobmeyer (Stuttgart, 1975), 176-7, reunião sobre questões trabalhistas, 21 de abril de 1940.

123 IMT, *Nazi Conspiracy and Aggression*, VIII, NG-1408, 328.

124 IMT XII, NID-15581, 8a. Reunião do Conselho Geral, 17 de abril de 1940, 959-60.

125 Ver comentários em Frank, *Das Diensttagebuch*, 148-9, 200-201. A fim de evitar mal-entendidos, esses comentários se referem à primavera e verão de 1940, quando o grosso da Wehrmacht estava no Ocidente, e ao Governo Geral ainda levemente ocupado, e não aos territórios da Polônia anexados à Alemanha. Anteriormente, durante a ocupação, entre setembro e dezembro de 1939, a SS já havia assassinado 43mil não judeus e 7mil judeus poloneses no esforço para 'liquidar' a 'liderança polonesa'. Ver A. B. Rossino, *Hitler Strikes Poland: Blitzkrieg, Ideology and Atrocity* (Lawrence, Kansas, 2003).

126 O eufemismo preferido por Frank era um 'programa de pacificação' *(Befriedungsprogramm)*. Ver Frank, *Das Diensttagebuch*, 202-3.

127 Em 30 de maio de 1940, Frank assegurou aos seus funcionários que possuía autorização direta de Hitler para executar essa matança, ver Frank, *Das Diensttagebuch*, 211-12.

128 Ibid., 88-9.

129 Ibid., 188-9.

130 IWM Mi. 14/328, Niederschrift ... 8-9 de janeiro de 1940, 68-72.

10. Vitória no oeste — *Sieg im Westen*

1 Para o que se segue, tenho uma grande dívida de gratidão para com K.-H. Frieser, *Blitzkrieg-Legende: DerWestfelzug 1940:* (Munique, 1996).

2 No maior bolsão do leste, em Kiev, no verão de 1941, a Alemanha fez 665 mil prisioneiros soviéticos. Em Stalingrado, os próprios alemães perderam "somente" 110 mil prisioneiros de guerra.

3 I. Kershaw, *Hitler 1936-1945: Nemesis* (Londres, 2000), 297-300. *Meldungen*, 6 de junho de 1940, 1218; 17 de junho de 1940, 1261; 20 de junho de 1940, 1274-5, 1284.

4 Ver, por exemplo, a linha adotada em M. Harrison (org.), *The Economics of World War II* (Cambridge, 1998), 1-2.

5 Para a gênese dessa ideia, ver Frieser, *Blitzkrieg-Legende*, 5-12.

6 A exposição clássica dessa tese é A. S. Milward, *War, Economy and Society 1939-1945* (Harmondsworth, 1977), 23-30. Baseou-se em Milward, *The German Economy at War* (Londres, 1965) e B. H. Klein, *Germany's Economic Preparations for War* (Cambridge, Mass., 1959), que, por sua vez, muito devia a 'United States Strategic Bombing Survey', *The Effects of Strategic Bombing on the German War Economy* (Washington, 1945).

7 R. H. S. Stolfi, 'Equipment for Victory in France in 1940', *History*, 55 (1970), 1-20, ampliado com base em Frieser, *Blitzkrieg-Legende*, 33-65.

8 J. M. Haight, *American Aid to France 1938-1940* (Nova York, 1970), 139, 238-50. Em um combate espetacular, no início de novembro de 1939, nove P-3 norte-americanos recém-entregues enfrentaram 27 Me 109s e derrubaram nove, sem sofrer perdas.

9 H. A. Jacobsen, *Fall Gelb: Der Kampf um den deutschen Operationsplan zur Westoffensive 1940* (Wiesbaden, 1957), Frieser, *Blitzkrieg-Legende*, 66-116 e E. R. May, *Strange Victory: Hitler's Conquest of France* (Nova York, 2000), 215-26.

10 M. Geyer, 'Restorative Elites, German Society and the Nazi Pursuit of War', em R. Bessel (org.), *Fascist Italy and Nazi Germany: Comparisons and Contrasts* (Cambridge, 1996), 139-44.
11 D. Bourgeois, *Das Geschaeft mit Hitlerdeutschland: Schweizer Wirtschaft und Drittes Reich* (Zurique, 2000), 165, itálicos meus.
12 *Sieg im Westen. Ein Film des Oberkommando des Heeres* (Berlim, 1940, distribuído por International Historic Films Chicago, 1985).
13 K.-H. Frieser, *Ardennen, Sedan: Militaerhistorischer Fuehrer durch eine europaeische Schicksalslandschaft* (Frankfurt, 2000).
14 *DRZW* 9/1. 511.
15 W. Murray, 'The German Response to Victory in Poland: A Case Study in Professionalism', *Armed Forces and Society*, 7 (1981), 285-98, e R. A. Doughty, *The Breaking Point: Sedan and the Fall of France, 1940* (Hamden, Connecticut, 1990).
16 Pergunta feita em R. Overy, *Why the Allies Won* (Londres, 1995).
17 Sobre a constante ênfase na ofensiva, ver G. P. Gross, 'Das Dogma der Beweglichkeit', em B. Thoss e H.-E. Volkmann (orgs.), *Erster Weltkrieg: Zweiter Weltkrieg* (Paderborn, 2002), 143-66.
18 O Mark I era armado com metralhadoras. O Mark II levava um canhão de 20 mm. Ambos eram vulneráveis; até mesmo aos mais leves canhões antitanque. W. J. Spielberger, *Die Panzerkampfwagen I und II* (Stuttgart, 3ª. ed., 1991).
19 *DRZW* 5/1. 554.
20 Nas raras ocasiões em que, em maio de 1940, as forças Panzer, realmente, enfrentaram posições francesas defensivas bem preparadas, não tiveram bom desempenho, mostrando-se vulneráveis à superioridade francesa em artilharia de combate. Ver J. A. Gunsburg, 'The Battle of Gembloux, 14-15 May 1940: The "Blitzkrieg" Checked', *Journal of Military History*, 64 (2000), 97-140.
21 Sobre a luta épica de um punhado de Char Bs na batalha de Stonne, em 15 e 16 de maio, ver Frieser, *Blitzkrieg-Legende*, 259-65.
22 Sobre o que se segue, ver ibid., 105-6 e 415.
23 W. Murray, *Luftwaffe* (Londres, 1985), 69-78.
24 Esses números estão inflados com 170 transportes perdidos nos ataques aéreos, mas, mesmo assim, é extraordinariamente elevado. Ver Frieser, *Blitzkrieg-Legende*, 428.
25 Ibid., 117-35.
26 Sobre o uso de Pervitin na 1ª Divisão Panzer de elite, ver ibid., 136. Para um amplo debate sobre drogas no Terceiro Reich, ver W. Pieper (org.), *Nazis on Speed: Drogen im 3. Reich* (Loherbach, n.d.), 114-54.
27 W. Murray, *The Change in the European Balance of Power, 1938-1939* (Princeton, 1984), 361.
28 Ver excelente resumo em D. Reynolds, '1940: Fulcrum of the Twentieth Century?', *International Affairs*, 66 (1990), 325-50.
29 *DRZW* 2. 189-234. G. I. Weinberg, *A World at Arms: A Global History of World War II* (Cambridge, 1994), 77-8 e 113-21.
30 J.-J. Jaeger, *Die wirtschaftliche Abhaengigkeit des Dritten Reiches vom Ausland: Dargestellt am Beispiel der Stahlindustrie* (Berlim, 1969), 133.
31 P. Marguerat, *Le IIIe Reich et le pétrole roumain, 1938-1940* (Leiden, 1977).
32 W. N. Medlicott, *The Economic Blockade* (Londres, 1952), 1. 250- 59.
33 Ver a extrema preocupação expressa em IWM EDS, al 1057, 1058.
34 BAMA RW19/173 , 37-8.
35 A. Hillgruber, *Hitlers Strategie* (Frankfurt, 1965), 126-44, C. Leitz, *Nazi Germany and Neutral Europe During the Second World War* (Manchester, 2000), N. Wylie (org.), *European Neutrals and Non-belligerents During the Second World War* (Cambridge, 2002).

36 C. Leitz, *Economic Relations between Nazi Germany and Franco's Spain, 1936-1945* (Oxford, 1996), 131- 5. Com referência à nossa argumentação anterior, Leitz também nota a rapidez com que a postura espanhola se voltou contra a Alemanha no outono de 1940.

37 N. Wylie, *Britain, Switzerland and the Second World War* (Oxford, 2003).

38 Bourgeois, *Das Geschäft*, 64.

39 P. Hug, *Schweizer Ruestungsindustrie und Kriegsmaterialhandel zur Zeit des Nationalsozialismus* (Zurique, 2002).

40 O primeiro a aplicar estatísticas macroeconômicas atualizadas à história econômica da Segunda Guerra Mundial foi Harrison, *The Economics of World War II.*

41 DRZW 5/1. 216-25.

42 A. S. Milward, *The New Order and the French Economy* (Oxford, 1984), 81. Nesse contexto, 'butim' se refere a bens confiscados de cidadãos ou instituições francesas.

43 F. Hahn, *Waffen und Geheimwaffen des deutschen Heeres 1933-1945* (Bonn, 3a. ed., 1998), II. 205.

44 Ibid., 178-9.

45 J. Freymond, *Le IIIe Reich et la reorganisation économique de l'Europe 1940-1942* (Leiden, 1974). Milward, *The New Order. DRZW* 5/1. 210-64. R. Opitz (org.), *Europastrategien des deutschen Kapitals 1900-1945* (Bonn, 1994). R. J. Overy, G. Otto e J. Houwink ten Cate, *Die 'Neuordnung' Europas: NS- Wirtschaftspolitik in den besetzten Gebieten* (Berlim, 1997).

46 R. Frommelt, *Paneuropa oder Mitteleuropa: Einigungsbestrebungen im Kalkuel deutscher Wirtschaft und Politik 1925-1933* (Stuttgart, 1977), E. Teichert, *Autarkie und Grossraumwirtschaft in Deutschland 1930-1939* (Munique, 1984) e V. R. Berghahn, *Quest for Economic Empire: European Strategies of German Big Business in the Twentieth Century* (Oxford, 1996).

47 Particularmente interessante a esse respeito é M. Buggeln, 'Waehrungsplaene fuer den europaeischen Grossraum', em *Europaeische Integration: Deutsche Hegemonialpolitik gegenueber Westeuropa 1920-1960* (Göttingen, 2002), 41-76.

48 Ver os comentários de Schlotterer do RWM ao RgI, registrados em BAL R8122 125,7.

49 Buggeln, 'Waehrungsplaene', 63. Em março de 1940, o Departamento Econômico do Reichsbank propôs uma desvalorização de 50% a ser feita após o fim bem-sucedido da guerra. Ver BAL R2501 6433, 369-83.

50 As estimativas do Reichsbank sobre o grau de supervalorização do *reichsmark* em relação às moedas europeias, em junho de 1940, estão em BAL R2501 6612, 491-503.

51 Nascido em 1906, filho de um mestre padeiro do Württemberg, Schlotterer se filiou ao NSDAP, já em 1923, como jovem aprendiz entusiástico de banqueiro. Mais tarde, diplomou-se em ciências de negócios e terminou uma tese de doutorado sobre economia marxista. Durante o *Machtergreifung*, tornou-se figura influente na política de Hamburgo e uma das forças motrizes nas medidas iniciais de arianização, antes de passar para o RWM em 1935. A partir de 1938, foi a figura-chave na política comercial do ministério. Após a guerra, fez carreira lucrativa no comércio internacional de aço, aposentando-se em Düsseldorf, onde morreu em 1989. Buggeln, 'Waehrungsplaene', 51.

52 Ibid., 61. Vale a pena notar que, apenas poucos meses mais tarde, Schlotterer fez um discurso para a mesma plateia no qual recuou da retórica draconiana do verão de 1940 e enfatizou a cooperação em lugar da dominação. Ver BAL R8122 125, 1-32.

53 H. Berger e A. Ritschl, 'Die Rekoustruktion der Arbeitsteilung in Europa: Eine neue Sicht des Marshallplans in Deutschland 1947-1951, *VfZ* 45 (1995), 495. Também argumentaram que uma parte crucial da política norte-americana do pós-guerra na Europa foi assegurar que essas dívidas fossem efetivamente pagas. A ajuda do Plano Marshall foi proporcionada à Alemanha em forma de um crédito que tinha prioridade sobre todas as demais dívidas alemãs. Enquanto os Estados Unidos não reclamassem o pagamento,

os credores da Alemanha de compensações do tempo da guerra não podiam reclamar o dinheiro que lhes era devido, permitindo assim à Alemanha Ocidental emergir como parceira comercial confiável, livre das obrigações de guerra.

54 Os números sobre volumes de exportação relativos a 1938 vêm de A. Maddison, *Dynamic Forces of Capitalist Development* (Oxford, 1991), 316-19.

55 Milward, *The New Order*, 283.

56 Enquanto o volume total de exportações da Alemanha em 1942 era 25% abaixo do nível de 1937, as exportações tanto de matérias-primas quanto de produtos semiacabados já se haviam recuperado completamente, elevando sua participação no comércio exportador alemão de 22% para a 32%. Ver *Statistisches Handbuch von Deutschland* (Munique, 1949), 394-5.

57 P. Hayes, *Industry and Ideology: IG Farben in the Nazi Era* (Cambridge, 1987), 278-90. IMT VII. 1446-58, tradução dos docs. NI-6840 e NI-11252, memo Farben de 7 de agosto de 1940.

58 Conforme combinado com o *reich* no verão de 1940, o acordo final sobre questões de propriedade foi adiado até depois da guerra. Ver BAH R13I 607, 22-4.

59 G. Mollin, *Montankonzerne und 'Drittes Reich'* (Göttingen, 1988), 220-51.

60 O *Final Report of the Second World War Assets Contact Group* (Amsterdã, 2000) calcula o total de ativos objeto de pilhagem aos judeus holandeses em 1 bilhão de gulden, ou, aproximadamente, 1,3 a 1,5 bilhões de *reichsmarks*, dos quais cerca de 300 milhões de gulden podem ter sido ativos de negócios.

61 A empresa Thomson, como a AEG da Alemanha, há muito era parceira de negócios da General Electric, dos Estados Unidos, e foi a AEG quem recebeu o controle da firma francesa. Ver H. Homburg, 'Wirtschaftliche Dimensionen der deutschen Besatzungsherrschaft in Frankreich 1940-1944: Das Beispiel der elektrotechnischen Industrie', em W. Abelshauser, J.O Hesse e W. Plumpe (orgs.), *Wirtschaftsordnung, Staat und Unternehmen: Neue Forschungen zur Wirtschaftsgeschichte des Nazionalsozialismus* (Essen, 2003), 181-204.

62 R. Bohn, *Reichskommissariat Norwegen: 'Nationalsozialistische Neuordnung' und Kriegswirtschaft* (Munique, 2000), 296-301.

63 Para um debate sobre a limitada penetração da Alemanha na Holanda, ver G. Aalders, 'Three Ways of German Economic Penetration in the Netherlands: Cloaking, Capital Interlocking and "Aryanization"', em Overy, Otto e Cate (orgs.), *Die 'Neuordnung' Europas*, 273-98 e L. Nestler (org.), *Europa unterm Hakenkreuz: Die faschistische Okkupationspolitik in Belgien, Luxemburg und den Niederlanden (1940-1945)* (Berlim, 1990), 160.

64 Mollin, *Montankonzerne*, 245 -9.

65 Documento 124, em Opitz, *Europastrategien*, 794-9. Isso, naturalmente, é um argumento suplementar. Mesmo quando um país tem grandes déficits em conta-corrente, é possível a firmas individuais fazer compras no exterior. Não poderão, no entanto, fazê-lo em forma agregada, a menos que haja fontes alternativas de financiamento.

66 Ver debate sobre o problema das compensações na segunda metade de 1943 em BAL R2501 6448,6449.

67 Ver o registro das negociações franco-alemãs em IMT XIII. 767-89.

68 Sobre as construções da Wehrmacht na Noruega, ver Bohn, *Reichskommissariat*, 355-76.

69 Ver as trocas extraordinárias que documentam a confusão das autoridades civis e militares alemãs em 1942-43 em IMT, *Nazi Conspiracy and Aggression* (Washington, 1946-7), IV, 1741-PS, 228.

70 IMT XII, NG-4526, extratos do relatório de Wiehl, 26 de novembro de 1942, 813-15.

71 Milward, *The New Order*, 97-100.

72 Sobre a aquisição de interesses petrolíferos franceses na Romênia, ver Eichholtz, I. 238 e Milward, *The New Order*, 96-8. Para um debate sobre a Kontinentale Öl, com ênfase em suas ambições no Oriente Médio, ver T. Kockel, 'Eine Quelle zur Vor- und Gruendungs-

geschichte der Kontinentale Oel AG aus dem Jahr 1940', *Jahrbuch fuer Wirtschaftsgeschichte*, 1 (2003), 175-208.

73 R. J. Overy, *War and Economy in the Third Reich* (Oxford, 1994), 144-74 e 315-42.

74 D. Reynolds, 'Churchill and the British "Decision" to Fight on in 1940: Right Policy, Wrong Reasons', em R. Langhorne (org.), *Diplomacy and Intelligence during the Second World War* (Cambridge, 1985), 147-67, e D. Reynolds, *The Creation of the AngloAmerican Alliance* 1937-41: *A Study in Competitive Cooperation* (Londres, 1981), 88-108

75 *ADAP* D X doc. 195, Boetticher e Thomsen a AA, 20 de julho de 1940, 209-10 e doc. 199, memo Dieckhoff, 21 de julho de 1940, 213-14.

76 Papel confirmado, segundo o Ministério do Exterior da Alemanha, por material da embaixada tomado em Varsóvia. Ver *ADAP* D X, doc. 252, memo Dieckhoff, 29 de junho de 1940, 287-96.

77 BAMA RW19/64, e relato retrospectivo em IWM EDS al 1492, Chef Wi Rue Amt, 20 de agosto de 1940, Aktennotiz.

78 Milward, *The New Order*, 65.

79 Entre agosto e outubro de 1940, a Gestapo registrou drástica deterioração da confiança do público. Ver *Meldungen*, V. 1424-689. Tão logo superado o desapontamento de um segundo inverno de guerra, recuperou-se a confiança em dezembro, ver *Meldungen* VI. 1808-77.

80 S. Casey, *Cautious Crusade: Franklin D. Roosevelt, American Public Opinion, and the War Against Nazi Germany* (Oxford, 2001), 26.

81 L. Gruchmann, *Der Zweite Weltkrieg* (Munique, 2ª ed., 1971), 77.

11. Grã-Bretanha e Estados Unidos: o dilema estratégico de Hitler

1 Citado em alemão em A. Hillgruber, *Die Zerstoerung Europas: Beitraege zur Weltkriegsepoche* 1914 *bis* 1945 (Frankfurt, 1988), 342. Ver também S. Pons, *Stalin and the Inevitable War*, 1936-1941 (Londres, 2002), 202-3.

2 Ironicamente, o general Franco tomou posição semelhante, quando foi pressionado pela Alemanha a entrar na guerra em janeiro de 1941. Ver I. Kershaw, *Hitler* 1936-1945: *Nemesis* (Londres, 2000), 330.

3 D. Reynolds, '1940: Fulcrum of the Twentieth Century?', *International Affairs*, 66 (1990), 325-50.

4 Minha interpretação nesta parte do livro é grandemente devedora a Andreas Hillgruber e seu monumental Habilschrift, *Hitlers Strategie* (Frankfurt, 1965). Um dos efeitos colaterais mais desafortunados da infame controvérsia dos historiadores alemães (Historikerstreit) foi a maneira pela qual ela obscureceu a imensa contribuição do professor Hillgruber a nosso entendimento do Terceiro Reich. Sinto-me contente em concordar com Goetz Aly no reconhecimento desse débito. Ver 'Afterword', de Aly, '*Endloesung: Voelkerverschiebung und der Mord an den europaeischen Juden* (Frankfurt, 1995), 448.

5 *DRZW* 2.368-74.

6 M. Salewski, *Die deutsche Seekriesgsleitung* 1935-1945 (Frankfurt, 1970), I. 175-207. *DRZW* 2. 224. As implicações estratégicas estão explicadas em G. L. Weinberg, *A World at Arms: A Global History of World War II* (Cambridge, 1994), 117-18.

7 Hillgruber, *Hitlers Strategie*, 168 e 79-80.

8 Weinberg, *World at Arms, 175-82.*

9 J. A. Maiolo, *The Royal Navy and Nazi Germany*, 1933-1939: *A Study in Appeasement and the Origins of the Second World War* (Basingstoke, 1998), 66-74.

10 O que se segue é baseado em *DRZW* 2.182-5 e 345-8.

11 A. Meyhoff, *Blohm & Vass im 'Dritten Reich'* (Hamburgo, 2001), 139-49 cita 196,8 milhões de *reichsmarks* para o *Bismarck* e preços de submarinos entre 4,3 e 2,4 milhões de *reichsmarks* por unidade. E. Roessler, *Geschichte des deutschen U-Bootsbaus* (Augsburgo, 1996) 170 e 218, dá preços de submarinos entre 7,5 milhões de *reichsmarks* para os submersíveis maiores e 2 milhões para o U VII C padronizado e produzido em massa no final de 1943.

12 O programa de submarinos exigiria o triplo da cota de borracha da Marinha. Ver Salewski, *Die deutsche Seekriegsleitung*, 1. 131.

13 Para um breve resumo da batalha do Atlântico, ver W. Murray e A. R. Millett, *A War to be Won: Fighting the Second World War* (Cambridge, Mass., 2000), 234-61.

14 Müller em *DRZW* 5/1. 502-22. Sinal de urgência é o fato de que essa mudança já estava sendo contemplada em 23 de maio de 1940, somente duas semanas depois de iniciada a ofensiva contra a França. Ver BAMA RW19/164, 88.

15 *DRZW* 6. 313-36.

16 Hillgruber, *Hitlers Strategie*, 159-62.

17 Dois anos era um calendário mais realista para a produção e utilização da frota de submarinos maiores. Ver W. Rahn, 'Strategische Optionen', em B. Thoss e H.-E. Volkmann (orgs.), *Erster Weltkrieg: Zweiter Weltkrieg* (Paderborn, 2002), 235. O planejamento naval, em outubro de 1939, que previa o aumento da produção de submarinos até 29,3 unidades mensais e admitia perdas de apenas 10% mensais, significava que a meta não seria alcançada antes do final de 1943. Ver, Niestle, 'Wechselwirkung', em Thoss e Volkmann, *Erster Weltkrieg*, 249. Na verdade, devido a produção robusta e perdas inferiores às esperadas, Doenitz atingiu um poderio total de 346 submarinos já em agosto de 1942, mas somente conseguiu colocar no Atlântico uma parcela bem menor do que a esperada.

18 D. Reynolds, *In Command of History: Churchill Fighting and Writing the Second World War* (Londres, 2004), 184-9.

19 Devemos um ponto chave a W. Murray, *Luftwaffe* (Londres, 1985), 69-107.

20 L. Budrass, *Flugzeugindustrie und Luftruestung in Deutschland* (Düsseldorf, 1998), 557-62 e R. J. Overy, 'From "Vralbomber" to "Amerikabomber": The Luftwaffe and Strategic Bombing', *Journal of Strategic Studies*, I (1978), 154-78.

21 Ver os números para aviões monomotores e bimotores na inspenção dos bombardeios britânicos, *The Strategic Air War Against Germany 1939-1945* (Londres, 1998), 100.

22 Com notável precisão, o Ministério Britânico da Economia da Guerra vaticinou que 'durante a segunda metade de 1941, pode-se esperar que o bloqueio de matérias-primas produza graves efeitos nas economias da Alemanha e da Itália'. A previsão não obteve crédito. W. N. Medlicott, *The Economic Blockade* (Londres, 1952), I. 415-21.

23 Reynolds, *In Command*, 175.

24 M. M. Postan, *British War Production* (Londres, 1952), 123-6.

25 Weinberg, *World at Arms*, 205-34.

26 I. B. Holley, *Buying Aircraft: Materiel Procurement for the Army Air Forces* (Washington, 1964), 209-28.

27 H. C. Thomson e L. Mayo, *The Ordnance Department: Procurement and Supply* (Washington, 1960), 24-5.

28 As opiniões divergem quanto ao que aconteceu ao consumo norte-americano depois que os Estados Unidos entraram na guerra, mas não se discute que, em 1940 e 1941, o rearmamento foi vantajoso para o padrão de vida norte-americano. H. Rockoff, 'The United States', em M. Harrison (org.), *The Economics of World War II* (Cambridge, 1998), 91.

29 Para a reação de Berlim ao discurso de Roosevelt sobre o rearmamento, ver S. Friedländer, *Prelude to Downfall: Hitler and the United States 1939-1941* (Londres, 1967), 94-7

30 H. D. Hall, *North American Supply* (Londres, 1955), 128-9.

31 P. Clavin, *The Great Depression in Europe* (Basingstoke, 2000), 154-7.

32 A preocupação de Roosevelt com as entregas de aviões é claramente demonstrada por D. Reynolds, *From Munich to Pearl Harbor: Roosevelt's America and the Origins of the Second World War* (Chicago, 2001), 43-6.

33 A assistência externa não é mencionada nem por B. H. Klein, *Germany's Economic Preparations for War* (Cambridge, Mass., 1959), 96-101, e nem por Müller, em *DRZW* 5.1. 523-5.

34 M. Harrison, 'Resource Mobilization for World War II', *Economic History Review* (1988), 184.

35 Argumento veementemente defendido em Harrison, *The Economics of World War II*, 1-8.

36 Ver avaliação contemporânea em G. Crowther, *Ways and Means of War* (Oxford, 1940). Embora otimista com o objetivo de elevar o moral, a avaliação estratégica de Crowther está solidamente baseada em um entendimento das vantagens macroeconômicas da Grã-Bretanha.

37 Hall, *North American Supply*, 131-45.

38 Ibid., 146-203. Em seu relato sobre a formação da aliança anglo-norte-americana, Reynolds subestima a importância industrial de longo prazo dessas conversações sobre aeronaves. Ver D. Reynolds, *The Creation of the Anglo-American Alliance 1937-41: A Study in Competitive Cooperation* (Londres, 1981), 108-32. Da perspectiva alemã, Friedländer, *Prelude*, 121, se aproxima mais à ênfase que merecem.

39 Entre o último trimestre de 1940 e o último de 1941, a produção de aviões de combate nos Estados Unidos triplicou, chegando a mais de 600 unidades por mês. No terceiro trimestre de 1942, a produção dobrou, atingindo 1.200 por mês. Como eram necessários, pelo menos, doze meses entre a contratação e a construção de uma fábrica de aviões em funcionamento, e seis meses, pelo menos, desde a matéria-prima até o avião terminado, essa expansão deve ter começado no verão de 1940. Números de British Bombing Survey Unit, *The Strategic Air War* 100.

40 R. Overy, 'The Luftwaffe and the European Economy 1939-1945', *MGM* 2 (1979), 55-78.

41 Hall, *North American Supply*, 146-55.

42 Ibid, 170.

43 H.D. Hall e C. C. Wrigley, *Studies of Overseas Supply* (Londres, 1956), 30. Hall, *North American Supply*, 133.

44 Ibid., 217-18, 265.

45 Argumentação fundamental para Hillgruber, *Hitlers Strategie*, 192-397. Ao contrário, Weinberg argumenta constantemente, mas sem convencer, que Hitler e a liderança alemã ignoraram ou desprezaram o poderio econômico anglo-norte-americano. Ver G. I. Weinberg, *World in the Balance: Behind the Scenes of World War II* (Londres, 1981), 53-95 e Weinberg, *World at Arms*. 170-86.

46 *ADAP* D XII, doc. 88, 132-4.

47 BAMA RW19/473, 171, memorando preparado em junho de 1941, meses antes da entrada dos Estados Unidos na guerra.

48 *DRZW* 4.28.

49 *Meldungen*, IV: 10 de junho de 1940, 1236; 13 de junho de 1940, 1249; 17 de junho de 1940, 1262.

50 Sobre a ansiedade e atitudes nos cinco meses anteriores à reeleição de Roosevelt, ver *Meldungen*, V: 25 de julho de 1940, 1415: 29 de julho de 1940, 1424; 12 de agosto de 1940, 1460; 22 de agosto de 1940, 1492; 9 de setembro de 1940, 1550; 30 de setembro de 1940, 1620; 14 de outubro de 1940, 1665; 17 de outubro de 1940, 1677; 24 de outubro de 1940, 1700; 31 de outubro de 1940, 1719; 7 de novembro de 1940, 1739; 11 de novembro de 1940, 1751-2.

51 P. Gassert, *Amerika im Dritten Reich* (Stuttgart, 1997), 281-8. Friedlaender, *Prelude*, 121-6.

52 Fridlaender, *Prelude*, 121-6.

53 Ibid., 160-63.

54 A. Hillgruber, *Staatsmaenner und Diplomaten bei Hitler* (Frankfurt, 1967), 1. 344-5. Uma semana antes, ele também instara os espanhóis a entrar na guerra na esperança de impedir que os Estados Unidos agissem; ibid., 329.

55 *DRZW* 4. 58. P. Schramm (org.), *Kriegstagebuch des Oberkommandos der Wehrmacht* (Frankfurt, 1961), I. 996. Ver também *Halder Diary*, 18 de janeiro de 1941, 311.

56 Friedländer, *Prelude*, 63.

57 Inclusive Koppenberg, da Junkers, William Werner da Auto Union e Fritz Siebel, amigo pessoal de Göring e Udet. Sobre Siebel, ver Müller, em *DRZW* 5//I. 527-8. Conforme assinala Budrass, na verdade, não há boas provas da afirmação muito repetida de que Hitler desprezou as advertências de Siebel. Budrass, *Flugzeugindustrie*, 707-8. IWM, documentos de Milch, vol. 56, 2926-33.

58 Sobre a perspectiva francesa, ver H. Chapman, *State Capitalism and Working Class Radicalism in the French Aircraft Industry* (Berkeley, 1991), 237-55 .

59 A. S. Milward, *The New Order and the French Economy* (Oxford, 1984), 84.

60 Ibid., 84, contradizendo diretamente a explosão ridicularizadora de Göring sobre o potencial militar norte-americano, citado em Weinberg, *World in the Balance*, 84.

61 Milward, *The New Order*, 85.

62 BAMA RW19/177,7.

63 Todos os números vêm de Overy, 'The Luftwaffe and the European Economy'.

64 Os próprios alemães fizeram uma comparação desanimada entre o que o Japão fazia pela Alemanha e o que os Estados Unidos faziam pela Grã-Bretanha. Ver Weinberg, *World in the Balance*, 87.

65 W. Birkenfeld, *Der synthetische Treibstoff 1933-1945* (Göttingen, 1964), 219-20.

66 Calculado com base em estimativas de consumo de petróleo, ibid., 218, e Milward, *New Order*, 262.

67 BAMA RW19/164, 127, ameaça repetida em novembro de 1941 em tom ainda mais drástico: RW19/66, 5.

68 BAMA RW19/165, 347.

69 Murray, *Luftwaffe*, 337-8

70 BAMA RW19/166, 211.

71 BAMA RW19/166, 19.

72 Escritório Central de Estatística, *Fighting with Figures* (Londres, 1951), 99. Ao ler essas tabelas, quem estiver acostumado às condições alemãs deve tomar cuidado para evitar confundir os números semanais britânicos com os dados mensais alemães.

73 Medlicott, *The Economic Blockade* I. 51-2

74 Sobre os recursos carboníferos poloneses, ver W. Roehr, 'Zur Rolle der Schwerindustrie im annektierten polnischen Oberschlesien fuer die Kriegswirtschaft Deutschlands von 1939 bis 1949', *Jahrbuch fuer Wirtschaftsgeschichte*, 4 (1991), 9-58.

75 Ver a estimativa de 97% de autossuficiência citada, sem crítica, em DRZW 5/1. 211.

76 Sobre isso e o que se segue ver J. R. Gillingham, *Industry and Politics in the Third Reich: Ruhr Coal, Hitler and Europe* (Londres, 1985), 152; itálicos do autor. O mesmo se poderia dizer, em grande parte, a respeito de outras indústrias europeias críticas, como a do nitrogênio, na qual se acreditava que o nível de autossuficiência era de 85% mas a produção real no outono de1940 cobriu 50% das necessidades, devido a dificuldades de transporte. Ver BAMA RW/19/164, 99.

77 Ver BAH R13I 594, 110.

78 Gillingham, *Industry and Politics*, 153.

79 Ver o debate em Wg Eisen, 6 de junho de 1941, BAH R131 595, 244.

80 Ligação reconhecida pela Wehrmacht para Lothringen em BAMA R W 19/205, 2-21. Também relataram problemas de suprimento de carvão no leste. No verão de 1941, a Wg Eisen estimava a falta de carvão na França em 50% e na Bélgica em 40%. Ver BAH R131 595, 245.

81 Ver o franco resumo da situação em BAMA RW19/164, 172.

82 Ver o *dossiê* de material que documenta as queixas da indústria em BAH R10VIII, 2.

83 G. Mollin, *Montankonzerne und 'Drittes Reich'* (Goettingen, 1988), 180-83.

84 H. Kehrl, *Krisenmanager im Dritten Reich* (Düsseldorf, 1973), 260-63.

85 BAH RI3I 621, 27-9.

86 U. Herbert, *Hitler's Foreign Workers: Enforced Foreign Labour in Germany under the Third Reich* (Cambridge, 1997), 143.

87 Ver explicação de Pleiger a Thomas do OKW, BAMA RW19/165, 68-9.

88 Isso, por sua vez, parece haver deflagrado a discussão entre Walter e a indústria, porque Walter era considerado fantoche de Ley e as novas propostas continham grande aumento dos salários na indústria do carvão, que Walter esperava recuperar restringindo o comércio do carvão.

89 BAMA RW19/165, 75-6.

90 Ver Herbert, *Hitler's Foreign Workers*, 88-9, 96.

91 Durante todo o período da guerra, prevaleceu uma correlação entre o conteúdo nutritivo da dieta dos mineiros e seu desempenho nas minas. W. F. Werner, *Bleib Uebrig! Deutsche Arbeiter in der nationalsozialistischen Kriegswirtschaft* (Düsseldorf, 1983), 300-302.

92 B. Martin and A. S. Milward (orgs.), *Agriculture and Food Supply in the Second World War* (Ostfildern, 1985) e K. Brandt, *Management of Agriculture and Food in the German-occupied and Other Areas of Fortress Europe* (Stanford, Califórnia, 1953).

93 C. Lewis, *Nazi Europe and World Trade* (Washington, 1941), 18-22 e 25-31. As importações líquidas de trigo da própria Alemanha atingiram 4,116 milhões de toneladas em 1937, e a importação de gorduras chegou a 604 mil toneladas.

94 Brandt, *Management of Agriculture and Food in the German-occupied and Other Areas of Fortress Europe*, 518-19. Na Espanha, a situação durante o inverno de 1940-41 chegou perto de condições de fome e a incapacidade da Alemanha em garantir fornecimento de trigo suficiente foi fator importante para persuadir Franco a não declarar guerra ao lado da Alemanha. Ver E. Hernandes-Sandoica e E. Moradiellos, 'Spain and the Second World War, 1939-1945', em N. Wylie (org.), *European Neutrals and Non-belligerents During the Second World War* (Cambridge, 2002), 241-59. Sobre a fome na Grécia, ver M. Mazower, *Inside Hitler's Greece* (New Haven, 1993), 23-52.

95 P. Barral, 'Agriculture and Food Supply in France', em Martin e Milward, *Agriculture and Food Supply*, 89.

96 SRA, *Statistisches jahrbuch für das Deutsche Reich (1941/42)* (Berlim, 1942), 295 e 42-3.

97 A. Hanau e R. Plate, *Die deutsche landwirtschaftliche Preis- und Marktpolitik im zweiten Weltkrieg* (Stuttgart, 1975), 49.

98 H.-E. Volkmann, *Oekonomie und Expansion: Grundzuege der NS- Wirtschaftspolitik* (Munique, 2003), 393.

99 Note-se a clara diferença em Harrison, *The Economics of World War II*, 7-10, entre a tabela 1.2 que conta os "ganhos do Eixo" até 1942 em termos de PIB em 1938, e a tabela 1.3 que mostra o PIB real da França em tempo de guerra.

100 *DRZW* 4 150-51.

101 No longo prazo, sem dúvida, houve amplas oportunidades de desenvolvimento do bloco econômico europeu ocidental. Ver, por exemplo, H. von der Decken, 'Die Intensivierung ler europaeischen Landwirtschaft', *Vierteljahrshefte zur Wirtschaftsforschung*, NF 2/3, (1940-41), 94-119. Essas, porém, foram irrelevantes dentro dos parâmetros de tempo colocados pela guerra.

102 Embora eu acompanhe Weinberg em realçar a simetria desse relacionamento, deve-se insistir que o saldo era imensamente favorável à Grã-Bretanha. Ver Weinberg, *World in the Balance*, 84.
103 Tese central de H. Schwendemann, *Die wirtschaftliche Zusammenarbeit zwischend em Deutschen Reich und der Sowjetunion von 1939 bis 1941: Alternative zu Hitlers Ostprogramm?* (Berlim, 1993).
104 Hillgruber, *Hitlers Strategie*, 241-5, 317-20.
105 Reynolds, *From Munich*, 89-92.
106 Hillgruber, *Hitlers Strategie*, 409-19.
107 C. R. Browning, *The Path to Genocide: Essays on Launching the Final Solution* (Cambridge, 1992), 18-19. C. R. Browning, *The Origins of the Final Solution: The Evolution of Nazi] Jewish Policy. September 1939-March 1942* (Lincoln, Nebraska, 2004), 81-8.
108 *Halder Diary*, 5 de dezembro de 1940, 294
109 DRZW 4. 151-2.
110 BAMA RW 19/164, 114. DRZW 4.204. Os alemães também levaram a sério as queixas soviéticas, em maio de 1941, a respeito de faltas nas entregas de carvão, BAMA RW 19/165, 69.
111 Sobre preocupações a respeito de borracha em outubro de 1940, ver BAMA RW 19/164, 80-85.
112 BAMA RW 19/164, 117.
113 DRZW 4.204-5
114 *Halder Diary*, 23 de dezembro de 1940, 308. DRZW 5.200.
115 DRZW 4. 207 e *Halder Diary*, 291.
116 *DRZW* 4.38-41.
117 *Halder Diary*, 31 de julho de 1940, 244 e Hillgruber, *Zerstoerung*, 192.
118 *DRZW* 4.159.
119 Hillgruber, *Zerstoerung*, 193-4. Conforme assinala Weinberg, 'havendo tentado voltar os japoneses contra as potências ocidentais desde 1938', Hitler ficou 'contente em poder dar ao pacto a interpretação mais ampla e mais agressiva'; Weinberg, *World in the Balance*, 86.
120 Kershaw, *Hitler: Nemesis*, 349-53.
121 O mais recente esforço de Jersak para separar motivações estratégicas e ideológicas dos 'interesses econômicos e de política alimentar concretos' parece altamente artificial. A estratégia de Hitler tinha matiz ideológico e seus cálculos estratégicos giravam consistentemente, desde o *Mein Kampf* e seu "Segundo Livro", em torno de questões "concretas" de abastecimento de alimentos e matérias-primas e capacidade industrial. Ver a contribuição de T. Jersak a *DRZW* 9/1 284-5.

12. Preparativos para duas guerras simultâneas

1 Para opiniões de historiadores militares, ver A. J. Levine, 'Was World War II a Near-run Thing?', *Journal of Strategic Studies*, 8 (1985), 51-7.
2 J. K. Galbraith, 'Germany was Badly Run', *Fortune* (dezembro de 1945), 200. Para uma crítica vigorosa, ver P. Hayes, 'Polycracy and Policy in the Third Reich: The Case of the Economy', em T. Childers e J. Caplan (orgs.), *Reevaluating the Third Reich* (Nova York, 1993), 190-210. 3 Galbraith, 'Germany', 200.
4 R. Wagenführ, *Die deutsche Industrie im Kriege* (Berlim, 1954), 25. Para uma análise crítica das estatísticas inadequadas de Wagenführ, ver J. A. Tooze, 'No Room for Miracles', GG, 3I (2005), 439-64.
5 A. Speer, *Inside the Third Reich* (Londres, 1970), 250-65, e W. Bleyer, 'Der geheime Bericht ueber die Ruestung des faschistischen Deutschlands vom 27 Januar 1945', *Jahrbuch für Wirtschaftsgeschichte* (1969), 347-68.

6 Ver H. Kehrl, 'Kriegswirtschaft und Ruestungsindustrie', in *Bilanz des Zweiten Weltkrieges. Erkenntnisse und Verpflichtungen fuer die Zukunft* (Oldenbourg, 1953), 272-7. Para a ligação de Kehr com a extrema direita revisionista, ver seu artigo 'Zum Untergang des Dritten Reiches', *Historische Tatsachen*, 8 (Vlotho, 1981), publicado pela Verlag für Volkstum und Zeitgeschichtsforschung.

7 R. J. Overy, *Göring* (Londres, 1984), 138 resume o período 1940-41 como uma 'era de egotismo e incompetência', um período em que a Alemanha desperdiçou a chance de ganhar a guerra. Ao contrário de muitos outros, Overy é elogiavelmente franco em sua disposição de juntar esse tipo de julgamento com aberta especulação contrafactual sobre a possibilidade de resultados alternativos da guerra. Em contraste, a história da Segunda Guerra Mundial produzida pela Militaergeschichtliches Forschungsamt fala da Alemanha 'desperdiçando sua vantagem em armamentos' em 1940 e 1941, porém se mostra menos disposto a entrar em argumentação contrafactual aberta *DRZW* 5/I. 486-522.

8 S. Friedländer, *Prelude to Downfall: Hitler and the United States 1939-1941* (Londres, 1967), 158 assinala que as ordens a Thomas do OKW para preparar-se para uma longa guerra foi dada poucos dias depois da reeleição de Roosevelt em 6 de novembro de 1940.

9 M. 1. Recker, *Nationalsozialistische Sozialpolitik im Zweiten Weltkrieg* (Munique, 1985), 128-54, e G. Corni e H. Gies, *Blut und Boden: Rassenideologie und Agrarpolitik im Staat Hitlers* (Idstein, 1994), 61.

10 Abordagem exemplificada da melhor e mais detalhada maneira por Müller, em *DRZW* 5/1.

11 Ver o resumo da situação em setembro de 1940 em BAMA RW19/205, 22-39.

12 Argumento às vezes perdido em relatos mais acadêmicos, mas apresentado com força dramática em A. Clark, *Barbarossa: The Russian-German Conflict 1941-1945* (Londres, 1965), 44-57.

13 Müller, em *DRZW* 5/I. 513.

14 Conforme explicado por Todt em BAMA R WI 19/164, 100.

15 Dados em Müller, em *DRZW* 5/I. 554-5. Sobre o caráter central do Mark III no planejamento dos tanques, ver *Halder Diary*, 5 de dezembro de 1940, 297.

16 Sobre o que se segue, ver H. H. Knittel, *Panzerfertigung im Zweiten Weltkrieg: Industrieproduktion fuer die deutsche Wehrmacht* (Herford, 1988), 30-44.

17 Sobre esta importante transição técnica, W.J. Spielberger, *Die Panzer-Kampfwagen* I *und* II (Stuttgart, 3ª ed., 1991), e W. J. Spielberger e F. Wiener, *Die deutschen Panzerkampfwagen* III *und IV mit ihren Abarten 1935-1945* (Munique, 1968).

18 Em setembro de 1939 somente 84.078 do total de 126.800 metralhadoras da Wehrmacht eram to tipo moderno MG 34. Ver F. Hahn, *Waffen und Geheimwaffen des deutschen Heeres 1933-1945* (Bonn, 3ª. ed.., 1998), I. 56-61.

19 Para detalhes, ver J. A. Tooze, 'Arming the Reich: Armaments Production in Hitler's Germany' (em preparação), disponível no website do autor. Ver também Eichholtz, II. 7-9 e 36-40.

20 BAMA RH8I 1012, 202.

21 A importância da produção de munições é frequentemente esquecida em comparações desfavoráveis da mobilização inicial das economias alemã e britânica. As tabelas comparativas em M. Harrison (org.), *Economics of World War* II (Cambridge, 1998), 15-16, ignoram completamente a munição. Na verdade, a produção alemã superou a britânica por um fator de 4 a 1 em obuses de artilharia, em 1940, e 2 para 1, em 1941. B. H. Klein, *Germany's Economic Preparations for War* (Cambridge, Massachusetts, 1959), 98.

22 Para os dados da alocação de aço, ver Müller, em DRZW 5/2. 555.

23 Sobre o que se segue, ver as contribuições de Kroener a *DRZW* 5/1 e 5/2. A única crítica que pode ser feita a Kroener é que seu relato da política trabalhista não está suficientemente correlacionado com as decisões simultâneas a respeito de matérias-primas.

24 Estes dados vêm de Kroener, em *DRZW* 5/2. 854-5.
25 Kroener, em *DRZW* 5/1. 883.
26 Kroener, *DRZW* 5/I. 959.
27 Ver o relatório final datado de 16 de maio de 1941, BAMA RW19/294, 6-20. Conforme fica evidente por sua reação raivosa à discrepância entre a produção real e a capacidade máxima em maio, Hitler não compreendeu isso completamente. Ver BAMA RW19/165, 55 e 61.
28 BAMA RW19/164, 192. /I
29 Kröner, em DRZW 5. 868-9.
30 Para um reexame crítico, ver Tooze, 'No Room for Miracles'.
31 R. J. Overy, *War and Economy in the Third Reich* (Oxford, 1994), 346. Na verdade, à luz dos dados de produção citados pelo próprio Overy em sua tese de doutorado, essa afirmação claramente equivocada. Ver R. J. Overy, 'German Aircraft Production 1939-1942: A Study in German War Economy' (Cambridge, tese de doutorado, 1978), 151. Os dados da publicação posterior devem ser tomados como referentes apenas a 1941. Durante todo o período entre 1939 e 1941, o emprego e a produção dobraram em termos gerais.
32 Fontes em Tooze, 'Arming the Reich'.
33 Ver os números para a força de trabalho do Exército, Marinha e Luftwaffe em Kröner, em *DRZW* 5/1. 788, e PRO FO 1078/138.
34 Agradeço a Lutz Budrass por fornecer dados sobre o emprego na Luftwaffe entre 1939 e 1943.
35 Deixando de lado a afirmação pouco convincente sobre produtividade, essa é a mensagem essencial de Overy, 'German Aircraft Production', 53.
36 Keitel tornou isso explícito, em 20 de maio de 1941, em debate sobre o programa de armamentos pós-Operação Barbarossa. Ver BAMA RW19/165, 55.
37 *DRZW* 4. 159.
38 R. Krengel, *Anlagevermoegen, Produktion und Beschaeftigung der Industrie im Gebiete der Bundesrepublik von 1924 bis 1956* (Berlim, 1958).
39 Knittel, *Panzerfertigung*, 49. Esses dados sugerem um poderio em tanques por divisão semelhante ao que existia na primavera de 1940 antes da "diluição" que precedeu a Operação Barbarossa.
40 *DRZW* 4. 221.
41 O aspecto fantástico desses plano não está nos números mensais de produção e sim na ideia de operar com uma força de 15 mil tanques. A imensa maioria de Panzers produzidos depois de maio de 1941 foi destruída em combate poucos meses depois de saírem da fábrica. No ponto mais alto de seu poderio em tanques em 1944 a Wehrmacht dispunha de menos de 9.700, dos quais a metade eram tanques relativamente baratos, ver Müller em *DRZW* 5/2. 654.
42 Knittel, *Panzerfertigung*, 49. Como no caso da Luftwaffe mencionado acima, o ponto em apreço é a importância das decisões tomadas antes de fevereiro de 1942.
43 USSBS *Tank Industry Report* (Washington, 1945), 6-7.
44 B. Hopmann, *Von der MONTAN zur Industrieverwaltungsgesellschaft (IVG) 1916-1951* (Stuttgart, 1996), livro cujo título não indica sua importância vital para o assunto de que trata.
45 Ver as prioridades de Göring em suas decisões, 3 de fevereiro de 1941, BAMA RW19/64, 129.
46 BAMA RW19/166, 233, como também se depreende do comentário de Krauch na primavera de 1939.
47 W. Birkenfeld, *Der synthetische Treibstoff 1933-1945* (Göttingen, 1964), 164.
48 Sobre esse tópico em constante debate, ver P. Hayes, *Industry and Ideology: IG Farben in the Nazi Era* (Cambridge, 1987), 347-68, G. Plumpe, *Die IG Farbenindustrie AG* (Berlim, 1990), 378-90, R. J. van Pelt e D. Dwork, *Auschwitz: 1270 to the Present* (New Haven,

1996), 197-235, P. Hayes e H. Deichmann, 'Standort Auschwitz: Eine Kontroverse', *1999*, 11 (1996), 79-101, F. Schmaltz e K. H. Roth, 'Neue Dokumente zur Vorgeschichte des IG Farben-Werks Auschwitz-Monowitz', 1999, 13 (1998), 100-16 e B. C. Wagner, *IG Auschwitz: Zwangsarbeit und Vernichtung von Haeftlingen des Lagers Monowitz 1941-1945* (Munique, 2000).

49 Hayes, *Industry and Ideology*, 351, e Plumpe, *Die IG Farbenindustrie*, 389.

50 Ver H. Mommsen, *Mythen der Modernisierung: Zur Entwicklung der Ruestungsindustrie im Dritten Reich* (Essen, 1999).

51 Wagner, *IG Auschwitz*, 7, 10, 287.

52 Conforme assinalou Sybille Steinbacher, o campo e a área industrial eram a base de uma experiência crescente na germanização urbana na Silésia oriental. Ver S. Steinbacher, '*Musterstadt' Auschwitz: Germanisierungspolitik und Judenmord in Ostoberschlesien* (Munique, 2000).

53 Ver os comentários de Himmler durante sua visita ao canteiro de obras da IG em 18 de julho de 1942. IMT, IG Farben Case VIII, NI 14551, 477-8.

54 O papel do gerente da IG Farben Johann Giesen, que mais tarde trabalhou na indústria química suíça, no desenvolvimento da produção de metanol em Auschwitz foi mostrado por Lukas Straumann em sua contribuição ao *website* OnlineReports.che, 'Das dunkelste Kapitel in Christoph Blochers Ems Chemie'. Ver também J. R. White, 'Target Auschwitz: Historical and Hypothetical German Responses to Allied Attack', *Holocaust and Genocide Studies*, 16 (2002), 54-76.

55 USSBS, *Over-all Report (European War)* (Washington, 1945), 51.

56. D. Petzina, *Autarkiepolitik in Dritten Reich* (Stuttgart, 1968), 183.

57 Para um relato detalhado da produção da Ford em tempo de guerra, ver o histórico doméstico da Benson Ford Research Center, Acc. 435.

58 L. Budrass, *Flugzeugindustrie und Luftruestung in Deutschland* (Düsseldorf, 1998), 707-11.

59 Ibid., 636.

60 Sobre o Me 110 e seu malogrado sucessor, ver H. J. Ebert, J. B. Kaiser, K. Peters, *Willy Messerschmitt* (Bonn, 1992), 150-75, P. Schmoll, *Die Messerschmittwerke im Zweiten Weltkrieg* (Regensburg, 1998), 56-60 e A. van Ishoven, *Messerschmitt: Aircraft Designer* (Londres, 1975), 149-65.

61 K. Orth, *Das System der nationalsozialistischen Konzentrationslager* (Hamburgo, 1999), 175-9, Budrass, *Flugzeugindustrie*, 775-87.

62 M. Griehl e J. Dressel, *Heinkel He In, 177*, 277, 274 (Shrewsbury, 1998). Os incêndios eram causados por vazamentos de fluido hidráulico sobre o exaustor quente. Ver H.-J. Braun, 'Krieg der Ingenieure?', em B. Thoss e H.-E. Volkmann (orgs.), *Erster Weltkrieg: Zweiter Weltkrieg* (Paderborn, 2002), 208.

63 R. Schabel, *Die Illusion der Wunderwaffen: Duesenflugzeuge und Flugabwehrraketen in der Ruestungspolitik des Dritten Reiches* (Munique, 1994), 177.

64 P. Bohn, *Reichskommisariat Norwegen: 'Nationalsozialistische Neuordnung' und Kriegswirtschafi* (Munique, 2000), 395. É interessante notar que os Estados Unidos eram identificados, sem hesitação, como potência inimiga.

65 Budrass, *Flugzeugindustrie*, 602-18.

66 Ibid., 645-9.

67 Essa pode ter sido a fábrica de Ford para a produção em massa de motores radiais Pratt & Whitney em River Rouge. Benson Ford Research Center, Ace. 435, caixa 5.

68 N. Gregor, *Daimler-Benz in the Third Reich* (New Haven, 1998), 128-31.

69 Ibid., 84-100.

70 Ibid., 118, 25-6.

71 Budrass, *Flugzeugindustrie*, 648 e 659.

72 Ibid, 715-16.

73 Eichholtz, II. 13-19. Budrass, *Flugzeugindustrie*, 718.

74 Ver o texto da apresentação de Milch ao escritório econômico-militar da OKW de 26 de junho de 1941 em G. Thomas, *Geschichte der deutschen Wehr- und Ruestungswirtschaft* (Boppard, 1966), 448-51. Foi provavelmente essa apresentação o que deflagrou as reflexões altamente pessimistas de Thomas datadas 'fim de junho', BAMA *RW* 19/473, 167-76, nas quais ele falava na 'entrada efetiva dos Estados Unidos na guerra ao lado da Inglaterra'.
75 Birkenfeld, *Der synthetische Treibstoff,* 164, Budrass, *Flugzeugindustrie,* 718, e Eidtholtz, II. 13-18. Em novembro de 1941 a Marinha alemã presumiu da mesma forma, pedindo a ocupação de Maikop até dezembro de 1941, para permitir o início da produção na primavera de 1942. Ver W. Meier-Doernberg, *Die Oelversorgung der Kriegsmarine 1935 bis 1945* (Freiburg, 1973), 59.
76 Harrison, *The Economics of World War II,* 7-8.
77 *Halder Diary,* 5 de dezembro de 1940, 297.
78 *DRZW* 4. 271-94.
79 K. A. F. Schueler, *Logistik im Russlandfeldzug* (Frankfurt, 1987).
80 *Halder Diary,* 28 de janeiro de 1941.
81 Schueler, *Logistik,* 190-91, 198-9.
82 Para uma brilhante apreciação geral, ver M. van Creveld, *Supplying War: Logistics from Wallenstein to Patton* (Cambridge, 1977), 142-201.
83 R. L. DiNardo, *Mechanized juggernaut or Military Anachronism? Horses and German Army of World War II* (Nova York, 1991), 35-54.
84 R. Goralski e R. W. Freeburg, *Oil & War* (Nova York, 1987), 348.
85 Sou particularmente grato a M. Harrison por dar ênfase a este ponto.
86 Ver Davies, 'Industry', em R. W. Davies, M. Harrison e S. G. Wheatcroft, *The Economic Transformation of the Soviet Union,* 1913-1945 (Cambridge, 1999), 150.
87 M. Harrison, 'Soviet Industrialization and the Test of War', *HWJ* 29 (1990), 65-84.
88 *DRZW* 4. 272-3.
89 Os números se referem a 1938. Ver *Statistisches jahrbuch für die Eisen- und Stahlindustrie* (Düsseldorf, 1939), 204.
90 *Halder Diary,* 17 de fevereiro de 1941, 320, e 30 de março de 1941, 345.
91 *DRZW* 4. 59.
92 W. Görlitz, *Paulus and Stalingrad* (Londres, 1963) 107.
93 *DRZW* 4. 278-9.
94 *DRZW* 4. 288-94.
95 *Halder Diary,* 28 de janeiro de 1941, 313-14.
96 *DRZW* 4. 272-3.
97 *DRZW* 4. 158-9.
98 BAMA RW 19/164 106, 119.
99 BAMA RW 19/164 108, 115.
100 BAMA RW 19/164, 126. Ver também os cálculos feitos pelo Reichsnaehrstand sobre uma redução de 10% no consumo de alimentos na União Soviética. RW 19/164, 150.
101 Para uma acusação devastadora da reviravolta de Thomas, ver *DRZW* 4. 170-71.
102 BAMA RW19/164, 108.
103 Ironicamente, tão logo iniciada a campanha Thomas foi novamente atormentado por profundas dúvidas. Ver BAMA RW19/473, 167-76.
104 Ver Von Weizaecker em *DRZW* 4.185 e *DGFP,* D XII, 661-2, doc. 419.

13. A estratégia maior da guerra racial

1 P. Burrin, *Hitler and the Jews: The Genesis of the Holocaust* (Londres, 1994), 84-5.
2 Para uma análise da literatura comparativa relevante, ver J. Zimmerer, 'Holocaust und Kolonialismus', *Zeitschrift fuer Geschichtswissenschaft,* 51 (2003), 1098-119. Conforme

assinala Zimmerer, a principal diferença entre 1941 e o colonialismo do século XIX é o papel predominante do Estado.

3 Devemos essa percepção fundamental principalmente a C. Madajczyk, *Die Okkupationspolitik Nazideutschlands in Polen* 1939-1945 (Berlim, 1987), cuja primeira edição em polonês apareceu em 1970, seguida por G. Aly e S. Heim, *Vordenker der Vernichtung: Auschwitz und die deutschen Plaene fuer eine neue europaeische Ordnung* (Hamburgo, 1991) e G. Aly, '*Endloesung*': *Voelkerverschiebung und der Mord an den europaeischen juden* (Frankfurt, 1995).

4 Aly, '*Endloesung*, 59-138.

5 C. Madajczyk (org.), *Yom Generalplan Ost zum Generalsiedlungsplan* (Munique, 1994), 3-14, doc. 1.

6 Aly, '*Endloesung*', 163-206. Durante o curso da guerra, a firma imobiliária DUT entregaria ativos no valor de 5-6 bilhões de *reichsmarkss*. Ver IMT XII. 599-643. O presidente de sua junta supervisora era Wilhelm Keppler.

7 Aly, '*Endloesung*', 210.

8 I. Kershaw, *Hitler 1936-1945*: *Nemesis* (Londres, 2000), 348-53.

9 P. Longerich, *Politik der Vernichtung: Eine Gesamtdarstellung der nationalsozialistischen judenfolgung* (Munique, 1998), 287-91. Aly, '*Endloesung*', 268-79.

10 Kershaw, *Hitler: Nemesis*, 354.

11 Sobre os macabros massacres de 'elementos contrarrevolucionários' perpetrados pela NKVD ao retirar-se dos territórios poloneses ocupados, que reforçou mais ainda essa conexão, tanto na mente dos alemães quanto da população local não judia, ver B. Musial, '*Konterrevolutionaere Elemente sind zu erschiessen*': *Die Brutalisierung des deutsch-sowjetischen Krieges im Sommer* 1941 (Munique, 2000), 98-297.

12 Aly, '*Endloesung*', 290. D. Pohl, *Von der 'judenpolitik' zum judenmord: Der Distrikt Lublin des Generalgouvernements* 1939-1944 (Frankfurt, 1993), 89, 95-7. Hitler aparentemente deu ordem de remover toda a população polonesa em março de 1941. J. E. Schulte, *Zwangsarbeit und Vernichtung: Das Wirtschaftsimperium der* SS (Paderborn, 2001), 248.

13 Madajczyk, *Yom Generalplan Ost*, 14-15, doc. 2, prof. dr Konrad Meyer to Himmler, 15 de julho de 1941. Ver também I. Heinemann, '*Rasse, Siedlung, deutsches Blut*': *Das Rasse- und Siedlungshauptamt der SS und die rassenpolitische Neuordnung Europas* (Görtingen, 2003), 359-76.

14 Para uma ênfase nova na importância da administração econômica e de construção, ver Schulte, *Zwangsarbeit*, 239-79.

15 Para um quadro estatístico da expansão do alcance da Solução Final entre junho de 1940 e o fim de 1941, ver Aly, '*Endloesung*', 303.

16 Madajczyk, *Yom Generalplan Ost*, 50-81, doc. 16, Stellungnahme und Gedanken von Dr Erhard Wetzel zum Generalplan Ost.

17 Ibid., 91-130, doc. 23, Denkschrift Generalplan Ost rechtliche wirtschaftliche und raeumliche Grundlagen des Ostaufbaus, junho de 1942.

18 Ibid., 265, doc. 74, nota tomadas por Hermann Krummey, 1-2 de fevereiro de 1943.

19 C. R. Browning, *The Origins of the Final Solution: The Evolution of Nazi Jewish Policy — September 1939-March 1942* (Lincoln, Nebraska, 2004), 241, assinala que a versão de maio de 1942 do *Generalplan* contém um trecho que modera a exigência de evacuação imediata e total da população local. Isso, no entanto, é ambíguo, referindo-se simplesmente à necessidade de obter apoio da população local e de removê-la para fazendas coletivas, o que indica ter sido uma concessão aplicada a territórios anteriormente soviéticos, e não à Polônia. A necessidade de realizar a completa *Eindeutschung* do Governo Geral, *Estland* e *Lettland* em vinte anos foi enfaticamente reafirmada por Himmler poucas semanas depois. Ver Madajczyk, *Yom Generalplan Ost*, 133-4, doc. 27. 2

20 M. Rössler e S. Schleiermacher, *Der 'Generalplan Ost': Hauptlinie der nazionalsozialistischen Planungs- und Vernichtungspolitik* (Berlim, 1993), 48-52, doc. 2, Referat Dr. Ehrlich, 10-11 de dezembro de 1942.
21 Ver os documentos em C. Madajczyk, *Zamojszcyzna-Sonderlaboratorium SS* (Varsóvia, 1977) 1. 49-140, Madajczyk, *Die Okupationspolitik*, 424-7, Heineman, '*Rasse*', 376-415, e Pohl, *Von der 'Judenpolitik'* 113-57.
22 Madajczyk, *Sonderlaboratorium*, 155-7, 175-6.
23 Para um terrível relato pessoal da situação caótica na região de Zamosc por um médico e antiquário polonês, ver Z. Klukowski, *Diary from the Years of Occupation 1939-1944* (Urbana, Illinois, 1993).
24 Ver os mapas em Rössler e Schleiermacher, *Der 'Generalplan Ost'*, 62-6.
25 Madajczyk, *Yom Genera/p/an Ost*, 389, Anlage 2.
26 K. Meyer 'Neues Landvolk', em K. Meyer, *Landvolk im Werden* (Berlim, 1942), 21. Ver também o debate em W. Pyta, 'Das Dorf im Fadenkreuz der Politik', em D. Muenkel (org.), *Der lange Abschied Yom Agrarland* (Göttingen, 2000), 209-26.
27 Kershaw, *Hit/er: Nemesis*, 434.
28 Em 1939, a França tinha uma densidade demográfica de 75,1 habitantes por quilômetro quadrado, em contraposição a 133,5 na Alemanha, 194,6 no Reino Unido e 283,3 na Bélgica. Ver SRA, *Statistisches Jahrbuch fuer das Deutsche Reich* (1941/42) (Berlim, 1942), 7.
29 Madajczyk, *Yom Generalplan Ost*, 3-14, doc. I Planungsgrundlagen, abril-maio de 1940.
30 Em termos organizativos Meyer formaria o ponto de enlace entre o Ministério da Agricultura e a SS na qualidade de *Reichskommissar*, ver Madajczyk, V*om Generalplan Ost*, 132-3, doc. 26.
31 Ibid., 12, doc. 1.
32 W. Pyta, 'Menschenoekonomie: Das Ineinandergreifen von laendlicher Sozialraumgestaltung und rassenbiologischer Bevoelkerungspolitik im NS-Staat', HZ 273 (2001),31-94.
33 Madajczyk, *Yom Genera/p/an Ost*, 127, doc. 23.
34 Ibid., 48, doc. 14.
35 Ibid., 91-123, doc. 23. Em termos dos chamados dólares Geary-Khamis de 1990, isso representava US$ 172 bilhões e US$ 288,1 bilhões, respectivamente. Para converter *reichsmarks* do período entreguerras em dólares de 1990, deve-se multiplicar o valor em *reichsmarks* por um fator de 4,3. Atinge-se essa quantia dividindo a estimativa contemporânea do PIB em *reichsmarks* de 1937, de 73,757 bilhões de *reichsmarks*, e chegando à estimativa de Maddison's do PIB alemão, em 1937, em US$ 317,7 bilhões de 1990.
36 Sobre essa base, a escala do *Generalplan* em termos 'modernos' é ainda mais imensa. Uma proposta de gastar dois terços do PIB alemão em 2001 em um único projeto de investimento seria uma proposta de despender algo da ordem de um trilhão de dólares de 1990.
37 Madajczyk, *Yom Generalplan Ost*, 88, doc. 21.
38 Ibid., 109, doc. 23.
39 Schulte, *Zwangsarbeit*, 332-64.
40 J.E. Schulte, 'Vom Arbeits- zum Vernichtungslager: Die Entstehungsgeschichte von Auschwitz-Birkenau 1941/42', *VfZ* 50 (2002), 48.
41 O dr Hans Kammler, nascido em 1901, estudou na Technische Hochschule Danzig e em Munique, doutorando-se em novembro de 1932 após anos de trabalho prático na administração local de construções. Filiou-se ao partido em março de 1932, à SS em maio de 1933 e entrou para o *Reichsernährungsministerium* em 1933. Passou para o Ministério da Aeronáutica, em junho de 1936, e entrou para a administração da SS como funcionário em tempo integral, com o posto de SS *Standartenfuehrer*, em agosto de 1940. Tornar-se-ia o principal feitor de escravos da SS.
42 Exatamente os mesmos grupos, embora em ordem diferente, foram citados por Kammler no início de fevereiro. Ver Schulte, *Zwangsarbeit*, 346.

43 Para um bom resumo da transformação do sistema de campos de concentração em 1941-42, ver K. Orth, *Das System der nazionalistischen Koncentrazionslager* (Hamburgo, 1999), 141-68. Ver também J. Tuchel, "Dimensionen des Terrors: Funktionen der Konzentrationskager in Deutschland 1933-1945" em D. Dahlmann e G. Hischfeld (orgs.), *Lager, Zusamenarbeit, Vertreibung und Deportation: Dimensionen der Massenverbrehen in der Sowjetunion und in Deutschland 1933 bis 1945* (Essen, 1999), 371-89.

44 R. J. van Pelt, 'A Site in Search of a Mission', em Y. Gutman e M. Berenbaum (orgs.), *Anatomy of the Auschwitz Death Camp* (Bloomington, Ind., 1994), 3-156, e Schulte, 'Vom Arbeits- zum Vernichtungslager'. Em outubro a meta para Auschwitz foi elevada para 100 mil internos.

45 Longerich, *Politik*, 480.

46 Não vejo motivo para tratar essa proposição como cobertura eufemística de um programa secreto de execuções, por fuzilamento ou gás, e nesse aspecto acompanho Longerich, *Politik*, 466-82, Kershaw, *Hitler: Nemesis*, 491-3, e H. Mommsen, *Auschwitz* 17. *Juli 1942* (Munique, 2002), 160-63. Em contraposição, tanto Aly, '*Endloesung*', 362, quanto Browning, *The Origins*, 411-12, insistem em que já tinha sido tomada uma decisão para matança imediata em estilo de execução e que Heydrich falava em linguagem cifrada.

47 Devemos nosso conhecimento desse notável fato primeiramente à contribuição de R.-D. Müller a *DRZW* 4.184-93, originalmente publicada em 1982, e mais recentemente ao trabalho de Aly e Heim, *Vordenker der Vernichtung*, 365-93, C. Gerlach, *Kalkulierte Morde: Die deutsche Wirtschafts- und Vernichtungspolitik in Weissrussland* 1941 *bis* 1944 (Hamburgo, 1999) e C. Gerlach, *Krieg, Ernaehrung, Voelkermord: Deutsche Vernichtungspolitik im Zweiten Weltkrieg* (Zurique, 2ª ed., 2001).

48 Esse tinha sido o tema da fracassada tese de doutorado de Backe', 'Die Russische Getreidewirtschaft als Grundlage der Land- und Volkswirtschaft Russlands' (1925-6), divulgada em 1941 como informação confidencial para as autoridades de ocupação na União Soviética.

49 Ver o relatório pessimista do Reichsbank de junho de 1941, BAL R2501 7007, 233-56.

50 IMT XXXI. 84.

51 Para o que se segue, ver Gerlach, *Kalkulierte Morde*, 46-59.

52 Browning, *The Origins*, 240.

53 Essa posição foi reiterada no outono de 1941. Ver IMT XIII. 855-63, NI-440.

54 Wirtschaftspolitische Richtlinien, 23 de maio de 1941, em IMT XXXVI. 141.

55 H. Krausnick, *Die Truppe des Weltanschauungskrieges: Die Einsatzgruppen der Sicherheitspolizei und des SD*, 1938-1942 (Stuttgart, 1981) e P. Klein (org.), *Die Einsatzgruppen in der besetzten Sowjetunion*, 1941/42 (Berlim, 1997).

56 T. Sankuehler, 'Judenpolitik und Judenmord im Distrikt Galizien, 1941-1942', em U. Herbert (org.), *Nationalsozialistische Vernichtungspolitik* 1939-1945: *Neue Forschungen und Kontroversen* (Frankfurt, 1998), 122-47.

57 Gerlach, *Kalkulierte Morde*, 265 - 318.

58 Ibid., 668-74.

59 Ver o estudo extraordinário e pioneiro de C. Streit, *Keine Kameraden: Die Wehrmacht und die sowjetischen Kriegsgefangenen* 1941-1945 (Stuttgart, 1978), seguido por A. Streim, *Behandlung sowjetischer Kriegsgefangenen im 'Fall Barbarossa'* (Heidelberg, 1981).

60 Streit, *Keine Kameraden*, 128-37.

61 Ver por exemplo o apelo de Göring em favor de maior número de divisões de segurança a fim de impedir que a população 'vagasse como ciganos' e consumisse os alimentos disponíveis. BAL R26IV 51, 18 de setembro de 1941.

62 KTB WiKdo Bobruisk, janeiro de 1942, citado em Gerlach, *Kalkulierte Morde*, 277.

63 Ibid., 255.

64 Houve acordo, no final de novembro de 1941, para fazer entregas suplementares durante seis meses, além da criação de uma reserva para dois meses, porém somente sob a condição de que as rações da Wehrmacht fossem reduzidas. BAMA RW19/166, 25, 36.

65 BAMA RW19/166, 665.
66 J. Barber e A. R. Dzeniskevich (orgs.), *Life and Death in Besieged Leningrad* (Basingstoke, 2005), e H. E. Salisbury, *The 900 Days: The Siege of Leningrad* (Londres, 1969).
67 Para o que se segue, ver Madajczyk, *Yom Generalplan Ost*, 440-42, Anlage 8, e G. Hass, 'Leben, Sterben und Ueberleben im belagerten Leningrad (1941-1944)', *Zeitschrift fuer Geschichtswissenschaft*, 50 (2002), 1080-98.
68 D. M. Glantz, *The Siege of Leningrad*, 1941-1944 (Staplehurst, 2001), 75-81.
69 N. Cherepina, 'Assessing the Scale of the Famine and Death', em Barber e Dzeniskevich (orgs.), *Life and Death*, 28-71.

14. Dezembro de 1941: a reviravolta

1 *DGFP* XII, 1066-9.
2 *Halder Diary*, 3 de julho de 1941,446-7.
3 Ibid., 26 de julho de 1941, 486-7.
4 Sobre a importância crucial da batalha de Smolensk, ver A. Hillgruber, 'Die Bedeutung der Schlacht von Smolensk', em A. Hillgruber, *Die Zerstoerung Europas: Beitraege zur Weltkriegsepoche 1914 bis 1945* (Frankfurt, 1988), 296-312.
5 *Halder Diary*, 20 de julho de 1941,482, 22 de julho de 1941, 483, 26 de julho de 1941, 485, 30 de julho de 1941, 489, 3 de agosto de 1941, 494.
6 W. Murray e A. R. Millett, *A War to be Won: Fighting the Second World War* (Cambridge, Mass., 2000), 128. D. M. Glantz e M. House, *When Titans Clashed How the Red Army Stopped Hitler* (Lawrence, Kansas, 1995), 58-61.
7 Citado em Hillgruber, 'Smolensk', 30 e K. A. F. Schueler, *Logistik im Russlandfeldzug* (Frankfurt, 1987), 359.
8 Citado em K. Reinhardt, *Moscow - the Turning Point: The Failure of Hitler's Strategy in the Winter of* 1941-1942 (Oxford, 1992), 47.
9 A ideia de que houve uma oportunidade perdida pelo Grupamento Central do Exército para avançar diretamente em direção a Moscou em agosto de 1941, advogada principalmente por Franz Halder tanto durante quanto depois da guerra, ignora as limitações logísticas que impediram qualquer tipo de ataque significativo antes de meados de setembro de 1941. Ver M. van Creveld, *Supplying War: Logistics from Wallenstein to Patton* (Cambridge, 1977), 16-174, and Schueler, *Logistik*, 368-84.
10 *Halder Diary*, 12 de agosto de 1941, 505-6.
11 Glantz e House, *When Titans*, 68.
12 M. Harrison, 'Resource Mobilization for World War II', *Economic History Review* (1988), 184.
13 Simbiose brilhantemente descrita em S. Kotkin, *Magnetic Mountain: Stalinism as Civilization* (Berkeley, 1997).
14 Reinhardt, *Moscow*, 39, e I. Kershaw, *Hitler* 1936-1945: *Nemesis* (Londres, 2000), 417.
15 Ibid., 412.
16 *DRZW* 9/1. 304-9.
17 Sobre o que se segue, ver P. Herde, 'Japan, Deutschland und die Vereinigten Staaten', and J. Rohwer, 'Die USA und die Schlacht im Atlantik 1941', em Rohwer e E. Jaeckel (orgs.), *Kriegswende Dezember 1941* (Koblenz, 1984), 36-54 e 81-103.
18 W. Rahn,. 'Strategische Optionen', em B. Thoss e H.-E. Volkmann (orgs.), *Erster Weltkrieg: Zweiter Weltkrieg* (Paderborn, 2002), 237.
19 Hillgruber, 'Hitler und die USA', in *Zerstoerung*, 195.
20 Kershaw, *Hitler: Nemesis*, 442-4.

21 *Halder Diary*, 21 de julho de 1941 a 24 de agosto de 1941, 482-516.
22 Kershaw, *Hitler: Nemesis*, 415-16.
23 Reinhardt, *Moscow*, 57-60.
24 Kershaw, *Hitler: Nemesis* 416.
25 Schueler, *Logistik*, 400. Kershaw, *Hitler: Nemesis* 431.
26 Conforme argumentado por C. R. Browning, *The Origins of the Final Solution: The Evolution of NaziJewish Policy. September 1939-March* 1942 (Lincoln, Nebraska., 2004), 370-73. Para uma tese contrária, que coloca em agosto a decisão de Hitler de preparar-se para assassinato em massa, mas insiste no fato de que a oportunidade e o método da matança permaneciam em aberto, ver Jersak em *DRZW* 9/1. 304-5.
27 Murray e Millett, *War to be Won*, 131-3. Glantz and House, *When Titans*, 78-81.
28 J. Barber e M. Harrison, *The Soviet Home Front*, 1941-1945: *A Social and Economic History of the USSR in World War II* (Londres, 1991), 64.
29 Schueler, *Logistik*, 403.
30 Glantz and House, *When Titans*, 80-81.
31 Conforme esclareceu K. H. Frieser, *Blitzkrieg-Legende: Der Westfeldzug 1940* (Munique, 1996), 208-11, se não fosse o heroísmo deles o ataque a Sedan poderia ter fracassado.
32 Ver o debate presidido por Keitel em 18 de agosto de 1941, BAMA RW 19/177, 222-34.
33 BAMA RW 19/165, 297, nota da OKW Wi Rue Amt, 24 de outubro de 1941.
34 BAMA RW 19/166, 71.
35 BAMA RW19/166, 2. Ver também W. Meier-Doernberg, *Die Oelversorgung der Kriegsmarine* 1935 *bis* 1945 (Freiburgo, 1973), 59-63.
36 A escassez não era apenas de combustíveis. A constante pressão para reparar os danos causados por bombas e torpedos sofridos pelos grandes navios durante as breves campanhas, em grande parte inúteis, bloqueava valioso espaço nos estaleiros e limitava a construção de submarinos. Ver Rahn, 'Strategische Optionen', em Thoss and Volkmann (orgs.), *Erster Weltkrieg*, 236.
37 BAMA RW 19/177, 135-8.
38 BAMA RW 19/166, 5-6.
39 BAL R2501/70007, 266-9.
40 Relatório posterior do Reichsbank estimou que o preço de produtos civis escassos aumentara 60%, apesar dos controles oficiais. Ver BAL R 2501/7007, 330-38.
41 BAL R 2501/7007, 268.
42 BAL R 2501/7007, 332.
43 L. Herbst, *Der Totale Krieg und die Ordnung der Wirtschaft: Die Kriegswirtschaft im Spannungsfeld von Politik, Ideologie und Propaganda* 1939-1945 (Stuttgart, 1982), 19⁰.
44 Mais recentemente, G. Aly, *Hitlers Volksstaat* (Frankfurt, 2005).
45 Para o novo plano de poupança denominado Eisernes Sparen, ver sugestões anunciadas em BAL R 2501/7007, 341, 102, e M. L. Recker, *Nationalsozialistische Sozialpolitik im Zweiten Weltkrieg* (Munique, 1985), 194-206.
46 Aly, *Hitlers Volksstaat*, 78.
47 Para relatos contraditórios, ver ibid., 79-81 e M. Fuehrer, *Mieter, Hausbesitzer, Staat und Wohnungsmarkt: Wohnungsmangel und Wohnungszwangswirtschaft in Deutschland 1914-1960* (Stuttgart, 1995), 228-30.
48 Para um excelente relato recente, que corrige confusões anteriores na literatura, ver C. Rauh-Kuehne, 'Hiders Hehler? Unternehmerprofite und Zwangsarbeiterloehne', HZ 275 (2002), 1-55.
49 G. Thomas, *Geschichte der deutschen Wehr- und Ruestungswirtschaft* (Boppard, 1966), 137.
50 Conforme explicado no discurso de Zangen's ao RgI, 19 de dezembro de 1940, BAH R 131/594, 50-59. Ver também o comentário incrédulo do Reichsbank sobre um relato complacente da agência de controle de preços do OKW, BAL 2501/7007, 409-11.

51 Manobras documentadas em BAL R8122/336 e 337, mais R13I 599.
52 Ver explicação do curso das negociações em BAL R 2501/7008, 94-8.
53 BAL R 2501/7007, 412-13.
54 BAL R 8122/338, Notiz, 8 de novembro de 1941.
55 Segundo a versão amplamente aceita dos acontecimentos, Wagner foi removido por causa de sua excessiva ligação com o catolicismo. Porém, conforme assinala Rauh-Kuehne, 'Hitlers Hehler', 25-6, a possível conexão de sua disputa com o Grupo do *reich* para a indústria ainda não tenha sido explorada.
56 O equilíbrio entre oferta e procura está bem elucidado em um discurso do dr. Regul do Reichsvereinigung Kohle, BAH R 13I/59 5, 168-9.
57 BAMA RW19/177, I65.
58 BAH R 131/652, 9.
59 Esse ponto chave é apresentado em BAMA RW19/177, 9-10.
60 BAMA RW 19/165, 169-70, Wi Rue Amt Stab, 28 de julho de 194I.
61 BAMA RW 19/l65, 131.
62 Ver Conferência, 18 de agosto de 194I, BAMA RW 19/177, 226.
63 BAMA RW 19/177, 269-73. Ainda mais extrema foi a redistribuição de cobre, do qual o Exército receberia apenas 800 toneladas, em comparação com 3.300 para a Marinha e 4 mil alocadas para a Luftwaffe.
64 B. R. Kroener, '*Der starke Mann im Heimatkriegsgebiet*': *Generaloberst FriedrichFromm. Eine Biographie* (Paderborn, 2005), 417-21.
65 Os comentários sobre munição para morteiros e outras, em BAMA RW19/l66, 141.
66 BAMA RW 19/165, 554.
67 Mueller, em *DRZW* 5/I. 610.
68 Conforme notado pelo Wi Rue Amt Stab do OKW, 22 de novembro de 1941, BAMA RW 19/166, 28.
69 Ver BAMA RW19/166, 35.
70 Reinhardt, *Moscow*, 222-8, 243-8, e Schüler, *Logistik*, 404.
71 Ibid., 279-83.
72 J. Erickson, *The Road to Stalingrad: Stalin's War with Germany* (Londres, 1975), 269-73.
73 E. F. Ziemke e M. E. Bauer, *Moscow to Stalingrad: Decision in the East* (Nova York, 1988),77.
74 Körner, em *DRZW* 5/1, 885.
75 Reinhardt, *Moscow*, 326.
76 Erickson, *The Road to Stalingrad*, 297-342.
77. DRZW 6. 780-81.
78 H. D. Hall, *North American Supply* (Londres, 1955), 328-35.
79 Sobre a importância crucial dessa ideia para a racionalização da política de Hitler, ver S. Friedländer, *Prelude to Downfall: Hitler and the United States 1939-1941* (Londres, 1967), 307-I4.
80 D. Reynolds, *The Creation of the Anglo-American Alliance 1937-41: A Study in Competitive Cooperation* (Londres, 1981), 213-30.
81 Browning, *The Origins*, 318.
82 Encontro entre Hitler e o embaixador da Espanha, 12 de agosto de 1941, citado em A. Hillgruber (org.), *Staatsmaenner und Diplomaten bei Hitler* (Frankfurt, 1967), 1, doc. 86, 624.
83 Hitler-Mussolini, 25 de agosto de 1941, *DGFP* D XIII, 383-8, doc. 242, 387. Friedländer, *Prelude*, 266-9.
84 Hitler *Monologe*, 239, citando Wegner, in *DRZW* 6. 114. Ver também Reinhardt, *Moscow*, 376, e Kröner, em *DRZW* 5/I. 965-6.
85 Kershaw *Hitler: Nemesis*, 364.
86 Friedländer, *Prelude*, 270-85.

87 Kershaw, *Hitler: Nemesis,* 442-6.
88 Browning, *The Origins,* 407.
89 H. Frank, *Das Diensttagebuch des deutschen Generalgouverneurs in Polen 1939-1945* (Stuttgart, 1975), 458. Longerich *Politik*, 468.
90 Ver comentários no capítulo anterior sobre a interpretação contestada dessa reunião.
91 E. Jaeckel, 'Die deutsche Kriegserklaerung an die Vereinigten Staaten von 1941', em F. J. Kroneck e T. Oppermann (orgs.), *Im Dienste Deutschlands und des Rechtes* (Baden-Baden, 1981), 117-37.
92 *DRZW* 6. 110-12.
93 DRZW 6. 97-127
94 L. Budrass, *Flugzeugindustrie und Luftruestung m Deutschland* (Duesseldor, 1998 , 714.
95 BAMA *RW* 19/473, memorando de Thomas, fim de junho de 1941.
96 BAMA RW 19/166, 79.
97 BAMA *RW* 19/166, 87.
98 BAMA RW 19/166, 676.
99 W. Rohland, *Bewegte Zeiten: Erinnerungen emes Elsenhuettenmannes* (Stuttgart, 1978), 75, e H. Kehrl, *Krisenmanager im Dritten Retch* (Duesseldort, 1973), 217-18. Ver também K. H. Ludwig, *Technik und Ingenieure im Dritten reich* (Düsseldorf, 1974), 386-93, 401-3. Ludwig se desculpa claramente em sua referência a Todt como "resistente". No entanto, a crítica a Speer que se segue é vital.
100 Sobre isso e o que se segue, Rohland, *Bewegte Zeiten* 773-778.
101 *Halder Diary,* 564. Kroener, *Fromm,* 409-17.
102 Kroener, em DRZW 5/1. 921-2.
103 E. Fröhlich (org.), *Die Tagebuecher von Joseph Goebbels* (Munique, 1994) II/3, 20 de janeiro de 1942, 154-5.
104 W. Weber, 'Walter Borbet (1881-1942)', em Weber (org.), *Ingeneure im Ruhrgebiet* (Münster, 1999), 253-6.
105 Ver instruções em BAH R13I658,108.
106 Rohland, *Bewegte Zeiten,* 79-81.
107 Müller, em DRZW 5/1. 668 e Koerner, em DRZW 5/1. 920-21.
108 Müller, em *DRZW* 5/1 667-8, e Kroener, *Fromm,* 427-31.
109 A. Speer, *Inside the Third Reich* (Londres, 1970), 314, convicção de parte de Fromm reforçada por conversas com o chefe da Abwehr Canaris, ver Kröner, *Fromm,* 437-45 e 482-92.
110 Conforme fica claro em M. Walker, *German National Socialism and the Quest for Nuclear Power* 1939-1949 (Cambridge, 1989), 46-80, a questão da oportunidade era crucial para a tomada de decisões na Alemanha em relação à bomba.
111 R. Rhodes, *The Making of the Atomic Bomb* (Londres, 1986), 394-407.
112 *DRZW* 6. 509-10.

15. Mão de obra, alimentos e genocídio

1 R. Overmans, *Deutsche militaerische Verluste im Zweiten Weltkrieg* (Munique, 1999), 238-9. Como esses números registram somente as baixas fatais, reduzem gravemente as perdas reais da Alemanha por ferimentos, doença e captura.
2 Kroener, em DRZW 512.792.
3 Ver a ansiedade do escritório econômico militar do OKW', BAMA RW 19/166, 115.
4 W. Naasner, *Neue Machtzentren in der deutschen Kriegswirtschaft* 1942-1945 (Boppard, 1994), 88.
5 IWM FD 3354/45, 196 ZP 54ª. sessão.
6 Eichholtz, II. 230-32.

7 Naasner, *Neue Machtzentren,* 68-9.
8 Ver cartas contemporâneas reproduzidas sem comentário em H. H. Knittel, *Panzerfertigung in Zweiten Weltkrieg: Industrieproduktion fuer die deutsche Wehrmacht* (Herford, 1988), 126.
9 P. W. Becker, 'Fritz Sauckel', em R. Smelser, E. Syring e R. Zitelmann (orgs.), *Die Braune Elite: 22 biographische Skizzen* (Darmstadt, 1993), I. 236-45.
10 J. John, 'Ruestungswirtschaftlicher Strukturwandel und NS Regionalpolitik', em D. Heiden e G. Mai (orgs.), *Nationalsozialismus in Thueringen* (Weimar, 1995), 213-45.
11 As melhores apreciações são U. Herbert, *Hitler's Foreign Workers: Enforced Foreign Labour in Germany under the Third Reich* (Cambridge, 1997), M. Spoerer, *Zwangsarbeit unter dem Hakenkreuz* (Stuttgart, 2001) e E. L. Homze, *Foreign Labor in Nazi Germany* (Princeton, 1967).
12 Spoerer, *Zwangsarbeit, 223).*
13 G. Wysocki, *Arbeit für den Krieg* (Brunswick, 1992), 67-75, e L. Budrass, *Flugzeugindustrie und Luftruestung in Deutschland* (Düsseldorf, 1998), 799.
14 Ibid., 771.
15 A. S. Milward, *The New Order and the French Economy* (Oxford, 1984), 149. "Faraônico" foi o termo usado pelo juiz Jackson no IMT.
16 Para o relato em proveito próprio de Hans Kehrl sobre este conflito, ver Kehrl, *Krisenmanager in Dritten Reich* (Düsseldorf, 1973), 341- 52. Para relatos acadêmicos, ver Milward, *The New Order,* 147-80 e Kröner, em DRZW 512. 896-916.
17 Müller, em DRZW 512.379. No outono de 1942, Speer apoiara Sauckel contra autoridades militares alemãs na França precisamente afirmando que os trabalhadores franceses estavam mais bem empregados em fábricas alemãs.Ver BAL R3/1736, 26 de outubro de 1942, 83.
18 Atividades sucessivas de Sauckel na França produziram 240 mil homens em junho-dezembro de 1942, 250 mil em janeiro-abril de 1943, 106 mil em maio-outubro de 1943, e somente 36 mil-50 mil entre janeiro e junho de 1944.Ver R. Frankenstein, 'Die deutschen Arbeitskraefteaushebungen in Frankreich', em W. Dlugoborski, *Zweiter Weltkrieg und sozialer Wandel* (Göttingen, 1981), 211-23.
19 R. D. Mueller, 'Die Rekrutierung sowjetischer Zwangsarbeiter', em U. Herbert (org.), *Europa und der 'Reichseinsatz'* (Essen, 1991), 236.
20 A. Heusler, *Auslaendereinsatz: Zwangsarbeit fuer die Muenchener Kriegswirtschaft* (Munique 1996), 32-41.
21 H. Moennich, *The BMW Story: A Company in its Time* (Londres, 1991), 283-422 Herbert, *Hitler's Foreign Workers,* 143-50.
23 Na Stalag XB Sandbostel, onde havia prisioneiros soviéticos e ocidentais, 35 mil dentre os soviéticos podem ter morrido durante o inverno de 1941-42 e mais 3.600-3.700 em cada ano subsequente da guerra. Ver W. Borgsen e K. Volland, *Stalag XB Sandbostel* (Bremen, 1991), 22-3 e 252. Um estudo do Campo 326 na região de Senne, na Vestfália, aponta 65 mil como estimativa plausível do número de prisioneiros soviéticos mortos ali.Ver K. Hueser e R. Otto, *Das Stammlager 326 (VIK) Senne 1941-1945* (Bielefeld, 1992), 190. Quantidades menores, mas não menos horrendas, podem surgir do exame meticuloso das fontes propostas por R. Keller e R. Otto, 'Das Massensterben der sowjetischen Kriegsgefangenene und die Wehrmachtbuerokratie', *MGM* 57 (1998), 149-80. Deve-se enfatizar, também, que esses números se referem a prisioneiros soviéticos que chegaram à Alemanha e não refletem a taxa de mortalidade ainda mais elevada imediatamente atrás das linhas de frente no leste.
24 Eichholtz, II. 215-16.
25 Spoerer, *Zwangsarbeit,* 131.
26 Eichholtz, II. 26.
27 Ibid., 289.
28 Ibid., 290.
29 IMT XXV. 161-4.

30 IMT XXV, doc. 054-PS, 100-10.

31 Espiral viciosa sobre a qual Albert Speer foi amplamente informado. Ver BAL R3/17J6, 1º de setembro de 1942, 68.

32 Spoerer, *Zwangsarbeit*, 229.

33 'Compromisso' (*compromise*) é o tema central da obra de Herbert. Para exemplos do uso que fazia do termo, ver Herbert, *Hitler's Foreign Workers*, 64, 93-4, 134-5, 143. No entanto, conforme assinala Naasner, esse termo tende a exagerar o conflito de interesse entre Sauckel como fornecedor de mão de obra e a SS como fornecedora de disciplina. Naasner prefere falar de uma "síntese ideológico-pragmática" que seria bastante recomendável se não fosse tão canhestra; Naasner, *Neue Machtzentren*, 111.

34 Esse é o argumento apresentado por U. Herbert, 'Arbeit und Vernichtung', em D. Diner (org.), *Ist der Nationalsozialismus Geschichte?* (Frankfurt, 1987), 198-236, e U. Herbert, 'Labour and Extermination: Economic Interest and the Primacy of Weltanschauung in National Socialism', *Past and Present*, 138 (1993), 144-95.

35 Sobre a decisão de deportar trabalhadores judeus alemães em 1941, ver W. Gruner, 'Der "Geschlossene Arbeitseinsatz"', em M. Kingreen (or.), '*Nach der Kristallnacht': Juedisches Leben und antijuedische Politik in Frankfurt am Main* 1938-1945 (Frankfurt, 1999), 259-88.

36 Sobre a atitude da administração do governo-geral no verão de 1942, inclusive o *Ruestungsinspektor* Schindler, que ainda considerava os judeus uma força de trabalho indispensável, ver a reunião dos *Hauptabteilungsleiter* em Cracóvia em H. Frank, *Das Diensttagebuch des deutschen Generalgouverneurs in Polen 1939-1945* (Stuttgart, 1975), 22 de junho de 1942, 515-17.

37 Um exemplo típico está reproduzido em J. Noakes e G. Pridham, *Nazism* (Exeter, 1988), III. 821, 1098.

38 Ver P. Longerich, *Politik der Vernichtung* (Munique, 1998), 476.

39 Sobre a evolução da política em relação à mão de obra judaica polonesa entre fevereiro e julho de 1942, ver D. E. Pohl, *Von der Judenpolitik' zum Judenmord: Der Distrikt Lublin des Generalgovernements* 1939-1944 (Frankfurt, 1993), 110-29.

40 E. Froehlich (org.), *Die Tagebuecher von Joseph Goebbels* (Munique, 1994), II/3. 561, anotação em 27 de março de 1942. Deve-se notar que em circunstâncias normais aproximadamente 50-60% de uma população é economicamente ativa. A quantidade de 40% portanto implica na intenção de utilizar a ampla maioria dos judeus economicamente ativos.

41 F. Kersten, *The Kersten Memoirs* 1940-1945 (Londres, 1956), 132-40. Como esta fonte concorda com outros dados sobre o *Generalplan*, acompanho R.J. van Pelt e D. Dwork, *Auschwitz:* 1270 *to the Present* (New Haven, 1996), 307-15, ao levá-la a sério.

42 Sobre a relutante aceitação de parte de Himmler's da mão de obra judia nas fábricas no Governo Geral em 1942 e sua subsequente liquidação, ver Pohl, *Von der ludenpolitik*', 157-67, e E. Georg, *Die wirtschaftlichen Unternehmungen der* SS (Stuttgart, 1963), 90-99.

43 O que se segue é baseado em F. Piper, 'Die Ausbeutung der Arbeit der Haeftlinge', in W. Dlugoborski e F. Piper, *Auschwitz* 1940-1945: *Studien zur geschichte des Konzentrations- und Vernichtungslagers Auschwitz* (Oswieçim, 1999), II. 83-167.

44 B. C. Wagner, *IG Auschwitz: Zwangsarbeit und Vernichtung von Haeftlingen des Lagers Monowitz* 1941-1945 (Munique, 2000).

45 S. Heim, *Kalorien, Kautschuk, Karrieren: Pflanzenzuechtung und landwirtschaftliche Forschung in Kaiser-Wilhelm lnstituten* 1933-1945 (Göttingen, 2003), 172-93.

46 C. Gerlach e G. Aly, *Das letzte Kapitel: Der Mord an den ungarischen Juden* (Stuttgart, 2002).

47 Narrativa que impulsiona Herbert, *Hitler's Foreign Workers*, 137-252.

48 Ibid., 176-82. Conforme Sauckel se apressou a enfatizar, isso ocorreu por motivos inteiramente 'não sentimentais'.

49 Ver as expressões de frustração da IG Auschwitz como caráter restritivo da atitude de Sauckel, IMT VIII. 490-91, NI-14532 IG, relatório semanal de Auschwitz 80 e 81, 30 de novembro-13 de dezembro de 1942.

50 Sobre os campos de reeducação, *(Arbeitserziehungslager)*, ver G. Lotfi, *KZ der Gestapo: Arbeitserziehungslager im Dritten Reich* (Stuttgart, 2000).

51 Ver comentários de local de construção da IG Farben em Auschwitz em IG Farben Case VIII, 490-91.

52 Para uma apreciação de fontes, ver H. Menne e M. Farrenkopf, *Zwangsarbeit im Ruhrbergbau waehrend des Zweiten Weltkrieges: Spezialinventar der Quellen in nordrhein-westfaelischen Archiven* (Bochum, 2004). Quando este livro estava sendo enviado para impressão surgiu a maciça documentação, H.-C. Seidel e K. Tenfelde, *Zwangsarbeit im Bergwerk: Der Arbeitseinsatz im Kohlenbergbau des deutschen Reiches und der besetzten Gebiete im Ersten und Zweiten Weltkrieg* (Essen, 2005).

53 Ver os comentários in W. A. Boelcke, *Deutschlands Ruestung im Zweiten Weltkrieg: Hitlers Konferenzen mit Albert Speer* 1942-1945 (Frankfurt, 1969), 172.

54 Tudo o que se segue vem de W. Abelshauser, em L. Gall (org.), *Krupp im 20. Jahrhundert* (Berlim, 2002), 412.

55 Ibid., 412.

56 Eichholtz, II. 277.

57 Ibid., III. 248.

58 N. Gregor, *Daimler-Benz in the Third Reich* (New Haven, 1998), 191, e Spörer, *Zwangsarbeit,* 129-30.

59 T. Allen, *The Business of Genocide* (Chapel Hill, NC, 2002), 1-77, H. Kaienburg, *Die Wirtschaft der* SS (Berlim, 2003), 114-138, e J. E. Schulte, *Zwangsarbeit und Vernichtung: Das Wirtschaftsimperium der* SS (Paderborn, 2001), 103-25.

60 Ibid.

61 Kaienburg, *Die Wirtschaft der SS,* 434-5. Schulte, *Zwangsarbeit,* 392-4.

62 Budrass, *Flugzeugindustrie,* 775.

63 Schulte, *Zwangsarbeit,* 398.

64 Herbert, *Europa,* 14. Para números ligeiramente diferentes, ver Schulte, *Zwangsarbeit,* 401.

65 J.-C. Wagner, 'Noch einmal: Arbeit und Vernichtung', em N. Frei, S. Steinbacher and B. C. Wagner (orgs.), *Ausbeutung, Vernichtung, Oeffentlichkeit* (Munique, 2000), 11-41.

66 Wagner, *IG Auschwitz,* 129-33.

67 IMT VIII. 392-3, NI — 14543, relatório semanal sobre o programa de construção de Auschwitz, 9 de agosto de 1941, 393. Com o tempo, a gerência do canteiro de obras da IG começou a adotar uma atitude mais despreocupada sobre castigos corporais no local e fora dele. Ver Wagner, *IG Auschwitz,* 230-38.

68 O processo de 'Oekonomisierung' foi inicialmente seguido pela obra pioneira de F. Pingel, *Haeftlinge unter SS-Herrschaft* (Hamburgo, 1978).

69 M. Spörer, 'Profitierten Unternehmen von KZ-Arbeit', HZ 268 (1999), 61-95.

70 C. Rauh-Kuehne, 'Hitlers Hehler? Unternehmerprofite und Zwangsarbeiterloehne', HZ 275 (2002).

71 Ver memorial na Internet, http://loibl-memorial.uni-klu.ac.at/. Ainda muito utilizado 60 anos depois, o túnel de Loibl foi considerado o mais perigoso da Europa em 2002 e tem passado por extensa reconstrução desde novembro de 2002 em preparação para a acessão da Eslovênia à EU.

72 Spörer, *Zwangsarbeit,* 227-8.

73 Ver relato pioneiro em Herbert, *Hitler's Foreign Workers,* 205-38, ao qual pouco acrescenta Abelshauser, em Gall (org.), *Krupp,* 400-17.

74 Herbert, *Hitler's Foreign Workers*, 300.
75 Naasner, *Neue Machtzentren*, 155-6, e Herbert, *Hitler's Foreign Workers*, 305.
76 Embora não o formule expressamente, como fizemos aqui, como resposta à posição de Herbert a respeito da mão de obra estrangeira, devemos essa importante percepção acima de tudo a Christian Gerlach. Ver Gerlach, *Kalkulierte Morde: Die deutsche Wirtschafts- und Vernichtungspolitik in Weissrussland 1941 bis 1944* (Hamburgo, 1999) e *Krieg, Ernaehrung, Voelkermord: Deutsche Vernichtungspolitik im Zweiten Weltkrieg* (Zurique, 2ª ed., 2001).
77 Sobre mão de obra estrangeira e alimentação, ver Herbert, *Hitler's Foreign Workers*, 182-3 e 288-95, e Naasner, *Neue Machtzentren*, 129-62. Sobre o sistema de campos de concentração, ver Naasner, *Neue Machtzentren*, 274–8 e Pingel, *Haeftlinge unter SS-Herrschaft*, 130-38.
78 Ver o franco relatório datado de 11 de março de 1942, BAL R 16I V 51, 81-73. Ver também Apêndice, Tabela A5.
79 Sobre as decepcionantes entregas da União Soviética e Romênia, ver BAMA R W 19/166, 14 e 17, respectivamente.
80 BAMA RW 19/473, 177-9 e RW 19/177, 19. A intenção das ordens de Hitler era reverter esse corte durante o inverno vindouro com base em carne trazida da União Soviética, RW19/177, 164.
81 Ver sua resposta imediata em BAMA RW 19/165, 310.
82 IMT XXVII, doc. 1206-PS, 67.
83 IMT XXXIX, 177-USSR, 446-8. Nota manuscrita nesse relatório por Körner, secretário de Estado de Göring, sugere a pressão sob a qual se encontrava Backe: 'Favor verificar a situação porque o secretário de Estado Backe parece estar perdendo a tranquilidade."
84 Eichholtz, II. 216.
85 Ver a extensa justificativa constante deste relatório datado de 11 de março de 1942, BAL R16IV 51, 81-73. Interessante notar que não contém ainda a ideia de um grande deslocamento a expensas dos territórios ocupados.
86 *Meldungen*, IX: 23 de março de 1942, 3504-5. O anúncio foi precedido por semanas de especulação e seguido por meses de resmungos.Ver *Meldungen*, X: 30 de março de 1942, 3543; 2 de abril de 1942, 3566; 9 de abril de 1942, 3595; 16 de julho de 1942, 3951. Conforme notado em *Meldungen*, X: 13 de abril de 1942, 3614, o anúncio de sentenças de morte para quem se dedicasse ao mercado negro serviu um pouco para elevar os ânimos. Ver também G. Corni e H. Gies, *Brot, Butter, Kanonen: Die Ernaehrungswirtschaft in Deutschland unter der Diktatur Hitlers* (Berlim, 1997), 562-4, e Herbert, *Hitler's Foreign Workers*, 189.
87 BAL R3102 (R24), 55. W. F. Werner, *Bleib Uebrig! Deutsche Arbeiter in der nationalsozialistischen Kriegswirtschaft* (Düsseldorf, 1983), 300-302.
88 Eichholtz, II. 216. Herbert, *Hitler's Foreign Workers*, 173, deixa de distinguir entre rações normais e rações para trabalhos pesados.
89 Eichholtz, II. 215.
90 Gregor, *Daimler-Benz*, 186.
91 IMT XXV, doc. 025-PS, 86-7. Naasner, *Neue Machtzentren*, 105.
92 A importância da nomeação de Backe's foi especificamente reduzida por insistência de Goebbels. Ver Fröhlich (org.), *Die Tagebuecher von Joseph Goebbels*, 11/4. 327-8, anotação de 21 de maio de 1942. Para um tratamento um tanto superficial, ver Cornied Gies, *Brot, Butter, Kanonen*, 416-19. Gerlach foi o primeiro a notar sua importância real. Ver Gerlach, *Krieg, Ernaehrung, Voelkermord*, 192-7.
93 Ver a ordem do OKW de 29 de agosto de 1942, IMT XXXIX, 175-USSR.
94 Citado em Gerlach, *Krieg, Ernaehrung, Voelkermord*, 175.
95 Frank, *Das Diensttagebuch*, 522.

96 Ver atas da *Zentrale Planung*, BAL R 10III 81, 2-4. Para a reunião entre Speer e Backe em 27 de julho de 1942, ver BAL R 3/1736, 58. Isto deve ser considerado como mais um elo na cadeia de indícios que ligam Albert Speer ao Holocausto.
97 Sobre a presença de Speer, BAL ver R 3/1736, 5 de agosto de 1942, 60.
98 IMT XXXIX, 170-USSR, 384-412.
99 IMT XIII. 838-40.
100 Frank, *Das Diensttagebuch*, Regierungssitzung, 24 de agosto de 1942, 549.
101 Domarus, II. 1913-24.
102 Herbert, *Hitler's Foreign Workers*, 192.
103 Esse enorme aumento compensa um declínio menor nas entregas da Dinamarca e sudeste europeu. K. Brandt, *Management of Agriculture and Food in the German-occupied and Other Areas of Fortress Europe* (Stanford, Califórnia, 1953), 614.
104 Ibid., 610.
105 Por implicação, estou minimizando a decisão de Himmler, no início de 1942, de envolver os campos de concentração mais estreitamente na economia de guerra, que aparece como terceiro pilar do excelente relato de Naasner. Ver Naasner, *Neue Machtzentren*, 197-429. A SS acabou por tornar-se fator importante na economia de guerra, porém somente a partir da segunda metade de 1943. Em 1942, era muito menos significativa do que o eixo alimentar Backe-Himmler-Göring, realçado em primeiro lugar por Gerlach.

16. Albert Speer: o "homem do milagre"

1 Sobre Speer em Nuremberg, ver M. Schmidt, *Albert Speer: The End of a Myth* (Londres, 1984), 145-68, G. Sereny, *Albert Speer: His Battle with Truth* (Londres, 1995), 563-96, D. van der Vat, *The Good Nazi: The Life and Lies of Albert Speer* (Boston, 1997), 239-82, e J. C. Fest, *Speer: Eine Biographie* (Berlim, 1999), 383 -41 6.
2 Ele foi o tema de um filme de 5 horas feito para TV, *Inside the Third Reich* (1982), dirigido por Marvin J. Chomsky, e pelo menos duas peças de teatro, uma de E. Vilar (Almeida, 1999) e outra de David Edgar, *Albert Speer* (Royal National Theatre, 2000). Mais recentemente foi tema de um documentário em 4 partes para TV, *Speer under*, de Heinrich Breloer (2005).
3 Ver declarações de Speer ao *gauleiter* Tagung de 24 de fevereiro de 1942, BAL R26IV 51, 441-8 e a seus colegas arquitetos em 2 de março de 1942, BAL R 3/1736, Chronik, 17. Ver também a insistência de Speer sobre a diferença entre arquitetos e engenheiros debatida em K. H. Ludwig, *Technik und Ingenieure im Dritten Reich* (Düsseldorf, 1974), 412.
4 Sobre as diferenças entre Todt e Speer, ver ibid., 405-8.
5 Ver declarações de Speer à imprensa, R 3/1736, Chronik, 9 de abril de 1942, 25.
6 W. A. Boelcke, *Deutschlands Ruestung im Zweiten Weltkrieg: Hitlers Konferenzen mit Albert Speer* 1942-1945 (Frankfurt, 1969), 6/7 de maio de 1942, 109.
7 BAL R 3/1737, Chronik, junho de 1943, 79. Goebbels, também notou o contraste com 1917. Ver E. Fröhlich (org.), *Die Tagebuecher von Joseph Goebbels* (Munique, 1994), II/14, 9 de maio de 1942, 263.
8 *Meldungen*, X: 23 de abril de 1942, 3665; ver também 14 de maio de 1942, 3734.
9 *Meldungen*, X: 28 de maio de 1942, 3753-4. Retrato em Fest, *Speer*, 190 .
10 BAL R 3/1736, Chronik 20 de maio de 1942, 42. Bölcke, *Deutschlands Ruestung*, 117.
11 Speer, Goebbels e Hitler examinaram pessoalmente o filme . Ver BAL R 3/1736, 21 de maio de 1942, 43, e Fröhlich (org.), *Die Tagebuecher von Joseph Goebbels*, 23 de maio de 1942, 345. Aparentemente tinha mais sucesso com as plateias masculinas do que

com as femininas. Ver *Meldungen,* X: 4 de junho de 1942, 3791-2. Durante os meses seguintes a propaganda de armamentos se tornou assunto constante dos noticiários cinematográficos. Ver a entusiasmada reação às imagens do gigantesco morteiro Thor, com o qual a Wermacht reduziu as defesas de Sebastopol, *Meldungen,* X: 9 de julho de 1942, 3929.

12 Boelcke, *Deutschlands Ruestung,* 184. BAL R 3/1736, 2 de novembro de 1942, 85.
13 Ludwig, *Technik,* 439. Seu ritmo real de fogo sustentado era de cerca de 500 rajadas.
14 BAL R3/1737, Chronik 13 de maio de 1943, 59-63.
15 BAL R3/1737, 5 de junho de 1943, 74-7.
16 Ver declarações céticas registradas pela SS-SD em *Meldungen,* XIV: 10 de junho de 1943, 5341-2, e H. Kehrl, *Krisenmanager im Dritten Reich* (Düsseldorf, 1973), 298.
17 Ver a devastadora crítica à contribuição de R. D. Müller a *DRZW* 512 por L. Budrass, http://hsozkult.geschichte.hu-berlim.de/rezensionen/id=169.
18 Somente Sereny encontra motivos para tomar nota especial do relativo silêncio de Speer sobre 1943, ver Sereny, *Albert Speer,* 370-71.
19 Paradoxalmente, nos dois melhores estudos do ministério de Speer, pouco espaço é dedicado a 1942. G. Janssen, *Das Ministerium Speer: Deutschlands Ruestung im Krieg* (Frankfurt, 1968) dedica somente uma dúzia de páginas ao programa de armamentos de 1942. Mesmo nos excelentes segundo e terceiro volumes da história de Eichholtz's, 1942 recebe tratamento parco comparado com as centenas de páginas dedicadas a 1943 e 1944-45.
20 See Mueller, in *DRZW* 5/1. 668, Kröner, in *DRZW 5/1.* 920-21.
21 Speer à 21ª. reunião da *Zentrale Planung,* 30 de outubro de 1942, BAL R 3/1697, 5. Sobre o entendimento de Speer quanto à janela de oportunidade estratégica, ver Ludwig, *Technik,* 424-5.
22 Ao contrário de Abelshauser, que fala de uma "ditadura" dos '6 mil gerentes, técnicos e engenheiros mais dinâmicos, leais e afirmativos', sobre a indústria privada. Ver W. Abelshauser, 'Modernisierung oder institutionelle Revolution', em Abeishauser, J. -O. Hesse e W. Plumpe (orgs.), *Wirtschaftsordnung, Staat und Unternehmen: Neue Forschungen zur Wirtschaftsgeschichte des Nationalsozialismus* (Essen, 2003), 27.
23 Calculado com base nas estatísticas em R. Wagenfuehr, *Die deutsche Industrie im Kriege* (Berlim, 1954), 12 e 180.
24 Conforme realçado por Müller, em *DRZW* 512. 281-98.
25 Daí o ceticismo sobre a mitologia de Speer evidente em L. Budrass, *Flugzeugindustrie und Luftruestung in Deutschland* (Düsseldorf, 1998), 865-6 e 891-2.
26 Para a inauguração oficial, ver BAL R 3/1562, 3-4.
27 Infelizmente, a melhor fonte sobre Milch ainda é D. Irving, *The Rise and Fall of the Luftwaffe: The Life of Luftwaffe Marshal Erhard Milch* (Londres, 1973).
28 Para essa linha de continuidade, ver Ludwig, *Technik,* 415-19.
29 W. Abelshauser, em L. Gall (org.), *Krupp im 20. Jahrhundert* (Berlim, 2002), 392.
30 L. Herbst, 'Der Krieg und die Unternehmensstrategie deutscher Industrie-Konzerne in der Zwischenkriegszeit', em M. Broszated K. Schwabe (orgs.), *Die deutschen Eliten und der Weg in der Zweiten Weltkrieg* (Munique, 1989), 134-5.
31 *DRZW* 4. 177-84.
32 M. Spörer, *Yom Scheingewinn zum Ruestungsboom: Die Eigenkapitalrentabilitaet der deutschen Industrieaktiengesellschaften 1925-1941* (Stuttgart, 1996), 147.
33 Eichholtz, II. 54.
34 Budrass, *Flugzeugindustrie,* 713-14. Originalmente conhecidos como Rings (para estruturas, motores de avião e equipamento aéreo), foram mais tarde denominados Comissões a fim de criar pelo menos a aparência de uma estrutura unificada.
35 Sobre o papel de Vögler, ver BAH R 131/599, 53-4.

36 Kehrl, *Krisenmanager*, 89-90, 200, 212-14. Sobre seu passado na Turíngia, ver D. Heiden (org.), *Nationalsozialismus in Thueringen* (Weimar, 1995), 230.

37 Ver a explicação dada aos membros por Zangen para esse acontecimento um tanto surpreendente, BAH R13I/1621,2-4.

38 Para uma lista completa, ver o catálogo telefônico do ministério de Speer contido em PRO FO 935/137.

39 Uma breve excursão pelo Google revela que todas essas anotações do catálogo telefônico de Speer ainda estão ativas. Com a exceção de Koch & Sterzel, que ficava localizada na RDA, são todas líderes mundiais em seus campos.

40 O que se segue se baseia acima de tudo em C. Rauh-Kuehne, 'Hitlers Hehler? Unternehmenprofite und Zwangsarbeiterloehne', HZ 275 (2002).

41 BAL R26IV/51, 444-5.

42 W. A. Bölcke, *Die Kosten von Hitlers Krieg: Kriegsfinanzierung und finanzielles Kriegserbe in Deutschland 1933-1948* (Paderborn, 1985), 44-6, entre outros, acompanha Speer. O curso real dos acontecimentos está descrito com mais exatidão na declaração justificadora emitida pelo controle de preços da Wehmacht, 1º de abril de 1942, BAL R8122 364.

43 Para uma descrição clara, ver S. Lurie, *Private Investment in a Controlled Economy* (Nova York, 1947), 163-82, e Rauh-Kuehne, 'Hiders Hehler?', 11-15.

44 Ver o debate em BAMA RW19/173, 260-65, entre o OKW e representantes industriais em 30 de novembro de 1939, no qual concordou-se que a aplicação estrita da orientação da LSOe acarretaria na verdade perdas para muitas firmas, porque não cobriam adequadamente as despesas de custeio.

45 O mesmo era também verdadeiro em relação aos contratos da Luftwaffe, também emitidos com base em um preço fixo desde março de 1937. Ver L. Budrass, J. Scherner e J. Streb, "Demystifying the German 'Armaments Miracle' during World War II' (em preparação).

46 Conforme foi dito a uma reunião de industriais em 16 de março de 1942, a situação em relação à questão dos lucros estava agora '*vollstaendig veraendert*', completamente mudada. BAH R13162I,7.

47 H. J. Weyres, *Die deutsche Ruestungswirtschaft von 1942 bis zum Ende des Kriegs* (Munique, 1975), 189.

48 Eichholtz, III. 700.

49 Em 19 de março, Speer pediu a Hitler que assegurasse que o Exército, e não a Luftwaffe, tivesse prioridade em novas distruibuições de mão de obra. Bölcke, *Deutschlands Ruestung*, 76.

50 Para esses dados, ver registros da *Beschaeftigungsmeldung* em PRO FO 1078/137 e 1078/ 138.

51 Para os números de mão de obra, ver IMT XXVII, 1739-PS, 597. Para a força de trabalho em locomotivas, os dados se referem apenas a 1942. Sobre o aumento da produção de locomotivas, ver Müller, em DRZW 5/2. 462.

52 Speer claramente apreciava os esforços de Sauckel e sua equipe. Pela entrega do trabalhador russo número 2 milhões, foram recompensados com bilhetes para a Ópera de Berlim. Ver BAL R3/1736, 21 de agosto de 1942, 65.

53 Eichholtz, II. 83.

54 Bölcke, *Deutschlands Ruestung*, 83.

55 BAMA RW 19/166, 829.

56 Negligência que claramente teve consequências práticas na alocação de mão de obra e outros recursos, como foi tardiamente reconhecido pelo Speer Chronik no verão de 1944. Ver BAL R3/1739, maio de 1944, 102-3.

57 Calculado à base dos dados em Wagenführ, *Die deutsche Industrie*, 180-81; ver Apêndice, Tabela A6.

58 Eichholtz, II. 171.
59 BAMA RH8v. 1025 e Müller, *DZRW* 5/2. 554.
60 Bölcke, *Deutschlands Ruestung*, 122. Ver Apêndice, Tabela A3.
61 BAH R10III/32, 31-4.
62 Ver a explicação dada por Hanneken em 1º de maio de 1942, BAH R10III/32, 15-21.
63 Bölcke, *Deutschlands Ruestung*, 106. Isso dificilmente pode ser considerado um' veto de Hitler' como quer G. Mollin, *Montankonzerne und 'Drittes Reich'* (Göttingen, 1988), 305.
64 O manifesto de Röchling's de 31 de agosto de 1914 está reproduzido em R. Opitz (org.), *Europastrategien des deutschen Kapitals-1900-1945* (Bonn, 1994), 211-12.
65 Sobre a tensão entre Pleiger e Röchling, ver a correspondência em BAH R 10VIII/20, 19-21.
66 BAH R10III/31, 1-6. É significativo que Mollin, *Montankonzerne*, 136, no esforço de demonstrar que a RVE era uma organização ditatorial, cite esse discurso crucial apenas seletivamente.
67 Talvez não surpreendentemente, na altura do final de 1942, os elementos mais "duros" do regime tinham chegado à conclusão de que a RVE não era suficientemente ditatorial. Kehrl, especialmente, concluiu que a RVE pouco ou nada tinha feito para modificar os padrões de produção da indústria pesada alemã em tempo de paz. Inexplicavelmente, Mollin, que insiste em termos extremamente simplistas que a RVE constituía uma subordinação da indústria pesada aos ditames da "economia de comando", inicia seu livro com uma citação retirada precisamente desse relatório. Ver Mollin, *Montankonzerne*, 15-16. O próprio Speer notou que a RVE se distinguia das demais organizações de armamentos porque sua liderança era composta por executivos importantes e não por jovens técnicos, ver BAL R3/1740, agosto de 1944, 208.
68 Weyres, *Ruestungswirtschaft*,179. Na composição completa de sua comissão figuravam Vögler, Hellmuth Röhnert (da Rheinmetall), Arthur Tix (antigo colaborador de Speer) Karl Hettlage (perito em finanças da equipe de Speer, vindo do Kommerzbank) e Alfred Stellwaag (veterano da indústria do aço desde a Primeira Guerra Mundial que também trabalhara com Todt). Ver Eichholtz, II. 84-5.
69 Kehrl, *Krisenmanager*, 257-9.
70 Weyres, *Ruestungswirtschaft*, 179-80. O sistema foi depois aperfeiçoado mediante uma racionalização do número de órgãos autorizados e emitir "cheques" para ferro e introdução de inspeções regulares por funcionários do RWM e do ministério de Speer. Ver IWM FD 3353/45, 15ª sessão da *Zentrale Planung* em 20 de outubro de 1942.
71 BAH R13I/668, 75-9.
72 Boelcke, *Deutschlands Ruestung*, 148-9.
73 Weyres, *Ruestungswirtschaft*, 52. Eichholtz, II. 363.
74 Bölcke, *Deutschlands Ruestung*, 171.
75 Kehrl, *Krisenmanager*, 278.
76 Abelshauser, em Gall (org.), *Krupp*, 412.
77 Segundo ata quase-oficial em Bölcke, *Deutschlands Ruestung*, 172.
78 Ata da 16ª. reunião da *Zentrale Planung* em IMT XIII. 987-99.
79 Eichholtz, II. 252.
80 BAL R3/1692, 23 de outubro de 1942, 16ª Reunião da *Zentrale Planung*, palavras de Milch.
81 BAL R3/1699 ZP 23, 3 de Novembro 1942.
82 BAL R3/1694, 3.
83 O próprio Speer não tinha dúvidas sobre essa simples conexão. Ver suas declarações retrospectivas à Comissão de Munições em agosto de 1944, BAL R3/1740, 202.
84 A tabela, muito citada, da United States Strategic Bombing Survey, *The Effects of Strategic Bombing on the German War Economy* (Washington, 1945), 180, que mostra uma forte correlação somente até o final de 1942, é enganosa, porque não relaciona a produção de munições com o insumo primário de aço e sim com a produção intermediária de componentes do aço.

85 BAH R131/658, 99-104, e Müller, em DRZW 5/1. 612-20.
86 Para o que se segue, ver o notável relato em Budrass, *Flugzeugindustrie*, 705-66.
87 N. Gregor, *Daimler-Benz in the Third Reich* (New Haven, 1998), 115-26, e H. H Knittel, *Panzerfertigung im Zweiten Weltkrieg: Industrieproduktion fuer die deutsche Wehrmacht* (Herford, 1988), 52-3, 95-9.
88 R. Overy, *Why the Allies Won* (Londres, 1995), 180-207, trata bem dos Estados Unidos e da União Soviética, mas exagera as dificuldades da Alemanha.
89 Para o que se segue, ver Budrass, *Flugzeugindustrie*, 706-15.
90 Nascido em 1883 em Nova York, William Werner ascendeu nas fileiras da indústria alemã de engenharia antes de passar vários anos na Chrysler, em Detroit, estudando técnicas norte-americanas de produção em massa. Após regressar à Alemanha em 1929 foi nomeado diretor técnico primeiro da Horch e em seguida da fusão da Auto-Union, em 1933.
91 Nascido em 1900, Hans Heyne trabalhou nos Estados Unidos na década de 1920 e início da de 1930, regressando em seguida à Alemanha recomendado pela General Electric para assumir um cargo na AEG. Progrediu rapidamente na hierarquia e tornou-se membro da diretoria da AEG em 1942.
92 PRO FO 178, opinião de Werner sobre a BMW.
93 Budrass, *Flugzeugindustrie*, 641, 710-11. Müller, em *DRZW* 5/1. 602.
94 Budrass, *Flugzeugindustrie*, 417-22.
95 Ver as críticas muito semelhantes feitas pelos especialistas em produção da Ford quando tentavam vigorosamente entrar na produção de motores radiais Pratt & Whitney para aviões no final da década de 1940. Benson Ford Research Center, Ace. 435, caixa 5.
96 Budrass, *Flugzeugindustrie*, 641.
97 Milch já havia explicado o programa básico à OKW em 22 de outubro de 1941 com ênfase explícita na produção em massa, conforme descrito por Werner, e em um número reduzido de modelos, na presunção de que os aviões alemães de caça permaneceriam atualizados no futuro previsível. Ver BAMA RW19/177, 280-86.
98 Para uma crítica excelente, ver R. Schabel, *Die Illusion der Wunderwaffen: Duesenflugzeuge und Flugabwehrraketen in der Ruestungspolitik des Dritten Reiches* (Munique, 1994), 115-23.
99 H. J. Ebert, J. B. Kaiser e K. Peters, *Willy Messerschmitt* (Bonn, 1992), 150-75, P. Schmoll, *Die Messerschmittwerke in Zweiten Weltkrieg* (Regensburg, 1998), 60-64 e A. van Ishoven, *Messerschmitt: Aircraft Designer* (Londres, 1975), 149-65.
100 Budrass, *Flugzeugindustrie*, 738-41.
101 Ibid., 844-6.
102 R. Overy, *The Air War* 1939-1945 (Londres, 1980), 168. Em 1944, quando a produção norte-americana entrou em ritmo integral, essa diferença passou de 2 para 1.
103 Budrass, *Flugzeugindustrie*, 739.
104 Cel. 'Kit' Carson, 'The Best of the Breed', *Airpower* (1976), 6, 4.
105 Sobre as táticas de equipamento de engodo usados para manter o Me 109 G competitivo, ver J. Scurrs, *Messerschmitt Bf 109: The Operational Record* (Shrewsbury, 1996), 91-102.
106 G. L. Weinberg, *A World at Arms: A Global History of World War II* (Cambridge, 1994) 310-56.
107 K. Jeffreys, *The Churchill Coalition and Wartime Politics, 1940-1945* (Manchester, 1991), 85-111.
108 *DRZW* 6. 761-886.
109 *DRZW* 6. 932-P.
110 H. R. Trevor-Roper (org.), *Hitler's War Directives 1939-1945* (Londres, 1966), 193-7.
111 L. Herbst, *Der Totale Krieg und die Ordnung der Wirtschaft: Die Kriegswirtschaft im Spannungsfeld van Politik, Ideologie und Propaganda 1939-1945* (Stuttgart, 1982), 191-4.
112 Eichholtz, II. 409.

113 Kroener, em *DRZW* 512,793.
114 Kehrl, *Krisenmanager,* 278.
115 Eichholtz, II. 484. Sobre a gravidade dos problemas de petróleo no final de 1942, ver *DRZW* 6. 945-6.
116 *DRZW* 6. 891-8.
117 *Halder Diary,* 646.
118 Weinberg, *World at Arms,* 427 e *Halder Diary,* 649-50, 653-4, 657 e 660-61. A tentativa do Grupamento Central de reagir com uma ofensiva ficou impossibilitada em poucos dias.
119 Kröner, em *DRZW* 512.797.
120 D. M. Glantz, *The Siege of Leningrad, 1941-1944* (Staplehurst, 2001), 97-107. 121 DRZW 6. 903-6.
122 B. R. Kröner, '*Der Starke Mann in Heimatkriegsgebiet*': *Generaloberst Friedrich Fromm. Eine Biographie* (Paderborn, 2005), 457-71.
123 D. M. Glantz e J. M. House, *When Titans Clashed: How the Red Army Stopped Hitler* (Lawrence, Kansas, 1995), 301-3.
124 M. Harrison (org.), *The Economics of World War II* (Cambridge, 1998), 15-16.
125 Ver os números comumente citados em R. Goldsmith, 'The Powers of Victory: Munitions Output in World War II', *Military Affairs,* 10 (1946), 69-80.
126 Quase tudo o que sabemos sobre a economia soviética na guerra devemos ao extraordinário trabalho pioneiro de Mark Harrison. Ver M. Harrison, *Soviet Planning in Peace and War, 1938-1945* (Cambridge, 1985), J. Barber e Harrison, *The Soviet Home Front, 1941-1945: A Social and Economic History of the USSR in World War II* (Londres, 1991), M. Harrison, *Accounting for War: Soviet Production, Employment and the Defence Burden, 1940-1945* (Cambridge, 1996) e J. Barber e M. Harrison, *The Soviet Defence-Industry Complex from Stalin to Khrushchev* (Basingstoke, 2000), 99-117.
127 Barber e Harrison, *The Soviet Home Front,* 77-90.

17. Sem lugar para dúvidas

1 *DRZW* 6. 630-709. W. Murray e A. R. Millett, *A War to be Won: Fighting the Second World War* (Cambridge, Mass., 2000), 271. J. Ellis, *Brute Force: Allied Strategy and Tactics in the Second World War* (Londres, 1990), 253-88.
2 *DRZW* 6. 71O-39.
3 *DRZW* 6. 962-1063.
4 A. Beevor, *Stalingrad* (Londres, 1998).
5 *DRZW* 6. 1000.
6 *DRZW* 6. 1022.
7 *DRZW* 6. 298-321 e 347-69.
8 *Führer Conferences on Naval Affairs 1939-1945* (Trowbridge, 1990), 306-8.
9 Sobre as conversações de Speers com Goebbels e Göring a respeito da *Ruestungspropaganda,* ver BAL R3/1737, março de 1943, 34.
10 W. Wette e G. R. Überschär (orgs.), *Stalingrad* (Frankfurt, 1992), 43-60.
11 Müller, em *DRZW* 512.649e Eichholtz, II. 123.
12 Eichholtz, II. 121, 262, e Müller, em *DRZW* 512. 572. 13 BAL R3/1736, Fevereiro de 1942, 15-16.
14 W. A. Bölcke, *Deutschlands Ruestung im Zweiten Weltkrieg: Hitlers Konferenzen mit Albert Speer 1942-1945* (Frankfurt, 1969), 179; Müller, em *DRZW 512.* 569-71 e H. J. Weyres, *Die deutsche Ruestungswirtschaft van 1942 bis zum Ende des Kriegs* (Munique, 1975), 78.

15 Eichholtz, II. 12.
16 BAL R311737, 3 de fevereiro de 1943, 17.
17 T. Vollmere R. Kulla, *Panzer aus Kassel: Die Ruestungsproduktionen der Firmen Henschel und Wegmann* (Kassel, 1994), 18-19.
18 Müller, em *DRZW* 512. 572.
19 W. Murray, *Luftwaffe* (Londres, 1985), 221.
20 PRO FO 1078/142, Über die Gruende der erhoehten Lieferungen, 15-22.
21 L. Budrass, *Flugzeugindustrie und Luftruestung in Deutschland* (Düsseldorf, 1998), 866.
22 Notavelmente, Speer ainda se referia aos triunfos do programa de tanques de maio de 1944, quando desafiou os estaleiros para que superassem a indústria de tanques. Ver BAL R3/1739, 85.
23 R. Wagenfuehr, *Die deutsche Industrie im Kriege* (Berlim, 1954), 168-9. 24 Weyres, *Ruestungswirtschaft*, 124.
25 Eichholtz, II, 28 de maio de 1943, 365.
26 *DRZW* 6. 513-20.
27 A. W. Cooper, *The Air Battle of the Ruhr: RAF Offensive March to July 1943* (Shrewsbury, 1992).
28 Somente depois do ataque a Düsseldorf em junho a RAF aperfeiçoou a técnica de bombardeio em sequência, usando altos explosivos para remover telhados de forma a permitir que as bombas incendiárias penetrassem no interior dos prédios. R. Neilland, *The Bomber War: Arthur Harris and the Allied Bomber Offensive 1939-1945* (Londres, 2001), 219.
29 Por falta de atenção a indícios contemporâneos sobre a economia de guerra da Alemanha, mais do que de relatos do pós-guerra, toda a literatura até agora subestima a importância da Batalha do Ruhr. Para o primeiro relato minimizador ver United States Strategic Bombing Survey, *The Effects of Strategic Bombing on the German War Economy* (Washington, 1945), 104-5. Em *DRZW* 7. 16-21, Horst Boog fala despreocupadamente de uma perda de 4 a 6 semanas na produção do Ruhr, como se isso fosse um percalço insignificante em um esforço armamentista que anteriormente vinha se expandindo a um ritmo de 7-8% ao mês. A metodologia adotada pela British Bombing Survey na avaliação dos danos causados pelos bombardeios parece quase calculada para minimizar o impacto, ver British Bombing Survey Unit, *The Strategic Air War Against Germany 1939- 1945* (Londres, 1998), 88-97.
30 BAL R3/1737, 23 de junho de 1943, 96. Speer alarmou-se tanto com isso que imediatamente procurou afirmar sua influência sobre os objetivos da Luftwaffe.
31 BAL R31/737, 18 de março de 1943, 34.
32 Ver o vívido relato em BAL R3/1738, 11 de junho de 1943, 83-5.
33 Müller, em *DRZW* 512,357 e Eichholtz, II. 143.
34 Conversa entre Hitler-Speer, de 13-15 de maio de 1943. Weyres, *Ruestungswirtschaft*, 144. Eichholtz, II. 233.
35 Sobre as ansiedades em torno dos atrasos do programa de munição, ver BAL R3/1738, Chronik, segunda metade de 1943, 126.
36 Sobre a conexão direta entre a Batalha do Ruhr, falhas no fornecimento de aço e a *Zulieferungskrise*, ver BAL R3/1737, 10 de junho de 1943, reunião no Ruhrstahl, 83; IWM FD 3353/45, vol. 180, 29 de julho de 1943, 44ª reunião da *Zentrale Planung*; BAL R3/1738, 15 de setembro de 1943, 145.
37 Ver seu discurso aos *gauleiter* em Berlim, 21 de junho de 1943, Müeller, em *DZRW* 512.357.
38 O que se segue se baseia no poderoso relato revisionista de N. Zetterling e A. Frankson, *Kursk* 1943: *A Statistical Analysis* (Londres, 2000), que tem o endosso de M. Glantz.
39 Jodl, do OKW, instruiu a propaganda a referir-se ao ataque alemão como contraofensiva, a fim de disfarçar a drástica redução das possibilidades ofensivas da Alemanha.

Ver E. F. Ziemke, *Stalingrad to Berlim: The German Defeat in the East* (Washington, 1968), 130.

40 Sobre as forças relativas, ver D. M. Glantz e J. M. House, *When Titans Clashed: How the Red Army Stopped Hitler* (Lawrence, Kan., 1995), 165, e O. Gröhler, *Geschichte des Luftkrieges 1910 bis 1980* (Berlim Oriental, 1981), 364.

41 D. M. Glantz e J. M. House, *The Battle of Kursk* (Shepperton, 1999), 227-54.

42 Glantz e House, *When Titans*, 150.

43 G. L. Weinberg, *A World at Arms: A Global History of World War II* (Cambridge, 1994), 593-601.

44 M. Middlebrook, *The Battle of Hamburg: The Firestorm Raid* (Harmondsworth, 1983).

45 *DRZW* 7.42.

46 M. Middlebrook, *The Berlim Raids: RAF Bomber Command Winter 1943-1944* (Harmondsworth, 1988), 6-9, torna claro o fascínio exercido por Berlim tanto sobre Churchill quanto sobre Harris. *DRZW* 775-87.

47 Para um notável relato da importância do Ruhr, ver A. C. Mierzejewski, *The Collapse of the German War Economy, 1944-1945* (Chapel Hill, NC, 1988).

48 Murray, *Luftwaffe*, 235.

49 H. Kehrl, *Krisenmanager im Dritten Reich* (Düsseldorf, 1973), 299-301.

50 L. Herbst, *Der Totale Krieg und die Ordnung der Wirtschaft: Die Kriegswirtschaft im Spannungsfeld von Politik, Ideologie und Propaganda 1939-1945* (Stuttgart, 1982), 232.

51 Ver comentários a um discurso de Speer em 24 de setembro de 1943 ao *Reichsredner* do partido, organizado por Goebbels no teatro de ópera de Kroll, BAL R3/1738, 150.

52 Eichholtz, II. 145 .

53 Sobre a mobilização do partido, ver *DRZW* 9/1. 160-68.

54 H. James, *The Deutsche Bank and the Nazi Economic War against the Jews* (Cambridge, 2001), 350.

55 D. Schweer e W. Thieme (orgs.), *'Der Glaeserne Riese' RWE: Ein Konzern wird transparent* (Essen, 1998), 139-40.

56 IWM FD 3353/45, vol. 180, 44ª. reunião *Zentrale Planung*, 29 de julho de 1943.

57 DRZW 7, 230-33.

58 DRZW 7.40.

59 Müller, em *DRZW* 5/2. 331-51.

60 Kehrl, *Krisenmanager*, 297.

61 Müller, *Kehrl*, 98-101.

62 BAL R3/1737, 27 de julho de 1943, 113-14.

63 Kehrl, *Krisenmanager*, 310.

64 Eichholtz, II. 173.

65 Müller, em *DRZW* 5/2. 340.

66 Eichholtz, II. 174 e Müller,em *DRZW* 5/2. 341.

67 Tradução para o inglês do texto completo do discurso em NA T73 192

68 Eichholtz II. 175.

69 G. Sereny, *Albert Speer: His Battle with Truth* (Londres, 1995), 388-401.

70 Sobre o que se segue, ver B. F. Smith e A. F. Peterson, *Heinrich Himmler Geheimreden 1933 bis 1945 und andere Ansprachen* (Frankfurt, 1974), 169-70.

71 Budrass, *Flugzeugindustrie*, 784. Tampouco pode haver dúvida de que Heinkel falava do próprio Holocausto. A palavra que usou foi 'Ausrottung' e a fábrica a que se referia era localizada no triângulo Lublin, Cracóvia e Lemberg, no verdadeiro epicentro do "judeucídio".

72 W. Abelhauser, em L.Gall (org.), *Krupp im 20. Jahrhundert* (Berlim, 2002), 413.

73 Sereny, *Albert Speer*, 420-21, e capítulo 19 abaixo.

74 Para o papel crescente do partido do esforço armamentista, ver *DRZW* 9/1 168-76.
75 K. H. Ludwig, *Technik und Ingenieure im Dritten Reich* (Düsseldorf, 1974), 444-51.
76 Bölcke, *Deutschlands Rüstung*, 292.
77 R. J. Overy. *The Air War 1939-1945* (Londres, 1980), 2-4, 209-11.
78 Acompanhando R. Schabel, *Die Illusion der Wunderwaffen: Duesenflugzeuge und Plugabwehrraketen in der Ruestungspolitik des Dritten Reiches* (Munique, 1994).
79 W. J. Spielberger, *Panther and its Variants* (Hereford, 1993).
80 E. Roessler, *U-Boottyp XXI* (Bonn, 6ª ed., 2002) and A. Meyhoff, *Blohm & Voss im 'Dritten Reich'* (Hamburgo, 2001), 327-491, G. Schulze-Wegener, *Die deutsche Kriegsmarine-Ruestung* 1942-1945 (Hamburgo, 1997), 129-46.
81 E. Rössler, *Geschichte des deutschen U-Bootsbaus* (Augsburg, 1996), 213-21.
82 Müller, em *DRZW 5/2* 373
83 Meyhoff, *Blohm & Voss*, 409.
84 A atenção de Speer deve ter sido atraída por um relato na revista *Time Magazine* em julho de 1943, afirmando que a Californian Shipbuilding Corporation de Los Angeles produzira a espantosa quantidade de 19 navios em abril e 20 em junho. Ver 'Every 36 Hours', *Time*, 42 (12 de julho de 1943), 2.
85 Ver o tom de júbilo da crônica ministerial ao relatar seus choques iniciais com os armadores 'tradicionais' ship-builders, BAL R3/1737, 24 de julho de 1943, 112.
86 Meyhoff, *Blohm & Voss*, 405-14.
87 G. Neliba, *MAN Werk Gustavsburg bei Mainz: 100 Jahre zivile und militaerische Produktion* (1860-1960) (Frankfurt, 2002), 3-110.
88 A forma dessa linha narrativa foi proporcionada pelos esforços anteriores de Gerhard Degenkolb, outro dos publicitários de Speer, na reorganização da produção de locomotivas. Ver o debate crítico em A. B. Gottwaldt, *Deutsche Kriegslokomotiven* 1939-1945 (Stuttgart, 1973) e A. B. Gottwaldt, *Deutsche Eisenbahnen im Zweiten Weltkrieg* (Stuttgart, 1985).
89 BAL R3/1739, 12 de maio de 1944, 85-7, e Müller, em *DRZW* 512.610.
90 Müller, em *DRZW* 512.551 e Eichholtz, III. 56.
91 Para opiniões predominantemente céticas, ver Meyhoff, *Blohm & Voss*, 462-78, Schulze-Wegener, *Kriegsmarine-Ruestung*, 147, Roessler, *U-Boottyp XXI*, 50-55.
92 Conforme Speer confessou a Saur, estava ciente dos problemas práticos do programa, mas culpava a resistência dos estaleiros e a própria falta de apoio suficiente a Merker. Müller, em *DFZW* 512,376.
93 O *Speer Chronik*, no início de 1944, comemorava a "férrea determinação" com que Merker enfrentava todos os obstáculos. BAL R3l1739, 8.
94 Meyhoff, *Blohm & Voss*, 475.
95 O caráter proposital dessa campanha de intimidação fica claro em BAL R3/1739, 28 de junho de 1944, 133-5. Sobre o envolvimento pessoal de Speer, ver Mueller, em *DRZW* 5/2.376. O simbolismo foi ainda reiterado pela atribuição por Speer a Merker da cobiçada *Ritterkreuz zum Kriegsverdienstkreuz* em agosto de 1944. Ver BAL R3/1740, 207.
96 Abelshauser, em Gall (org.), *Krupp, 349-53.*
97 Como no caso de W. Abelshauser, 'Modernisierung oder institutionelle Revolution', em Abelshauser, J.-O. Hesse e W. Plumpe (orgs.), *Wirtschaftsordnung Staat und Unternehmen: Neue Forschungen zur Wirtschaftsgeschichte des Nationalsozialismus* (Essen, 2003), que parece depreender uma caracterização geral do sistema Speer a partir da experiência de Krupp após 1943.
98 Bölcke, *Deutschlands Ruestung*, 137.
99 M. J. Neufeld, *The Rocket and the Reich: Peenemuende and the Coming of the Ballistic Missile Era* (Cambridge, Mass., 1995), 169-75, 190-95.

100 Para uma brilhante dissecação crítica, ver Schabel, *Die Illusion*, 28-31.
101 Bölcke, *Deutschlands Ruestung*, 23 de junho de 1943, 138.
102 Schabel, *Die Illusion*, 117-19.
103 Sobre o 209 e o 309, ver H. J. Ebert, J. B. Kaiser e K. Peters, *Willy Messerschmitt* (Bonn, 1992), 137-50.
104 Budrass, *Flugzeugindustrie*, 858-67, e Bölcke, *Deutschlands Rüstung*, 294-5.
105 Especificamente as pás do rotor, parte essencial do motor a jato da Junkers eram feitas de uma nova liga de metal da Krupp, conhecida como Tinidur, que, embora economizasse níquel, era tão quebradiço que a vida útil do rotor era de apenas 25-30 horas. Schabel, *Die Illusion*, 234. Sobre problemas semelhantes com outros motores da Luftwaffe, ver H.-J. Braun, 'Krieg der Ingenieure?', em B. Thoss e H.-E. Volkmann (orgs.), *Erster Weltkrieg: Zweiter Weltkrieg* (Paderborn, 2002), 208-9.
106 F. Freund, *Arbeitslager Zement: Das Konzentrationslager Ebensee und die Racketenruestung* (Viena, 1989), 37-9.
107 M. Bornemann, *Geheimprojekt Mittelbau: Die Geschichte der deutschen V- WaffenWerke* (Munique, 1971), 53. O preço padrão por unidade deveria ser de 50 mil *reichsmarks* por foguete, logo que a produção atingisse 5 mil unidades.
108 J. C. Wagner, 'Das Aussenlagersystem des KL Mittelbau-Dora', em U. Herbert, K. Orth e C. Dieckmann (orgs.), *Die nationalsozialistischen Konzentrationslager* (Frankfurt, 2002), II. 707-29.
109 Messerschmitt tornou-se ativo a esse respeito já em outubro de 1942. Budrass, *Flugzeugindustrie*, 798.
110 Schabel, *Die Illusion*, 183, e H. Mönnich, *The BMW Story: A Company in its Time* (Londres, 1991), 282-3.
111 Eichholtz, III. 74.
112 A. Speer, *The Slave State* (Londres, 1981).
113 Neufeld, *Rocket*, 197-213, e T. Allen, *The Business of Genocide* (Chapel Hill, NC, 2002), 208-31.
114 Sereny, *Albert Speer*, 403-7 e A. Speer, *Inside the Third Reich* (Londres, 1970), 499-501.
115 J -C. Wagner, 'Noch einmal: Arbeit und Vernichtung', em N. Frei, S. Steinbacher e B. C. Wagner (orgs.), *Ausbeutung, Vernichtung, Oeffentlichkeit* (Munique, 2000).
116 Até mesmo o *Chronik* reconhece que Speer estava informado em janeiro de 1944 sobre as terríveis condições sanitárias e devido ao impacto no desempenho ele concordou em aumentar os cuidados médicos. BAL R3/1739, 13 de janeiro de 1944, 8.
117 Bornemann, *Geheimprojekt*, 65-7, afirma que dos 17.500 prisioneiros entregues ao Mittelbau até abril de 1944, 2.937 haviam morrido até o final de março de 1944, e mais 2 mil tinham sido retirados por estarem demasiadamente enfermos para poder trabalhar. No final de 1943, as equipes de trabalho de Kammler's tinham a taxa de mortalidade mais elevada de todo o sistema de campos de concentração. Ver E. Schulte, *Zwangsarbeit und Vernichtung: Das Wirtschaftsimperium der* SS (Paderborn, 2001), 407.
118 BAL R3/1738, 10 de dezembro de 1943, 205.
119 Eichholtz, III. 75 e Freund, *Zement*, 57
120 Bornemann, *Geheimprojekt*, 103-10.
121 À luz desse dado parece estranho que Neufeld, *Rocket*, 174, considere a proposta de Degenkolb no início de 1943 de chegar a uma produção de 600 foguetes por mês até setembro de 1944 como "absurda" e como prova do fato de que Degenkolb 'não conseguiu compreender que um míssil era muito mais complexo do que uma locomotiva'. Tampouco é óbvio, na verdade, por que motivo um míssil balístico produzido em massa seria um artefato tecnologicamente mais complexo do que uma locomotiva produzida em massa. Os preços relativos sugerem até mesmo o contrário: o preço padrão de um

V2 era de 50 mil *reichsmarks* em contraposição a um mínimo de 100 mil *reichsmarks* para uma Kriegslok série 52 sem acessórios. Igualmente, não havia diferença significativa em termos do tempo de construção: eram necessárias 12 mil-17 mil horas para uma locomotiva e 12. 950 horas para um foguete V2. Ver Gottwaldt, *Kriegslokomotiven,* 38 e 66, e Bornemann, *Geheimprojekt,* 114.

122 A escala maciça "norte-americana" era a marca distintiva de todo o programa de fábricas subterrâneas. Ver relatório final de Saur a Hitler no verão de 1944, Müller, em *DRZW* 5/2, 361.

18. Desintegração

1 Sobre a determinação de Hitler de manter a região de Donetz, ver W. A. Bölcke, *Deutschlands Ruestung im Zweiten Weltkrieg: Hitlers Konferenzen mit Albert Speer 1942-1945* (Frankfurt, 1969), 288 e o relato de Manstein em E von Manstein, *Lost Victories* (Chicago, 1958), 450-512.

2 J. Ellis, *Brute Force: Allied Strategy and Tactics in the Second World War* (Londres, 1990), 306-42.

3 M. Middlebrook, *The Berlim Raids: RAF Bomber Command Winter 1943-1944* (Harmondsworth, 1988).

4 BAL R3/1738, 190-92. Speer não resistiu a essa oportunidade de jogar para as arquibancadas as despesas dos militares. Desprezando os funcionários da área de fornecimento, ocupou-se pessoalmente do esforço de salvamento. Retomando a conhecida frase de Goebbels, "é mais fácil marchar sem bagagem", Speer chegou a expressar alívio pela destruição de tanta papelada inútil. Hans Kehrl, que tinha uma apreciação muito mais realista do que significava gerir a economia de guerra, ficou indignado. Ver H. Kehrl, *Krisenmanager im Dritten Reich* (Düsseldorf, 1973), 326-30.

5 *DRZW* 7. 75-87 e 272-81.

6 Müller, em *DRZW* 5/2 379.

7 IMT XXXVII, doc. I 172, 662.

8 E. F. Ziemke, *Stalingrad to Berlim: The German Defeat in the East* (Washington, 1968), 218-47.

9 Ibid., 272-95.

10 W. Murray, *Luftwaffe* (Londres, 1985), 319-20 e *DRZW* 7. 87-111, 261-72.

11 Utilizando o padrão aliado de cinco inimigos derrubados, nada menos de 5 mil pilotos da Luftwaffe podem ser considerados ases. Comparado com a maior contagem aliada de 65 inimigos derrubados, compilada pelo russo Ivan Kohzedub, havia 82 pilotos alemães com 100 ou mais vitórias e 7 com mais de 200, inclusive Eric Hartmann que tinha um assombroso total de 352. Ver J. Scutts, *Messerschmitt Bf* 109: *The Operational Record* (Shrewsbury, 1999), 132. Sobre o outro lado do espectro, ver Murray, *Luftwaffe*, 338.

12 Como notou o *Chronik* de Speer, até a volta dele em 26 de maio de 1944 o *Jäegerstab* estava "demasiadamente" baseado no Ministério da Aeronáutica. Ver BAL R3/1739, 26 de maio de 1944, 93.

13 Fato óbvio, porém muitas vezes pouco notado, devidamente assinalado por Bölcke na introdução a *Deutschlands Rüstung*, 12.

14 Ver comentários altamente favoráveis sobre Saur, como fonte potencial, em PRO FO 935/161, Saur FD 3250/145, USSBS equipe 86 Record. Abelshauser também nota a horrível ironia do aparecimento de Saur nos julgamentos de industriais no pós-guerra, não como réu acusado de crimes contra a humanidade, e sim como testemunha da acusação. Ver W. Abelshauser, em L. Gall (org.), *Krupp im* 20. *Jahrhundert* (Berlim, 2002), 470.

15 T. Allen, *The Business of Genocide* (Chapel Hill, NC, 2002), 232-9.

16 Para um relato sobre o trem, que tinha um centro de conferências e acomodações para 60-80 homens, ver BAL R3/1740, agosto de 1944, 205.

17 P. Schmoll, *Die Messerschmittwerke im Zweiten Weltkrieg* (Regensburg, 1998), 144.

18 Caso Milch, 11.527, NOKW-017 54.

19 Eichholtz, III. 23.

20 Após um surto de indisciplina na fábrica da Messerschmitt em Erla, na primavera de 1944, Kammler recomendou ao *Jägerstab* a prática de enforcar 20 ou 30 elementos perturbadores da ordem. 'Depois que foram pendurados, tudo voltou ao normal.' O Groehler, *Geschichte des Luftkrieges 1910 bis 1980* (Berlim Oriental, 1981), 415. O texto alemão claramente deixa perceber que ficaram pendurados como exemplo para seus colegas.

21 IMT, *Nazi Conspiracy and Aggression*, (Washington, 1946-7), IV, 1584-III*-PS, 118-24.

22 Schmoll, *Messerschmittwerke*, 7, 186-7. Da mesma forma, a Luftwaffe era de longe a maior empregadora de mão de obra de Flossenbürg, com um total de 50% dos 34 mil escravos que esse campo proporcionava para o esforço de guerra. O maior empregador seguinte eram os produtores de munição, com 17,5%; 12% da mão de obra de prisioneiros trabalhava em tanques. Ver K. Orth, *Das System der nationalsozialistischen Konzentrationslager* (Hamburgo, 1999), 239.

23 Sobre a contratação de mão de obra de Flossenbürg e Mauthausen', ver H. Brenner, 'Der Arbeitseinsatz der KZ-Haeftlinge in den Aussenlagern des KZ-Flossenbuerg', e B. Perz, 'Der Arbeitseinsatz im KZ-Mauthausen', em U. Herbert, K. Orth e C. Dieckmann (orgs.), *Die nationalsozialistischen Konzentrationslager* (Frankfurt, 2002), 11.682-706 e 533-57.

24 C. Gerlach e G. Aly, *Das letzte Kapitel: Der Mord an den ungarischen Juden* (Stuttgart, 2002), 163-71.

25 Eichholtz, III. 239.

26 Orth fornece números um tanto diferentes: 458 mil deportações da Hungria para Auschwitz e 350 mil mortes por gás. Ver Orth, *Das System*, 256-7.

27 Caso Milch, II. 555. Conferência do *Jägerstab*, 26 de maio de 1944, NOKW-336.

28 Caso Milch, II. 557-8, conferência do *Jägerstab*, 27 de junho de 1944, NOKW-359. Este também é mencionado no *Chronik* de Speer, embora não seja identificado como sendo de judeus, ver BAL R 3/1739, junho de 1944, 137.

29 PRO FO 935/161, Saur, FD 3250/45, atas da entrevista com Herr Saur, 7 de junho de 1945, 26.

30 PRO FO 1078/ 142, Über die Gründe der erhoehten Lieferungen.

31 PRO FO 935/161, Saur, FD3250/45, equipe USSBS R, 4.

32 Em outubro de 1943, Milch até mesmo se vangloriou de que a produção alemã em 1944 em breve superaria a dos Estados Unidos. Ver *DRZW* 7. 237.

33 L. Budrass chega à mesma conclusão, *Flugzeugindustrie und Luftruestung in Deutschland* (Düsseldorf, 1998), 867-8.

34 Ver as débeis declarações BAL R3/1738, 128-9, 136, 145, 186. Sobre a homenagem de Speer a Werner apenas um ano antes, ver R3/1736, 7 de agosto de 1942, 61, e sobre sua insistência na autoridade de Werner sobre Maybach, ver R3/1737, 3 de março de 1943, 30-31, e 18 de abril de 1943, 46.

35 Ver declarações em conferência de imprensa em NA T73 192.

36 Ver BAL R3/1738, 2 de dezembro de 1943, 201.

37 Müller, em *DRZW* 5/2 550 e Eichholtz, III. 44.

38 L. Herbst, *Der Totale Krieg und die Ordnung der Wirtschaft: Die Kriegswirtschaft im Spannungsfeld von Politik, Ideologie und Propaganda 1939-1945* (Stuttgart, 1982), 339, 436-7; Eichholtz, III. 43. O *Speer Chronik* está cheio de comentários críticos sobre as tendências demasiadamente burocráticas de Kehrl. Ver particularmente BAL R3/1738, 17 de dezembro de 1943, 207

39 Em janeiro, Speer debatera com a Gestapo-SD as medidas necessárias para proteger seus colaboradores de críticas indevidas. Ver BAL R3/1739, 14. Ele também fez observar um acordo entre Kehrl, por um lado, e Hayler Ohlendorf, de outro, estes últimos homens da SS que agora controlavam o Ministério de Assuntos Econômicos, sobre a necessidade de uma 'atitude positiva em relação ao sistema de *Selbstverantwortung*'. BAL R3/1739, 20.

40 Herbst, *Totale Krieg*, 334. Eichholtz, III. 47-8. Müller, em *DRZW 5/2* 351-2. NA T73 192,448 FD 3353/45, 90.

41 BAL R3/1739, 23 de junho de 1944, 130.

42 Herbst, *Totale Krieg*, 334.

43 Eichholtz, III. 48.

44 H. Kehrl, *Krisenmanager im Dritten Reich* (Düsseldorf, 1973), 395-7.

45 Eichholtz, III. 48.

46 DRZW 7.536-56.

47 Murray, *Luftwaffe*, 374.

48 Sobre a preocupação de Hitler com a frente oriental nessa altura, ver H. Heiber (org.) *Hitlers Lagebesprechungen: Die Protokollfragmente seiner militaerischen Konferenzer. 1942-1945* (Stuttgart, 1962), 583-621. Ver também declarações em nome do ministério de Speer sobre a extrema gravidade da situação, BAL R3/1740, 9 de julho de 1944, 156-7.

49 Ziemke, *Stalingrad to Berlim*, 313-32; J. Erickson, *The Road to Berlim* (Londres, 1983). 215-46; D. M. Glantz e J. M. House, *When Titans Clashed: How the Red Army' Stopped Hitler* (Lawrence, Kansas, 1995), 195-215.

50 W. Murray e A. R. Millett, *A War to be Won: Fighting the Second World War* (Cambridge, Mass., 2000), 450. Para detalhes, ver D. M. Glantz e H. S. Orenstein (orgs.). *Belorussia 1944: The Soviet General Staff Study* (Londres, 2001). Segundo uma estimativa, a União Soviética recebeu 125 mil caminhões feitos nos Estados Unidos em 1944, e 150mil depois de janeiro de 1945. O regimento soviético equipado com obuses típicos da URSS, na primavera de 1944, dependia, para mobilidade, de 7 caminhões soviéticos de 1,5 toneladas, 35 veículos de 2,5 toneladas e um jipe, de fabricação norte-americana. Ver W. S. Dunn, *Soviet Blitzkrieg* (Londres, 2000), 76-7.

51 Glantz e House, *When Titans*, 214.

52 Eichholtz, III. 37, e Murray, *Luftwaffe*, 367.

53 Eichholtz, III. 33.

54 G. Janssen, *Das Ministerium Speer: Deutschlands Ruestung im Krieg* (Frankfurt, 1968), 265-82.

55 Eichholtz III. 112.

56 Eichholtz, III. 50.

57 Müller, em *DRZWi* 2. 346-7, 570, W. Naasner, *Neue Machtzentren in der deutschen Kriegswirtschaft* 1942-1945 (Boppard, 1994),77-8.

58 Compare A. Speer, *Inside the Third Reich* (Londres, 1970), 507-31, com o relato contemporâneo das atividades de Speer, em BAL R3/1740, 20-21 de julho de 1944, 168-9.

59 Eichholtz, III. 53.

60 Müller, em *DRZW 512. 402-3.*

61 Ibid., 402. O *Speer Chronik* nota a onda de entusiasmo que dominou a administração bélica após a conspiração da bomba. Ver BAL R3/1740, 27 e julho de 1944, 171. Em setembro de 1944, Speer passou a oferecer gravatas verdes especiais aos colegas que demonstrassem otimismo. Ver BAL R3/1740, 19 de setembro de 1944, 258.

62 Müller, em DRZW 512.551.

63 Ver o fascinante debate sobre as estimativas gravemente imprecisas em Eichholtz, III. 95-II3. O que se segue, em vez disso, se baseia em M. Harrison (org.), *The Economics of World. War II* (Cambridge, 1998), 10-17.

64 As aeronaves eram o único setor em que a produção japonesa fez diferença significativa no equilíbrio, com a produção chegando a 21 mil unidades em 1944. No entanto, os números apresentados aqui não revelam corretamente a desvantagem do Eixo, porque tratam do número de aviões e não do peso da estrutura ou do valor dos aeroplanos produzidos. A produção britânica e norte-americana incluía grande quantidade de bombardeiros pesados extremamente dispendiosos, dos quais nem a Alemanha nem o Japão possuíam equivalentes.

65 *Statistisches Handbuch von Deutschland* (Munique, 1949), 292.

66 Kehrl, *Krisenmanager,* 316-18. Müller, em *DRZW* 512.365-9.

67 Eichholtz, II. 508.

68 Esses números claramente incluem equipamentos, além de armamentos. *DRZW* 512.187.

69 R. G. D. Allen, 'Mutual Assistance between the US and the British Empire, 1941-1945', *Journal of the Royal Statistical Society* (1946), 243-77, e Special Combined Committee of Combined Production and Resources Board, *The Impact of the War on Civilian Consumption in the United Kingdom, the United States and Canada* (Londres, 1945), 8-9.

70 Presumindo que a produtividade média fosse igual a 70% da produtividade de seus colegas alemães e que a parcela de seu trabalho na produção geral (em contraposição à parcela atribuída ao capital alemão) fosse de 70%, a contribuição da mão de obra estrangeira à produção alemã de armamentos pode ser estimada, grosso modo, em 15%.

71 Dois rascunhos estão em IWM FD 3038/49, Sc. 395, 145-53 e 154-8 respectivamente. As citações vêm do segundo documento. Ver também Herbst, *Totale Krieg,* 420-21.

72 Sobre a experiência global com a inflação durante a Segunda Guerra Mundial, ver A. J. Brown, *Great Inflation,* 1939-1951 (Londres, 1955), e A. S. Milward, *War, Economy and Society* 1939-1945 (Harmondsworth, 1977), 105-9.

73 W. A. Bölcke, *Die Kosten von Hitlers Krieg: Kriegsfinanzierung und finanzielles Kriegserbe in Deutschland* 1933-1948 (Paderborn, 1985), 112.

74 O que segue vem de BAL R 2501 6452, relatório do Reichsbank, 31 de agosto de 1942. Sobre a economia grega sob ocupação, ver G. Etmektsoglou, 'Changes in the Civilian Economy as a Factor in the Radicalization of Popular Opposition in Greece, 1941-1944', em R. J. Overy, G. Otto e J. Houwink ten Cate, *Die 'Neuordnung' Europas: NS-Wirtschaftspolitik in den besetzten Gebieten* (Berlim, 1997), 193-240, e M. Mazower, *Inside Hitler's Greece* (New Haven, 1993), 53-72.

75 A. S. Milward, *The New Order and the French Economy* (Oxford, 1984), 136-7 e 273. Claramente, essas demandas de alimentos, bens de consumo, suprimentos industriais e serviços de construção iam muito além das entregas de armamentos examinadas acima.

76 Dados de *Statistisches Handbuch von Deutschland,* 555, e resultados semelhantes em Bölcke, *Kosten,* 83-114.

77 W. A., Bölcke, *Die deutsche Wirtschaft 1930-1945* (Düsseldorf, 1982), 344.

78 M. Harrison, 'Resource Mobilization for World War II', *Economic History Review* (1988), 184.

79 M. Brackmann, *Vom Totalen Krieg zum Wirtschaftswunder: Die Vorgeschichte der westdeutschen Waehrungsreform 1948* (Essen, 1993), 69-74.

80 G. Aly, *Hitlers Volksstaat* (Frankfurt, 2005), 334-9.

81 Bölcke, *Kosten,* 106-7.

82 Eichholtz, III. 567-71.

83 Sobre a frustração de Kehrl por sua incapacidade de controlar o investimento, ver Herbst, *Totale Krieg,* 405.

84 IWM FD 3038/49, Sc. 395, 145-53 e 154-8.

85 Brackmann, *Yom Totalen Krieg,* 7I. M. L. Recker, *Nationalsozialistische Sozialpolitik im Zweiten Weltkrieg* (Munique, 1989), 217-33.

86 Ibid., 47.

87 Herbst, *Totale Krieg*, 419.
88 Esse é um dos mais graves equívocos que prejudicam a tese central de Aly, *Hitlers Volksstaat*.
89 Müller, em *DRZW* 5/2, 432.
90 Eichholtz, III. 54-5.
91 Para um excelente relato, ver A.C. Mierzejewski, *The Collapse of the German War Economy, 1944-1945* (Chapel Hill, N.C. 1988)
92 British Bombing Survey Unit, *The Strategic Air War Against Germany 1939-1945* (Londres, 1998), 41.
93 *DRZW* 9/1 443-57.
94 Abelshauser, em Gall (org.), *Krupp*, 437.
95 Mierzejewski, *The Collapse*, 103-76.
96 Eichholtz, III. 65.
97 J. F. Trent, 'Food Shortages in Germany and Europe 1945-1948', em G. Bischof e S. E. Ambrose (orgs.), *Eisenhower and the German* POWs (Baton Rouge, Louisiana, 1992), 104.
98 *DRZW* 7. 619-34.
99 Ellis, *Brute Force*, 421.
100 Murray e Millett, *War to be Won*, 470.
101 Ver Heiber (org.), *Hitlers Lagebesprechungen* 724-80.
102 Todas as citações que seguem vêm de H. Schwendemann, 'Lebenslaeufer ueber verbrannte Erde', *Frankfurter Allgemeine Zeitung*, 26 de Abril de 2000, e H. Schwendemann, 'Drastic Measures to Defend the Reich at the Oder and the Rhine... A Forgotten Memorandum of Albert Speer of 18 March 1945', *Journal of Contemporary History*, 38 (2003), 597-614. A tradução para o inglês do documento constante deste artigo retrata Speer ainda menos favoravelmente do que o original alemão reproduzido na *FAZ*.
103 Para o que se segue, ver R. Overman, *Deutsche militärische Verluste im Zweiten Weltkrieg* (Munique, 1999)
104 Defeito central do livro de Jöerg Friedrich, *Der Brand: Deutschland im Bombenkrieg 1940-1945* (Munique, 2002), poderoso em outros aspectos.
105 Para o que se segue, Eichholtz, III. 663-9 19. 106
106 Kehrl, *Krisenmanager*, 419-34.
107 Para um exemplar do relatório de Wagenführ, ver IWM FD 3057/49, FIAT Report 1312, mais tarde publicado como *Die deutsche Industrie im Kriege* (Berlim, 1954).

19. Fim

1 *Hitlers politisches Testament* (Hamburgo, 1981), 103.
2 H.D. Wehler, *Deutsche Gesellschaftsgeschichte* (Munique, 2ª ed., 2003) IV. 941-54, fornece um útil resumo.
3 M. R. Marrus, *Unwanted: European Refugees in the Twentieth Century* (Nova York, 1985), 324.
4 G. W. Harmsson, *Reparation, Sozialprodukt, Lebensstandard: Versuch einer Wirtschaftsbilanz* (Bremen, 1948), 57.
5 J.E. Smith (org.), *The Papers of General Lucius* D. *Clay* (Bloomington, Indiana, 1974), I. 24.
6 Ibid. 1.41.
7 G. Bischof e S. E. Ambrose (orgs.), *Eisenhower and the German POWs* (Baton Rouge, La., 1992), 17.
8 R. Karlsch, *Allein bezahlt? Die Reparationsleistungen der* SBZ DDR 1945-1953 (Berlim, 1993), 234.
9 J. Wright, *Gustav Stresemann*, Oxford, 2002, 515.

Índice remissivo